刘国新 贺耀敏 刘晓 武力 主编

第一卷 1949-1956

中华人民共和国史长编

HISTORY OF THE PEOPLE'S REPUBLIC OF CHINA

天津人民出版社

图书在版编目（CIP）数据

中华人民共和国史长编. 第1卷，1949～1956／刘国新主编. —天津：天津人民出版社，2010.2
ISBN 978-7-201-06417-8

Ⅰ．①中… Ⅱ．①刘… Ⅲ．①中国－现代史－1949～1956 Ⅳ．①K27

中国版本图书馆CIP数据核字（2009）第230624号

天津人民出版社出版

出版人：刘晓津

（天津市西康路35号　邮政编码：300051）

邮购部电话：（022）23332469

网址：http://www.tjrmcbs.com.cn

电子信箱：tjrmcbs@126.com

山东新华印刷厂德州厂印刷　新华书店经销

2010年2月第1版　2010年2月第1次印刷

787×1092毫米　16开本　37.5印张　5插页

字数：782千字

定　价：200.00元

总 编 委 会

第 一 卷

（1949—1956）

第一卷 编委会

主　编　刘国新
副主编　武　力　钟真真　张　蒙　傅玉能
作　者　(按姓氏笔画排序)

马金荣　马耀宗　毛仲伟　王忠禹
王林育　王贵海　母稷祥　刘国新
朱文强　许士荣　何书田　何虎生
何政兵　张　丽　张　蒙　李建辉
杨文利　杨荫予　沈治德　沈雪江
彤新春　里　凡　陈　夕　陈廷煊
陈有翠　陈祖洲　武　力　郑　珺
赵先明　赵克寒　赵学军　赵海松
赵锦章　赵燕华　钟真真　凌　云
袁秉中　郭　伟　顾菊敏　董志凯
韩少常　路瑞平　戴晨京

前　言

《中华人民共和国史长编》在中华人民共和国成立60周年之际由天津人民出版社出版，这是作者与编者共同努力的结晶。

写这本书的初衷就是"存史"。至于怎么存？却是有些说道的。

就共和国史而言，以单一的体裁述说历史，有时会显得力不从心。因为人类社会一旦搭上现代化这趟快车，就不太可能是一个直线的轨迹了，社会的整体性和网络化以及与外部世界的关联程度都决定了历史面貌的立体化结构。为了能对此有一个很好的表达，《中华人民共和国史长编》由"总论"、"重大事件"、"文献资料"、"人物"及"大事记"五部分组成。五个部分既是独立的，又能互为补充。

"总论"，顾名思义，是史论，是论说本阶段历史概貌。这部分内容侧重分析历史发展的阶段性，每个阶段有哪些不同的特点。此外，对主要成就的归纳和经验教训的总结，也是"总论"的题中之义。在写作方法上，不是就事论事，而是以事引论。在对成败的判断上虽然不可能用太多的笔墨，但也不是浅尝辄止。读者通过"总论"会得到一个总括性的印象。

"重大事件"就是按照中国传统史学纪事本末体的写法，尽可能完整地揭示重要事件的起因、过程和结局。哪些属于"重大事件"呢？首先是政治运动和社会变革，比如"三反"、"五反"运功，新中国成立初期的"禁毒运动"；接下来是重要的事件、决策和会议，比如抗美援朝战争、国民经济五年计划、全国人大和全国政协会议；再接下来就是治国理念和方略、重要的思想、重要成就，比如"三步走"发展战略、"三个代表"重要思想、科学发展观、中国成功举办奥运会等；还有主要的社会现象、社会思潮、社会习俗、突发公共事件以及重大自然灾害，比如知识青年上山下乡、防治"非典"、抗震救灾等等。大体说来，前30年因为政治运动较多，一个事件基本上就是一次运动，比较容易独立成篇；后30年国家各项工作的重点转到经济建设，不再搞运动，所以，"事件"更多的是表现为某个领域的发展、某项政策的贯彻、某一方略的提出。不管是政治运动也好，还是发展方略也罢，它们都是历史的关节点，点点相连，就组成共和国历史的脉络主线。我们在这部分里面还安排了"港澳台"专题，对于1997年前的香港和1999年前的澳门，为了照顾历史的完整性，也作了简单的引述性记载。在编排上，依照政治、经济、文化、军事、外交几大板块排列，每个板块内按时间的先后为序。

"人物"吸收了传统史学纪传体的长处，简述人物的经历。传主为在共和国创立、建设和改革过程中建功立业的人物，也适当地收录了其他方面的代表人物。这里有两个具体的标准，首先是已经去世的，仍然健在的不收。其次是凡党政军系统人物一般按正部级以上出条，其他方面如教育界、科技界、文艺界、学术界的人物则以其学术成就和社会影响为依据，这里面虽然很难定出一个明确的标准，但从约定俗成或公众认可的角度看，还是能够画出一个杠杠的。人

物按姓氏音序排列。

"大事记"是学习传统史学编年史体例，以年、月、日为经，以事件为纬。在遵守通常的编写大事记体例的基础上，本书还有自己的考虑。其一，从史学定位看，本书的"大事记"是中观史学，甚至包括一点点微观事件。因为以全书的互补关系，"重大事件"主要反映宏观史学，那么，"大事记"定位于中观带点微观就是恰如其分的，这充分体现本书各个部分所代表的不同层次。其二，从收录的领域看，"大事记"除了政治、经济、文化、军事、外交以外，还有教育、科技、新闻、出版、学术、卫生、体育、民族、宗教、国土、人口、气象等林林总总的事，它编织的是一幅更为细密的网络。"大事记"有部分内容同"重大事件"相重复，本书的处理办法是，凡"重大事件"已有的，"大事记"一概从简。

"文献资料"包括从中央到地方各级党、政、军、民主党派、人民团体的组织沿革和职官，以及研究成果总目。

本书的九卷分别是"重大事件"六卷：第一卷（1949—1956）、第二卷（1956—1966）、第三卷（1966—1978）、第四卷（1978—1991）、第五卷（1992—2002）、第六卷（2002—2009）。这种分法，不是本书的独创，完全是参照近些年学术界，包括党史学界和国史学界关于阶段的划分法，同时也自觉这六卷的编排无论从其所呈现出明显的阶段性，还是从国

家最高层级的对应上也还说得过去。第七卷为"人物"卷,第八卷和第九卷为"大事记"卷。

粗粗算来,国内对于共和国史研究有近30年了,出版著作百十来部,时间和数量能不能成为一个标志,还很难说,因为绝大多数著作都是教材。我们认为,共和国史若真正成为一门学科,按史书范式写出一批论著是基本条件。本书不敢妄谈水平多高,但宽领域、多视角的记述,多多少少还是做到了存史的目的。把过去发生的事情娓娓道来,写清楚它们的来龙去脉,应了孔子所说的"物有本末,事有始终,知所先后,则近道矣"和刘知几所强调的"良史以实录直书为贵"的要求。如果条件允许,本书每隔10年重新补充修订一次,长此下去,也会成为一个可观的文化建设。

中华人民共和国史长编

（第一卷　1949—1956）

目　　录

总论

实现深刻社会变革的七年 ……… （1）

重大事件

中华人民共和国建国理论的渐次

　　形成 …………………………… （13）

新中国诞生的前奏 ……………… （21）

中国人民政治协商会议第一届会议

　　………………………………… （31）

全国大陆的解放 ………………… （38）

西藏和平解放 …………………… （46）

没收官僚资本 …………………… （58）

新中国成立前后的货币统一 …… （63）

四次物价波动和稳定物价的斗争

　　………………………………… （73）

统一国家财政经济 ……………… （77）

合理调整工商业 ………………… （83）

新解放区的土地改革 …………… （89）

宗教制度的民主改革 …………… （98）

镇压反革命运动 ………………… （110）

抗美援朝战争 …………………… （116）

"三反"、"五反"运动 …………… （126）

新中国成立初期的"禁毒运动"

　　………………………………… （132）

爱国卫生运动 …………………… （137）

过渡时期总路线的提出和实施

　　………………………………… （146）

高饶事件 ………………………… （152）

中共七届四中全会 ……………… （167）

第一届全国人民代表大会 …… （172）

中国人民政治协商会议第二届

　　会议 …………………………… （181）

民族区域自治制度的建立 ……（185）

第一个五年计划的制定和实施

………………………………（191）

"156 项"工程的建设 …………（199）

1953 年修正税制 …………（204）

粮食统购统销 …………………（218）

私营金融业的社会主义改造 …（224）

农业的社会主义改造 …………（229）

手工业的社会主义改造 ………（236）

从加工订货到扩展公私合营 …（241）

资本主义工商业的社会主义改造

………………………………（250）

"冒进"与"反冒进" ……………（257）

1949—1956 年经济体制演变概述

………………………………（263）

改革旧教育的重大举措 ………（276）

"向工农开门"的教育建设 …（282）

意识形态领域的批判斗争 ……（285）

为人民大众的文学艺术 ………（294）

军队正规化、现代化建设的起步

………………………………（302）

兵役制改革和军衔制实施 ……（306）

国庆五周年庆典和赫鲁晓夫第一次

访华 ………………………（309）

五十年代前期的中苏关系 ……（311）

五十年代前期的中美关系 ……（324）

中国出席日内瓦会议 …………（336）

第一次台海危机 ………………（343）

中国与亚非会议 ………………（355）

新中国第一个科技发展规划 …（362）

第一次文字改革 ………………（373）

20 世纪五六十年代历史学界关于

"五朵金花"的讨论 ………（381）

港澳台地区概况 ………………（392）

附录

党、政、军、民主党派、人民团体、

各级组织沿革和领导成员名录

………………………………（418）

国史研究论著索引 ……………（514）

文献索引 ………………………（579）

总　论

实现深刻社会变革的七年

　　从 1949 年到 1956 年的七年中,先是彻底完成民主革命未完成的任务,进行各项新民主主义改革,恢复国民经济;后来的工作重点是在过渡时期总路线的指导下,基本完成了生产资料私有制的社会主义改造,完成了从新民主主义到社会主义的过渡,实现了中国历史上最伟大、最深刻的社会变革。

新民主主义制度在全国范围内的建立和国民经济的恢复

　　1949 年 10 月,中华人民共和国的建立开辟了中国历史的新纪元。中国人民成为新国家、新社会的主人。但是,新中国面临着极其复杂的环境:国民党残余势力还盘踞在华南、西南以及台湾与沿海岛屿;残留在大陆的政治土匪、特务和各类反革命分子仍在进行疯狂的破坏与捣乱;地方各级政权尚未完全建立,没收官僚资本的任务尚未完成,广大新解放区的土地改革尚未开展。尤其突出的是,新中国是在半封建半殖民地的旧中国的废墟上建立的,生产力十分低下,经济、文化十分落后,工业基础薄弱,交通和通讯设施简陋,农业和手工业长期停滞于中世纪水平,商品经济很不发达,加上国民党政府的反动腐朽统治和连年战争的破坏,新中国建立前夕,社会经济已处于全面崩溃的境地。另一方面,解放战争还在进行着,军费支出浩大;人民政府对那些不愿抵抗的旧军政人员采取"包下来"的办法,由国家供给的军政公教人员骤增;许多遭到严重破坏的工业企业和交通运输业急需拨款重建;大批灾民和失业人员亟待救济;新解放区的税收尚待整顿恢复,国家财政经济面临严重困难。而投机资本家乘机兴风作浪,囤积居奇,哄抬物价,由此更加剧了财政经济的困难。这种形势表明,新生的人民共和国的主要任务就是要尽快恢复国民经济,在全国范围内建立和巩固新民主主义的政治制度和经济制度。

中国共产党和人民政府为了巩固新生的人民政权,争取国家财政经济状况的根本好转,进行了大量的工作:

军事上,完成全国解放大业。人民解放军继续向华南、西南等地进军,至1949年12月下旬,除西藏外全国大陆全部解放。1950年上半年,又先后解放海南岛、舟山群岛。1951年10月,根据中央人民政府和西藏地方政府的协议规定,人民解放军进驻拉萨,西藏和平解放。

政治上,建立各级人民政权。在新解放地区,主要是大城市,先是实行人民解放军军事管制制度,镇压反革命,建立革命秩序。随后召开各级各界人民代表会议,建立地方各级人民政府。在少数民族聚居区和各民族杂居区实行民族区域自治。从根本上改变了旧中国长期四分五裂的局面,实现了除台湾及其附近岛屿和香港、澳门外的国家的统一和各族人民的大团结,为我国从新民主主义向社会主义转变奠定了重要的政治基础。

经济上,没收官僚资本企业,建立国营经济,统一全国财政经济管理,稳定物价。新中国刚一成立,人民政府就采取革命的手段,没收国民党官僚资本企业,建立社会主义性质的国营经济。至1949年底,没收官僚资本的工矿、交通运输企业占全国同类固定资产总额的80%,国营经济已拥有全国发电量的58%、原煤产量的68%、生铁产量的92%、钢产量的97%、棉纱产量的53%,掌握了全国的金融、外贸、铁路和大部分现代化交通运输事业,控制了国家的经济命脉。同时,还对英、美等帝国主义国家残存于中国大陆的1000多家企业,根据不同情况分别采取了管制、征购、征用、代管等措施,陆续将其收归国有,基本上肃清了帝国主义国家在我国的经济侵略势力,增强了社会主义国营经济的实力。随后,党和人民政府为扭转财政困难、制止市场混乱,又运用行政手段和经济手段进行了坚决的斗争:加强对金融货币的管理,取缔专事投机活动的非法金融机构;加强主要工农产品的收购、调运工作,集中在各大主要城市抛售粮食、棉纱,有计划地打击商业投机活动;加强对市场物价的指导、监督和物资收购、大宗物资交易的管理。1950年3月,在全国范围内,统一财政收支,统一物资调度,统一现金管理。上述措施的实行,取得了新中国成立之初在经济战线上第一个回合的胜利,这对于整个国民经济的恢复和发展,全国人心的安定,新政权的巩固,确立社会主义国营经济在国民经济中的领导地位和社会经济的改造,都具有重要的意义。

1950年6月6日至9日,中国共产党七届三中全会在北京举行。会议着重讨论了国民经济恢复时期的中心任务和党的战略策略方针。毛泽东在会上作了《为争取国家财政经济状况的基本好转而斗争》的书面报告和《不要四面出击》的讲话。刘少奇、陈云、周恩来、聂荣臻分别就土地改革、财政经济、外交与统一战线、军事等问题作了报告。全会认为，争取国家财政经济的基本好转是当前的中心任务。要获得财政经济状况的基本好转需要三个条件：土地改革的完成，现有工商业的合理调整，国家机构所需经费的大量节减。这三个条件的实现，大约需要三年时间。为此，必须做好土地改革、巩固财政收支平衡、物价稳定、必要的精兵简政、有步骤地进行旧有文教事业的改革、肃清一切反革命等八项工作。会议还讨论和制定了党在国民经济恢复时期的战略策略方针，这就是：必须稳步前进，调节各方面的关系，团结工人、农民、小手工业者以及民族资产阶级和知识分子的绝大多数，集中力量向国民党残余势力、封建地主阶级和帝国主义进攻，而不要四面出击，树敌太多，造成全国形势紧张。全会的这些决定是中国共产党在国民经济恢复时期的行动纲领。

中共七届三中全会以后，党和政府领导全国人民有步骤有秩序地开展了各项社会改革运动。1950年6月，中央人民政府颁布了《中华人民共和国土地改革法》，随即在新解放区开展了轰轰烈烈的土地改革运动。土地改革的基本目的和基本方针是："废除地主阶级、封建剥削阶级的土地所有制，实行农民的土地所有制，借以解放农村生产力，发展农业生产，为新中国的工业化开辟道路。"鉴于全国解放后的新情况，为了更好地孤立地主，保护中农和小土地出租者，稳定民族资产阶级，以利于早日恢复和发展生产，《土地改革法》将过去征收富农多余土地财产的政策，改变为保存富农经济的政策。从1950年冬起，各地派出大批工作队分批领导农村土改。到1952年底，约有三亿农民分得约七亿亩土地和其他生产资料，完成土改

的地区农业人口占全国农业人口总数的90％以上。土改的胜利，消灭了封建土地所有制，根本改变了农民的经济地位和政治地位，解放了农村生产力，进一步巩固了工农联盟。在进行土改运动的同时，全国开展了大规模的镇压反革命运动。美国侵朝战争爆发后，各类反革命分子相当猖狂，他们杀害干部群众，破坏铁路、工厂、矿山，抢劫物资，组织反革命地下军，策动武装暴乱。1950年10月10日，中共中央发出《关于镇压反革命活动的指示》，要求坚决纠正镇压反革命中"宽大无边"的偏向。全国各地广泛发动群众，形成了大张旗鼓的镇压反革命的政治运动。这次运动的重点是集中打击土匪（匪首、惯匪）、恶霸、特务、反动党团骨干分子和反动会道门头子。运动中正确地贯彻了镇压与宽大相结合，即"首恶者必办，胁从者不问，立功者受奖"的政策，以及专政机关与群众相结合的方针，取得了巨大成绩。1952年底，运动基本结束，基本上肃清了国民党遗留下来的反革命分子，清除了一批帝国主义间谍，安定了社会秩序，巩固了人民民主政权。

为了使新民主主义社会中的各种经济成分在国营经济的领导下分工合作，各得其所，促进整个国民经济的发展，人民政府从1950年5月起，着手调整工商业，重点是调整公私关系，同时调整劳资关系和产销关系。1950年秋调整工作基本完成。人民政府帮助私营工商业克服了困难，加上土改后农民购买力提高，抗美援朝中政府对私营工商业加工订货的增加，私营资本主义经济得到较大发展。

1951年10月，全国各条战线开展增产节约运动，运动中揭发出大量贪污、浪费、官僚主义等腐败现象。12月，中共中央发出指示，要求在党和国家机关工作人

员中进行反贪污、反浪费、反官僚主义的"三反"运动,清除了一批被资产阶级思想和生活方式腐蚀了的或被资产阶级糖衣炮弹打中了的国家干部。"三反"运动的开展有力地抵制了资产阶级对革命队伍的腐蚀,对纯洁党的队伍、加强党和国家机关的廉政建设起了重大作用。在"三反"运动发展过程中发现,贪污分子的违法行为大多数是和资本家中的不法分子相互勾结、共同进行的。这些资本家采用各种卑鄙的手段,"打进来、拉出去",从事非法活动,严重地危害了经济建设和国防建设。1952年1月26日,中共中央发出指示,要求在城市私营工商业者中开展反行贿、反偷税漏税、反盗窃国家资财、反偷工减料、反盗窃国家经济情报的"五反"运动。在"五反"运动中对违法的工商业户分别不同情况进行了处理,揭露和打击了不法资本家的"五毒"行为。"五反"运动的开展,打退了资产阶级的猖狂进攻,教育和团结了大多数私营工商业者,巩固了国营经济的领导地位,并为把资本主义工商业进一步纳入国家资本主义轨道和有计划地开展社会主义建设创造了有利条件。

与此同时,还有步骤、谨慎地进行对旧有教育科学文化事业的改造。1951年底至1952年秋进行的从教育界开始并逐渐扩展到整个知识界的思想改造学习运动,在清除帝国主义、封建主义、官僚资本主义的政治思想影响,发扬爱国主义思想,树立为人民服务的思想方面起了积极作用。1952年6月至9月又进行了全国高等院校的院系调整,使文化、艺术、卫生事业的改革也都取得了成效。

正当我国人民在恢复国民经济、开展各项社会改革运动之时,1950年6月,朝鲜内战爆发。9月,美军打着联合国军的旗号在朝鲜仁川登陆,很快越过朝鲜南北临时分界线"三八线",占领平壤,向中朝边界推进,严重威胁着我国的安全。中共中央根据朝鲜劳动党和政府的请求以及国家安全的需要,作出了"抗美援朝、保家卫国"的战略决策。10月19日,以彭德怀为司令员兼政治委员的中国人民志愿军赴朝参战。从10月25日到12月24日,中朝军队连续发动两次战役,把敌军赶回"三八线"附近,由此扭转了战局。从12月31日到次年6月10日,又进行了三次反击战,把战线稳定在"三八线"附近。美国方面被迫与朝中方面进行停战谈判。此后,美国蓄意破坏,企图以"军事压力"配合谈判,出现了边谈边打的局面。1953年7月27日,朝鲜停战协定在板门店正式签字。历时三年的朝鲜战争至此结束。中朝军队共歼敌109万人(其中美军39万人),击落击毁敌机1.2万多架。在志愿军出国作战的同时,全国各族人民以增产节约、参加志愿军、捐献武器等各种方式支援朝鲜前线作战。抗美援朝战争的胜利,沉重打击了美帝国主义的侵略政策和战争政策,保卫了中朝两国的独立和安全,振奋了中国人民的民族自尊心和自信心,也直接保障了我国国民经济的恢复和各项社会改革运动的顺利进行。

在开展各项社会改革运动和进行抗美援朝战争的同时,党和人民政府始终以恢复和发展生产为中心,领导全国人民为迅速恢复国民经济而斗争。到1952年底,国民经济恢复任务胜利完成,工农业主要产品的产量均已超过历史最高水平,其中钢产量139.4万吨,原煤6649万吨、粮食3287亿斤、棉花260.7万担,比历史最高年产量分别增长46.2%、7.4%、9.3%、53.6%,比1949年分别增长7.5倍、105%、46%、193.3%。交通运输、商业外贸也得到初步恢复发展。国家财政收支平衡略有节余。三年来,社会经济结构发生了重大变化,逐步形成了社会主义国营经济、半社会主义性质的合作社经济、公私合营式的国家资本主义经济、私人资本主义经济和个体经济五种经济成分并存的新民主主义经济形态。五种经济成分在国民经济中所占比重分别为 19.1%、1.5%、0.7%、6.9% 和 71.8%。国营经济虽然所占比重不大,但由于掌握了国家的经济命脉,已成为国民经济的领导力量。

二

生产资料私有制社会主义
改造的基本完成

在国民经济恢复任务完成以后,中共中央根据毛泽东的建议,提出了过渡时期总路线。1953 年 6 月 15 日,毛泽东在中共中央政治局会议上首次对过渡时期总路线作了比较完整的表述。1953 年 12 月,中共中央批准并转发了经毛泽东修改和审定的、中共中央宣传部编写的《为动员一切力量把我国建设成为一个伟大的社会主义国家而斗争——关于党在过渡时期总路线的学习和宣传提纲》。对过渡时期总路线表述为:从中华人民共和国成立,到社会主义改造基本完成,这是一个过渡时期。党在这个过渡时期的总路线和总任务,是要在一个相当长的时期内,逐步实现国家的社会主义工业化,并逐步实现国家对农业、对手工业和对资本主义工商业的社会主义改造。过渡时期总路线以逐步实现社会主义工业化为其主体。这是因为国家的社会主义工业化是我国独立和富强的当然要求和必要条件。没有国家的工业化,中华民族就难以屹立于

世界民族之林。为此,总路线规定,要充分发展社会主义工业,改造非社会主义工业,建立一个基本上完整的独立的工业体系,使我国的工业不但能够制造人民必需的工业品,而且能够制造为社会主义工业扩大再生产所需要的各种机器设备,同时为农业的机械化创造条件,使社会主义工业在整个国民经济中起决定作用,并在工农业总产值中占据优势,使我国由落后的农业国变成先进的工业国。过渡时期总路线把逐步实现国家对农业、对手工业和对资本主义工商业的社会主义改造视为两翼。这是因为,随着新民主主义革命的彻底胜利和土改任务的完成,国内主要矛盾已转变为工人阶级和资产阶级、社会主义道路和资本主义道路之间的矛盾,不解决这个矛盾,我国的社会主义建设事业就无法进行,社会主义制度也无法建立。为解决这个矛盾,就必须把资本主义工商业引上社会主义改造的道路,把资本主义工商业的私有制改造成为社会主义的全民所有制,把资产阶级改造成为自食其力的劳动者。另一方面,农业经过土改,消灭了封建剥削制度,但农民仍是一个个个体农民,在发展生产上受到种种限制,农业的发展状况必然不能适应大规模的社会主义建设的需要。而农民在土改后虽然获得了土地,但还缺少其他生产资料,个体生产方式使他们在发展生产、兴修水利、抵御自然灾害、采用农业机械和其他新技术方面都受到限制,农民确有走互助合作道路的要求。因此要使个体农业向合作化方向发展,把分散的个体农民和手工业者组织起来,将以私有制为基础的个体所有制逐渐改造成为社会主义的集体所有制。过渡时期总路线的实质是解决生产资料私有制。

在逐步实现国家对生产资料私有制

的社会主义改造过程中,农业的社会主义改造具有决定性的意义。因为我国有五亿多农业人口,农业是国民经济的基础,农业的社会主义改造的成败直接关系到国家社会主义工业化和对资本主义工商业社会主义改造的成败。对农业的社会主义改造大体上分三个阶段进行:从1949年到1952年冬,在一些已完成土地改革的地区就广泛地开展了农村互助合作运动,当时根据农民的要求组织了临时互助组或常年互助组。到1952年秋,全国共有互助组830多万个,加入互助组的农户占全国总农户的39.9%。这是组织互助组阶段。总路线公布后,合作化运动进入组织初级农业生产合作社的阶段。从1953年初到1955年上半年,全国以兴办初级农业生产合作社为中心,合作化运动迅速发展起来。1955年春,全国的初级农业生产合作社发展到60多万个,达到老解放区村村有合作社,新解放区区区有合作社。不久,中共中央发布"停止发展,适当收缩,进行整顿"的方针。经过整顿,合作社由67万个收缩到65万个。从1955年秋到1956年底,合作化运动进入到建立完全社会主义性质的高级农业生产合作社阶段。这是合作化运动的高潮时期。1955年10月,中共中央召开了扩大的七届六中全会,根据毛泽东《关于农业合作化问题》的报告,通过了《关于农业合作化问题的决议》。此后,合作化运动连跨三大步:一是入社农户由14.2%猛增到96.3%,达1.17亿户;二是基本上完成了从半社会主义性质的初级社向完全社会主义性质的高级社的转变,参加高级社的农户达1.07亿户,占全国总农户的87.3%;三是普遍扩大了合作社的规模,将20户—30户的小社合并为100户—200户的大社。1956年底,我国基本上完成了农业社会主义改造的历史任务。

农业合作化运动基本上是成功的。它只用了四五年时间就完成了农业从私有制向社会主义集体所有制的转变,从这个意义上说,它是一个伟大的创举。农业合作化运动积累了一些重要经验:根据我国农业的特点和农民的习惯,采取了从互助组到半社会主义性质的初级农业生产合作社再到完全社会主义性质的高级农业生产合作社的逐步过渡的形式,逐步引导农民摆脱私有制。在合作化运动中,中国共产党采取了积极领导、稳步前进的方针与自愿互利、典型示范和国家帮助的原则,贯彻了依靠贫农、下中农,团结中农的阶级路线,从而团结了广大农民共同走上集体化道路。当然,在合作化运动中也发生了一些偏差,这主要是后期要求过急,工作过粗,形式过于简单划一,出现了强迫命令、违反自愿互利的原则及经营管理混乱等现象。

对资本主义工商业的改造是采取和平赎买的方式进行的。这是因为,中国民族资产阶级不但在民主革命时期具有两重性,而且在新中国建立后依然具有两重性,它既有剥削工人、取得利润的一面,又有承认共同纲领、拥护中国共产党领导、愿意接受社会主义改造的一面。同时,我国经济落后,工商业不发达,需要利用民族资本主义经济有利于国计民生的一面,这对国民经济的恢复和发展是极为有利的。此外,民族资产阶级是一个掌握了一定现代科学文化知识、有一定技术专长和企业管理经验的阶级,对这个阶级的和平改造,有利于利用资产阶级分子的技术专长为社会主义建设服务。另一方面,对民族资本主义工商业的和平改造也是完全可能的,因为新中国建立后工人阶级掌握了人民民主专政的国家政权,建立了巩固的工农联盟;国家对主要农产品实行统购统销政策,割断了资本主义经济同农民个体经济的联系;新中国在没收官僚资本之后,已掌握了国家的经济命脉。所有这一切都有利于对资本主义工商业的和平改造。

对资本主义工商业的和平改造,是通过国家资本主义的途径来实现的。大体上经历了两个阶段:

1953年到1955年夏是实行国家资本主义初级形式的阶段。主要是在工业中采用委托加工、订货、统购包销,在商业中委托经销、代销等。初级形式的国家资本主义的特点是:资本主义工商业通过各种合同在原料供应、产品的生产计划、销售及价格上被国家控制,企业的性质不变,内部的劳资矛盾依然存在,但在企业的利润上实行"四马分肥",即所得税占30%、工人福利占15%、企业公积金占30%、资方股息红利占25%,资本家对工人的剥削有所减轻。

从1955年下半年到1956年,是实行高级形式国家资本主义阶段。高级形式国家资本主义有两种,即个别企业的公私合营和全行业的公私合营。个别企业的公私合营是由国家投资并派干部同资本家共同经营,企业的生产资料由私有变成了公有,社会主义经济与资本主义经济在企业内部联系与合作,社会主义成分占据领导地位,利润仍按"四马分肥"的原则,但资本家只能按私股所占比例取得红利的一部分,另一部分红利转为国家所有。这种公私合营企业是半社会主义性质的企业。全行业公私合营是按地区每个行业所有私营企业全部实行公私合营,组成一个大的企业单位,在国营经济领导下,统一管理生产,统一调配人力、物力、财力,统一计算企业的盈亏,并按清产核资

所确定的股份实行"定息"制度,资本家不再参加利润的分配。到1956年底,全国私营工业企业的99%、私营商业从业人员的85%分别加入了全行业的公私合营。这就基本上完成了对资本主义工商业的社会主义改造。1956年底,根据公平合理、实事求是原则核实的全国公私合营企业私股股额共24亿元(其中工业17亿元、商业和服务业6亿元、交通运输业1亿元),由国家按固定的定息率(一般为年息5%),从1956年1月1日起发给114万私股股东定息,每年定息金额为1.2亿元。原定7年发完,1962年延长,到1966年9月取消定息。

对资本主义工商业的社会主义改造的主要经验是:在对资本主义工商业实行利用、限制、改造政策的过程中,成功地创造了一系列从低级到高级的国家资本主义形式和相应的赎买形式,从而实现了以和平方式完成资本主义私有制企业向社会主义公有制企业的转变;另一方面,把对企业的改造和对人的改造结合起来,实现了团结资本家,消灭剥削阶级和剥削制度,并把资本家改造成为自食其力的劳动者的奇迹。与此同时,也存在着一些偏差和缺点,这主要是公私合营的面过宽,改组过多;后期工作过粗,形式简单;合营后,产品单调,商业网点过少;对许多原工商业者的使用和处理也有不当之处。

对个体手工业和小商小贩的社会主义改造也采取了类似对农业、资本主义工商业社会主义改造的办法,大致经历了相同的过程。

从1953年到1956年,短短的四年内,我国基本上实现了对农业、手工业和资本主义工商业的社会主义改造。三大改造基本完成后,社会经济结构发生了根本性的变化,公有制经济共占93%,这就标志

着我国剥削制度已被消灭,以公有制为基础的社会主义制度基本确立起来。中国社会实现了从新民主主义到社会主义的转变。在这深刻的社会变革中,中国共产党不断总结实践经验,开辟了一条有中国特色的社会主义改造的道路,创造了一系列从低级到高级逐步过渡的形式,提出了许多正确的方针、原则和具体政策。

人民民主制度的建设和发展国民经济第一个五年计划的完成

新中国成立初期,中国人民政治协商会议代行全国人民代表大会职权,《共同纲领》起着临时宪法的作用。各项社会改革的胜利,国民经济恢复任务的完成,使结束这种过渡状态的条件逐步成熟。为了进一步健全人民民主制度,保证人民群众行使管理国家大事的权力,充分调动人民群众参加国家建设事业的积极性,中共中央提出了召开全国人民代表大会和地方各级人民代表大会的建议。1952 年 12 月 24 日,政协全国委员会扩大会议一致赞同中共中央的建议。随后全国开展了普选并进行了宪法起草等准备工作。1954 年 9 月 15 日至 28 日,中华人民共和国第一届全国人民代表大会第一次会议在北京举行。大会通过了《中华人民共和国宪法》、《中华人民共和国全国人民代表大会组织法》、《中华人民共和国国务院组织法》、《中华人民共和国人民法院组织法》、《中华人民共和国检察院组织法》、《中华人民共和国地方各级人民代表大会和地方各级人民委员会组织法》等重要法律。大会选举毛泽东为中华人民共和国主席,朱德为副主席,刘少奇为全国人大常委会委员长,宋庆龄、林伯渠、李济深、张澜、罗荣桓、沈钧儒、郭沫若等 13 人为副委员长。大会选举董必武为最高人民法院院长,张鼎丞为最高人民检察院检察长。根据毛泽东提名,大会决定周恩来为国务院总理。根据周恩来总理提名,大会通过了国务院组成人选的决定,陈云、林彪、彭德怀、邓小平、邓子恢、贺龙、乌兰夫、李富春、李先念为副总理。

大会通过的《中华人民共和国宪法》明确规定:"中华人民共和国是工人阶级领导的、以工农联盟为基础的人民民主专政的国家","中华人民共和国的一切权力属于人民。人民行使权力的机关是全国人民代表大会和地方各级人民代表大会。"国家机关"一律实行民主集中制"。由此,宪法以根本大法的形式规定出中华人民共和国的国家性质、政治制度、经济制度、国家机构的组织活动原则、各民族一律平等原则、民族区域自治制度等根本制度和一系列基本政策。此外,宪法还把中国共产党提出的过渡时期总路线作为国家在这个时期的总任务确定下来。这部宪法是中国第一部社会主义类型的宪法,是真正反映人民意志、代表人民利益的宪法。

第一届全国人民代表大会的召开和《中华人民共和国宪法》的制定,为完善人民民主专政的国家体制,发扬社会主义民主,建立社会主义法制打下了基础,对保证过渡时期总路线的贯彻起了重大的作用。

从 1953 年起我国开始执行第一个五年计划。"一五"计划的基本任务是:集中力量进行以苏联帮助设计的 156 个建设项目为中心的、由 694 个大中型建设项目组成的工业建设,以建立我国社会主义工业化的初步基础;发展部分集体所有制的农业生产合作社,并发展手工业生产合作社,以建立对农业和手工业社会主义改造的初步基础;基本上把资本主义工商业分别纳入各种形式的国家资本主义轨道,以建立对私营工商业的社会主义改造的基础。"一五"计划规定的主要指标在1956年就提前完成了,取得了举世瞩目的成就。中国有了自己的飞机制造业、汽车制造业、新式机床制造业、发电设备制造业、冶金矿山设备制造业、高级合金钢和重要有色金属冶炼业等工业部门,初步形成了一个独立的工业体系。"一五"期间,国民经济发展速度快,经济效益好,农、轻、重的比例基本协调。1957年的经济工作是建国以来效果最好的一年。但"一五"计划期间也暴露出一些缺陷,主要是所有制形式和经营方式单一化,集中过多,统得过死,分配形式单一,平均主义严重等。

随着经济文化事业的发展,实行正确的知识分子政策,加强和改进对整个科学文化事业的领导,日益成为党和政府的迫切任务。1956年1月14日至20日,中共中央在调查研究的基础上召开了全国知识分子会议。周恩来代表中共中央作题为《关于知识分子问题的报告》。报告正确地分析了中国知识分子队伍的现状,确认从旧社会过来的知识分子绝大部分已经是工人阶级的一部分,加上国家用了很大力量培养了大批新的知识分子,我国知识界的面貌已经发生了根本的变化。报告指出,为了进行社会主义建设,必须依靠体力劳动和脑力劳动的密切合作,依靠工人、农民、知识分子的兄弟联盟。正确解决知识分子问题,是完成过渡时期总任务的一个重要条件。报告提出了充分动员和发挥知识分子力量的三点意见:一是改善对知识分子的使用和安排,使他们能够发挥对于国家有益的专长;二是对于所使用的知识分子有充分的了解,给他们应得的信任与支持,使他们能够积极地进行工作;三是给知识分子必要的工作条件和适当待遇。报告还提出了向现代科学进军的号召。会后,全国出现了"向科学进军"的新气象。

四

新中国成立初期的中国外交

1949年9月29日,中国人民政治协商会议第一届全体会议通过的《共同纲领》明确规定了新中国的外交方针:"中华人民共和国外交政策的原则为保障本国独立、自由和领土完整,拥护国际的持久和平和各国人民之间的友好合作,反对帝国主义的侵略政策和战争政策。"外交政策是指在1949年春夏之间,毛泽东先后提出的"另起炉灶"、"打扫干净屋子再请客"和"一边倒"政策。《共同纲领》对于这三条政策都有相应的阐述。关于"另起炉灶"和"打扫干净屋子再请客",《共同纲领》宣布:"凡与国民党反动派断绝关系,并对中华人民共和国采取友好态度的外国政府,中华人民共和国中央人民政府可在平等、互利及相互尊重领土主权的基础上,与之谈判,建立外交关系","对于国民党政府与外国政府所订立的各项条约和协定,中华人民共和国中央人民政府应加以审查,按其内容,分别予以承认,或废除,或修改,或重订"。关于"一边倒",《共同纲领》宣布:"中华人民共和国联合世界上一切爱好和平、自由的国家和人民,首先是联合苏联、各人民民主国家和各被压迫民族,站在国际和平民主阵营方面,共同反对帝国主义侵略,以保障世界持久和平。"

尽管可以将新中国的外交政策归结为三大政策，但在较长时间内的习惯说法是把"一边倒"作为建国初期中国外交政策的总代表。这一方面是由于对"一边倒"宣传得比较多。"一边倒"是毛泽东在1949年7月1日发表的《论人民民主专政》中提出来的。他说："一边倒，是孙中山的40年经验和共产党的28年经验教给我们的，深知欲达到胜利和巩固胜利，必须'一边倒'"，"中国人不是倒向帝国主义一边，就是倒向社会主义一边，绝无例外。骑墙是不行的，第三条道路是没有的"，"我们在国际上是属于以苏联为首的社会主义战线一方面的，真正的友谊的援助只能向这一方面去找，而不能向帝国主义战线一方面去找"。《论人民民主专政》是一篇《人民日报》的社论，在当时，把它称为"七一"社论。这篇文章经过广泛的学习和宣传，在人们头脑中留下深刻的印象。

另一方面，"一边倒"也是对当时国际政治的必然反映。新中国成立时所面对的，是美苏两个大国由第二次世界大战时的国际合作走向战后对抗，西方资本主义国家同人民民主国家相互对峙形成冷战的世界格局。在既定的国际环境中怎样选择最有利于中国的外交方针，是立国兴邦的重要问题。中国革命胜利前后，美国一面无可奈何地承认其"扶蒋反共"政策的失败，一面仍顽固地与中国人民为敌。对中华人民共和国的成立，美国政府发表声明表示拒绝承认新中国，反对恢复中华人民共和国在联合国的合法席位，并不断施加压力，阻挠其他国家的外交承认，企图在政治上孤立新中国。尤其是美国大力扶持日本，在对日和约问题上设置障碍。美国及其追随者还对中国大陆实施军事包围和经济封锁。斯大林领导下的社会主义苏联一向对中国人民及其革命

斗争抱着友好和支持的态度，对中国革命的胜利起了一定的积极作用。1949年6月，刘少奇受中共中央委派访问苏联，希望新中国成立后首先得到苏联的承认并商谈新中国的建设和经济援助问题，会谈很顺利。当年8月，斯大林就派出以科瓦廖夫为团长、由200多名副部长以上干部和高级工程师组成的顾问团到中国。

在这样的历史背景下，出于对国家安全和国际承认的考虑以及从何方可以得到经济援助的现实利益出发，毛泽东提出了"一边倒"。

"一边倒"方针得到迅速的回应。就在毛泽东站在天安门城楼宣告新中国成立后仅仅两个多小时，从苏联首都莫斯科便发来了世界上第一份外交贺电，祝贺中华人民共和国成立，正式承认中华人民共和国中央人民政府。次日，苏联政府宣布决定同新中国建立外交关系，并断绝同国民党"广州政府"的外交关系。中苏两大国的建交，带动了保加利亚、罗马尼亚、匈牙利、朝鲜民主主义人民共和国、捷克斯洛伐克、波兰、蒙古、德意志民主共和国、阿尔巴尼亚等一批人民民主国家在不到两个月时间内，相继同新中国建交，从而为新中国外交所要解决的第一个问题，即同世界各国建立外交关系、走向国际社会问题，取得了良好开端。

同样，"一边倒"方针也在艰难的国内外条件下，为新中国经济建设赢得一个相对有利的国际环境，争取到国家建设所需资金和技术。1949年12月20日，毛泽东率中国党政代表团访问苏联。1950年1月20日，周恩来也抵达莫斯科参加中苏两国会商。2月14日，两国政府签订了《中苏友好同盟互助条约》。这个条约明确规定：一旦缔约国任何一方受到日本或与日本相勾结的国家的重新侵略，因而处于战

争状态时，"缔约国另一方即尽全力给予军事及其他援助"。这就局部改变了1945年雅尔塔会议以后苏联的基本战略，表示了苏联对亚洲，首先对中国是有义务的，不能听任西方主宰这一地区，这对当时的国际关系产生了重要影响。条约同时也规定了处理两国一般关系的原则："遵照平等、互利、互相尊重国家主权、领土完整及不干涉对方内政的原则，发展和巩固中苏两国之间的经济与文化的关系。"按照这个原则，两国又签订了处理中苏旧有矛盾的协定，包括归还对大连、旅顺及中国长春铁路（原称中东铁路、南满铁路）的使用权或共同管理权给中国，苏联援助中国3亿美元贷款等两个协定。苏联还帮助中国政府制订了第一个五年计划，援助中国156个项目，折合19亿美元。其援助项目都成为骨干项目。毛泽东访问苏联取得巨大成功。苏联政府对新中国的友好援助为全世界树立了榜样，使中国从东欧国家也顺利地争取到约7.3亿美元贷款。这对在历经战乱、满目疮痍的中国尽快恢复国民经济是极其重要的。这样，新中国外交所要解决的第二个问题，即争取国际援助获得国内建设所需资金问题也画上圆满的句号。

"一边倒"方针，只是强调把人民民主国家放在第一位，并不排斥社会制度不同的国家，但是要有条件，那就是先谈判后建交。按一般国际惯例，两国政府互致承认电文，就是建交开始。鉴于当时有一些国家仍然支持国民党集团或企图制造"两个中国"，因此，中国政府坚持建交前必须进行谈判，对方必须同国民党集团断绝外交关系，支持中国在联合国恢复席位，并

将该国管辖地区内属于中国的财产交给中华人民共和国，确认了这些原则以后，再按惯例建交，这就叫做"另起炉灶"。用周恩来的话，"'另起炉灶'使我国改变了半殖民地的地位"。[①]"打扫干净屋子再请客"，就是帝国主义国家对中国的承认问题不要急于去解决。帝国主义的军事力量被赶走了，但百余年来在中国的经济势力还很大，特别是文化影响还很深，这种情况会使中国的独立受到干扰。当时的考虑是，先把帝国主义在中国的特权、残余势力、影响清除干净，再同他们建交。"打扫屋子""要有步骤，不能性急"，[②]这对防止帝国主义钻进来捣乱有好处。

到1950年3月，邻近中国的缅甸、印度、巴基斯坦、锡兰、阿富汗相继承认中国，英国、挪威、丹麦、芬兰、瑞典、瑞士、荷兰等也先后承认中国。同印度、缅甸、巴基斯坦、丹麦、瑞典、瑞士等国的建交谈判进展较顺利，双方很快达成协议，于1950年相继建交，并互派了外交使节。同挪威、阿富汗、锡兰等国或因谈判被推迟，或因遇到了困难，分别到1954年、1955年、1957年才建交。英国虽较早承认新中国，但在美国的影响下，又不愿意接受中国提出的合情合理的建交条件，这就决定了中英建交是个长期复杂的过程。1954年日内瓦会议期间，中国考虑到英国在印度支那问题上采取了有别于美国的立场，保守党政府又一再表示愿意同中国改善关系，但英国在联合国对中国代表权问题仍不明确表态，所以，只同意同英国互换代办，其任务是谈判建交并处理两国间的侨务和贸易问题。1954年6月17日，中英两国互派代办。1972年3月13日，中英两

①　周恩来：《我们的外交方针和任务》，《周恩来选集》下，人民出版社，1984年版，第86页。
②　同上，第87页。

国正式建交。中荷双方直到 1954 年 11 月 19 日才仿照英国的办法互换代办,1972 年 5 月 18 日,中荷两国正式建交。

新中国在对外关系上所奉行的维护民族尊严和独立自主的政策,一反百多年来旧中国历届政府的国际形象,使新中国在复杂的国际环境中站稳了脚跟。

重大事件

中华人民共和国建国理论的渐次形成

研究共和国建国理论的形成，不仅限于建国前若干年，而且应上溯到辛亥革命。从思想体系看，孙中山对封建专制的彻底否定及其建国纲领蕴含着进步性和合理成分，共产党人正是在总结历史教训的基础上丰富和发展了这些因素。从实践看，孙中山建国失败后，是共产党把民主共和由地方扩展到全国，最终实现了这一目标。

一

建国重任的历史转移

否定封建专制统治，建立民主共和国，这是近代以来，改造中国，探求国家出路种种进步努力的最高境界。当时的中国社会的现实条件赋予资产阶级担当这个历史责任。孙中山领导资产阶级推翻清王朝统治后，立刻就把建立民国的理想付诸实施。1912年1月1日，中国历史上第一个资产阶级民主共和国——南京临时政府宣告成立。3月11日，第一部资产阶级宪法性质的法规《临时约法》颁布。但是，在新旧势力的斗争中，袁世凯打败了革命派，篡夺了领导权，南京临时政府仅存在91天。

难能可贵的是孙中山为民主共和奋斗的锐气未减，他在领导护法运动中两度在南方建立政权。1917年9月10日，广州护法军政府成立，军政府取大元帅制，由国会非常会议选举产生,对外代表中华民国,遵循《临时约法》。但次年5月,孙中山就被军政府内的西南军阀排挤,被迫辞去大元帅职。1921年5月5日,孙中山乘军阀混战势力式微,在广州重建政权,称"中华民国政府",采大总统制,治国方策为维护民主政治,发展实业,保护民权等。孙中山就任大总统后立即兴兵北伐,希冀在全国恢复共和制。无奈陈炯明叛变,孙中山宏图未展就亡命上海。这两个南方政权寿命极短,且政令所及不过二三省。但孙中山始终以民初临时政府的国会为权力机关,决不重组新的国会,人数不足法定数,则召开国会非常会议,以国会通过政府组织法组建政府,以国会选举行政首脑。同时,以恢复《临时约法》为职志,以"护法"相号召。因此,可以说南方政权,是承袭了南京临时政府的纲领和原则,是孙中山建国实践的继续。

1923年春,滇桂军阀击败陈炯明,孙中山再度回广州,恢复元帅制,就任大元帅。但他已放弃护法旗帜,将他所控制的军队改为讨贼军,转入反军阀斗争。至此,资产阶级革命派以辛亥革命为起点,以护法运动为继续的建立资产阶级共和国的尝试最终完结。

从建国角度总结资产阶级革命失败的原因,不难看出,突出的问题是:建国的理论准备不足。资产阶级追求西方民主制度,但对如何在中国建立民主共和制度却少有明确的纲领和具体的设计。同盟会的革命方略中虽有"为纲有四,其序有三"之说①,但南京临时政府并没有按照这个方略去做。最能体现民意、代表民权的参议院,其议员选举法一直少有明确、细致的规定,实际上是排斥了人民的参政权力,使还政于民成了空话,地方权限无章可循。地方政权是中央政权的基础,《临时约法》却没有地方政权建设的条款,使南京临时政府的体制极不完整,这是建国方案的一大缺失。《临时约法》没有从经济基础到上层建筑的完整的资产阶级共和国体制的系统规定,这是建国方案的又一大缺失。

能说明资产阶级革命派理论准备不足的另一方面是:资产阶级革命派只集中注意力争取民主共和的形式,幻想用立法的手段束缚袁世凯等军阀的手脚,却没有认识到问题的关键首先不在于确立什么样的政体,而在于确立什么样的国体。辛亥革命集中在大城市发动,没有触及农村中的封建剥削关系,在临时政府发布的30项政策法令中,只有一条涉及农村,但也只是免除民国元年以前应交而未交的地丁和正杂钱粮。

对围绕建国的斗争认识肤浅。不少革命派认为只要推翻清王朝的统治,就可以建成民国,则大功告成。一些重要的领导人,幼稚到认为建国后坚持革命派掌权是争权夺利,主张功成隐退。立宪派、旧官僚等正是利用这一点迫使孙中山让位的。革命派对于打着"共和"旗号混入革命队伍的反革命分子,也缺少应有的警惕。在经济上,南京临时政府面对严重的财政危机,而无良策。当时新政权废除了清政府制定的各种苛捐杂税,两项正常税收——关税和盐税控制在帝国主义手中,尽管南京临时政府以承认一切不平等条约和在华特权来换取帝国主义的同情、承认与援助,帝国主义却拒绝将关税和盐税

---

① "为纲有四"即"驱逐鞑虏,恢复中华,建立民国,平均地权"的政纲;"其序有三",即将革命分为军法之治、约法之治和宪法之治的三个进程。

交给新政权。买办资产阶级也以"勿扰商"为名拒绝给临时政府提供贷款。在此事关新政权存亡的严峻局面下,南京临时政府没有任何决断。

从南京临时政府的夭折,到南方护法军政府的短命,资产阶级民主共和国刚一出世,不是被帝国主义支持的军阀劫夺,便是被军阀所收买的叛徒扼杀,始终不能巩固。孙中山在第一次护法失败的通电中也承认:"虽号称护法之省,亦莫肯俯首于法律与民意之下。"这是封建军阀与资产阶级政治原则势不两立的最好注脚。

资产阶级建国尝试的失败启示人们,在中国,创建新国家只能另辟道路。在这时,无产阶级开始登上历史舞台,无产阶级政党也宣告成立。新的革命阶级的成长为建国重任的历史转移提供了可能。

但是由于中国共产党力量尚小,社会影响有限,思想理论方面有待丰富和提高,实践经验也须积累,所以,无产阶级担当建国重任不可能即时完成,须经过一个过渡时期,这个过渡时期就是国共合作的国民革命。

国民革命经历了北伐战争迅速占领长江中下流域十余省的胜利和蒋介石背叛革命的失败。胜利与失败的经验教训对中国共产党担负建国历史任务都是一种宝贵财富。

国共合作的国民革命其纲领是包括联俄联共扶助农工三大政策的新三民主义,其目标是取缔帝国主义在华特权,铲除封建统治,实行民主政治,平均地权,节制资本。这些既有利于资本主义的发展,也符合广大工农民众的愿望与要求。这是对适合中国情况的各革命阶级利益的建国方策的初步探索。国民革命极大地开拓了工农运动发展的新局面和新阶段,大革命风暴所到之处工农民众受到洗礼,

奠定了广泛的群众基础,共产党也积累了领导群众运动的经验。经过北伐战争,共产党逐步掌握一部分军队和一批军事干部。在孙中山逝世前,共产党和国民党左派共同掌握革命统一战线领导权,孙中山逝世后,统一战线内部的民族资产阶级右翼急剧分化,加紧争夺领导权,使中国共产党增强了对统一战线左、中、右不同派别斗争的策略性和原则性。国民党右派的叛变和陈独秀妥协退让的危害又促使共产党人认识迅速升华。此后,共产党人独立地通过武装斗争建立地方性新政权——革命根据地,表明历史的发展已经实现了建国重任的初步转移。

中华苏维埃共和国的建政经验

中国共产党的建国实践是从建立地方性的政权——革命根据地起步的。1927年11月,中共中央临时政治局扩大会议通过《中国现状与共产党的任务决议案》,指出:"现时革命阶段之中,党的主要口号就是苏维埃","一切政权归工农兵贫民代表会议,是武装暴动的总口号"。1928年6月,中共六大在总结根据地政权建设时,充分肯定了上述决议,并对革命根据地政权的名称、性质、职权、机构设置、成分构成以及工作方式作了统一规定,使工农苏维埃的各项政策更加完整和具体化,根据地政权建设有了可资遵循的章法。中共六大以后,苏维埃政权在县一级建立起来。1931年以后,省一级苏维埃也相继建立。

1930年5月,中共中央在上海秘密召开了全国苏维埃区域代表大会,大会决定1930年11月7日召开第一次全国工农兵

贫民苏维埃代表大会。经过艰难曲折的筹备,中华苏维埃第一次全国代表大会于1931年11月7日在瑞金召开,大会通过了《中华苏维埃共和国宪法大纲》、《中华苏维埃共和国土地法》、《中华苏维埃共和国劳动法》等重要法律和决议,选举产生中央执行委员会作为全国代表大会闭会时的最高政权机关,选举产生人民委员会作为临时中央政府的行政机关。

中华苏维埃临时中央政府的成立,是中国共产党人建国实践的重要里程碑,它虽不是完全意义上的全国政权,但它标志着中国共产党人掌握事实上具有全国政权象征的最初尝试。

中华苏维埃共和国时期,积累的宝贵的建政经验包括:

1.昭示后世的民主制度

其一,建立健全选举制度。苏维埃给予一切被剥削被压迫的民众以完全的选举权与被选举权,使女子的权利与男子同等,保证劳动群众参加管理国家的权力,这在中国历史上实为首创。其二,选举中贯彻公正公开原则。基层苏维埃代表由选民直接选举产生。选举时设选举委员会,负责登记、审查、公布选民名单、应选代表人数、开会地点、时间等;组织大会主席团主持选举大会,对候选人名单逐个提出,举手表决;选举结束后,选举委员会将所有选举文件送市苏维埃或区执委会存查;选举经费由国库开支,对妨害民主破坏选举的人予以法律制裁等。其三,确保最有觉悟最先进最积极分子在政权中的优势。苏维埃有关法令规定,省苏维埃代表中工人、苦力、雇农、士兵占35%,县苏维埃代表中工人、苦力、雇农、士兵占55%。其四,完善基层代表会议制度和建政措施。主要有:①增设主席团,作为乡苏维埃代表会议闭会期间全乡的最高行政机关;②在村建立经常或临时性的委员会,吸收大批工农积极分子参加管理,使苏维埃工作形成有纵有横的联系;③建立每一代表与一定数量的居民发生固定关系的制度,即把辖区内居民按住所接近的情况划分给各个苏维埃代表领导,保持固定的联系,便于了解问题,反映要求;④建立代表主任制,使每一村都有一个主持全村工作的代表主任,由他召集一村代表与居民讨论全村的中心工作。

2.特色鲜明的法制建设

由于战争环境所决定,苏维埃法制建设表现为三种形式:一是具有法律效力的文告,一般是暴动(起义)发动后,以工农红军前委、红军司令部、各区或乡民众政权发表的宣言、布告、传单、标语等文件。对于维持革命秩序、宣传群众、震慑反动分子发挥了重要作用。二是由各省、县苏维埃制定和颁发的各种法规,这些地方性法规都有很强的针对性。三是中华苏维埃共和国最高权力机关及其下属机构制定颁布的法律、法令等,这是全国性的法规,对各苏维埃区域均有约束力。苏维埃法制建设都遵循着几个基本原则:反帝反封建原则,立法规定不承认帝国主义在华一切政治经济特权,主张发展同各国人民的友好关系,没收一切地主阶级的土地,分配给农民,彻底消灭封建制度;保障人民权利的原则,立法中肯定人民所取得的民主和自由的权利,确认人民有管理国家的最高权力和直接参加国家的日常管理活动的主人翁地位;积极推进经济建设原则,苏维埃政权用法律保护农民分得土地的所有权,允许转租、变卖、抵押,鼓励建立农业劳动互助组织、发展农业生产,同时保护工商业的繁荣和发展;司法民主原则,苏维埃明令废除刑讯逼供,实行合议制和人民陪审员制,允许旁听和有公民权的被告辩护等公开审判制度。诉讼制度方便劳动群众,无论一审、二审,口诉或状诉具有同等效力,免收诉讼费等。

3.改善工农民众的经济和社会地位。苏区的工人不但有监督生产之权,而且实行8小时工作制,规定最低限度工资标准,实行劳动保护、社会保险和国家失业津贴。苏区政府规定工农及其子女有享受教育的优先权。据统计,赣、闽、粤三省学龄儿童入学率达到60%以上。同时还在成年人中开展扫盲和补习教育。兴国县夜校中妇女人数占到69%。大规模的社会教育为劳动群众文化水平的提高奠定了必要的基础。

但是,苏维埃政权建设也存在着明显的错误。在反帝、反封建的同时反对资产阶级。造成这种错误,一方面是国民革命失败后,民族资产阶级附和蒋介石政权,另一方面是王明"左"倾教条主义的严重危害。机械地照搬苏联的经验,不仅在形式上将"苏维埃"其名直接移植到中国来,而且在实际内容上也模仿苏联的做法,不切实际地夸大资本主义在中国经济中的比重,夸大反资产阶级斗争、反富农斗争和所谓"社会主义革命成分"的意义,从而在建政的一系列政策上急于超越民主革命阶段向社会主义过渡,混淆了民主革命和社会主义革命的界限。

比如,在政权构成上,实行工农民主专政,将资产阶级、富农、僧侣排斥于政权之外,这就严重地脱离了中国的国情,是"左"倾关门主义路线的典型特征。资产阶级是一个具有两面性的阶级,对他们既要斗争,又要联合。在反帝反封建的民主革命中资产阶级始终是同盟者。打击资产阶级,只能壮大敌人的力量,缩小自己的阵线。至于将僧侣、富农都排在打击之列,其错误同样是明显的。

又比如,在经济政策上,实行"地主不分田,富农分坏田"的土地政策,影响了土地革命的健康发展,有些地区还搞在肉体上消灭地主、富农,或把他们扫地出门的做法,造成了社会问题;在工商政策上,限制资本主义和私营工商业的发展,采取一切走向社会主义的政策,侵犯了中小工商业者的利益;在劳动政策上,片面强调雇农和手工业工人的福利,普遍实行8小时工作制,各种名目的工休日、过高的工资标准和短期福利观点,不仅不利于私人企业,同样不利于合作社事业,造成公营企业中工人和干部的对立。

再比如,在民族问题上,实行"承认中国境内少数民族的自决权,一直承认到各弱小民族有同中国脱离,自己成立独立的国家的权利"。这是生搬硬套苏联联邦制国家结构形式的产物,完全不符合中国的民族状况和长期形成的各民族间关系,不利于统一的多民族国家的建成。

还比如,在组织问题上,王明"左"倾错误路线,以太上皇的姿态,凌驾于政府之上,对不同意、不满意、不积极拥护、不坚决执行其错误路线的同志,一律扣上"狭隘经验论"、"富农路线"、"调和主义"、"两面派"的大帽子,残酷斗争,无情打击,造成根据地政权社会关系紧张,中间势力和革命政权的同情者被吓跑,政权建设遭受严重挫折。

总之,中华苏维埃共和国政府时期,中国共产党人对建国进行了卓有成效的尝试,从其成功方面来看,已被后来的民主政权所吸收、借鉴,在更高层次上发扬光大。而其失误和教训则说明,在建国问题上,如何把马克思主义基本原理,特别是别国的经验运用于中国,如何正确认识中国的国情,把握中国的阶级状况和社会状况,还需要中国共产党人进一步作出回答。

三

为民主的联合政府而斗争

日本帝国主义侵略中国，把每一个中国人都推到亡国灭种的危险面前，民族觉醒的浪潮在高涨。中国共产党在遵义会议上纠正了"左"倾错误，确立了毛泽东在全党的领导地位。主客观条件为中国共产党调整共和国成立理论提供了契机。

1936 年 12 月，毛泽东在瓦窑堡会议上的报告中，专门谈到改"工农共和国"为"人民共和国"的问题。他指出，"我们的政府不但是代表工农的，而且是代表民族的"，"如果说，我们过去的政府是工人、农民和城市小资产阶级联盟的政府，那么，从现在起，应当变为除了工人、农民和城市小资产阶级以外，还要加上一切其他阶级中愿意参加民族革命的分子"，这是因为，"去掉帝国主义的压迫，使中国自由独立，去掉地主的压迫，使中国离开封建制度，这些事情不但使工农得了利益，也使其他人民得了利益，总括工农及其他人民的全部利益，就构成了中华民族的利益"。① 毛泽东论述之精辟，就在于其视野已超出抗日战争，对苏维埃共和国在此问题上的缺失作了历史总结。

考虑到国内时局特点，也为了争取蒋介石合作抗日，1936 年 8 月，中共中央将"人民共和国"改为容易为蒋介石所接受的"民主共和国"。民主共和国是排除汉奸卖国贼在外的一切抗日阶级互助联盟的国家和政府，由各党各派各武装力量代表组成国防会议，通过这个会议产生全国统一的国防政府，俟条件成熟，召开普选产生国会，成立中华民主共和国政府。

1940 年 1 月 9 日，毛泽东在《新民主主义的政治与新民主主义的文化》② 讲演中明确阐发了中国共产党的建国若干基本观点，概有：

① 现在所要建立的中华民主共和国，只能是无产阶级领导下的一切反帝反封建的人们联合专政的民主共和国，这就是新民主主义的共和国，也就是真正革命的三大政策的新三民主共和国。

② 这种新民主主义共和国，既不同于欧美式的、资产阶级专政的资产阶级共和国，又不同于苏联式的、无产阶级专政的社会主义共和国。它是第三种形式的共和国，是一切殖民地半殖民地国家的革命在一定历史时期中所采取的国家形式。

③ 新民主主义共和国是过渡形式，但是是不可移易的必要的形式。

④ 新民主主义共和国的国体为各革命阶级的联合专政，政体为各级人民代表大会选举各级政府的民主集中制。

据此原则，中国共产党在从敌人手中夺回的地区建立了以工农联盟为基础的、包括一切赞成抗日又赞成民主的革命阶级联合的、对于汉奸和反动派专政的抗日民主政权。抗日民主政权实行共产党员占 1/3，代表无产阶级和贫农；左派进步分子占 1/3，代表小资产阶级；中间分子及其他分子占 1/3，代表中等资产阶级和开明绅士的"三三制"。"三三制"具备两个特点，一是共产党不在数量上占多数，而是争取其他民主人士的合作，以自己的主张取得胜利；二是各方协商，一致协议，取得

---

① 《毛泽东选集》第一卷，人民出版社，1991 年 6 月第二版，第 156—160 页。

② 这是毛泽东在陕甘宁边区文化协会第一次代表大会上的讲话的原题，载于 1940 年 2 月 15 日《中国文化》创刊号。同年 2 月 20 日《解放》登载时，将题目改为《新民主主义论》。

共同纲领,以作施政方针。这种民选的共产党人和各抗日党派及无党派代表人物合作的政府就是地方性的联合政府,它成为新民主主义共和国的地方基础,具有新中国政治雏形的政治意义和全国的普遍意义①,"带着推动全国建立统一战线政权的性质"②。中国共产党曾设想,中国"民主共和国的具体的建设道路,可能由地方到中央到全国"③,即先抗日根据地,再中央政权,再到国民党统治区。待"各根据地的模型推广到全国,那时全国就成了新民主主义的共和国"④。

如果说,通过苏维埃工农民主政府,共产党人学会了如何运用人民民主,如何保障工农两大阶级的基本利益,那么,通过抗日民主政权,共产党人则学会了多阶级、多党派的合作和与各方协商、取得一致的方策。这样,在共和国成立的最根本问题上,共产党人已经掌握了治国要领。

联合政府合乎时运,顺乎民意,得到广泛而强烈的拥护,以至国民党不得不在抗战胜利后召开政治协商会议。1946年1月,政协会议通过五项协议规定,改组国民党一党政府,成立政府委员会为最高国务机关,由半数国民党和半数国民党以外的人士充任。改组后的政府作为结束国民党"训政"到实施宪政的过渡时期的政府,负有召集国民大会、制定宪法的任务。立法院相当于议会的最高权力机关,由选民直接选举产生;行政院为最高行政机关,对立法院负责。这种政权的中央体制相当于英国或法国的议会制和内阁制,对于蒋介石的独裁政体是一种限制。中央和地方分权,省为地方自治的最高单位,省长民选,省可以制定省宪等政策,对解放区民主政权的存在也提供了可能的保障。

按照政协会议改组的政府就是联合政府,其与中共新民主主义建国纲领尚有距离,但是如果照此做下去,则是向新民主主义的方向发展。为此,中国共产党作出指示和决议,准备进入和平民主建设的新阶段,走一条较为曲折的共和国成立道路。但是,蒋介石仍坚持通过战争削弱直至消灭人民革命力量的基本方针。1946年6月,蒋介石撕毁停战协定和政协决议,发动了内战。

蒋介石集团的倒行逆施,并未阻止历史进程,除了使自己退出本有其一席之地的联合阵线外,反而对中国共产党的斗争更为有利。中国共产党由国共合作变为共产党独立领导,由原来的改组国民党现政府变为建立一个全新的政权,由准备走曲折的渐进的共和国成立道路变为直接质变的过程。从此意义上讲,蒋介石集团的分裂,为共和国成立斗争进入新的也是最终获得实现的阶段创造了极其有利的前提。

在此基础上,陕甘宁边区政府时期的实践又有所发展。

共和国成立的纲领和蓝图

解放战争取得战略决战胜利后,国民党统治的旧国家机器将被摧毁,筹备中的新政协召开在即,共和国成立的准备已进

————————

① 《刘少奇选集》上卷,人民出版社,1982年2月版,第176页。
② 《毛泽东选集》第二卷,人民出版社,1991年6月第二版,第741页。
③ 《刘少奇选集》上卷,人民出版社,1982年2月版,第176页。
④ 《毛泽东选集》第二卷,人民出版社,1991年6月第二版,第785页。

入最后阶段。1948年9月，中共中央政治局会议和1949年3月中共七届二中全会及时地提出共和国成立的纲领，规划了新中国的蓝图，其大要如下：

第一，关于新民主主义国家的国体和政体。新中国是无产阶级领导的以工农联盟为基础的人民民主专政，不仅有工农，还有资产阶级民主分子参加。我们要认真地团结全体工人、农民和广大的革命知识分子，同时要团结尽可能多的能够和我们合作的小资产阶级、民族资产阶级站在一条战线上来，团结能够合作的城市小资产阶级和民族资产阶级的代表人物，以及他们所代表的知识分子和政治派别。我们必须在全党思想上和工作上确定我党同党外民主人士长期合作的政策，把大多数民主人士看成和自己的干部一样，同他们诚恳地坦白地商量和解决那些必须商量和解决的问题，给他们工作做，使他们在工作岗位上有职有权，作出成绩。新中国以人民代表会议产生的政府代表她。各级政府都要加上人民二字，各种政权机关都要加上人民二字，以示与蒋介石政权不同。政权制度采取民主集中制，不搞资产阶级的国会制和三权鼎立。

第二，关于新民主主义国家的经济形态和经济政策。新中国经济中起决定作用的是归国家所有的国营经济。农业经济和手工业经济在一个相当长的时期内还将是分散的和个体的，但必须谨慎地、逐步地而又积极地引导它们向现代化和集体化发展，组织生产的、消费的和信用的合作社。如果单有国营经济而没有合作经济，就不可能由新民主主义社会发展到将来的社会主义社会。私人资本主义经济是一个不可忽视的力量，在革命胜利后一个相当长的时期内，还需要尽可能地利用城乡私人资本主义的积极性，以利于

国民经济的向前发展，但将在活动方面、税收政策、市场价格、劳动条件等几方面采取恰如其分的有伸缩性的限制政策。限制和反限制，将是新民主主义国家内部阶级斗争的主要形式。总之，社会主义性质的国营经济、半社会主义性质的合作社经济、私人资本主义经济、个体经济、国家和私人合作的国家资本主义经济，构成新民主主义的经济形态。

第三，关于新民主主义国家的内外政策。中国内部的主要矛盾是无产阶级与资产阶级的矛盾，其次还有民族矛盾，包括汉族与少数民族的矛盾、少数民族与少数民族之间的矛盾，还有某一个民族内部的矛盾。对外的矛盾是中国同帝国主义国家的矛盾。新中国不承认国民党时代的一切卖国条约继续存在，不承认国民党时代的任何外国外交机关和外交人员的合法地位，要取消一切帝国主义在经济上、政治上和文化上的控制权。帝国主义的经济事业和文化事业可以暂时存在，由新中国政府加以监督和管制。对于普通外侨，则保护其合法利益，不加侵犯。新中国按照平等原则同一切国家建立外交关系。帝国主义国家如不改变敌视中国的态度，就不给其在中国的合法地位。同外国人做生意，要尽可能首先同社会主义国家和人民民主国家做生意，同时也要同资本主义国家做生意。

第四，关于新民主主义国家的工作任务。革命胜利使国家的工作重心由乡村转移到城市，必须用极大的努力去学会管理城市和建设城市。恢复和发展城市的生产是中心任务，第一是国营工业的生产，第二是私营工业的生产，第三是手工业生产。新中国必须用极大的努力学习生产的技术和管理生产的方法以及同生产密切联系的商业工作、银行工作和其他

工作。城市工作必须全心全意地依靠工人阶级,团结其他劳动群众。新中国在城市中还必须同帝国主义者、国民党、资产阶级作政治斗争、经济斗争和文化斗争,同帝国主义作外交斗争,既要学会作公开的斗争,又要学会作隐蔽的斗争。

第五,关于执政党的考验。革命胜利后,中国共产党就要掌握全国政权。地位的变化,使骄傲情绪、以功臣自居的情绪、不求进步的情绪、贪图安乐的情绪可能生长,资产阶级糖衣炮弹要击中一些共产党人。执政的共产党必须预防这种情况,务必继续保持谦虚、谨慎、不骄、不躁的作风,继续保持艰苦奋斗的作风,要运用批评与自我批评这个马克思主义的武器,保持优良作风,学会原来不懂的东西,要建设一个新世界。

这些就构成新中国成立的纲领和蓝图。

新中国诞生的前奏

新中国诞生的标志是 1949 年 10 月 1 日的开国大典,但新中国的建立却非一朝一夕完成的,就其具体的步骤而言,经历了一个酝酿、催生、规划、筹建的历史过程。

合作筹备新政协

建立新中国的具体步骤是从筹建新政协起步的。由中共首倡,经中共和各民主党派、民主人士合作协商,初定大计。

1948 年 4 月 30 日,中共中央在纪念"五一"劳动节口号中发出"各民主党派、各人民团体、各社会贤达迅速召开政治协商会议,成立民主联合政府"的号召。5 月 1 日,中共中央主席毛泽东致电中国国民党革命委员会负责人李济深、中国民主同盟负责人沈钧儒,指出,成立民主联合政府,加强各民主党派、各人民团体的相互合作,并拟定民主政府的施政纲领,业已成为必要,时机亦已成熟。但欲实现这一步骤,必须先邀集各民主党派、各人民团体的代表开一个会议。在这个会议上,讨论并决定上述问题。他提议由中国共产党、中国国民党革命委员会、中国民主同盟三党的中央委员会发表联合声明,以为号召。毛泽东并就已经草拟的联合声明的内容文字是否适当,抑或不仅限于此三党,是否还可加入其他民主党派及重要人民团体联署发表等问题征询李、沈二人的意见。

同年 5 月 5 日,中国国民党革命委员会的李济深、何香凝,中国民主同盟的沈钧儒、章伯钧,中国民主促进会的马叙伦、王绍鏊,中国致公党的陈其尤,中国农工民主党的彭泽民,中国人民救国会的李章达,中国国民党民主促进会的蔡廷锴,三民主义同志联合会的谭平山,无党派人士郭沫若在香港联合致电中共中央主席毛泽东,积极响应中共的号召。当天,他们又联名通电国内外各报馆、各团体和全国同胞,公开表示拥护中共"五一"口号,吁请全国人士迅速集中意志,研讨办法,以期根绝反动,实现民主。各民众团体也作出积极反应。中国学术工作者协会留港理事郭沫若、马叙伦、马鉴、陈君葆、翦伯赞、邓初民、侯外庐等,在香港的各界民主人士冯裕芳、柳亚子、茅盾、章乃器、朱蕴山、胡愈之、陈其瑗等125人，留港妇女界何香凝、刘王立明等232人都相继发表声明。旅居新加坡、马来西亚、暹罗（泰国）、马来亚、缅甸、法国、加拿大等地的华侨，也纷纷发出通电，积极响应中共"五一"口号。

8月1日，毛泽东复电响应"五一"口号的各民主党派与民主人士，希望同诸先生及全国各界民主人士共同研讨召集新的政治协商会议的时机、地点、何人召集、参加会议者的范围以及会议应讨论的问题等事项。

同时，中共中央派钱之光前往香港，同中共在香港的负责人方方、章汉夫等接送在香港的各民主党派和无党派民主人士进入解放区参加新政协的筹备工作。钱之光等以"华润公司"名义，从1948年8月至1949年3月先后巧妙地从香港送四批民主人士进入解放区。第一批有沈钧儒、谭平山、蔡廷锴、章伯钧等，第二批有郭沫若、马叙伦、许广平、陈其尤、沙千里、宦乡、曹孟君等，第三批有茅盾、朱蕴山、章乃器、彭泽民、邓初民、柳亚子、马寅初、洪深、翦伯赞、施复亮、孙起孟等，第四批有黄炎培、盛丕华等。符定一、吴晗、刘清扬、周建人、吴羹梅的代表何惧等已先期抵达。各民主党派和著名民主人士齐集解放区，为中共与各党派协商筹备新政协事宜创造了便利条件，也造成了合作共事的气氛。

10月初，中共中央统战部同在河北平山县李家庄的符定一、周建人等商讨，提出《关于召开新的政治协商会议诸问题》的草案，主要内容是：新政协的召集问题，新政协的人选问题，召开新政协的时间、地点问题，新政协准备讨论的事项等。10月8日，中共中央将此草案电发中共东北局负责人高岗、李富春，请他们约集已在

哈尔滨的沈钧儒、谭平山、章伯钧、蔡廷锴、王绍鏊、高崇民、朱学范等7人商榷，正式征求他们的意见，请他们仔细地加以斟酌。如有不明了之处，应善为解释。一周后，中共中央就《关于召开新的政治协商会议诸问题》草案再次电示东北局，告之。其中第二项提出7个党派及团体参加新政协的名单。这些只是中共的希望，在哈尔滨的各民主党派代表完全可以增减和改动。但关于参加新政协的范围，则必须依照该项所提的原则，即在南京反动政府系统下的一切反动党派及反动分子必须除外，而由反美、反国民党反动统治、反封建、反官僚资本的各民主党派、各人民团体及无党派的民主人士的代表人士组成，也邀请少数右派而不是公开反动的分子参加。

11月21日和23日，高岗、李富春两次约请沈钧儒、谭平山等座谈上述文件草案。民主人士代表同意中共所提参加新政协筹备会各单位，并提议增加"上海人民团体联合会"，将"平津教授"、"南洋华侨人士"二单位改为"全国教授"、"海外华侨民主人士"，将无党派民主人士单列一单位。对于筹备会召开时间，各方均同意半数以上单位到齐后举行，地点在哈尔滨。筹备会组织条例，均同意由中共中央起草。

11月3日，中共中央就沈钧儒、谭平山所提出的意见和建议作出答复。关于参加新政协的筹备单位，中共中央同意他们提出的增加"上海人民团体联合会"；"平津教授"可改为"全国教授"，但仍应以平津教授为主要代表，因南方城市尚待解放；"南洋华侨民主人士"可改为"海外华侨民主人士"，其代表人物仍应以南洋为主，因南洋华侨响应"五一"口号者最广最众。中共中央同意在筹备单位中加上致

公党和无党派民主人士两单位。11月15日,高岗、李富春与沈钧儒、谭平山等商谈。他们完全同意中共中央答复,并提出两点新的建议:①规定参加新政协的单位由中共及各民主党派、各人民团体、各地区代表共38个单位组成,每单位人数6名;②如再有增加单位的提议,可随时协商,在筹备会中作正式决定。11月20日,中共中央复电,同意沈钧儒、谭平山等人的两点意见。

在此期间,中共中央还电示高岗、李富春,应多邀请一些尚能与我们合作的中间人士,甚至个别中间偏右者,乃至本来与反动统治阶级有瓜葛,而现在仍可能拥护联合政府的人,以扩大统一战线。具体人物由沈钧儒、谭平山、王绍鏊多加考虑。中共中央还将讨论修改过的文件转电中共华南分局,请他们即抄送民革李济深、何香凝,民盟周新民,民进马叙伦,致公党陈其尤,救国会李章达、沈志远,第三党彭泽民,民建章乃器、孙起孟,无党派民主人士郭沫若等11人,分别征询他们的意见。

广泛听取各方意见后,高岗、李富春代表中共中央同在哈尔滨的沈钧儒、谭平山、章伯钧、蔡廷锴、王绍鏊、朱学范、高崇民、李德全8位民主人士于11月25日达成《关于召开新的政治协商会议诸问题的协议》。《协议》关于新政协筹备会的有关内容是:

(1)新政协筹备会"由中共及赞成中共中央'五一'口号第五项的民主党派、人民团体及无党派民主人士23个单位的代表组成"。

(2)新政协筹备会的任务:负责邀请参加新政协的各方代表人物,负责起草新政协的文件,负责准备新政协的正式文件。

(3)筹备会于各单位有过半数(即12个)到时,即可成立。

(4)通过筹备会各种决议的手续。一般的决议,经多数通过,全体负责施行。基本方针的决议,如共同纲领及组织政府等,虽经多数通过,但少数有不同意见的单位有不签名或退出筹备会的自由,不加强制。

(5)筹备会地址预定为哈尔滨。

《协议》关于新政协的有关内容是:

(1)新政协的参加范围,由反对美帝国主义侵略,反对国民党反动统治,反对封建主义和官僚资本主义压迫的各民主党派、各人民团体及无党派民主人士的代表人物组成,南京反动政府系统下的一切反动党派及反动分子必须排除,不许其参加。

(2)新政协时间定在1949年,究竟在何月举行,应视各方代表到达情况,与地点问题一并由筹备会决定。

(3)新政协应讨论和实现的有两项重要问题:一为共同纲领,一为如何建立中华人民民主共和国临时中央政府。

1949年1月7日,中共中央通过中共华南分局邀请在香港、上海的李济深、茅盾、朱蕴山等30多位民主人士抵达大连。1月26日,中共东北局和东北各界人民举行盛大欢迎会,热烈欢迎为参加新政协到达东北解放区的民主党派人士。

《关于召开新的政治协商会议诸问题的协议》的通过,表明中国共产党同主要民主党派就筹备新政协的有关事宜取得了一致意见,从而使新政协的筹备完成了基本原则上的准备。

挫败假和谈阴谋和"谋和"活动

人民解放战争经过战略决战,国民党统治更加分崩离析。蒋介石以退为进,于

1949年1月1日宣布以保留伪宪法、伪法统、伪军队为条件议和。对于美蒋的和谈阴谋，全国广大民众是有清醒认识的，但民族资产阶级、上层小资产阶级及其知识分子中许多人对美帝和李宗仁抱有幻想，工商界、工程技术界的一些知识人士还公开支持李宗仁的和谈活动。民主党派中也有少数人持中间道路思想，幻想通过和谈，保留国民党的一部分力量，以巩固自己的中间地位，或吸收国民党的残余力量，壮大自己，更有人同国民党实力派一道鼓吹"南北朝"、"隔江而治"。

对这种情况，如不采取坚决、果断的方针，掌握政治斗争的主动权，将会对正在顺利筹备中的新政协产生不利影响。

毛泽东在为新华社写的1949年元旦献词《将革命进行到底》中明确地指出，现在摆在中国人民、各民主党派、各人民团体面前的问题，是将革命进行到底呢，还是使革命半途而废呢？要使革命进行到底，就要用革命的方法，在全国范围内推翻国民党的反动统治，在全国范围内建立无产阶级领导的以工农联盟为主体的人民民主专政的共和国。中国各民主党派、各人民团体是否能够真诚地合作，而不致半途拆伙，就要看他们在这个问题上是否采取一致的意见，是否能够为着推翻中国人民的共同敌人而采取一致的步骤。这就是要一致，要合作，而不是建立什么"反对派"，也不是走什么"中间路线"。毛泽东最后向全国人民指出：1949年将要召集没有反动分子参加的以完成人民革命任务为目标的政治协商会议，宣告中华人民共和国的成立，并组成共和国的中央政府。这些就是中国人民、中国共产党、中国一切民主党派和人民团体在1949年所应努力求其实现的主要的具体的任务。1月14日，毛泽东以中共中央主席的名义发表《关于时局的声明》，提出要在8项条件的基础上进行和平谈判。这8项条件是：①惩办战争罪犯，②废除伪宪法，③废除伪法统，④依据民主原则改编一切反动军队，⑤没收官僚资本，⑥改革土地制度，⑦废除卖国条约，⑧召开没有反动分子参加的政治协商会议，成立民主联合政府。

共产党还分别邀请在哈尔滨和河北平山县李家庄的民主党派代表人士座谈。在李家庄的符定一、周建人等认为当前必须认清三点：①养痈遗患，除恶务尽。②薰莸不同器，汉贼不两立，人民民主专政决不容纳反动分子。③经纬万端，实有赖于群策群力，有赖于中国共产党的继续领导与团结所有忠于人民革命事业之党派团体及民主人士一致行动，通力合作，方可完成人民革命之大业。大家还分析到和平有两种，一种是维护反动统治和战犯利益的"南北朝"式的假和平，一种是毛泽东提出的维护人民利益的真和平。

1月16日，李家庄的周建人、胡愈之、楚图南、符定一、田汉、吴晗等联名致电哈尔滨方面，提议以毛泽东所提之8项条件和坚决反对美、英、法等帝国主义干涉中国内政两点，联合向国内外发表通电。在哈尔滨的民主人士于当日回电，表示同意。

1月22日，到达解放区的各民主党派、各人民团体代表人物及无党派民主人士李济深、沈钧儒、马叙伦、郭沫若、谭平山等55人发表《我们对时局的意见》的声明，彻底支持中共的8项和平条件。中国国民党革命委员会、中国民主同盟、中国民主促进会、民主救国会、中国农工民主党、中国国民党民主促进会、三民主义同志联合会、九三学社、中国致公党、台湾民主自治同盟、上海人民团体联合会等党派和团体，香港、海外各界民主人士及清华大学、燕京大学的教授们，也纷纷发表声明，热烈响应。

蒋介石在内外矛盾和中共8项条件的强大压力下，于1月21日宣布"引退"，由李宗仁代总统。

李宗仁代总统后，积极进行"谋和"活动。为了争取第三方面，摆出开明姿态。他一面下令"释放政治犯"，"恢复各党派的合法地位"，"启封停刊报纸"；一面电邀李济深、章伯钧、张东荪等去南京，并派人去上海访晤宋庆龄、章士钊、颜惠庆、罗隆基、张澜等。

对李宗仁的"谋和"活动，共产党采取针锋相对的策略。1月25日，以发言人名义发表谈话，指出："对国民党的伪善，人们应保持清醒的头脑。"同时，中共中央指示上海、香港党组织，要求迅即将李（济深）、沈（钧儒）、马（叙伦）、郭（沫若）等的声明及共产党上述谈话，连同共产党1月14日的声明向国民党各大城市广为散发，使广大群众不受美帝及国民党的欺骗，尤其要注意争取中间分子。28日，中共中央又电上海党组织，要他们同尚在上海的张澜、黄炎培、罗隆基等交换意见，说服他们坚持李济深等55人声明的立场，不要受南京政府伪善宣传的蒙蔽，使自己陷入被动，避免有承认反动统治之嫌。

已来解放区的民主人士也做了许多工作。周建人、翦伯赞、田汉、胡愈之等联名致电张澜、黄炎培等人。上海人民团体联合会马叙伦、沙千里、沈志远、王绍鏊、许广平、罗叔章6人联合发表告上海同胞书，希望上海同胞团结起来，为全面实现8项条件而奋斗，勿上南京政府假和平圈套。章乃器、施复亮、孙起孟等也致电香港的民主人士，请他们坚持正确的立场。

由于中共中央的正确策略指导和已到达解放区民主人士的积极配合，在上海、香港等地的民主人士未受李宗仁蒙骗，使其争取第三方面的企图落空，只好以中共8项条件为基础同共产党举行和平谈判。

挫败美蒋的假和谈阴谋和李宗仁"谋和"活动，是筹备新政协过程中的两次政治斗争。通过这些斗争，民主党派和民主人士同中共合作建国的立场更为坚定，使新政治协商会议的成功有了进一步的保证。

三

作好执政全国的准备

中国共产党在号召筹备新政协，成立民主联合政府的同时，也在为执政全国准备条件。

当时，中国共产党已在拥有1.6亿人口，并在相当程度上连成一片的地区当政，随着形势的迅速发展，即将成为领导全国人民民主政权的政党。这就要求全党全军在政治上、军事上、经济上的各项政策完全统一，在行政体制与行政机构方面也逐渐实行必要的与可能的统一，适当缩小各个地方及各个兵团的自治权，将全国一切可能和必须的权力集中于中央领导之下，以便集中力量完成全国的革命战争，从事政治、经济和文化的新建设。

1948年1月7日，毛泽东为中共中央起草了《关于建立报告制度》的党内指示，要求全党加强组织性和纪律性，建立各地定期向中央作政策性的、经常的、综合的报告和请示的制度。报告的内容必须是有分析、有结论的，必须是既说优点和长处，还要说缺点和错误的，以便中央及时了解各地情况，有可能在事先或事后帮助各地不犯或少犯错误。

5月25日,毛泽东在为中共中央起草的又一个党内指示中,再次强调:必须坚决地克服许多地方存在着的某些无纪律状态或无政府状态,即擅自修改中央的或上级党委的政策和策略,执行他们自以为是的违背统一意志和统一纪律的极端有害的政策和策略;在工作繁忙的借口之下,采取事前不请示、事后不报告的错误态度,将自己管理的地方,看成好像一个独立王国。这种状态,给予革命利益的损害,极为巨大。各级党委必须对这一点进行反复讨论,认真克服这种无纪律状态或无政府状态,将一切可能和必须集中的权力,集中于中央和中央代表机关。

1948年9月8日至13日,中共中央在西柏坡召开政治局扩大会议。会议提出用5年左右时间(从1946年7月算起)从根本上打倒蒋介石。为了实现5年胜利,在党内外都要强调为统一全中国而斗争。要保证全党、全军所执行的各种政策的完全统一及军事计划的完满实施。全党必须用最大的努力克服某些无纪律和无政府状态、地方主义和游击主义,将一切可能和必须集中的权力集中于中央和中央代表机关手里。

会议专门讨论通过了《中央关于各中央局、分局、军区、军委分会及前委会向中央请示报告制度的决议》、《中共中央关于召开党的各级代表大会和代表会议的决议》,贯彻上述会议精神。

9月20日,毛泽东为中共中央起草《关于健全党委制》的决定。针对有些党的领导机关中个人包办和个人解决重要问题的习气,要求各级党委健全党委制和实行集体领导。决定指出,党委制是保证集体领导、防止个人包办的党的重要制度。一切重要问题均须由党委进行充分的讨论,作出明确的决定,然后分别执行。为了避免会议决定流于形式或不能作出决定,对于复杂的和有分歧意见的重要问题,在会前需要有委员间的个人商谈,使委员们有思想准备。

中国共产党的这些决定,从政治上、思想上、组织上为夺取革命胜利及执政全国奠定了基础。

关于行政体制和行政机构的设置,在条件允许时也不失时机地统一。

1948年4月3日至5月7日,中共中央书记处在河北阜平城南庄举行会议,决定建立并加强华北、中原解放区的党政军机构。会后,中央于5月9日正式发出文件,将晋察冀和晋冀鲁豫两大战略区合并为华北解放区。

6月12日,晋察冀边区行政委员会和晋冀鲁豫边区政府发布联合通知,在华北人民政府成立前,以两边区政府联合办公作为过渡形式。6月26日,两边区参议会的驻会参议员在石家庄举行联席会议,决议"迅速召开华北临时人民代表大会,产生统一的华北政府"。8月8日至19日,华北临时人民代表大会在石家庄召开,选举政府委员27人,组成华北人民政府。9月20日召开的华北人民政府第一次政府委员会选举董必武为主席,薄一波、蓝公武、杨秀峰为副主席。

成立华北人民政府,具有战略性考虑。刘少奇指出,"今后华北的方针是建设,它的工作带有全国意义","华北要长期建设,要搞计划,逐步走向正规化"[1]。华北人民政府一直工作到1949年10月28日,在中华人民共和国建立过程中,发挥了重要作用。一方面,中央人民政府成

---

① 参见薄一波:《若干重大决策与事件的回顾》,中共中央党校出版社,1991年版,第3页。

立之前，华北人民政府发挥着某些中央政府的职能；另一方面，后来的中央人民政府工作机构，是在华北人民政府工作机构的基础上组建起来的。

11月，关内解放区华北银行、北海银行、西北银行合并为中国人民银行，并于12月1日起发行人民币。除东北解放区外，各解放区原来发行的冀南币、晋察冀币、西北农民币、陕甘宁币、北海币等都兑换成人民币。这是财政金融统一的重大措施，为中国共产党执政后掌握市场，控制通货膨胀预作准备。

四

平稳顺利地从农村转到城市

由于长期生活、战斗在农村，许多干部不熟悉城市，把在农村惯用的一套做法搬到城市，造成了一些混乱。如收复井陉、阳泉等重要工业区时，出现了乱抓物资、乱搬机器，致使工业受到致命破坏的问题。如收复张家口后，领导机关随即迁至城市，许多干部往城市跑，严重地放松了乡村工作，并有乱抓乱买东西、贪污腐化的现象。1947年11月12日，石家庄被攻克，虽在干部中作了有关政策指示，但基层指战员仍照过去的经验，拿东西，并鼓动城市贫民去搬取物资。先是大批煤粮及其他公物被抢，公共建筑的门窗杂物亦被破坏或取走，后来就抢劫私人财物。

对城市工作的方针和政策是模糊的，有的地方出现了极"左"的无政府主义思想，如笼统地提出"由工人贫农当家"、"工人武装"、"翻身报仇"等口号，在日报上每日登载这类文字和消息。在有的地方引

起恐慌。另外，市政府、市委对国民党残余势力重视不够，没有查清国民党与逃亡地主，就立即组织工会与贫民会，国民党特务及逃亡地主也去登记，不少人被选为工会、贫民会委员。中央工委发现这种情形后，及时地加以制止。除政府依法逮捕和没收财产外，禁止任何团体和个人没收财产及逮捕殴打任何人。对罪大恶极的汉奸恶霸依法惩治。对国民党员及一切伪公务人员限期登记。工会改组，贫民会取消等，将一切工作纳入正轨。据此，中央工委特将石家庄的经验介绍出来作为全党的参考。中央工委特别提出："我们工作应作长期打算，方针是建设，而不是破坏。"

1948年2月，中共中央发出《关于城市工作的指示》，提出：中央工委2月19日的经验介绍"必须引起全党注意"，各中央派出机构"必须加以讨论"，并作为党内文件，发至各级党委学习讨论。《指示》认为，凡以后攻占城市的初期的管理方针及办法，应即以中央工委所述为基本的方针及方法。①

4月，毛泽东给中共中央起草的《再克洛阳后给洛阳前线指挥部的电报》中指示，应注意"极谨慎地清理国民党统治机构，只逮捕其中主要反动分子，不要牵连太广"；"对于官僚资本要有明确界限，不要将国民党人经营的工商业都叫做官僚资本而加以没收"；"禁止农民团体进城捉拿地主"；"入城之初，不要轻易提出增加工资减少工时的口号"；"不要忙于组织城市人民进行民主改革和生活改善的斗争"；"一切作长期打算。严禁破坏任何公私生产资料和浪费生活资料"；"市委书记和市长必须委派懂政策有能力的人担任。

① 中共中央政策研究室，《政策汇编》，1949年6月编印。

城市已经属于人民,一切应该以城市由人民自己负责管理的精神为出发点"。①

但是,仍有一些人还是以游击战争的观点,还是以农村的观点来看城市,因此,除了明确政策规定外,还有必要采取一种有效的体制,以便有所遵循。6月,中共中央转发《东北局关于保护新收复城市的指示》,决定"在新占领的城市实行短期的军事管理制度"。11月,中共中央专门作出《关于军事管制问题的指示》,认为在新收复的大城市中进行军事管制,"时间不能太短",而必须看各项任务和目的是否达到来决定军事管制的时期。大城市约须3至6个月,甚至更长。10万人以上大城市取消军事管制须事先得到中央批准。《指示》明确规定军事管制的任务是:肃清一切残敌,收缴反动分子的武装,解散一切反动党派团体,逮捕战犯;接收一切公共机关、产业、物资,没收官僚资本,恢复并维持正常的秩序,消灭一切混乱现象,建立系统的革命政权。②

由此看来,军事管制制度是由农村转向城市的一种必要而恰当的过渡形式。在军事管制时期成立的军事管制委员会作为一种临时性的民主政权,填补了旧政权垮台后的空白,又为新政权的建立作了准备。

11月28日,中共东北局副书记兼任沈阳市特别军事管制委员会主任的陈云,把接收沈阳的经验简报中共东北局和中共中央。关于接收得快而完整方面,具体做法是"各按系统,自上而下,原封不动,先接后分"。各按系统,即军管会下辖经济、财政、后勤、铁道、政务及市政府、公安局、卫戍司令部等单位,进行接收。自上

而下,即由原有机关主管人负责办理移交手续,如第一级不在,即由第二级或第三级办理。原封不动,即旧职员均按原职上班,工厂企业只派军事代表,政权部门只撤换头子。采取这种临时过渡办法的目的是为了避免混乱和大的波动。接收的第一步是资产档案,第二步才整理人员。先接后分,即各部门只有接收权,无占有权、支配权,不对原来上级负责,只对军管会负责。关于迅速恢复秩序,做到比较稳妥而无大波动,是因为解决了5个关键问题:①首先恢复电力供应。没有电,城市变成一座死城,秩序就无法控制。②迅速解决金融物价问题。③收缴敌警察枪支。④传布政策,稳定人心。⑤妥善解决工资问题。此外,还有诸如:迅速处理俘虏,疏散弹药;军管会各负责人坚持原则,秉公办理;对重大事件,容易出乱子的问题,预有充分精神准备等。③

1949年1月,天津、北平先后解放,平、津接管工作立即开始。在此之前,毛泽东曾在已接管城市的正反两方面经验基础上作出"原封原样,原封不动"的指示。华北局也提出要实现对城市的完整的接收和管理的思想,就是不但要能够完整地接管,而且要能够顺利地发展与建设这些城市或工业区,使之成为全国最好的政治、经济与文化的中心之一。在中共中央和毛泽东的直接领导下,平津接管的主要经验是:①区别对待原有的政府机构和经济组织。对国民党的政府机构原则是打乱、解散,重建新的政府机构进行统治。在旧政府机关服务的人,只能经过改造后分别地加以利用。但是对旧的统治阶级

①　《毛泽东选集》,第四卷,人民出版社,1991年6月第2版,第1323—1325页。
②　中共中央政策研究室,《政策汇编》,1949年6月编印。
③　《接收沈阳的经验》,《陈云文选》(1926—1949年),人民出版社,1984年1月版,第269—274页。

所组织的企业机构、生产机构,在打倒旧的主人、换成新的主人之后,则不应加以破坏,而应加以保持,"然后依照革命阶级科学准备的水准逐渐地加以改良即可"。①对原有的经济组织和企业机构原封原样接收下来,以后逐步改造。对于官僚资本企业,严格地注意不打乱企业组织的原来的机构,如果企业原来的厂长(工厂)、矿长(矿山)、局长(铁路、邮政、电报、银行等)及工程师和其他职员没有逃跑,并愿意继续服务,只要不是破坏者,就令其担任原来的职务,继续工作。军管会只派军事代表去监督工作,而不派人去代替他们。对于企业中的各种组织及制度,照旧保持,不任意改革及宣布废除。其中有一部分需要加以改革的,也要等到详加研究后,才提出更合理的改订方法。把革命进程中不可避免的破坏限制在最小的范围,能够保存的尽量保存,可以利用的尽量利用。②既明确依靠工人阶级,又善于联合民族资产阶级。中共中央明确提出,判断接管城市企业工作的好坏,要看工厂机器是否照常转动,工人是否照常上班。要做到这一点,就要依靠工人阶级,制止各种形式的侵犯工商业的现象。派到企业中的军事代表不直接管生产,只监督原来的人员管理生产,保障生产能照旧进行。生产进行不好或发生破坏怠工等事,即查明实情,将追究有据的坏分子,送交人民法庭。③旧人员实行"包下来"的政策,就是"三个人的饭五个人匀着吃,房子挤着住"。对旧机关精简下来的人员不是踢开不管,而是举办训练班,根据学习成绩量才录用等。②

北平、天津等大城市的解放及顺利接管,实现了党的工作重心从农村转向城市,大大推进了共和国成立的步伐。

五

召开新政协筹备会

民主人士到达解放区后,中国共产党采取不同方式向他们介绍有关政策,使他们了解情况,以便就共和国成立的大政交换意见。1月中旬,邓颖超在李家庄向民主人士作关于解放区的妇女工作的报告;胡乔木作新民主主义的文化政策的报告;安子文作关于干部问题的报告。

平、津解放后,原定在哈尔滨召开新政协筹备会的设想已显不适,各解放区民主人士遂陆续齐集北平。中国共产党又有计划地为他们组织了一系列报告,如叶剑英谈新解放区的城市为什么要实行军事管制和军事管制的有关政策;戎子和谈物资接管工作的政策、有关经验和存在的问题;李维汉谈关于新政协的国家制度、政治制度、经济政策、文化教育政策等。

民主人士收听了政策性报告后,开始举行专题座谈会,就新中国的建立提出具体意见和建议。在5月之前,经济界民主人士就接管上海问题举行7次座谈会。会上千家驹谈贸易问题,吴羹梅谈工业问题,盛康年谈商业问题,朱学范谈劳资关系问题,盛丕华谈房地产问题,吴承禧谈中小工厂开工问题。此外还讨论了物价、金圆券、农业水利、外资、非工商业之转业等问题,对如何接管上海这个远东最大金融经济中心提出了很好的意见。教育界

---

① 《政策汇编》,中共中央政策研究室,1949年6月编印。
② 薄一波:《若干重大决策与事件的回顾》上卷,中共中央党校出版社,1991年5月版,第9—17页。

人士马叙伦、卢于道、洪源、张西曼、雷洁琼、许德珩等20多人举行4次座谈会,讨论了北平解放后大学教育管理问题(包括大学机构的调整与合并、国立大学课程改造、私立大学的方针),新民主主义教育的方针、政策,接管沪宁地区教育工作问题。新闻界民主人士胡愈之、刘尊棋、杨刚、赵超构等20多人就平津报纸、通讯社接管问题,解放区报纸的印象及其优缺点和建议,国营、私营报纸处理及其相互关系、相互配合等问题举行了多次座谈。

民主人士了解政策、初议大政,是召开新政协前的必要准备。

1949年6月15日,经各方协商,新政协筹备会第一次会议在北平召开,参加会议的有各民主党派、无党派人士及人民团体等23个单位共134人。中共中央主席毛泽东在讲话中指出:召集新的政治协商会议、成立民主联合政府的一切条件均已成熟。这个筹备会的任务就是完成各项必要的准备工作。会议选举出由21人组成的新政协筹备会常务委员会。通过《各单位代表参加小组的办法》,规定设立6个小组,分别进行各项工作:第一小组,拟定参加新政协的单位及各单位代表名单,李维汉为组长,章伯钧为副组长;第二小组,起草新政协会议组织条例,谭平山为组长,周新民为副组长;第三小组,起草共同纲领,周恩来为组长,许德珩为副组长;第四小组,拟定中华人民民主共和国政府方案,董必武为组长,黄炎培为副组长;第五小组,起草大会宣言,郭沫若为组长,陈劭先为副组长;第六小组,拟定国旗、国歌、国徽方案,马叙伦为组长,叶剑英、茅盾为副组长。各小组于17、18日成立并开始工作。会议通过了参加新政协会议的单位及代表名额的规定,规定参加新政协会议的为45个单位,代表总名额510名,另设

一特别邀请单位。510名代表分配为:党派代表142人,区域代表102人,军队代表60人,团体代表206人。第一次全体会议于19日闭幕。筹备工作由常务委员会和6个小组分别担负起来,主要集中在3个方面:其一,拟定新政治协商会议的各种文件;其二,推动并促成全国社会科学、自然科学、教育、新闻等人民团体的筹备工作,协助全国文学艺术界联合会成立;其三,协商各单位代表名单。

9月7日,周恩来向参加新政协会议的代表就新政协筹备会常委会起草的几个文件的主要内容作报告。他指出:第一,要扩大政协的代表性,首先要扩大参加政协的成分、单位和名额,使它能代表全国各民主阶级、各民族人民的愿望和要求。参加会议代表的条件应该是"拥护新民主主义、反对帝国主义、反对封建主义、反对官僚资本主义及同意一切人民民主力量,推翻国民党反动统治,建立人民民主共和国"。在确定代表名额和人选的时候,不是平均主义的,而是有重点的,重点就是"以工农联盟为基础,以工人阶级为领导",同时又照顾到各个方面。第二,原来叫新政协,但新政协和旧政协的分别不够明确,改名为中国人民政治协商会议,它是包括了工人阶级、农民阶级、城市小资产阶级、民族资产阶级和一切爱国民主人士的统一战线组织,不应该开一次会就结束,而应该长期存在。在人民政协全体会议闭幕后,将设全国委员会,在中心城市、重要地区和省会设地方委员会。在未实行普选以前,分别执行全国和地方的人民代表大会的职权。召开全国人民代表大会以后,人民政协仍将以统一战线的组织形式而存在,国家的大政方针仍要经过人民政协进行协商。第三,关于国名问题,去掉了中华人民民主共和国中"民主"

二字,原因是"民主"与"共和"有共同的意义,无须重复,作为国家还是用"共和"二字比较好。国家制度中有一点就是我们主张民族区域自治,行使民族自治的权力,但不是联邦制。

经过3个月的紧张工作,各项筹备工作于9月上旬次第完成。各项文件在定稿以前,均经常委会和各小组、在北平的筹备代表和陆续到达北平的参加新政协的代表们反复研究,缜密商讨。9月17日,新政协筹备会第二次全体会议在北平举行。会议批准常委会的筹备工作报告;基本通过常委会所提出的《中国人民政治协商会议组织法(草案)》《中华人民共和国中央人民政府组织法(草案)》,并授权常委会提交中国人民政治协商会议第一届全体会议讨论;关于起草大会宣言和拟定国旗、国歌、国徽两项工作,因尚未完成,同意担任此两项工作的第五小组和第六小组直接向中国人民政治协商会议第一届全体会议主席团提出报告;关于中国人民政治协商会议的开幕日期,授权常委会决定并召集;通过常委会提出的"中国人民政治协商会议第一届全体会议主席团及秘书长名单"。会议决定将新政治协商会议定名为"中国人民政治协商会议"。

9月20日,新政协筹备会常委会举行第八次会议,决定于9月21日下午7时于中南海怀仁堂召开中国人民政治协商会议第一届全体会议,通过了第一届全体会议议事日程并修改通过了第一届全体会议议事规则(草案)。至此,新政协筹备会胜利完成了历史使命。

中国人民政治协商会议第一届会议

中国人民政治协商会议第一届全国委员会任期从1949年9月至1954年12月,凡5年有余。其间召开了一次全体会议,4次全国委员会会议和63次全国委员会常务委员会会议。政协一届全国委员会在新中国的诞生、恢复国民经济和社会主义改造过程中发挥了代行人民代表大会职权和各党派、各人民团体统一战线协议机关的作用,对于建设人民民主政权和实行多党合作的政治制度奠定了良好的基础。

一

第一届全体会议

1949年9月21日,中国人民政治协商会议第一届全体会议在北平中南海怀仁堂隆重开幕,会期10天。出席会议的代表包括党派、区域、军队、团体的45个单位共662人。其中正式代表510人,候补代表77人,特邀代表75人。大会由毛泽东、刘少奇、周恩来、张澜、沈钧儒、黄炎培、郭沫若等89人组成的主席团主持。新政协筹备会主任、中共中央主席毛泽东致开幕词,他指出:"中国人民政治协商会议是在完全新的基础上召开的,它具有代表全国人民的性质,它获得全国人民的信任和拥护","执行全国人民代表大会的职权"。

中国共产党代表刘少奇,特别邀请代表宋庆龄,中国国民党革命委员会代表何香凝,中国民主同盟代表张澜,解放区代表高岗,中国人民解放军代表陈毅,民主建国会代表黄炎培,中华全国总工会代表李立三,特别邀请代表赛福鼎、张治中、程潜,国外华侨民主人士代表司徒美堂相继发言,表示对新中国光明前途的共同信念。大会为在人民解放战争和人民革命中牺牲的人民英雄致哀,向遭国民党特务暗杀的政协代表杨杰的家属及国民党革命委员会致唁。

9月22日,大会通过主席提议设立6个分组委员会,即:政协组织法草案整理委员会,共同纲领草案整理委员会,政府组织法草案整理委员会,宣言起草委员会,国旗、国徽、国都、纪年方案审查委员会,代表提案审查委员会。大会听取政协筹备会代理秘书长林伯渠作《筹备工作经过报告》;筹备会第二小组组长谭平山作《中国人民政治协商会议组织法起草经过的报告》;筹备会第四小组组长董必武作《中华人民共和国中央人民政府组织法起草经过的报告》;筹备会第三小组组长周恩来作《中国人民政治协商会议共同纲领起草经过的报告》。

9月27日,经过几天大会发言和分组讨论,全体会议通过了《中国人民政治协商会议组织法》和《中华人民共和国中央人民政府组织法》。《政协组织法》规定中国人民政治协商会议为全中国人民民主统一战线的组织,旨在经过各民主党派及人民团体的团结,去团结全中国各民主阶级、各民族,共同努力,实行新民主主义,建立及巩固由工人阶级领导的以工农联盟为基础的人民民主专政的独立、民主、和平、统一及富强的中华人民共和国。全体会议分别对政协参加单位及代表、全体

会议、全国委员会、地方委员会作了具体规定。大会还通过中华人民共和国国都、纪年、国歌、国旗等4个决议案,即:①中华人民共和国国都定于北平,自即日起改北平为北京;②中华人民共和国的纪年采用公元,今年为1949年;③在中华人民共和国的国歌未正式制定前,以《义勇军进行曲》为国歌;④中华人民共和国的国旗为红底五星旗,象征中国人民大团结。

9月29日,全体会议通过《中国人民政治协商会议共同纲领》。《共同纲领》除序言外,有7章60条。它确定了中华人民共和国的政体和政治、经济、文化、军事、外交等方面的政策,是中华人民共和国宪法颁布以前中央人民政府的施政方针,具有临时宪法作用,全国各族人民必须共同遵守。会议同时还通过中央人民政府副主席和全体委员名额、关于选举中国人民政协全国委员会和中央人民政府委员会的规定以及主席团常务委员会关于代表提案的审查报告。

9月30日,会议选举中国人民政治协商会议第一届全国委员会委员180人;选举毛泽东为中央人民政府主席,朱德、刘少奇、宋庆龄、李济深、张澜、高岗6人为副主席,陈毅等56人为委员。讨论通过了《中国人民政治协商会议第一届全体会议宣言》《慰问中国人民致敬电》,通过了在北京天安门外建立人民英雄纪念碑及纪念碑的碑文。最后,朱德致闭幕词,他庄严宣告:中国人民政治协商会议第一届全体会议的工作已经胜利地完成了。我们既然能够团结一致,开创了中华人民共和国,我们就一定能够团结一致地把我们的国家建设好,引导到繁荣昌盛的境地。下午6时,出席中国人民政治协商会议第一届全体会议的代表在天安门广场举行人民英雄纪念碑奠基典礼。周恩来代表主

席团致辞说:"为号召人民纪念死者,鼓舞生者,特决定在中华人民共和国首都北京建立一个为国牺牲的人民英雄纪念碑。"全体代表脱帽静默致哀。毛泽东宣读纪念碑碑文:"三年以来,在人民解放战争和人民革命中牺牲的人民英雄永垂不朽!三十年来,在人民解放战争和人民革命中牺牲的人民英雄永垂不朽!由此上溯到一千八百四十年,从那时起,为了反对内外敌人争取民族独立和人民自由幸福,在历次斗争中牺牲的人民英雄们永垂不朽!"

第一届全体会议圆满地完成了组建中华人民共和国的历史任务。

第一届全国委员会第一次会议

1949年10月9日,政协第一届全国委员会在北京中南海勤政殿举行第一次会议,会期一天。周恩来作关于全国委员会常务委员会名单草案协商经过和拟订中的全国委员会工作条例为主要内容的报告。会议选举毛泽东为中国人民政治协商会议第一届全国委员会主席,周恩来、李济深、沈钧儒、郭沫若、陈叔通为副主席,李维汉为秘书长;选举毛泽东等28人为常务委员。会议通过"以10月1日为中华人民共和国开国的国庆纪念日"的建议案,并送请中央人民政府采纳施行。

第一届全国委员会第二次会议

1950年6月14日至23日,政协第一届全国委员会第二次会议在北京举行。参加会议的共424人,其中出席会议的政协全国委员会委员149人,中央人民政府委员25人;列席会议的特别邀请人士、地方协商委员会代表、政府各部门负责人250人。会议的中心议题是土地改革问题。

政协全国委员会主席毛泽东致开幕词,他说:"我们希望在此次会议上通过一个土地改革法,经中央人民政府批准后付之实施,首先使十余万正在准备进行土地改革工作的干部早日学习这个法案,以便在今年秋后大约有一万万农业人口的地区能够顺利地进行土地制度的改革工作。"中共中央书记处书记刘少奇作了《关于土地改革问题的报告》。《报告》指出,我们准备从今年冬季起,在两年半到三年内,基本上完成全国的土改。这个计划如果能够实现,将是中国人民一个极为伟大的历史性胜利。为了有领导有秩序地进行土地改革,中央人民政府必须颁布一个土地改革法及其他若干文件。《报告》论述了五个问题:"一,为什么要进行土地改革";"二,土地的没收和征收";"三,保存富农经济";"四,关于分配土地中的若干问题";"五,在进行土地改革时若干应该注意的事项"。

6月15日,中财委副主任薄一波在大会上作《关于调整税收问题》的报告。他指出,截至今年5月底,关税完成了全年任务的33.45%,盐税完成了25%,工商业税货物税合计完成了35.45%,秋季公粮完成了97%。但税收工作存在着许多缺点和错误。如在公布工商业税、货物税两个主要税法时,未能同时公布施行细则,以至各地税务局对于税法条文的解释和引用极不一致。税收任务是按税率估定的,但执行起来,曾发生过任务和税率互相矛盾的现象。在税种、税目和管理手续上,也应该简化,减少货物周转和工商业者的困难。为了从税收方面调整公私关系,要对税收问题进行调整,规定正确的税则、税率和征收方法等。政务院副总理陈云作了《关于经济形势、调整工商业和调整税收诸问题》的报告。

6月16日,政务院总理周恩来作《政治报告》,报告分三个部分:①国内外情况。现在世界上分两大营垒,一个是以苏联为首的和平民主力量,在逐日扩大;另一个是以美帝为首的侵略力量,在逐日削弱。中国革命的胜利,改变了两大营垒的力量对比,战争是可以制止的。国内方面,人民解放战争已基本结束。在中华人民共和国建立以来的8个月中,政权建设取得很大成绩。财政经济情况已有所好转。②国际关系。世界两个对立营垒,代表着两种不同的社会制度,两个制度是可以和平竞赛的,竞赛的结果,我们一定会胜利。到现在,我们已与苏联和各人民民主国家(南斯拉夫除外)建立了外交关系,同时也与印度等14个国家建立了外交关系。我们的原则是,凡是与我国建立外交关系的国家,必须要真正与国民党政府断绝外交关系。③国内关系。人民民主统一战线,有了很大发展。现在国内的阶级关系是:工人阶级、农民阶级、小资产阶级、民族资产阶级4个朋友团结合作,对准帝国主义、封建主义、官僚资本主义3个敌人,统一战线必须分清敌我。人民革命军事委员会代总参谋长聂荣臻作《军事报告》。报告说,在过去8个月中,人民解放军歼灭敌正规军88万余人,非正规军及土匪58万余人。人民解放军现在执行的任务是:第一是准备进军台湾、西藏,解放全部国土。第二是消灭残余土匪,安定地方秩序。第三是参加生产建设工作。第四是加强教育工作,提高部队的文化水平。

第五是整编和复员工作。人民解放军已达540余万的庞大数目,在保障有足够力量用于解放台湾、西藏,巩固国防和镇压反革命活动的条件下,准备在今年下半年复员140余万人,保留400万人。

6月17日,政务院副总理兼文教委员会主任郭沫若在大会上作《关于文化教育工作的报告》。报告说,中央人民政府成立后,全国各地开展了大规模的学习运动。学习的主要收获有:①通过对"政协三大文献",特别是《共同纲领》的学习,广大人民明确地认识了新中国与旧中国的根本区别;②广大人民对于世界两大阵营的认识有了很大的进步;③在广大的劳动人民和知识分子中,劳动创造文明的观点,基本上树立起来了。劳动成为光荣的事情,劳动人民开始普遍受人尊重;④为人民服务的观点,在知识分子和政府工作人员中广泛地流行了。最高人民法院院长沈钧儒作《人民法院工作报告》。报告指出,人民法院当前的主要任务是:第一,坚决地、严厉地、迅速及时地镇压一切破坏土地改革、破坏生产、破坏人民民主建设的反革命分子和反动阶级的反抗,保护土改胜利、生产建设和民主秩序。第二,通过审判,巩固人民内部的团结,调整公私关系和劳资关系,保护人民权利义务的依法实行;巩固家庭,同时保护婚姻自由。

6月23日,大会一致通过《中华人民共和国土地改革法(草案)》,建议中央人民政府委员会审核通过,颁布施行;通过国徽图案,请中央人民政府委员会核准公布;通过《中国人民政治协商会议全国委员会关于地方委员会的决定》、《中国人民政治协商会议全国委员会号召全国人民展开保卫世界和平签名运动的办法》、《致人民解放军全体指战员慰问电》、《关于同意各项工作报告的决议文》和《同意政治、军事、土改、财经、文教、法院、提案、会务八组对各项提案和建议案的审查意见决议文》。中央人民政府委员会秘书长林伯渠向大会提交了书面的《关于中国人民政治协商会议第一届全体会议各项提案处理情形的报告》。最后,毛泽东致闭幕词。他说,我为新中国数万万农村人民获得翻身的机会和国家获得工业化的基本条件而表示高兴,表示庆祝。中国的主要人口是农民,革命靠了农民的援助才取得了胜利,国家工业化又要靠农民的援助才能成功,所以工人阶级应当积极地帮助农民进行土地改革,城市小资产阶级和民族资产阶级也应当赞助这种改革,各民主党派各人民团体更应该采取这种态度。战争和土改是在新民主主义的历史时期内考验全中国一切人们、一切党派的两个"关"。战争一关,已经基本过去了,这一关我们大家都过得很好,全国人民是满意的。现在是要过土改一关,我希望我们大家都和过战争一关一样也过得很好。他还指出,人民民主专政有两个方法:对敌人说来是用专政的方法;对人民说来则与此相反,批评和自我批评的方法就是自我教育的基本方法。

会议于当天闭幕。

四

第一届全国委员会第三次会议

1951 年 10 月 23 日至 11 月 1 日,政协第一届全国委员会第三次会议在北京举行。出席会议的有政协全国委员会委员 143 人,列席会议的有中央人民政府委员会委员,中央人民政府各部门负责人,地方政府负责人,地方协商委员会主席、副主席,中国人民志愿军,人民解放军,工

农业劳动模范和老根据地代表以及各界人士共 519 人。

政协全国委员会主席毛泽东致开幕词。他说,在过去一年中,在我们国家内展开了抗美援朝、土地改革和镇压反革命三个大规模的运动,取得了伟大的胜利,人民民主专政业已巩固,金融和物价继续保持稳定,我们的经济建设事业和文化教育事业的恢复和发展的工作,也已前进了一大步。毛泽东指出,在我国的文化教育战线和各种知识分子中广泛地开展了一个自我教育和自我改造的运动。思想改造,首先是各种知识分子的思想改造,是我国在各方面彻底实现民主改革和逐步实行工业化的重要条件之一。因此,我们预祝这个自我教育和自我改造运动能够在稳步前进中获得更大的成就。政协全国委员会副主席、政务院总理周恩来作《政治报告》。报告主要谈了:①目前形势。西藏已经和平解放,整个中国大陆出现了历史上从来没有过的人民的统一,人民民主专政进一步巩固,国防力量正在向现代化迈进,经济正在迅速恢复,文教事业有了显著的进步,各兄弟民族间的友谊合作越来越亲密。特别是中国人民志愿军与朝鲜人民军并肩作战取得伟大的胜利,全国人民的爱国运动空前高涨。②外交与国防。我国人民认为全世界的各种不同社会制度的国家是可以和平共处的。凡是愿意在平等、互利、互相尊重领土主权的原则上与我们建立外交与商务关系的国家,就一定会得到我们的欢迎;而那些妄图用侵略和战争政策来威胁我国人民的帝国主义者,就一定会遇到我们的坚决回击。③土地改革。这是中国革命历史上最广大最健全的一次土地改革运动。截至今年 8 月底,华东、中南、西南、西北四大行政区,已有 1.5 亿多农业人口地区完

成了土改,约有9000余万无地少地的农民分到了1.8亿余亩土地。连以前老区在内,总计有3.1亿余农业人口地区完成了土改,有9000余万农业人口地区尚待进行土改。经过再一年的努力,估计到明年年底,除少数民族地区外,全国土地改革即可基本完成。④镇压反革命。目前全国绝大部分地区,在对土匪、恶霸、特务、反动党团和反动会道门等五类反革命分子,实行逮捕、处决和关押了其中大量的首恶分子以后,反革命残余势力已经受到极其沉重的打击,全国土匪已基本上肃清了。全国的社会秩序,表现了历史上从未有过的安定。⑤政权工作。中央人民政府成立以来,普遍地推行并不断地充实和提高各级人民代表会议的工作。全国各地召开过各界人民代表会议的,已有东北大行政区、内蒙古自治区、27个省、8个相当于省的行署、146个市、2038个县和105个相当于县的行政单位,有30个10万以上人口的城市已开过区人民代表会议,农村区、乡(行政村),一般地也都召开了人民代表会议或农民代表会议。⑥民族关系。民族区域自治和民族民主联合政府正在逐步推行。除内蒙古,全国已建立了30个专署区级至乡级的民族自治区人民政府,51个专署区级至乡级的民族民主联合政府。全国脱离生产的各少数民族干部已达5万余人。⑦统一战线。抗美援朝、土地改革和镇压反革命三大运动的普及,吸引了各民族各民主阶级的绝大多数人民,唤起了一大部分受帝国主义或封建主义影响很深的宗教信徒,推动了一部分在政治上素来冷淡和落后的人们,推动了各阶层人民和各界人士的自我教育和自我改造运动。

10月24日,政协全国委员会副主席陈叔通作《中国人民政治协商会议全国委员会常务委员会工作报告》;中国人民抗美援朝总会副主席彭真作《关于抗美援朝保家卫国运动的报告》。会议通过《关于抗美援朝工作的决议》,发出《致中国人民志愿军的贺电》和《致朝鲜人民军的贺电》。

10月25日,政务院副总理陈云作《关于经济工作和财政工作的报告》。报告说,农业情况:主要产粮区,除江西不收外,都是丰收。今年棉花产量已经超过了抗日战争之前,创下我国历史上的最高纪录。烟叶、麻、茶、丝的产量,也比去年增加了。1952年农业生产的基本方针是:集中力量提高单位面积的产量。工商业情况:全国公私工业都有进一步的发展。钢材、煤炭、电力分别比去年都有增长。轻工业除纱布因棉花尚感不足,增产不及10%外,麻袋、纸张、面粉、卷烟、火柴的产量比去年增加了20%—35%。由于工农业生产的提高,商业也有进一步的恢复。财政情况,由于美帝国主义侵占我国领土台湾,武装侵略朝鲜,威胁着我们大陆国境的安全,因此,许多财力不得不转用于国防。但是即令如此,今年度我国所支出的经济建设的投资、文化事业的经费仍然超过去年。增产节约是人民政府的重要财经政策之一。由现在起,我们要在全国范围内开展一个节约增产运动。政务院副总理、文化教育委员会主任郭沫若作了《关于文化教育工作的报告》。报告说,美帝国主义侵略台湾、朝鲜和武装日本,激起了全国反帝国主义的爱国主义高潮,促进了全国人民的精神生活的根本转变。今天中国人民的爱国主义,显然不是历史上的爱国主义所可以比拟的。因为只有在今天,人民才看见了属于自己的国家,才看见了自己的利益和国家利益的一致。全国人民的文化水平得到提高,发展了工农教育、小学教学、防疫工作、基层卫生组织、报纸和广播事业、出版事业、电影事业和群众文化活动。培养国家干部,是文化教育工作对国家建设所应负担的最重大任务。在五六年内,全国需要各级、各类技术、管理干部约250万人;必须办大量的速成学校和速成班次,用因陋就简的办法解决困难,以满足国家建设的需要。要改革调整现有的文化教育事业,这是目前文教工作的一个重要任务。会议还通过郭沫若、陈叔通、彭真关于为纪念中国人民志愿军出国作战一周年制发抗美援朝纪念章的建议。

会议期间(10月28日),政协一届全国委员会常委会举行第三十一次会议,补选达赖喇嘛、丹增嘉措、班禅额尔德尼·确吉坚赞、熊克武、包尔汉等18人为政协全国委员会委员。根据《中国人民政治协商会议组织法》第十四条规定,会议决定全国委员会会期延长为一年召集一次。

11月1日,大会通过《关于中央人民政府各项工作报告的决议》、《关于常务委员会工作报告的决议》、《关于提案审查委员会提案审查报告的决议》、《关于支持五大洲缔结和平公约的要求的决议》,并发出《致世界和平理事会电》和《复西藏地方政府电》。最后,毛泽东致闭幕词。他指出,我们的团结是一年比一年好,一年比一年更亲密,一年比一年更加生气勃勃。因为我国的人民民主统一战线是在伟大的革命斗争中一步一步地形成的,它是一个包括全国各民族、各民主阶级、各民主党派、各人民团体以及一切爱国民主人士在内的几万万人的统一战线,它是以工人农民为基础的,它是在工人阶级和共产党领导之下的,它又是采用自我批评方法的。因此,它能够巩固地团结一致,它就能够越来越有生气,越来越有力量,它就

是任何敌人所不能战胜的。

会议于当天闭幕。

五

第一届全国委员会第四次会议

1953年2月4日至7日,政协第一届全国委员会第四次会议在北京举行。出席会议的政协全国委员会委员148人,列席会议的有中央人民政府委员会委员、政务院政务委员及各部门负责人、人民革命军事委员会委员、西藏致敬团等51人。

政协全国委员会副主席周恩来作《政治报告》。报告指出,全国约有4.5亿农业人口的地区完成了土改,封建主义的基础已被彻底打垮。全国的工农业生产不仅已经全部恢复,而且一般已超过以往年代的最高水平。我国人民当前最迫切最重大的任务是:第一,抗美援朝斗争必须继续加强。第二,开始国家建设的第一个五年计划。第三,根据中央人民政府的决议,动员全国人民积极准备和参加全国人民代表大会及地方各级人民代表大会的选举,实现进一步的民主化,以便充分发挥全国人民的积极性,来共同奋斗。周恩来又指出,在全国人民代表大会召开之后,作为中国人民民主统一战线的组织形式的中国人民政协,依据《共同纲领》的规定,仍继续存在,但无权再执行全国人民代表大会的职权。在当天的大会上,政协全国委员会副主席陈叔通作了《中国人民政治协商会议全国委员会常务委员会关于会务的报告》,世界人民和平大会中国代表团副团长郭沫若作《关于世界人民和平大会的经过和成就的报告》。

会议期间(2月6日),常务委员会举行第四十六次会议。会议讨论通过各项

决议草案。

2月7日,大会通过《关于政治报告的决议》、《关于常务委员会会务报告的决议》、《关于支持世界人民和平大会各项要求的决议》、《关于提案审查报告的决议》,增选林伯渠、邓小平、张治中、许广平等23人为第一届全国委员会常务委员,发出《致中国人民志愿军电》。毛泽东在会上的讲话中作了三点指示:第一,要加强抗美援朝的斗争。由于美帝国主义坚持扣留中朝战俘,破坏停战谈判,并且妄图扩大侵朝战争,所以,抗美援朝的斗争必须继续加强。美帝国主义愿意打多少年,我们就准备跟他打多少年,一直打到美帝国主义愿意罢手为止,一直打到中朝人民完全胜利的时候为止。第二,要学习苏联。我们要进行伟大的国家建设,我们面前的工作是艰苦的,我们的经验是不够的,因此,我们要在全国范围内掀起学习苏联的高潮,来建设我们的国家。第三,要在我们各级领导机关和领导干部中反对官僚主义。现在不少基层组织和基层干部中存在着很严重的命令主义和违法乱纪的现象。这种现象的发生和滋长,是与领导机关和领导干部的官僚主义分不开的。如果领导机关和领导干部克服了官僚主义,下面那些命令主义和违法乱纪的坏现象,也一定会得到克服的。这些毛病去掉了,我们的国家建设计划就一定会成功,人民民主制度就一定会发展,帝国主义的阴谋就一定会失败,我们就一定能够取得完全的胜利。

会议于当天闭幕。

全国大陆的解放

中国共产党领导中国人民解放军和中国人民为了推翻以国民党蒋介石为代表的帝国主义、封建主义、官僚资本主义的统治,建立人民民主政权而进行的解放战争,导致了新民主主义革命的胜利,同时亦导致了全国大陆的解放。

一

摧枯拉朽的人民解放战争

1946年至1950年间进行的这场战争,分为四个阶段。第一阶段为1946年7月至1947年6月,人民解放军实行内线作战,粉碎国民党军的战略进攻。第二阶段为1947年7月至1948年7月,人民解放军主力转入外线作战和由战略防御转入战略进攻。第三阶段为1948年7月至1949年1月,人民解放军与国民党军进行战略决战,各个歼灭国民党军兵团。辽沈、淮海、平津三大战役构成了中国人民解放战争的战略决战,共歼灭国民党军173个师,154万人。为配合主要方向作战,在辽沈、淮海、平津三大战役前后,西北野战军进行了澄郃、荔北和冬季战役,歼灭了国民党军近6万人。华北军区部队进行了太原战役,歼灭国民党军12.4万人,结束了阎锡山在山西38年的统治。辽沈、淮海、平津三大战役,以及在战略决战阶段进行的其他战役,共歼敌182万人,消灭了国民党军主力和精锐,从根本上动摇了国民党的统治。国民党军剩下的兵力只有 220 万人,正规军只有 100 余万人,分布在从新疆到台湾的广大地区内和漫长的战线上,已不可能组织起有效的战略防御。人民解放军已发展到 400 万人以上,其中野战军 210 万人,解放了东北、华北和长江中下游以北近 2 亿人口的广大地区,使各解放区完全连成一片。在这一伟大胜利的影响下,国内各阶级的政治态度也发生了剧烈的变化,不仅国民党统治区的广大人民抗拒国民党的压迫,坚定地站到革命方面来,而且民族资产阶级也已脱离国民党,各民主党派的代表人物纷纷来到解放区。国民党内部也已四分五裂,其统治无论在政治上还是经济上,都已陷入极大的混乱和总崩溃的境地。

国民党统治集团一方面收罗残部,布置长江防线;另一方面企图利用和平烟幕,以长江防线拒人民解放大军于长江之北,争取时间扩编军队,以待时机。蒋介石于 1949 年 1 月 1 日发出和平声明,21 日又宣布下野,退居幕后指挥。代总统李宗仁出面与中国共产党进行和平谈判。

1949 年元旦,毛泽东在为新华社写的新年献词中,向全国发出了"将革命进行到底"的号召,提出了人民解放军继续向长江以南进军,完成解放全中国的任务。献词指出,必须彻底消灭一切反动势力,并驱逐美帝国主义的侵略势力出中国,不能使革命半途而废。1949 年 1 月 14 日,针对国民党的和谈阴谋,毛泽东发表了关于时局的声明,彻底揭露了蒋介石的和平骗局,提出 8 项条件作为和谈的基础,并指示人民解放军"在南京国民党反动政府接受并实现真正的民主的和平以前,你们丝毫也不应当松懈你们的战斗努力。对于任何敢于反抗的反动派,必须坚决、彻底、

干净、全部地歼灭之"。中共中央政治局于 1949 年 1 月上旬召开会议,指出 1949 年和 1950 年将是中国革命在全国范围内胜利的两年。3 月 5 日至 13 日,召开了中共七届二中全会,毛泽东在报告中提出了解决国民党军作战部队的方式不外天津、北平、绥远三种方式,而用战斗解决,仍是首先必须注意和准备的。

国民党组织的长江防线由汤恩伯集团和白崇禧集团担任。京沪杭警备总部汤恩伯集团 25 个军,约 45 万人,担任湖口至上海段沿江防御。华中剿总白崇禧集团 15 个军约 25 万人,以其 13 个军担任宜昌至九江段江防和守备武汉,2 个军配置在长沙、南昌等地纵深。海军第二舰队和江防舰队以及空军主力分别配属汤、白两集团。总兵力为 40 个军约 70 万人,舰艇 133 艘,飞机 300 余架,在长江沿线构成陆海空联合防线,以京沪杭地区为重点,淞沪为核心,采取持久方针以待国际事变。但国民党军兵力不足,其防御东重西轻,纵深空虚,缺乏机动兵力。

为了彻底消灭国民党军,并防备美国的军事干涉,中共中央、中央军委决定:第二、第三野战军全部 24 个军约 100 万人的兵力,以及第四野战军的一部,在长江下游实施渡江作战,夺取京沪杭,摧毁国民党统治中心,围歼国民党军主力于南京、镇江、芜湖间三角地区,进至浙赣路广大地区。以第三野战军第八、第十两兵团 8 个军共 35 万人,组成东突击集团,主力在张黄港至三江营间实施渡江。以第三野战军第七、第九两兵团 7 个军共 30 万人,组成中突击集团,在裕溪口至枞阳间渡江。渡江后两集团迅速东西对进,实行钳形突击。以第二野战军第三、第四、第五 3 个兵团 9 个军共 35 万人,组成西突击集团,在枞阳至望江间渡江,以一部直出浙

赣路,截断敌东西两集团的联系,主力迅速东进,担任攻占芜湖、南京的任务。第四野战军先遣兵团(第十二兵团2个军共12万人)及中原军区部队在西集团指挥下,位于武汉正面,牵制白崇禧集团,配合主力的作战行动。

4月20日,国民党政府拒绝在和平协定上签字。毛泽东、朱德遂于21日发出向全国进军的命令,命令中国人民解放军"奋勇前进,坚决、彻底、干净、全部地歼灭中国境内一切敢于抵抗的国民党反动派,解放全国人民,保卫中国领土主权的独立和完整"。

4月20日夜,中突击集团首先在裕溪口至枞阳段发起进攻,21日拂晓,将敌长江防线拦腰斩断,至23日攻克铜陵、南陵、芜湖等地,向宣城方向急进。东、西两突击集团于21日夜同时渡江发起进攻,至23日,东突击集团占领了镇江、常州,西突击集团攻占了青阳、高坦、至德一线。国民党政府于22日由南京迁往广州。23日,人民解放军占领南京。第四野战军先遣兵团解放了浠水、汉川等地,继续向江边推进。与此同时,东突击集团还回击了英国军舰的挑衅。

27日夜,东、中两个突击集团在吴兴会师。29日,在郎溪、广德地区全歼南逃之敌5个多军。5月3日,第七兵团一部解放杭州。西突击集团全力直出浙赣路和徽(州)杭(州)公路,迂回到汤恩伯的背部,并乘势出闽浙赣。5月7日,控制了浙赣路800余里,割断了汤、白两集团的联系。

汤恩伯集团所剩8个军24个师20余万人退守上海。中央军委指示第三野战军解放上海,第二野战军休整,准备协同第三野战军击退美国可能的干涉。第三野战军第九、十两兵团,于5月12日对上海发起进攻,至27日解放上海。除汤恩伯率5万人乘舰脱逃外,其他15万人悉数被歼。6月1日,人民解放军解放崇明岛。与此同时,第三野战军第七兵团解放了浙东、浙南;第二野战军一部,在游击队配合下,解放了浙西、闽北、赣东北、赣中及九江、南昌;第四野战军先遣兵团2个军,于5月14日由鄂东蕲春、黄岗地区渡江,迫白崇禧集团南撤,5月16日解放汉口,17日解放武昌、汉阳。

渡江战役从4月20日起至6月1日结束,突破了长江防线,解放了苏南、皖南、浙江、闽北、赣中等广大地区,并攻占了南京、上海、杭州、武昌、汉口、南昌等大城市,歼敌40余万人。

渡江战役后,国民党残余军队,包括其正规军、地方部队和后方机关等都算在内,尚有约150万人,盘踞在台湾及中南、西南和西北的若干省份内。

二

肃清华北残敌

为了迅速彻底地歼灭敌人,不给其喘息机会,并防止帝国主义干涉,中央军委指示各野战军按照预定计划前进,歼灭国民党残余力量,使各帝国主义在中国大陆上完全丧失凭借,同时在华北、华东部署必要兵力,以防美国可能的武装干涉。各野战军向全国进军的任务是:第三野战军除以主力位于京沪杭地区,准备对付美帝国主义的入侵外,同时进军福建,完成解放华东地区的任务,并建立攻取台湾的基地;第二野战军待沿海城市解放,美国出兵干涉的可能性减少时,即进军西南,在第十八兵团的协同下,解放与接管川、黔、滇、康四省;第四野战军并指挥第二野战军第四兵团,歼灭中南地区残敌,解放中南全境,接管豫、鄂、湘、赣、粤、桂等省;第一野战军完成解放西北五省的任务;第二十兵团开赴秦皇岛、塘沽地区布防,防止美军登陆。中央军委指示,在消灭残余敌人的作战中,必须实行大迂回、大包围、大歼灭的作战方针,只有首先断敌逃路,才能彻底歼敌。同时还要采取政治解决的方式作为战斗解决的辅助方式,避免伤亡和破坏,加速战争进程。

1948年10月,华北第一兵团并指挥晋绥第七纵队及晋中军区部队共8万余人,遵照中央军委乘胜攻取太原的指示,10月5日开始外围战斗,在小店地区围歼敌2个多师,进而进行要点的争夺战,至12月4日,占领了城南和东山各要点,共歼敌5万余人。此后,为配合平津战役,遵照中央军委缓攻太原的指示,转入围城休整。平津战役结束后,华北第十九、二十兵团及第四野战军炮兵一部,于1949年3月底开抵太原前线,协同华北第十八兵团参加太原战役的第二阶段作战。4月20日,人民解放军向敌发起攻击,至22日将国民党军外围5个防区13个师全部歼灭,逼进城垣。24日人民解放军攻克城垣,全歼守敌。此役共歼敌124000余人,拔除了华北敌军残留的一个最大的据点。大同敌军万余人于29日投诚,5月1日大同解放。

新乡、安阳之国民党军第四十军,于1948年11月即被我华北第十四纵队包围。1949年5月初,我第四野战军南下途中,在华北第七十军的配合下,于6日攻克安阳,并和平解放新乡。

绥远国民党守军共有正规军和非正规军16个师,5万余人。平津战役后,在内外交困的情况下,该部接受了和平解放绥远问题的主张。1949年3月23日,该部与解放军达成了划界驻守、平绥通车、使用人民币和互派联络员的协议。9月19日,该部宣布起义并接受改编。

三

解放大西北

胡宗南集团在西北人民解放军冬季战役和春季攻势的打击下,慑于被歼,开始收缩兵力,并准备撤至汉中。1949年5月16日,我军前进到石桥、三原、泾阳地区,准备相机歼敌一部。17日,其主力全线西逃,解放军乘势抢渡泾河,追击前进,20日解放西安,逼近宝鸡,并于6月中旬,击退了胡宗南和青海马步芳、宁夏马鸿逵集团联合向西安的反扑,结束了陕中战役。5月20日,榆林和平解放。

6月,西北人民解放军总兵力增加到42万人,此时西北国民党军总兵力为41万。10日,解放军牵制部队为掩护主力部队运动,首先行动。11日晨,主力开始进攻,于当日夜将胡宗南4个军9个师约4万余人,合围于扶郿地区。12日上午,粉碎了胡宗南军突围企图,下午经过激战,将其全歼。胡宗南残部纷纷南越秦岭,逃往汉中,二马亦仓皇西退。14日,解放了宝鸡、凤翔。

胡宗南部遭到重创后,退据汉中,这就给西北我军消灭马步芳、马鸿逵集团,解放甘、青、宁广大地区造成有利的条件。7月下旬,除第十八兵团主力于宝鸡、西安一线牵制胡宗南部,准备入川作战外,第一野战军率主力3个兵团乘胜向陇东追歼二马,至8月10日,第十九、第二、第一兵团分别进至静宁、通渭、甘谷地区,割裂了二马的联系。为首先歼灭马步芳,夺取兰州,扫清解放新疆的道路,第一野战军决定除留一个军牵制马鸿逵外，第一兵团经陇西、临夏、循化直取西宁，截断马步芳的后路，第十九兵团沿西兰公路经定西向兰州城东进攻，第二兵团经定西以南向兰州城南进攻，20日，进抵兰州城郊。

马步芳集团在兰州地区有6个军约9万人，以2个主力军据守兰州。8月25日，我军对据守兰州之马步芳军发起总攻，至26日全歼城内守军，解放了兰州。第一兵团于9月5日解放了西宁。

9月上旬，第二兵团沿兰（州）新（疆）公路西进，第一兵团率第二军由西宁北越祁连山，与第二兵团在张掖会师后继续西进，9月底进抵安西城，先头部队抵达新疆边境，沿途歼敌3万余人。与此同时，第十九兵团向宁夏马鸿逵集团进攻。该集团除一个军于9月19日接受和平条件，听候改编外，其余大部被歼于金积、青铜峡地区，残部纷纷请降。9月23日进驻银川，宁夏全部解放。

新疆国民党军政当局，在人民解放军巨大胜利的影响及中共政策感召下，于9月25日、26日发出起义通电，接受和平条件。第一兵团于10月20日进驻迪化（今乌鲁木齐），12月，解放陕南、陇南。至此，西北全部解放。

四

解 放 中 南

国民党军在中南、西南的正规军共约70万人。白崇禧集团据守湖南、广西，余汉谋集团据守广东，胡宗南集团和地方军阀据守西南的滇、黔、川、康等省，白崇禧、胡宗南集团是仅剩的2个主力集团。

遵照中央军委的指示，第四野战军主力于1949年4月中旬，由平津地区南下，

至6月上旬，行程2400里，到达长江以北的襄阳、樊城、安陆、孝感、浠水一线。第四野战军当面的白崇禧集团，自武汉地区南撤湘中地区后，企图依托九岭山脉、洞庭湖和汨罗江等有利地形阻止我军南进。第四野战军于7月发起了宜沙和湘赣战役，解放了宜昌、沙市、常德和湘赣边广大地区，并逼近长沙。8月4日，长沙国民党军政当局率部起义。白崇禧集团撤退到以衡阳、宝庆（邵阳）为中心的湘南地区，企图依托湘江、资水，背靠滇、桂、黔，构成防线。第四野战军以第十三兵团为西路军，取道沅陵、芷江直插百色、南宁，实行断敌西退滇、黔的战略迂回任务；以第四、第十五兵团和两广纵队为东路军，夺取广州，而后第四兵团继续西进，与西路军形成对白崇禧集团的包围；以第十二兵团为中路军，首先在湖南衡阳宝庆地区展开攻击，牵制敌人，而后尾敌进入广西，协同第四、第十三兵团歼灭白崇禧集团于广西境内。9月中下旬，西路军和东路军开始向国民党军攻击。至10月初，将其东逃广东、西逃贵州的道路切断，中路军由正面展开攻击。10月6日，白崇禧集团全线向广西方向撤退。至11日，解放军将其主力第七、第四十八军大部围歼于祁阳以北地区，解放了宝庆、衡阳。东路军向广东前进，于10月14日解放广州。国民党军主力西逃。第四兵团于26日将逃敌4万余人合围歼灭于阳江地区。国民党军第十二兵团由汕头地区逃往金门、台湾。中路军和西路军尾追白崇禧集团进入桂北，对广西形成三面包围。

白崇禧集团5个兵团及余汉谋残部，共17万余人，退据广西，企图与胡宗南集团建立西南防线，并有从海上逃跑的企图。人民解放军于11月初发起广西战役。以第十三兵团为西路，沿黔桂边境前进，

阻敌西逃。以第四兵团和第十五兵团一部为南路,进至粤桂边境的廉江、茂名、信宜地区,防敌向海南岛逃跑。以第十二兵团为北路,暂于原地待命,尽量"示弱",待西、南两路断敌退路后,即由北向南围歼敌人。白崇禧以其2个兵团南下,与在廉江地区的粤系残部配合,企图夹击南路解放军,以保持其雷州半岛的退路。解放军于12月1日将其2个兵团围歼于博白地区,廉江地区粤系残部亦大部被歼。白崇禧令其余部向钦州撤退。解放军于12月4日解放南宁,7日攻占钦州,封闭了敌军南逃的入海口,将残敌围歼于灵山以西地区。12日,攻占镇南关。至此,逃入广西之国民党军17万余人,除万余人逃入越南外,其余全部被歼。中南大陆解放。

1950年4月16日,第十五兵团横渡琼州海峡,进攻海南岛;17日,突破国民党军防线;在琼崖纵队的配合下,至4月30日,解放了全岛,歼灭国民党军3万余人。之后不久,解放军又解放了万山群岛。至此,中南地区全部解放。

解 放 西 南

渡江战役后,第二野战军主力集结于芜湖(第三兵团)、上饶(第五兵团)及赣中(第四兵团)地区,防止美国的武装干涉,并进行向西南进军的准备工作。在这期间,福州等城市相继解放,美国直接干涉的可能性已大大减小,而且第三野战军的部署已调整完毕,已能担当东南沿海的防务,中央军委即令第二野战军主力隐蔽地向湘西集结,执行向西南进军的任务。9月初,第三、第五兵团分别由芜湖、上饶地区出发,于10月中旬到达常德、邵阳地区

集结。

10月,广州即将解放,国民党政府迁重庆。其残存的军队有:胡宗南集团(辖第五、第七、第十八兵团)依秦岭主脉构成主要防线,并沿白龙江、米仓山、大巴山一线构成第二道防线,阻止解放军由陕入川;宋希濂集团(辖第十四、二十兵团)位于川鄂边建始、恩施一线,与位于巫山、奉节的国民党军第十六兵团(孙元良)配合,扼守川东门户,其第十五兵团(罗广文)位于南充、达县、大竹地区机动,其第十九兵团(何绍周)分散配置在贵州境内的湘黔公路两侧;另外还有卢汉、李弥等部分别控制滇越公路和战略要点。国民党军认为,在西南地区,川东地势险要,大兵团行动困难,湘、桂尚有白崇禧集团10余万人,可保障其滇、黔后方和胡宗南侧背安全;而川北方向,既是解放军入川捷径,又有陇海路与解放区相连,补给较易,解放军主力最大可能由这一方向入川。因此,国民党军企图以四川为防御重点,西迄岷山,经秦岭、大巴山、巫山和武陵山,南至五岭山脉西部,构成所谓"西南防线",以阻止解放军由陕入川解放大西南。如固守不成,则保存实力,由康、滇逃往国外。

中央军委根据上述情况,指示人民解放军消灭胡宗南及川、康诸国民党军,非从南面进军断其退路不可。解放军要对西南各国民党军均取大迂回动作,插至敌后,先完成包围,然后再回打之方针。中央军委要求在第四野战军向广西进军的同时,第二野战军主力应以大迂回大包围的动作,从湘黔边直出贵州,进占川东、川南,切断胡宗南集团和川、康诸国民党军退往云南的道路。位于陇海路西段宝鸡、天水地区的第十八兵团等部,首先滞留胡宗南集团于秦岭地区,待第二野战军主力进入川境将国民党军退路切断后,即迅速

入川,占领川北和成都地区,而后两军协同,聚歼川境国民党军。

为迷惑敌人,保证对国民党军实行大迂回、大包围行动的突然性,在第二野战军进军前,第十八兵团曾对胡宗南集团发动攻势;活动于陕南、鄂西北之第十九军也实行佯动,吸引敌人;第二野战军领导机关由南京地区乘车开进经过郑州时,刘伯承司令员公开发表讲话,佯示向西进军;第四野战军进行的衡宝战役和广东战役,也掩护了第二野战军的开进和集结。这些行动都造成了国民党军的错觉,为我第二野战军主力从川黔边突然迂回敌后,创造了有利的条件。

10月底,第四野战军为支援第二野战军进军四川,并策应其主力向广西进军,派出第四十二、第四十七、第五十军等共9个师的兵力,由湘西北和鄂西地区向西进击宋希濂集团于彭水、黔江地区。

11月1日,人民解放军发起了进军川、黔的作战。第五兵团及第十军于10日进入贵州境内,直插贵阳、遵义。与此同时,第三兵团主力与第四野战军的部队,也突破了宋希濂集团的防线。解放军在北起巴东、南至天柱的约1000里的地段上,多路挺进,拦腰斩断了国民党军的西南防线,打乱了它西南的防御部署。国民党军第十九兵团准备西撤毕节、织金、贞丰三线,阻止解放军西进;其第十五兵团由大竹地区增援川东南;宋希濂集团准备撤至彭水、黔江地区,与第十五兵团依托乌江,阻止解放军前进。为不让宋希濂集团有计划地撤退和有组织地抵抗,解放军各部按计划勇猛急进。11月15日,第五兵团和第十军解放了贵阳、思南。第三兵团主力和第四野战军的部队16日解放彭水,直逼乌江东岸,19日,将西逃之国民党第十四兵团,围歼于咸丰东北地区。这就

不仅粉碎了国民党军川湘鄂边防线,而且打破了白崇禧集团西撤滇黔的企图,直接威胁着胡宗南集团的退路。这时,蒋介石急令胡宗南集团南撤,令第十六兵团由万县西撤,宋希濂集团的第二十兵团和第十五兵团在南川及其以东布防,迟滞解放军前进,掩护胡宗南集团撤退。为迅速切断国民党军之退路,11月21日,解放军第二野战军前委指示第五兵团除留第十七军于贵阳接管城市、维护交通外,主力及第十军迅速向川南宜宾、泸州方向迂回,切断国民党军退路;第三兵团主力及第四野战军的部队,强渡乌江,力争合围国民党军第二十、第十五兵团于南川及其以东地区。第三兵团主力和第四十七军,强渡乌江后,向南川地区之国民党军合击。24日,解放军占领南川,至28日,将国民党军第二十、第十五兵团大部歼灭于南川以北山区,并夺取了重庆外围据点。29日,国民党政府撤出重庆,30日,解放重庆。

重庆及川东、川南解放后,蒋介石一面令重庆及其以北地区西撤之国民党军,在正面迟滞我军向成都前进,一面急令胡宗南集团迅速撤至成都地区,企图继续抵抗或向西康、云南逃跑。此时,胡宗南集团主力已撤至川北,国民党军第十六兵团正向成都方向撤退。在此情况下,解放军决定第十八兵团南下川北,第二野战军第三、第五兵团主力,继续迅速西进,切断国民党军退往康、滇的道路,以歼胡宗南集团及川境之国民党军于成都盆地。

人民解放军第三、第五兵团主力,击破国民党军在涪江、沱江和岷江沿岸的抵抗后,12月15日,攻占简阳、仁寿,16日攻占乐山,17日占领眉山、彭山,20日攻占了蒲江、邛崃、大邑等城,完全截断了胡宗南集团的退路,从西、南、东三面对成都构成了袋形包围。第十八兵团于12月9日

越过秦岭,继续向川北挺进,21日进至绵阳及其东西一线的合击位置。至此,胡宗南集团及四川境内之敌数十万人,全部被解放军包围在成都地区。21日,国民党军第十六兵团在金堂宣布起义;第十五、第二十两兵团残部,在彭县起义;25日,第7兵团在德阳起义。但国民党军第五兵团等部,于25日向解放军邛崃、大邑一线猛攻,企图突围南逃,遭到有力堵击。至26日,除少数残部向西昌逃窜外,大部被歼于新津地区,俘第五兵团司令李文以下5万余人。27日,国民党军第十八兵团在成都以东地区宣布起义,成都解放。至此,蒋介石的最后一支主力胡宗南集团和退集到成都地区的其他部队共40余万人,除起义者外,大部被消灭。

12月9日,云南的卢汉,川、康的刘文辉、邓锡侯、潘文华等部分别在昆明、雅安等地起义,云南、西康两省和平解放。但国民党军第八、第二十六军破坏云南的和平解放,继续与人民为敌,并向昆明进犯。解放军第四兵团在第四野战军第三十八军和滇桂黔边纵队的配合下,于1950年1月1日至2月7日,在滇南地区将该部歼灭,其残部逃往缅甸。3月中旬至4月初,解放军一部挺进西昌地区,全歼西昌警备区残部万余人。至此,国民党在西南地区的正规部队全部消灭,西南全境除西藏外全部解放。

进军福建和解放华东沿海岛屿

渡江战役后,蒋介石仍企图以台湾为基地,尽力保持沿海岛屿与福建、广东、广西和西南各省。他在福建和闽浙沿海岛屿,收集了国民党军残部13个军约18万人,其中由舟山防卫司令石觉指挥3个军约6万人,退守舟山群岛;由福州绥靖公署主任朱绍良指挥3个兵团10个军,约12万人,退据福建及其沿海地区。解放军为迅速歼灭残敌,解放福建,并建立攻取台湾的基地,决定以第十兵团进军福建。第十兵团于1949年7月下旬,到达建瓯、南平、古田地区,决定首先歼灭福州地区之国民党军,然后乘胜南下,歼灭漳州、厦门地区之国民党军。福州地区之国民党军第六兵团及所属5个军共6万余人,企图利用有利地形阻止解放军前进,如被击破,即由海上逃跑。据此,解放军采取钳击战法,首先由两翼插至敌侧后,封锁闽江口,切断福厦公路,截断其海上和陆上退路,然后压缩聚歼之。8月16日,解放军两翼迂回部队攻占马尾、福清,国民党军分别向厦门、平潭逃窜。解放军展开追击,17日解放福州。国民党军大部被歼,一部逃至平潭和漳、厦地区。9月中旬,解放军攻占南日、平潭及其周围岛屿。9月19日,解放军发起漳、厦及金门战役,当日攻占同安,至25日,攻占厦门外围阵地,歼灭国民党军1万余人。10月17日,解放军攻占厦门,歼灭国民党军2万余人。10月24日夜,解放军先头部队3个团在金门岛登陆,因渡船搁浅,遭敌破坏,后续部队无船可渡,登陆部队终因兵力不足,苦战3昼夜,大部牺牲。第十兵团进入福建,经过2个半月的连续行军作战,在地方党和游击队的配合下,共歼灭国民党军10余万人,解放了福建及其沿海部分岛屿。

1949年8月11日至18日,解放军山东军区一部解放了内长山列岛,歼灭国民党军千余人。

1949年8月至10月,解放军攻占舟山群岛数个外围岛屿,歼灭国民党军1万余人。1950年5月13日,舟山之国民党军秘密撤往台湾,19 日我军解放舟山群岛。同年 6 月,美国武装人员进入台湾,阻碍了我军对台湾的解放。

西藏和平解放

西藏自古是中国领土不可分割的一部分。远在公元 7 世纪时,唐朝就与吐蕃王朝通好,文成公主与藏王松赞干布联姻,密切了相互的交往。元朝中央政权统一西藏,建立行政机构,委派官员管理,西藏正式归入中国版图。在以后的数百年间,西藏同祖国的关系又有进一步的发展。西藏民族是中华民族大家庭中的重要成员。新中国成立后,解放西藏,驱逐帝国主义侵略势力,实现祖国统一,是中国共产党领导的中国人民革命和人民解放战争的重要组成部分。由于西藏是一个具有很大特殊性的少数民族地区,党和中央政府从西藏的历史和现状出发,提出了和平解放西藏的方针。

一

解放西藏、经营西藏的战略决策

西藏面积 120 多万平方公里,约占全国总面积的 1/8,位于世界第一大高原青藏高原的西南部,有"世界屋脊"之称,西通中亚细亚,南越喜马拉雅山脉可通印度,国境线近 4000 公里,是中国的西南屏障。

近代以来,西藏多次遭受英国的侵略。第二次世界大战之后,美国也不断派间谍到西藏活动,1947 年派所谓"亲善访问团"到西藏活动,企图制造傀儡,取得对西藏的实际统治权。1949 年,正当中国人民的解放战争推向西北和西南边疆,将要在全国取得彻底胜利的时候,在英美帝国主义及其追随者的策划下,7 月 8 日,西藏地方当权者突然封闭了国民党伪政府的电台和学校,以驻藏国民党政府官员与"共产党有联系"的嫌疑驱逐汉族人民及国民党驻藏人员。英、美、印勾结西藏地方反动当局策划这一"反共"事件的目的,就是企图在人民解放军即将解放全国的时候,使西藏不但不能得到解放,而且进一步脱离中国版图,变为外国帝国主义的殖民地。8 月,美国电台评论员托马斯父子到西藏活动,一面致电杜鲁门总统提出援助"西藏独立",一面致电西藏地方政府,提出要他们培训游击部队对付人民解放军入藏。为使西藏脱离中国和控制西藏,印度在藏印边界的拉达克、锡金、不丹各地采取了各种措施,并在与西藏毗邻的列赫、加德满都等地建了许多飞机场,并极力宣传"中国在西藏的地位从来没有过详确规定"。[①] 西藏地方政府中的亲帝分裂主义与美、英、印相勾结,紧锣密鼓地进行分裂活动,形势非常严峻。

对此中国共产党授权新华社和《人民日报》,分别于 9 月 2 日和 7 日发表题为《绝不容许外国侵略者吞并中国领土——西藏》的社论和署名文章《中国人民一定要解放西藏》,指出:"妄想否认西藏是中国领土的一部分,这是侵略者在白昼说梦话。任何人找遍中外公开出版的地图和关于中国内政外交的文件也无法找出任

---

① T.叶尔硕夫:《帝国主义者对于西藏的阴谋》,《新华月报》,第 1 卷第 4 期,1950 年 2 月 15 日。

何的'根据'。"解放西藏"是中国人民、中国共产党和中国人民解放军的坚定不移的方针。任何侵略者如果不认识这一点","就一定要在伟大的中国人民解放军的铁拳之前碰得头破血流",表明中国人民一定要解放西藏的严正立场,揭露了帝国主义企图把西藏变为殖民地的阴谋。

1949年10月1日,中华人民共和国宣告成立,当天十世班禅额尔德尼·确吉坚赞从青海致电毛泽东主席和朱德总司令,表示拥护中央人民政府,希望早日解放西藏。解放西藏的重大任务提上了议事日程。

中共中央、毛泽东根据国际国内和西藏形势,高瞻远瞩地考虑了解放西藏的时机和策略问题。早在1949年2月4日,毛泽东在西柏坡村与来访的米高扬谈话时就指出:"西藏问题也并不难解决,只是不能太快,不能过于鲁莽,因为:(一)交通困难,大军不便行动,给养供应麻烦也较多;(二)民族问题,尤其是受宗教控制的地区,解决它更需要时间,须要稳步前进,不应操之过急。"①

随着解放战争的节节胜利,中共中央对解决西藏问题的考虑和筹划也逐渐明晰具体。8月6日,毛泽东在给彭德怀的电报中指出:"班禅现到兰州,你们攻兰州时请十分注意保护并尊重班禅及甘青境内的西藏人,以为解决西藏问题的准备。"②9月26日,中国人民解放军总司令朱德在中国人民政治协商会议上代表人民解放军作出庄严的保证,"要解放全中国,保卫中国的独立和领土主权的完整"。③ 10月1日,中华人民共和国成立,人民解放军总部又向全军发布命令:"迅速肃清国民党反动军队的残余,解放一切尚未解放的国土。"④10月13日,毛泽东关于西南、西北作战部署的电报中,正式明确:"经营云、贵、川、康及西藏的总兵力为二野全军及十八兵团,共约六十万人。"⑤中共中央一方面积极作解放西藏的军事准备,一方面指示各地党政负责人,在解决民族问题时,务必耐心细致,注意培养少数民族干部。11月14日,毛泽东要求各地军政首长:"除大力剿匪外,省委、地委、县委应集中注意做艰苦的群众工作。在一切工作中,坚持民族平等和民族团结政策。各级政权机关均应按各民族人口的多少,分配名额,大量吸收少数民族中能够和我们合作的人参加政府工作。在目前时期一律组织联合政府,即统一战线政府。在这种合作中培养大批少数民族干部。要彻底解决民族问题,完全孤立民族反动派,没有大批少数民族出身的共产主义干部,是不可能的。"⑥这种大气恢弘、富有远见的处理民族关系的思想,不但对和平解放西藏起到了积极作用,而且也对增进中华各民族间的团结产生了深远的影响。

11月23日,毛泽东、朱德回复班禅10月1日的来电时明确表示:"西藏人民是爱祖国而反对外国侵略的,他们不满意国民党反动政府的政策,而愿意成为统一的富强的各民族平等合作的新中国的一分子。

① 师哲:《在历史巨人身边》,中央文献出版社,1991年版,第380页。
② 《毛泽东文集》第五卷,人民出版社,1996年版,第320页。
③ 《朱德年谱》,人民出版社,1986年版,第333页。
④ 《朱德选集》,人民出版社,1983年版,第269页。
⑤ 《毛泽东军事文选》第六卷,军事科学出版社、中央文献出版社,1993年版,第24页。
⑥ 《毛泽东文集》第六卷,人民出版社,1999年版,第20页。

中央人民政府和中国人民解放军必能满足西藏人民的这个愿望。希望先生和全西藏爱国人士一致努力,为西藏的解放和汉藏人民的团结而奋斗。"①

可是,多年来图谋分裂中国的帝国主义反华势力和西藏地方政府的少数当权派不顾中国人民统一祖国的愿望,加紧进行所谓西藏"独立"的活动。在英美帝国主义分子的策动下,西藏亲帝分离势力计划派出一个所谓"亲善使团"赴美、英、印度、尼泊尔访问,企图表明西藏地方的"独立"地位,同时将西藏军队的2/3调到昌都,沿金沙江布防,想以武力阻止人民解放军解放西藏。

1950年初,当获悉西藏当局将派"使团"去外国访问时,尚在莫斯科访问的毛泽东批准以中央人民政府发表声明的方式予以严正警告,同时希望西藏方面派代表到北京谈判。毛泽东出访期间,在中央主持军事工作的朱德总司令于1月18日在政务院召开的西藏工作座谈会上讲话:"西藏问题最好采取政治办法解决,不得已时才用兵。"②2月25日,刘少奇在以中央军委的名义回复西南局的电报中说:"我们进驻西藏的计划是坚定不移的,但可以采用一切办法与达赖集团进行谈判,使达赖留在西藏并与我和解。"③中央分析西藏当时的具体形势后,认为"西藏人口虽不多,但国际地位极重要,我们必须占领,并改造为人民民主的西藏。""进军及经营西藏是我党光荣而艰苦的任务。"确定了在人民解放军进军的前提下,努力争取采用和平谈判的方式解决西藏问题的

方针,并决定由西南局担负"向西藏进军及经营西藏的任务"。④ 根据中央指示,1月下旬中国共产党西藏工作委员会成立,张国华为书记、谭冠三为副书记。

针对英美帝国主义对西藏的阴谋以及西藏出现的严重局势,1949年12月底,中国人民解放军已全部消灭了国民党残留在大陆的军事力量,为了和平解放西藏统一中国大陆,中央人民政府民族事务委员会于1950年1月上旬通知西藏地区政府派代表到北京谈判和平解放西藏事宜。1月18日,中央人民政府召集各地来京的藏族民主人士、知识分子等座谈西藏问题,朱德副主席、林伯渠秘书长特亲临指导。朱德重申中央人民政府解放西藏人民的决心,并说明了人民政协共同纲领中的民族政策。座谈中,藏族人士痛斥帝国主义侵略西藏的阴谋,热切要求迅速解放西藏。民族事务委员会刘格平主任委员谈到帝国主义极力制造"西藏自治"时说,《共同纲领》中规定了"各少数民族聚居的地区,应实行民族的区域自治",但是这里所谓的自治绝不是帝国主义的所谓"自治"。西藏人民的真正自治是在把帝国主义的侵略势力从西藏驱逐出去以后才能获得的。帝国主义所极力宣传的所谓"自治"是阴谋借此保持其在西藏的侵略势力的。因此,解放西藏,即为西藏人民自治的前提。⑤ 会后,成立西藏问题研究会以深入研究西藏有关问题。

1月17日,刘少奇针对美国合众社一再宣传西藏拉萨当局将派出所谓"亲善使团"分赴美、英、印度、尼泊尔和北京,以表

① 《毛泽东西藏工作文选》,中央文献出版社、中国藏学出版社,2001年版,第3页。
② 《朱德年谱》,人民出版社,1986年版,第340页。
③ 《当代中国西藏》,当代中国出版社,1991年版,第136页。
④ 《毛泽东文集》第六卷,人民出版社,1999年版,第36—37页。
⑤ 《民族事务委员会召开西藏问题座谈会》,《新华月报》第1卷第4期,1950年2月15日。

明其"独立"的要求一事,请示毛泽东后,决定由新华社发表外交部发言人就西藏问题谈话。1 月 21 日,外交部发言人指出:"西藏是中华人民共和国的领土,这是全世界没有人不知道也没有人否认的事实。既然如此,拉萨当局当然没有权利擅自派出任何'使团',更没有权利去表明它的所谓'独立'。西藏的'独立',要由美国、英国、印度、尼泊尔的政府去宣传,并由美国的合众社加以宣布,使人们不难看出这种消息的内容即令不是出于合众社的制造,也不过是美帝国主义及其侵略西藏的同谋们所导演的傀儡剧。"西藏人民的要求是成为中华人民共和国民主大家庭的一员,"是在我们中央人民政府统一领导下实行适当的区域自治",关于这一点,在人民政协的共同纲领上是已经规定了的,"如果拉萨当局在这个原则下派出代表到北京谈判西藏的和平解放问题,那么,这样的代表自将受到接待。但是如果不是这样,如果拉萨当局违反西藏人民的意志,接受帝国主义侵略者的命令,派出非法的'使团'从事分裂和背叛祖国的活动,那么,中央人民政府将不能容忍拉萨当局这种背叛祖国的行为,而任何接待这种非法'使团'的国家将被认为对于中华人民共和国怀抱敌意"。① 2 月 25 日,中共中央在批复西南局的电报中强调:"我军进驻西藏计划,是坚定不移的,但可采用一切方法与达赖集团进行谈判,前提是达赖留在西藏并与我和解。"② 4 月 27 日,周恩来在藏民研修班上发表讲话,指出:"西藏派出代表与我们商谈,我们是欢迎的,但驱除英帝国主义出西藏是要坚决执行的。解放军必须进入西藏,目的是赶走英美帝国主义势力,保护西藏人民,使其能实行自治。"③ 为了同西藏当局谈判,西南局拟定了四项条件,后由邓小平根据中央精神,针对西藏实际情况扩展为十条政策上报中央,经中央批准后作为同西藏当局谈判的条件。这些都体现了中共中央和人民政府和平解放西藏的主张与方针,受到广大藏族人民群众和爱国上层人士的拥护。

二

昌都战役——以打促和

与此同时,西南局和西北局根据中央的指示决定除由第二野战军的第十八军担负入藏部队的主力外,云南军区第一二六团、青海骑兵支队、新疆独立骑兵师分别由西康、云南、青海、新疆向西藏进军。由于进军西藏并不是单纯军事问题,涉及政治、宗教、民族等许多复杂的问题,因此西南局拟定了与西藏地方当局谈判的 10 项条件,并对部队进行解放西藏、建设边疆、巩固国防和民族政策等教育。为了和平解放西藏,从 1951 年 1 月起,西南局和西北局就通过各种渠道和形式先后派出几批人员入藏,希望劝说西藏地方当局派人与中央谈判,但是由于西藏地方当局中的顽固势力,在英美等帝国主义国家的怂恿下顽固坚持其错误立场,执迷不悟,进藏劝说人员或在入藏后被监禁,或在途中受阻。7 月,以和谈代表身份入藏的西南军政委员会委员、西藏省人民政府副主席格达·洛桑丹增活佛被西藏地方当局中

① 《外交部发言人谈话否认西藏拉萨当局派出非法使团》,《新华月报》,第 1 卷第 4 期,1950 年 2 月 15 日。
② 《西藏工作文献选编》,中央文献出版社,2005 年版,第 14 页。
③ 同上,第 16 页。

的顽固势力杀害。

在劝说无效的情况下,为了打击西藏地方当局中的顽固势力,促使其内部分化,以战促和,实现解放西藏的战略目标,中央决定实施昌都战役。

昌都战役是和平解放西藏具有决定意义的一仗,不仅是军事战役,更是一场关键性的政治战役。昌都地区属横断山脉地带,高山连绵,河道交错,交通不便,昌都位于澜沧江畔,是西藏东部的政治、经济、军事中心,扼青海、西康、云南、西藏交通要冲,是从西南入藏的咽喉要道。昌都地区(从金沙江至鹿马岭)按国民政府的区划归西康省管辖,但实际上由西藏地方政府统辖。因其战略地位重要,西藏地方政府在昌都设"朵麦基巧",统管昌都地区军政事务,派其最高等级官员一位噶伦①担任军政总管,加强对昌都及包括金沙江在内的周围的防御。

西康省解放后,西藏地方政府将藏军2/3的兵力(七个代本②的全部、三个代本的部分计4500人)以及一些地方民团和僧兵3500人,共计8000余人③部署在昌都周围及金沙江西岸地区,部署特点是:南轻北重,前轻后重,梯次配置,分区布防。藏军扼守要道隘口,妄图凭借金沙江天险阻止人民解放军入藏。

为打好昌都战役,贺龙、邓小平等西南军区领导专门召开会议研究部署,决定以第十八军一部、青海骑兵支队、云南军区第一二六团等6个团的兵力,配属炮兵、工兵和侦察分队,运用正面攻击和迂回包围相结合的战术,发起昌都战役。西南军区派张国华于8月5日、14日连续向中央

军委作了实施昌都战役的报告。毛泽东于8月18日询问昌都战役准备情况,并于23日复电西南局批准了这一报告:"你们力争今年占领昌都并力争留三千人巩固昌都的计划是好的,你们可以照此作积极准备,待本月底下月初判明公路已通至甘孜无阻,即可实行进军,期于十月占领昌都。这对于争取西藏政治变化及明年进军拉萨,是有利的。""现印度已发表声明承认西藏为中国领土,唯希和平解决勿用武力。英国原不许西藏代表团来京,现已允许。如我军能于十月占领昌都,有可能促使西藏代表团来京谈判,求得和平解决(当然也有别种可能)。"④毛泽东的批示表明,以打促和是昌都战役的一个重要意图。

西南军区于8月26日下达了《昌都战役的基本命令》,要求"歼灭藏军主力于昌都及其以西恩达、类乌齐地区,解放昌都,打下明年进军拉萨、解放西藏之基础"。邓小平对参战部队作了进一步的指示,他说:"昌都战役是解放西藏具有决定性意义的一仗,要集中绝对的优势兵力,四面包围敌人,力求全歼,不使漏网。"1950年10月6日,人民解放军开始进行昌都战役,渡过金沙江。第二野战军主力在第一野战军配合下,向藏东政治、经济、文化中心昌都挺进。10月11日,藏军第九代本(团)主官桑格旺堆起义;19日,昌都解放,歼灭藏军10个代本5700多人,打开了进藏的咽喉要道,并在当地认真宣传和执行中国共产党的民族政策。11月1日,中共中央西南局、西南军区及第二野战军司令部联合发布进军西藏的政治动员令。动

---

① 噶伦,原西藏地方政府中司伦之下的行政官职。
② 代本,藏语,原西藏地方政府军队的编制单位,每代本约五百人,相当于团。
③ 参见《当代中国的西藏》,当代中国出版社,1991年版,第142页。
④ 《毛泽东西藏工作文选》,中央文献出版社、中国藏学出版社,2001年版,第23页。

员令在向挺进祖国边疆的荣誉的人民战士遥致祝贺之后指出:"进军西藏、解放西藏人民,完成统一祖国的大业,不准帝国主义侵犯我们祖国的一寸土地,保卫和建设祖国的边疆的任务,是十分光荣的。"动员令要求进军部队亲密团结西康、西藏地区的同胞,忠实地正确地执行《共同纲领》规定的民族政策,严格执行三大纪律、八项注意和约法八章,深入进行调查研究和宣传工作,学习当地语言,了解当地人民生活状况,关怀当地人民的疾苦,并积极地帮助他们解除疾苦和困难。动员令号召每个指战员"树立长期建设西藏的思想和决心,在进军中注意爱惜和节省人力物力,积极修路,发展交通建设。在军事行动一经停止之后,就要大力发展西藏的经济文化建设,与西藏人民一起,共同建设民主繁荣的新西藏,使自由幸福文明的花朵开遍祖国边疆"。①

在中国人民解放军准备进军西藏的时候,遭到印度等国的多方阻挠。先是印度和一些国家以中国进入联合国问题将受到影响为借口,反对中国人民解放军进军西藏。1950年10月21日,印度大使潘尼迦交来《印度共和国政府关于西藏问题的备忘录》。②无独有偶,美国国务卿艾奇逊于11月1日在华盛顿记者招待会上,公开诬蔑中国人民解放自己国土西藏的行动是"侵略"。在美国的指使下,11月15日,萨尔瓦多政府代表团在联合国大会上提出一个干涉西藏问题的提案,荒谬地诬蔑中国人民行使国家主权、解放自己的国土西藏的行动是"外国入侵",要求联合国大会"设立委员会授权研讨联大对此事可以采取的适当步骤"。③

接着英国唆使西藏代表团延迟进北京谈判。10月28日,与前《备忘录》相隔一周,印度驻中华人民共和国大使又向中国递交了《印度共和国政府关于西藏问题的照会》,声称印度不能对西藏代表团延迟进京谈判时间负责,并把解放军准备解放西藏,说成是"侵略"。《照会》将印度政府阻止、迟延西藏代表团进京谈判,一概说成是客观原因和西藏方面本身的原因。印度政府将西藏地方政权与中央人民政府之间的谈判称之为"与其他国家交涉",显然已将西藏视为中华人民共和国以外的与新中国地位平等的一个"国家"。印度从一开始就发出的《备忘录》、《照会》表示出的对中央人民政府和西藏问题极大关注的目的已经再清楚不过了,这就是先把西藏从中国分割出去,再加以控制或独霸。④

对于印度政府阻挠解放军解放西藏,中国政府给予及时的揭露与驳斥。10月30日,中央人民政府对印度政府所提出的《备忘录》和《照会》作出答复,申明:"西藏是中国领土不可分割的一部分,西藏问题完全是中国的一个内政问题。中国人民解放军必须进入西藏,解放西藏人民,保卫中国边疆;这是中央人民政府的既定方针。"中央人民政府曾屡次表示希望西藏问题能以和平谈判的方式得到解决,欢迎

① 《中共中央西南局、西南军区暨第二野战军司令部联合发布进军西藏的政治动员令》,《新华月报》,第3卷第1期,1950年11月25日。
② 《1950年10月21日印度大使交来印度共和国政府关于西藏问题的备忘录》,《新华月报》,第3卷第2期,1950年12月25日。
③ 《人民日报》短评:《斥美国对西藏的阴谋》(附),1950年11月22日《人民日报》。
④ 《1950年10月28日印度大使交来印度共和国政府关于西藏问题的照会》,《新华月报》,第3卷第2期,1950年12月25日。

西藏地方代表团早日来到北京,进行和平谈判。而西藏代表团受人唆使,故意拖延来北京的行期,但中央人民政府仍未放弃与西藏地方当局进行和平谈判的愿望。但是,"无论西藏地方当局愿否进行和平谈判及谈判得到如何结果,均属中华人民共和国的内政问题,不容任何外国干预"。对于印度政府在《备忘录》中以解放西藏将影响中国进入联合国的问题,中国政府指出:"西藏问题与中华人民共和国进入联合国的问题,是两个完全没有关系的问题,如果那些对中国不友好的国家企图利用中华人民共和国中央人民政府对其领土西藏行使主权一事作为借口,进行威胁,以阻碍中华人民共和国进入联合国组织,那只是再一次表示这些国家对中国的不友好和敌对的态度而已。"《答复》最后说,中华人民共和国中央人民政府对于"印度政府所认为可悲叹的观点,不能不认为这是受了西藏方面与中国敌对的外国势力的影响,而表示深切的遗憾"。①

11月1日,印度政府又照会中国政府,声明印度对西藏并无政治或领土野心,否认在西藏问题上印度受到外国敌对势力的影响,希望中国政府不对西藏采取军事行动。② 11月16日,中国政府对上述照会作了答复,再次声明了解放西藏的坚定方针。"无论西藏地方当局愿否进行和平谈判,及谈判结果如何,任何外国干涉都是不允许的,人民解放军的进入西藏,解放西藏人民也是定了的。"③

11月17日,《人民日报》发表了题为《中国人民解放西藏是不容干涉的》社论,指出,奉命进军西藏的人民解放军,已于10月19日解放西藏东部重镇昌都,打开了通往西藏的通道。人民解放军的这一伟大行动,"目的在于解放西藏同胞,驱逐帝国主义的侵略势力。完成统一祖国的大业,保卫和建设我西部边疆,维护世界和平。""对于这样的正义行动,印度政府竟然企图加以阻止,不能不使中国人民感到惊异和遗憾。"社论指出,人民解放军向西藏进军的行动与人民政府和平解决西藏问题的愿望是一致的。"事实上,西藏问题的和平解决,不但不能妨碍人民解放军的进军,而且必须以和平接受人民解放军进军为条件。"社论最后指出:"印度政府既然重申对于西藏没有任何野心,并表示重视两国人民的友谊,就应当尊重中国政府对于西藏行使主权的正当行动,并且让印度人民充分了解中国人民对于解放西藏问题的正当立场。只有这样,才是巩固两国邦交的正确途径。"④

在这种形势下,西藏上层统治集团迅速分化,西藏人民中长期被压抑的爱国主义思想迅速增长起来,和平解放是大势所趋。中央在昌都战役后仍然坚持争取和平解放西藏的方针,11月10日,西南军政委员会、西南军区联合发出《进军西藏各项政策的布告》,公布了和平解放西藏的10项条件的基本内容。要求"我西藏全体僧侣、人民应即团结一致,给人民解放军以充分的援助,以便驱逐帝国主义势力,实现西藏民族的区域自治,并与国内其他各民族建立像兄弟一样的友爱互助关系,共同建设新中国的新西藏"。要求人民解

① 《1950年10月30日中华人民共和国中央人民政府对印度政府关于西藏问题备忘录和照会的答复》,《新华月报》,第3卷第2期,1950年12月25日。

② 《1950年11月1日印度政府关于西藏问题的照会》,《新华月报》,第3卷第2期,1950年12月25日。

③ 《我政府对印度政府关于西藏问题的照会的答复》,《新华月报》,第3卷第2期,1950年12月25日。

④ 《人民日报》社论:《中国人民解放西藏是不容干涉的》,1952年11月17日。

放军入藏以后应"保护西藏全体僧侣、人民的生命财产,保障西藏全体人民之宗教信仰自由,保护一切喇嘛寺庙,帮助西藏人民开展教育和农牧工商业,改善人民生活,对于西藏现行政治制度及军事制度,不予变更。西藏现有军队,成为中华人民共和国国防武装之一部分。各级僧侣、官员、头人等照常供职。一切有关西藏各项改革之事宜,完全根据西藏人民意志由西藏人民及西藏领导人员采取协商方式解决"。对于过去的亲帝国主义和国民党的官吏,"如经事实证明,与帝国主义及国民党脱离关系,不进行破坏和反抗者,仍可一律继续任职,既往不咎"。人民解放军要纪律严明,忠诚执行中央人民政府的上述各项政策,要"尊重西藏人民宗教信仰和风俗习惯。说话和气,买卖公平,不妄取民间一针一线,借用家具均经物主同意,如有损毁,决按市价赔偿,雇用人畜差役,均付相当代价。不拉夫,不捉牲畜。人民解放军为中国各族人民的军队,全心全意为人民服务。望我西藏农、牧、工、商全体人民一律安居乐业,切勿轻信谣言,自相惊扰。"

和平谈判、签订"十七条协议"

　　昌都解放后,在人民政府和解放军的强大政治军事攻势下,西藏上层集团受到极大震动,僧俗官员民众中主张谈判解决的人数大增。经过求神问卜,老迈顽固的摄政大札活佛去职,由时年18岁的十四世达赖喇嘛亲政,表示接受人民政府和平解放西藏的口号。达赖喇嘛任命洛桑扎西、

鲁康哇·泽旺饶登为司曹①,留守拉萨,自己带主要官员出走到亚东,观望形势发展。1951年1月,达赖喇嘛在亚东召开会议,听取各方汇报,在武力抗拒失败,争取外国支援无望的情况下,会议决定任命阿沛·阿旺晋美为西藏地方政府首席谈判代表,土登列门、桑颇·登增顿珠、凯墨·索安旺堆、土丹旦达为代表,前往北京谈判,又派索康·旺清格勒等人携达赖喇嘛和僧俗官员会议的信件去印度与中国驻印度大使袁仲贤联系,表示愿意谈判。

　　4月22日,阿沛·阿旺晋美等到达北京。27日,十世班禅率班禅堪布会议厅官员等抵达北京。28日,周恩来总理宴请西藏地方政府谈判代表,宣布中央人民政府方面的全权代表是:首席代表李维汉,代表张经武、张国华、孙志远;西藏地方政府方面的全权代表是:首席代表阿沛·阿旺晋美,代表凯墨·索安旺堆、土丹旦达、土登列门、桑颇·登增顿珠。29日,关于和平解放西藏问题的谈判正式开始,双方代表通过亲切会谈,交换意见,平等协商,很快就许多原则问题达成了协议。中央代表针对西藏代表的顾虑,向他们介绍了解放军的宗旨和优良作风,解释了解放军进藏的目的和任务,并拿出清代历史文件,证明中央有权派军队入藏,而且早有先例。

　　经过细致工作,1951年5月23日,在北京中南海勤政殿由中央人民政府朱德副主席、李济深副主席和政务院陈云副总理主持了《中央人民政府和西藏地方政府关于和平解放西藏办法的协议》(简称"十七条协议")的签字仪式,中央人民政府全权代表李维汉、张经武、张国华、孙志远和西藏地方政府全权代表阿沛·阿旺晋美、凯墨·索安旺堆、土丹旦达、土登列门、桑

──────────
① 司曹,代理司伦,即代理最高行政官。

颇·登增顿珠分别在协议上签字,并向全世界公布。

签字仪式上,中央人民政府首席代表李维汉与西藏地方政府首席代表阿沛·阿旺晋美分别发表讲话。李维汉指出:"在全部协议条文和整个谈判过程中,中央对西藏地方政府的要求,主要地只是:西藏地方政府坚决脱离帝国主义影响,积极协助人民解放军开进西藏,西藏地区的一切涉外事宜归还中央人民政府统一处理,西藏现有军队逐步改编为人民解放军。这实际上只是要求西藏地方政府从帝国主义的羁绊转到中华人民共和国大家庭,而这正是中央人民政府的既定方针,必须彻底贯彻实施的。"除此之外,协议的大部分条文都是关于西藏内部关系和内政事宜处理的。在这些问题上,依据中央人民政府的民族政策和西藏地区的实际情况,主动地提出了一系列建议,同时尽量听取和采纳了西藏地方政府全权代表的建设性意见,既照顾了西藏人民的实际需要,也照顾了西藏地方政府的实际需要。如关于达赖喇嘛和班禅额尔德尼之间的和解办法,在整个协议中占三条,因为这是西藏僧侣人民所共同关心的事情,在这个问题上经过反复商谈所取得的协议,从历史上和政治上说是公平的合理的,从宗教关系上说也是史有前例的,因此是符合西藏内部团结需要的。

阿沛·阿旺晋美指出:"在一百多年来,由于我们最大的敌人帝国主义对我们的欺骗、挑拨,清政府与国民党反动政府对我们民族的离间、分裂,使我们长期处在贫困和落后的境地。尤其是近几年来,帝国主义与国民党散布了许多对共产党诬蔑造谣和骇人听闻的反动宣传,使我们

对中央人民政府也存在着疑惧的心理。"这一次西藏地方政府代表团到北京,沿途受到各地首长热烈欢迎与关怀,"我们更亲眼目睹中央人民政府的民族团结政策和区域自治的事实与初步成绩。这些事实明确地告诉了我们:今天的中央人民政府和过去历代的反动政府是根本不同的。……所以,我们衷心地热烈地拥护中央人民政府的民族团结政策与和平解放西藏的正确方针。"

中央人民政府副主席朱德在讲话中指出:"这个协议符合于西藏民族和西藏人民的利益,因此也符合于全中国各民族人民的利益。我们应该为全国人民,为西藏人民热烈庆贺。""中央人民政府一定要援助西藏人民清除帝国主义在西藏的影响,完成中华人民共和国领土和主权的统一,保护伟大祖国的国防,使西藏民族和西藏人民永远获得解放,回到伟大祖国大家庭中,在中央人民政府和汉民族的帮助下,发展自己的政治、经济和文化教育事业,逐步地改善与提高自己的生活水平。"

5月24日晚,毛泽东主席设宴庆祝《和平解放西藏办法的协议》的签订,应邀赴宴的有班禅额尔德尼及班禅堪布会议厅主要负责官员及西藏地方政府谈判团的全权代表,应邀作陪的有朱德、刘少奇、李济深、董必武等政府及军界有关领导人及中央人民政府谈判全权代表共180人。在欢庆宴会上毛主席首先致辞说:"现在,达赖喇嘛所领导的力量与班禅额尔德尼所领导的力量与中央人民政府之间,都团结起来了。""今后,在这一团结基础之上,我们各民族之间,将在各方面,将在政治、经济、文化等一切方面,得到发展和进步。"①班禅额尔德尼和阿沛·阿旺晋美讲

---

① 《毛泽东西藏工作文选》,中央文献出版社、中国藏学出版社,2001年版,第43页。

话中都对西藏回到祖国大家庭表示庆贺，表示热诚拥护毛主席的领导。

5月28日，《人民日报》发表题为《拥护关于和平解放西藏办法的协议》的社论。社论指出，协议的签订是西藏民族"充分享受民族平等和区域自治权利，发展政治、经济、文化教育事业，改善人民生活的基石，亦即是西藏人民从黑暗和痛苦走向光明和幸福的第一步。这是藏族人民的伟大胜利，即是全中国人民的胜利"。社论指出，"一切民族皆应充分享受和实行其民族区域自治的权利，才能实现各民族间的政治平等；一切民族皆应发展其经济和文化教育的事业，才能逐步消灭长期历史上造成的各民族间的事实上的不平等，逐步实现各民族间的完全的平等。为要实现政治上的平等，以至逐步实现经济和文化上的平等，则各民族内部不可避免地需要有步骤地实行适合于本民族发展情况的政策。这个一般的规律，同样适用于西藏民族。"而西藏民族内部的团结，则是西藏民族向前发展的重要因素。过去由于帝国主义侵略势力和旧中国反动政府的挑拨，使西藏民族内部长期发生分裂，"这主要表现在达赖喇嘛和班禅额尔德尼间的仇视和对立。中央人民政府为了实现西藏僧、俗人民的愿望，极力说服双方捐弃旧恶，重新团结起来。协议中所规定的解决办法，是完全公平的合理的"。协议的签订，给予西藏民族的历史以及西藏民族与祖国的关系的历史，带来了划时代的变化，给予西藏民族和西藏人民带来了光明和幸福的前途。

5月29日，班禅及班禅堪布会议厅人员发表拥护和平解放西藏办法的协议的声明，指出，协议的签订，使"西藏民族从此摆脱了帝国主义的羁绊，回到伟大的祖国大家庭。中国各族人民都为这一重大

的事件而欢欣鼓舞：我们是西藏民族，因而有着更加难以言喻的兴奋。"

《关于和平解放西藏办法的协议》指出，西藏民族是中国境内具有悠久历史的民族之一，与其他许多民族一样，在伟大祖国的创造与发展过程中，尽了自己的光荣的责任。但在近百余年来，帝国主义势力侵入了中国，因此也就侵入了西藏地区，并进行了各种的欺骗和挑拨，国民党反动政府对于西藏民族，则和以前的反动政府一样，继续施行其民族压迫和民族离间政策，致使西藏民族内部发生了分裂和不团结，而西藏地方政府对于帝国主义的欺骗和挑拨没有加以反对，对伟大的祖国采取了非爱国主义态度。这些情况使西藏民族和西藏人民陷于被奴役和痛苦的深渊。中国人民解放战争在全国范围内取得基本的胜利，打倒国民党反动政府和驱逐了帝国主义侵略势力之后，成立了中华人民共和国中央人民政府。中央人民政府依据中国人民政治协商会议通过的共同纲领，宣布中华人民共和国境内各民族一律平等，实行团结互助，反对帝国主义和各民族内部的人民公敌，使中华人民共和国成为各民族友爱合作的大家庭。在中华人民共和国各民族的大家庭之内，各少数民族聚居的地区实行民族的区域自治，各少数民族均有发展自己的语言文字、保持或改革其风俗习惯及宗教信仰的自由，中央人民政府则帮助各少数民族发展其政治、经济和文化教育的建设事业。此后，国内各民族除西藏和台湾区域外，均已获得解放。在中央人民政府统一领导和各级人民政府直接领导之下，各少数民族均已充分享受民族平等的权利，并已经实行或正在实行民族的区域自治。为了顺利地清除帝国主义侵略势力在西藏的影响，完成中华人民共和国领土和主权

的统一,保卫国防,使西藏民族和西藏人民获得解放,回到中华人民共和国大家庭中来,与国内其他各民族享受同样的民族平等的权利,发展其政治、经济、文化教育事业,中央人民政府代表与西藏地方政府的全权代表于友好的基础上举行了谈判,双方同意成立此协议,并保证其付诸实行。

"十七条协议"的主要内容有:"驱逐帝国主义势力出西藏;西藏人民回到中华人民共和国祖国大家庭中来;西藏地方政府积极协助人民解放军进入西藏巩固国防,藏军逐步改编为人民解放军;西藏在中央人民政府的统一领导下,实行民族区域自治和民主改革;实现西藏民族内部的团结,主要是达赖和班禅两方面之间的团结;尊重西藏人民宗教信仰和风俗习惯,保护喇嘛庙宇;根据实际情况,逐步改善西藏人民的物质文化生活;中央人民政府在西藏设立军政委员会和军区司令部;西藏地区一切涉外事宜,由中央人民政府统一处理,并在平等、互利和互相尊重领土主权的基础上,与邻邦和平相处,建立和发展公平的通商贸易关系。"①

1951 年 5 月,中央任命张经武为中央人民政府驻西藏全权代表。6 月 13 日,张经武简装登程,7 月 14 日到达亚东。16 日,他向达赖喇嘛面交了毛泽东主席的亲笔信和协议的抄本,希望达赖喇嘛和西藏地方政府认真实行和平解放西藏办法的协议,尽力帮助人民解放军开进西藏地区。7 月 25 日,人民解放军第十八军从昌都向拉萨进发。在张经武代表的敦促下,达赖一行终于由亚东返回,于 8 月 17 日到达拉萨。9 月 9 日,人民解放军先遣支队在第十八军副政委王其梅率领下抵达拉

萨,阿沛·阿旺晋美等于 9 月 12 日抵拉萨。与此同时,青海、云南的人民解放军也派出部队向西藏进军。9 月 24 日至 26 日,西藏地方政府召开有 300 多人参加的西藏僧俗官员扩大会议,阿沛·阿旺晋美在会上报告和平谈判和签订协议的经过。经过激烈争论,多数人士对协议表示理解和接受。10 月 20 日,西藏全区大会召开,经过讨论,参加会议的上层人物对"十七条协议"表示拥护。10 月 24 日,达赖喇嘛以西藏地方政府和他个人的名义致电毛泽东主席说:"今年西藏地方政府特派全权代表噶伦阿沛等五人,于四月底抵达北京,与中央人民政府指定的全权代表在友好基础上,已于 1951 年 5 月 23 日签订了《关于和平解放西藏办法的协议》。西藏地方政府及藏族僧、俗人民一致拥护,并在毛主席及中央人民政府领导下,积极协助人民解放军进藏部队,巩固国防,驱逐帝国主义势力出西藏,保护祖国领土主权的统一。"两天后,毛泽东复电达赖喇嘛,对西藏地方政府发电拥护和平解放西藏办法的协议,表示欢迎和祝贺。

四

向西藏和平进军

"十七条协议"的签订,使西藏形势发生了变化。遵照中共中央关于统一经营西藏的决策,中央军委对进军部署作出调整,制定了新的进军方案。1951 年 5 月 25 日,中央人民政府人民革命军事委员会主席毛泽东发布训令:"和平解放西藏的协议已于本月二十三日在北京签字,我人民解放军为了保证该协议的实现与巩固国

① 《人民日报》,1951 年 5 月 28 日。

防的需要,决定派必要的兵力进驻西藏。"训令对军事部署、物资补给和修路等问题提出了明确要求,并且特别强调"此次进军系在和平协议下的战备进军,各部队万勿以和平协议已成而松懈战斗意志与战斗准备。协议虽然签字,当尚未付诸实施,同时帝国主义必会用各种阴谋手段来破坏我们和平解放西藏的实现。因此应提高警惕性,随时都有应付意外情况的充分准备,同时必须加强部队的纪律政策教育,以保证解放西藏巩固国防任务的圆满完成"①。

据此,人民解放军西南、西北军区部分部队在 8、9 月间先后由西康、云南、青海、新疆等地出发,进军西藏。

9 月 5 日,经过 40 多天的艰苦行军,以王其梅为首的第十八军先遣部队历经千辛万苦到达拉萨东郊的达孜;8 月 3 日,新疆独立骑兵师到达阿里首府葛大克;10 月 1 日,第十四军一二六团穿过"一日四季、一山四季"地区,克服缺氧、高山反应等严重困难进驻察隅②;10 月 26 日,张国华军长和谭冠三政委率主力部队经过 110 多天的长途跋涉到达拉萨,西藏地方政府在拉萨东郊举行隆重的欢迎仪式,噶伦拉鲁致欢迎词:"在西藏,过去来过皇帝的军队、英国的军队、国民党的军队,我们都未欢迎过,这次来的解放军是人民的军队,所以我们才进行了欢迎。"③会后人民解放军举行了盛大而庄严的具有历史意义的入城式,人民解放军受到西藏地方政府各级官员、西藏三大寺的活佛、堪布、藏军以及各族各界僧俗群众两万多人的夹道欢迎。接着,人民解放军又遵照中共中央、

西南局、西南军区的指示,陆续进驻后藏重镇及边境要地太昭、江孜、日喀则、亚东等地,实现战略展开。在和平进军途中,人民解放军进藏各部队均严格执行民族政策和宗教政策,每到一处,不住民房,不借用具,不进佛堂,尊重藏族人民的风俗习惯,受到西藏人民的热烈欢迎,增进了汉、藏民族团结,胜利完成了和平进军西藏的历史使命,把五星红旗插上了喜马拉雅山。

为了建设西藏,张国华于进军西藏离开北京之际,还向中央建议派遣一支科学工作考察队进藏。中央委托政务院文化教育委员会筹办。为此,张国华还专门拜访了文化教育委员会主任、中国科学院院长郭沫若、地质部部长李四光等,得到他们的支持。由政务院文教委员会和科学院派出的由北京大学地质系教授利朴为队长,包括地质地理、农业气象、社会历史、语言文艺和医药卫生等五个组组成的综合考察队,随十八军进藏。科学家们在康藏公路沿线进行考察,于 11 月 9 日到达拉萨,随后即根据不同学科分工,到西藏各地考察。与此同时,有 30 余人的测量队随十八军军部从甘孜到昌都,分成三个测量作业小组,按中、南、北三路,行军途中边前进边测绘,在测绘沿途 1∶50000 地形图的同时,调查搜集沿途资料,他们分别于 11 月初、12 月中及年底先后进抵拉萨。这次测绘,是西藏有史以来第一次用先进技术测绘大比例尺地形图。这一切都为西藏的开发与建设奠定了基础。

为了加强党对西藏的统一领导,1951

---

① 《毛泽东西藏工作文选》,中央文献出版社、中国藏学出版社,2001 年版,第 47—49 页。
② 参见《当代中国的西藏》,当代中国出版社,1991 年版,第 171—180 页。
③ 《关于中央代表和进藏部队初到拉萨的情况》,《西藏文史资料选辑》第 16 辑,民族出版社,1995 年版,第123 页。

年 12 月 19 日,中央批准中共西藏工委成员的调整方案。不久,中央通知张经武为工委书记,张国华、谭冠三、范明为副书记。各驻地部队建立中国共产党的临时工作机构,以军队名义对外开展工作,统一领导西藏各项工作。

1952 年 2 月 10 日,在与西藏上层人士充分协商后,经中央军委批准,成立了西藏军区。张经武在成立会上宣布了中央军委任命西藏军区干部的命令:张国华为司令员,谭冠三为政治委员,阿沛·阿旺晋美为第一副司令员,朵噶·彭措饶杰为第二副司令员,昌炳桂为第三副司令员,统率西藏辖域内之一切武装部队,巩固国防,建设西藏。

西藏军区的成立,西藏工委在拉萨及各地区建立分支机构和开展工作,标志着进军西藏任务的胜利实现,中共西藏工委和西藏军区在中共中央和中央人民政府的领导下,遵照中央"慎重稳进"的方针,担负起经营西藏的重任。

西藏的和平解放,是中国共产党民族政策的伟大胜利,以毛泽东为核心的中共中央第一代领导集体,认真总结和吸取了中外历史上处理民族问题的经验教训,从全新的角度出发,采取高度灵活的原则方针,以和平方式解决了西藏问题,创造了经营西藏的特殊模式,为今后处理类似的民族关系和其他关系留下了宝贵的经验。西藏的和平解放,实现了祖国大陆的统一,保证了中国西南国防的巩固,粉碎了中外反动势力图谋分裂我国西藏的阴谋,使西藏摆脱了外国势力的羁绊,回到中华人民共和国大家庭的怀抱,西藏人民从此走上了团结、进步、发展的光明坦途,进入了一个崭新的历史时期。

没收官僚资本

没收官僚资本归国家所有是新民主主义革命的三大经济纲领之一,也是新中国顺利向社会主义过渡的重要经济因素。建国前后,随着民主革命的胜利,没收官僚资本遂成为当时经济方面的主要改革之一,它为建国以后的新民主主义经济体制起了奠基作用。

一

没收官僚资本的方针政策

中国共产党正式使用"官僚资本"这个名词来概括国民党政府的国家资本和官僚私人资本,是在抗日战争后期。由于当时国民党的政治独裁和经济统治导致了国统区政治腐败、经济凋敝,人民要求民主和廉政的呼声越来越高,为了揭露国民党独裁统治的本质和危害,当时解放区和国统区的一些人曾撰文揭露国民党大官僚们利用特权从事经济活动,以国营名义牟取私利的腐败现象,并称这种资本为"官僚资本"。毛泽东在中共七大的政治报告中也指出:官僚资本"即大地主、大银行家、大买办的资本",它垄断了中国的主要经济命脉,残酷地压迫工农、小资产阶级和民族资产阶级,并将"取缔官僚资本"列入中国共产党最低限度的纲领。

由于官僚资本中除了作为主体的国家资本外,还有一部分私人资本,故如何区分私人资本中的官僚资本与非官僚资本，不仅是一个经济问题，还是一个重要的政治问题和策略问题（关系到统一战线和保护民族工商业）。因此，中国共产党在实施"没收官僚资本"纲领时，就必须解决好上述概念的界定问题，制订出可供操作的具体政策和办法。

1948 年 4 月，中共中央在给洛阳前线指挥部的电报中指出："对于官僚资本要有明确的界限，不要将国民党人经营的工商业都叫做官僚资本而加以没收……对于著名的国民党大官僚所经营的企业，应该按照上述原则和办法处理。对于小官僚和地主所办的工商业，则不在没收之列。"① 1948 年 6 月，中共中央东北局城工部也提出：不得将与官僚、国民党政权机关有些联系的工商业，或在其政权机关担任不重要职位的工商业者都划为官僚资本。1949 年 4 月，由中国共产党代表团提出的《国内和平协定（最后修正草案）》中规定，"凡属南京国民政府统治时期依仗政治特权及豪门势力而获得或侵占的官僚资本企业（包括银行、工厂、矿山、船舶、商店等）及财产，应该收为国家所有"；"凡官僚资本属于南京国民政府统治时期以前及属于南京国民政府统治时期而为不大的企业与国计民生无害者，不予没收。但其中若干人物，由于犯罪行为，例如罪大恶极的反动分子而为人民告发并审查属实者，仍应没收其企业及财产"。② 这样，对于界定作为没收对象的属于私人所有的官僚资本，就有了以下三条标准：① 看其所有者是否属于国民党统治时期的官僚；② 看其所有者是否属于著名的大官僚；③ 看其所有者是否于国民党统治时期

犯有严重罪行。凡符合以上标准中的任何两项者，其私人资本及财产均在没收之列。

由于上述标准还不够具体，为了避免在实施过程中因理解不同而出现偏差，在解放战争后期，党和人民政府规定：凡一时难以确定是否属于官僚资本的企业和财产，不公开宣布没收，而是采取监管、代管或冻结的方式不使企业和财产受到损失及暗中转移，然后着手调查，留待以后处理。

建国以后，随着清理私营及公私合营企业中公股公产工作的开展，如何区分私人资本中的官僚资本问题再次成为亟待解决的问题。在这种情况下，1950 年初，中央人民政府一方面将鉴定权收归政务院，另一方面责成中央财经委员会着手制订比较具体的标准。中财委从考虑政治影响，不致影响私人生产积极性，更有利于台湾解放和争取外逃资金返回四个因素出发，提出"官僚资本"的定义应该是：凡利用政治特权积累巨大财富者谓之官僚资本，时间则从国民党反动统治时期起算，在此以前的官僚资本（除汉奸外）概不追究。根据上述原则，属于应予没收的私人所有的官僚资本范围仅包括：① 四大家族的财产；② 现行战犯的财产；③ 虽不在战犯名单内，但其罪恶昭彰、作恶多端者的财产；④ 既未起义亦未立功的各地战犯豪门的财产；⑤ 国民党党团特工假借私人名义经营的企业。

在没收过程中，界定工作又采取了以下具体的标准和办法：① 看其是否属于战犯或现行反革命分子。1948 年 11 月，人民解放军总部发布惩处战犯命令，对战犯

---

① 《毛泽东选集》第四卷，第 1266 页。
② 《毛泽东选集》（合订本），第 1457 页。

的定义和标准作了比较明确的规定。1950年到1951年，中共中央及政务院发布了一系列关于镇压反革命的指示和条例，对反革命分子的定义及处理标准亦有比较明确的规定。由于标准都比较明确，而且没收其财产不仅有利于政治影响，更便于使用司法程序，因此解放后对国民党大官僚的私人资本主要是以战犯罪名加以没收的。对于那些官职不大而又作恶多端者的财产则多是以反革命分子罪名加以没收的。②看其是否属于四大家族成员。在四大家族中，除蒋介石、宋美龄、宋子文、孔祥熙、陈立夫、陈果夫被列入战犯名单，其资产以战犯罪名没收外，其家族的其他成员的私人资产一般以官僚资本的名义予以没收。③看其现行政治态度如何。解放战争时期和建国以后，党和人民政府始终鼓励和欢迎国民党政府官僚弃暗投明、起义立功，对起义立功的官僚采取既往不咎的政策，并保护其家庭、财产的安全。因此在界定官僚资本时，其所有人的政治态度和表现是一个很重要的标准。从1947年11月颁布的《惩处战犯命令》到1951年2月政务院颁布的《关于没收战犯、汉奸、官僚资本家及反革命分子财产的指示》，都排除了已经起义和回到人民方面的原国民党党政军官僚的财产。另外，建国初期，对于那些流亡国外的原国民党高级官员，凡政治态度不明朗，有可能被争取回国者，对其留在国内的资本，一般也不宣布没收，而是采取代管的形式。④看其资产是否属于化公为私、侵吞公产得来的。对于国民党官僚私人资本中来源于贪污、盗窃、隐瞒、侵吞公产或其他化公为私等非法行为的那部分资产，不论所有者是否属于大官僚或前述标准，凡证据确凿者，一律予以清理追缴。

总之，界定私人资本中的官僚资本是一个比较困难和复杂的问题，但是由于中共中央和人民政府制定了比较明确的标准并借用了没收战犯、汉奸、反革命分子财产的标准和规定，因此没收官僚资本的工作尚比较顺利，没有出现什么偏差。

没收官僚资本的办法

由于官僚资本不仅数量巨大，而且在国民经济中处于重要地位，因此如何接管好这笔巨大财富，使之在转为人民政府所有的过程中不受损失并能不中断生产经营，就成为没收官僚资本过程中的一个重大问题。中共中央在不断总结经验的基础上，从1948年至1949年上半年，逐步制定出一套行之有效的接管官僚资本企业的办法。

1948年4月，中共中央在《再克洛阳后给洛阳前线指挥部的电报》（该电作为中央指示同时转发给各地）中首次明确提出了接管官僚资本企业的办法，该电指出："对于那些查明确实是由国民党中央政府、省政府、县政府经营的，即完全官办的工商业，应该确定归民主政府接管经营的原则。但如民主政府一时来不及接管或一时尚无能力接管，则应该暂时委托原管理人员负责管理，照常开业，直至民主政府派人接管时为止。对于这些工商业，应该组织工人和技师参加管理，并且信任他们的管理能力。如国民党人已逃跑，企业处于停顿状态，则应该由工人和技师选出代表，组织管理委员会管理，然后由民主政府委任经理和厂长，同工人一起参加管理……对于著名的国民党大官僚所经营的企业，应该按照上述原则和办法处理。"电报还指出："入城之初，不要轻易提出增加工资减少工时的口号。在战争时期，能够继续生产，能够不减工时，维持原有工资水平，就是好事。"①这封电报，对于如何接管官僚资本企业提出了一条正确的思路。

1948年8月，中共中央在给东北局的指示中使上述思路更为明确具体，指示说："估计到我们将要陆续从国民党手中夺取成批的工厂和企业，在这些工厂、企业中，国民党的基础会比你们以往所接收的工厂、企业中要多一些，而我们则可能没有工人群众中现成的基础可资倚靠，所准备派往的干部也会仍然很不够用。因此，在接收这些工厂、企业之时，首先要求其迅速恢复秩序，继续生产。只有机器照常转动，人员照常工作，才是真正接收了企业，才有可能开始其他的必要改革工作和建设工作"，"对于工厂和企业中的旧制度和旧职员，在开始我们还没有彻底了解情况准备好改革以前，只要照常生产，一般以维持原状不动为原则"。② 1948年11月，东北最大的工业城市沈阳解放后接管官僚资本企业时，即根据上述指示精神，实行了"原封不动"的方法，使工厂、企业的职工均按原职上班，迅速恢复生产。军管会只派去军代表，起传达命令和监督生产经营的作用。接管沈阳的成功经验很快由中央转发各地参考。

1949年1月15日，中共中央发出《关于接收官僚资本企业的指示》，提出了"三原"原则，即接管官僚资本企业时，要保持企业原有机构、保持职工原有职务、保持职工原有薪金。指示还要求派往企业的军代表主要起贯彻上级命令和维持生产正常进行的保障监督作用。随后，中共中央又发出了《中央关于改造旧职员问题给北平市委的指示》、《中央对〈关于接管江南城市指示草案〉的指示》、《关于接收平津企业经验介绍》等文件，使接收官僚资本企业有了一整套行之有效的方针政策和办法。这就是在城市解放时，根据事先调查的结果，由该市军管会立即派出军代表，按照官僚资本企业原属系统，自上而下，原封不动，整套接收。在接管企业时，要做到：①不打乱企业组织机构，保持企业技术组织和生产组织的完整。②对企业的管理人员和技术人员，除逮捕法办个别与人民为敌的破坏分子外，其余一律留用，并担任原有职务，继续负责组织管理生产。③各企业的工资标准和等级、奖励制度、劳动保险制度都照旧执行，暂不变动。④接管初期，军代表的职责主要是起保证监督作用，同时了解情况、学习管理知识，不直接指挥管理企业。

由于采取上述办法，使这些企业在所有权的变更过程中除了国民党的破坏外几乎没受到什么损失，人心安定，生产经营迅速恢复正常。这在战火刚熄、大局甫定的情况下是十分难得的。以天津市为例，天津原中国纺织建设公司（官僚资本企业）所属的7个纺织厂，90％的职工在接管后的第二天就进厂报到，开工生产；原天津市政府经营的公用事业，也在接管后的十几天内恢复运营，水、电、公共交通全部恢复，电话大部恢复，铁路也迅速恢复运营；天津市接收的69个官僚资本工厂，在解放后的一个半月内全部复工。至于江南城市中的官僚资本企业的接管工作，由于办法和经验都更成熟，则接管得更为

① 《毛泽东选集》（合订本），第1323—1324页。
② 《中共中央关于修改"接收敌伪和蒋占企业后的改造管理与工运方针的决议"给东北局的指示》，1948年8月23日。

顺利。

随着社会的稳定和政府已充分了解和掌握了企业情况，从1950年起，这些企业都先后开展了民主改革（后期与"镇反"结合在一起），废除了企业中遗留的半殖民地半封建残余，改革了不合理制度，并通过建立企业管理委员会，实行民主管理和劳动竞赛，使企业真正成为社会主义性质的国营企业。

对存在于私营企业和公私合营企业中的官僚资本，国家则采取了谨慎稳重的态度，在各方面都稳定下来以后再腾出手来进行清理，从而避免了因操之过急而引起社会震荡和私营企业主惶恐不安的状况。

在国民党统治时期，国家资本投入到私营企业的情况虽然很多，但是政府却没有统一的管理机构予以集中掌握，因此国家资财遭受私人非法侵占和剥蚀的情况很普遍。解放后，由于一些应予没收的战犯、官僚资本家的私人投资的存在，因而私营企业中还有着相当数量的官僚资本。1951年2月，政务院颁布《企业中公股公产清理办法》，开始对这部分官僚资本实施清查没收。

对于私营企业中官僚资本的清理，中央财经委员会制定了如下原则：①官僚资本以私人名义所办的企业，应予没收，如有化名隐匿或非法转移者，应彻底清查。②民营企业在国民党统治时期为应付环境，利用国民党要人出任公司董事长者，要分别情形，加以处理，若仅挂一空名，既未出资，亦未操纵公司行政者，不加清算；若实际出资者，应将官僚资本部分没收归公（未出资的"红股"亦应没收）。③凡利用其在国民党统治时期的特殊政治地位、经济地位与社会地位，运用国家资金作私人投资，应视为官僚资本，予以没收。根据上述原则，《企业中公股公产清理办法》及主管机构交通银行制定的实施细则，对于清理范围、主管机关、公股代表及董监任免、清理改组程序、清理期限等都作了详细规定，使清理工作由专门机构有条不紊地进行。

在清理这部分官僚资本过程中，中财委和主管机构交通银行还针对侵占股权问题（包括"私侵公"和"公侵私"）的九种具体情况，提出了不同的处理办法，做到了公平合理，既不使国家利益受损，又考虑到历史情况，使私营企业感到合理满意。例如关于股权侵占问题的处理原则就规定：对于有公股的私营企业将递延资产，如开办费等，经呈准伪政府列作损失，在公股额内抵消者，虽属很不合理，但在当时如伪政府有鼓励私人投资意义而私股并无侵蚀公股意图者，不再追究。

属于私人所有的官僚资本情况较为复杂，牵涉面广，社会影响也较大，因此中央除了尽可能地制定详细具体的政策法规外，还将最后界定权收归政务院，以避免各地因对法规政策理解不同或情况不一而导致处理过程中产生差异及由此造成的不良政治影响。解放战争后期，中央即一再强调对于这部分官僚资本不要急于宣布没收，应留待以后处理。1951年清理公股公产工作开始后，政务院立即发出指示规定：凡公私合营企业和私营企业中有战犯、汉奸、官僚资本家的股份和财产，应予没收时，必须报经大行政区人民政府审核后转请政务院批准，才得执行。1952年12月，政务院发出通知，重申上述规定。清理没收程序，也是很严谨的，例如华东军政委员会就制定了一系列具体的清理没收程序，收到较好效果。

三

没收官僚资本的情况和意义

共和国成立前后,人民政府通过没收官僚资本归新民主主义国家所有,建立了力量雄厚的国营经济,并使之在五种经济成分中居于领导地位。据不完全统计,在金融方面,共没收官僚资本金融机构 2400 多家,并利用没收来的官僚资本股份对十几家大银行实行了公私合营,从而为人民政府控制金融业这个有关国民经济命脉的行业奠定了坚实的基础。在工矿业方面,共没收企业 2858 个,有职工 129 万人,其中产业工人 75 万人。这些企业虽然在数量上仍少于私营企业,但从其产业结构和规模来看,都在重工业和设备技术上占有绝对优势。在交通方面,国家接管了大陆上的全部铁路交通设施,计铁路 2 万余公里,机车 4000 多万台,客车 4000 多辆,货车 4.7 万辆。在航运方面,除接管了大陆上的全部港口及大部分码头设施外,还接管了约 20 多万吨位的各种船舶,并通过没收官僚资本的股份,对全国最大的私营轮船公司民生公司实行了公私合营。在航空方面,除接管了大陆上的全部机场及设施外,原中国中央航空公司在香港的 12 架飞机也起义飞回祖国怀抱。此外,人民政府还接收了铁路车辆和船舶修造厂约 30 个。总之,通过没收官僚资本,铁路、公路、航运、航空等现代交通的主要部分已掌握在国家手中。在商业外贸方面,人民政府则接管了复兴、富华、中国茶叶、中国石油、中国盐业、中国蚕丝、中国植物油、中国进出口等十几家大型贸易公司及其分支机构和经营网点。

通过没收官僚资本,新中国不仅掌握了金融、交通、通讯等有关国计民生的重要部门,而且控制了能源(电力、煤炭、石油)和许多生产资料的生产,从而为确立新民主主义经济体制(国营经济领导下多种经济成分并存,计划管理与市场调节相结合)和向社会主义过渡奠定了基础。

新中国成立前后的货币统一

从中国历史上看,每一个新兴王朝在实现统一后的首要经济措施就是货币统一。新中国建立前后,党和人民政府是在什么条件下、怎样实现货币统一的,应该是中华人民共和国史研究的重要课题之一。①

一

旧中国货币混乱状况

鸦片战争以后,由于帝国主义侵略和封建势力阻碍,中国的现代化道路十分坎坷,从衡量国家独立、统一程度的货币发行和流通来看,在 1949 年以前,中国尚处于分裂、落后、政治经济发展极为不平衡的混乱状态。

清末以来,随着帝国主义的侵略和封建政治的解体,我国的币制开始陷入混乱

① 本文所用的人民币数字,均为 1955 年币值改革前的旧币值,即旧币值的 1 万元等于新币 1 元。

状态。1935年国民党政府币制改革以前，市场上除了银两、银元混用外，不少地方银行（主要为省行）、外国银行、私营钱庄也都发行过在市场上流通的纸币。仅就银元来说，就有鹰洋（因上有鹰的图案而得名，又称"墨西哥洋"）、龙洋（因上面有龙的图案而得名，清政府铸造）、大头银洋（又称"袁大头"，上有袁世凯头像，北洋政府铸造）、船洋（因上面有帆船图案而得名，南京国民党政府铸造）。此外还有英国、法国、日本发行的银元，如果再算上地方政府铸造的成色低的各种银元，其种类达几十种之多。

1935年国民党政府的币制改革，试图结束货币混乱状况，实现货币统一。但是不久爆发的日本侵华战争，不仅使国民党的货币统一的计划落空，而且法币（纸币）的发行，反而为国民党政府实行通货膨胀政策提供了可能。从1936年6月到1949年5月，国民党政府的货币发行额增加了1445亿余倍。如此剧烈的通货膨胀，必然导致抛弃这种纸币。抗战胜利以后，在国民党统治区，尽管国民党政府实行币制改革和禁止金银、外币流通，强迫人民将其兑换成国民党政府发行的纸币，但是并不能阻止金银、外币的广泛流通。在城市，金银、外币实际上已经取代了金圆券成为市场流通中的等价物；在乡村，由于银元、铜币等硬通货不足，以物易物在市场流通中的比重越来越大，粮食、布匹在许多地方成为市场交换的等价物。

通货膨胀也为外国货币占领我国市场打开了大门。除了美钞、港币广为流通外，在市场上还流通着英镑、法郎、叻币（新加坡币）、越币、葡币、印度卢比、缅币等各种外币，除苏联及东北亚国家外，几乎周边国家和华侨较多国家的货币在中国市场流通中都被派上用场。据估计，在

1949年新中国成立前夕，在中国流通的美钞约有3亿美元，港币约有5.8亿港元。港币发行量的半数流入了华南。

人民币的诞生和关内解放区货币的逐步统一

1.人民币产生的背景

1947年7月，人民解放军转入战略反攻，这是中国革命的历史性转折，全国性胜利已经为期不远。随着中国革命转入战略进攻，晋绥、晋察冀、晋冀鲁豫和山东解放区逐渐连成一片。为了适应革命形势的发展需要，在中共中央的领导下，筹划"组建中央银行，发行统一的货币"的工作遂提上议事日程。1947年10月8日，中共中央在批复华北财经办事处的报告中指出："目前建立统一的银行有点过早，进行准备工作是必要的，至于银行名称，可以用中国人民银行。"1947年11月，华北财经办事处确定由南汉宸负责组织中国人民银行筹备处。经过一年的调研、协商、准备，1948年12月1日，中国人民银行在河北省石家庄市宣告成立（由原华北银行、北海银行、西北农民银行合并而成），并从即日起发行中国人民银行钞票"人民币"。当时确定发行人民币的任务是统一各解放区的货币，同时作为新中国的本位币。人民币的发行方针是"适当稳定"，即要根据各地区生产和商品流通情况以及市场货币松紧的程度，有计划地慎重地将人民币投入市场。

2.关内解放区货币的逐步统一

中国人民银行成立和人民币发行以后，中央政府立即开展了关内解放区的货币统一工作。1948年12月1日，华北人

民政府关于建立中国人民银行和发行人民币的布告即指出："于本年十二月一日起,发行中国人民银行钞票(下称新币),定为华北、华东、西北三区的本位货币,统一流通。所有公私款项收付及一切交易,均以新币为本位货币。新币发行后,冀币(包括鲁西币)、边币(晋察冀币)、北海币、西农币(下称旧币)逐渐收回。"①

为了在货币统一过程中不使人民群众的利益遭受损失,人民政府采取了"固定比价,混合流通,逐步收回,负责到底"的方针,有计划按步骤地将各解放区发行的货币逐步收回。统一的办法主要有以下两种:

(1)固定比价,混合流通。1948年12月发行人民币时,华北人民政府根据各解放区的物价水平,规定了人民币与冀南币、晋察冀边币、北海币、陕甘宁商业流通券的合理比价,并停止了上述各地区货币的发行,要求各地银行按照规定比价逐步收回上述货币。天津解放前后,华北人民政府再次公布人民币对各解放区货币的固定兑换比价(有的是重申,有的是新规定)。例如:对中州币是1∶3;对冀南币、北海币、华中币是1∶100;对长城银行券是1∶200;对晋察冀边币、热河省银行券是1∶1000;对西农币、陕甘宁商业流通券是1∶2000;对冀热辽边币是1∶5000。这些比价,与当时市场流通中形成的自然比价基本上是一致的。

采取固定比价、混合流通的过渡办法,可使各地区之间原来被割断的经济关系得到迅速恢复和发展,既方便了群众兑换和流通,也不致引起市场震动。同时,这种办法又是灵活的。在平津战役期间,

为了适应战争的需要,中国人民解放军曾规定暂准东北银行券、冀南币作为人民币的辅币在平津地区流通,其他解放区的货币则不准进城流通使用。平津战役胜利结束后,华北人民政府于1949年4月15日宣布:停止东北银行券和冀南币在平津地区流通,并限期进行收兑。与此同时,华北人民政府与东北人民政府在山海关建立了联合办事处,挂牌兑换华北、东北两地的货币,实行通汇,以便利两个地区之间的往来。

(2)按规定比价全部收回各解放区发行的货币。为了消除一些人担心各解放区发行的货币过了兑换期限会停兑作废的疑虑,中国人民银行总经理南汉宸于1949年1月10日发表谈话保证:"人民政府不但对人民银行新币负责,而且对一切解放区银行过去发行的地方货币负责。将来我们收回地方货币的时候,一定按照现在所规定的比价收兑,兑到最后一张为止。"②随后,中国人民银行对收兑各解放区货币的工作作了多次布置,并规定凡持有解放区货币者,在兑换期限以后仍可到人民银行按规定原比价兑换。以后,人民政府不但对抗日战争时期和解放战争时期解放区所发行的货币负责收回,而且对土地革命时期根据地银行发行的货币、期票、公债也按合理的比价收回。

到新中国成立前夕,人民政府通过银行业务、财政征收、贸易回笼等方式,陆续收回了关内各解放区发行的货币,华北、西北、华东和中南大部分地区的货币已经统一为人民币,为新中国的货币统一奠定了坚实的基础。

---

① 转引自《当代中国的金融事业》,中国社会科学出版社,1989年出版,第31页。
② 《人民日报》,1949年1月13日。

三

收兑和肃清国民党政权发行的货币

早在人民币发行之前,各解放区即与国民党政府发行的纸币开展过有效的货币斗争。在 1947 年夏秋转入战略反攻至 1948 年 11 月沈阳解放前这段时间,解放区的对敌货币斗争主要表现为排挤蒋币,即限期禁止蒋币流通,同时组织力量将蒋币推向国民党统治区换回物资。

1949 年 1 月平津解放以后,对蒋币则以兑换为主,排挤为辅。1949 年 1 月 1 日天津解放后,市军管会于 16 日颁布通告,规定自即日起,金圆券可以流通 10 天,在此期间按人民币兑金圆券 1∶6 的比价予以兑换。2 月 2 日,北平军管会也发布通告,规定自即日起金圆券可以流通 20 天,在此限期内,人民群众有拒用金圆券及议定比价的自由。政府的收兑比价为 1∶10,但是劳动人民可以按 1∶3 的优待比价每人兑换金圆券 500 元。为了做好收兑工作,北平市人民银行在市内设立了 247 处兑换点,组织了 5000 多人做收兑工作,结果仅用 18 天即顺利完成了收兑工作,共收兑金圆券 8 亿多元。在兑换期内,人民政府准备了大批粮食、食油、煤炭等物资,源源不断地运进天津、北平,使广大人民可以用兑换到的人民币购买生活必需品,这不仅树立了人民币的信誉,也安定了人民的生活。在限期收兑金圆券的同时,人民政府还采取了把金圆券排挤出解放区的办法。天津市人民政府规定,凡持有金圆券 10 万元以下者,可向人民银行申请登记,开给金圆券携带证,凭证可携带金圆券到国统区;同时,放宽对进入解放区物资的限制,以鼓励人民群众把金圆券运到国统区换回物资。

随着金圆券的迅速贬值,人民政府在新解放区也将兑换比价不断调低,收兑期限也越来越短,一般不超过 10 天。4 月 23 日南京解放后,兑换比价为 1∶2500,期限为 10 天;5 月 27 日上海解放时,鉴于国民党政府已土崩瓦解,人民政府遂采取了无限制无差别的收兑方针,规定人民币与金圆券的比价为 1∶10000,并在市内设立了 369 个兑换点,仅用 7 天即完成收兑工作,共收兑金圆券 36 万亿元,占国民党政府金圆券发行总量的 53%。

1949 年 7 月,溃逃中的国民党政府又在广州、重庆发行"银圆券",企图最后一次利用纸币劫掠大陆人民的财富。对此,中共中央以中国人民解放军的名义宣告,今后在新解放区,银圆券一律作废,不再收兑;并号召国统区人民团结一致,拒用银圆券,从而加速了银圆券的崩溃。但是,在华南和西南解放以后,为了减轻人民的损失,人民政府还是限期收兑了银圆券。如重庆解放以后,军管会宣布按人民币 100 元兑换银圆券 1 元的比价收兑,仅 10 天即收兑完毕。共收兑银圆券 1017 万元,折合人民币 101700 万元。[①]

1949 年 4 月,人民解放军胜利渡江后,解放战争改变了过去先解放乡村后占领城市的办法,而是随着人民解放军的迅速推进,首先占领处于统治地位的城市。而此时的江南广大农村,由于对国民党政府的恶性通货膨胀深恶痛绝,金圆券、银圆券等纸币基本被排斥,代之以银元、铜元甚至以物易物。因此,江南解放以后,对农村来说,只是人民币如何去占领的问

---

① 《重庆金融》下卷,重庆出版社,1991 年出版,第 7—8 页。

题了。

四

禁止金银计价流通和私相买卖

1.金银计价流通情况及原因

新中国成立前,由于国民党政府实行了恶性通货膨胀政策,其发行的法币、金圆券等纸币在解放战争后期信誉一落千丈,金银等硬通货重新回到流通领域。尤其是银元,由于过去曾广泛流通、民间贮藏较多,遂重新成为市场上流通的主要货币,其价格也不断上涨,速度往往超过一般商品。

1949年各大城市解放后,由于解放战争正在进行,人民政府的支出大于收入,人民币也不得不实行逐渐膨胀的办法。1949年4月底人民币发行总量为607亿元,7月底达到2800亿元,11月达到20000亿元,1950年2月底达到41000亿元,3月份则达到49100亿元。虽然人民币的流通范围不断扩大,但通货膨胀仍然不可避免,从1949年1月到1950年2月(3月统一财经后物价即下降),全国13个大城市批发物价指数上涨91.11倍。由于人民币币值不稳,加上旧中国造成的人民不信任纸币的心理,人们仍然愿意使用和保存金银等硬通货。同时,国民党政府的长期恶性通货膨胀还造成了一个庞大的金融投机势力,即当时所谓的"农不如工,工不如商,商不如囤,囤不如金"。据估计,1948年仅上海一地参与金融投机活动的人数就达50余万(主要为买卖金银,即俗称"黄牛"和银元贩子),北平市的街头也到处都是银元贩子。各大城市解放之初,这些金融投机势力仍很活跃。因此,人民币的主要对手不是国民党发行的货币,而是金、银、美钞,尤其是银元。

2.禁止金银计价流通,严厉打击银元投机活动

为了有效制止金融投机,使人民币尽快驱逐金银,占领市场,同时又不致引起人民币过量发行,人民政府采取了禁止金银流通和低价兑换的冻结政策。

为了制止金融投机,稳定物价,各地人民政府在颁布禁止金银计价流通、私相买卖的法令后,即组织行政力量和人民群众严厉稽查金银投机活动。1949年3月4日,北平市军管会稽查银元黑市,在三天内拘捕银元贩子380人。而人民币与银元的最大较量则发生在江南解放以后的华东地区。早在人民解放军渡江前,以南京、上海、杭州为重心的华东地区已经成为银元的天下,金圆券事实上成为银元的辅币。江南解放以后,金圆券"不打自倒",而盘踞市场已久的银元则成为人民币的主要敌人。

1949年6月初,江苏、浙江的城市以上海为中心,金融投机分子掀起银元涨风。上海的投机分子以证券大楼为大本营,利用电话网与全市各个据点进行联络,报喊行情,哄抬价格,从6月1日至10日的10天内将银元价格抬高了两倍,从而带动了物价的上涨。在这种情况下,根据中共中央《关于打击银元使人民币占领市场阵地的指示》,上海市人民政府经过周密调查和部署,于6月10日颁布《华东区金银管理暂行办法》,同时立即行动,在投机分子集中活动的高峰时刻,一举查封了证券大楼,缉获现行投机分子1000余人,拘捕其中情节严重的200余人,对其他的投机据点也一并取缔。在此前后,人民政府还广泛开展宣传教育,发动人民群众声讨银元投机,坚决拒用银元,取缔了街头巷尾的银元黑市交易,终于使人民币完全

占领了市场。随后,南京、武汉、杭州等其他大城市也开展了打击银元的斗争,并取得胜利。同年12月5日,广州市人民政府组织了2000余人,对地下钱庄和炒卖金银、外币摊档(当地称其为"剃刀门楣")集中的地段进行了大清查,查获地下钱庄170家、"剃刀门楣"498个,对1016个投机分子分别给予了惩处或教育。

在解决取缔银元买卖和严禁金银计价流通的同时,各地人民政府还采取了由人民银行挂牌收兑金银的办法。由于社会上金银较多,为了不致因兑换而大量增加市场上的人民币,加剧通货膨胀,人民政府实行了低价冻结政策(西南地区解放以后,由于该区银子较多而人民政府掌握的物资不够多,为避免冲击市场,索性暂时不予收兑金银),即人民银行的兑换牌价较大幅度低于黑市价格,从而使富人不愿将手中的金银去兑换人民币而愿意保存起来。但是这种低价也不是低到不合理的程度,同时也考虑到兑换者的利益,随着物价上涨,几次调高兑换牌价。到1949年底,上海收兑银元108万多枚,北京收兑22万多枚。1950年3月物价趋于稳定以后,国家适当提高了金银兑换比价,加上人民币币值稳定,国家收兑的金银数量大增。以广东省为例,1950年一年共收兑黄金745.5万两(其中下半年收兑的占71.1%),银元101.2万枚(其中下半年收兑的占73.7%),纯银5323.6万两(其中下半年收兑的占98.2%)。[1]

3. 促使人民币下乡,占领农村市场

由于国民党政府实行剧烈通货膨胀政策,纸币迅速贬值,农村的抵制办法就是拒用纸币,在市场交换中使用银元等硬通货或者实行以物易物,粮食和布匹在许

多地区成为交换的一般等价物。1949年4月,人民解放军渡江以前,解放战争是先解放乡村并包围城市,然后再解放城市。因此,在金融和贸易方面,人民币就先在乡村生了根。城市一解放,人民币占领市场、恢复城乡交流,都是比较容易的。渡江以后,情况则不同了,由于我们是先占领城市,后占领乡村,而城乡均是银元市场,乡村非但不能帮助城市推行人民币,而且人民币本身的推行也十分困难。即使在北方的老解放区,由于人民币也在贬值,乡村中的实物交换所占比重也较大。如果说在城市解放后,人民政府是用行政手段快速有效地禁止了金银流通,使人民币迅速占领了市场,那么对于幅员广大的新解放区农村来说,以经济手段为主使人民币占领并扩大市场则是最佳选择,因为以行政命令为主不仅实施成本过高,而且会导致实物交换比重的增加。经济手段的有效实施是以人民币币值基本稳定为前提条件的。因此,人民政府采取的促使人民币下乡措施和人民币真正深入广大农村、占领农村市场,则是在1950年3月统一财经之后。政府促使人民币下乡的经济措施主要有以下三种:一是税收,即政府在乡村征收的各种税费,除公粮外,一律征收人民币,以促使人民币的流通;二是通过农贷和押汇(埠际押汇和进出口押汇),使人民币深入农村;三是通过大力开展城乡物资交流,即鼓励工业品下乡和大量收购农副产品,使人民币取代银元和实物交换,占领农村市场。经过1950年至1951年的上述财政、金融、贸易三大经济手段的促进,银元基本退出市场,以物易物的比重也大为缩小,人民币终于深入到农村。据个别调查,1950年3月统一财经

---

① 广东省人民政府调查统计委员会:《1950年广东综合统计》,1951年5月。

以前,人民币尚未占领新解放区农村,老解放区农村的流通量也很有限;而到 1952 年底据人民银行总行估算,农民持有的人民币已达 11 万亿元,占当时人民币流通总量的 40.4％。[1]

4.对少数民族地区实行耐心等待、稳步前进的政策

1950 年,西北、西南都曾决定在少数民族地区,应照顾少数民族群众长期形成的心理和习惯,暂准行使银元,待条件具备后再逐步用人民币收兑。例如同年 8 月西北军政委员会制定的《管理银元办法》(经中财委批准)即规定:①甘肃大部、宁夏、青海部分地区仍应继续坚决贯彻禁绝银元流通的既定政策,仅甘肃拉卜楞区、宁夏阿拉善区、青海西南部等少数民族聚居地区,暂准银元与人民币同时流通,然后再逐渐以经济手段为主辅助人民币市场的扩大,俟条件成熟时(可能需要数年)再行禁止银元。②在暂准银元流通的地区,为了加强政府对银元的统一掌握与管理,可考虑由人民银行领导成立(吸收当地有威望人士参加)"货币交易所",按照当地银元与人民币的市价进行集中的自由交易,以解决持有人民币或银元者相互需要之困难。如该地区银元缺乏,只准人民银行有计划以汇兑方式向该区调剂,其他公私单位都不准自由携往。③暂准银元自由流通地区的国营贸易公司及其他国营企业(邮政、交通等)和税务机关一律禁止收受银元,以支持人民币流通范围的稳步扩大。但是国营贸易公司收购土产时,视具体情况,可用银元。④为了推行人民币下乡、组织经济力量、削弱银元流通的市场基础,国营贸易公司和人民银行

必须尽力扩大业务。⑤在银元暂准流通区与禁止区的交界地带,应加强银元的缉私工作。[2]

1953 年初,西南暂准银元流通的少数民族地区(不包括西藏)银元价格下跌、币值不稳,人民币流通范围开始扩大,在这种情况下,人民政府可以选择的办法有以下两种:一是沿用以前所采取的办法,继续压迫银元价格下降,然后一次收兑或只收进不放出,肃清银元流通;二是在目前基础上,通过稳定人民币与银元的比价来稳定货币市场,以开展物资交流,从而使少数民族逐渐转变喜爱硬币心理,建立人民币威信,在将来条件完全成熟、少数民族完全同意的情况下,才水到渠成地统一货币。1953 年 2 月 25 日,中国人民银行总行建议中央采取后一种办法,3 月 7 日,中央批复同意中国人民银行总行的报告,指出:对少数民族地区的金融、贸易政策应采取稳步前进而对少数分子(包括本地商人及上层分子)有利的方针。切忌躁进,尤不可将内地办法搬进少数民族地区实行,并要求其他混合使用银元和人民币的少数民族地区,亦照此报告合理调整人民币与银元的比价。

五

严禁外币在市场上流通,加强外汇管理

新中国成立后,人民政府加强了外汇管理,制定了外汇管理办法,禁止一切外国货币在中国市场上流通。同时还规定:无论中国人还是外国侨民,凡持有外国货

---

[1] 中国人民银行党组:《关于目前货币流通情况与一九五三年货币发行问题的报告》,1953 年 3 月 18 日。
[2] 西北军政委员会:《关于少数民族地区银元流通问题的请示》,1950 年 8 月 11 日。

币者,必须在限期内,按规定牌价到中国人民银行或其指定机构兑换成人民币,或者作为外币存款换取外汇存单;因公务或旅行进入中国国境者所持有的外币和票据,必须在中国人民银行设在边境的兑换机构兑成人民币或作为外币存款;一切外汇业务,包括国际贸易结算、国际汇兑、外汇买卖,都必须由中国人民银行办理或在其监督下由指定的银行经营。

收兑外币的工作,大致分为两个阶段。1949年初平津解放到1949年10月前为第一阶段,这个阶段的主要工作是收兑华北、华东、中南等大中城市中的外币,以美钞为主。1949年10月广州解放到1950年底为第二阶段,这个阶段的主要工作是收兑广泛流通于华南城乡和西南边疆地区的外币。

在第一阶段,人民政府一方面严厉取缔外币黑市买卖,另一方面则采取折实存款的办法,吸收外币存款。由于行政手段和经济杠杆双管齐下,效果较好。到1949年底,天津兑入103万美元、97万港元、其他外币折合120万美元;上海则兑入758万美元、149万港元,吸收各种外汇、外币存款共计1242万美元、572港元、65万英镑。①

在第二阶段,以驱逐和收兑港币为主的禁止外币流通的工作更为艰巨。从1949年10月广州解放至1950年2月,为了把港币迅速逐出市场,人民政府对港币采取了坚决肃清、排挤为主、兑换为辅的方针(因港币数量巨大,如大量收兑将会引起物价暴涨)。将港币打入黑市,以促使其回流香港和海外。1949年11月18日,广州市军管会宣布:人民币为合法货币,凡完粮纳税以及一切公私款项收付、物价计算、账务票据契约,均须以人民币为计算及清偿本位,严禁外币流通使用,但是由于港币流通普遍、深入农村,兑换尚需时日,暂准按人民银行的牌价使用。同时,人民政府还开展了拒用外币的宣传教育运动。为了打击港币黑市,稳定金融局面,人民政府于12月4日对地下钱庄、"剃刀门楣"进行了大扫荡,查获地下钱庄170家、"剃刀门楣"498档,沉重地打击了港币黑市,把港币与人民币的黑市比价由12月4日的1∶3333元压低到12月10日的1∶1540元(同期人民银行牌价为1∶1500元)。斗争的结果,确定了人民币为市场流通中的唯一合法货币。

1950年2月以后,由于人民币流通范围扩大,同时交通的恢复也使政府掌握了较多的物资,基本具备了禁止港币流通的条件。在这种情况下,1950年2月3日,广州市军管会宣布:禁止港币流通使用。与此同时,人民银行将兑换牌价提高,以利收兑。并颁布优待外币存款办法,准许外币存款移作自备外汇或按优待侨汇的牌价支取人民币。随后,广东也先后宣布禁止港币流通。1950年3月统一财经以后,由于实行"三平"政策,物价币值都趋于稳定,港币黑市比价已为人民银行的牌价所控制,人民币已经完全占领了城市市场。这个时期货币统一工作的主要任务是大量收兑港币、组织人民币下乡。以广州市为例,3月中旬以后每日的港币收兑量比3月中旬以前每日最高量增加了100倍。仅1950年一年,广东省就收兑港币9211.3万元、美钞71.65万元。据估计,到1950年9月底,停留在华南民间的港币已不到原来的五分之一,人民币已经完全占领了城乡流通市场。

① 《当代中国的金融事业》,中国社会科学出版社,1989年版,第47页。

中国大陆货币统一的实现

1949 年至 1950 年的货币统一行动，并不是在全国范围内进行的。它只是集中于关内的广大地区，而对较早解放的东北、内蒙古和刚解放的新疆并没有实施货币统一，三个地区仍然行使其原有的地方货币，中央人民政府没有急于实行全国货币的统一。这个决策是正确的。

1. 东北和内蒙古地区的货币统一

1949 年至 1950 年初，关内广大地区随着解放战争的胜利推进而开展了货币统一，同时人民币也因战争原因而不断贬值，解放区的物价呈现出较大幅度的波动。而此时的内蒙古和东北则因解放较早（内蒙古于 1948 年 7 月全境解放，东北则于 1948 年 11 月全境解放），提前进入国民经济恢复阶段，物价基本稳定下来。以东北为例，1945 年 12 月至 1948 年 12 月，东北解放区的物价上涨 422 倍，而 1948 年 12 月至 1949 年 12 月，按十个城市的批发物价计算，其上涨幅度仅为 62%，其中旅大地区的物价总水平还略有下降。如果用币值尚未稳定的人民币取代东北、内蒙古的地方货币，势必要造成两地的物价随关内物价波动，从而对两地的经济恢复产生不利影响。在这种情况下，中共中央并没有为减轻通货膨胀的压力而急于将人民币的流通范围扩大到东北、内蒙古，而是从全局出发，保护已经进入全面经济恢复阶段的两个地区不再遭受通货膨胀之害。

1951 年 3 月，经过统一财经、调整工商业和扩大城乡交流，国家财政实现平衡，人民币币值稳定，并经受住了朝鲜战争的考验。此时，货币统一不但不会给上述两个地区的经济造成不良影响，而且还会给两个地区与关内广大地区的交流提供方便。货币统一的条件已经成熟（在此之前，东北人民政府于 1950 年 5 月收兑了旅大地区发行使用的"关东币"）。在这种情况下，中央人民政府政务院于 3 月 20 日发布命令，宣布自 4 月 1 日起，用人民币按 1∶9.5 元的比价，收回东北银行和内蒙古人民银行发行的地方流通券，并将东北银行和内蒙古人民银行改组为中国人民银行的下级机构。为了做好这项工作，避免因收兑引起物价波动，中央和东北、内蒙古地方政府都作了充分的物资和资金（黄金）准备。

东北和内蒙古地方流通券的回收分两个阶段进行。4 月 1 日至 4 月 30 日（内蒙古至 5 月 31 日）为第一阶段，在此期间一方面收兑，一方面仍允许东北和内蒙古地方流通券流通，以保证生产和交换正常进行。5 月 1 日至 31 日（内蒙古为 6 月 1 日至 7 月 31 日）为第二阶段，在此期间，停止东北和内蒙古地方流通券流通，可无限制兑换。这次货币统一由于人民币币值稳定和准备充分，进行得非常顺利，没有引起社会震荡和物价波动，得到了关内外人民群众的同声赞扬。就东北来看，从 4 月 1 日至 6 月底（为照顾偏僻地区，政府将兑换期限延长至 6 月底），共收回东北币 154527 亿元，占东北币发行总额（162000 亿元）的 95% 以上。对于还保留在个人手中的东北币，政府决定继续收兑，以使这部分人免遭损失，同时也能提高国家威信。在收兑东北币期间，为了消除部分人对人民币币值的顾虑，东北人民政府除了准备大量商品供应市场外，还经中央政府同意，在市场上大量抛售黄金以稳定金融（一些人怕人民币贬值，愿意保存黄金），结果使黑市的黄金价格由4月初的人民币147万元一两跌至5月份的人民币130万元一两,使得不少人又转而向国营金店出售黄金以换回人民币。

2.新疆地区的货币统一

1949年9月25日,新疆宣告和平解放以后,为了避免社会震荡,维持新疆的稳定,中央人民政府决定新疆继续发行和流通新疆省银圆券,并以银圆券统一了新疆的币制(以银圆券收兑了在伊犁、塔城、阿山三个地区流通的三区期票)。但是,新疆和平解放以后,银圆券的发行量却大大增加,1949年底银圆券的发行额为2500余万元,而到1950年底,则达到9亿元。新疆当时人口不足400万,除游牧区外,实际使用货币人口不过300万,每人平均货币数量较东北及关内其他地区高出5倍。新疆之所以靠大量增发货币弥补财政赤字而没有酿成金融波动,是因为有人民币的支持,即新疆省银圆券与人民币的汇率订得较低(先是1:500,后为1:450),结果产生汇兑上的大量出差。新疆解放一年来,新疆对国内其他地区汇出8亿多元,汇入4亿多元,因而增加人民币发行2000亿元以上。这种汇差表现出以下三点不合理:一是汇率较低,新疆依靠无限制的汇兑从国内其他地区大量买进廉价工业品,使乌鲁木齐的价格下跌50%,造成不合理的低物价;二是占压了国内其他地区人民银行的大量业务资金,在1951年银行资金紧张而又不能无限制扩大发行的情况下,影响了人民银行的正常业务。三是人民银行以2000亿元人民币兑换了4亿元新疆币,实际上是人民银行以2000亿元人民币补贴了新疆的财政开支,这种以汇差补贴地方财政的办法对中央和新疆的宏观经济管理都是不利的。在这种情况下,1951年4月,中央决定停止新疆省银行继续发行银圆券。随后,经过充分酝酿和准备,又在1951年10月1日,中央人民政府决定在新疆发行有维吾尔文的人民币,在全国流通,同时停止使用并限期收回新疆省银行发行的银圆券。

3.西藏地区的货币统一

至于西藏,则情况更为复杂,货币统一的难度也更大,直至1962年5月才完全确立了人民币作为唯一合法货币的地位。

1951年5月,西藏和平解放以后,按照正常情况,从这时起,就应该停发和收回原西藏地方政府发行的"藏币",以全国统一的人民币作为法定货币。但是,由于多年来反动中央政府的民族歧视和西藏地方政府中少数亲帝国主义分子的欺骗宣传,藏族群众对我党的政策还不了解,多年来形成的民族隔阂还不同程度地存在,因此西藏人民对人民币也还要有一个接受和习惯的过程。为了取得藏族人民的信任,为人民币在藏流通创造条件,党和中央政府采取了等待的办法。与此同时,进藏部队(中国人民解放军根据和平解放西藏协议,进军西藏,巩固边防)遵照中共中央"进军西藏,不吃地方"的指示,一切购买活动全用藏族人民信任的银元("袁大头")支付。在藏暂时使用"袁大头",是为了照顾西藏人民的交换习惯,同时也是向将来统一使用人民币的目标迈出了第一步。进藏部队使用"袁大头",不仅暴露了藏币的弱点,而且促使藏族人民了解了中国共产党和人民解放军,加强了民族团结,保证了部队供给。

1954年第一次全国人民代表大会期间,为了解决西藏地方政府财政入不敷出、"藏钞"因超发而大幅度贬值的严重问题,西藏地方政府在京官员和达赖喇嘛拟定了一个解决方案,即:停发藏钞,由中央人民政府补贴西藏地方政府的财政赤字

（每年约 60 万—70 万银元），另外，再由中央政府借给西藏地方政府 400 万银元用来收回藏钞（藏钞发行总量约值 400 万银元）。中央政府原则上同意了这个方案。中央政府的思路是：将来必然会统一使用人民币，但是我们照顾到西藏人民偏爱银元的心理和习惯，在过渡期间，先用银元收回藏钞，等大家习惯于使用人民币之后，再将人民币与银元同时流通，最后过渡到单一使用人民币。但是这个方案却因噶厦的反对而被搁置。

1959 年 3 月，在西藏少数上层分子发动武装叛乱后，国务院下令解散西藏地方政府，藏币迅速贬值。根据西藏人民的要求和实际需要，西藏自治区筹备委员会于 7 月 15 日颁布关于在全区普遍发行使用人民币的布告，规定人民币为法定本位币，与"袁大头"按 1.5：1 的比价一起流通使用，任何人不得拒绝收受和贬值使用。8 月 10 日，鉴于藏钞继续流通弊多利少，西藏自治区筹备委员会又颁布了在全区废除和收兑藏币的布告（包括藏钞、藏银币、藏铜币）。

行使人民币和收兑藏币的工作，拉开了西藏民主改革的序幕。民主改革之后，鉴于西藏人民对使用人民币已经完全习惯和充分信任，西藏自治区筹备委员会于 1962 年 5 月 10 日颁布了《西藏自治区金银管理和禁止外币、银元流通办法》。至此，中国大陆的货币统一终于实现。

四次物价波动和稳定物价的斗争

1949 年 4 月到 1950 年 3 月，中国共产党和人民政府进行了历时一年的稳定物价的斗争，这是新中国成立前后经济战线上的一次重大战役。这场战役的胜利，结束了国民党统治时期延续 10 余年的恶性通货膨胀和物价暴涨的混乱状态，建立起物价稳定的新民主主义经济秩序，为迅速恢复发展国民经济创立了良好的开端。

一

建国前夕两次物价波动和稳定物价的斗争

建国前夕的第一次物价波动，发生于 1949 年 4 月，即平津解放后不久。波及的地区主要是华北和西北解放区。当时由于人民解放军已连续进行了平津和淮海两大战役，并且正在准备大军渡江，向全国进军，因此解放区政权的财政支出大大增加。平津解放后大批国民党军政人员全部包下来，也增加了支出，因此从 1949 年 1 月底到 1949 年 4 月底的 3 个月内，人民币的发行额增加了近 4 倍。与此同时，1948 年河北省受灾，粮食减产，而天津的纺织工业还未恢复，粮食、纱布的供应趋于紧张，在这种情况下，不法商人乘机抢购囤积，哄抬物价，逐步导致以粮食、纱布带头的物价大幅度上涨。以天津市为例，综合物价指数 5 月中旬比 3 月上涨 1.2 倍。

为了刹住物价上涨风潮,人民政府采取了两项措施。首先是掌握物资,组织抛售。人民政府用很大力量疏通粮食运输,使东北粮食大批入关,济南等地小麦陆续运津。人民政府曾委托一些私营粮商代销粮食,但是私商往往不按规定牌价出售,反而趁机囤积居奇或偷运外地,于是人民政府在国营贸易公司下分别建立粮食、花纱布、百货、山货等专业公司,在平津建立了 40 个粮食、纱布营业处、零售店,使国营企业在市场上直接售货,发挥了国营经济平抑物价的作用。另一方面,想办法吸收游货,紧缩通货。4 月 20 日人民银行开办"折实储蓄",这种储蓄就是客户存款时银行按当时的物价将货币折合成几种主要商品的数量,到取款时,不管物价涨多少,都按存时折合的商品数量取款计息,保证存款者不因物价波动而遭受损失,这种储蓄方式促进了存款的增长,到 6 月份,天津人民银行的存款即达到 1.3 亿元。

上述两项措施实施后,从 5 月中旬起,物价上涨风在平津和华北各地陆续平息下来,建国前夕第一次物价波动较快地平息下来。

第二次物价大波动发生在上海解放后不久的 7 月份。1949 年 5 月下旬上海解放以后,解放战争势如破竹,军事进展一日千里,这也要求解放区政府提供更多的财力物力,而此时新解放的大批地区,地方财政尚未走上正轨,支多收少,都需要中央拨款支援,导致人民币的发行额比过去增加得更快,而且比较集中于大城市。以上海银行存款来看,6 月底近 75 亿元,到 7 月底就增至 164 亿元。在这种情况下,物价很难稳住。7 月份,华东、华北

先后暴雨成灾,消息传来,上海粮价暴涨。7 月 16 日一天,米价就由每石 5 万元升至 6.7 万元,7 月下旬粮食价格比 6 月底上涨 1.5—2 倍,天津、武汉以至中原地区的粮价也一起上涨。粮价暴涨,也带动纱布价格上升。7 月底上海龙头细布比 6 月底上涨近 1 倍,天津五福布上涨 1 倍有余。

在这次物价波动中,投机势力哄抬物价比 4 月份第一次物价波动时更为严重。上海是旧中国金融商业中心,也是投机活动中心。人民政府在 6 月上旬取缔金融投机后,投机活动的对象就从金银外币转向粮食、纱布这类生活必需品。投机商人不惜借取黑市高息贷款从事商业投机活动。7 月 16 日上海日折暗息升至 3.5%,80% 的放款被用于粮食和纱布投机,不法商人的囤积哄抬是物价暴涨的又一个重要原因。

由于这次物价波动的中心是上海,带头上涨的商品是粮食和纱布,因此上海作为全国纱布生产的最大基地和粮食消费量最大的城市,能否使纺织业迅速恢复生产,能否使粮食迅速调入,就成为平息这次物价上涨风的关键。在这种情况下,中共中央花很大力气从华东各省以及中原、华北、东北调运粮、棉、煤、盐等物资支援上海,使上海纺织业摆脱了因缺乏进口棉花而大批停产的局面,在 7 月份全部开工。由于人民政府手中掌握了较充足的物资,有了向市场抛售的能力,也就有了控制物价的力量。7 月份国营贸易公司在上海抛售的棉纱、棉布、大米、面粉分别达到市场成交总量的 37.3%、76.8%、36.3% 和 34.1%。大量抛售打击了抢购囤积等投机活动,控制了物价上涨幅度。与此同时,人民政府还采取了必要的行政手段来打击投机活动。如加强对商品交易所的管理,查办一批不法奸商,轻者予以教育

释放，按政府牌价收购其囤积物资；重者逮捕法办，予以刑事处分。

第二次物价大波动历时1月有余，在7月底8月初平息下来，综合物价指数上升幅度，天津为2倍，上海为1.5倍。在平息物价涨风的斗争中，人民政府尽可能地照顾到广大劳动人民的利益。上海对工人、公教人员和学生等实行了平价配售粮食的办法，每人每月平价供粮30斤，7月份供应了近70万人。北平、天津等市也对职工、学生采取了平价配售的办法，体现了人民政府保护劳动人民利益的性质。

上述两次稳定物价斗争的胜利是中国共产党和人民政府在经济战线上的重大胜利，它不仅保障了解放区政权的巩固和社会安定，还为建国后稳定物价的斗争积累了经验。

二

建国后的两次物价波动和稳定物价的斗争

从1949年8月份到10月份，新解放区工商业开始恢复，农业生产进入秋收季节，因此物价呈现暂时相对的稳定。与此同时，人民解放军正向华南、西南迅速挺进，军费开支仍在增加，全国军政公教人员超过了700万人，另外，秋收后粮棉收购也要增加货币投放，因此货币发行额仍然以较快的速度增加。到10月底，人民币累计发行增至1.1万亿元，比7月底（2800万元）增加了近3倍，11月底又增至1.89万亿元，比7月底增加6倍多。而此时物资供应明显不足，西北、西南、华南、华东

新解放地区，需要大批物资（主要是粮食、纱布）支援，而华北主要产粮区又受灾。10月中旬，华南商人北上套购纱布，导致纱布价格上升。10月27日，京绥铁路因察北发生鼠疫暂时封闭，运粮通道堵塞，粮食价格也开始上涨。在这种情况下，投机商人趁机蠢动，在北方主要是囤积粮食，在南方主要是囤积纱布，以期取得暴利。于是在新中国成立一个月后，即11月份又发生了第三次物价大波动。

在平息这次物价波动的斗争中，由于党和政府有了前两次斗争的经验，对货币和价格运动的规律更加熟悉，从而表现出高度的领导艺术和巧妙的斗争策略。当时，国家公粮收入中，除供给制人员的口粮外，还可以拿出一部分来供应市场，加上国营公司和供销社收购的粮食，可用作商品调用的粮食已不低于50亿斤；国营中纺公司所掌握的棉纱将近全国产量的一半，棉布则超过一半，因此政府手中的实力足以削弱物价涨风。问题的关键是怎样和何时向市场抛售才能取得最佳效果。11月中旬，中财委具体分析了市场上商品和流通中货币的情况，预计物价综合指数要比7月底上升2.2倍，才能使两者大体平衡，在此以前，物价难以稳定，如果以低价抛售，不仅不足以平抑涨风，反而可能让投机商人占便宜。因此，必须周密部署，选择适当时机，全国一致行动，才能打垮投机势力，刹住涨风。

11月13日，中财委作出果断决策，指示各地国营公司在抛售物资上大踏步后退，保存实力，除必须应付的门市以外，暂时不将主要物资大量抛售。目前应当在中财委统一部署下，努力调集主要物资于

---

① 即政务院所属的财政经济委员会，当时陈云任主任，薄一波、马寅初为副主任，简称"中财委"，负责具体领导全国财经工作。

主要地点,争取于11月底12月初在全国各主要城市一齐抛售,平息涨风,同时给投机势力以沉重打击。

按照中财委指示,各地紧张地进行了准备工作。一方面加强物资的调运。东北自11月15日至30日每天运粮1000万斤—1200万斤入关支援京津;财政部调拨贸易部2.17亿斤公粮以增加棉产区的销售量;陇海路沿线积存的纱布迅速运到西安;华北、华中以大量煤炭和粮、棉支援上海。另一方面尽量设法紧缩通货。中央规定国营企业现金不得存入私营行庄,必须存入人民银行;人民银行除特殊批准者外,一律暂停贷款,并按期如约收回以往贷款;工矿投资和收购资金,除特殊批准者外,一律暂停支付;地方经费的一部分推迟半个月或20天发放;继续推广折实储蓄。经过上述准备,国家在市场上全面进攻的条件已经具备。鉴于市场形势,决定提前采取行动。

11月25日,各大城市统一行动,趁当时市场物价高涨大量抛售。投机商人认定物价还将上涨,不惜高利拆借巨款继续吃进,使市场日折暗息由16日的5.1%上升到8%—10%。但是国营公司实力雄厚,敞开抛售并逐步降价,这时投机商人开始叫苦连天,急于抛货还债,结果越抛越贱,几天之内许多奸商赔了老本还要偿付高息。仅上海粮食批发商就倒闭数十家。据估计,在这次稳定物价斗争中,棉布行业的投机商人亏缺253亿元。投机资本遭到了一次毁灭性打击,使得这次波及地区最广、持续时间最长、物价涨幅最大的物价波动风潮,在几天之内就迅速平息下去。事后一位资产阶级代表人物说:6月银元风潮,中共是用政治力量压下去的,此次则仅用经济力量就能稳住,是上海工商界所料不到的。

这次稳定物价的斗争与前两次相比有很大不同。国家不仅能够主动地对付物价波动,而且能够有计划有步骤地达到预定的要求。无论是物价总指数,还是各主要商品的具体价格水平,经过斗争都能平息在原来预定的水平上。

经过第三次稳定物价的斗争,国家取得了对市场的控制权,但是由于财政收支还不能平衡,物价波动仍然在所难免。1949年底,解放战争仍在华南、西南、西北向边疆推进,军费开支一时还降不下来,同时政府负担的公职人员到1950年1月已增至900万人,而财政收入一时难以较大幅度增加,因此当时估计从1949年12月至1950年2月,财政赤字可能达到2.5万亿元。根据这种情况,中财委指出,市场物价要继续有计划地允许上涨,但应使之逐步上升,防止短期内突然暴涨。

形势的发展和中财委的预测相符。12月份增发货币1万亿元,至2月1日,人民币累计发行达4.1万亿元(1949年11月底为1.89万亿元)。物价则在国家控制下比较平稳地上升,以12月底为基期,1月上旬物价平均上升30%。按照计划,国家准备让物价在春节(2月17日)前继续上升30%。这一计划本来是可以实现的,但是2月6日国民党飞机轰炸上海,发电厂被炸毁,一时全市工业企业除自备电力的工厂以外,大部停工,人心动荡,商人只购不售,囤积观望。上海的纺织企业在全国纺织行业中占有很大比重,因此上海的停产也影响到全国的供求关系,结果从"二·六"轰炸到春节前后的半个月内,出现了第四次物价波动。

这次物价上涨波及地区较少,主要集中在上海、天津、汉口、西安等几个大城市。为了平息涨风,中财委于2月9日下达指示,命令上海以外各地纺织厂延长生产时间,突击增产,并规定本年度减发军衣,停止机关部队团体向市场买布。与此同时,中财委给上海规定了稳定粮食和棉布价格的具体目标(2 月 9 日每石粮食在 27 万元左右,要求春节后稳定在 26 万至 28 万元;布价与米价之比由 2 月 1 日的 0.7∶1 改变为一匹布合大米 1 石至 1.2 石)。遵照中财委命令,上海国营粮食公司在 2 月份平均每日抛售大米 2 万石,占市场成交总额的 80%,使大米在春节前后始终稳定在 28 万元的水平上。棉布价格的平抑比粮食晚半个月。主要是因为要调整棉布与粮食的比价,从 3 月上旬开始,棉布的价格逐渐稳定在 30 万元左右,实现了中财委关于一匹布折合大米一石二的要求。

在平抑这次物价波动的斗争中,人民政府在抛售物资的同时,还采取了紧缩通货的措施。早在 1949 年 12 月,中央人民政府就决定发行 1.2 万亿元人民胜利折实公债,从 1950 年 1 月 1 日开始发行。在 1、2 月份,多数职工积极认购并迅速交款。而作为认购大户的工商界一般是表面拥护,内心不舒服,虽然认购,但多数拖延交款。2 月下旬政府要求认购者按数交款,到 3 月份基本交齐,再加上加征工商税滞纳金,使银根大大紧缩。另外,从 1953 年 3 月起,人民政府开始实施"统一财政经济工作的决定",大大减少了财政赤字,所以从 3 月份起,物价涨风不仅停息,4 月份还开始下降。自此,不仅共和国成立前后的第四次物价大波动终于平息下来,而且也最终结束了中国长达十几年之久的剧烈通货膨胀。

统一国家财政经济

统一全国财政经济是 1950 年 3 月中央人民政府采取的一项重要的财政经济方针。这项方针的确定和实行,使国家集中掌握了主要的收入、资金和重要物资,扭转了财政收支不平衡的困难局面,控制和制止了延续 12 年的严重的通货膨胀,保证了战争的需要,改变了建国初期资金与物资管理上的混乱状态,从而保障了我国国民经济的恢复和发展。

一

统一财经的背景和准备

从抗日战争直到 1949 年的 12 年间,各个抗日根据地和解放区的财经工作都是分散经营的。其中前十来年完全分散经营,各有货币,各管收支,只有方针路线是统一的。仅在最后一二年,各解放区之间才有可能调拨少量军用品和物资。这种完全分散经营的政策,适应了当时解放区区域分割的状态,取得了很大成绩。

1949 年,随着解放战争的胜利进展,解放区迅速连成一片。一年之内,除西藏外,全国大陆全部解放。为适应这种情况,财经工作统一的范围和程度也变化了。首先是统一了货币,除东北外,人民币已成为通用货币(1951 年 4 月收回东北币后全国货币统一)。上海、武汉解放之后,根据各地财经机关的要求,又陆续地统一了税则、税目、税率,国营工厂的生产计划、原料来源、产品推销,外销物资的采购、外汇使用的分配,国内贸易物资的调拨、物价管理,铁道、轮船的合理使用,邮电的管理等。但就财经工作的全局来说,基本上仍是分散经营的,因为财政的收入并未规定统一管理的办法,只统一了支出,未统一收入。因为收支脱节,中央财政缺乏坚实的基础,产生了新的问题:① 全国公教人员 1950 年 3 月已超过 900 万人,按 1949 年概算标准人均 4000 斤小米计算,需要 360 亿斤,这在当时是很沉重的负担。② 收入难以按计划完成,1950 年 2 月的税收只完成了 60%,其中重要原因是有的新解放区把自己的税赋面缩小了。③ 收入的大头是公粮,而收起来的公粮都掌握在地方手里,其他税收也有一大半在地方手里。地方自己先用,中央拿不到。但是,900 万人里面 500 万军队是由中央支付的。1949 年的财政支出中赤字约占 16%。为了弥补财政赤字,国家不得不依靠发行货币。人民币的发行额,以 1948 年底为基数,到 1949 年 11 月增加约 100 倍,到 1950 年 2 月则增加 270 倍。① 私人投机资本乘机囤积居奇,哄抬物价,推波助澜,使得物价连连上涨,从 1949 年 8 月到 1950 年 2 月,发生了四次物价大波动,国家经济生活出现严重困难。要解决这些问题,必须统一财经工作。此外,恢复和发展经济也需要财经统一。由于中国贫穷落后,各地区经济发展很不平衡,收支状况紧张,机动力量有限,如果能够将收入集中起来,还可以办成一些事情,否则难以有所作为。因此,采取坚决有效的措施统一财经势在必行。

中共中央和人民政府分析了统一财经的必要性和可能性,在 1949 年底确立了统一财经工作的方针。当时有些人担心统一财经工作会影响地方的积极性,要求给予较大的机动权,或实行财粮分成;有的地区存在本位主义,不希望统一管理等不同认识,中央针对此做了大量统一思想认识的工作②。1950 年 2 月,政务院财政经济委员会(简称中财委)召开全国财政会议,主要讨论了统一财经、紧缩编制、现金管理、物资平衡四大问题,并作了具体部署。中财委主任陈云在会上指出,为了战胜暂时的财政困难,在落后贫困的经济基础上前进,必须尽可能地集中财力物力,加以统一使用。③ 经过了三个多月的充分酝酿,大家统一了思想认识,做好了统一财经工作的各项准备。1950 年 3 月 3 日,政务院政务会议不失时机地通过了陈云起草的《关于统一国家财政经济工作的决定》;同日,中共中央发出《关于全党保证实现〈中央人民政府政务院关于统一国家财政经济工作的决定〉的通知》,并采取了其他一系列相应的措施。陈云为《人民日报》写了社论《为什么要统一财政经济工作》④,全面阐述了统一全国财经的必要性和统一全国财经的内容,着重强调了统一财经之后地方要服从全局,发挥积极性,与中央共渡难关。

---

① 《当代中国的金融工作》,中国社会科学出版社,1989 年版;《中华人民共和国经济档案资料选编》(综合卷),中国城市经济社会出版社,1990 年版。

② 参见《当代中国财政》,中国社会科学出版社,1988 年版,第 49、50 页。

③ 《陈云文选》(1949—1956 年),人民出版社,1984 年版,第 61—62 页。

④ 《人民日报》,1950 年 3 月 10 日。

统一全国财经工作的基本内容

这次统一财经工作的范围很广，基本内容有三项：第一，统一全国财政收支；第二，统一全国物资调度；第三，统一全国现金管理。其中主要是统一全国财政收支，重点是统一收入，保证中央财政的需要。

1.统一全国收支

首先是财政收入问题，当时的财政收入，主要是公粮和城市税收。①公粮。公粮是当时国家货币回笼的主要手段，军需民用的基本保证。新中国成立初期，公粮收入掌握在县、市、省的手里，收入的多寡迟早，中央无法掌握。统一财经工作要求：公粮的征收、支出、调度均统一于中央；征收公粮的税则、税率，统一由中央人民政府政务院规定；征收任务的分配，由政务院依据当地实际情况而定；在不违反征收政策、法令的前提下，超额完成规定任务后，对超过部分实行二八分成，20%上缴中央，80%留归地方；各地附加征收的地方公粮的比例为正税的 5%—15%，不得超过 15%；所定比例，须报省审查后转报大行政区批准；在新解放区的农村，土地改革以前，对不同的阶级实行不同的累进税制度；公粮除地方附加粮外，全部归中央人民政府统一调度使用。各省、市、县、区人民政府，非依粮食局支付命令，不得支取公粮；各省、市、县、区人民政府负有保管公粮不使其损失腐烂以及协助运输的责任。公粮的调拨由中财委拟定统一计划，除人马口粮和集中起来的残

废军人优待粮、救济粮、婴儿保育粮外，不经批准各地不得以公粮拨作经费。中央人民政府财政部发出调拨命令之后各省不得拒绝调运。同时，还规定了严格的公粮入库制度、支付制度、保管制度和调度制度。公粮收支、保管和调度制度的统一与健全，有力地保障了军需民食，对调节市场供求和实现 1950 年国家收支概算起了重要作用。在重重困难之下，税收干部为征收公粮作出了巨大的牺牲。全国约有 4000 名干部在征粮工作中惨遭残敌杀害，人们会永远纪念他们。②税收①。税收也是国家财政的主要收入，是财政开支所需现金的最大来源。统一财政收支要求除中央批准征收的地方税外，所有货物税、工商业税、盐税、关税的一切收入，均归中央人民政府财政部统一调度使用。一切公私企业及合作社，均须按照中央人民政府财政部的规定，按时纳税。税则、税目、税率由财政部报请政务院决定施行。不经批准，各地人民政府不得自行增减和变动。在符合税法和政策的前提下，超额完成税收任务，对超收部分实行三七分成，即 30%上缴中央，70%留归地方。为了完成征税任务，全国各大城市及各县人民政府必须委任最好的干部担任税务局长。税收的统一加强了税收管理工作。除公粮、税收之外，所有中央政府或地方政府可经管的企业，都要将利润和折旧金的一部分，按隶属关系按期解缴财政部和地方政府，其解缴的总数和分期解缴的数量，由中财委及地方政府根据具体情况分别规定。同时，建立了人民海关，"把中国大门的锁匙放在了自己袋子里"②，使关税成为捍卫中国权益，促进中国经济发展的

---

① 此处的"税收"指不包括农业税的其他税收。
② 刘少奇：《在北京庆祝五一劳动节干部大会上的讲话》，1950 年 4 月 29 日。

重要工具。

为了统一国家财政收支,设立中央金库,中央和地方分别设立中央金库、中央区金库、中央分金库、中央支金库。中央所属各级金库均由中国人民银行代理,中国人民银行还代理地方金库业务。自1950年3月份起,所有税款均逐日入库,禁止延期缴库和挪借行为。

统一支出,主要是保证军队和各级人民政府的开支及恢复国民经济所必需的投资。为此,在预算拨款上坚持先前方、后后方,先军队、后地方的原则。对军队和地方的经费,按编制确定人数,根据供给标准和概算数字,按月、按季批准,按期支付。为了使支出厉行节约,人民政府实施了三项主要措施:第一,制定编制,规定统一的供给标准。1950年3月全国编制委员会建立,由薄一波任主任,聂荣臻任副主任。各大行政区、省、大城市也都建立编制委员会。编制委员会制定和颁布各级军政机关人员、马匹、车辆等编制,规定供给标准,不准虚报冒领。各机关不经批准不得自行增添人员,编外和缗余人员由全国和各地编制委员会统一调配。从而做到了编制有定员、供给有标准、经费有定额,显著缩减了行政费用。第二,反对百废俱兴,百业并举。对一切可省的支出和应该缓办的事,统统节省和缓办,以集中一切财力用于军事上消灭残敌,经济上重点恢复。第三,节省支出的重点在于提高效率。为提高工作效率,各机关和公立学校都规定了工作人员的数量及每个人员的工作任务。所有国家工厂和企业,除规定职工人数及生产产品的质量和数量外,必须实行原料消耗的定额制度,铲除囤积物资和材料的浪费行为。一切经济部门,都要努力提高资金周转率,保护机器资材,建立严格的保管制度,严惩贪污浪费人员。对于包下来的旧人员,也应有步骤地加以改造和合理使用,而不是采取消极地包饭的态度。上述方针政策执行后,1950年行政费支出比概算减少4.5%,对平衡财政收支起了重要作用。

统一财政收支,还必须严格执行预决算制度、审计会计制度及严格的财政监察制度。具体要求是:核实人数,核实开支,节余缴公;无预算不拨款,无计算不审核预算;随时检查各部门收支情况,检查财政收支计划的执行情况;建立严格的支领手续及报表制度等。

2. 统一全国的物资管理

把国家所有的重要物资,如粮食、纱布、工业器材等,从分散的状态下集中起来,用于国家的急需方面。为此,1950年3月成立了全国仓库物资清理调配委员会,由陈云任主任,杨立三任副主任,各大行政区、省、市、县、各后勤部、各工商企业,均分设仓库物资清理调配委员会,进行全面清仓查库工作。所有库存物资,由中财委统一调度,合理使用。到1950年6月,基本上查明了所有仓库存货,并逐级报告全国仓库物资调配委员会,供中财委统一调度使用,从而减少了财政支出和向国外订货。同时,各地国营贸易机构的业务范围的规定和物资的调动,均由中央人民政府贸易部统一负责,各地不能改变贸易部的业务计划。这样有利于调节国内供求,组织对外贸易,有计划地供售物资和回笼货币。

3. 统一现金管理

政务院指定中国人民银行为国家现金调度的总机构。外汇牌价和外汇调度均由人民银行统一管理。公营经济部门和各机关请求外汇,统由中财委审核。一切军政机关和公营企业的现金,除留若干近期使用者外,一律存入国家银行,不得对私人放贷,不得存入私人行庄。其之间的相互往来,使用转账支票,由人民银行汇拨。国家银行尽量吸收公私存款。银行对现金收支按期编制平衡计划,以节省现金使用及有计划地调节现金流动。

这次财经工作的统一,尽管范围广,集中程度高,但也不是绝对的集中统一,仍有一些项目是分散经营的。例如按规定比例征收的地方附加粮和地方税;依据税则、税目、税率,因努力工作,严查漏税而超过原定任务的款额,以分成办法大部留给地方的那部分资金;东北地区的货币于 1950 年仍暂维持原来的状况,在财政上也暂时只采取抽调物资的办法;对于农业生产,在中央的统一政策和方针下面,仍然主要由地方组织领导;对于国家所有的企业,划分为三种:一种是属于中央各部直接管理的企业,再一种是属于中央所有,委托地方管理的企业,第三种是划归地方管理的企业,等等。这些分散经营的项目,给了各地一些经营的余地。

由于统一全国财经的决定适应了市场稳定和经济发展的急需,并且在中共中央的要求下,各级党委用一切办法保障这个重要决定的全部实施,所以政务院的《决定》和中共中央的《通知》下达后仅 4 个月,到 1950 年 6 月,全国的财政经济工作已按照《决定》的要求实现了统一,做到了全国财政收支由中央统一调度。自建立全国税收日报制度以后,全国城市税收,包括工商业税、货物税及其他税收,中央财政部隔日即可得到 56 个较大城市的报告,其数额约占每日各项税收总额的 3/4;关税、盐税的数额隔日也可得到报告,约占该两项税收总额的 9/10;其他小城市、乡村以及较小关、卡、盐场的收入隔旬也能得到报告。在征收公粮的季节中,每旬

可得到全国征收与入库的报告,各地征收的公粮,大部分可以按时入库。财政部可以随时了解全国收入的情况。[①] 除公粮附加及市政建设附加收入和小学及县简易师范经费支出外,其他收支都由中央统一管理,按编制及分配的预算,分月或分季由各级财政部门或后勤部门向中央财政部支领。在现金方面,中央财政部可以根据税收及金库解款的报告,开发支票,支拨款项。

统一全国财经工作的重大作用

1. 平衡了财政收支

1950 年,为了保证革命战争的胜利、抗美援朝的需要和重点工程的恢复,军费和建设费都有所增加。尽管如此,由于财政收支的统一和整顿,各项收入迅速增加,财政赤字却大为减少。1950 年概算执行结果出现了收支接近平衡的局面。从 1950 年国家决算数看,总收入为 65.19 亿元,其中城市税收 29.88 亿元,占总收入的 45.8%,已超过公粮而居财政收入的第一位;农牧业税公粮 19.10 亿元,占总收入的 29.3%;企业利润和折旧 8.69 亿元,占总收入的 13.4%;公债收入 3.02 亿元,占总收入的 4.6%;其他收入 4.5 亿元,占总收入的 6.9%。总支出为 68.08 亿元,其中国防费(即军费)28.01 亿元,占总支出的 41.1%;经济建设费 17.36 亿元,占总支出的 25.5%;行政管理费 13.13 亿元,占总支出的 19.3%;社会文教费 7.55 亿元,占总支出的 11.1%;债务支出 0.03 亿元,占总支出的 0.1%;其他支出 2 亿元,占总支

---

① 《当代中国财政》(上),中国社会科学出版社,1988 年版,第 56、57 页。

出的 2.9%。收支相抵,赤字 2.89 亿元,占总支出的 4%。[①]

2.减少了货币发行

由于统一全国财经后财政收支接近和实现了平衡,所以货币发行情况起了重大变化,从 1950 年第二季度开始,就不再需要发行货币来弥补赤字了。由于实行现金管理,所以大大减少了流通中的货币。1950 年底,各单位通过银行的货币收付总额中,转账的比重已达 90%以上。[②]因此,现金收支不仅实现了平衡,而且开始回笼货币。1950 年的 3、4、5 三个月,市场货币流通量比年初缩减了 20%。[③] 这样就使得 1950 年 3 月以来,在全国范围内出现了金融稳定的局面。

3.市场物价基本稳定

随着财政收支和现金收支的基本平衡,全国市场物价发生了根本变化。从 1950 年 3 月起,物价基本稳定。根据中国人民银行统计,如以 1949 年 12 月为基期,则 1950 年全国六大城市 32 种主要商品价格的加权指数是:1 月 121.2,2 月 177.3,3 月 210.9,4 月 173.4,5 月 154.6;如以 1950 年 3 月为基期,则 4 月为 75.1,5 月为 69.2。7 月以后,因美帝国主义发动侵朝战争,同时派军队侵略中国领土台湾,加紧对中国进行经济封锁,某些进口物价稍有波动,但人民生活必需的粮食、纱布、燃料等的价格仍是稳定的。旧中国遗留下来连续长达 12 年之久的物价飞涨、市场混乱的局面,从此结束了。在短短的几个月中取得了这样好的效果,这是中国经济史上的一个奇迹。

4.保证了重点需要

由于统一了财政收支管理和调度,在国家财政经济十分困难、财政尚有赤字、可以机动使用的资金很少的情况下,国家可以分别缓急支配开支,保证了重点需要。首先,保证了革命战争胜利的需要,保证了部队的供给,军队走到哪里,粮食资金即可供应到哪里。其次,调剂了城市的粮食供应。1950 年共用 30 亿公斤公粮调剂城市供应,对稳定金融物价,恢复国民经济,保障人民生活,起了重要作用。第三,救济了灾区人民和城市失业工人,1950 年共用 5 亿公斤公粮(现款除外)救济灾区人民与城市失业工人,这对安定人民生活起了很大作用。[④]

财经统一后的副作用主要是在一定程度上抑制了地方的积极性。在不同的管理体制下,地方、部门、单位的责任心、主动性和创造精神,可能发挥的程度是不同的。为了纠正有些方面集中统一过多的缺点,1951 年政务院通过了中财委提出的《关于 1951 年度财政收支系统划分的决定》、《国营工业生产建设的决定》和《划分中央与地方在财政经济工作上管理职权的决定》等几个文件,提出在继续保持国家财政经济工作统一领导、统一计划和统一管理的原则下,把一部分适宜于由地方政府管理的职权交给地方政府。其中包括:把一部分国营企业、一部分财经业务划归地方管理;地方的工业、财政、贸易、交通等经济事业,除保证政策、方针、重要计划和重要制度的全国统一以外,经营管理工作和政治工作都由地方负责;对地方

---

① 中国社会科学院、中央档案馆编:《中华人民共和国经济档案资料选编》(综合卷),中国城市经济社会出版社,1990 年版。

② 《十年来的金融事业》,金融出版社,1959 年版,第 51 页。

③ 刘鸿儒:《社会主义货币与银行问题》,中国财政经济出版社,1980 年版,第 61 页。

④ 戎子和:《1950 年财政工作总结及 1951 年工作的方针和任务》,1951 年。

工业采取积极发展的方针,鼓励和支持各级政府办工业的积极性。与此相适应,在财政体制上,实行统一领导下的大中央、大区和省市三级分级管理的体制;除已经规定的地方税外,货物税、工商税等一部分税种和烟酒专卖利润实行中央和地方按比例留成的制度,依率计征的农业税超过部分实行分成;地方工业利润在一定时期解除上缴国库的任务,用来发展地方工业;地方按年向国家交纳的折旧费,也可酌情作为国家对地方工业的投资,以进一步调动地方的积极性。

尽管有一些副作用,统一财经的成绩仍是伟大的。毛泽东曾高度评价它的意义不下于淮海战役:它使国家摆脱了十多年通货膨胀的困扰,人民生活得到了保障,国民经济走上了正常运行的轨道,从而有利于经济的恢复和人民政权的巩固。究其原因,最根本的是由于统一财经适应了当时的中国国情。这些虽然不能说没有受到一点外来因素的影响,但是把它说成是照搬了某一种模式的结果,至少是缺乏对当时历史事实的全面研究,缺乏历史分析的。

合理调整工商业

新中国成立以后,必须对旧的社会经济结构进行改造与改组,把半殖民地半封建经济转变成独立自主的新民主主义经济,为进行有计划的经济建设创造条件。统一财政管理和调整工商业,是建国初期所进行的两项重要工作。陈云同志曾说:"统一和调整,'只此两事,天下大定'。"

调整工商业的必要性

统一财政经济工作和打击投机资本,迅速扭转了长期物价上涨的局面,实现了全国物价的稳定,为恢复和发展国民经济创造了良好的条件。但是,紧缩银根后,1950年春夏之交,全国经济生活中出现了市场萧条、私营工商业经营困难的情况,主要表现在:

1. 商品滞销,价格倒挂

工厂生产的产品卖不出去,商店的货物难以销售,市场成交量远远低于商品上市量,并出现了产地价格大于销地价格的价格倒挂现象。北京市1950年3月份面粉市场成交量只及上市量的15.1%,其他粮食成交量也仅为上市量的21.2%。上海市统计,1950年4月份,大米的批发市场交易量,比1月份下降了8.3%,3月份同1月份相比,百货营业额大商号减少了一半,中小商号减少90%。重庆市私营商业商品销售量也大幅度下降,1950年4月同3月相比,棉花减少93.5%,纱减少92.5%,布减少70%,油、煤减少50%。作为纺织中心的上海,其纺织品价格却高于销地,以纱价为例,1950年4月20日,南昌纱价为上海的95%,杭州为91%,蚌埠为84%,无锡为83%,芜湖为77%,以致上海产品无法出境。

2. 生产减少,开工不足

全国私营工业5月份主要产品产量同1月份相比,棉布减少38%,绸缎减少47%,呢绒减少20%,卷烟减少59%,烧碱减少41%,普通纸减少31%。大城市减产情况更为严重,上海火柴产量1950年4月不及1月份的1/6,面粉、卷烟、玻璃、毛纱的产量也仅及二三成或五六成。

3.开业减少,歇业增加

1950年第二季度,上海、北京、天津、武汉、广州、重庆、西安、济南、无锡、张家口等10个大中城市,私人工商业开业5903家,歇业12750家,歇业多于开业6847家。私营商业不仅开少歇多,而且开小歇大,开业商户的规模一般小于歇业商户的规模。北京市1950年3月以后报歇的商户中,每户平均3.7人,而报开的商户,每户平均只有2人。此外,申请歇业未被批准或自行歇业的情况也有不少。

据统计,14个较大城市在1950年1月到4月倒闭的工厂合计2945家,16个较大城市半停业的商店合计9347家。由于停业、歇业情况严重,失业人数也大量增加。全国29个城市的失业、半失业人数达166万。仅上海一地,失业工人就有15万人左右。这种状况,激化了一些社会矛盾,失望和不满情绪在一部分工人和城市贫民中迅速蔓延。1950年3、4月份,上海人心浮动,匪徒乘机活动,市面上发生了吃白食、分厂、分店、抢糕饼、打警察、聚众请愿和捣乱会场等一类的事件。经济问题已经影响到了社会的和平安定。

在旧中国,私营工商业是在持续通货膨胀的环境下求生存的,表现出强烈的投机性,对外国资本主义经济的依附和对达官贵人的依赖,使已长期适应了半殖民地半封建的社会经济,要让它向新的社会经济结构转变,是一件复杂的工作。在这种转折时期,遇到困难是必然的。

据中财委分析,私营工商业所发生的种种困难,主要有如下一些原因:①因通货膨胀而形成的虚假购买力迅速消失以及社会心理的变化,出现了一部分商品的滞销和生产过剩。②供销对象发生变化后,工作一时衔接不上。从前依赖国外市场的,现在靠不住了;过去面向达官贵人的产品和服务项目,如销售金银首饰、高级化妆品、高级丝绸、呢绒、参燕鹿茸、抽鸦片用具、迷信用品的商业企业,以及制造奢侈品的工业等等,现在人民不需要了。③占城乡人口大多数的工人和农民的购买力很低,特别是农民的购买力太低,许多生产和生活必需品因价高而买不起。④私营工商企业大多数企业管理落后,机构臃肿庞大,人浮于事,导致费用大、成本高、利润少,有的甚至亏本。

除以上原因外,我们党的工作中也确实存在一些缺点错误和急需解决的问题。

首先,平抑物价的措施有些过猛,社会主义商业对私营工商业排挤情况严重。紧缩银根虽然消除了通货膨胀,稳定了物价,但对正常的工商经营活动也产生了一些副作用。1950年2月,我们采取"四路进兵"的策略对付资产阶级,即收税,收公债款,发放工人工资而且不准关厂,公营企业现金一律存入国家银行,不准向私营银行和私营企业贷款。三四月份,我们看到市场过紧,想"收兵回营"已经来不及了。从发现问题到开始投放货币,犹豫了25天,加重了银根紧张的程度。同时,没有谨慎区别投机资本的活动和正常的工商经营活动,简单地一棍子打下去,使有益于国民生产的工商业活动也受了打击。无论在批发或零售阵地上,国营商业和合作社商业都发展过快,经营比重过大,给私商活动的余地很小。华北地区社会主义商业在粮、棉、布、煤、油等主要商品方面经营比重平均占80%左右,有的商品在某些城市甚至达到100%;在价格上,批发价和零售价不分,甚至发生倒挂,导致私商经营困难;此外,税收重,税目多,手续繁,认购公债任务重,令私营工商业难以承受。

其次,我们有些同志忘记了新民主主

义经济的指导方针是公私兼顾、劳资两利，忘记了应对民族资产阶级采取又团结又斗争，以斗争求团结的策略，产生了挤垮一些私营工商业的想法和做法。他们歧视私营工商业，在处理公私关系上，使公私兼顾变成了"只公不私"。

由于上述种种主客观方面的原因，私营工商业在恢复时期面临着严重困难。

共和国成立初期，私营工商业在我国国民经济中有不可忽视的地位和作用。据统计，1949 年全国私营工业的户数为123165 户，职工 164.4 万人，工业产值 68 亿元，占工业总产值的 63.3%。1950 年全国私营商业占批发总额的 76.1%，占零售总额的 83.5%。私营工商业占的比重如此之大，它的状况如何对整个国民经济的影响举足轻重，因此，合理调整工商业，已日益显示出它迫在眉睫、势在必行的重要性。

二

调整工商业的政策及内容

1950 年 3、4 月份，中央先后召开了有各大区负责人参加的工作会议和政治局会议，为七届三中全会作准备。毛泽东在政治局会议上说："中央人民政府成立以后，主要是抓了一个财政问题。目前财政经济的好转还只是财政的好转，并不是经济的好转；财政的好转也只能说是开始好转，根本好转需要完成土地制度的改革。目前财政上已经打了一个胜仗，现在的问题要转到搞经济上，要调整工商业。"会议明确指出，调整工商业的原则是公私兼顾、劳资两利，要纠正一些干部中存在的想挤垮私营工商业的不正确思想和做法。毛泽东指出："和资产阶级合作是肯定了的，不然《共同纲领》就成了一纸空文，政

治上不利，经济上也吃亏。'不看僧面看佛面'，维持了私营工商业，第一维持了生产；第二维持了工人；第三工人还可以得些福利。当然中间也给资本家一定的利润。但比较而言，目前发展私营工商业，与其说对资本家有利，不如说对工人有利，对人民有利。"

1950 年 5 月 8 日至 26 日，中财委召开七大城市（上海、天津、武汉、广州、北京、重庆和西安）的工商局长会议，讨论和分析了私营工商业大批停工歇业的原因，提出了解决的办法。陈云在会上提出，解决目前工商业困难的办法是：第一，扩大加工订货，重点维持生产；第二，加强收购农产品，组织工业品出口，以便开导工业品的销路；第三，联合公私力量，组织资金周转；第四，帮助私营工厂改善经营管理；第五，重点举办失业救济。根据陈云提出的建议，会议指出：第一，调整公私关系的原则是：五种经济成分统筹兼顾，各得其所，分工合作，一视同仁。第二，对私营工业企业，根据国家的需要与可能，一年组织两次加工定货，鼓励出口滞销物资，指导私营企业联营。国家根据可能进行必要的收购，并根据不同情况确定上缴费标准。第三，在国营商业指导下，允许私营商业的存在，并保持合理的批零差价，使其有利可图；国营零售店的存在只是为了稳定零售价格，目前一般只经营粮、煤、纱布、油、盐、煤油 6 种商品；国营商业应组织私商进行城乡物资交流。第四，私人行庄仍可保留，但营业范围应有所限制，国家银行可与之联合放款；投资信托公司，国家可参加资本 20% 到 30%。第五，在税收方面，一律按税率征收，并简化税目，改革征税办法。

1950 年 6 月 6 日至 10 日，中共七届三中全会在中南海怀仁堂召开，毛泽东作

了《为争取国家财政经济状况的基本好转而斗争》的书面报告。他精辟地分析了当时国际国内的形势，然后指出："我们现在在经济战线上已经取得的一批胜利，例如财政收支接近平衡，通货停止膨胀和物价趋向稳定等等，表现了财政经济情况的开始好转，但这还不是根本的好转。要获得财政经济情况的根本好转，需要三个条件。即：（一）土地改革的完成；（二）现有工商业的合理调整；（三）国家机构所需经费的大量节减。"他以东北为例说："东北已经开始了有计划的经济建设，东北为什么做得好呢？就是因为有了这三个条件：土地改革完成了；工商业上了轨道；军队走了很多，国家机构的开支减少了，经费用在投资经济方面的很多。在关内土地改革还有很多地区没有完成，工商业很乱，北方比较好，在南方很乱——不是相当乱，而是乱上还要加上一个'很'字。"毛泽东在上述报告中指出，为实现这三个条件，全党和全国人民必须做好下列各项工作：第一、有步骤有秩序地进行土地改革工作。土改中对待富农的政策应有所改变，即由征收富农多余土地财产的政策改变为保存富农经济的政策，以利于早日恢复农村生产，又利于孤立地主，保护中农和保护小土地出租者。第二、巩固财政经济工作的统一管理和统一领导，巩固财政收支的平衡和物价的稳定。在此方针下，调整税收，酌量减轻民负。在统筹兼顾的方针下，逐步地消灭经济中的盲目性和无政府状态，合理地调整现有工商业，切实而妥善地改善公私关系和劳资关系。第三、在保证有足够力量用于解放台湾、西藏，巩固国防和镇压反革命的条件下，人民解放军应在1950年复员一部分，保存主力。行政系统亦须适当地处理编余人员。第四、有步骤地谨慎地进行旧有学校教育

事业和旧有社会文化事业的改革工作。第五、必须认真地进行对于失业工人和失业知识分子的救济工作。第六、团结各界民主人士。第七、坚决肃清一切危害人民的土匪、特务及其他反革命分子。

此外，在这次会议上，陈云作了《关于财政经济工作》的重要发言，阐明了调整工商业的必要性、调整的内容和有关政策。七届三中全会进一步明确了调整工商业的重要意义，决定合理调整工商业，调整税收，使工厂开工，解决失业问题，改善同资产阶级的关系。之后，调整工商业的工作在全国范围内普遍展开。到9月，调整工商业的工作基本完成。

调整工商业所涉及的范围非常广泛，如调整公营工商业与私人工商业的关系、公营与公营的关系、私营与私营的关系、工业与商业的关系、金融与商业的关系、城乡关系、国内各区域间的关系、各企业内部关系和进出口关系等等。其中最突出的是三个基本环节，即：调整公私关系、调整劳资关系、调整产销关系。

1.调整公私关系

这是调整工商业的重点，它包括调整公私工商业关系和调整税赋两项基本内容。

调整公私工商业关系是调整公私关系的主要内容，它的基本出发点是：既要保证国营经济作为一切社会经济成分的领导力量，又要保护一切有利于国计民生的资本主义工商业，并使各种社会经济成分在国营经济领导下各得其所，同时反对一切有害于国计民生而从事投机倒把的行为。其主要措施如下：

（1）扩大加工订货和收购包销。这是调整公私工商业关系中最重要的一项措施。通过这种办法，国家一来可以充分利用资本主义工业的生产能力，增加商品生产；二是切断资本主义工业在原料收购和

成品销售方面同市场的联系,使之受到国家计划的控制,逐步纳入国家计划的轨道;三是通过这种办法帮助私人资本主义走向国家资本主义的初级形式。在当时工业严重缺少原料和商品普遍滞销的情况下,这是国家对私营工业的扶助。所以,并不是对任何一家工厂都采取加工订货和统购,而是对那些有发展前途,但困难又比较大的行业,如纺织工业和机械工业,即所谓的重点选择和重点维持生产。1950年,全国私营工业产值中,加工订货和收购包销部分已占27.3%。从占私营工业产值近1/3的棉纺业来看,1950年下半年,为国家加工的部分已占其生产能力的70%以上。1951年1月,政府颁布了《关于统购棉纱的决定》,此后私营棉纺厂的生产就全部纳入了国家计划的轨道。其他工业的加工订货工作也有了很大进展。

(2)划分公私经营范围。国营商业把主要力量集中在批发上,扩大批发阵地,适当缩小国营零售范围。1950年6月以后,减少了国营零售商店经营品种,现有国营零售业务只经营粮食、煤炭、油品、布匹、食盐和生产工具等少数重要物资,掌握货源的1/3到1/2,其他的零售业务则由私营商店或小商贩经营。农副产品的收购,国营商业只经营主要的大宗的农产品和外销农产品的一部分,其余则由合作社组织私商收购、贩运。

(3)调整价格政策。在兼顾生产、贩运、销售三者利益的前提下,保持批发价格与零售价格之间、各种物资产区与销区之间的合理差价,使私营商业者有利可图。例如浙江,龙头细布批零差价从4%提高到9.3%,棉纱从无差价调为2.9%,白米由3.6%调为5.9%,食盐由1.3%提到12%,白糖由1%调为12.8%,香烟由无差价调为0.5%,土产品由5%调为

10%—15%,地区差价也有所扩大。

(4)调整贷款。对有利于国计民生的私营工商业,国家银行增加贷款,并调整贷款的使用方向,对工业的放款主要结合加工订货等任务来进行,对商业放款主要放在城乡贸易上,以促进商品流通。据不完全统计,国家银行对私营工商业的贷款,1950年5月份为2186万元,9月份为4963万元,增加1倍多。并连续两次降低利率,帮助私营工商业加快资金周转。

(5)调整市场管理制度。在保护正当贸易、打击投机倒把、稳定物价的前提下,适当放宽市场管理,取消某些不必要的限制,便于鼓励私营者下乡采购,活跃城乡物资交流。

调整税赋是调整公私关系的另一项重要内容。首先是减轻农业税赋。1949年征收的公粮一般为农业总产量的17%,加上地方附加数量,则在20%左右。经过调整,晚解放区夏征公粮税率减为13%。另外,还修正工商税法,减少税种税目,降低税率,改变征收办法。如工商税税种由原来的14种减为11种。货物税税目从原规定的1136种减并为358种,其中停征的税目387种,合并征收的391种。印花税税目由30个减为25个。多数税率调低,利息所得税由10%降到5%。工商业税收严格依率计征,不得超过应征税率。另外,政务院作出了《关于减半征收盐税的决定》,从1950年6月1日起实行。调整税赋不但保证了国家财政收入,而且调整了公私关系,发挥了私营工商业的积极作用。

2.调整劳资关系

调整的原则是:必须确认工人阶级的民主权利;必须有利于生产;劳资间的问题,用协商方式解决,协商不成,由政府仲裁。总之,要劳资两利,既要保障工人群众的民主权利,又要使资本家能获得合理

利润,以利于恢复发展生产。1950年4月29日,中央劳动部公布了《关于在私营企业中设立劳资协商会议的指示》,指出要根据劳资两利和民主原则,用协商的方法,解决企业中有关劳资双方利益的一切问题。据统计,到6月底,北京、天津、上海、武汉、广州、济南等地已建立了923个劳资协商会议,其中270个是产业或行业协商会议。据沈阳、北京、武汉、天津四大城市劳动局的统计,1950年上半年处理的2199件纠纷案件中,经协商解决的占27.5%,经调解解决的占57.9%,经仲裁解决的占1.85%,经法院处理的只占7.5%。在协商过程中,一方面责成资方积极改进经营,精简冗员,节省开支,降低成本,反对他们抽调资金,躺倒不干;另一方面,工人努力提高劳动生产率,或担负更多的劳动任务。有不少工人还忍痛主动减薪,轮班回家或疏散,为维持私营企业的生产经营作出了很大牺牲。当时有个口号叫"降低工资,劳资团结,渡过难关"。国家则大力救济失业工人,并且有重点地尽量把失业工人组织起来参加国家公共工程的建设,如兴修水利、修建市政工程等,帮助渡过难关。

3.调整产销关系

主要目的在于解决当时私营工业生产中的无政府状态,使生产和销售之间尽量取得平衡。1950年6月至9月,中央人民政府财经各部门,先后召开了粮食加工、食盐、百货、煤炭、火柴、橡胶、毛麻纺织、印染、卷烟、金融和进出口贸易等全国性专业会议。公私代表一起协商,具体议定各行各业产销计划,合理分配生产任务。另外,财经部门在调查统计的基础上,将主要商品的产销情况向全国公布。这一切对指导私营企业的生产和经营,克服无政府状态,起了一定作用。

三

调整工商业的积极成效

实践证明,1950年的合理调整工商业取得了明显的成效。它帮助资本主义工商业渡过了难关,鼓励了资本家经营的积极性,繁荣了经济。具体表现在:第一,私营工商业企业开业、复业户数增加,停工、歇业户数减少。北京、上海、天津、武汉、广州、重庆、西安、济南、无锡、张家口10个大中城市的私营企业,三、四季度开业32674家,歇业7451家,开业超过歇业25223家。第二,私营工业的产量增加。1951年同1950年相比,全国私营工业总产值增长了39%。以上海为例,7种主要工业产品,8月比4月增长了约1—4倍。第三,主要商品的市场交易量大幅度增长。北京、上海、天津、武汉的市场交易量,10月同4月相比,面粉增加了54%,大米增加2.9倍,棉纱增加1.3倍,棉布增加2.3倍。有的工商业者认为,市场繁荣情况是抗战以来十余年所没有的。

私营工商业的发展带动了金融业。全国七大城市公私合营及私营行庄,10月份比4月份存款余额增长80%,放款余额增加1.5倍,汇出入总额增加近3倍。国家税收也大量增加,全国十大城市的私营工商业税收,1950年三、四季度比一季度分别增加了90%和80%。

总之,合理调整工商业不仅帮助私营工商业渡过了难关,繁荣了经济,而且限制了资本主义企业的利润额和无政府状态,把它们在一定程度上纳入了国家计划的轨道,使国营经济的领导地位更加巩固。

当然,这次调整工商业并不能解决所有的问题。随着抗美援朝战争的爆发,军费大量增加,几乎占财政支出的一半。市场上某些物资供应紧张,致使人心浮动,大量抢购,引起市场物价和金、银、美钞价格上涨。

1951年4月9日到5月10日,薄一波同志对上海工商业作了一番考察,并向党中央作了书面报告。他发现:国营工业设备利用率已恢复到70%—80%,私营工业仅恢复到40%—50%。他提出,应继续调整工商业,把私营企业的潜力利用起来。他还发现,统一财经后,地方对中央集权过多意见较强烈。由于抗美援朝开始,这次调整工商业没有坚持做到底,留下了一些问题没有解决。

1952年11月15日,中共中央发布调整商业的指示,一般称为第二次调整商业。具体内容有三点:①调整差价,适当扩大批零差价;②调整经营范围,适当划分公私间在商业上的经营范围,允许私人经营零售和贩运业务;③调整市场管理,放宽管理措施。这次调整重在商业,内容是调整公私关系、劳资关系,以便改进我们某些商业政策的缺陷,充分利用私人资本有利于国计民生的一面,使之服务于国家建设。事实证明,只要人民政府加强领导,私营商业对国民经济的恢复和发展是有积极作用的。

新解放区的土地改革

中华人民共和国建立以前,已在大约1.51亿人口(其中农业人口1.25亿)的老解放区完成了土地改革。中央人民政府

成立时,大约还有3.1亿人口(农业人口约2.64亿)的新解放区,主要是华东、中南、西南、西北新解放区尚未进行土地改革,封建性的地主土地所有制严重地束缚着农村生产力的发展。根据国家统计局公布的统计资料,土地改革前各阶级占有耕地情况如下:

单位:亩

项目	占总户数的%	占总人口的%	占总耕地的%	每户平均占地	每人平均占地
地 主	3.79	4.75	38.26	144.11	26.32
富 农	3.08	4.66	13.66	63.24	9.59
中 农	29.20	33.13	30.94	15.12	3.05
贫雇农	57.44	52.37	14.28	3.55	0.89
其 他	6.49	5.09	2.86	6.27	1.38

这项统计表明,占全国农户总数不到7%的地主、富农占有耕地总数的50%以上,而占全国农户57%以上的贫农、雇农仅占有耕地总数的14%。地主户均占有耕地是贫农、雇农的40倍。由于土地主要集中在地主富农手中,农村存在着大量的无地和少地的农民。① 封建性的土地制度是造成农民贫穷和农业生产落后的总根源,是我们民族遭受帝国主义侵略压迫的症结所在,也是我国民主化、工业化、独立、统一及富强的桎梏。在新解放区实行土地制度的改革,是继续完成民主革命的主要任务,也是恢复和发展农业生产以至整个国民经济的根本条件之一。

一

《中华人民共和国土地改革法》的制定

中华人民共和国建立后不久,1949年冬季,人民政府就在华北城郊和晚解放地

① 据《中华年鉴》记载,1947年全国22个省无地佃农占总户数的33%,少地的半佃户占25%。

区、河南省的一半地区,总共约 2600 万农业人口的地区,进行了土地改革。在其他新解放区则开展清匪反霸、减租退押运动,为土地改革准备条件。

1950 年 6 月 6 日至 9 日,中共七届三中全会讨论了新解放区的土地改革。毛泽东在报告中把土地改革列为全党全国人民为争取财政经济状况根本好转的首要条件。全会讨论通过了《中华人民共和国土地改革法(草案)》。6 月 14 日至 23 日,中国人民政治协商会议第一届全国委员会第二次会议召开。会议讨论和同意了刘少奇所作的《关于土地改革问题的报告》和中共中央建议的《中华人民共和国土地改革法(草案)》,并对《中华人民共和国土地改革法(草案)》作了若干修改和补充,建议中央人民政府采纳实行。中央人民政府 6 月 28 日根据政治协商会议全国委员会的建议,召开了第八次会议,讨论并通过了《中华人民共和国土地改革法》(以下简称《土地改革法》)。6 月 30 日,毛泽东主席发布命令施行。《土地改革法》与 1947 年中共中央颁布的《中国土地法大纲》比较,其基本精神是一致的,即没收地主阶级的土地、耕畜、农具等生产资料以及多余的粮食、房屋,分配给无地少地的贫雇农。土地改革的总政策是,依靠贫农、雇农,团结中农,中立富农,有步骤地有分别地消灭封建剥削制度,发展农业生产。但在一些具体政策上,根据共和国成立后的新形势、新情况,制定和执行了一系列新政策:

1. 将消灭富农经济的政策改为保存富农经济的政策

1947 年《中国土地法大纲》规定,"按乡村全部人口,不分男女老幼,统一平均分配"土地。富农的土地被平分,多余牲畜、农具、房屋、粮食和其他财产也被征收。1950 年 3 月,毛泽东给中共中央中南局并华东局、华南分局、西南局、西北局发出《征询对待富农策略问题的意见》的通知,提出了暂时不动半封建富农的建议,并说明了理由:"第一是土改规模空前伟大,容易发生过左偏向,如果我们只动地主不动富农,则更能孤立地主,保护中农,并防止乱打乱杀,否则很难防止;第二是过去北方土改是在战争中进行的,战争空气掩盖了土改空气,现在基本上已无战争,土改就显得特别突出,给予社会的震动特别显得重大,地主叫唤的声音将特别显得尖锐,如果我们暂时不动半封建富农,待到几年之后再去动他们,则将显得我们更加有理由,即是说更加有政治上的主动权;第三是我们和民族资产阶级的统一战线,现在已经在政治上、经济上和组织上都形成了,而民族资产阶级是与土地问题密切联系的,为了稳定民族资产阶级起见,暂时不动半封建富农似较妥当的。"中共七届三中全会批准了毛泽东的提议,决定实行暂时保存半封建富农经济的新政策。《土地改革法》第六条规定:"保护富农所有自耕和雇人耕种的土地及其他财产,不得侵犯。""富农所有之出租的小量土地,亦予保留不动;但在某些特殊地区,经省以上人民政府的批准,得征收其出租土地的一部或全部。""半地主式的富农出租大量土地,超过其自耕和雇人耕种的土地数量者,应征收其出租的土地。富农租入的土地应与其出租的土地相抵计算。"实践证明,富农在土地改革后每人占有的土地数量一般为当地每人平均占有土地数量的两倍,富农经济得以基本保存。这样,富农在土地改革中因其利益未受侵犯而保持中立。土地改革的打击面从过去的大约占农村户数的 8% 缩小到 3%—4% 左右,地主阶级更加孤立。实行保护富农经济的政策,有利于鼓励中农发展生产的积极性。过去征收富农多余的土地财产,使中农产生"怕富"的思想,生产积极性受到影响,不动富农的土地财产,中农就感到放心了。富农中立了,中农放心了,土地改革的阻力和困难就减少了许多,"左"的偏向也容易防止。这样就能在较短的时间内完成土地改革的任务,从而有利于稳定民族资产阶级。

2.增加了对小土地出租者的政策规定

土地改革前的中国农村,各地都有些小土地出租者,即"革命军人、烈士家属、工人、职员、自由职业者、小贩以及因从事其他职业或因缺乏劳动力而出租小量土地者"。在老解放区的土地改革中,一般都把"小土地出租者"的土地没收分配。《土地改革法》第五条规定:"革命军人、烈士家属、工人、职员、自由职业者、小贩以及因从事其他职业或因缺乏劳动力而出租小量土地者,均不得以地主论。其每人平均所有土地数量不超过当地每人平均土地数量200%者……均保留不动。超过此标准者,得征收其超过部分的土地。如该项土地确系以其本人劳动所得购买者,或系鳏、寡、孤、独、残废人等依靠该项土地为生者,其每人平均所有土地数量虽超过200%,亦得酌情予以照顾。"对这部分土地不加征收,是因为这部分土地所占比重很小(一般不超过3%—5%)。基本不动他们的土地对于满足贫苦农民的土地要求和农业生产没有大的不利,而照顾这些人,尤其使他们当中的生活困难者得以维持生计,可以起到社会保险的作用。这对安定社会秩序,减少土地改革阻力也是有利的。

3.进一步规定没收地主土地财产的范围

1947年《中国土地法大纲》中规定:没收地主的土地、牲畜、农具、房屋、粮食及其他财产,实际上就是没收地主的一切财产。《土地改革法》则对没收范围作了明确的限制,第二条规定:"没收地主的土地、耕畜、农具、多余的粮食及其在农村中多余的房屋,但地主的其他财产不予没收。"所谓"其他财产",主要是指货币、金银首饰、衣物及其他细软物件等。根据过去的经验,如果没收和分配地主的这些财产,势必要造成地主对于这些财产的隐藏分散和农民对于这些财产的追索,容易引起对这些社会财富的浪费和破坏。这些财产保留给地主,可以维持他们的生活,也可以投入生产,这对稳定社会秩序,发展生产有利。

4.增加了部分土地收归国有的政策

《土地改革法》第十五条规定:"分配土地时,县以上人民政府应根据当地土地情况,酌量划出一部分土地收归国有,作为一县或数县范围的农事试验场或国营示范农场之用。"第十九条规定:"使用机器耕种或有其他进步设备的农田、苗圃、农事试验场及有技术性的大竹园、大果园、大茶山、大桐山、大桑田、大牧场等,由原经营者继续经营,不得分散。但土地所有权属于地主者,经省以上人民政府批准,得收归国有。"

另外,对大城市郊区农村土地改革实行了土地国有的政策。1950年11月,中央人民政府政务院颁布了《城市郊区土地改革条例》,第九条规定:"城市郊区所有没收和征收得来的农业土地,一律归国家所有,由市人民政府管理,连同国家在郊区所有的其他可分的农业土地,交由乡农民协会按照《土地改革法》第十一条及第十二条规定的原则,统一地、公平合理地分配给无地少地的农民耕种使用。"第十七条还规定："城市郊区土地改革完成以后，对分得国有土地的农民，由市人民政府发给国有土地使用证，保障农民对该项土地的使用权。对私有农业土地者发给土地所有证，保障其土地所有权。"

5. 在土地分配中增加了照顾原耕农民的政策

《土地改革法》第十一条规定："分配土地，以乡或等于乡的行政村为单位，在原耕基础上，按土地数量、质量及其位置远近，用抽补调整方法按人口统一分配之。"第十二条规定："在原耕基础上分配土地时，原耕农民自有的土地不得抽出分配。原耕农民租入的土地抽出分配时，应给原耕农民以适当的照顾。应使原耕农民分得的土地（自有土地者连同其自有土地在内），适当地稍多于当地无地少地农民在分得土地后所有的土地，以使原耕农民保持相当于当地每人平均土地数的土地为原则。"

此外，在分配土地时，对一些人，如"只有一口人或两口人而有劳动力的贫苦农民，在本乡土地条件允许时，得分给多于一口人或两口人的土地"。而对另一些人，如"农村中的手工业工人、小贩、自由职业者及其家属，应酌情分给部分土地和其他生产资料。但其职业收入足以经常维持其家庭生活者，不得分给"。

6. 增加了照顾少数民族的政策

我国是一个多民族的国家，由于历史上种种原因，各少数民族迁徙频繁，交错穿插，形成散居、杂居、聚居等不同地区。而且各地区经济发展极不平衡，其社会经济状况差异很大，反映在土地问题上就形成了他们各自的特殊性。鉴于这种情况，《土地改革法》第三十五条明确规定"本法不适用于少数民族地区，但在汉人占多数地区零散居住的少数民族住户，在当地土地改革时，应依本法与汉人同等待遇"。第三条还规定："清真寺所有土地，在当地回民同意下，得酌予保留。"以后，党和政府还根据各少数民族不同的情况，有区别地制定了适合各少数民族具体情况的特殊土地政策。如对社会经济结构与汉族地区相同的少数民族地区，基本上按《土地改革法》进行土地改革，不动富农出租的土地，只没收地主的土地而不没收其他财产，有的只没收大地主土地，不动中小地主土地等等。在土地改革中坚决保护和尊重少数民族的宗教信仰和风俗习惯。对社会经济还保留浓厚原始公社制残余的少数民族地区，则决定不进行土地改革，不分土地，不划阶级，不进行民主改革。对社会经济尚处于封建农奴制或奴隶制的少数民族地区，如西藏等地，则延至1959年才进行以土地改革为中心的民主改革，废除封建领主、奴隶主所有制及其一切特权，解放农奴和奴隶。

7. 规定在土地改革中必须注意团结和保护中农，团结一切可以团结的力量，组成广泛的反对封建主义的统一战线

《土地改革法》明文规定保护中农（包括富裕中农在内）的土地及其他财产不受侵犯，对少数中农附带出租的土地亦不加没收或征收。法律规定农会组织要积极吸收中农积极分子参加农会的领导工作，在各级农会领导成分中中农不得少于1/3。在农会召集贫农、雇农或手工工人的会议或代表会议时，要吸收中农的代表参加。为了建立广泛的反封建主义的统一战线，不仅要注意团结中农，正确对待小土地出租者，而且还要注意团结农村中贫苦的革命知识分子和其他劳动人民，及时吸收他们参加农会。对地主阶级中的开明绅士，也要采取争取和团结的政策，教育和鼓励他们以身作则，服从和执行土

地改革法令。在他们交出土地以及其他应交出的财产后,应予以适当照顾。要加强对城市人民的教育,使他们理解农村土地改革的正义性和必要性,自觉地站在农民一边。欢迎和吸收民主党派的干部、城市中的教职员及其他民主分子参加土地改革,使他们在实际中受到教育和提高,积极参加反对封建主义的斗争。

同年 7 月 14 日,政务院第四十一次政务会议讨论通过了《农民协会组织通则》,并予公布施行,规定农民协会是农村中土地改革制度的合法机关。这使土地改革的顺利开展有了组织上的保证。会议还讨论通过了《人民法庭组织通则》,规定人民法庭的任务是运用司法程序,惩治危害人民与国家利益、阴谋暴乱、破坏社会治安的恶霸、土匪、特务、反革命分子及违反土改法令的罪犯,以巩固人民民主专政,顺利地完成土地改革。土改中划分阶级成分的争执及其他有关土改的案件,亦均由人民法庭受理。

8 月 4 日,政务院第四十四次政务会议通过了《关于划分农村阶级成分的决定》。决定重新修订和公布了 1933 年的两个文件:即《关于土地斗争中一些问题的决定》和《怎样分析农村阶级》,同时增补了《政务院的若干新决定》。对新解放区遇到的新问题作了明确的规定:如对小手工业者、手工业资本家、手工工人、自由职业者、小商和小贩、商业资本家或商人、开明绅士、革命烈士家属、恶霸等作了科学的定性分析及应对其采取的政策。这些文件的制定使土地改革运动得以有秩序地开展。

土地改革法令和各项具体政策的完善,保证了新解放区土地改革的顺利进行。

二

有秩序有步骤的新解放区土地改革

土地改革要在中国大地上消灭几千年来的封建剥削制度,是一场激烈的阶级斗争。中国的封建势力有着几千年的统治历史。它的政治代表国民党反动政权虽然在大陆上被人民推翻了,但地主阶级并没有因为人民力量的强大和对它采取了宽大的政策而停止反抗,而是千方百计维护他们的政治统治和经济剥削,甚至少数顽固地主以各种阴险毒辣的手段来破坏土地改革,主要表现在:①分散土地及其他应被没收的财产,或者廉价出卖,挥霍浪费,或者转移到兼营的工商业中去,以逃避没收;或者分赠亲友,或分散给老佃户、老长工,待土地改革过后再胁迫追回。②破坏生产。如杀害耕牛、毁坏农具、拆毁房屋、砍伐山林、破坏水利等等。③以金钱女色收买干部和农民积极分子,派狗腿子或代理人混进农民协会进行破坏。④散布谣言,蛊惑农民,以及阴谋杀害农村干部和农民积极分子。⑤勾结土匪,组织武装叛乱等。⑥留下变天账,准备以后反攻倒算。此外,地主阶级有在思想上长期欺骗愚弄农民的"理论",如说地主的土地是"祖上传下的","种地交租是天经地义","农民靠地主生活","农民受穷是命不好"等等。地主还利用宗族、迷信、宗派等观念束缚农民。农民长期处于被压迫被剥削的地位,养成逆来顺受、不敢反抗的心理。毛泽东曾经指出:"必须认识,共产党员领导着缺乏精神准备、缺乏团体生活、缺乏斗争艺术的农民群众,向着诡计多端,在精神上、物质上都占优势的地主、富农作斗争,是一个很长的过程。在这个过程中,共产党员与农民群众一道,逐步完成精神准备,逐步把自己组织起来(党的团体、群众团体、民兵、游击队、区乡政府),逐步学会斗争艺术,才能最后斗倒封建阶级,实现真正的平分土地。否则,必然被地主、富农打败,必然闹出许多危害群众的大乱子,即使平分,也是假平分。"①因此,在土地改革中,党和政府反对不发动群众,用行政命令的方法把土地"恩赐"给农民的"和平土改"。必须贯彻党的群众路线,依靠贫农、雇农,团结中农,把广大农民充分发动起来,使他们在打倒地主阶级的斗争实践中提高觉悟程度和组织程度,真正相信自己的力量,实现当家作主。同时,对群众运动又不能放任自流,必须把放手发动群众同用党的政策去武装群众、引导群众结合起来。

为了加强对土地改革的领导,中央设立了由刘少奇、彭德怀、习仲勋、王震、刘伯承、邓子恢、黄克诚等组成的中央土改问题委员会,负责指导全国的土改工作;在县以上各级人民政府都设立土地改革委员会,具体领导当地的土地改革工作。党和政府还组织和派遣了大批土改工作队(每年在30万人以上)深入各地农村,与当地农村干部相结合,开展土地改革运动。各地政府还颁布了惩治地主破坏活动的条例,充分发挥人民法庭的威慑作用,及时制裁不法地主破坏土改的活动,以保障土地改革运动的顺利进行。在工作方法上党和政府强调土地改革要有领导、有计划、有秩序地进行,反对急躁冒进的偏向,即反对不顾主客观条件是否成熟,主张一下子全面铺开,立即消灭封建剥削制度的意见。毛泽东1951年2月8日为中央起草的党内通报(《中共中央政

治局扩大会议决议要点》)中强调指出:土地改革要"积极创造条件,凡条件不成熟者,无论何时何地不要勉强去做"。

土地改革的全部过程一般分为准备、土地改革、复查三个阶段,有步骤有秩序地进行:

1.准备阶段

通过清匪、反霸、减租、退押斗争发动农民群众为土地改革准备条件。

清匪,即肃清国民党残余武装力量——土匪特务,以创造出安定的社会环境;反霸,即反对地主阶级的当权派,推翻地主阶级的政治统治,废除旧的保甲制度,使广大农民在政治上翻身,当家作主。通过清匪反霸斗争,发动农民建立农民协会,发现和培养农民积极分子,并从中选拔农村基层干部,初步改造农村基层政权。

减租退押斗争,即发动农民起来要求地主减轻地租剥削,退还租地押金,以初步改善农民生活。通过减租退押斗争,揭露地主剥削农民的种种行径,用农民终年劳累不得温饱对比地主不劳而获地过着寄生腐朽生活,提高农民的阶级觉悟,使他们认识到他们受剥削、受压迫的根源是封建的土地制度。而减租退押的实现使农民获得经济利益,进一步提高农民群众斗争的胜利信心,从而,调动起他们为进一步获得土地,根本废除地主土地所有制而斗争的积极性。同时通过减租退押可以进一步培养和选拔一批立场坚定、办事公道的农民干部。他们在斗争中学习本领、增长才干,成为懂政策、有能力、密切联系群众的农村基层干部,从而为下一步没收和分配地主的土地准备干部条件。

2.土地改革阶段

首先组织培训土地改革工作队,工作

---

① 毛泽东:《关于新区土改问题给粟裕的指示》(1948年1月22日)。

队与当地党政组织一起领导土地改革运动。工作队深入农村，分期分批开展土地改革。每一批都是经过试点，在取得经验后，再推广到面，实行"由点到面，点面结合"。一批即将完成，即抽出力量开展第二批。从工作队进村到最终完成土地改革，大体上经过以下四个步骤：

第一，调查研究、宣传政策。工作队到农村后与农民同吃同住同劳动，访贫问苦，扎根串连，进行深入细致的思想教育，逐步把农民组织起来，由贫农小组逐步发展到包括中农在内的农民协会。同时，向农民宣传解释党的土地改革政策，通过举办农民积极分子短期训练班，召开农民代表会议，向农民讲清，哪些土地应该没收与征收，哪些土地应该保护不动。在土地改革中依靠谁、团结谁、中立谁、打击谁。总之把党的政策交给农民群众，由农民群众自己掌握，以保证没收分配土地能够有组织、有领导、有秩序地进行，防止偏差。

第二，划分阶级成分。正确划分农村阶级成分，是在土地改革中解决依靠谁、团结谁、中立谁、打击谁的一项政策性很强的工作。首先要组织农民学习有关划分阶级的政策和法令，让农民懂得划分阶级的标准。为便于农民理解和掌握标准，先通过举实例，找出典型户进行试划，经过深入讨论，先把地主、富农划出，以明确阶级阵线。在农民内部，则采取本人自报、群众公认的办法进行民主评议。评议中，充分发扬民主，本人不同意的可以提出理由申辩，要求改正，当场弄清情况。对民主评议不服的，可以上诉，划错了的必须纠正。群众评定后，上报上级审批，经过组织批准最后张榜公布。

第三，没收征收和分配土地。划定阶级成分之后，即开始没收征收土地。先经过农民协会认真讨论，确定本村应没收和

征收土地的范围。责令地主将土地契约以及将属于没收财产造册登记报告农会。严禁地主隐瞒和转移。农会成立检查、登记、没收、保管委员会对没收征收的土地和财产进行清查、登记。召开农民群众大会，宣布没收征收的对象，及应没收征收的土地数和财产数，由农会根据清册加以审核收管。

公平合理地分配没收和征收的土地和其他财产，直接关系到每个农民特别是无地和少地农民的切身利益，要切实贯彻民主协商的原则，教育干部大公无私，农民间提倡互让互谅，防止绝对平均主义，以利于促进农业生产的发展。分配土地和财产时，首先要满足贫农、雇农的需要，同时要照顾中农的利益，大体上要按人口平均分配，又不要搞绝对平均主义，特别要注意保护中农的利益。对土地的分配以原耕为基础，进行调剂，尽量对原耕少作大的变动，照顾农民原耕的习惯，以利于农业生产的发展。对耕牛、农具、房屋、粮食的分配，采取充分酝酿协商的办法，在广泛听取群众意见的基础上，由农会认真研究提出分配方案，提交农民代表大会讨论通过，然后认真贯彻执行，尽可能做到公平合理，大家满意。

第四，结束土地改革。没收和征收的土地和财产分配之后，即召开农民大会，庆祝土地改革的胜利，宣布土地改革胜利结束。同时号召和引导翻身农民，努力生产，帮助原来的贫农雇农解决生产中的困难，发展生产，争取丰收，改善生活，支援国家经济建设。

3.复查阶段

结束了土地改革的地区，过了一段时期（约半年）之后，还要进行复查。各地政府派出工作组，深入各村农民群众间听取意见，检查在划分阶级成分上有无漏划和

错划,在土地、耕畜、农具、房屋的分配上是否公平,发现错误立即纠正,同时解决土地改革中的一些遗留问题,防止地主向农民反攻倒算。复查之后,向分得土地的农民颁发土地证,从法律上保障农民对已分得的土地的所有权,使广大农民安心发展生产。

由于实行了正确的政策,组成了广泛的反封建的统一战线,运动中放手发动了农民群众,采取了比较稳妥的步骤和方法,各个新解放区的土地改革进行得比较顺利。

在华东地区,江苏、安徽、山东、浙江、福建、上海等省市,开展了土地改革的总乡数为43394个,大约有7000万农业人口分两期完成了土地改革。1950年冬到1951年4月底,已有35656个乡完成了和正在进行土地改革,占总乡数的82.17%,到1952年5月,完成土地改革的乡数达到43330个,占总乡数的99.85%,不到两年时间就完成了土地改革。

在中南地区,河南、湖北、湖南、江西、广东、广西六省,共计有64770个乡,约13700万农业人口,分三批开展了土地改革运动。从1950年冬至1951年秋前,完成了30725个乡;从1951年冬至1952年春耕前完成了20545个乡;从1952年冬至1953年春完成了13500个乡。

在西南地区,四川、云南、贵州、西康四省和重庆市约8500多万农业人口,分四期进行土地改革,第一期土地改革于1951年4月结束,计1316万多人口,占总人口的14%;第二期土地改革,于1951年10月结束,计2476万多人口,占总人口的27%;第三期土地改革,于1952年4月至5月间结束,计3599多万人口,占总人口的40.35%;第四期土地改革,于1953年春结束,计900万人口,占总人口的11.29%。至此,除暂不进行土地改革的

一些少数民族地区外,西南地区的土地改革任务胜利完成。

在西北地区,陕西、甘肃、宁夏、青海、新疆五省共2650万人口,分三批进行土地改革。到1951年夏收前,在陕西关中41个县、榆林部分新区、西安市郊、甘肃庆阳专区171个乡和宁夏宁朔、盐池两县等地区基本上完成了土地改革,计730万人口;1952年春,在陕西南部、甘肃宁夏大部、青海五县一市等地区基本上完成了土地改革,计1200余万人口;到1953年春,新疆大部分地区的土地改革也宣告完成。

总的来说,新解放区的这场空前规模的土地改革运动是根据各地不同情况分期分批进行的。第一批于1950年冬季至1951年春季,在约1.28亿农业人口的地区进行。第二批于1951年秋冬至1952年春季,在1.1亿农业人口的地区进行。第三批于1952年冬季至1953年春季,在3000多万农业人口的地区进行。到1953年春,除约有700万人口的若干少数民族地区暂不进行土地改革以外,全国大陆上已基本上完成了土地改革。

土地改革胜利完成的伟大意义

在土地改革中,约占农业人口60%—70%的农民,分得了土地和财产,连同老解放区分得土地和财产的农民在内共约3亿人口,分得了7亿多亩土地和大批生产资料和生活资料,免除了佃农过去为耕种这些土地而被迫向地主缴纳的大约相当于农作物产量一半左右的地租。土地改革的完成,使我国农村土地占有关系发生了根本的变化。全国土地改革结束时各阶级占有耕地情况如下:

各阶级占有耕地情况表①

	占人口比重%	占耕地%
合　计	100	100
贫、雇农	52	47
中　农	39.9	44.3
富　农	5.3	6.4
地　主	2.6	2.2

上表说明:占农村人口91.9%的贫农、中农,占了全部耕地的91.3%,原来的地主富农占农村人口7.9%,只占有全部耕地的8.6%。这样,在中国延续了两千多年的封建土地所有制被葬入了坟墓。孙中山先生提出的"耕者有其田"的理想,变成了现实。封建剥削制度的被消灭,挖掉了帝国主义和国民党反动势力残存在大陆上的最重要的社会基础。

土地改革中,广大农民不仅获得了土地,还分得了耕畜297万头,农具2954万件,房屋3807万间,粮食105亿斤。广大农民生产积极性空前高涨,使农业生产得到了迅速的恢复和发展。农业总产值由1949年的271.8亿元(按1957年不变价格计算)提高到1953年的426.8亿元,增长57%;农作物业由1949年的224.3亿元,提高到1953年的349.1亿元,增长55.6%;林业产值增长87.5%;畜牧业增长59.34%;副业产值增长68.9%;渔业产值增长133.3%;粮食总产量1953年比1949年增长47.4%。在粮食增长的同时,工业原料作物得到更快的发展,1952年和1949年比较:棉花增长193.4%,超过历史上最高年产量的53.6%;油料作物增长63.6%;黄红麻增长729%;甘蔗增长169.3%;甜菜增长151.1%;烤烟增长415%;桑蚕茧增长101.4%;柞蚕茧增长4.3%;茶叶增长100.7%。工业原料作物的迅速恢复和发展,有力地促进了以上述作物为原料的纺织工业和轻工业的迅速恢复和发展,从而,对整个国民经济的迅速恢复和发展起了重大的作用。

在生产发展的基础上,农民收入增加,生活明显改善。土地改革实现以后的1953年农民净货币收入比1949年增长123.6%,每人平均净货币收入增长111.4%。农民对消费品的购买力有了成倍的增长,1953年比1949年增长111%,平均每人消费品购买力增长一倍。② 1953年同1949年相比,农民留用粮食增长28.2%,其中生活用粮食增长33.6%。③

工业原料作物大幅度增长和农民购买力的增长,促进了工业生产的发展。1953年同1949年相比工业总产值增长221.4%,社会总产值增长122.8%,国民收入增长98%,国家财政总收入增长241.8%。④

土地改革使广大农民真正成了农村的主人,农民普遍认识到中国共产党和人民政府是自己利益的真正保护者。从土地改革斗争中涌现出来的贫苦农民中的积极分子参加了农村基层政权组织,成为农村人民政权的支柱。翻身农民在每个乡村都组织和建立了自己的武装力量——民兵组织,从根本上巩固了工农联盟和人民民主专政政权。

随着土地改革的胜利,农村中出现了

---

① 根据国家统计局1954年23个省、自治区,15000多户农家收支调查资料计算。
② 国家统计局:《中国商业历史资料汇编》,1963年8月。
③ 商业统计资料汇编:商品产销平衡表、粮食产销平衡表,1958年10月1日。
④ 《中国统计年鉴》(1983年),中国统计出版社,1983年版。

学习文化的热潮,翻了身的农民子弟大量涌入学校,农村小学数和学生数都有显著增加。在校小学生人数增加 111.8%,中学生增加 186.2%。农村普遍兴办冬学、民校,开展扫盲工作。农村文化高潮的兴起,促进了农村经济的繁荣。

总之,新区土地改革的胜利完成,彻底地摧毁了封建土地制度,挖掉了我们民族贫困落后的一条重要根子,解放了农村生产力,巩固了工农联盟和人民民主专政,为国家工业化和农业的社会主义改造创造了有利条件。

宗教制度的民主改革

中国是一个有多种宗教的国家。佛教、道教和伊斯兰教历史悠久,天主教、基督教在近代亦发展较快。在漫长的封建社会和一百多年的半殖民地半封建社会中,我国各种宗教都曾被国内统治阶级和国外侵略势力所控制、利用,起过极大的消极作用。国内封建地主阶级、领主阶级、反动军阀和官僚资产阶级,主要是控制佛教、道教和伊斯兰教的领导权;外国侵略势力则主要是控制天主教和基督教的教会。1949 年 10 月,中华人民共和国宣告成立,广大信教群众、爱国的宗教界人士同其他各阶层人民一样,获得了政治上的新生和经济上的解放。为适应我国政治经济制度的重大变革,我国的宗教制度亦进行了民主改革,摆脱了国内外反动阶级的控制和利用,逐步成为中国信教群众自己的事业,使我国的宗教状况发生了根本变化。

一

天主教独立自主办教会

新中国成立前,我国天主教和基督教的活动包含着两个方面:一方面,天主教在中国有很多教徒,多数是受苦的劳动人民。据教会统计,当时约 300 万天主教徒中 80% 在农村,妇女教徒几乎占全部教徒的一半。而另一方面,由于历史的原因,它们又与外国帝国主义发生了种种不同程度的联系。这就是说,虽然天主教早就传入我国,但大规模地由国外传入我国是在近百年内随着帝国主义大炮、军舰一起来的。大批外国传教士之所以不远万里而来,其中一个主要的动机,就是美国第一个来传教的基督教传教士裨治文说的:"与其说是由于宗教的原因,毋宁说是由于政治的原因。"他们中间的很多人是由其本国政府派到中国来做情报人员,或参与起草不平等条约的。这些人依靠一次又一次的帝国主义对华侵略战争和不平等条约不断扩大其势力,又与中国各地的封建地主、官僚买办相勾结,对中国人民进行巧取豪夺,盘剥欺压,造成了一起起教案。日本侵略者扶持成立伪满洲国时,罗马天主教廷首先承认并派驻了伪满的"宗座代表"。当中国人民奋起抗日时,这个"宗座代表"又致函属下,要他们对日本的侵略持"不偏左,不偏右,一视同仁之爱德",为侵略者效劳。在抗日根据地,比利时籍神甫雷鸣远和美国籍主教米甘等公然在陕北、晋南和豫西北一带进行情报活动。解放战争时期,在中国的天主教会更是秉承其帝国主义主子的旨意,采取敌视中国人民革命的态度,公然组织"公教青年报国团"、"反共救国会"等反动武装与人民解放军作战。一些外籍传教士也在邢台、齐齐哈尔、献县和沈阳等地进行间谍活动。

外国的天主教传教士们除了一贯仇视中国人民解放事业以外，还举办了为数众多的差会、修会和教会"慈善"事业，以"友好"的面孔，达到其文化侵略的目的。据统计，1936 年美国教会及救济机关在华投资总额为 4190 万美金，其中宗教及救济活动费占去了 47.1％。其目的就是为了在中国培养一批亲美的所谓"民主个人主义者"，为其侵略政策服务。

在旧中国，天主教会的大权主要控制在罗马教廷手中，外国传教士充斥着中国各地教会。据统计，新中国成立前夕，全国天主教神职人员中，外籍人士几乎占到一半。1946 年，罗马教廷将中国天主教划分为 20 个教省、143 个教区。但在 20 个教省中，中国籍总主教仅 5 人，143 个教区中，中国籍主教只有 20 余人，而且多数处于无权的地位。这种情况，激起了天主教界爱国人士和广大信教群众的不满。

中国天主教在旧中国一直受外国侵略势力的利用和控制，中国广大爱国天主教徒早有独立自主、自办教会的愿望，并进行了某些努力。新中国的成立，为这一目的的实现创造了条件。

1. 反对罗马教廷干涉中国内政，发表爱国宣言

罗马教廷对中国革命一贯采取敌视和反对态度。1948 年 7 月，罗马教廷即向中国教会发出《天主教友应如何对抗共产党》的紧急敕令。《敕令》说："参加共产党或对共产党指示热忱是不合法的；出版、宣传或阅读载有共产党人理论或行动的书籍、杂志、报章，或在那些刊物里撰写文章是不合法的；凡任意作过上两项事情的教徒，照通常原则，性情不正者，不得参与

圣餐祭礼；信仰共产党唯物主义反宗教理论的教徒，尤其是那些为这种理论去辩护和宣传，作为天主教信徒，无条件地要受到被教廷驱逐出教的特别处分。"对于罗马教廷的这个命令，天主教天津教区主教文贵宾还特别定出了一个更为详细的规定作为补充。他规定，凡是接受共产主义道德的及教授他人的，尤其是宣传这些道理的，要给予革除教籍的处分。他还禁止教徒参加华北大学、革命大学、军政大学、公安学校，并说"凡是参加上述学校者不能听神功"。同时还规定教徒"不能参加青年团、民主青年同盟、南下工作团、妇女会以及人民解放军等，凡是参加的同样要受到停神功的处罚"。

罗马教廷和天主教内的帝国主义势力干涉我国内政的行为，激起了中国天主教内许多爱国教徒的反抗。以 1950 年发生的辅仁大学事件最有名。辅仁大学是解放前天主教会办的一所高等学校。北平解放后，学校主权随之回到人民手里，但教会仍插手学校的行政事务，这理所当然地遭到中国人民的拒绝。于是教会就以减少经费相要挟，他们先是把原来的常年津贴 22 万美元减至 16 万美元，后又以完全断绝经费相要挟。1950 年 7 月 14 日，教会代表写信给辅仁大学校长陈垣，声称如能按照他们的条件办，经费还可恢复，这些条件包括由教会组织一个新的董事会，并对学校的人事有否决权。第二天，教会代表又写信给陈垣，指名要解聘五名教授。当这一系列无理要求遭到拒绝后，教会代表遂于 8 月 1 日起断绝了对学校的经费，致使学校的教学活动和师生员工的生活发生了严重的困难。但辅仁大学师生并未被吓倒。7 月 31 日，全校师生召开大会，抗议帝国主义干涉我国教育。人民政府立即支持爱国师生的正义斗争，在帝国主义分子拒

绝合理解决辅仁大学问题后，立即接管了辅大。这是建国后宗教界人士的第一次大规模的反帝斗争，同时"就中国教育史上来说，帝国主义在半殖民地的文化教育侵略一环首先被攻破了"。

在教职人员中亦有一些爱国人士不满帝国主义对我国内政的干涉，主张摆脱帝国主义的控制。四川广元天主教神甫王良佐等 500 余名天主教徒，于 1950 年 11 月 30 日，发表了《广元天主教自立革新运动宣言》，揭露了旧中国天主教传教事业与殖民主义侵略势力的关系，宣布：中国天主教徒"基于爱祖国、爱人民的立场，坚决与帝国主义者隔断各方面的关系……自力更生，建立自治、自养、自传的新教会，不让教会的圣洁再受到帝国主义的玷污"。这一宣言，得到全国许多地区天主教人士的响应。1951 年 1 月 13 日，天津天主教界人士发表了《自立革新宣言》。3 月 31 日，南京教区代理总主教李维光等也发表宣言，表示"坚决反对教廷干涉中国内政，坚决与它隔断政治与经济的关系"。9 月 17 日，北京市天主教界人士和上海天主教界人士分别发表宣言，表明反帝爱国立场，主张教会割断与帝国主义的联系。

2.揭发和控诉帝国主义利用天主教侵略我国的罪行

在天主教反帝爱国运动中，帝国主义势力及其代理人曾极力利用"神权"进行阻挠破坏。他们笼络青年教徒，组织"教理小组"，宣传"三不主义"（即不看共产党的报纸，不听共产党的宣传，不讲教会中有帝国主义分子），散布"有神无神势不两立"，煽动教徒同人民政府相对抗。一些爱国教徒还受到"绝罚"、和"超级绝罚"威胁（天主教会对教职人员和信教群众最严厉的处分，如开除教籍，死后不能"升天"等）。天主教内的帝国主义分子，还千方百计否认传教事业与殖民主义者的关系，欺骗信教群众。黎培里称"吾天主教会，与任何帝国主义，既不曾发生关系，自无所谓斩断联系"。并要求天主教徒"明白地洞悉和勇敢地战胜敌人的诡计"，公然把支持天主教界反帝爱国运动的中国人民和人民政府称为"敌人"。天主教内帝国主义势力及其代理人利用宗教反对新中国和干涉我国内政的罪行，遭到爱国教徒的反对，他们纷纷起来揭发和控诉。在爱国教徒和人民群众的严正要求下，天主教内一批罪恶昭彰的外国传教士，如天津的文贵宾、南京的黎培里等，先后被驱逐出境。此后，根据爱国教徒的揭发，又驱逐了一批长期勾结反动势力、破坏我国革命事业且在建国后继续为帝国主义机关收集情报、散布谣言、反对新中国、阻挠和破坏天主教界的反帝爱国运动的外国传教士。

对于我国爱国天主教徒和人民政府的正义行动，教皇庇护十二于 1952 年 1 月 18 日发出了所谓《开端，我们切愿声明》，为危害中国人民利益的犯罪分子辩护，说其是"遭人冤枉、诬加罪名"，煽动中国教职人员与教徒要"大义无畏"，"不要怕危险，不要畏艰难"，同政府和人民对抗到底。1954 年 10 月 7 日，又发出了个"通谕"，煽动天主教徒要在反对新中国的道路上"勇敢无畏地继续前进"。帝国主义分子的倒行逆施，激起了中国天主教徒更大的义愤，提高了他们反帝爱国的觉悟。爱国的教职人员不怕"摘神权"，爱国的信教群众不怕停止"办神功"、不给"领圣体"甚至"绝罚"等威胁，纷纷集会、控诉，拥护政府驱逐这些为帝国主义效劳的外国传教士。反帝爱国运动在天主教信教群众中得到进一步发展。

3.肃清天主教内的反革命势力

一批披着宗教外衣的帝国主义分子虽然被判刑和驱逐,但是,隐藏在天主教内的代理人,并没有停止利用宗教进行破坏活动的行为。他们继续散布"天主教内没有帝国主义"、"有神无神势不两立"、"宗教信仰自由政策是假的"等等谬论,且提出了"不后退、不出卖、不投降"的所谓"新三不主义",继续唆使和挑拨一些教徒与新中国对立。他们甚至建立反革命组织,在各地搜集军事、政治、经济情报,供给帝国主义间谍机关,并有计划地散布反动谣言,破坏新中国建设,打击、迫害爱国教徒,还扬言要与人民政府"斗争到底"。针对这一情况,1955 年开展了肃清天主教内反革命集团的斗争,挖出了一批隐藏在天主教内的反革命分子。信教群众纷纷举行集会,揭发和控诉反革命分子的种种罪行。1955 年 9 月 25 日,上海天主教界召开了声讨龚品梅反革命集团万人大会,许多新中国成立以来一直不敢参加会议的教徒、神甫、修女也参加了大会,他们高呼过去一直不敢喊的"中华人民共和国万岁"等口号勇敢地表达了自己的心声。同年国庆节,上海徐家汇教堂前第一次升起了中华人民共和国国旗,搭起了庆祝国庆的牌楼,第一次由爱国神甫举行了为新中国繁荣富强而祈祷的"五、六品大礼弥撒"。入夜,信教与不信教的群众两万多人参加了以教堂前广场为中心的国庆联欢,充分显示了天主教徒与各界人民的爱国团结,天主教的反帝爱国运动又一次取得了胜利。

4. 摆脱罗马教廷的控制,自选自圣主教

据 1948 年统计,中国天主教 140 个教区中,外籍主教 110 人以上。新中国成立后,这些外籍主教先后离开了中国,已不能执行教职,但罗马教廷仍维持他们的原职,指使他们在国外实行"遥控",企图有朝一日卷土重来。同时,罗马教廷对爱国的中国主教横加迫害。如 1952 年 2 月,罗马教廷传信部曾通过决议,将发表宣言主张独立自主的南京教区代总主教李维光"开除教籍",并于 1955 年 3 月 16 日正式宣布。中国天主教会由于大部分教区主教空缺,施行某些圣典遇到了很多困难,信教群众的宗教生活受到很大影响。经历了反帝爱国运动锻炼的天主教神甫和信教群众,决心摆脱罗马教廷的控制,自选自圣主教。天主教上海教区于 1956 年 3 月 16 日选出张士琅为代理主教,并电告罗马教廷,这一合理合法、爱国爱教的行动,竟遭到梵蒂冈传信部无理否决,但却得到上海教区信教群众和全国各地天主教界的支持。当时,全国地方性的天主教爱国会已成立了 200 多个。

1956 年中国人民政治协商会议第二届全国委员会第二次会议在北京召开,中国天主教界参加会议的南充教区主教王文成、献县教区主教赵振声、襄阳教区主教易宣化、周至教区主教李伯渔、南京教区代理主教李维光、济南教区副主教董文隆、北京教区副主教李君武、天津教区神甫李德培和上海市天主教会筹委会副主任任世达教友共九人,倡议召开"中国天主教友爱国会筹备委员会",并得到响应。1956 年 7 月 19日至 25 日在京举行了发起人会议,主教、代理主教、副主教、神甫和教友共 36 人出席,经过 7 天的酝酿,草拟了章程,建立了筹备处,通过了《中国天主教友爱国会筹备委员会发起书》等。会议结束时他们受到了周恩来总理的亲切接见。[1]

---

[1]　赤耐:《当代中国的宗教工作》(上册),当代中国出版社,1999 年版,第 92 页。

1957年2月12日至16日,中国天主教友爱国会筹备委员会发起人会议在北京召开,参加的代表共55人。1957年7月15日,全国爱国会在北京召开,出席会议的正式代表共241人,来自全国26个省、市、自治区,代表全国100余个教区、300多万教徒。1957年8月2日,"中国天主教友爱国会"正式成立。会议通过了《中国天主教友爱国会章程》和《进一步开展反帝爱国运动的决议》。选举了由150名委员组成的中国天主教友爱国会第一届委员会。8月3日,第一次全体委员会举行,委员们一致表示:今后决不辜负全国300万天主教徒的期望,站稳中国人民的立场,带领全国神长和教徒深入开展反帝爱国运动。委员们一致推举50名委员组成常委会,辽宁省沈阳总主教区皮漱石总主教当选为中国天主教友爱国会主席,杨士达教友(上海)、李伯渔主教(陕西周至)、李维光代主教(江苏南京)、王文成主教(四川南充)、李德培神甫(天津)、曹道生教友(山西太原)等8人为副主席。李君武副主教(北京)当选为秘书长,易宣化主教(湖北襄阳)、杨高坚代主教(湖南常德)和汤履道教友(上海)任副秘书长。会后,《人民日报》发表了题为《深入开展天主教反帝爱国运动》的社论。社论指出:中国天主教代表会议开得很好,进一步提高了天主教人士的政治觉悟,确定了今后爱国爱教的努力方向。号召中国的天主教徒们与全国人民步伐一致地沿着社会主义道路前进。

这以后,全国各地也陆续成立了地区性的天主教爱国会。1958年3月,武昌、汉口两地的天主教神甫选出了两名主教,并于4月举行祝圣典礼,得到全国各地天主教会的支持祝贺。这次自选自圣主教,仍遭到罗马教廷的蛮横干涉,称武昌、汉口的自选主教是"无效的"、"无价值的",并以"超级绝罚"来威胁。全国天主教徒并没有被这种无理干涉和威胁所吓倒,本着"独立自主,自办教会"的原则,各教区的神甫(有的教区还有修女、教徒参加)也都相继选出了自己的主教,改变了中国天主教长期受到外国控制的局面。

二

基督教发表"三自宣言"

新中国建立初期,基督教教会及教会学校、医院等,仍在外国差会的控制之下,帝国主义势力仍然力图通过差会的影响破坏新中国。当时在基督教中存在三种情况,一是某些基督教教会里的传道人员,企图恢复旧有基督教在中国的统治地位;二是有些基督教人士为了适应变化了的形势,幻想用经济手段来达到继续控制中国基督教的目的。第三种情况是有一些有识之士认识到帝国主义利用基督教侵略中国的历史事实,感到中国基督教如果继续依附外国差会,就同独立自主的新中国不相适应,基督教也就没有前途。吴耀宗等是这方面的代表。1949年3月,应中共中央的邀请,吴耀宗由香港抵达北平,受到中共中央统战部部长李维汉的接见。李维汉向吴耀宗阐明了共产党对宗教的态度,指出宗教是一种社会现象,又是群众性的,信仰它的很多人是被压迫、被剥削的,所以我们认为只有整个社会问题解决了,宗教问题才能解决。在这样的意义上,我们才承认宗教信仰自由。对于具体的个人,只要不反动,不卖国,我们就给予保护。以后周恩来又多次接见宗教界人士,指出:"中国人民要有志气,要把自己的事办好。基督教有位吴耀宗先生是思想家,他有能力把基督教的事办好。"

党的信任,周恩来、李维汉的勉励,增强了吴耀宗等基督教进步人士办好中国基督教会的信心。1949 年 6 月,吴耀宗在新政协筹备会上充满激情地说:"时候到了,基督徒应当把自己从资本主义、帝国主义的传统中解放出来。"后来,他又在《大公报》上发表《基督教的改造》一文,指出:"在过去和现在,帝国主义者确是利用了基督教侵略中国",认为"基督教必须从资本主义、帝国主义中挣扎出来,中国教会必须实行它早已提倡过的自立、自养、自传原则。"

1949 年 9 月,在新政协第一届会议上,吴耀宗再次表示要把"宗教里面腐恶的传统"和宗教与"帝国主义的联系根本铲除"。吴耀宗的主张代表了许多爱国教徒要求摆脱殖民主义和帝国主义势力控制,实行独立自主、自办教会的愿望,是建国后基督教开展反帝爱国运动的先声。

1950 年春,吴耀宗等基督教人士组织访问团,到各地教会传达政协会议与《共同纲领》精神,并了解各地基督教的情况。同年 5 月,他们会同京津一些基督教人士谒见周恩来总理。2 日、6 日和 13 日,周恩来三次接见吴耀宗等人。吴耀宗汇报了各地教会面临的问题和困难,要求协助解决,并根据中国基督教徒多年来提倡的自治、自养、自传的主张,决定发起"三自"革新运动,即得到周恩来总理的赞同和支持。周恩来指出:"要把民族反帝的决心坚持下去,割断同帝国主义的联系,让宗教还它一个宗教的本来面目。今天宗教界自己发起一个民族自决运动,把近百年来同帝国主义的关系清算一下。"他赞扬道:"宗教团体本身要独立自主,自力更生,要建立自治、自养、自传的教会。这样,基督教会就变成中国的基督教会了。"

谈话后不久,1950 年 9 月 23 日,以吴耀宗为首的基督教领袖 40 人,发表《中国基督教在新中国建设中努力的途径》(基督教界简称它为《三自宣言》)的宣言。宣言提出的总任务是"中国基督教会及团体彻底拥护共同纲领,在政府的领导下,反对帝国主义、封建主义及官僚资本主义,为建设一个独立、民主、和平和富强的新中国而奋斗"。宣言规定的基本方针有两条:一是"以最大的努力及有效的方法,使教会群众清楚地认识到帝国主义在中国所造成的罪恶,认识过去帝国主义利用基督教的事实,肃清基督教内部的帝国主义影响,警惕帝国主义,尤其是美帝国主义利用宗教培养反动力量的阴谋,同时号召他们参加反对侵略战争、维护世界和平的运动";二是"培养一般信徒爱国民主精神和自尊自信的心理。中国基督教过去所倡导的自治、自养、自传的运动,已有相当成就,今后应在最短期内,完成此项任务"。这就明确提出了中国基督教肃清教会内帝国主义影响和实行"三自"的奋斗目标。宣言在基督教内产生了巨大的影响,一个多月内得到各教会负责人 1500 多人的响应。1950 年 9 月 23 日《人民日报》全文转载,并以《基督教人士的爱国运动》为题,发表社论,表示相信"全国人民当与全国大多数爱国的基督教徒一样,对这篇宣言表示热忱的欢迎","我们欢迎基督教人士发起的自治、自养、自传运动",同时指出,"这个运动的成功,将使中国基督教获得新的生命,改变中国人民对于基督教的观感",社论给予了积极的肯定。

1. 割断与外国差会的关系,成立"三自"爱国组织

1950 年 10 月,为抗击美帝国主义的侵略,中国人民掀起了抗美援朝,保家卫国运动,这引起了美国政府的极大恐慌。

1950 年 12 月 16 日,美国政府宣布管制中国在美国的公私财产,禁止一切在美国注册的船只开进中国港口,对中国实行经济封锁,企图以此增加我国人民政府的困难,这就直接威胁了所有在接受美国津贴的单位内工作的中方人员的生活;因此,激起了中国人民的极大愤怒。各地教会学校的师生、教会医院的医务人员和职工,普遍举行反美爱国示威,控诉美帝国主义的破坏活动,并要求政府接办这些机关,使之成为中国人民自办的机构。同年 12 月 28 日,我国政府发布了《关于管制美国在华财产,冻结美国在华存款的命令》。同时,政务院命令接受外国津贴的文化教育救济机关和宗教团体实行完全自办。其中,文教、卫生救济机关由政府或人民团体接办,宗教团体则由中国教徒自办。为了帮助教会解决"自养"中的困难,政府同意中国教会出租外国教会在华房产,对中国宗教事业自用的房地产税予以免征。为保障上述方针的贯彻,人民政府又采取了一系列实际措施。首先颁发了专门登记条例和实施办法,成立专门登记处,明令宣布接受外国津贴的文化教育救济机关及宗教团体必须进行专门登记。政务院文委又颁布了《接受外国津贴及外资经营之文化教育救济机关及宗教团体登记条例》。各地人民政府相继接办了接受外国津贴和外资经营的文化教育救济机关(包括学校、医院、孤儿院、出版机关等)。

新形势加速了中国基督教实现"三自"的进程。1951 年 4 月,政务院召开了处理接受美国津贴的基督教团体会议。会上,爱国基督教人士,包括在抗美援朝运动的影响下,决心与帝国主义势力划清界限的不少上层人士,成立了中国基督教抗美援朝"三自"革新运动委员会筹备委员会,并发表《中国基督教各教会团体代表联合宣言》,表示要"最后地、彻底地、永远地、全部地割断与美国差会及其他差会的一切关系,实现中国基督教的自治、自养、自传"。这个宣言,把 1950 年的"三自"宣言又向前推进了一步。会后,全国许多城市的基督教教会与团体举行了控诉帝国主义利用基督教侵略中国的集会。

在这一时期,外国传教士纷纷回国,外国差会的驻华机构也先后撤离。随着"三自"爱国运动的发展,中国基督教于 1954 年 8 月,在各教会与团体大团结的基础上,成立了"中国基督教'三自'爱国运动委员会"。[①] 选举吴耀宗为主席,陈见真、吴贻芳、陈崇桂、江长川、崔宪详、丁玉璋六人为副主席。该会章程规定的宗旨为:在中国共产党和人民政府的领导下,团结全国基督教徒,热爱祖国,遵守国家法令,坚持自治、自养、自传,独立自主,自办教会的方针,保卫"三自"爱国运动的成果。从此基督教成为中国教徒自办的宗教事业。各地先后成立了地区性的"三自"爱国组织。

2.肃清基督教内的反革命势力

中国基督教割断与外国差会的关系以后,混在基督教内的少数反革命分子仍继续兴风作浪,进行破坏活动。他们有的利用传教身份,迷惑群众,诈骗钱财,危害群众生命健康;有的利用讲道和出版刊物,攻击中国共产党为"撒旦",诬蔑新中国为"黑暗时代",咒骂爱国教徒为"犹大";有的控制教堂或个别教派,蒙蔽毒害群众,暗中进行反革命活动。基督教聚会创始人倪柝声,与国民党敌特关系密切,解放前将一些国民党特务分子和军警人

---

① 何虎生:《中国化马克思主义宗教观研究》,华文出版社,2007 年版,第 242 页。

员派到各地充当教会骨干,又伙同李常受等在上海和福州先后找来两次"同工聚会"和"福音移民",向内地和边疆少数民族地区发展,妄图"打下全中国"。倪柝声还给国民党特务提供重要军事情报,为解放初国民党台湾当局空袭上海提供轰炸上海发电厂的目标,妄图阻挠全国解放和破坏社会稳定。他还煽动教徒破坏土地改革和抗美援朝运动,盗窃国家科技情报。1956年1月,上海市公安局破获了隐藏在"上海基督教聚会处"内的倪柝声反革命集团,揭露了他们的反革命罪行。

北京基督教徒会堂负责人王道明,解放后一贯坚持反对新社会的立场,并利用教堂这个讲坛,影射和公开地进行反革命煽动宣传。王还通过其主编的《灵食季刊》和其他著作,通过其亲信和骨干,影响着外地敌视新社会,反对社会改革运动、政治运动和"三自"爱国运动。王成了基督教内反动势力的一面黑旗,在1955年肃反运动中,北京市公安局破获了王道明反革命集团。

解放以来一些地方的人民政府还处理了一些利用基督教进行反革命活动和违法犯罪活动的案件。由于这些反革命分子披上神秘的"属灵"外衣,蒙蔽毒害了不少教徒,特别是青年教徒。因此,公开揭露反革命分子的种种罪恶,在中国基督教内引起很大震动。上海及全国各地教徒,特别是"聚会处"教派的教徒,纷纷起来揭发他们的罪行,表示要擦亮眼睛,明辨是非,与反革命分子划清界限。在这些严肃的政治斗争中,由于党和人民政府注意贯彻宗教信仰自由政策,把宗教信仰问题和反革命犯罪、刑事犯罪分开,注意这两类不同性质的矛盾,注意了对中上层分子和对教徒群众的团结争取教育工作,因此挽救了一些罪犯的追随者,争取教育了

多数,扩大了"三自"爱国运动的团结面。肃反运动的胜利,基本上清除了混迹于基督教内的反动分子,使宗教活动进一步走上正常轨道,也使中国基督教"三自"爱国运动胜利地向前发展。

3.基督教各教派实行"联合礼拜",我国基督教进入了无宗派时期

我国基督教是从欧美各国传来的,差会背景复杂。解放后共有差会121个,其中美国差会约占二分之一。在我国建立的教会派别有70多个。我国基督教主要教派有:中华基督教、中华圣公会、中华基督教卫理会、中华基督教循理公会、中华基督教信义会、基督教中华漫信会联会及中华基督教浸礼会、中华耶稣教自立会基督教聚会处(小群)、华北基督教公理会等。由于基督教教派繁多,差会背景复杂,存在的问题不少。有的教派为了扩张势力,不但在非教徒群众中发展组织,还从其他教派"拉羊",这就必然要从政治上或宗派教义上攻击其他教派,影响基督教内部的爱国团结。教派的存在,实际上保留了各教派系统的垂直领导,不利于彻底割断差会关系,肃清帝国主义影响。

20世纪50年代,通过"三自"爱国会的工作,促进了基督教内的爱国团结,逐步消除宗派成见,于1958年从北京开始,全国基督教除个别地区外,基本上实行了"联合礼拜"。这进一步巩固了教会的"三自",也有利于政府有关政策、法令能较为顺利地在基督教团体内贯彻实施。"联合礼拜"的实现,使中国基督教进入了无宗派时期。这不仅是全世界基督教界的一大创举,也是宗教改革400年来的伟大创举。

三

佛教、道教界的民主改革

长期以来,佛教与道教、儒学是中国封建社会的三大精神支柱,对于中国思想文化的发展以至人们的习俗都产生了很大的影响。新中国成立前,求佛向道者很多,具体数字很难确定。据不完全统计,新中国成立前夕全国约有僧尼50万人,佛寺4万所,道教士姑和宫观无确切统计。佛道二教作为旧制度的遗留物,存在许多与新中国风尚习俗不协调的陈规陋习和反动的一面。新中国建立后,我国佛道教界开展了一场民主改革运动。

1. 废除封建特权和压迫剥削制度

佛道教长期受统治阶级的控制和影响,形成了种种封建特权。在旧中国,佛道教的寺观财产受统治阶级的保护;一些大寺观的主持,有权奴役和处置下层僧侣及所属佃农。旧中国佛道教寺观的主要经济来源是土地和高利贷的剥削收入。有些寺观拥有大量土地,用沉重的地租和高利贷剥削农民和贫民。土地改革中,征收了寺庙、宫观在农村的土地,废除了高利贷剥削,从而摧垮了佛道教的封建剥削制度。1950年1月,人民政府颁布了《老解放区市郊农业土地问题的指示》,规定寺庙、教堂等土地一律归国有,并加以适当分配。"僧尼之愿意从事农业生产亦得酌量分给一部分土地"。1950年6月颁布的《中华人民共和国土地改革法》,规定"征收祠堂、庙宇、寺院、教堂、学校和团体在农村中的土地及其他公地"。但是,寺观本身的房屋、殿宇,依法得到保存。佛道教徒也和农民一样,分得一分土地。在土改中,对少数有血债和民愤的住持以及在寺观内部欺压下层僧侣的住持,进行了不同程度的制裁。这样佛道教就摆脱了封建剥削和压迫制度。从1950年起,佛教界发扬农禅并重的传统,各地寺庙在一批佛教界知名人士的倡导下,先后建立了各种生产劳动组织。凡有劳动能力的僧尼,均按照自己的意愿,分别从事农、林、手工业以及各种社会服务事业。山西五台山的几百名僧人,除了自己耕种数百亩土地外,还在秋收农忙季节,组织下山帮助农民秋收。四川峨眉山的僧众,集资建立制茶厂,借以自养。总之,经过土地改革,佛道教界摆脱了寺观封建经济的束缚,废除了佛道教中的封建压迫制度,广大有劳动能力的和尚、尼姑、道士、道姑走上了劳动生产、自食其力的道路。

2. 肃清佛道教中的反动分子,纯洁队伍

旧中国佛道教中的僧侣、尼姑、道士、道姑,多数是出身于劳动人民家庭,迫于生计或遭遇不幸而出家的。但由于反动统治阶级的控制和利用,佛道教界亦混入了一些反动分子。如九华山佛教内部,就混入了一个长期勾结土豪劣绅、地主恶霸,一贯鱼肉乡民、欺压群众、罪恶累累的反革命分子,在镇反时被人民政府逮捕法办。又如镇江金山寺和定慧寺的僧人中,当时也混入了少数国民党、三青团的骨干分子,他们为反动统治阶级效劳,新中国成立后又利用佛教破坏新中国的革命和建设事业,在镇反、肃反中被清除了出来。肃反开始时,佛道教界部分人士对其并不理解,持观望和不理解态度,有的甚至抵触。经过学习,特别是一些反革命分子的罪行被揭露后,他们的觉悟有了提高,认识到不镇反、不肃反,正气不能上扬,佛教界就不能纯洁,这符合佛经的"不摧邪不能显正、抗暴救善,正是菩萨行为"等等教义。明确了镇反、肃反运动与佛道教的教理并不矛盾,各地佛道教很快投入了镇反、肃反运动。

新中国建立后,反动会道门依附于佛道教的名号,大搞迷信违法活动,骗取钱财,危害人命,且勾结国民党特务,散布谣言,破坏新中国的各项事业。在取缔反动会道门的过程中,全国佛道教界都拥护人民政府的正确措施。一些混入佛道教界的反动会道门头子基本上被清除了出来。1949年8月,东北地区破获的特务利用反动会道门进行反革命活动的案件,就有以佛教为名的所谓"大同佛教会"等反动会道门组织。1950年11月,天津市破获了一个以佛教命名的所谓"世界新佛教会"的反动会道门组织。另外还清除了一些混入佛教组织内的反动会道门成员。

通过镇反、肃反和取缔反动会道门,清除了佛道教界内的一些反革命分子和坏分子,纯洁了佛道教队伍,使之走上了正常发展的道路。

3.建立了各级爱国宗教组织

旧中国的佛道教基本上都是寺庙、宫观各自独立,门户之见颇深。新中国成立前的中国佛教会,虽名义上是全国性的佛教组织,实际上内部矛盾重重,从来没有真正统一过。道教曾多次试图组织全国性的组织,但均未成功。新中国建立后,佛教界从1950年起,就在各地建立"佛教协会筹备会"、"佛教联合会筹委会"、"佛教会"、"佛学会(社)"等地方性爱国佛教徒组织和佛教学术型组织,团结佛教徒参加各项爱国活动。1952年11月,由陈铭枢、叶恭绰、圆瑛、能海、虚云、吕澂、赵朴初、周叔迦、郭朋等20人共同发起,在北京召开了中国佛教协会筹备会议,通过了

《中国佛教协会发起书》。1953年5月,新中国第一次佛教徒代表会议召开,成立了中国佛教协会,选出了第一届理事会,推举圆瑛为会长,喜饶嘉措、功德林、晋美吉村、能海、赵朴初等为副会长,赵朴初任秘书长。[1] 中国佛教协会是全国性佛教团体,其宗旨是:"团结全国佛教徒在人民政府领导下,参加爱护祖国及保卫世界和平运动,协助人民政府贯彻宗教信仰自由政策;并联系各地佛教徒,发扬佛教优良传统。"此后全国各地都陆续成立了地区性佛教协会。

1956年11月,全国道教界知名人士23人发起,在北京成立了中国道教协会筹备委员会,通过了《中国道教协会发起书》。1957年4月,道教界第一次全国代表会议在北京召开,正式成立了中国道教协会,通过了章程,选出了第一届理事会,推举岳崇岱为会长,汪月清、乔清心、易心莹、陈撄宁为副会长。中国道教协会是我国道教界第一个全国性的爱国宗教团体。其宗旨是:"团结全国道教徒,继承和发扬道教的优良传统;在人民政府领导下,积极参加祖国社会主义建设;协助政府贯彻宗教信仰自由政策;推动和开展道教研究工作;反对霸权主义,维护世界和平。"此后各地陆续成立了地区性道教协会。中国道教协会和中国佛教协会(包括地区性的道、佛教协会)都是群众性的爱国宗教团体,在团结全国佛道教徒参加社会主义建设事业中,发挥了应有的作用。

4.藏传佛教的政教分离和民主改革

从公元13世纪的元代开始,西藏地区就形成了政教合一的地方政权。僧俗大权都集中于由中国中央政府加封的"大法王"手里,这种政教合一制度,虽然统治机

---

① 赤耐:《当代中国的宗教工作》(上册),当代中国出版社,1999年版,第25页。

构名称多次变化,但一直维持到西藏地区民主改革之前。达赖喇嘛既是西藏地区噶厦政府的首脑,又是西藏藏传佛教的教主。1951年10月,根据中央人民政府的全权代表和西藏地方政府全权代表在北京签订的《中央人民政府和西藏地方政府关于和平解放西藏办法的协议》,中国人民解放军进驻西藏首府拉萨,受到西藏僧侣群众的欢迎。西藏和平解放后,根据协议有关规定,当时的西藏地方政府仍维持着政教合一的状态。经过长期酝酿和协商,1956年4月,正式成立了西藏自治区筹备委员会。10月,西藏佛教界的爱国宗教组织——中国佛教协会西藏分会正式成立。当时,全国大部分地区的社会主义改造已经基本完成,根据西藏的特殊情况,由西藏民族领袖、上层人士以及人民群众共同协商解决。西藏僧侣群众以及大部分上层人士是拥护祖国统一和协商进行民主改革的。但在帝国主义和外国反动派的支持怂恿下,一部分上层人士却秘密策划,妄图维持西藏的政教合一制度,并于1959年3月,悍然发动了武装叛乱,企图分裂祖国,搞所谓"西藏独立"。这场违反西藏僧俗人民群众意愿、背离祖国统一历史潮流的叛乱,被迅速平息。叛乱的平息,加速了西藏民主改革的进程,实现了政教分离,由西藏自治区筹备委员会行使地方政府职权。千百年来压在西藏劳动人民身上的野蛮落后的农奴制度被推翻了,百万农奴翻了身。西藏自治区筹备委员会代理主任班禅额尔德尼·确吉坚赞在1959年7月召开的筹备委员会第二次会议上宣布:"在喇嘛寺庙中,有许多属于封建压迫剥削制度,也是必须要改革的。"经过几年的努力,废除了西藏寺庙中的封建特权和寺院对广大农奴、下层喇嘛的剥削压迫制度,在西藏各寺院中建立

了以爱国宗教界人士及贫苦喇嘛为主体的民主管理委员会,并参加农、林、牧、副各业的生产劳动。民主改革后的藏传佛教获得了新生,寺庙内所有僧人可以心情舒畅地从事各种宗教活动。政教分离后的藏传佛教,逐步成为纯粹的宗教事业,宗教信仰也逐渐成为宗教徒个人的私事。

四

伊斯兰教的民主改革

新中国建立后,民族压迫制度被废除,民族平等和民族团结的政策得到广泛执行,信仰伊斯兰教的各民族,也在民族大家庭中享有平等的权利。同时,伊斯兰教内长期形成的宗教名义下的封建特权和压迫剥削制度,也通过民主改革,逐步得以废除。

1.封建特权和压迫剥削制度的废除

在旧中国,伊斯兰教内的封建特权和压迫剥削制度,主要表现在清真寺和大阿訇向信教群众征收名目繁多的宗教税,摊派无偿劳役等等。在某些地区形成的以"教主"为中心的"门宦"制度,封建特权和封建剥削更为严重。它以教派的形式,把宗教、政治、经济三者合为一体。在这种制度下,教主世袭,掌握着对信教群众的生杀予夺之权;在经济上形成封建庄园,其所属清真寺、道堂等,拥有大量土地、牲畜和工商业,垄断教育,同时向信教群众征收很重的宗教税和摊派无偿劳役等等。特别是隶属于门宦下的"教下",直到土改前,要为教主家种地当差,进行无偿劳役,参加教主家纪念亡人等活动,出钱、出粮、出柴草,占用很多生产时间。新中国建立后,考虑到信奉伊斯兰教各民族的特殊情况,在土地改革中,对清真寺土地的处理

征求了当地穆斯林的意见。在信奉伊斯兰教各民族中实行民主改革，都是与该民族各阶层人士作充分协商后才进行的。新疆地区由于广大穆斯林的爱国上层人士意愿，在实行土地改革的同时，将宗教界上层人士占有的大量土地分给了无地、少地的穆斯林，废除了宗教天课"乌守尔"、"扎卡特"等，使新疆190多万无地少地的农民分得了742万亩土地。但也有一些地区，由于诸多原因，在较长一段时间，伊斯兰教内一部分宗教名义下的封建特权和压迫剥削制度，并未完全废除，宗教负担和耗费过重问题并没有得到解决。西北地区的回民在这方面的支出一般要占其收入的20％—30％，个别的要占50％以上。例如吴忠市的东塔寺合作社有8000多社员，回、汉族各一半，都有宗教信仰。汉人也有一个庙，但是汉人一年总共只花20多元钱，人均几分钱；而回民一人就要花几十元，直接影响了回民生活的提高。随着全国范围内民主改革和社会主义改造的深入发展，从1958年起，在广大穆斯林和爱国上层人士的要求和支持下，进行了民主改革。废除了宗教中的一切封建特权，包括寺庙私设法庭、监牢和刑罚，干涉民事诉讼，擅自委派阿訇，私藏武器，干涉婚姻自由，压迫歧视妇女及干涉文化教育等权利；废除了清真寺中的封建管家制度；废除了伊斯兰教中的门宦制度和世袭的伊玛目制度，教主"放口唤"、放阿訇以及对教徒的劳役制度。经过民主改革，基本上废除了在宗教名义下的封建特权和压迫剥削制度等，极大地鼓舞了广大穆斯林走社会主义道路的热情。

　　2.建立各级穆斯林爱国宗教组织

　　早在抗日战争时期，各地穆斯林先后成立了中国回教救国协会（后称中国回教协会）、中国回教公会等伊斯兰教组织，但由于历史的局限并未能成为全国性的伊斯兰教团体。新中国建立后，各族人民平等、团结的实现，为建立全国性的伊斯兰教组织创造了条件。党的宗教信仰自由政策的贯彻和党对穆斯林群众的关心和帮助，激发了广大穆斯林的爱国热情，感到有必要建立一个中国穆斯林自己新的全国性的组织。1952年，穆斯林中的知名人士包尔汉、达浦生、马坚、刘格平、赛福鼎、庞士谦和张杰等人在北京召开筹备会议，发起组织中国伊斯兰教协会。1953年5月，在北京召开了中国伊斯兰教第一次代表会议。① 会议选举包尔汉为主任，杨静仁、马玉槐、达浦生、马震武、伊明·马合苏本为副主任。通过了中国伊斯兰教协会简章，确定协会宗旨是：协助人民政府贯彻宗教信仰自由政策；发扬中国穆斯林的好传统，爱护祖国，保卫世界和平。此后，全国各地建立了许多地方性的伊斯兰教组织。

　　总之，新中国的宗教改革运动，使天主教、基督教清除了帝国主义势力，摆脱了帝国主义对中国教会的控制，从而使中国天主教和中国基督教真正成了中国教徒自办的宗教事业。新中国的宗教改革运动，使佛教、道教和伊斯兰教摆脱了依附于反动阶级的状况，使广大信教群众真正实现了政治上、经济上的翻身解放。广大宗教界人士与信教群众，同全国人民一样都成了新中国的主人，并成为社会主义事业的建设者。

---

① 赤耐：《当代中国的宗教工作》（上册），当代中国出版社，1999年版，第103页。

镇压反革命运动

1950年10月到1953年,党和人民政府领导全国人民大张旗鼓地开展了镇压反革命运动。在较短时间内,彻底肃清了中国大陆上残余反革命分子,有力地支援了抗美援朝,使土地改革、"三反"、"五反"及其他社会改革运动顺利进行,为国民经济的恢复发展和有计划的经济建设创造了良好的社会条件。

一

反革命气焰嚣张,
不严厉镇压不足以平民愤

中华人民共和国成立初期,大陆上残留着大量的反革命残余势力。其中,政治性土匪200万,反动党团骨干分子60万,各种特务分子60万。他们破坏铁路桥梁,烧毁仓库,抢劫物资,纵火放毒,刺杀干部,残害群众,造谣惑众,挑拨离间,极大地损害了人民的生命财产,扰乱了社会秩序。

据不完全统计,1950年上半年,西南地区被匪特攻打、攻陷的县城有100座以上,贵阳市被匪特武装进攻5次,雅安市被匪徒包围7天,杀害干部群众3000人,被抢劫、毁坏的公粮600余万公斤。在中南,从1950年底到1951年5月,广西省匪特曾组织暴乱52次,围攻、袭击县、区、乡政府256次,杀害农会会员、民兵和村干部7219人,烧毁房屋25600间。国民党特务机关派遣大批行动组,阴谋刺杀新政权的高级干部和爱国人士。陕西站行动组企图刺杀彭德怀、贺龙、甘泗淇等。号称"行动能手"、"百发百中,无刺不成"的特务刘德全潜入上海市,以陈毅、潘汉年等为刺杀目标。北京行动组专门行刺毛泽东、朱德等党和国家领导人。1950年1月至10月,全国共发生妄图颠覆新生政权的武装暴乱816起。暴徒与封建势力互相勾结,组织"反共救国军"、"忠义军"、"光复军"等。匪首古文明搜罗胡宗南残部等组成"九路军",连续在重庆市郊五六个乡抢、烧、杀,抢走粮食7000石,杀害干部4人。匪首钟祖培啸聚匪众2000余人在广西恭城暴动,攻打县城,对革命干部群众挖眼、剖腹、砍四肢。这些暴徒明目张胆地杀害县、区、乡干部和积极分子4万余人。1950年秋,在北京破获的帝国主义间谍,秘密测绘地图,预谋在1950年国庆节用迫击炮轰击天安门检阅台。

反革命分子还破坏铁轨、军运,袭击车站、列车。1950年7月间,河南省境内铁路连续被破坏15次;8月间湘桂黔铁路线上,连续发生武装抢劫、袭击、破坏事件28次;最严重的一次是8月18日,土匪特务7000余人围攻广西省南丹、高桥车站达10余天。这期间全国还发生破坏铁道桥梁事件14次。京汉线上的黄河大桥、浙赣线上的钱塘江大桥、津浦线上的淮河大桥都曾发现有敌人安放的爆炸物,幸被及早排除。在广州市,特务机关密谋爆炸白云天河机场、海珠桥和珠江船只。新解放区山区不少公路屡遭匪特猖狂骚扰、杀人越货,交通几为之阻绝。

据同期东北、华东、西南、中南地区的不完全统计,在工厂企业、财经部门中发生各种破坏性事故1255起。北京市石景山发电厂一台2.5万千瓦的发电机被敌特破坏。重庆市龙门浩仓库被敌特放火烧毁,损失约1亿斤大米。上海市特务分子罗炳乾、朱禹九指引敌机多次轰炸市区,仅2月6日的大轰炸,就伤亡2000余人,电厂设备遭到严重破坏,使工商业陷入极大困难。潜伏广州的特务,打入军区、财委、工商局、省政府等机关,大量窃取国家重要机密和财经情报。经国民党保密局特务黄海波一人之手发出的重要情报就有100余件。

朝鲜战争爆发后,反革命分子气焰更加嚣张,认为美国的战火已经烧到中国大门,复辟的时机到了,他们叫嚷"蒋介石要反攻大陆了","美军即将登陆","黑暗将过,黎明即来",更有甚者,竟制作了星条旗和青天白日旗,准备迎接美蒋卷土重来。反革命分子更加紧破坏活动,妄图里应外合,颠覆人民民主国家。

第一届政协一次会议通过的《共同纲领》第七条早已明确规定必须镇压一切反革命活动。1950年3月18日,中共中央作出《关于镇压反革命的指示》,7月23日,中央人民政府政务院和最高人民法院联合发出《关于镇压反革命的指示》,都要求各级政府必须遵照《共同纲领》的规定,坚决对一切反革命活动采取严厉的及时的镇压。各地在新解放区,进行了剿匪反霸斗争,对反革命分子进行了搜捕,对反动党团骨干分子进行了登记,取缔了一些反动会道门的破坏活动。

但是由于一些干部陶醉于革命的胜利,对反革命分子的破坏及其危害认识不足,滋长和存在着和平麻痹轻敌思想,放松了警惕性,因而没有组织和发动群众。有些地区,片面地理解镇压与宽大相结合的政策,强调了宽大而忽视了镇压,以致发生"宽大无边"的偏向。有些干部则在新的环境中受了自由主义思想的影响,把

统一战线中反对关门主义问题与在对敌斗争中坚决镇压反革命活动问题相混淆等等,以致出现了该办的不办,如热河省敖汉旗有个国民党特务在农村中秘密发展反动组织,造谣破坏生产,法院却以"该犯系中农成分,没啥"而马虎释放;该严办的又轻办,如陕西省定边有个武占奎,有20余年反革命历史,曾杀害我高级干部6人,欺压人民,作恶多端,群众恨之入骨,法院却以"该犯年已六十,行将就木",并以"犯罪事实均在解放以前"而判处徒刑10年;该快办的慢办,失去了及时镇压反革命的效果。个别地区甚至对俘获的土匪有"四捉四放"、"八擒八纵"的。另一方面监狱工作也片面强调教育改造,视监狱为学校、为工厂,不给犯人以应有的管制。这种"宽大无边"的偏向,助长了反革命活动的气焰。广西的敌人威胁群众说:"政府对我们宽大,你们要是帮助政府,我们对你们可不宽大。"匪首李基被我捉住又释放,不出一个月,他又组织党羽烧民房千余间,杀群众百余人。人民群众对此十分不满,说,"天不怕,地不怕,就怕共产党讲宽大",批评政府"看着坏人残害老百姓,不给老百姓做主","政府宽大,坏人胆大,百姓遭殃"。福建省建宁县有的土匪被释放后仍杀害人民,被害者家属将捉到的一个土匪杀死,把尸体抬到县政府门口,并要把死者的头割下来悬在县政府门口,表示对"宽大无边"的抗议。全国人民迫切要求人民政府采取坚决方针,严厉镇压反革命。

二

镇反运动的四个阶段

镇反运动经历了四个阶段。从1950

年 10 月至 1951 年 2 月为第一阶段,即镇反运动全面发动阶段。从 1951 年 2 月至 6 月为第二阶段,即镇反运动大张旗鼓的高涨阶段。从 1951 年 6 月至 10 月为第三阶段,即镇反运动清理积案阶段。从 1951 年 11 月至 1953 年秋为第四阶段,即镇反运动扫尾和结束阶段。

1. 全面发动阶段

1950 年 10 月初,中共中央召开政治局会议,集中讨论镇压反革命问题。毛泽东、刘少奇在会上指出,要加强专政工作,公安部门要做好这一工作。会议决定,必须对反革命采取坚决进攻的方针。中央指定彭真、罗瑞卿等 5 同志起草中共中央指示,10 月 10 日凌晨 1 时成稿,送毛泽东审阅。毛泽东连夜审改后,于晨 8 时批准付印,当天就向全国印发了这一文件——中共中央《关于镇压反革命活动的指示》(又称"双十指示")。《指示》指出,"为了打击帝国主义的阴谋破坏和彻底消灭蒋介石残余匪帮,为了保证土地改革和经济建设的顺利进行","必须镇压一切反革命活动","对于首要的、怙恶不悛的、在解放后特别是经过宽大处理后仍然继续作恶的反革命分子,当杀者,应即判处死刑","当监禁和改造者,应即逮捕监禁,加以改造","对于帝国主义的特务间谍组织和特务间谍分子,必须予以严厉的打击"。《指示》要求克服已经发生的"严重的右的偏向",同时也要防止"左"的偏见,各级党委必须坚决反对逼供和禁止肉刑,必须注意重证据而不轻信口供。"双十指示"发布后,各大行政区中央局,中央分局和各省、市、自治区党委立即召开工作会议和紧急会议,认真贯彻中央精神,检讨过去工作中的问题,对积压的案件和今后的镇反具体作了部署。中央公安部于 10 月 16 日至 21 日召开第二次全国公安会议,提出应坚决准确地执行中央决定。

为了督促镇反工作,1950 年 11 月 3 日,周恩来签发了《政务院关于加强人民司法工作的指示》,强调"对反革命分子来说,首先是镇压,只有镇压才能使他们服罪,只有在他们服罪以后,才能谈到宽大"。1951 年 1 月 17 日,毛泽东给各中央局、中央分局书记发出电报,批转第四十七军镇反运动的报告。毛泽东指出,第四十七军在湘西 21 个县中杀了匪首恶霸特务 4600 余人的处置是很必要的。"只有这样,才能使敌焰下降,民气大伸。如果我们优柔寡断、姑息养奸,则将遗祸人民、脱离群众","反革命镇压彻底,人民高兴,生产积极,匪患绝迹","所谓打得稳,就是要注意策略。打得准,就是不要杀错。打得狠,就是要坚决地杀掉一切应杀的反动分子"。在这些重要文件指导下,镇反运动掀起声势。

2. 大张旗鼓的高涨阶段

1951 年 2 月 20 日,中央人民政府委员会第十一次会议批准《中华人民共和国惩治反革命条例》,并于 21 日公布。条例分别对以推翻人民民主政权、破坏人民民主事业为目的的反革命罪犯;勾结帝国主义背叛祖国;策动、勾引、收买公职人员、武装部队或民兵进行叛变;持械聚众叛乱的主谋者;进行间谍或资敌行为者;参加反革命特务组织或间谍组织者;利用封建会道门进行反革命活动者;以反革命为目的,策划或执行破坏、杀害行为者等反革命行为规定了量刑标准。对首要分子,解放后怙恶不悛、继续进行反革命活动的特务间谍分子,经过宽大还作恶的反革命分子采取从重处理的原则。《惩治反革命条例》发布的第二天,《人民日报》连续发表社论大造声势:《为什么必须镇压反革命》《镇压反革命必须大张旗鼓》《再论镇压反革命必须大张旗鼓》。2月23日，司法部长史良的文章《坚决正确镇压一切反革命活动》，3月15日，最高人民法院院长沈钧儒的文章《坚决镇压反革命巩固人民民主专政》分别在《人民日报》刊出。与此同时，各民主党派负责人许德珩、高崇民、章乃器、楚图南以及全国总工会、全国妇联、青年团、学联等人民团体纷纷发表署名文章、声明、通告，阐述镇反的必要性和政策界限，动员各界群众共同行动起来。

为了大张旗鼓地开展镇反运动，中共中央批转了北京市的经验。北京的做法是先召集区以上各级人民代表会议的代表和各大工厂、学校、民主党派、人民团体开会，一般为百余人的小会，报告反革命情况及各种罪行和犯罪证据，激起大家对反革命的仇恨。然后召开5000人的大会，由苦主登台控诉，争取5000个代表的拥护，会后即大杀一批。中央认为大城市北京、天津、青岛、上海、南京、广州、武汉、重庆及省会，是反革命组织的重要巢穴，必须有准备地大规模地在同一时间内搜捕大批反革命分子，并要求各地向知识分子、工商界、宗教界、民主党派、民主人士广泛解释镇压反革命的完全必要。3月30日，毛泽东针对镇反宣传不够，引导广大人民群众各界人士参加镇反工作，真正过问其事，做得太少的现象，要求各地必须大张旗鼓，利用报纸和广播电台、展览会，大力宣传，使家喻户晓。各地纷纷响应，召开各界代表会议、座谈会、控诉会、公审会、广播大会，利用电影、幻灯、戏曲、报纸、小册子和传单进行广泛的宣传。影响之深，规模之大，世所罕见。镇反运动成为人民群众和人民政府的共同行动。

资料表明，北京市共召开各种形式的群众大会近3万次，群众累计参加33万多人次。天津市共召开各种群众会议2.24万余次，累计220万人次参加。河北省8个专区的4个市，召开审判、控诉大会650多次，参加群众达400万人次。上海市于4月29日举行市区各界人民代表扩大会议，会审9名罪大恶极的反革命分子，到会1万多人，上海市的283万人，南京、无锡、杭州、扬州等城市的80万人，收听了实况广播。大会接到人民控诉和检举反革命分子的电话4664次，信件5816件。广州市于4月25日召开全市控诉大会，到会5.5万人，收听广播的有73万余人。这一天，苦主的血泪控诉使广州城广大市民由悲愤和无比仇恨化作对敌斗争的强大力量。会后，人民法庭公审处决了198名罪大恶极的反革命分子。3天之内，群众向人民政府投寄拥护镇反和检举信达3万多封。山西临汾县金殿村在3月29日召开镇反大会，2万多男男女女，扶老携幼，从四面八方赶来，会场上40多个宣传员贴布告，发宣传品，用扩音筒揭露反革命罪行。无数的人要求控诉，整个会场一片诉苦声。当人民法院宣布判处罪犯死刑后，群众高呼"坚决拥护人民政府！"会后，群众总结说："人人高兴，工作顺当，坏人害怕，好人说话。"宁夏吴忠县召开公审匪首大会时，群众说"老百姓头上出了青天"，有的高兴得整夜都没睡觉，一位83岁的老太太，拄着拐杖赶了20多里路来参加大会。苏北南通市3月18日宣布处决反革命犯名单时，会场鼓掌欢呼，万余人冒着风雨涌向刑场。河南省临颍县参加各种控诉会、公审会的群众是全县人口的2倍，有些人参加大会5次以上。1951年上半年，全国有80％以上群众参加了各种镇压反革命的集会。

广大群众发动起来纷纷向政府控诉、检举和协助逮捕反革命分子。东北地区到 1951 年 8 月共收到群众检举信 16 万件。河北省有 400 多名积极分子自备路费远地调查和追捕逃跑的反革命分子。广西全省两个月捕获地下军特务匪徒 1.6 万余人。玉林县一个村，群众自动起来捉土匪，3 天就捉了 130 名。苏南区全区一齐动手，仅用 2—7 天就逮捕恶霸(包括一些不法地主)1.5 万多人。江西省在 10 天内全省各地同时行动，逮捕反革命分子 2.5 万人。河南省两个月内破获重大反革命案件 396 起。山东省济南、青岛等大中城市于 4 月 1 日夜统一逮捕 4053 人。重庆市于 3 月 13 日一次逮捕 4000 余名反革命分子。成都市于 3 月 27 日实施全市紧急戒严，逮捕 1200 余名反革命分子。到 1951 年上半年，全国共逮捕反革命分子 150 万人，犯有严重罪行的首恶分子判处死刑的 50 万人，其中匪首、惯匪占 44.6%，恶霸占 34.2%，反动会道门头子、反动党团骨干分子占 7.7%，特务地下军头子占 13.5%。此外，还有大批反革命分子已被判处徒刑或尚在关押审判中。

3. 清理积案阶段

经过 7 个月的发展，镇反运动取得很大成绩。随着群众镇反情绪的高涨，在一些地区和某些干部中滋长了多捕多杀的"左"倾情绪，加之有的领导控制不严和有的基层组织不纯，不同程度地出现了粗糙草率现象，捕了一些可捕可不捕的人，杀了极少数可杀可不杀的反革命分子。另一方面，处决反革命罪犯的总数已有相当数量，需要加以收缩，逮捕的一大批反革命罪犯需要清理。同时，镇反运动在城市中也涉及"中层"(即军政机关内部)和"内层"(即共产党内部)的反革命分子问题。

1951 年 5 月 10 日至 15 日，公安部召开第三次全国公安会议。毛泽东听取情况汇报，总结经验，亲自动手起草会议决议。毛泽东提出要"严格地审查捕人和杀人的名单，注意各个时期的斗争策略"，"坚决地反对草率从事的偏向"。刘少奇在会议讲话中强调："目前，要谨慎，要收缩一下，以保护成绩和避免错误。"彭真的讲话指出"思想上要防'左'，要将捕杀严格控制起来"，"如果'左'了人头落地……承认错误也无济于事，影响会很坏，会将很大一个胜利最后一不小心搞坏了"。第三次全国公安会议通过的决议规定将镇反运动加以收缩，在几个月之内，除了对进行现行破坏的反革命分子必须捕办以外，暂停捕人。关于反革命的数字，必须控制在一定比例以内。将捕人批准权由县一律收回到地委、专署一级，将杀人批准权由地、专一律收回到省、自治区一级。凡是介于可捕可不捕之间的人一定不要捕，如果捕了就是犯错误，凡是介于可杀可不杀之间的人一定不要杀，如果杀了就是犯错误。对于在共产党内，在人民政府系统内，在人民解放军系统内，在文化教育界、在工商界、在宗教界、在民主党派和人民团体内清理出来的应判死刑的反革命分子，一般以处决十分之一、二为原则，其余十分之八、九均应采取判处死刑缓期执行强迫劳动以观后效的政策。5 月 16 日，中共中央批准该决议，并通知"全党全军均必须坚决地完全地照此实行"。

第三次全国公安会议后，从 6 月至 10 月，全国集中力量进行清理积案工作。这实际上也是深入进行镇反和教育群众的过程。各地区普遍组织了"反革命案件审查委员会"，吸收各界民主人士参与工作。无锡市的案件审查委员会有民主人士 21 人参加，经过 3 天认真阅卷，将 90 起案件、104 名罪犯审查完毕。川北行政区南部县通过清案发现中农刘仕华因闹宗派被诬为恶霸地主遭逮捕，及时作了纠正。绥远省萨县从清案中查出有 31 人是不应捕而捕了的。武汉市清理积案,广泛发动群众讨论,仅一个多月时间,全市经群众补充、查证修改或否定的材料即达 2988 件。兰州市的清案经过讨论,由市政府、市政协、市反革命案件审查委员会初审,报经省政府审核,最后对 257 名反革命案犯依法作出分别处理,其中判处死刑立即执行的 30 名,死刑缓期执行的 14 名,无期徒刑 8 名,有期徒刑 90 名,交群众管制 9 名,具保释放 52 名,转送犯罪所在地 54 名。8 月 27 日,政务院、最高人民法院联合发出《关于清理反革命罪犯积案的指示》,要求积案尚多的地区各级人民政府集中更大的精力限期将积案处理完毕,进一步推动清理积案工作,保证运动健康、深入地发展。

5 月 21 日,中共中央作出《关于清理"中层""内层"问题的指示》,开始清理"中层"和"内层"。清理的办法是在各级党政领导下,由首长负责,采取整风方式进行。重点是首脑机关和要害部门。通过学习镇反文件,号召有问题的人在自愿的基础上忠诚老实地说清隐瞒的问题。清理的范围是军事机关、财经机关、政法机关、文教机关。经过清理,查出一批反革命分子,也给一大批有一般历史问题的人卸掉了包袱,纯洁了组织,教育了干部。清理过程中也存在粗糙草率的现象,要求过急,方法简单,使一部分知识分子的感情受到伤害。

10 月 23 日,毛泽东在政协一届三次会议上作《三大运动的伟大胜利》的开幕词,他指出"在过去一年中,在我们国家内展开了抗美援朝、土地改革和镇压反革命三个大规模的运动,取得了伟大的胜利。大陆上的反革命残余即将基本肃清"。

4.扫尾和结束阶段

中央最初部署完成这一任务的时间为 6 个月,要求大部分地区对清理工作进行一次复查,加强和健全各种治安保卫制度,继续同暗藏的、漏网的反革命分子作斗争。少数镇反不彻底或尚未开展的地区,应订出计划,和土改、抗美援朝等项工作结合起来进行,各地根据具体情况都制定了继续镇反的计划。但是 1951 年 12 月全国开始了声势浩大的"三反"运动和继之而起的"五反"运动,使全党全国投入了主要精力,原先的镇反计划未能全部完成。

1952 年 10 月 12 日至 18 日,公安部召开了第五次全国公安会议,决定深入镇反,在全国范围内胜利结束镇反运动。深入镇反的总的要求是:坚持不懈地把镇反工作中 20% 左右不彻底地区和不彻底的方面搞彻底;一切镇反已经彻底的地区或者接近彻底的地区,结合各项工作,迅速清扫残余敌人,巩固镇反成果,有系统地进行各项业务建设工作,迎接大规模的经济建设。

这一阶段镇反的重点是:取缔反动会道门和水上镇反。除东北、华北及山东等老解放区对反动会道门的打击比较彻底外,江苏、浙江、湖北、湖南、河南、云南、四川等省基本上还没有完成。各地在充分调查侦察的基础上,发动群众开展了取缔反动会道门的斗争。湖南全省取缔了一贯道、同善社等 7 种反动会道门;有 17.7 万多名道徒声明退道,占全部道徒的 85%;6300 多名道首登记悔过;缴获反动"经书"7.8 万多册,道具 19 万多件;抓捕了一批怙恶不悛的道首。河南郑州地区组织 3.8 万多人的宣传大军和 22 个剧团,放映《一贯害人道》电影,举办实物罪证展览及小道首"现身说法"、"扶乱"、"斩妖"等,揭露其欺骗性和道内罪恶。在 3072 个乡及 3 个市中登记道首 5054 名,退道道徒

138453 名,缴获道具 4633 件。

水上镇反运动主要在中南、华东、西南水系多的地区进行,并结合开展水上民主改革,在清查各方面反革命分子摧毁敌人的水上阵地的同时完成了水上船舶户口登记,建立了群众治保组织。

1953 年秋,镇反运动胜利结束。

镇反运动的意义

镇反运动相当彻底地肃清了各类反革命分子,总共杀、关、管 300 万名,不但严厉镇压了组织反革命武装暴动的匪首、惯匪,血债累累的恶霸,死心塌地的特务骨干分子,与敌勾结、造谣惑众的反动会道门头子和从事现行破坏的反动党团骨干分子,而且还清理出隐藏很深的历史反革命和屠杀爱国人士的刽子手,如屠杀革命活动家萧楚女的凶犯周东,捕杀吉鸿昌将军的军统特务吕一民,与李公朴、闻一多血案有关的凶犯汤时亮、李明山等,参与制造重庆"沧白堂事件"和"较场口事件"的中统特务古铎,杀害共产党员陈潭秋、毛泽民、林基路的凶手、"活阎王"李英奇等,策划杀害刘胡兰的刽子手侯西宾等,杀害民主人士杜斌丞的刽子手胡正钊等,杀害抗联将领李兆麟的刽子手杜忠忱等,铲除了敌人大规模进行反革命破坏活动的各种社会条件,彻底粉碎了他们妄图配合帝国主义和国民党反动派复辟反动统治的罪恶阴谋,巩固了人民民主专政新民主主义的社会秩序,全国范围内出现了历史上从未有过的安定局面。刑事案件发生率由 1950 年占总人口的万分之九降到 1953 年的万分之五。全国水陆交通顺畅,人民生命财产有保障,各界群众安居乐业。

镇反运动保证了土地改革、抗美援朝以及其他各项社会改革的顺利进行,显著提高了人民政府的威信,使政府同人民群众的关系日益密切,各民主阶级内部、各民族之间更加团结,为国民经济的恢复和发展提供了安全保障,从而促进了生产力的解放,为即将开始的大规模经济建设特别是"一化三改"创造了有利的条件。

镇反运动还使年轻共和国的政治工作取得显著的成就。专政队伍经过清理和锻炼,纯洁了组织,积累了经验,全面提高了业务水平。各地普遍建立了公安、检察、司法机构以及分布在各基层单位的群众性治安组织——治安保卫委员会,法制建设摸索出一些经验,形成制度,颁布一批重要的法令法规,改造了大批反革命分子,使他们逐渐认罪悔过,做守法公民,并养成劳动习惯,有些成为熟练的劳动者,化消极因素为积极因素。

抗美援朝战争

1950 年 6 月 25 日,朝鲜内战爆发。美国借机派遣军队进行武装干涉,并把战火烧到鸭绿江边,使中国的安全受到严重威胁。根据朝鲜劳动党和朝鲜民主主义人民共和国政府的请求,中共中央、中国政府毅然作出"抗美援朝,保家卫国"的重大战略决策。1950 年 10 月,中国人民志愿军开赴朝鲜战场,同朝鲜人民军并肩战斗,经过两年零 9 个月的浴血奋战,迫使美国于 1953 年 7 月 27 日在朝鲜停战协定上签字,从而实现了朝鲜半岛的和平。

一

"抗美援朝、保家卫国"的战略决策

美国和苏联在第二次世界大战结束后,秘密商定,以北纬38°线(以下简称"三八线")为界,苏军进驻"三八线"以北,美军接管"三八线"以南,把长期被日本占领的朝鲜一分为二。1948年8月15日,南朝鲜李承晚在美国的支持下,建立了大韩民国,李承晚任总统。同年9月9日,北朝鲜在金日成的领导下,建立了朝鲜民主主义人民共和国,金日成任首相。苏军、美军分别于1948年12月和1949年6月撤走后,南北朝鲜继续处于分裂和对立状态,政治、军事斗争日趋激烈。1950年初,南朝鲜军在"三八线"地区加强军事部署并不断进行武装挑衅。南北两方军事斗争不断发展,南朝鲜总统李承晚坚持"以战争统一南北"。6月25日,内战终于爆发。

战争开始,朝鲜人民军英勇作战,迅速将战线推到"三八线"以南地区,于6月28日解放了汉城,两个月之内解放了南部90%以上的地区,并在新解放的地区迅速实行土地改革和建立政权,此时美国惟恐他扶植的南朝鲜政权彻底失败并破坏了美国在东南亚地区的军事格局,遂决定军事干涉。美国总统杜鲁门于6月27日宣布派陆海空军参战,6月30日美国派出地面部队。从7月1日至8月上旬,先后派美第八集团军所属的第二十四师、第二十五师、第二师和骑兵第一师,由第八集团军司令沃尔顿·沃克统一指挥,对朝作战。9月15日,美集中7.5万兵力,260余艘舰艇和近500架飞机,在朝鲜西海岸仁川登陆。10月7日美军越过"三八线",19

日攻占平壤,并继续向中朝边境推进。朝鲜战局逆转,朝鲜民主主义人民共和国的独立受到严重威胁。

与此同时,美还派第七舰队开赴台湾海峡,公然阻止我解放台湾。并于1950年8月27日美侵朝空军作战飞机分5批13架次对我东北地区进行侦察扫射。至12月底,有83批717架次进行轰炸扫射,投弹6百多发,我境内大批房屋被毁,人员死伤甚多,美军妄图进一步将战火烧到中国东北地区,中国的安全受到严重威胁。

美国公开武装干涉朝鲜内战后,为防备美军扩大侵略战争,中国立即采取了加强东北边防的战略措施。朝鲜战局恶化后,1950年10月上旬,中共中央政治局在毛泽东主持下,多次召开会议,分析研究了国内外形势,毛泽东说我们不能见死不救,大家也认为,如果我们让美军压到鸭绿江边,国际国内敌对势力反动气焰更加嚣张,首先是我整个东北边境军队将被吸住,东北地区形势会更加严峻,因此应参战。参战后,即使美对我大陆进行轰炸和攻击,打烂了等于解放战争晚胜利几年。中央政治局会议认为,我是正义之师,得道多助,战场供给对我有利,我将士战斗情绪高,兵源充足,战术灵活,并且有丰富的战斗经验,能以劣势装备战胜装备优良的敌人。美军虽武器先进,但进行的是非正义战争,士气不足,兵力分散,后勤补充困难,因此我军会战而必胜的。会议决定应朝鲜劳动党和朝鲜政府的请求,作出了"抗美援朝,保家卫国"的战略决策,并立刻电告在苏访问的中国代表。中国高级代表立即将这一决定通报给苏联领导人,因当时斯大林不在莫斯科,就与莫洛托夫进行了会谈,双方就苏支援军火达成协议,但因形势紧迫,没有谈军火的费用由谁负担,只谈了数目,中方原以为这是苏对抗美援朝的贡献而接收,而后来中苏关系恶化,赫鲁晓夫向中国追要了全部军火款。

1950年10月8日毛泽东主席发布命令:"为了援助朝鲜人民解放战争,反对美帝国主义及其走狗的进攻,借以保卫朝鲜人民、中国人民及东方各国人民的利益,着将东北边防军改为中国人民志愿军,迅即向朝鲜境内出动,协同朝鲜同志向侵略者作战并争取光荣的胜利。任命彭德怀为中国人民志愿军司令员兼政治委员。"彭德怀于10月8日接到命令后,急速飞抵沈阳,会同东北军区司令员高岗和第十三兵团司令员邓华,紧急部署出国作战事宜。1950年10月19日,中国人民志愿军,雄赳赳,气昂昂,从安东、长甸河口、辑安等地跨过鸭绿江,进入朝鲜,揭开了中国人民志愿军参加抗美援朝战争的序幕。

二

实施战略反攻的五次战役

从1950年10月25日至1951年6月上旬,中国人民志愿军和朝鲜人民军以运动战为主要作战形式,连续进行了5次具有战略反攻性质的战役,把美国为首的"联合国军"及其所指挥的南朝鲜军从鸭绿江边打退到"三八线"以南,并使战线稳定在"三八线"附近地区,迫使"联合国军"转入战略防御并接受停战谈判。

第一次战役。从1950年10月25日至11月6日,整个战役分东西两线,西线先以进攻为主,东线以阻击歼敌为主要战法。

彭德怀司令员于10月21日在北镇西北的大榆洞里会见金日成,研究战场形势,共商作战事宜。10月下旬,彭德怀在大榆洞指挥所随时向中央军委报告情况和提出建议。毛泽东和彭德怀司令员决定,放弃原定作战计划,改在运动中各个歼敌的作战方针,利用战略上的突然性,歼灭冒进之敌,争取出国第一个胜仗。

10月25日早7时起,南朝鲜军第一师先头部队和第六师第二团先头部队1个加强营在云山、温井等地进犯时,均遭到志愿军的伏击。当晚,志愿军第四十军主力乘胜攻占温井,切断了进至楚山、古场的南朝鲜军第六师第七团的退路,从而揭开了抗美援朝战争的序幕。

10月28日晚,志愿军第四十军主力向温井以东地区发起进攻,至次日晨,歼灭南朝鲜军两个营,随后继续向南突击。同日,第四十军第一一八师会同第五十军第一四八师歼灭了从楚山回窜的南朝鲜军第六师第七团。与此同时,第三十九军也从三面包围了南朝鲜第一师,并暂不作歼灭,以吸引敌军来援。这时,"联合国军"虽已发现志愿军入朝,但错误地认为这不过是象征性地出兵,因此,仍在采取冒进的方针。10月31日,美军第二十四师、第二十七旅分别进至龟城、宣川地区,美骑兵第一师,从平壤急驰云山解围。11月1日17时,志愿军第三十九军以8个团兵力从三面向云山之敌发起进攻。经14个小时激战,攻占云山,击毁敌坦克、汽车70余辆,首开了志愿军歼灭美军一个团大部的记录。11月2日,从熙川实施战役迂回的第三十八军攻占院里地区,"联合国军"被迫于3日开始全线撤退。志愿军乘胜追击,至11月5日将敌全部驱逐至清川江以南地区,从而结束了西线反击作战。与此同时,东线的志愿军第四十二军2个师和朝鲜人民军一部,在黄草岭、赴战地区顽强抗击"联合国军"的进攻达13个昼夜,完成了阻击任务,共歼敌两千余人,粉碎了敌军在东线进攻的企图。

志愿军在东西两线首战告捷,共歼敌1.5万余人,使麦克阿瑟吹嘘的在"感恩节"前占领全朝鲜的计划彻底破产,将其击退到清川江以南地区,取得了以劣势装备战胜优势之敌的经验,扩大了正义战争的影响,增强了抗美援朝战争一定取得胜利的信心。

第二次战役。从1950年7月至12月24日,志愿军在朝鲜人民军配合下,在朝鲜北部再次对"联合国军"进行的反击战。

11月5日志愿军停止战役进攻,主力后撤。麦克阿瑟则准备22万余兵力,企图发起新的进攻,全歼中国人民志愿军和朝鲜人民军。彭德怀认为,由于前战歼敌不多,志愿军实力尚未全部暴露,敌人仍可能重新大规模进攻,必须准备再战,他及时向毛泽东报告了情况,提出了再战建议。毛泽东同志电示:争取在本月至12月初的一个月内,在东西两线各打一两个仗,共歼敌七八个团,将战线推至平壤、元山一线地区,如能达到这一目的,就在根本上胜利了。为达此目的,志愿军以6个军的主力担负两线作战任务,以新入朝参战的第九兵团担负东线作战任务,并确定战役初期,志愿军主力先向后转移休整,而以小部兵力按预定节节抗击,吸引敌人,向预定战场转移,11月7日,志愿军东线部队放弃黄草岭,11月9日,西线放弃清川江一线,11月16日又停止了对尾随进攻之敌的反击,致使"联合国军"认为志愿军转战败走。于是11月24日麦克阿瑟由东京飞到朝鲜前线,就下令发动总攻势,还告诉美军官兵,可以回家过圣诞节,当天麦克阿瑟还飞临鸭绿江上空,察看中朝两国边境地区。美第八集团军的3个军,由清川江南向鸭绿江边的新义州、朔州、碧潼等地进攻,25日美空军轰炸了大

榆洞志愿军指挥所。在这次轰炸中,志愿军司令部作战参谋,毛泽东的儿子毛岸英不幸牺牲。

当"联合国军"到达志愿军预定战场后,西线志愿军于25日,东线志愿军于27日,先后向敌军发起战役反击。西线志愿军首先以两个军从敌右翼薄弱的德川、宁远地区打开战役缺口,随即分别向三所里和顺川、肃川方向实施战役迂回,正面4个军也随之向博川、宁边、介川方向实施突击,并以一部兵力占领龙源里,切断了美军从介川向南逃跑的退路,从而动摇了"联合国军"的整个进攻部署。志愿军正面部队抓住这一有利战机,乘势向介川、安州猛攻,从三面包围了美军第二师、第二十五师。29日"联合国军"为摆脱困境,急令美骑兵第一师和英第二十九旅一部由顺川向北猛攻三所里地区,企图解救被围之敌。坚守三所里、龙源里的志愿军第一一三师在两面受敌的情况下顽强战斗,连续打退敌人数十次进攻,使南逃北援的进攻之敌相距不足1公里,却始终未能会合,与此同时志愿军主力在介川、军隅里地区展开围歼战,对被围之敌给予了歼灭性打击。为表彰第三十八军在这次战役中的突出成绩,彭德怀司令员亲笔书写了给该军的嘉奖令,并写下"38军万岁"的署名赞语。12月6日,中朝人民军队收复平壤,12月23日进至"三八线"地区。

东线志愿军于11月27日发起反击,当夜即完成了对新兴里、柳潭里、下碣隅里地区美陆战军的分割包围。28日,"联合国军"为打破包围,在大量飞机、坦克支援下,连续数日进行接援和突围。志愿军分别在死鹰岭地区和柳潭里、下碣隅里以南地区与"联合国军"展开激战,歼灭了前来接援的"联合国军"千余人,又于11月30日集中兵力歼灭了新兴里被围的美军

第七师一个多团,使东线之敌全线动摇,被迫在大量飞机、坦克的掩护下突围。从12月11日起,志愿军开始层层阻截和追歼逃敌,在朝鲜人民军配合下,苦战40余天,歼灭"联合国军"3.6万余人,其中美军2.4万人,收复了"三八线"以北的广大地区和"三八线"以南的延安半岛和瓮津半岛,迫使"联合国军"转入防御,扭转了朝鲜战局。在战役进行期间,中朝联军司令部于11月23日正式成立。经双方商定,彭德怀为中朝联军司令员,邓华、金雄(朝鲜人民军总参谋长)为副司令员,朴一禹为副政委。

第三次战役。1950年12月31日至1951年1月8日,志愿军和朝鲜人民军对"联合国军"的"三八线"既设阵地实施的大规模进攻战役。

第二次战役后,英法等国主张在"三八线"停下来,通过谈判,结束战争。但美国不甘心其失败,当其被迫撤至"三八线"附近地区后,一面于12月14日在联合国大会上提出"先停火,后谈判"的主张,一面积极调整部署,重整军队,伺机再大举北犯。对美国玩弄的谈判把戏,毛泽东明确指出:"美国必须承认撤出朝鲜,而首先撤到'三八线'以南,才能谈判停战。"为了不给"联合国军"以喘息之机,毛泽东决定立即以志愿军6个军和朝鲜人民军3个军团的兵力实施战役进攻,改以往侧翼迂回进攻方法为正面突破,从中先突破"联合国军""三八线"防线,并将美军与南朝鲜军分割开来,然后重点消灭东西的南朝鲜军。

12月31日17时,中朝人民军队利用除夕之夜,在200公里的宽大正面上发起全线攻击,至1951年1月2日拂晓,已突入敌防御纵深15—20公里,到议政府以北的汶山地区。志愿军左翼突击集团两个

军在永平至马坪里地区突破"联合国军"防御后,1月1日先在加平以北地区歼南朝鲜军第二师一个多营,随后又在正下南淙地区歼灭南朝鲜第二师二个团和第五师一个团大部及一个炮兵营,于2日占领加平、春川。在东部战线实施进攻的朝鲜人民军2个军团,在战役发起前已越过"三八线",向洪川、横城方向实施渗透迂回,迫使南朝鲜第三师南逃。随后又继续发展攻势,有力地配合了志愿军的作战。"联合国军"遭此连续打击后,慑于被歼,于1月2日全线后撤。中朝人民军队乘势追击,至8日主动停止追击时,中朝人民军队已占领水原、利川、骊川、原州一线及金浦机场和江川港等地区,连续作战7昼夜,歼敌1.9万余人,将战线向南推进了80—110公里,解放了汉城,并将敌军赶至37°线附近的平泽、安城、堤川、三陟一线,进一步扩大了中朝人民军队的政治影响。国际史学界有人称此战役为"汉城战役"。

第四次战役。从1951年1月25日至4月21日。第三次战役结束后,志愿军5个师及人民军一部,在水原至横城及平昌以北地区进行防御,掩护主力在汉城以北地区休整。

侵朝"联合国军"败退后,美国统治集团内部以及美、英、法等国之间矛盾加剧,失败情绪上升。美政府为挽回三战三败的影响,缓和内部矛盾,1月13日向联合国大会提出所谓"先停火后谈判"的五大方案,同时又签署了增拨200亿美元国防费的法案,抽调大量物资和老兵,积极准备,于1月25日,集中23万余兵力,以美军为主全线进攻,采取了稳扎稳打,齐头并进之新战法。

为粉碎敌军进攻,彭德怀电报中央军委,前线全军停止休整,转入防御作战。周恩来以军委名义复电,表示同意其战役

部署,即西线坚守,东线反突击的部署。整个战役分两个阶段,1月27日至2月16日为第一阶段。中朝人民军队为争取时间,掩护后续兵团的集结,采取"西顶东放"的方针,以志愿军2个军和人民军1个军团组成的西集团,在西线组织防御,抗击敌人主要进攻集团。以志愿军4个军组成中央集团,以朝鲜人民军3个军团组成东集团,利用敌人弱点,实施反击。经浴血奋战,打退"联合国军"在大量飞机、坦克、大炮支持下发起的多次进攻,至2月7日,将进攻之敌仍阻止在汉江以南地区。使"联合国军"14天仅推进了18公里,并付出重大的伤亡代价。

2月11日17时,中朝人民军队向横城以北之敌发起反击。中央集团于次日晨首先将南朝鲜第八师退路切断,经一天激战,将该师3个团全部歼灭,并歼灭美第二师的一个营和4个炮兵营,随后以一部兵力向砥平里之敌发起攻击。东集团朝鲜人民军在反击中歼灭南朝鲜第三、第五师各一部,13日进至横城东南地区。15日,由于中央集团未能攻克砥平里,敌援军已到,中朝人民军队遂停止了进攻行动,同时将坚守汉江南岸阵地的第三十八军等部队撤至汉江北岸。

战役第二阶段于2月17日开始。中朝人民军队在停止进攻后,"联合国军"又继续北犯,为掩护志愿军第二批参战兵团的再进集结,准备新的战役,中朝人民军队于2月17日全线转入运动防御,并采取兵力配备前轻后重,火力配置前重后轻的原则,在汉江北岸至"三八线"共设置了三道防御阵地,实施宽正面、大纵深的节节抗击,至4月21日,终于制止住"联合国军"的进攻,并将战线稳定在"三八线"南北地区。这次战役,中朝人民军队艰苦奋战87天,共歼敌7.8万人,从被动中争取

了主动,为此后的作战创造了有利条件。

第五次战役。从1951年4月22日至6月10日,是中朝人民军队在"三八线"附近地区对"联合国军"进行的反击战役。

4月11日,美国总统杜鲁门宣布撤销麦克阿瑟的"联合国军"总司令的职务,由李奇微接任,以范佛里特接替李奇微第八集团军司令。在第四次战役中,志愿军已得悉"联合国军"在正面进攻的同时,积极进行从中朝人民军队后侧登陆的准备,企图再次实施两面夹击的战法,将战线推进至平壤、元山一线。为粉碎"联合国军"的登陆企图,夺回战争主动权,中朝人民军队积极进行战役准备,于4月22日在西线发起战役攻击,中朝人民军队迅速突破"联合国军"西线防御阵地,随即向纵深进攻,"联合国军"在中朝人民军队的连续打击下于28日将主力撤至汉城以南及北汉江、胎阳江以南地区重新组织防御。

5月6日,彭德怀司令员下达战役第二阶段预备作战命令,决定以志愿军第三、第九兵团和人民军金雄军团首先歼灭县里地区的南朝鲜军,然后再视情况歼灭南朝鲜首都师和第十一师。5月中旬,西线第十九兵团和人民军第一军团先在汉城方向和汉江下游实施强攻,并摆出要迂回汉城渡江南进的姿态掩护主力东移。第三、第九兵团和人民军金雄军团经过短暂整补后,于5月16日按计划向敌人发起攻击,第九兵团第二十军渡过胎阳江后,迅速攻占富坪里南朝鲜第七师一线阵地,随后乘势向其纵深猛扑,于17日攻占后坪里、美山里地区,与人民军第五军团一同合围了南朝鲜这两个师。战至19日,将被围之敌大部歼灭,并缴获坦克、汽车数百辆。配属第九兵团的第十二军在战役发起后,连续翻山越岭,疾速穿插,在洪川至杨口公路上切断了美第二师第二十三团

和法国营的退路,一举歼灭美第二十三团2个营和法国营大部,第三兵团第十五军在沙五郎崎歼灭美第二师200余人后,17日夜,又在洪川以北大水洞歼灭美第二师第三十八团大部,毙伤敌1800余人,俘敌240余人。"联合国军"为减轻中朝人民军队对其东线的压力,至20日以3个师又3个旅的兵力在西线展开进攻,同时美国第三师也从西线东援。中朝人民军队于21日停止了第二阶段的进攻作战。

5月23日,"联合国军"乘中朝人民军队向北转移之机,以13个师的兵力发起反扑。由于东线中朝人民军队掩护兵力不足,未能阻止敌人的进攻,为夺取主动,中朝人民军队随即组织8个军进行阻击。并向进占华川以北及麟蹄以东地区之敌进行反击,歼敌一部并收复了华川。"联合国军"在遭受严重损失后,于6月10日被阻止于"三八线"附近地区,转入防御,第五次战役遂告结束。

这次战役历时50天,志愿军以新入朝的2个兵团为主,共投入11个军,人民军4个军团,经连续奋战歼敌8.2万余人,粉碎了"联合国军"妄图将战线推进至平壤、元山一线的计划,摆脱了第四次战役时所处的被动地位,保证了战役作战的主动权。

自1950年10月25日起至1951年6月10日实施战略反攻,经过了五次战役,志愿军共歼敌23万余人,把以美国为首的"联合国军"从鸭绿江边赶回到"三八线"附近,迫其不敢再向北朝鲜大举进犯。

在战略相持中反击进攻

从1951年6月中旬至1953年7月

27日,战争双方处于战略相持中,军事斗争与停战谈判交织进行。中国人民志愿军和朝鲜人民军依托坚固阵地粉碎了"联合国军"的多次局部进攻,也主动发动多次战术性进攻,直至战役规模的进攻,经过金城战役在美方作了遵守停战协定的保证下,战争双方签字停战。

1951年9月29日,"联合国军"以3个师零3个旅的兵力向天德山、夜月山、马良山等地猛烈进攻,至10月18日"联合国军"以伤亡2.2万余人的代价,在该地段前进了3—4公里,被迫停止了进攻。与此同时,东线"联合国军"也以3个师的兵力,实施所谓"坦克劈入战",向文登里以西公路两侧高地发起进攻,同时集中4个师的兵力,在大量大炮、坦克、飞机支援下,向金城以南志愿军阵地发起攻击。防守两地的志愿军指战员依托阵地,白天抗击敌人进攻,夜晚发起反击,在弹药不足的情况下,与敌展开白刃格斗,连续打退"联合国军"的数十次进攻。9月29日至10月23日,"联合国军"在两地仅前进6—9公里。

此次夏秋季防御作战,志愿军在人民军的配合下,面对强敌,依托阵地,英勇奋战,取得了歼敌15.7万人的重大战果,而"联合国军"仅攻占640平方公里土地。

志愿军乘"联合国军"攻势变换疲惫之机,于11月以6个军的兵力对"联合国军"26个突出或防守薄弱的营以下阵地发起战术性反击,共歼敌1万余人,攻占敌阵地21处,巩固9处,并与人民军一道收复椴岛、艾岛等约20处岛屿。在中朝人民军队强有力的军事斗争推动下,谈判双方于11月27日初步达成关于军事分界线的协议。

"联合国军"从夏秋季局部攻势失败中认识到实施这种进攻战役得不偿失。于是,李奇微于1951年12月起,被迫改换所谓"攻势防御"的作战方针,即不断以小部队对中朝人民军队进行袭扰和进攻,逐步消耗中朝人民军队的军事力量,迫使其最终接受"联合国军"在谈判中所提出的无理要求。1952年4月28日,克拉克接替李奇微就任美远东军兼"联合国军"总司令后,继续推行上述方针,并决定除在正面战场不断施加军事压力外,加强对朝鲜北部水电站、主要补给线、部队集结地域、仓库、车辆等军事目标的轰炸,同时加紧扩编南朝鲜军队,还采取强行扣留中朝被俘人员、停止谈判等手段,迫使中朝军队屈服,达到其"光荣地停战"的目的。

对此,中朝人民军队一面在谈判中继续进行针锋相对的斗争,一面积极进行持久作战的各种准备。根据1951年夏秋季防御作战的经验,志愿军领导人及时在全军推广了创造性地构筑坑道工事的做法,各部队利用1951年夏秋季防御作战后战场上相对稳定的时机,很快掀起了大规模构筑坑道工事的热潮。至5月底,在志愿军和人民军一线防御地带,已基本上形成了以坑道为骨干,支撑点式的防御体系。从此,中朝人民军队的阵地日益巩固,伤亡也不断减少。

在大规模构筑坑道工事的同时,中朝人民军队还组织小部队积极开展伏击、反伏击、偷袭、阻击等作战活动,大量消耗敌人,致使敌人白天不敢在工事上露头。

从1951年12月至1952年8月,中朝人民军队共进行大小战斗1800余次,歼敌11.7万人,使中朝人民军队阵地日益巩固,而且使"联合国军"在作战态势上逐渐陷于被动地位,同时为中朝人民军队依托坑道工事进行攻防作战创造了有利条件。

1951年是美国总统竞选年,美国的民主党和共和党两党在侵朝战争问题上竞相表现出强硬立场,并宣称要对朝中方面施加军事压力。为配合谈判,以美国为首的"联合国军"在以空中轰炸迫使中朝方面屈服的企图失败后,又在积极进行新的作战准备,其中最有可能的是在正面战线发动局部进攻。为粉碎敌人可能发动的局部进攻,中朝人民军队在零敲牛皮糖,打小歼灭战的方针指导下,决定在9月中旬发起全线性战术反击作战,要求一线志愿军各军分别选择了3—5个有利作战目标,力求在反击战中歼敌一部,并在反复争夺中大量杀伤敌人。9月18日至10月5日,中朝人民军队集中6个军、2个军团,对"联合国军"的18个目标实施了战术反击第一阶段作战。

中朝人民军队的全线性战术反击,使"联合国军"大为震惊。9月24日,克拉克飞抵前线,召开紧急会议,研究对策,调整部署。对此,中朝人民军队决定,趁敌部署未作大的变动之前,按原定计划实施第二阶段进攻。10月6日,志愿军一线7个军在730门大炮支援下,在180公里的正面上,以数十支小分队向"联合国军"防守的23处阵地发起攻击。44天的全线性战术反击,共对敌军营以下兵力防守的60个阵地反击77次,巩固占领阵地17处,全歼敌连排建制79个,毙伤俘敌2.7万余人,迫使"联合国军"8个师频繁调动,顾此失彼,在正面战线上完全陷于被动地位。10月24日,毛泽东主席在给志愿军的贺电中指出:"此种作战方法继续执行下去,必能制敌死命,必能迫使敌人采取妥协办法结束朝鲜战争。"

"联合国军"为摆脱其在战场上和停战谈判中的被动处境,破坏中朝人民军队的全线性战术反击作战,从10月14日开始,集中6万余人,300余门大炮,170余辆坦克和大量飞机,发动了自1951年秋季以后规模最大的所谓"金化攻势",对处于战略要点五圣山前沿的上甘岭地区志愿军第十五军 2 个连阵地实施了猛烈的攻击。至 10 月 20 日,两个高地表面阵地被"联合国军"占领,志愿军第十五军在大量杀伤敌有生力量后转入坚守坑道作战。

10 月 21 日开始,"联合国军"一面以炮兵封锁、摧毁坑道口,一面用石头、铁丝网阻塞坑道口,向坑道内投掷汽油弹、毒气弹,使用火焰喷射器等毒辣手段围攻志愿军坚守坑道的部队。志愿军除组织纵深炮火和侧后方机枪火力阻止敌人接近和破坏坑道口外,退守坑道的分队也不断对坑道进行加固和改进,并在饮食极端困难的情况下,不断组织小型出击,积极打击表面阵地之敌,使其始终不能巩固和占领表面阵地,至 10 月 29 日,坚守坑道的部队共出击 1582 次,歼敌 2000 余人,恢复了 7 处阵地。

第三阶段,志愿军对占领表面阵地之敌发动决定性反击。从 10 月 29 日起,第十五军以两天的炮火准备,摧毁了"联合国军"修筑的地堡和防御设施。30 日,该军 7 个连在坚守坑道的 3 个连的配合下,在百余门炮支援下,对 597.9 高地之敌进行反击,经 5 小时激战,将守敌 4 个连全歼,夺回阵地。从 11 月 1 日起,"联合国军"每天向阵地发射炮弹 10 余万发,以 4—6 个营的兵力向该高地反扑十数次,都被第十五军、第十二军坚守部队所击退。为争取战役全胜,第十二军经充分准备,于 11 月 11 日以 2 个连兵力又收复 537.7 高地阵地,并全歼守敌,从次日起,南朝鲜第二师在强大火力支援下,向该阵地发起连续反扑,志愿军坚守部队一面以小分队与敌反复争夺,一面以主力抢修坑道和工事,依托坑道工事击退敌人多次反扑,牢牢地守住了阵地,至 25 日上甘岭战役胜利结束。

上甘岭战役,双方共投入兵力达 10 万人,兵力火力之密集,反复争夺之频繁,战斗之残酷激烈,为世界战争史上所罕见。"联合国军"最多时一昼夜发射炮弹 30 余万发,飞机投掷重磅炸弹 500 多枚,山头几乎被削低了两米,但志愿军凭借坑道工事顽强抗击,使"联合国军"付出伤亡 2.5 万余人的惨重代价,就连美国新闻界也不得不承认:"这次战役实际上变成了朝鲜战争中的'凡尔登',美军的伤亡率达到了一年来的最高点。"从而创造了坚守防御作战的典范。

1950 年到 1952 年冬的侵朝战争中,美国军队损失兵员 31 万余人,直接用于战争的军费开支达 150 亿美元,间接用于战争的费用达 800 亿美元。沉重的军费负担和巨大的伤亡,使美国人民的厌战情绪加重,要求尽快结束战争的呼声日益强烈。而且美国陆军主力部队长期陷于朝鲜战争中不能自拔,破坏了美国的全球战略格局。为早日摆脱这种被动状态,美国统治集团开始酝酿在中朝军队侧后方实施大规模登陆进攻。利用海、空军优势,在朝鲜东西海岸实施两栖登陆,合围中朝人民军队,希图打赢并结束这场战争。美军还为此进行了一连串的准备。1953 年 1 月 16 日,经毛泽东批准,总政治部向志愿军发布《积极准备坚决粉碎敌人冒险登陆的政治动员要点》。从此中朝人民军队的反登陆准备工作全面展开。为配合反登陆作战准备工作,正面部队还主动进行大小战斗 200 余次,歼敌 500 余人,迫使"联合国军"不得不放弃登陆进攻企图,并在 1953 年 2 月 22 日,克拉克致函金日成和彭德怀,提议以交换病伤战俘为转机恢复停战谈判。4 月 26 日,中断 6 个月之久的停战谈判重新恢复。

1953 年 4 月下旬,停战谈判最后一个问题——战俘问题的谈判打开僵局,结束战争的可能性比过去增大,但美国仍然设置种种障碍不想公正和和平地解决朝鲜问题。新上台的艾森豪威尔政府继续玩弄两手政策,一面同中朝方面继续谈判,一面积极扩充南朝鲜军,作继续战争的准备,南朝鲜李承晚集团更是"反对在没有取得完全统一的情况下进行任何停战谈判",甚至叫嚣,必要时单独作战。毛泽东主席根据当时双方情况,为志愿军提出了明确的指导方针,在战争进程上争取停,但准备拖。军队方面应作拖的打算,只管打,不管谈,不要松动,一切按原计划进行。据此,志愿军以积极行动配合停战谈判,准备在5月中下旬协同人民军举行夏季反击战役,中央军委批准了这一决定。在夏季反击战役第一次进攻中,志愿军以东线第二十兵团的2个军于5月13日分别对南朝鲜7个连以下目标发起进攻,经激战,均攻占阵地并歼灭守敌。5月25日,西线第九兵团2个军和东线第二十兵团2个军又攻歼了"联合国军"13个连以下目标。至5月26日,在志愿军攻克的20个目标中,除2个经反复争夺已巩固占领,5个在连续反击后放弃,其余均主动撤出。

5月27日开始的第二次进攻作战,将攻击规模扩大到夺取南朝鲜营以上阵地,先后对敌51个团以下阵地攻击65次。至6月23日,除4次因遭敌炮火拦阻伤亡过大,或事先暴露企图攻击未成,或攻占阵地时敌已逃窜外,其余61次均获成功,并全歼或大部歼灭守敌。

志愿军进攻作战的胜利,有力地配合了停战谈判,5月25日,美方撤回无理要求扣留朝鲜人民军被俘人员的方案。然而,就在双方即将达成全部协议之际,蓄意破坏停战谈判的南朝鲜李承晚集团公然违背了全世界爱好和平人民的意志,从1953年6月17日起,以"就地释放"为名,强行扣留了2.7万名朝鲜人民军被俘人员,并声称停战协定一旦签订,就把南朝鲜军队从联合国管辖下撤下来"继续打下去","打到鸭绿江",致使停战协定无法签字。6月20日,重返朝鲜前线处理停战协定签字事宜的彭德怀致电毛泽东,建议推迟停战协定签字的时间,再给南朝鲜以狠狠打击,再歼灭其1.5万人。21日,毛泽东复电,认为极为必要由第二十兵团和第九兵团第二十四军,在龟城以南、金化以东正面宽25公里的地段上向南朝鲜军第四十九师共8个团的防御阵地实施攻击。

7月13日21时,志愿军各突击部队在猛烈的炮火准备后,仅1小时就在25公里的正面上完成了突破任务。西突击集团在侦察排长杨育才带领下向纵深进攻,其率领的第二○三师渗透迂回支队一路涉险,直插二青洞,一举歼灭南朝鲜首都师"白虎团"团部和美军1个炮兵营。随后,第二○三师又歼灭增援的首都师1个营,并俘虏了该师副师长。中突击集团在击溃南朝鲜第六师后,于14日晚攻占梨船洞地区,东突击集团也占领金城川以北的地区。至此,南朝鲜第一线团防御阵地均为志愿军所攻占,各突击集团乘胜扩大战果。至16日,其先头部队已到达汉江西岸地区。由于金城川上桥梁均被敌机炸毁,炮兵向前转移、供给运输都有困难,各突击集团当日在金城川下游以北一线主动转入防御。为夺回金城以南的失地,从16日晚起,"联合国军"及南朝鲜军以8个师兵力先后向志愿军发起1000余次进攻。志愿军顶住敌航空兵1万多架次的空中袭击,歼灭了大量敌人,牢牢地守住了我军的阵地,直到7月27日敌军被迫签字停战为止。

整个夏季进攻战役共歼敌12.3万余人,是志愿军和人民军转入战略防御以来规模最大的一次进攻战,有力地促成了朝鲜停战的实现。毛泽东曾高度评价这次战役说："我们的军队是越战越强。今年夏天，我们已经能在1小时内打破敌人正面21公里的阵地，能够集中发射几十万发炮弹，能够打进去18公里。如果照这样打下去，再打它两次、三次、四次，敌人的整个战线就会被打破。"至此，抗美援朝战争胜利结束。同1951年11月27日的军事分界线相比，中朝人民军队向南推进了332.6平方公里。

停战后，为缓和国际紧张局势，促进远东和平，志愿军留5个军及部分兵种部队，协同朝鲜人民维护停战协定，帮助他们重建家园，其余部队于1955年10月26日前，分批回国。

1958年2月14日，周恩来总理访问朝鲜民主主义人民共和国，提出关于志愿军全部撤军的建议。中朝两国政府对此发表联合声明后，志愿军领导机关及所属部队，于当年3月至10月全部撤离朝鲜，回到中国。

在历时3年的浴血奋战中，中朝两国军队共毙、伤、俘敌军109.3万余人，其中美军39.7万余人，击落击伤和缴获飞机12224架，击沉击伤舰艇257艘，击毁击伤和缴获坦克3064辆，缴获大炮6321门，缴获枪支近12万支。

为取得抗美援朝战争的胜利，中国人民及中国人民志愿军也付出了重大代价。志愿军在战斗中阵亡13.3万余人，冻、饿、病和事故等非战斗减员23.3万人，损失飞机399架，损失汽车12916辆，同时付出了巨大的财力物力。

中国人民抗美援朝战争的胜利，是第二次世界大战后的重大历史事件，它宣告了美国不可战胜的神话的破产。侵朝"联合国军"总司令克拉克在停战协定上签字以后说："我是美国第一个在没有取得胜利的停战协定上签字的将军。"中朝两国人民创造了以正义战争赢得胜利与和平的范例，从而鼓舞了殖民地、半殖民地国家的人民反抗侵略、争取独立与和平的斗争士气。

"三反"、"五反"运动

"三反"、"五反"运动发生于1951年底至1952年上半年，它是继土地改革、镇压反革命和抗美援朝之后的又一次大规模的社会改革运动。这场运动在当时不仅对于反腐倡廉和整顿社会风气、移风易俗起了重大作用，而且对于我国后来消灭私人资本主义经济也作了思想上和舆论上的准备。

一

清除腐败、整肃贪污

"三反"是指反对贪污、反对浪费和反对官僚主义。中共中央之所以掀起这场以反对腐化和渎职行为为中心内容的全国性群众运动，是与当时的主客观历史条件分不开的。

从客观上来看，从1950年10月到1951年10月，抗美援朝战争已进行了一年，并转入边谈边打的阶段。与此同时，国民经济恢复工作在中央制定的"边打、边稳、边建"方针的指导下，也取得了巨大成就，已实现了财政经济状况的根本好转。尽管如此，经济形势却并不乐观，在抗美援朝战争和国内经济建设工作中还存在着不少困难和问题。首先,由于志愿军在装备上处于劣势,从而决定了抗美援朝战争不可能在短期内取得胜利,并会在财政供给和人力物力消耗上给国家带来较大负担,使得国家不得不增加军费开支,减少其他方面的支出。其次,由于我国经济落后和刚刚从长期战争中走出来,经济残破,百废待兴,财力十分有限,常常是捉襟见肘,因此必须尽一切力量使有限的资金发挥出最大的效益,否则,就很难保证1951年财政收支的平衡和抗美援朝及国内经济建设的顺利进行。

从主观上看,中国共产党从进城前夕,就十分重视未来国家政府及有关机构的清廉和效率问题。早在中共七届二中全会上,毛泽东就告诫全党在夺取全国政权后,要保持艰苦奋斗的精神,要警惕糖衣炮弹的进攻。全党和全军于1950年下半年开展了一次大规模的整风运动。整风的重点是整顿各级领导机关干部的作风。1951年2月,中共中央又决定从1951年下半年起,用3年时间有计划、有准备、有领导地进行一次整党运动。可以说,建国初期中共中央始终十分关注廉政建设,随时准备去解决这方面的问题。

基于上述主客观条件,1951年10月,中共中央政治局扩大会议决定,为了保证国民经济恢复工作和重点建设的进行,支援抗美援朝战争,将在全国各条战线开展一个精兵简政、增产节约运动。在此之前,由于东北地区解放较早,经济恢复工作也比关内地区先行一步,因此上述问题也较为突出。故中共中央东北局于1951年9月即在全区开展了以增产节约为目的,反对贪污腐化,反对官僚主义的有领导的群众运动。1951年11月1日,东北局书记高岗就此向中央作了《关于开展增产节约运动,进一步深入反贪污、反浪费、反官僚主义斗争的报告》。这个报告反映出的情况引起毛泽东的高度重视。11月20日,毛泽东在为中共中央起草的转发此报告的批语中,首次提出"在此次全国规模的增产节约运动中进行坚决的反贪污、反浪费、反官僚主义的斗争"。

促使毛泽东和中央下决心开展"三反"运动的另一个直接原因,是同年11月29日中共中央华北局关于天津地委(即刘青山、张子善)严重贪污浪费情况向毛主席、党中央的书面报告,刘青山、张子善这两个经过长期革命考验的高级领导干部如此迅速堕落,引起中央的较大震动和开展反腐败斗争的紧迫感。

二

大张旗鼓、声势浩大的"三反"斗争

中共中央下决心开展"三反"运动以后,立即由毛泽东亲自过问,在全国布置下来。1951年12月1日,中共中央在《关于实行精兵简政、增产节约、反对贪污、反对浪费和反对官僚主义的决定》中指出:"各级领导机关必须仿照实行惩治反革命条例那样,大张旗鼓地发动一切工作人员和有关的群众进行学习,号召坦白和检举,并由主要负责同志亲自督促和检查。"

12月4日,中共中央批转《北京市委关于工作人员中的贪污现象及今后开展反贪污斗争的报告》,要求各地在接到本指示的3个星期内,至迟不超过一个月,有计划地、初步地检查自己单位和所属下一级单位工作人员的贪污现象,仿照北京市委所定各项办法,发动党内外最广大群众,大张旗鼓地、雷厉风行地检查和惩治贪污人员。中央还要求县、团级以上单位

在收到本指示的一个月内，除了向上级报告外，还须直接向中共中央和中央军委作报告，不作报告者，以违纪论；凡推迟报告时间者，须申明理由。北京市委制定的具体办法是：第一，由各单位负责人认真地自上而下地进行检查、检举贪污分子；第二，号召贪污分子主动坦白；第三，号召与发动全市所有党员、团员、工会会员及其他各阶层人民，检举贪污分子；第四，抽调可靠干部，组织检查组，负责在本单位及上下与同级间相互检查。由于有毛泽东和中共中央的严厉督促，"三反"运动立即大张旗鼓地开展起来。

"三反"运动从1951年12月至1952年8月，历时约8个月，大体分三个阶段。第一阶段为发动群众和坦白、检举揭发阶段，时间从1951年12月至1952年2月；第二阶段为处理阶段，即正确统一处理前一阶段所揭露的贪污、浪费和官僚主义问题，时间从1952年3月至6月；第三阶段为建设阶段，即通过思想建设和组织建设，巩固"三反"成果，树立优良工作作风，时间则是1952年6月以后。这场运动与一般廉政建设相比，有以下三个特点：

第一，充分发动群众，发扬民主，形成一个有广大人民群众积极参加的廉政运动。1951年12月至1952年1月的许多中央指示中，都强调要充分发动群众。如12月22日，中共中央在批转武汉市委的报告中指出，"他们做得很勇敢，公开揭露和惩处了一批敢于压制群众批评的担负重要职位的干部"，要求各地向武汉市委学习。武汉市委在报告中也指出："在官僚主义的压制和掩护之下，贪污腐化、违法乱纪的分子便有恃无恐、泰然自若。只有在压制民主的官僚主义分子受到公开批判和纪律处分的时候，群众才敢于揭露那些违法乱纪的现象。"1952年1月4日，

《人民日报》为此发表题为《在反贪污、反浪费、反官僚主义的伟大斗争中，发动群众的关键何在？》的社论，要求领导干部要亲自发动群众，并指出："如果有人执迷不悟，胆敢违抗中央指示，阻碍群众运动，无论他的职位有多么高，资格有多么老，他的上级都应该坚决把他撤职。"

第二，"三反"斗争最后集中到"反贪污"，抓"大老虎"。"三反"运动开始以后，由于实行了自上而下的自我检查和群众批评活动，浪费现象及干部中的官僚主义问题都在较短时间内解决，于是运动的重点主要集中在揭露贪污分子，即"打老虎"（当时称大贪污分子为"老虎"）斗争上。1952年1月23日，毛泽东发出"关于必须集中力量打大'老虎'的指示"，提出"要根据情况，定出估计数字，交给各部门为完成任务而奋斗"，并批转了空军党委"打虎"报告。1月28日，毛泽东又批转北京市委关于"打虎"经验的报告，要求实行自报公议，规定"老虎"数目，限期自报，领导派人复查，如有漏网"老虎"，则负责人受处分。与此同时，毛泽东还批转了华北局《关于各省市地委一律作出打'虎'计划，结束'三反'须经过批准的紧急指示》，指出"华北局这一文件应成为各地的共同方针。不许草率收兵，必须扩大战果。停止讲空话，必须看成绩"。因此，"打老虎"遂成为以后数十年当事人提及"三反"时难以忘怀的斗争方式。

第三，运动后期的处理阶段由群众运动转入法制轨道。"三反"运动尽管是一场大张旗鼓的群众运动，但是由于毛泽东和中央亲自主持，各级机关也都是"首长亲自动手抓"，因此在运动过程中逐步制定了明确的政策界限和各种具体办法。即使是打"老虎"斗争，虽然有指标，但是运动后期对于"老虎"的界定也有明确的

标准,而不是按照指标办事。从 1952 年 1 月 6 日中共中央批转华东局《关于对贪污犯逮捕权和判决权的意见》,到 4 月 21 日中央人民政府颁布《中华人民共和国惩治贪污条例》,中共中央发布了一系列指示,对于贪污、浪费、受贿、小额回扣、多吃多占等问题的界定都作了明确具体的规定,同时对于犯有上述各种罪行或错误的人的处理政策和办法都有详细具体的规定,从而使运动避免了扩大化和后遗症。

据统计,全国参加"三反"运动的总人数(不包括军队)为 385 万人,其中查出犯有贪污罪或多吃多占、占公家便宜错误者 120 万人,占参加运动总人数的 31%。其中贪污在 1000 元以上者为 10.8 万人,占参加运动总人数的 2.8%。在对上述 120 万人员的处理中,受刑事处分者占 3.64%,受行政处分者占 20.8%,免予处分者占 75.56%,全国共枪毙了 42 名贪污犯。

由"三反"引发的"五反"运动

"三反"运动开始以后,由于各地揭露的不少国家工作人员的贪污腐化问题都与社会上不法资本家的行贿有关,于是此问题引起了毛泽东和中共中央的严重关注,认为中共七届二中全会提出的资产阶级用糖衣炮弹向"我们"进攻的预言果然被言中。同时由于财经工作、镇反、土改等都已取得重大胜利,可以腾出手来对违法的资产阶级打击一下,使之服从《共同纲领》和党的领导。

1952 年 1 月 5 日,中共中央发出《关于在"三反"斗争中惩办犯法的私人工商业者和坚决击退资产阶级猖狂进攻的指示》,提出"一定要使一切与公家发生关系而有贪污、行贿、偷税、盗窃等犯法行为的私人工商业者,坦白或检举其一切犯法行为",特别是大中城市要大力发动这场斗争。1 月 26 日,中共中央又发出《关于在城市中限期展开大规模的坚决彻底的"五反"斗争的指示》,指出:"在全国一切城市,首先在大城市和中等城市中,团结工人阶级、守法资产阶级及其他市民,向着违法的资产阶级开展一个大规模的坚决的彻底的反对行贿、反对偷税漏税、反对盗骗国家财产、反对偷工减料和反对盗窃经济情况的斗争,以配合党政军民内部的反对贪污、反对浪费、反对官僚主义的斗争,现在是极为必要和极为适时的。"

"五反"运动是在各级党组织的领导下,以工人、店员为主力,并发动市民群众有组织地进行的。运动开始,一方面组织资本家学习,号召他们向群众坦白交代违法罪行;一方面组织有关单位的干部和工人,在私营行业和重点企业派工作队或检查组,做深入细致的工作。运动初期,一些不法资本家一方面放出种种谬论为自己的罪行辩护,一方面顽固抵抗。他们有的守口如瓶,拒不交代"五毒"行为;有的装聋作哑,或用一些小事搪塞,企图蒙混过关;有的销赃灭迹,不问生产,乃至转移财产,逃避运动,还有不少人四处活动,组织"攻守同盟",誓要顽抗到底。

针对这种情况,中共中央进行了周密的战略部署,在对资本家反复交代政策的基础上,广泛地发动职工群众投入斗争。据统计,当时投入"五反"运动的私营企业职工占总数的 95% 以上;此外,还动员了企业的经理、厂长等资本家代理人和财务、技术等高级职员来揭发资本家的罪行。还有不少资本家的家属和子女在青年团和妇联的教育帮助下,开始认识了

"五反"运动的意义,起来督促自己的亲人坦白交代。由于党和政府对严重违法与违法较轻的资本家以及坚持抗拒与愿意坦白的资本家采取了区别对待的政策,那些经过检查、已经坦白交代了违法行为的资本家,感激政府对他们的宽大处理,纷纷要求参加"五反"运动,将功补过。一些过去受资本家笼络利用的高级职员,在工人群众的教育下,以实际材料揭露了资本家的"五毒"活动。因此,随着"三反"运动的胜利和"五反"运动的深入发展,不法资本家之间以及不法资本家与贪污分子之间的所谓"攻守同盟"的破裂,使不法资本家愈来愈孤立。一个以工人群众为核心的"五反"统一战线已经形成。据统计,随着"五反"运动的深入发展,当时直接投入运动的干部、职工、家庭妇女、青年学生以及工商业者仅上海一地就达 135 万人以上,使"五反"运动形成了一个波澜壮阔的群众运动。在这种声势浩大的斗争形势下,不法资本家纷纷"缴械投降",资本家内部迅速分化。这种充分发动群众投入运动,与组织资本家提高认识、彼此帮助相结合的形式,有效地揭露了资本家的违法活动,加速了"五反"运动的进程,使"五反"运动迅速取得巨大胜利。

"五反"运动的整个过程始终贯彻了党的"五反"、生产两不误的政策。"五反"运动开始后,由于一部分资本家对生产经营采取了消极的态度,同时,也由于这时朝鲜战事已趋稳定,军需品的加工订货减少,以及税收入库、银根紧缩等原因,一些资本主义企业曾一度出现暂时的困难,加之淡季来临,市场呆滞,不少在 1951 年盲目发展、力量不足的资本主义企业,就更加感到困难。政府根据"五反"、生产两不误的政策,在进行"五反"斗争的同时,又监督资本家搞好生产,并根据行业的具体情况(如困难的程度、有利于国计民生的作用大小等),对资本主义企业进行了必要的照顾,对有些工业行业还采取了紧急投放的措施。当 1952 年 3 月"五反"运动正趋紧张时,纱布、百货、工业器材等 14 个国营商业公司对资本主义企业加工订货的投放金额达到 1951 年同期的 2 倍。据统计,1952 年 4 月份,国营商业部门对 45 个行业 5300 家资本主义大型工厂的加工订货较 3 月份增加了 12140 万元,5 月份在原有的基础上又增加了 50%。从这一时期政府对资本主义企业加工订货所投放的总金额来看,1952 年 3 月至 6 月较 1951 年同期增加了一倍。这样,政府就在"五反"斗争的同时,使私营工业的生产继续向前发展,达到了"五反"、生产两不误的目的。

鉴于大多数资本家在"五反"运动中经过斗争和教育,接受了检查,基本上坦白了他们的"五毒"行为,并表示愿意接受改造和接受国营经济的领导,"五反"运动从 1952 年 3 月以后逐步转入处理阶段。3 月 5 日,中共中央发出指示,明确规定了处理违法工商户的 5 条基本原则:过去从宽,今后从严;多数从宽,少数从严;坦白从宽,抗拒从严;工业从宽,商业从严;普通商业从宽,投机商业从严。同时指出,无论"三反"、"五反"均不得采取肉刑逼供的方法,不得妨碍春耕和经济活动。根据中共中央的指示,3 月 8 日批准并公布了《中央节约检查委员会关于处理贪污、浪费及克服官僚主义错误的若干规定》和《北京市人民政府在"五反"运动中关于工商户分类处理的标准和办法》。6 月 13 日政务院又发出了关于结束"五反"运动中几个问题的指示。根据这些指示精神,各地政府在定案时,根据"既有利于清除工商业者的'五毒',又有利于团结工商业者发展生产和营业"的原则,以及资本家守法和违法的情况及其违法的程度等,将私营企业分为守法户、基本守法户、半守法半违法户、严重违法户和完全违法户(即"极严重违法户")等5类,并尽可能从宽定案和处理。如上海对私营企业审查定案的结果是:守法户占39.3%,基本守法户占45.49%,半守法半违法户占11.92%,严重违法户占2.92%,完全违法户占0.44%。在这些户数中包括了94797户小工商业户(约占总户数的57.45%)。根据在"五反"运动期间对9770户大型和中型工商业户(其中工业3952户、商业5818户)审查的结果,违法的比重较大。它们的定案情况是:守法户占2.56%,基本守法户占17.44%,半守法半违法户占46.52%,严重违法户占29.99%,完全违法户占2.94%,不予评类户占0.55%。政府对大多数资本家的违法行为一般是作为人民内部矛盾来处理的。只是对于极少数完全违法户,特别是他们当中的一些一贯违法态度又极恶劣的不法资本家,由于他们同无产阶级的矛盾已转化为敌我矛盾,国家才依法予以严惩。对于资本家违法所得的退财补税,一般在核算上和期限上也采取从宽处理的原则。截止到1952年10月,"三反"、"五反"运动胜利结束。

四

"三反"斗争引起的自我教育运动

　　"三反"运动最初是反对党政军及人民团体机关中的贪污、浪费及官僚主义。随着运动的进行,中共中央又逐渐将其扩大到人民政府及中央军委所属的各企业、公司、学校、办事处、采买处、研究所及供销合作社系统,内容也由"三反"发展为人民群众的自我教育运动。

　　1952年1月,中共中央发出上述单位一律在当地党委领导下开展"三反"斗争的通知,并规定"凡各单位的领导干部如有阻碍'三反'运动或不服从当地党委领导者,由当地党委负责处理并向中央报告"。2月份,毛泽东又批转南京市宣教系统的打"虎"报告,肯定了南京市在文教宣传系统开展"三反"运动并教育了广大知识分子的做法,要求各地文教系统仿行。3月13日,中共中央又发出《关于在高等学校中进行"三反"运动的指示》,指出:"高等学校中的'三反'运动是极其具体、深刻和有效的思想改造运动。"并提出了在"三反"的同时帮助学校教职工改造思想提高认识的具体办法。

　　在教育工人方面,1952年2月4日,中共中央发出《关于工矿企业中如何进行"三反"运动的指示》,提出在斗争中要注意防止和纠正把斗争的锋芒转移到工人群众方面的错误倾向,对工人应以教育为主。3月16日,中共中央批转中南局《关于"三反"、"五反"座谈纪要的报告》。该《报告》提出:①在工人中不提"打虎"口号。工人偷窃物资机件,上千元者甚多,又多为技工,按虎打极为不利,以动员其坦白交待问题,进行自我检讨自动交退为好。"打虎"口号只可用于职员及行政管理人员。②工人偷卖资材者,对坦白错误,交出物品者,即免予处分。东西已卖,向私购者追回,应没收其应付价,按具体情况办理。③开展运动时,应讲明政策,号召坦白,先争取工人自我坦白,按宽大政策进行处理。等发动了工人群众,解放了犯错误的工人之后,再转入行政管理部门进行"打虎"。4月份,中共中央又批转上海市委《关于国营工厂"三反"中工人自觉交代的报告》,认为这个报告很好,望各地参照仿行。该《报告》指出:解放后工人的偷窃揩油行为,虽较解放前大为减少,但仍然是极为普遍和严重的。据 131 个厂的统计,交代有偷窃与揩油行为的工人达 74626 人,占工人总数的 81.8%,其中偷窃揩油数额在 100 元以下者,为 71925 人,占这类工人数的 96.3%。对于工人中存在的偷窃揩油问题,上海市委采取了"正面教育,自觉交代,不咎既往,杜绝今后"的方针,并通过典型示范,骨干带头,反复说明政策,开展批评与自我批评的方法,达到自觉交代的目的。上海市委说,自觉交代运动收到了很好的效果,不仅退回了部分被偷窃揩油的资材(据 55 个工厂统计,工人退还的资材达 21 万元,占偷窃揩油总值的 20%),而且教育了全体工人。

由此可见,"三反"运动不仅是一个廉政运动,还是一个较为深入的思想教育和移风易俗运动。在这场运动中,不仅当政者和从事经济工作的干部受到检查和教育,而且一般的人民群众,尤其是国营企事业单位的职工也受到极为深刻的教育。

"三反"、"五反"运动的评价

"三反"、"五反"运动是一场时间虽短,但涉及面广、令全国上下震动的重大历史事件,它对于 20 世纪五六十年代中国的社会政治经济都产生了较为深远的影响。

从当时的直接效果看,"三反"运动不仅及时有效地制止了新中国成立后滋长的腐化现象,挽救了一大批干部,敲响了反腐倡廉的警钟,而且它显示出新中国人民政府和官吏与以往政府和官吏的本质不同,极大地提高了共产党在人民心中的威望,激发了广大人民群众拥护共产党、为国家建设尽力的积极性。而"五反"运动则是在舆论上和实际上都否定和打击了私营经济在旧中国长期形成的恶劣经营作风,对于整顿私营工商业的经营作风和保护国家和人民的利益方面起到了一定的作用。同时"三反"、"五反"又是一场较为深刻的移风易俗、转变价值观念的社会改革运动,它既否定了当官做老爷的传统观念,也抹去了资产阶级头上的光环,使政治民主和平等观念深入人心,也使钱能通神、金钱至上的观念被人们鄙弃。

另外,由于当时法制不够健全和历史经验的局限两个因素,使当时中共中央在开展群众运动的方式方法上存在着一些问题。运动前期出现了不少政策把握不准、斗争扩大化等现象。同时,这种集中的群众运动方式,也使正常的工作和生产受到一定影响,造成 1952 年初不少部门工作停滞和私营工商业萧条的局面。此外"五反"运动对资产阶级消极面的揭露和夸大,也增加了全社会对私营经济的偏见,这与后来过早消灭私营经济不无关系。但上述不足与"三反"、"五反"运动的成效相比,仍然是瑕不掩瑜,是次要的。

新中国成立初期的"禁毒运动"

新中国成立后,对旧社会遗留下来的污泥浊水,坚决彻底地予以清除。禁绝"毒品"则是其中难度较大而成效又最为突出的一项工作。为了彻底扫除曾在旧中国泛滥成灾、根深蒂固的"鸦片",中央人民政府除在1950年至1951年开展了严厉的禁毒工作外,又于1952年下半年发动了一场声势浩大但又未公开报道的"禁毒运动",使为害百余年的毒品销声匿迹。这个奇迹应该载入世界禁毒史册。

一

毒品泛滥的严峻局面

众所周知,拉开中国近代史序幕的鸦片战争就是由于英国商人向我国大量输入毒品鸦片引起的。战争的结果,中国不仅割地赔款,而且从此门户大开,毒品肆意流行。在此后的一百余年间,从繁华的城市到偏僻的乡村,从京城到边陲,几乎到处可见吸食鸦片的烟馆和萎靡不振的烟鬼。吸毒成为外国人诟病甚至蔑视中国人的一个重要证据。

新中国成立后,当中国人民着手扫除旧社会遗留下来的污泥浊水时,"禁毒"就成为整顿社会风气、消灭丑恶现象中难度较大而又非常紧迫的一件大事。百余年来的毒品泛滥,不仅造就了一大批瘾君子,而且造就了一大批以种植鸦片为生、以贩卖毒品牟利的人们。据估计,1949年以前,仅西南地区的种烟面积即高达可耕地面积的10%,约1500万亩。1949年,在解放较晚的西南区(1949年底解放),种植鸦片的数量,西康省估计为40万亩,产烟600万两以上,贵州省估计产烟1000万两左右,云南数字比西康要大,四川可能在200万两以上,合计不下25000万两。这些鸦片,除了内销供吸食,毫无其他出路。此外,在解放较晚的西北地区和内地的偏僻山区,以种植鸦片为生者不会低于1000

万人。至于制造、贩卖毒品的活动,更是遍及全国各地。据估计,东北地区的几个大城市和铁路沿线的55个县城以及过去的产毒地带,从事制造、贩运的毒贩约1万余人。华北的察哈尔、山厦、绥远、河北4省及京津两市,有毒贩1万余人。华东的福建、皖北、苏南、苏北、上海等地,有毒贩的3000多人。华中的武汉,是旧中国三大烟毒运销中心之一,所谓吃"黑饭"(即烟毒行业)的商户和从业人员及资本额,均超过粮食业,毒贩近4000人。从后来查明的贩运毒品人数估计,新中国成立前后全国的贩卖毒品者不会低于50万人。

至于吸毒的人数之多就更为惊人了。据初步统计,全国约有2000万人,占当时总人口的4.4%。西南区约有烟民600余万,占总人口的8%强。众多的烟民不事生产,终日吞云吐雾,晨昏颠倒,形色枯槁,甚至道德沦丧。不少人为吸毒而倾家荡产,卖儿鬻女,甚者沦为盗匪、娼妓,危害社会。当时武汉地区就流传着一副揭露吸毒害处的对联:"竹枪一枝,打得妻离子散,未闻炮声震地;铜灯半盏,烧尽田地房廊,不见烟火冲天。"

如此规模的毒品种植、贩卖和吸食,使新中国成立初期的禁毒工作难度之大、涉及面之广,完全不亚于新中国成立初期的其他全国性运动,只是当时对此没有加以公开报道而已。

二

运动初期的"拦腰一棍"

1950年2月24日,政务院发布《关于严禁鸦片烟毒的通令》。通令规定:①各级人民政府及人民代表大会,除作广泛的禁毒宣传外,还须订出限期禁绝办法。②

各地可设禁毒委员会，由政府民政部门、公安部门和人民团体派员组成。③在战争结束地区，一律立即禁绝种烟，在某些少数民族地区，可采取慎重措施，有步骤地进行禁种。④从通令颁布日起，全国各地不许再有贩运、制造及售卖毒品的事情，犯者不论何人，均从严治罪。⑤散存于民间的毒品，应限期令其交出，人民政府为照顾其生活，得分别酌予补偿；如逾期不交出者，除查出没收外，并依情节轻重分别治罪。⑥吸毒者限期登记，并定期戒除，隐瞒不登记或逾期而犹未戒除者，查出后予以处罚。⑦各级人民政府卫生机关，应配制戒毒药品及宣传戒毒办法，对贫苦瘾民得免费或减价治疗。⑧各地人民政府可根据当地具体情况，依据本通令方针，制定查禁办法及禁绝种吸日期，呈报政务院批准后实施。

根据中央的指示，各地立即行动起来，从1950年春开展了全国性的严厉禁毒工作。以历史上鸦片产量最高的西南地区为例，1950年5月，中共中央西南局根据本地区的具体情况制定了《关于禁毒的办法》，在报中央批准后即予以实施。该办法规定：①政府绝不采取低价收购或抵缴税赋的办法为种烟户找出路。②政府明令封闭烟馆，没收其房屋及烟具、毒品；如查有秘密烟馆，应予严惩，乃至判处死刑。③与剿匪相结合，严禁运销毒品。④对吸毒者，只采取劝说和宣传其自动戒绝的办法，目前不宜实行强制（因吸毒人数太多），更不许拘捕和体罚。⑤对于因种植鸦片过多而形成灾荒的地方，可酌情采取生产救灾办法，酌量贷予粮食，保证新收归还。由于上述办法态度坚决，切合实际，因此使禁毒工作取得较大成效，至1951年春西南地区就基本禁绝了鸦片种植。另据西南军政委员会民政部统计，

1950年共查封烟馆5400余家，收缴烟具22万余件，破获烟毒案万余起，查获贩运制售毒品犯万余人，收缴毒品100万两左右。又如武汉的大毒贩王子骧，从1950年至1951年6月，先后5次由昆明、重庆等地贩运毒品来武汉出售，总数折合鸦片达60余万两，其活动范围、贩运路线、推销网络遍及上海、重庆、昆明、西安、兰州、衡阳、广州等大城市，仅破获此一案，就可清除一个贩毒网。

与此同时，禁毒工作还与1950年开展的镇反、禁娼等社会改革运动相结合，多方面地查禁毒品，仅在北京、天津等六大城市，就破获毒品案8156起。

由于种植和吸食毒品的人太多，而禁毒的人力、物力又有限，因此初期禁毒工作的重点是卡死流通环节，着重打击贩运及出售毒品的罪犯，当时称之为"拦腰一棍"。这样一来，种植鸦片的卖不出去，吸食鸦片的又买不着，因而禁毒成效较为显著，收到事半功倍的效果。据当时的报告说，毒品的销路断绝后，产地价格大跌，一两鸦片换一二斤大米还没人敢要，农民说："烟不值钱，哪个还种啊！弄点粮食还可饱肚子。"结果，以鸦片产地闻名于世、产量居全国之首的西南数省，仅用一年的时间就基本禁绝了鸦片种植。其他地区的禁毒工作也是成绩显著，据东北、华北、华东、西北四区不完全统计，从1949年至1952年发动全国规模的"禁毒运动"前为止，共缴获毒品（折合鸦片）2447.3308万两。当时全国除边疆少数民族地区和内地的偏僻地区尚有少量偷种外（产量约在15—20万两左右，不到1949年以前年产量的0.5%），对于农民来说，种植大烟已成为历史。

未见报道的大规模行动

经过两年的努力,到 1952 年春,毒品种植基本禁绝,贩运、吸食毒品现象也大为减少,但是百余年滋生蔓延的这类严重社会问题不可能一下子就被彻底扫除干净。在人民政府采取了严厉有效的禁毒措施后,社会上贩运售卖毒品的行为虽然大为减少,但残存的行为也更为诡秘,罪犯更狡猾,危害也更大。由于这些残存毒犯的活动,吸食毒品的现象难以彻底禁绝。截至 1952 年春,西北区尚有 32 万人吸毒,昆明市尚有 7901 人吸毒。

残存的贩毒行为表现出以下特点:①毒品来源主要是国外和过去遗留下来的存货,因而不易发现。②罪犯多为大犯、惯犯。如重庆、昆明、泸州、宜宾、贵阳、雅安 7 个城市已查明的毒犯中,500 两以上的大犯占 18%,沈阳已查明的毒犯中大犯占 25%,北京的则占 20%。另据统计,辽西 746 名毒犯中,惯犯占 89% 强,苏南 117 名毒犯中,有 5 年至 25 年贩毒历史者占71.7%,南京 1537 名毒犯中,有 5 年以上贩毒历史者占 38.6%,张家口 415 名毒犯中,惯犯占 76.3%。让这些人自动服从法令,洗手不干的可能性很小。③罪犯成分很坏,大部分是流氓、地痞、敌伪军、警、宪、地主恶霸、反动帮会及兼有特务、反动党团身份的坏分子。如泸州市的 1505 名毒犯中,上述人员即占 97.7%,贵州的6343 名毒犯中,有反动政治身份者约占

40%,苏南的 177 名毒犯中,上述人员占61.5%。由于这些人一贯为非作歹,且多为亡命之徒,仇视新生政权,因此其对社会治安危害很大。④犯罪活动以团伙为主。由于人民政府的严厉打击,残存下来的毒犯不仅多为组织较严密的团伙,而且其行动也变得更为诡秘。他们往往有很长的贩运线和推销网,沿途设站,专人交接,并有暗语暗号。另外,这些犯罪团伙多腐蚀拉拢了一些机关和公职人员作掩护,如东北、华北、中南及华东(缺苏南、福建)4 区查明的毒犯中,其中属国家工作人员者即占 10.9%(绝大多数为留用的旧人员),衡阳、东北、郑州、上海等地的铁路系统,"三反"中亦发现 1949 年以后曾参与走私运毒人员 7160 人。

针对上述情况,1952 年 4 月,受"三反"、"五反"运动的启发,中共中央决心在1952 年下半年发动一场全国规模的"禁毒运动",以便将残存而又顽固的毒犯彻底肃清,让毒品从中国大陆上完全消失。[①] 6月 10 日,中共中央着手部署"禁毒运动",决定该运动由公安部负主要责任,其他有关部门加以配合。中央指定彭真定期召集公安、铁道、交通、邮电、海关、内务、卫生、法院、监委等部门汇报情况,并在中央指示下处理有关问题。针对毒犯有组织、行动诡秘的特点,为了收一网打尽之效,中央决定由公安部统一部署,全国一致行动。在统一行动之前,各地的工作重点是做好侦察等准备工作。[②] 7 月 30 日,中共中央批准公安部《关于开展全国规模的禁毒运动的报告》,同意照此部署执行。该

---

① 《中共中央关于肃清毒品流行的指示》,1952 年 4 月 25 日,见《中华人民共和国经济档案资料选编•综合卷》,中国城市经济社会出版社,1990 年版。

② 《中共中央关于开展全国禁毒运动的指示》,1952 年 6 月 10 日,见《中华人民共和国经济档案资料选编•综合卷》,中国城市经济社会出版社,1990 年版。

报告对"禁毒运动"作了如下部署：①目前运动主要集中力量在城镇中进行，农村一般应暂不动。②"禁毒运动"分三期进行，每期预定10天至15天。第一期为"大破案"，即先逮捕一批有证据有价值的毒犯，并立即着手组织审讯，扩大线索，为第二期的"扩大战果"做好准备；第二期为"继续深入和铺开其他重点"，经过第一、二两期，大部分重点城镇应力争基本解决问题；第三期为"追捕漏网毒犯和处理结束工作"。③大举破案后，必须迅速召集适当的群众大会，向群众宣讲"禁毒运动"的政策和意义，动员人民积极参加运动，与毒犯作斗争。④在"禁毒运动"中，各省（市）之间，可直接交换材料和联合缉捕毒犯；各大行政区和省市应每5天向公安部汇报一次情况。

对惩治毒犯的具体政策，报告作了如下规定：

凡在1951年1月以后有下列罪行之一者，均予以逮捕法办：①出资制毒的业主及集资结伙制毒的组织者、主谋者和以职业为掩护专事制毒的惯犯；②制造毒品的"技师"；③贩运出售毒品的组织者、主谋者、惯犯、现行犯；④开设烟馆为业的业主；⑤一贯协助毒犯的窝主及依靠贩运毒品佣金收入为生的经纪人；⑥偷运毒品进口的组织者和惯犯；⑦武装运毒者；⑧以反革命为目的的制造、贩运毒品及被管制分子；⑨贿买勾结国家工作人员而情节严重恶劣的毒犯；⑩毒犯派进我机关内部的"坐探"；⑪利用职权包庇、协助毒犯或出资贩毒的严重违法的国家工作人员；⑫在汉族地区一贯大量种毒的烟匪、恶霸、流氓及雇人种毒或串通农民种毒的主谋者；⑬其他在运动中拒绝登记、拒缴毒品、拒不坦白而情节严重恶劣者。

为根除毒害，对毒犯的处理虽可稍轻于惩治反革命分子，但必须严于"三反"、"五反"中的盗窃犯。逮捕毒犯的数字一般控制在现有毒犯总数的20%—30%之内，情况特殊超出者，应报省（市）以上党委批准，并报公安部审核备案。杀人的数字，目前暂控制在毒犯总数的1‰（即占应捕毒犯的5‰），杀人批准权属于省级法院。判处徒刑或劳改的毒犯数字，一般应在已逮捕毒犯总数的80%—90%，释放或交群众管制的人数，一般不得多于20%。对于虽有罪恶，但其罪恶程度尚不须逮捕判刑的毒犯，应按《管制反革命分子暂行办法》实行管制，各地应予管制的毒犯数量，一般可控制在毒犯总数的20%左右。

对单纯吸毒者，除号召其检举毒犯外，暂不要忙于过问，亦不要号召登记。

1952年8月10日，根据公安部的统一部署，全国1202个禁毒重点部门和地区同时进入第一期破案行动。由于准备充分（酝酿准备了4个月）、领导得力（毛泽东亲自过问）、办法得当、政策明确，因而非常成功，完全达到了预期目的。在50天的时间里（11月底胜利结束），全国共查出毒犯近37万人（运动前估计全国有25万人），其中被逮捕者82056人，占毒犯总数的22%。在已经处理的51627名被逮捕的毒犯中，处决880人（占逮捕人数的1%），判刑33786人，劳改2138人，管制6843人，释放3534人，未报分类统计的4337人。运动期间共缴获毒品（折合鸦片）近400万两和大批制造、贩运、吸食毒品的工具。

由于这次运动采取广泛宣传、动员人民积极参与的办法，运动期间各地共召开各种宣传会765428次，直接受教育的人数近7500万人，因此"禁毒运动"虽然没有利用公开的报刊、广播等新闻媒介作宣传，但在重点地区仍做到了家喻户晓、人人皆知。在运动期间，人民群众积极参与，据不完全统计，全国共收到群众检举信131万余件，共检举毒犯22万余名。在运动中，迫于压力自己向公安机关坦白悔过、前来登记的毒犯达345463名（其中有一部分为小犯和历史犯），这些人表示"这辈子再也不敢贩毒了"。经过这次"禁毒运动"和随后开展的在农村禁吸和收缴存毒的工作，使在中国为害一百余年、屡禁不绝的毒品终于被基本肃清了。

新中国成立初期的禁毒工作不仅是当时社会改革运动的重要组成部分，而且是其中最为成功的社会改造范例。它不仅对于当时提高人民健康水平和改善社会治安起了重要作用，而且对于提高党和人民政府的威望以及改变世界对中国的看法都产生了重要影响。这个辉煌的成就由于历史原因过去宣传研究得不够，我们有责任让这个世界禁毒史上的奇迹焕发出应有的光彩。

爱国卫生运动

新中国成立之初，卫生工作面临的是一个疾病丛生、缺医少药的困难局面。由于中国长期遭受帝国主义、封建主义和官僚资本主义的压迫，劳动人民根本享受不到基本的卫生保障，急、慢性传染病，寄生虫病和地方病严重威胁着人民群众的生命和健康。据1900年至1949年的不完全统计，仅鼠疫就波及20个省、自治区的549个县，全国鼠疫发病人数达115.59万人，死亡102.88万人；血吸虫病的流行范围达200多万平方公里，患病人数在1100万以上；结核病的患病率高达4%左右，死亡率在2‰以上；地方性甲状腺肿流行于28个省、市、自治区的1464个县，受威胁的人口达2.78亿人。此外，婴儿的死亡率在20%左右，人口的平均寿命只有35岁。[①]

一

卫生机构的设立与群众性卫生运动的开展

1. 医疗卫生机构的设立与卫生工作三大方针的提出

为了促进医疗卫生事业的发展，人民政府除在政务院设立卫生部，还在华东、中南、西北、西南四个大行政区军政委员会和东北、华北人民政府设立了主管卫生工作的卫生部。[②] 在国民经济恢复时期，卫生事业的主要任务是推广医药卫生事业，防治疾病，保护母亲和儿童的健康，提高人民的健康水平，以保证生产建设和国防建设；建立、恢复与扩充各级新旧卫生医药机关并领导其工作；团结、改造一切新老卫生医药人员并提高其思想、工作水平，为人民服务，逐渐实行公费医疗制度；培养大批公共卫生、医、药、产、护等干部，从事健康、防疫与医疗工作，以符合新中国卫生建设的需要；有计划有步骤地恢复与发展医药生产事业，逐步达到药品和医疗器械的自给自足；指导有关医药卫生学

① 参见《当代中国的卫生事业》(上)，中国社会科学出版社，1986年版，第2页。
② 1954年，大行政区一级机构撤销后，即由中央卫生部直接领导各省、市、自治区的卫生工作。

术的研究及其普及等项工作。其中,最重要的工作是防治危害最大的急、烈性传染病。

1950 年 8 月 7 日至 19 日,第一届全国卫生会议在北京召开。毛泽东主席为大会题词:"团结新老中西各部分医药卫生人员,组成巩固的统一战线,为开展伟大的人民卫生工作而奋斗。"卫生部副部长兼人民解放军总后勤部卫生部部长贺诚在会上作了报告,他在总结革命战争时期的军民医疗卫生工作经验的基础上,提出了"面向工农兵"、"预防为主"和"团结中西医"的卫生工作方针。这三条方针得到了与会者的一致拥护,通过讨论,会议决定,要组织力量防治流行性疾病;要消除过去存在于中西医之间的隔阂;要大力培养卫生人员,为建立基层卫生组织做好准备;要建立最必需的规章制度,加强医院管理。会议确定的"面向工农兵"、"预防为主"、"团结中西医"成为我国卫生工作的三大原则。

9 月 30 日,周恩来总理在政协全国委员会庆祝新中国成立一周年大会上作《为巩固和发展人民的胜利而奋斗》的报告,报告明确提出:"人民政府决定在最近几年内在每个县和区建立起卫生工作机关,以便改进中国人民长时期的健康不良状况。"[1]为贯彻人民政府的这一决定,1951年 4 月,中央卫生部发布《关于健全和发展全国卫生基层组织的决定》,要求在全国有计划地建立健全县卫生院。为加强农村卫生基层组织的建设,中央卫生部成立

后,即着手进行了这方面的工作并取得了很大的成绩。截至 1951 年 4 月,全国已恢复、建立县卫生院 1841 所,已建立卫生院的县占全国总县数的 84.3%。5 月,全国医政工作会议通过了《健全与发展乡村卫生基层组织的实施办法》,这一系列政策的出台,进一步促进了基层卫生机构的发展壮大。[2] 到 1952 年底,全国已有 90% 的地区建立了县级卫生机构,县卫生院已达 2123 所。[3] 县级卫生组织的巨大发展,不但促进了各县医疗工作的开展,对指导各县的公共卫生工作,如防疫、保健、妇幼卫生、宣传及初级卫生人员培训等工作大有助益,而且带动了县以下的区、乡基层卫生组织的建设。在东北及其他地区的卫生实验县中,已有部分行政村建立了卫生分所或卫生站,华北地区普遍地建有医药合作社组织,这些组织在医疗和预防工作中发挥了很大的作用。

至 1951 年底,妇幼的医疗预防业务机构得到迅猛发展。如妇幼保健院、妇幼保健所、妇产科医院、产院、儿童保健院、儿童医院,全国已有 156 处;分布在各城市的妇产科及儿科病床共 7699 张(此数字包括部分普通医院这两科的床位)。县、区、村及工矿区的妇幼保健站,全国已建立 744 处,其中有 294 处在农村,58 处在工矿区,361 处在城市,4 处在内蒙古自治区。接生站(组)全国已建立 9464 处。中央卫生部及山东、黑龙江、苏北、绥远、察哈尔等地区还组织了妇幼卫生工作队和妇幼卫生工作组,深入工厂与农村进行工作,受

---

① 《建国以来周恩来文稿(一九五○年七月——一九五○年十二月)》第 3 册,中央文献出版社,2008 年版,第 372 页。

② 《全国农村卫生基层组织迅速扩展 两年来已恢复和建立县卫生院一千八百四十余所》,《人民日报》,1951 年 9 月 21 日。

③ 《当代中国的卫生事业》上,中国社会科学出版社,1986 年版,第 43 页。

到各地人民的热烈欢迎。①

1951 年 9 月 7 日,中央人民政府卫生部党组书记和主持全面工作的副部长贺诚给中共中央写了题为《二十一个月来全国防疫工作的综合报告》,报告除了总结 21 个月来防治传染病的经验,还提出:"今后数年内预防工作的主要内容,应以防止传染病流行为主……防疫工作必须使技术与群众运动相结合",要"使群众自觉自愿地参加防疫运动"。同时他还指出:"要使防疫工作收到应有的效果,必须各级党、政领导同志给予适当的重视。"毛泽东看到贺诚的报告后,不但称赞这个报告好,还亲笔为中共中央起草了《关于加强卫生防疫和医疗工作的指示》,在指示中毛泽东强调指出:"各级党委对于卫生、防疫和一般医疗工作的缺乏注意是党的工作中的一项重大缺点,必须加以改正。今后必须把卫生、防疫和一般医疗工作看做一项重大的政治任务,极力发展这项工作。对卫生工作人员必须加以领导和帮助。对卫生工作必须及时加以检查。在经费方面,除中央预算所列者外,应尽其可能在地方上筹出经费。必须教育干部,使他们懂得,就现状来说,每年全国人民因为缺乏卫生知识和卫生工作引起疾病和死亡所受人力畜力和经济上的损失,可能超过每年全国人民因水旱风虫各项灾荒所受的损失,因此至少要将卫生工作和救灾防灾工作同等看待,而决不应该轻视

卫生工作。"②毛泽东的批示深刻阐明了卫生、防疫工作的重要性,明确要求各级党委要将这一工作作为一项重大的政治任务来极力发展,从而为群众卫生运动的发展奠定了领导基础。到 1950 年底,全国已经有 100 个专业防疫队,其中鼠疫防疫队 12 个,防疫人员 1400 人。此外,各地还有中西医参加的地方防疫队。③

1953 年,中央卫生部系统所属各种公立医院共有床位 15.4 万余张,比 1952 年增加了 18%。其中疗养院床位 1.04 万余张,比 1952 年增加了 25%。中央六个工业部、铁道部和中华全国总工会系统所属各种医院共有床位 3.83 万余张,其中疗养院床位占 43%。上述七个部和中华全国总工会尚有业余休养所床位 8900 余张。④

1955 年全国医院和疗养院床位已达到 27.9 万多张。自愿组织起来的合作社性质的联合诊所达到 3 万多个。此外,中医的力量有了进一步的发挥,已经参加到公立和联合性质卫生事业机构中工作的中医师达到 9 万人,比 1954 年增加了 27%。我国许多医药工作者已开始有组织地对祖国丰富的医学遗产进行研究,国家已成立了中医研究院。⑤ 1956 年全国医院、卫生研究机构和疗养院的床位达到 32.8 万张,其中医院床位达到 26.1 万张,疗养院床位达到 6.6 万张。自愿组织起来的合作社性质的联合诊所达到 5 万多个。⑥

---

① 朱琏:《新中国两年来的妇幼保健工作》,《人民日报》,1951 年 11 月 5 日。
② 《毛泽东、周恩来关于卫生防疫和医疗工作的文献选载(一九五一年九月——一九七二年九月)》,《党的文献》,2003 年第 5 期。
③ 《当代中国的卫生工作》(上),中国社会科学出版社,1986 年版,第 7 页。
④ 《中央人民政府国家统计局关于 1953 年度国民经济发展和国家计划执行结果的公报》,《人民日报》,1954 年 9 月 14 日。
⑤ 《中华人民共和国国家统计局关于 1955 年度国民经济计划执行结果的公报》,《人民日报》,1956 年 6 月 15 日。
⑥ 《中华人民共和国国家统计局关于 1956 年度国民经济计划执行结果的公报》,《人民日报》,1957 年 8 月 2 日。

2. 群众性卫生运动的开展

新中国成立初期的群众性卫生运动主要包括两大方面，即开展卫生防疫工作，防疫的重点是预防急烈性传染病、肺结核病、寄生虫病和性病及开展改善环境卫生工作。

(1)开展群众性的卫生防疫工作

1949 年 10 月 27 日，中央防疫总队成立，总队先后设立了 9 个大队，分赴各地开展卫生防疫工作。新中国成立初期，由于当时的医疗条件和医学研究水平的限制，一些严重危害人民健康的急、慢性传染病还很难治愈，这一时期防疫工作的重点放在了加强预防注射方面。

1949 年 10 月，察哈尔省发生鼠疫，并蔓延至张家口。由于鼠疫的死亡率很高，且很难迅速治愈，因而加强预防接种就成为当务之急。刚刚成立的中央防疫总队迅速向察哈尔北部的六个县旗派出防疫队，封锁疫区，防治鼠疫。同时，开展预防接种工作，迅速扑灭了鼠疫疫情，到 11 月 4 日疫区即无新病例发生。1950 年，内蒙古鼠疫的发病率已大为减少，全年发病数为 22 人，只相当于 1947 年的 1‰。[1] 1951 年 1 月至 6 月全国鼠疫发病人数共 447 人，较上一年同期发病人数降低了 78%，各地对鼠疫的治愈率也较去年提高了 20%。[2]

1950 年春季，全国范围内开展了种痘工作。为了巩固天花防疫水平，10 月 7 日，周恩来总理在他亲自起草的《政务院关于发动秋季种痘运动的指示》中明确要求："各级人民政府对于今秋的种痘运动应加以重视……各级行政机关应从上加以领导、督促和检查，并于事后总结，于本年十二月底以前逐级呈报中央人民政府卫生部。""今春种痘较多的地方(如华北、东北)仍应进行补种，以达到普遍的目的。""种痘应一律免费，不得向受种人收取任何费用。痘苗、人工、卫生材料等费，均应由各级政府负担"。由于秋季种痘与群众风俗习惯不同，他还特别指出要对群众进行耐心的说服工作，详细解释秋季种痘的重要性，使群众自觉自愿地接受种痘。[3] 10 月 12 日，中央卫生部发布《种痘暂行办法》，规定婴儿在出生 6 个月内即应种痘，届满 6 岁、12 岁、18 岁时再各复种一次，同时要求全国人民普遍种痘。1949 年至 1952 年，卫生部门即在地域辽阔、交通不便地区的数亿人口中种痘 5 亿多人次，1952 年比 1950 年天花的发病率已减少了 90%。[4]

1951 年 1 月，中央卫生防疫总队召开会议，总结防疫队成立以来的工作。年内防疫队共注射伤寒、霍乱疫苗 204530 人、种痘 322979 人，建立卫生委员会 1183 个。通过防疫工作，使 974 万余灾民免除了大的疫病侵害，并保障了 86.6 万河工的健康。[5]

4 月，中央卫生部在北京召开全国防疫专业会议，会议总结了在防疫工作中取得经验的基础上，拟定了鼠疫、天花等 19 种危害严重的传染病的防治方案。此外，对慢性传染病如黑热病、血吸虫病等的防

① 贺诚：《当前少数民族地区的卫生工作任务》，《人民日报》，1951 年 9 月 14 日。
② 《全国防疫工作获重大成就 两年来各地已无大的疫病流行》，《人民日报》，1951 年 9 月 23 日。
③ 《建国以来周恩来文稿(一九五〇年七月——一九五〇年十二月)》第 3 册，中央文献出版社，2008 年版，第 394—396 页。
④ 李德全：《三年来中国人民的卫生事业》，《人民日报》，1952 年 9 月 27 日。
⑤ 《卫生部防疫部队 总结去年工作成绩》，《人民日报》，1951 年 1 月 4 日。

治工作也收到很大效果，两年来在山东、平原、苏北等黑热病流行地区，已治愈十余万人，并设立了专业防治所。为预防结核病，1951 年 1 月 29 日，中央卫生部决定在各城市免费推广卡芥苗接种，在北京、上海、沈阳、南京、西安等 82 个城市的儿童中，接种卡芥苗 85 万人。① 正是通过这一系列政策的落实和各地各级医疗机构开展的预防接种工作，大大提高了人民群众的免疫水平。在建国后短短的两年时间里，全国的卫生防疫工作取得了重大的成就，两年来各地已无大的疫病流行。从而为根治急、慢性传染病打下了坚实的基础。

（2）在广大城乡开展改善环境卫生运动

这一时期改善环境卫生运动是以清除垃圾、修建卫生工程为重点进行的。

新中国成立后，各地发动了大规模的清洁扫除运动。1950 年全国各城市共清除垃圾 175 万吨。② 沈阳市在 1949 年春秋两季及 1950 年春季共清除自伪满以来积存的垃圾 55 万多吨。③ 上海市解放后五个月来，除了清理垃圾、修整地下水道外，已开始进行疏浚苏州河工程。④ 太原市经过三个月时间的修整清理工作，使市容大大改观，全市共清除垃圾 6 万多车，修复市内排水沟 4700 米。⑤ 西南区在全区各大中城市均进行了全市环境的清洁卫生运动，仅昆明一地，在六天内就清除垃圾 1200 多吨。⑥ 全国各地还利用水道清淤及清除垃圾、粪便等适时开展积肥运动，既清洁了环境又促进了农业生产。北京仅一周就运出积粪约 28 万斤到郊区积肥。⑦ 张家口、大同、宣化等城市将大量垃圾、粪便运至乡下积肥。⑧

20 世纪 50 年代初期，在全国的广大城乡还同时开展了保护水源、改良水质的群众运动。

在城市中逐步提高自来水普及率。据统计，到 1951 年 9 月，已有 57 个城市有了自来水设备，覆盖人口占到了城市人口的 13%，⑨ 到 1952 年底，共有 65 个城市用上了自来水，自来水普及率达到了 32%。⑩ 与此同时，整修城市水系、改扩建城市下水设施。到 1951 年 9 月，全国有 44 个城市有下水道设备，下水道总长达到 4660 公里。其中北京市两年来新建下水道 105 公里，修建污水池 1330 个，修整了市内淤塞的河湖水系，改造了龙须沟，疏浚了护城河，使过去因秽水聚积，每年多发的肠胃系统传染病的发病率大大降低。⑪ 由于上海、沈阳、南昌、杭州、宁波等城市的环境卫生工作做得较好，这些城市的伤寒病病例显著减少。

---

① 《全国防疫工作获重大成就　两年来各地已无大的疫病流行》，《人民日报》，1951 年 9 月 23 日。
② 《全国环境卫生和卫生工程工作两年来有很大发展》，《人民日报》，1951 年 9 月 23 日。
③ 孙雨生：《沈阳市的卫生工作》，《人民日报》，1950 年 7 月 11 日。
④ 《人民政府积极进行市政建设　上海市容焕然一新》，《人民日报》，1949 年 11 月 13 日。
⑤ 《经三个月修建太原市容改观　第一阶段建设计划将完成》，《人民日报》，1949 年 8 月 31 日。
⑥ 《西南区夏季防疫工作有成绩　今年未发生严重时疫及传染病》，1950 年 9 月 1 日。
⑦ 《北平市半年来的卫生工作》，《人民日报》，1949 年 8 月 21 日。
⑧ 《积肥料　添牲畜　储燃料　造农具　垒地堰　翻秋地　堵河口　修水渠　华北各地农村抓紧冬闲空隙积极准备春耕》，《人民日报》，1950 年 1 月 26 日。
⑨ 《全国环境卫生和卫生工程工作两年来有很大发展》，《人民日报》，1951 年 9 月 23 日。
⑩ 《当代中国的卫生事业》上，中国社会科学出版社，1986 年版，第 95、96 页。
⑪ 《全国环境卫生和卫生工程工作两年来有很大发展》，《人民日报》，1951 年 9 月 23 日。

1950 年至 1952 年,卫生部多次发出通知,要求加强农村水源保护和开展季节性饮水消毒工作。1951 年,西北及华北地区打深水井 22 眼,使绥远、内蒙古等地的部分少数民族人民的饮水困难得到了解决。① 1950 年至 1952 年,全国改良的水井数共达到 461184 口,新建浅井 28877 口、深井 163 口,改善河渠水取水码头 16736 处,使农村 3.7 亿多人受益,其中饮用小型自来水的人数已占 15％左右。②

爱国卫生运动的全面展开

1. 成立中央防疫委员会

1952 年 1 月下旬开始,美国飞机在中国东北、青岛等地的 34 个县市投掷苍蝇、蚊虫、老鼠等带菌昆虫及媒介物,对中国发动细菌战争。③ 3 月 14 日,中央防疫委员会成立,领导和组织反对细菌战的工作,周恩来任主任委员。

3 月 15 日,华北局第三书记刘澜涛给中央写了《关于华北疫病防治情况》的报告,针对华北地区春季以来疫病的发病情况,建议中央开展大规模的清洁卫生运动,以保证人民健康和春耕抗旱工作的顺利开展。3 月 17 日,毛泽东在报告中批道:"宜通令全国各地普遍注意疫情,有疫者治疫,无疫者防疫,并将华北防治时疫文件转发各地参考。"④

根据毛泽东批示的精神,3 月 19 日,中央防疫委员会向各大行政区及各省、市、自治区人民政府发布了反细菌战的指示,要求各级人民政府都成立防疫委员会;并按照地理位置把全国划分为紧急防疫区、防疫监视区和防疫准备区;要求各地根据不同情况,发动群众订立防疫公约,并做到:①遇有敌机投撒昆虫异物,应立即报告所在地防疫机关,并应立即进行杀灭;②实行强制性的预防注射;③灭蝇、灭蚊、灭蚤、灭虱、灭鼠以及捕灭其他媒介物,并用火来灭;④保护水源,加强自来水管理;⑤保持室内外及厕所清洁;⑥小贩及食品店出售的食品必须加玻璃罩;⑦宣传不食生冷食品;⑧遇有传染病人要严加隔离;⑨死于传染病的尸体就在当地深埋,不准他运,必要者应做病理解剖;⑩传染病患者的排泄物及死者遗物应严格消毒或销毁;⑪严防坏人在地面上放昆虫、放毒药;⑫普及卫生防疫知识。这样,以粉碎美帝国主义细菌战,消灭苍蝇、老鼠等媒虫兽,改善城乡环境为主要内容的爱国卫生运动在全国轰轰烈烈地开展起来。

爱国卫生运动所造成的声势和效果,不仅振奋了中国人民的精神,而且引起了世界舆论的重视。1952 年 5 月,国际科学委员会在中国各地进行实地考察后指出,中国正在进行一个促进个人卫生和社会卫生的运动,这一运动受到 5 亿人民全心全意的支持,这样规模的卫生运动是人类有史以来前所未有的。这个运动已经发生了作用,使得由于传染病而引起的死亡率和发病率大大降低了。

通过全国各阶层人民几个月的努力,全国的环境卫生面貌已焕然一新。到 6

① 《全国环境卫生和卫生工程工作两年来有很大发展》,《人民日报》,1951 年 9 月 23 日。
② 《当代中国的卫生事业》(上),中国社会科学出版社,1986 年版,第 95 页。
③ 《当代中国的卫生事业》(下),中国社会科学出版社,1986 年版,第 55 页。
④ 《毛泽东、周恩来关于卫生防疫和医疗工作的文献选载(一九五一年九月——一九七二年九月)》,《党的文献》,2003 年第 5 期。

月,仅山东省和北京、天津、重庆三市,参加环境卫生大扫除的群众即达到 1400 余万人,一些卫生工作"死角"得到清理。如北京故宫的非游览区,河渠污浊,垃圾存量达 18.3 万多立方米,有些甚至是明朝时留下的。通过这次卫生运动,积年的污垢被清除干净。其间,北京市还捕鼠 58.3 万余只,堵鼠洞 44 万多个,消灭成蝇 1400 多万只。为消灭蚊蝇的滋生条件,全市有 6.8 万多个粪坑加上了盖,填平了 1.1 万个大小水坑。[1] 北京市的爱国卫生运动收到了显著的效果,市区的苍蝇、蚊子大量减少,一些最容易招苍蝇的鱼肉市场中也很少见到苍蝇了,传染病的发病数和死亡数明显降低。1952 年 4 至 6 月因肠胃病而死亡的人数与 1950 年同期相比降低了 35%,其他急性传染病的发病率也降低了 29%。北京市龙潭、陶然亭两地的臭水湖掏挖之后,成为美丽的风景区。福州疏通淤塞将近 200 年的阴沟。环绕秦皇岛半周的一条臭水沟填平后修成了马路。青岛、沈阳市 1952 年 1 月至 5 月的传染病发病率仅及去年同期的 40% 多。在广大农村,由于普及了新法接生,婴儿出生死亡率由解放前的 50% 下降到了 3% 左右。[2]

到 1952 年底,在九个月的爱国卫生运动中全国共清运垃圾达 7465 万余吨;疏浚的臭水沟渠全长有 28.3 万多公里;填平污水坑总计 4056 万多立方米;改善和新修的厕所有 492 万多个。此外,全国共灭蝇 1386 亿多只,灭蛆 49 亿多只,灭蚊 295 亿多只,打捞孑孓 1131 万多斤,灭蚤 7.9 亿多只,灭虱 26.4 亿多只,捕鼠约 12780

万只。[3]

2. 卫生工作与群众运动相结合的卫生工作方针的确立

1952 年 12 月,第二届全国卫生会议在北京召开。毛泽东为大会题词:"动员起来,讲究卫生,减少疾病,提高健康水平,粉碎敌人的细菌战争。"周恩来到会作了关于卫生工作与群众运动相结合的重要讲话。贺诚作了《为继续开展爱国卫生运动而斗争》的报告,报告总结了城市、农村、工矿、铁路、部队的卫生运动经验,并提出继续开展爱国卫生运动的要求。这次会议以一年来的事实为依据,重点解决了卫生工作中领导、卫生专业技术人员与群众三结合的问题,并指出"卫生工作与群众运动相结合"的方针是与"面向工农兵"、"预防为主"的方针密不可分的,号召广大医务工作者必须发动群众,向群众深入宣传,让群众自己起来同疾病和不卫生的习惯做斗争,同时要求各有关部门协同作战,战胜疾病。会议确定"卫生工作与群众运动相结合"为我国卫生工作的第四项原则。[4] 会议建议将中央防疫委员会改为中央爱国卫生运动委员会,并建议在各地建立常设机构。

政务院经研究后批准了这一建议。12 月 31 日,政务院发布《关于 1953 年继续开展爱国卫生运动的指示》,决定将中央防疫委员会改为中央爱国卫生运动委员会,周恩来继续担任中央爱国卫生运动委员会的第一届主任委员。《指示》中明确要求中央以下各级爱国卫生运动委员会要冠以各行政区域或单位名称,各级爱

---

① 吴晗:《关于开展爱国卫生运动的报告》,《人民日报》,1952 年 8 月 30 日。

② 《全国爱国卫生运动有重大成绩 普遍改善了城乡环境卫生提高了生产和工作效率》,《人民日报》,1952 年 10 月 8 日。

③ 陈致明:《起了移风易俗作用的爱国卫生运动》,《人民日报》,1952 年 12 月 5 日。

④ 《当代中国的卫生事业》下,中国社会科学出版社,1986 年版,第 409—410 页。

国卫生运动委员会由各级人民政府负责首长任主任委员,职责为领导反细菌战工作和群众性卫生运动,并要求各地在1953年1月底以前,提出本地1953年度爱国卫生运动的具体计划。① 此后,各地各级爱国卫生运动委员会相继成立,成为经常性的卫生运动领导机构。

1953年1月26日,政务院批准在全国范围内建立各级卫生防疫站,防疫站的主要任务是:认真贯彻预防为主的方针,应用预防医学的理论和技术,进行疾病控制、监测、卫生监督、卫生宣传、科研和干部培训等项工作。

针对1952年工矿企业在爱国卫生运动中处于落后局面的现状,1953年,中央爱国卫生运动委员会会同中央卫生部、中央人民政府重工业部、中华全国总工会等部门于2月12日,举行了一个工厂矿山爱国卫生运动座谈会。经过各部门代表的认真讨论,一致提出:首先应端正对爱国卫生运动的认识,爱国卫生运动开展得好的单位,不但不会妨碍生产任务的完成,而且还能提高增产效能。其次,要加强各工业系统的爱国卫生运动委员会的领导,由各工矿企业的行政首长、党支部书记、工会负责人担任主任委员,自上而下地领导爱国卫生运动。同时,各厂矿的爱国卫生运动委员会除由业务系统直属的上级爱委会领导外,还应接受所在地区的爱委会的领导和检查,并根据所在地区的爱委会的统一部署进行工作。② 与此同时,1953年春季,全国各地掀

起了春季爱国卫生突击运动,以挖蛹、大扫除和清除垃圾等为主要内容。通过努力,在卫生防疫工作方面取得了很大的成绩。以危害最大的鼠疫、天花、霍乱等烈性传染病为例,1953年,鼠疫发病数与1950年相比,降低了90%;天花降低了95%;自1820年由海外传入中国曾历年流行的霍乱,在新中国成立以来五年内已没有发生。③

通过几年的工作,曾广泛流行的各种传染病大都得到了有效的控制,但血吸虫病的防治问题一直没有太大的改观。为此,毛泽东曾几次作出批示。1953年9月,时任中央人民政府最高法院院长、政协全国委员会副主席的沈钧儒将无锡血吸虫病防治所沈瑜所写的有关南方血吸虫病的汇报材料转呈毛泽东。27日,毛泽东在给沈钧儒的信上指出:"血吸虫病危害甚大,必须着重防治。"④并将材料交由时任政务院秘书长兼文化教育委员会副主任的习仲勋负责处理。根据毛泽东的提议,1955年11月,中共中央决定成立防治血吸虫病九人小组,中共上海市委第一书记柯庆施担任组长,上海市委书记魏文伯、卫生部党组书记徐运北为副组长。11月22日至25日,九人小组在上海召开了第一次防治血吸虫病会议。会后各省代表根据中央指示和会议精神大都召开了防治工作会议,疫区的各级人民委员会都成立了防治委员会,并确定用大约七年时间基本消灭血吸虫病。1956年3月,毛泽

① 周恩来:《中央人民政府政务院关于1953年继续开展爱国卫生运动的指示》,《人民日报》,1953年1月4日。

② 《中央爱国卫生运动委员会等部门举行座谈会 决定加强领导工厂矿山爱国卫生运动》,《人民日报》,1953年3月14日。

③ 李德全:《在第一届全国人民代表大会第一次会议上 代表们关于政府工作报告的发言》,《人民日报》,1954年9月25日。

④ 《毛泽东、周恩来关于卫生防疫和医疗工作的文献选载(一九五一年九月——一九七二年九月)》,《党的文献》,2003年第5期。

东又三次督促召开第二次防治血吸虫病会议,并提出:"除长江中下游六省外",也"应该邀请福建、广东、广西、四川等有血吸虫和钩虫病的省区派出代表"参加,"会议除讨论血吸虫病为主要任务以外,钩虫病及其他最严重的疾病也宜加以讨论"。这一会议应"在下半年再开一次会(即每年开会两次)"。① 在党和政府的高度重视下,血吸虫病防治工作有了很大进展,各地利用冬春两季,结合兴修水利,发动群众开展了大规模的突击灭螺运动,仅安徽一省,即组织 150 万人,用了 2000 多万个工作日。据不完全统计,江苏等九省市灭螺面积约有 244 平方公里。② 1956 年,疫区各省市共训练防治人员 8.4 万多人,江苏、安徽、浙江和上海等地已出现了完全消灭钉螺的乡和村庄。各地还治疗了 40 万左右的血吸虫病人,这一数字比此前六年治疗人数的总和还多一倍多。③

鉴于当时的国际国内形势,防疫工作不仅关系到人民的生命健康,更是关系到保卫新中国、建设新中国的重大问题,而此时中国的国力较弱,人民生活水平、卫生知识、健康状况和卫生条件等都还十分落后,为了配合爱国卫生运动,更好地宣传卫生防疫知识,在 20 世纪 50 年代初期,出版发行了数量十分可观的动员抗疫防病、普及卫生知识的宣传画。针对广大城乡群众文化程度普遍较低的实际情况,这些宣传画多采用年画、连环画等形式,介绍霍乱、鼠疫、天花等烈性传染病和多发的疟疾、伤寒等多种传染性疾病以及血吸

虫病等人体寄生虫病的危害与防治知识,讲述蚊子、苍蝇、虱子、老鼠等是如何传播疾病以及如何消灭这些危害人类健康的病媒虫兽,制止疾病的传播。此外,还有相当数量的面对广大农村人口,专门宣传农村卫生知识和家畜、家禽防疫知识的宣传画,如宣传防治鸡瘟、猪瘟、牛瘟的宣传画以直观的形式,不仅列举症状,还介绍消毒、深埋、隔离防治的办法及措施,深受广大农民的欢迎。正是这些针对性极强且通俗易懂的卫生宣传画,有力地推动了卫生防病知识的普及与推广,促进了群众性爱国卫生运动的开展。

群众性爱国卫生运动取得显著效果。1954 年,全国范围内仅有天花病例 847 人,且大都发生在偏远地区,全国各大中城市中均未出现天花流行。④ 1956 年,内蒙古、吉林、福建、浙江、江西等几个鼠疫频发地区也先后停止发生疫情,鼠疫已基本得到控制。斑疹伤寒发病率 1956 年比 1951 年下降了 89%,回归热下降了 91%。1956 年全国很多地区虽然发生了大水灾,但由于专业防疫机构的建立、卫生环境的改善和相关药品生产能力的提高,1956 年疟疾的发病人数仍比 1955 年下降了 70%。此外,由于医药条件的不断提高,许多疾病的治愈率大大提高、病死率显著下降。婴儿死亡率已由解放前的 200‰下降到 70.3‰,一些大城市如北京、南京的产妇产褥热几乎已无死亡病例。到 1956 年底卫生部门已经治疗了 60 万黑热病患

①　《毛泽东、周恩来关于卫生防疫和医疗工作的文献选载(一九五一年九月——一九七二年九月)》,《党的文献》,2003 年第 5 期。

②　《卫生部长李德全的发言》,《人民日报》,1956 年 6 月 19 日。

③　《全国血吸虫病防治会议确定明年工作要点　一百二十万血吸虫病人将得到治疗》,《人民日报》,1956 年 12 月 29 日。

④　《新中国预防医学历史经验》第 1 卷,人民卫生出版社,1991 年版,第 278 页。

者,治愈率达到了 97% 左右。[1] 麻疹死亡率由 1951 年的 5.5% 下降到 1956 年的 1.6%,猩红热病死亡率由 8.5% 下降到 1.1%,痢疾死亡率由 1.1% 下降到 0.45%,回归热死亡率从 11.1% 下降到 1.9%。[2]

过渡时期总路线的提出和实施

1953 年中共中央提出的"党在过渡时期的总路线",在 1956 年中共八大以前,被称为"是照耀一切工作的灯塔",在当时国家的政治经济乃至文化生活中都起到了重要作用和影响,欲了解 20 世纪 50 年代的中国历史,就不能不了解过渡时期总路线。

一

过渡时期总路线产生的背景和原因

1953 年 9 月 24 日,中共中央正式向全党和全国人民公布了党在过渡时期的总路线,其内容为:"从中华人民共和国成立,到社会主义改造基本完成,这是一个过渡时期。党在这个过渡时期的总路线和总任务,是要在一个相当长的时期内,逐步实现国家的社会主义工业化,并逐步实现国家对农业、对手工业和对资本主义工商业的社会主义改造。这条总路线是照耀我们各项工作的灯塔,各项工作离开它,就要犯右倾或'左'倾的错误。"过渡时期总路线的提出,标志着中国共产党的基本方针政策发生了较大转变。中共中央在此时提出上述内容的总路线,是有其一定的社会背景和主客观原因的。

从国民经济来看,一方面经过 3 年的经济恢复,我国国民经济基本上治愈了战争的创伤,并从 1953 年起进入全面经济建设阶段。1953 年,我国开始实施发展国民经济的第一个五年计划。计划的主体是国家的工业化,这是中国人民近百年来梦寐以求的目标。它自然成为执政的中国共产党的工作重心,并在党的纲领政策中反映出来。

另一方面,经过 3 年的经济恢复阶段,我国通过没收官僚资本、整顿市场、统一财经、统制外资、土地改革等重大经济改革,在完成民主革命任务的同时,也使社会主义经济因素大大增长,公有制经济的作用和地位大大加强,这不仅表现在国营经济的领导地位已非常巩固,还体现在公有制经济的发展和比重上升的速度也非常快,这种经济发展趋势已为人们普遍感受到。

在取得上述经济成就的同时,国民经济恢复发展过程中也暴露出一些问题。一是由于我国经济落后底子薄,实施优先发展重工业战略将导致供求关系的紧张,因而需要加强资源配置的计划性,这就使以市场调节为主的私营和个体经济与国家要求的资源配置集中化、计划化不相适应,这种不适应集中表现为 1953 年粮食供

---

① 《我国去年防治为害严重的疾病有很大成绩　四十多万血吸虫病患者得到了治疗　基本上控制了人间鼠疫的发生　疟疾、黑热病等的防治也有了成效》,《人民日报》,1957 年 2 月 5 日。
② 《五年来我国卫生事业大发展　人民卫生状况和医疗条件有显著改进》,《人民日报》,1958 年 1 月 1 日。

求关系紧张。二是国民经济恢复时期私营和个体经济存在问题较多。从城市看，"三反"、"五反"揭露出来的问题说明刚从旧中国过来的私营经济在法制不健全的条件下一时难改旧习，从而容易给人以"弊多利少"的印象；从农村看，虽然土地改革使农民获得了自己的土地，但是旧中国帝国主义、封建主义、官僚资本主义的剥削和长期战争的影响，使得农村经济陷入衰败和非常贫困的状态，生产资料严重不足，农业剩余相当少，虽然土改后就整个农村经济来说，呈现出中农化趋势，但是这种极小规模的家庭经济必然要分化，少部分人会因天灾人祸或经营不善而失去生产资料，少部分人则因为基础较好和善于经营而迅速致富，土改时出现的贫富相近的局面必然要拉开档次，这种分化在1952年已露端倪。

上述这些问题都是中国共产党在新的形势和任务面前所不能回避的重要问题。党必须拿出回答和解决上述问题的理论和方案，才能有效地指导和开展下一步社会发展和经济建设。

当时世界两大阵营的存在和尖锐对立，也要求我国提出自己社会制度发展的明确目标。早在新中国成立前夕，中国共产党就宣布未来新中国的对外政策是实行政治上的"一边倒"，即坚决站在以苏联为首的世界民主阵营一方，但同时宣布在经济上则采取灵活政策，在平等互利的基础上准备与所有国家发展经济关系。而1950年6月爆发的朝鲜战争和随后的美国入侵及中国抗美援朝，造成了中国与以美国为首的西方国家之间的严重对立，美国为代表的西方国家不仅对中国实施全面经济封锁，而且时刻存在着军事威胁。在这种情况下，中国与苏联及东欧民主国家的关系变得更为亲密。

世界两大阵营的对峙和中国别无选择地坚决站在苏联一方，自然要影响到国内社会制度的选择和变化。当时国际上只存在着两种有生命力的社会制度，即以西方为代表的资本主义制度和以苏联为代表的社会主义制度。而我国当时实行的以经济上多种经济成分并存和政治上人民民主专政（民族资产阶级为人民的组成部分）为特征的新民主主义社会制度，只是被当时的国际共产主义运动视为过渡形态。在这种历史条件下，苏联不会容忍我国长期保持这种不符合传统社会主义理论和苏联模式的制度，这从新中国成立前后苏联曾怀疑中国是"铁托式的胜利"即可得到证明。因此，当我国基本渡过医治战争创伤、巩固政权阶段，转入全面建设时期后，国际环境也要求中国就未来的社会发展目标作出明确的回答。

从当时国际共运和中国共产党自己的理论水平来看，当时党也不可能在社会主义制度问题上超出苏联创造的传统社会主义理论和模式（即单一公有制和计划经济模式）。因此中国共产党在民主革命任务完成以后，难免要像苏联当年那样，把以单一公有制和计划经济为特征的社会主义过渡问题提上议事日程，并参考了苏联过渡的时间表。

正是在上述背景和条件下，经过一年多的酝酿，"过渡时期总路线"正式形成并公布于众。

二

过渡时期总路线产生的过程和内容

过渡时期总路线的酝酿，是与1952年我国基本上完成民主革命任务和提前完成国民经济恢复任务分不开的。这时，一方面,毛泽东和许多领导人认为民主革命任务基本完成后,即"在打倒地主阶级和官僚资产阶级以后,中国内部的主要矛盾即是工人阶级与民族资产阶级的矛盾","三反"、"五反"似乎更证明了这一点。另一方面,"经过两年半的奋斗,现在国民经济已经恢复,而且已经开始有计划地建设了"。上述变化要求中共中央提出一条明确的政治、经济纲领和路线。正是在这种情况下,作为中共中央主席的毛泽东,开始考虑这个问题。

1952年9月,毛泽东在中央书记处会议上讲到:10年至15年基本上完成社会主义,不是10年以后才过渡到社会主义。刘少奇在给斯大林的信中也反映出这种思想,即估计在10年至15年的时间,基本上实现对农业、手工业和资本主义工商业的社会主义改造。① 与此同时,党关于我国工业化速度的看法,受国民经济恢复时期巨大经济成就的鼓舞,比建国之初也更为乐观,准备用15年左右的时间(即3个"五年计划")基本上实现我国的工业化。② 由于上述两个任务和设想在时间上是重合的,因此过渡时期总路线包括上述两方面的内容也就是很自然的了。

1953年2月,毛泽东在中央书记处会议上又说:什么叫过渡时期?过渡时期的步骤是走向社会主义。我给他们(指孝感等地委)用扳指头的办法解释,比如过桥,走一步算过渡一年,两步两年,3步3年,4步4年,5步5年,6步6年……10年到15年走完了。我让他们传到县委书记、县长。在10年到15年或者还多一些的时间内,基本上完成国家工业化及对农业、手工业、资本主义工商业的社会主义改造。

1953年6月,中央政治局会议对毛泽东的上述设想进行了讨论。会上,毛泽东批评了"确立新民主主义社会秩序"、"由新民主主义走向社会主义"、"确保私有财产"三种提法,认为在未来15年的时间里,在国家实现工业化的同时,也应该完成生产资料所有制的变革,即过渡到单一公有制。经过这次会议,过渡时期总路线有了完整表述,党的高层领导也基本统一了认识。同年9月24日,总路线向全党和全国人民公布。同年12月,由毛泽东修改和审定的《为动员一切力量把我国建设成为一个伟大的社会主义国家而斗争——关于党在过渡时期总路线的学习和宣传提纲》(以下简称《宣传提纲》)公开出版,广为发行,它对过渡时期总路线作了较为详细的阐述,于是在全国各个阶层掀起了学习讨论过渡时期总路线的热潮。

1954年2月,中共七届四中全会正式批准了由毛泽东提出并经政治局确认的过渡时期总路线。

从过渡时期总路线的内容来看,它主要包括以下三个方面的内容。

1. 关于社会制度变革的看法和计划

《宣传提纲》指出:从中华人民共和国成立,到社会主义改造基本完成,这是一个过渡时期,这个过渡时期大概为15年至20年时间。这种提法表明,中国共产党改变了过去提出并得到《共同纲领》确认的新民主主义社会的理论。过去虽然也认为新民主主义社会是一个过渡性质的社会,但是同时又认为就它的社会形态和政治经济体制来说,在一定时期内是相对稳定的。而过渡时期总路线则认为新民主主义"社会秩序"无法确立,新民主主义的

---

① 参见《党的文献》1988年第5期。
② 参见中共中央:《关于实行精兵简政、增产节约、反对贪污、反对浪费和反对官僚主义的决定》。

经济体制也无法"确保",因为在今后 15 年至 20 年的时间里,要逐步消灭私营和个体经济,也就是要消灭资产阶级和小资产阶级(当然不是指肉体消灭,而是指阶级消灭)。可以这样说,《宣传提纲》所说的过渡时期,实质上是社会制度的变革时期,严格说来,这时期已不能算作新民主主义社会,它是传统社会主义制度逐步取代新民主主义制度的过程。

2.关于党在过渡时期的主要任务

过渡时期总路线提出,党在过渡时期的主要任务是实现工业化和对农业、手工业以及资本主义工商业的社会主义改造。当时简称为"一化三改"。

关于社会主义工业化问题,由于当时我国还是一个贫穷落后的农业国家,《宣传提纲》提出:"在革命胜利后,我们党和全国人民的基本任务就是要改变国家的这种经济状况,在经济上由落后的贫穷的农业国家,变为富强的社会主义的工业国家,这就需要实现国家的社会主义工业化。"因此党就把工业化作为过渡时期总路线的主体。但是社会主义工业化将不同于一般资本主义国家的工业化,它是采取优先发展重工业和优先发展国营工业政策的。工业化的标准也是当时苏联所采用的标准,即工业总产值占整个工农业总产值的 70% 以上和建立一套比较完整的工业体系。

关于社会主义改造问题,《宣传提纲》提出,一方面它必须以社会主义工业化为前提,另一方面它又是社会主义工业化实现的重要保证,它与"工业化"的关系是有机结合,同时并举。虽然《宣传提纲》中提出"党在过渡时期总路线的实质,就是使生产资料的社会主义所有制成为我国国家和社会的唯一的经济基础",但是从整个《宣传提纲》来看,总路线仍然是以实现

社会主义工业化为先决条件和首要任务的,这与 1953 年开始实施的"一五"计划也是相一致的。

3.关于过渡时期长短的估计

过渡时期究竟有多长,由于过渡时期总路线的估计与后来实施的结果差异较大,而这个问题又关系到对过渡时期总路线的评价,因此这里不得不单独讲一下这方面内容。过渡时期总路线关于过渡时间长短的估计,主要是依据我国实现工业化大概所需时间为标准,而不是以社会主义"三大改造"大概需要多长时间为根据的。在制定过渡时期总路线时,由于我党缺乏实现工业化的经验,因此在如何实现社会主义工业化问题上,即工业化的标准、发展战略和时间表等,只能借鉴苏联的经验,这也是唯一的经验。苏联从 1921 年开始转入全面经济恢复建设,到 1932 年第一个五年计划完成时,斯大林即宣布苏联实现了工业化。斯大林所用的标准就是工业总产值已占工农业总产值的 70% 以上。当时中共中央认为:"资本主义国家从发展轻工业开始,一般是花了 50 年到 100 年的时间才能实现工业化,而苏联采用了社会主义工业化的方针,从重工业建设开始,在十多年中(从 1921 年开始到 1932 年第一个五年计划完成)就实现了国家的工业化。"参考苏联工业化的标准和时间,毛泽东等又根据我国当时的经济发展水平和恢复时期三年中经济发展的速度和工业比重增长情况,以及下一步优先发展重工业的经济规划,估计我国将用三个"五年计划"的时间就可以基本上实现工业化(当时国家计委初步计算,"一五"计划完成时,我国现代工业在工农业总产值中的比重将由 1952 年的 28% 上升到 40% 左右,到 1959 年,就我国现代工业的主要产品产量来看,将大约相当于苏联

1932年的水平和日本1937年的水平)。如果按苏联当时工业化的标准来衡量这个估计,是有把握并留有余地的。正是因为党估计用15年左右的时间可以实现工业化,因此也要求在此时间内基本完成对农业、手工业和资本主义工商业的社会主义改造。

在今天来看,苏联当时的工业化标准显然是不够科学的,我国根据苏联的标准而估计的时间表,自然也就不够科学了。但是尽管如此,这种15年左右的估计较之实际上只用不到5年的时间就基本上完成社会主义"三大改造"并因此导致过渡时期结束,仍然要好一些。同时应该指出,这种工业化时间估计上的不科学(太短),与后来"三大改造"先行完成应该说是没有直接关系的。

三

过渡时期总路线的实施和结果

过渡时期总路线于1953年底正式宣布后,全国立刻掀起了学习和贯彻总路线的热潮。但是从实际工作来看,自1953年初我国开始实施第一个五年计划起,总路线提出的两大任务已经贯穿于党和国家的工作中了。

1953年既是总路线确定和公布的年度,又是工业化首次遇到挑战的年度。这一年是"一五"计划的第一年,由于计划不周全和各部门各地区都想多搞点基本建设,使当年的基本建设规模超过了工农业生产增长的可能,致使生产资料和消费品的供求关系一度紧张。这种紧张集中表现为农副产品供不应求。1953年下半年城市的粮食、棉花、食油、猪肉、蔬菜等供应都呈现紧张局面。虽然这种供求关系

的紧张是由1953年计划指标过高造成的,只要适当降低经济增长指标即可缓解。但是为了维持优先发展重工业和工业快速增长的计划(当时认为这是应该的),中央决定采取两种措施来解决农业增长赶不上工业发展要求的难题。一是治标方法,即对农产品实施统购统销,这就是国家通过掌握流通环节实行农产品的计划使用,以保证工业高速增长;二是治本的方法,即实行农业合作化,这就是通过普遍建立合作社,来根本改造小农经济,促进农产品的增加和农业的现代化,以满足工业高速增长的要求。这两个措施在1953年的实施,可以说是总路线提出的生产关系变革任务的第一个步骤,再加上当年开始实施的第一个五年计划,可见1953年党的工作实际上已开始全面贯彻过渡时期总路线的精神了。1953年的粮食统购统销和农业合作社的普遍增产也对后来如何继续贯彻总路线产生了影响,这就是生产关系的变革似乎应是社会主义工业化的条件,而不是它的结果。

1954年是实施"一五"计划和贯彻总路线的第二年。这一年党除了在农村仍大力推进农业合作化外,还对城市的私营批发商实行社会主义改造,使私营商业基本上限于零售范围,从而加强了国家对市场和资源配置的控制。这一年在经济发展方面,党接受1953年计划盘子订得过大的教训,对经济增长指标作了调整。然而天不作美,1954年夏秋发生了我国百年不遇的特大洪涝灾害,农业受灾严重。由于当时我国工业产值中以农产品为主要原料的轻工业占80%,因此农业受灾自然要影响到1954年工业经济的增长。根据原定计划,1954年农业总产值要比上年增长12.6%,其中粮食增长9.4%、棉花增长17.6%,这样农业与工业发展要求才能相

匹配。而实际结果却是：1954年农业总产值仅比上年增长3.4%，其中粮食增长1.6%、棉花反而降低9.3%。由于工业原料不足，在制订1955年的年度经济计划时，因以农产品为主要原料的轻工业无力增长，整个工业增长速度被迫降至7.7%，而实际执行结果只比上年增长5.5%。这大大低于"一五"计划规定的工业年平均增长14.7%的速度。这样一来，在1953年就已经显得紧张而不得不靠计划调节的农产品供求关系不但此时已无回旋余地，而且直接威胁到"一五"计划能否如期完成。

1955年工业增长速度大幅度降低，使"一五"计划受阻，促使毛泽东下决心解决农业拖工业后腿这个许多发展中国家工业化过程中都遇到的严重问题。几年来党在农村试办合作社的成功经验使毛泽东和许多领导人感到发展农业合作社是促使农业增产的"投资少、见效快"的好办法，而这又与农业社会主义改造目标相一致，是毕其功于一役的最佳选择。正是在这种背景下，毛泽东和许多领导人不顾具体领导农村工作的邓子恢等人的不同意见，于1955年下半年在全国掀起了农业合作化高潮。从1955年下半年到1956年底，仅用不到一年半的时间，我国农村的入社农民就由12%增长为97%，其中87.8%的农户加入了高级社，农业社会主义改造的任务基本完成。

受农业合作化高潮的影响，手工业和资本主义工商业（包括运输业、外贸业）也掀起了社会主义改造的高潮。个体手工业和资本主义工商业在1955年纷纷要求实行社会主义改造。这固然是受社会舆论的影响，但同时也是由于1953年以后国家计划管理逐渐加强和经济进入紧张运行，他们在资金、原料的供给和销售市场等方面都遇到很大困难和限制，日子越来越不好过。到1956年底，手工业和资本主义工商业的社会主义改造也基本完成。

1956年9月，中国共产党召开第八次全国代表大会。会上宣布，由于社会主义改造基本完成，我国已进入社会主义社会。这样，过渡时期就比1953年预计的时间表大大提前结束了。

1955年开始的社会主义改造高潮也促进了1956年国民经济的高速增长（这与1955年农业丰收和工业增长指标较低有直接关系）。1956年基本建设投资额约占"一五"计划规定的投资额的1/3左右，从而保证"一五"计划的基本建设部分能够超额完成。同时，1956年工业总产值比上年增长28.7%，农业比上年增长5%，这都保证了"一五"计划得以如期完成。但是应该指出，社会主义"三大改造"先于工业化和原定时间表提前完成，并不是一件好事，它使我国经济体制提前进入单一公有制和行政性计划管理为特征的传统社会主义经济模式，而这与当时我国的工业化水平是不相适应的，对我国经济的长期发展是不利的。它为后来急于实现工业化而掀起的"大跃进"提供了可能。

总之，由于社会主义改造先于工业化，甚至可以说在工业化起步阶段就基本完成，因此过渡时期总路线所称的过渡时期也就不复存在。这样，过渡时期总路线也就自然终止了。由于工业化的任务尚未完成，故中共八大以后中央未明确宣布过渡时期总路线结束，而是提出了新的社会主义建设总路线来取代它。可以说，过渡时期总路线是在尚未实现自己目标（工业化）的情况下，随着过渡时期的结束而退出历史舞台的。

高饶事件

一

引发工会工作的一场争论

共和国建立之初，在工会工作中，如何看待和处理国营工厂中新出现的矛盾，产生了两种不同的意见：一种以当时任中共中央中南局第三书记的邓子恢为代表，另一种以当时任中共中央东北局第一书记的高岗为代表。新民主主义革命的胜利，使工人阶级在我国的社会、政治生活中的地位发生了根本变化，成为国家的领导阶级，工会工作也在不断前进。在复工开厂时期，工会引导工人自觉地克服单纯追求福利的偏向，保证了生产的迅速恢复；当工商业处于新旧转轨的困难时期，工会引导工人主动团结资方，改进经营管理，降低薪金，维持生产，共渡难关。随着1950年上半年工商业开始好转，引发了新的问题。工人要求恢复工资，清理拖欠，但资方有意拖延。这时工会却未能及时主动地帮助工人去解决这个问题。有的工会干部甚至片面地替资方叫困难，压制工人的正当要求，引起工人的不满，以致有的工会会员闹退会，拒交会费，甚至包围工会，殴打工会干部。湖南长沙等地还发生了工人骚动的严重事件。邓子恢对此深感不安。

1950年7月28日，邓子恢来到中南

总工会筹委会扩大会议的会场上，作了关于工会工作的报告。他首先肯定了解放以来工会工作取得的成就，同时指出工会工作存在严重的脱离群众的现象。关于工会工作者的立场问题，他说，工会工作者应该明确地站在工人阶级的立场上。在私营企业中，工会工作者应处处为工人利益作打算，绝不能代表资方，替资方说话，也不应站在劳资之间。在国营企业中，工会工作同志的立场与态度，也不应与企业行政管理人员混同起来，虽然双方都是为了国家，同时双方也都是为了工人的利益服务，基本立场是一致的，但应该认识彼此的岗位不同、任务不同，因而彼此的具体立场也应该有所不同。企业管理者代表厂方利益，工会工作者则应代表工人利益。为了完成自己的生产任务，减轻生产成本，企业行政方面很容易从本位观点出发，过分降低工人的薪金福利，过分提高劳动强度，因而作出对工人不利的规定。在这种情况下，工会工作者必须根据工人的意见，同厂方商量作适当修改。如厂方犯主观主义或官僚主义的毛病，不照顾工人利益，不接受工会意见，则工会应代表工人向厂方提出抗议，向上级申诉，甚至向法院控告，以达到维护工人利益的目的。工会工作者这种做法，是完全允许的，因为只有这样才能确实保护工人的利益。邓子恢还把这个问题作进一步引申，说：就是在工会与政府关系上，也应该各有不同的立场和态度。照理讲，工会与政府人员基本立场是一致的，但应该估计到人民政府是代表四个阶级的利益，它不仅要照顾工人阶级的利益，还要照顾农民阶级、小资产阶级和资产阶级的利益。在这中间，对某些问题的决定，难免照顾得不能恰如其分。同时，在政府人员中，也不可避免地要发生主观主义与官僚主义的毛病。因此，同样需要工会工作者站在工人阶级立场上，如发现政府某些施政对工人照顾不周，便应该向政府建议，设法加以修改或纠正。现在有些工会工作者立场不够明确，因而不善于从工会本身的立场来贯彻党的政策。在公营工厂中常表现为与行政毫无二致，不能从维护工人利益出发做好工作，改正行政上过分谋利的倾向；在私营工厂中，无原则地迁就资方，单纯替资方说话，有些厂店资方已答应了工人的条件，工会却替资方说服工人把它取消，因而引起工人不满。有些工人骂工会为"厂长尾巴"、"资方走狗"，并不是没有原因的。这是我们工会工作的最大耻辱，也是工会工作的严重危机，应该引起我们的极大警惕。

关于代表工人利益问题，邓子恢说，这是工会工作的基本问题。工会之所以需要，主要就是为了代表工人阶级的利益，否则工会就成为多余的了。工人利益有多种，有经济利益，又有政治、文化的利益；有当前利益，又有长远利益；有局部利益，又有整体利益。这些利益是互相关联而又互相矛盾的。因此，工会工作者必须处处反映与解决工人当前利益与局部利益，以取得工人信任，并进而提高工人觉悟。在这个基础上再去说服工人照顾到长远利益与整体利益，这就易收事半功倍之效。

关于工作方法与工作作风问题，邓子恢指出，所谓工作方法问题，就是走群众路线，还是走官僚主义路线？是依靠大多数群众自觉自愿来进行工作，还是依靠命令强迫、代替包办来进行工作呢？毫无疑问，我们应该走群众路线，而不能官僚主义；一定要争取群众大多数，而不能只争取少数或次多数。只有这样，才能把事情办好，又能使群众觉悟提高一步。工人是

当前社会最先进的阶级，更不能接受命令主义与包办代替的官僚主义。工会工作者正确的工作作风就是：①面向群众，深入下层。把工作深入到工厂中去，深入到车间中去，时刻了解工人的生活要求与政治情绪，了解群众脉搏的跳动，这样才能使工会每一项工作、每一个决议都符合于工人的要求与情绪。②虚心学习，实事求是。要有老老实实的态度，知之为知之，不知为不知，不要强不知以为知，处处从实际出发。③认真负责，细心谨慎。如果缺乏这种精神，对国家事业，对工人利益不负责任，马虎敷衍，只顾自己的名誉、地位、风头、面子，片面主观，粗枝大叶，就不会把生产搞好，更不会把工会办好。④大胆放手，信任群众。发现与培养积极分子、正派分子，经过工人代表大会，把他们提拔到领导工作中来，放手让他们办事。这样，工会有大批工人积极分子来主持，来领导，才能逐渐成为工人自己的工会，成为工人自己的家庭，而不是少数外来干部、官僚的工会，这样的工会才能办得好。

7月30日，《长江日报》全文刊登了这个报告。在发表报告的前一天，邓子恢将报告的要点电报中共中央。8月4日，刘少奇为中央起草了批语："这个报告很好，特转发你们参考。工会工作是目前我们党的主要工作之一，但各地党委对于工会工作显然注意不够。望各中央局、分局及省委、区党委和市委照邓子恢同志做法在最近三个月内认真地检查一次工会工作并向中央作一次报告，以便加强党委对于工会工作的注意，改善工会工作。是为至要。"批示经毛泽东、周恩来、朱德、任弼时、李立三（当时担任全国总工会主席、党组书记）等人圈阅。

同一天，《工人日报》全文转载了邓子恢的报告，并加了编者按。编者按说，邓

文提出的问题，"是有关工会工作的基本原则和基本理论问题"，"希望全国各级工会组织和全国一切工会干部，都要好好学习这个报告，改进自己的工作"。9月4日，《人民日报》也全文转载了邓子恢的报告。

邓子恢的报告，在工会工作者当中引起热烈的反响，特别是邓子恢在报告中提出的观点，在领导干部和工会工作者中引起广泛的注意和讨论。全国总工会召开了党组扩大会，并发出通知，号召全国工会工作者将邓的报告作为整风学习文件，认真学习，整顿作风。

在讨论中，对邓子恢有关工会工作的立场问题的提法，赞成者居多，反对者亦有。反对者当中有一个重量级人物，他就是东北局第一书记高岗。

7月21日，他在东北总工会执委扩大会议的报告中就说过："党政工一个目的，亲密团结搞生产，切忌对立起来提问题。"8月下旬，在东北城市工作会议上，高岗在总结讲话中批评邓文"欠妥"、"混淆思想"。1951年4月，高岗针对邓子恢的报告，组织人写了一篇题为《论公营工厂中行政与工会立场的一致性》的文章，对邓子恢的文章提出针锋相对的批评。

这篇文章的基本观点是：公营工厂中没有阶级矛盾，没有剥削与被剥削的阶级关系，行政与工人的利益是完全一致的，行政与工会只有分工的不同，没有立场的不同。"具体立场不同"的说法，第一是模糊了工人阶级的领导思想及其在国家政权中的领导地位，第二是模糊了公营企业与私营企业在本质上的区别。

高岗拟将这篇文章作为《东北日报》社论公开发表。为此，他于4月22日写信给毛泽东，请他审查修改，并请示"可否在报上发表"。4月29日，当时担任毛泽东秘书并负责报刊宣传工作的胡乔木就此向毛泽东和刘少奇写信报告，认为"邓子恢同志的说法确有不完满的地方"，但"《东北日报》的文章用正面批驳的方法也不适宜"，认为"最好指出所以如此是有原因的，工会更应当重视工人的直接福利，许多工会不重视是不对的"。5月10日，刘少奇在胡乔木信上批示："我意高岗同志文章暂不发表，待四中全会讨论此问题时，当面说清楚。高文可送邓子恢同志一阅。"5月16日，刘少奇又写信给高岗："关于工会与工会立场问题你写的文章，我已看过，已送交主席，可能主席尚未来得及看。我的意见以为四中全会即将开会并要讨论这个问题，子恢同志亦来，可以在那时加以讨论，因此，你的文章暂时以不发表为好。"

但是四中全会因故延期，有关工会工作的讨论暂时搁置起来，而且情况有了新的变化。1951年10月2日，全国总工会主席兼党组书记李立三在《关于在工会工作发生争论的问题的意见向毛主席报告》中指出，有的同志认为，在国营企业中公私利益是完全一致的，无所谓矛盾，甚至否认公私兼顾的政策可以适用于国营企业。另一种意见认为，在国营企业中公私利益是基本一致的，但在有关工人生活、劳动条件等问题上是存在矛盾的，但这种矛盾的性质是工人阶级内部的矛盾，因而是可以而且应当用协调的方法，即公私兼顾的方法来解决的。并明确表示："我个人是同意后一种意见的。我觉得公私关系问题，不仅在目前国营企业中，而且将来在社会主义时期各种对内政策问题上也还是一个主要问题，否认'公私兼顾'的原则可以运用到国营企业中的意见，可能是不妥当的。"

毛泽东看了李立三的报告，不同意他

的意见,并且尖锐地批评了李立三和他所领导的全总党组,认为在工会工作中有严重错误。根据毛泽东的意见,中共中央于11月解除了李立三全国总工会主席和党组书记的职务,批准成立了由刘少奇、李富春、彭真、赖若愚、李立三、刘宁一组成的全国总工会党组干事会,指导全国总工会的工作。

11月底,刘少奇经中央批准,到南方休假。全总党组干事会实际上由李富春负责。12月,全总党组召开第一次扩大会议,会议对李立三进行了批判。其中的一条就是说他支持并利用了邓子恢的文章,夸大了国营企业公私利益的矛盾,并形成了一系列的错误观念,完全走上狭隘的经济主义的道路,犯有严重的工团主义,表现了社会民主党倾向,等等。李立三作了检讨。在这种形势下,邓子恢也于12月底在中南局会议上就"工会立场"问题作检讨,并向毛泽东作了报告。这就使高岗在政治上得了"一分"。

二

关于农业互助合作的争论

土改以后,我国的个体农业要向现代化和集体化方向发展,党内的意见是一致的。在当时的具体条件下,劳动互助的形式对恢复和发展农业生产具有积极作用,党内也无异议。但对某些土改进行较早的地区,已出现一定程度上的"中农化"趋势以后,是否应当允许少数富裕中农冒尖,以及在手工劳动的基础上是否仅通过组织合作社就能实现社会主义,在党内却

明显地有不同看法。

"中农化"趋势突出地表现在老解放区的东北地区。东北的农民经过辛勤劳动,一般群众的经济状况普遍开始上升,"绝大多数农民"当时的经济生活已经超过他们刚刚开始实行土改之后的情况。最普遍的是粮食都有增多,因此生产生活所必需的牲畜、大车、衣物、房子也均有增加,其中一部分除了添车买马之外,已开始雇佣长工。

怎样对待农民这种要发家致富的积极性?中共中央东北局书记高岗主张加以限制。1949年12月初,他在东北农村工作座谈会上提出:"必须使绝大多数农民'由个体逐步地向集体方面发展'。组织起来发展生产乃是我们农村生产领导的基本方向。"[1]

12月31日,东北局组织部作出《农村支部工作指示》,要求"应当教育党员,积极参加变工组,大量在合作社入股,搞好变工组与合作社,是农村党员的基本任务。批评某些党员只想个人发财,不管多数群众贫困,甚至想剥削别人的富农思想"。[2]

这时毛泽东正在苏联访问,由刘少奇主持中央工作。刘少奇认为现在是新民主主义阶段,应该鼓励老区农民劳动致富,充分发挥他们的个体积极性,以提高农村生产力。而且,当时中央正酝酿在新解放区土地改革中采取保护富农经济的政策。为了稳定农村形势,刘少奇认为对老区出现的少量新富农要采取慎重的态度。

1950年1月23日,刘少奇基于他在1949年秋对东北的调查了解,同中组部副

---

① 《新华文摘》,第1卷第4期。
② 金冲及主编:《刘少奇传》,中央文献出版社,1996年版,第692页。

部长安子文谈了他对东北有关问题的看法。他说:"东北土改后农村经济开始向上发展了。有三匹马一副犁一挂大车的农民,不是富农,而是中农","现在东北,应该使这种中农得到大量的发展","因此现在限制单干是过早的,现在能够单干是很好的","富农雇人多,买了马,不要限制他,现在要让他发展,没有坏处,这不是自流。将来我们对富农有办法,让他发展到一定程度,将来再予以限制,三五年之后再予以限制,用国家颁布劳动法,把雇农组织起来,提高雇农的待遇,征土地税,多累进一点,多加公粮等办法,予以限制"。①

根据刘少奇的意见,中共中央组织部正式答复东北局,批评了东北局组织部《农村支部工作指示》中的一些提法。高岗对这件事十分不满。据高岗说,他收到刘少奇谈话记录后,在北京面交毛泽东。毛泽东批示给陈伯达看,对刘少奇谈话的不满,形于颜色。后来这个谈话记录就成为高岗反对刘少奇的重要借口。②

不久,党内对老区农村政策又发生了一场争论。1951年4月17日,中共山西省委提出《把老区互助合作组织提高一步》的报告。报告认为,农民自发力量不是向着我们所要求的现代化和集体化的方向发展,而是向着富农方向发展。对于私有化基础,不应该是巩固的方针,而应当是逐步地动摇它,削弱它,直至否定它。为此,应该把"公共积累"和"按劳分配"这两个进步因素,在互助组织中逐步地增强,使互助组织大大地前进一步,以战胜农民的自发因素。

中共中央华北局和刘少奇则是另一种意见。华北局接到报告的前后,曾两次请示刘少奇。刘少奇认为现在动摇私有制,条件不成熟。没有拖拉机,不要急于搞农业生产合作社。4月下旬,华北局召开五省互助合作会议,山西代表支持搞农业生产合作社的意见,没有得到其他四省的同意。据此,华北局于5月4日正式批复山西省委并报中央。批语说:"用公基金和按劳分配来逐步动摇、削弱私有基础直至否定私有基础,是和党的新民主主义时期的政策及共同纲领的精神不相符合的,因而是错误的。"目前是处于新民主主义革命而不是社会主义革命阶段,"提高与巩固互助组的主要问题,是如何充实互助组的生产内容,以满足农民进一步发展生产的要求,而不是逐步动摇私有制的问题。这一点必须从原则上彻底搞清楚"。"农业生产合作社全省只能试办几个作为研究、展览和教育农民之用。即便试办,也要出于群众自愿,不能强行试办,更不要推广"。

刘少奇接到华北局的汇报和批转的山西省委的报告后,连续在几个不同场合对山西省委的观点提出了批评。5月7日,他在全国宣传工作会议上说:山西省委在农村里边要组织农业生产合作社,"这种合作社是有社会主义性质的,可是单用这一种农业合作社、互助组的办法,使我们中国的农业直接走到社会主义是不可能的","那是一种空想的农业社会主义,是实现不了的","我们中国党内有很大的一部分同志存有农业社会主义思想,这种思想要纠正","农业社会化要依靠工业"。

7月3日,刘少奇批准将他在山西省委报告上的批语印发出来:在土地改革以

① 刘少奇:《论新中国经济建设》,中央文献出版社,1993年版,第52—155页。
② 薄一波:《若干重大决策与事件的回顾》上卷,中共中央党校出版社,1991年版,第198页。

后的农村中,在经济发展中,农民的自发势力和阶级分化已开始表现出来了。党内已经有一些同志对这种自发势力和阶级分化表示害怕,并且企图去加以阻止或避免。他们幻想用劳动互助组和供销合作社的办法去达到阻止或避免此种趋势的目的。已有人提出了这样的意见:应该逐步地动摇、削弱直至否定私有基础,把农业生产互助组织提高到农业生产合作社,以此作为新因素,去"战胜农民的自发因素"。这是一种错误的、危险的、空想的农业社会主义思想。山西省委的这个文件,就是表现这种思想的一个例子,特印发给各负责同志一阅。

刘少奇还特意在写了这个批语的信笺的天头上给中央办公厅主任杨尚昆写下一段话:"五号下午二时,马列学院一班来春藕斋上课,此件请印发给学生。并发给各中委和中央局。"

7月5日,刘少奇在中南海春藕斋为马列学院第一班学员作报告,题目是《中国共产党今后的历史任务》,其中在讲到现在有些思想问题时,刘少奇又点了山西省委的报告,再次重申:企图在互助组内逐步地动摇、削弱直至否定农民的私有财产,走向农业集体化,这是不可能的,是改良主义。由互助组是不能逐步发展提高到集体农庄的。集体农庄是新的东西,互助组在建立集体农庄后就取消了。合作社的经济条件是重工业、拖拉机,没有这个条件,即使准备好了,大家要求集体化,也是不可能组织好的。

7月25日,刘少奇在华北局向中央作的《关于华北农村互助合作会议的报告》上,作了多处修改,更突出地强调不能由互助组织直接地走向集体化。修改中增

加较多的地方,一是农业集体化必须以工业化、机械化及土地国有为条件,否则便无法改变小农的分散性、落后性。而达到农业集体化,"将来在这些条件下普遍组织起来的集体农场,对于目前的农业劳动互助组来说,是一种完全新的组织。在集体农场组织之后,目前形式的互助组就没有必要了"。二是在讲到巩固互助组主要依靠充实生产内容后,加了"在长时期内,在农民中就进行了一种实际上的集体主义教育,是将来组织集体农场必须的思想基础"。①

在党内关于中国如何走向社会主义的两种不同意见中,毛泽东显然不同意刘少奇的主张。毛泽东找刘少奇和华北局负责人谈话,明确表示支持山西省委的意见。他批评了刘少奇关于互助组不能成长为农业生产合作社的观点和现阶段不能动摇私有制基础的观点。他说,既然西方资本主义在其发展过程中有一个工场手工业阶段,即尚未采用蒸汽动力机械,而依靠工场分工以形成新生产力的阶段,则中国的合作化,依靠统一经营形成新生产力,去动摇私有基础,也是可行的。接着,毛泽东指示陈伯达召集第一次互助合作会议,起草农业生产互助合作决议。就在这时,高岗于10月14日向毛泽东送上了《关于东北农村的生产合作互助运动》的报告。报告分析东北农村经济普遍上升的主要原因是由于经过土地改革,摧毁了地主和旧富农的经济之后,党就将贯彻毛泽东关于组织起来发展生产的方针,作为农村工作的重点,并在组织农民生产与交换方面积极推行了合作互助和供销合作的政策,以便有步骤地改造农业经济,使之由个体逐步向着集体发展。报告明

---

① 薄一波:《若干重大决策与事件的回顾》上卷,中共中央党校出版社,1991年版,第191页。

确表示要积极扶助与发展农业合作互助组,"并逐步由低级引向更高级的形式"。这里的关键是看我们对合作互助组的领导的实际成效如何,即是否提高了农业生产力,多打了粮食,增加了农民的收入。强调要有重点地发展农业合作社,同时力争各类形式的合作互助组能够作出比较优良的成绩,来积极动员与吸引"单干"的农户自愿加入各种类型的合作互助组。人民政府应从各方面给互助组以优待,特别是在农具、技术指导与供销方面。为了更好地领导互助组的发展,必须培养合作互助组的骨干。省、县、区的党和政府的组织,应训练积极分子,推广经验,提高觉悟,巩固组织,并经常派人指导与检查合作互助组的工作。农村党的支部和党员要成为合作互助组的核心。

毛泽东看了高岗的报告后,于10月17日批给刘少奇、周恩来、朱德、陈云、彭真、陈伯达、胡乔木、杨尚昆,请他们一阅。并请杨尚昆阅后印成一个小册子,分送各中央局、分局,各省市区党委,同时发给中央各部门、中央政府各党组、正在出席中央政治局扩大会议的各同志,即将出席政协第一届全国委员会第三次会议的各共产党员。发放的范围非常之广。毛泽东还要求在党内刊物上发表。同时毛泽东代中央起草了一个批语:"中央认为高岗同志在这个报告中所提出的方针是正确的。一切已经完成了土地改革任务的地区的党委都应研究这个问题,领导农民群众逐步地组成和发展各种以私有财产为基础的农业互助合作组织,同时不要轻视和排斥不愿参加这个运动的个体农民。每个省区都要建立生产新式农具的国营工厂,以便农民购用此种农具。省、专区和县都要建立至少一个公营农场,以为示范之用。"

在如何实现农业社会主义的问题上,刘少奇受到批评,高岗得到表扬。这样,高岗又得了"一分"。

三

"新税制"风波

税收是国家积累资金的重要手段。陈云曾说过,宁缺一个县委组织部长,也不能缺一个税务局长。1950年1月27日,政务院通过了《全国税收实施要则》。由于当时国营和合作社经济还很薄弱,因此,这一税则对国营和合作社经济给予了适当的照顾,例如国营工商业总、分支机构内部调拨货物不纳税;委托私营企业加工只就工缴收益按工业税率纳税;私商为国营企业代购代销产品,按实际所得的手续费征税;新成立的供销合作社免纳一年所得税,营业税按20%的税率征收,并打八折优待;新成立的手工生产合作社免纳营业税和三年所得税,等等。

1952年下半年,税收工作出现了很多新情况。由于当时税制是在旧税制基础上建立起来的,难免残留旧税制对经济的消极作用,主要是各税重复,零星分散,手续繁琐。随着经济的发展,其消极影响日益显现出来,因此,修正税制是需要的。另外,还有一个问题,由于五种经济成分不断改组,国营商业和合作社商业在经济中已占了很大比重,总、分支机构内部调拨、加工订货及代购代销等经营方式日益扩大,私营企业主看到国营经济总、分支机构内部调拨不纳税,也更多地采取"产零见面"的办法,即工厂直接售货给零售商或委托零售商代售,以逃避一道批发营业税。加上经营方式、流通环节的变化,商品中间环节减少,使得营业税中的批发营业税减少或很难收上来,国家税收有下降的趋势。而大规模经济建设,又要求不断增加税收。恰好这一年,"三反"、"五反"刚结束,不少私营企业在运动后漏税要补,偷税要罚,资本家叫苦。原定税收都难以收上来,税收任务还要增加,如果过多地把税收加在他们头上,会把私营企业挤垮,国家面临的困难将更多。这些原因使财政部认识到税制必须修正,在修正税制时改变对国营和合作社经济原有的某些优惠规定。

"五反"以后,陈云全力以赴投入制定"一五"计划工作,对中财委的一般性工作很少过问。中财委在副主任薄一波的主持下,研究了修正税制问题,同时召开了各大区财政部长会议和第四次全国税务会议。根据几次会议的意见,财政部提出了修正税制的具体方案。12月26日,政务会议讨论并批准这个方案。周恩来在会上说:"这次税制基本上没有变,如果说有一种改革,那就是将一部分商品改征商品流通税了,总的说来,还是税制的修正。"对改变合作社和国营企业的某些优待,周恩来作了说明:"合作社的发展,不能单靠优待,主要的应靠改善其经营。因此,取消了合作社的许多优待,使其和国营企业、私营企业在纳税待遇上一样,以打破其供给制观点,加强其经济核算制,这对合作社的发展也是有好处的。合作社总社的负责同志也同意这样做。不仅合作社,国营商业部门也有依靠国家贷款、收购等的优待而不大注意经营的情况。使国营企业、合作社和私营企业在纳税待遇上一样,就督促了国营企业和合作社注意使推销面大,资金周转得快,经营得好。"①

接着,财经部门又向工商联负责人及工商界知名人士征求了意见。1952年12月31日在《人民日报》上公布了《关于税制若干修正及施行日期的通告》,决定自1953年1月1日起实行新的税制。

同一天,《人民日报》发表社论,提出"公私一律平等纳税"。修订税制的原则主要有两条,一是保税,二是简化纳税手续。其最大的变化就是"应税货物,一律按国营公司批发牌价核税;加工、订货、包销者同。"也就是不分公营、私营,一律平等纳税。

修正税制公布以后,在社会上引起强烈反响和波动。1953年1月9日,山东分局第二书记、山东省人民政府副主席向明等三人联名写信给中央,反映执行新税制引起物价波动、强抢商品、私商观望、思想混乱等情况。1月11日,北京市委也写信给中央反映了类似情况。各大区、各省市财委也纷纷写信、打电报给中财委,反映在执行过程中遇到的困难和问题。这件事引起毛泽东的重视。1月15日,他给周恩来、邓小平、陈云、薄一波写信,说:"新税制事,中央既未讨论,对各中央局、分局、省市委亦未下达通知,匆促发表,毫无准备。此事似已在全国引起波动,不但上海、北京两处而已,究应如何处理,请你们研究告我。此事我看报始知,我看了亦不大懂,无怪向明等人不大懂。究竟新税制与旧税制比较利害各如何?何以因税制而引起物价如此波动?请令主管机关条举告我。"

周恩来收到信后,立即召集有关部门负责人研究改行新税制后的物价问题,并连夜给毛泽东写回信,谈了处理办法。可见他把毛泽东这封信的分量看得很重。

薄一波看了信后也立即召集中财委

---

① 金冲及主编:《周恩来传》,中央文献出版社,1998年版,第1092页。

有关人员开会,汇报执行新税制的情况。薄一波说:"我当时的心情半是沉重,半是茫然。信是批评刚出台半个月的新税制,而且词锋甚严,显然事出有因。我很注意信中的两句话,'此事我看报始知,我看了亦不大懂',已预感到事情有些严重了。"①

随后,财政部和税务总局派出若干小组分赴各大中城市检查,并每天与各主要城市通话联系,解决发生的问题。经过努力,对执行新税制中所发生的较大问题,很快都采取了补救措施,得到妥善处理。2月10日,财政部吴波、商业部姚依林、粮食部陈希云三人联名写信给毛泽东和中共中央,就修正新税制的目的、新税制对物价的影响和在执行过程中发生的问题等,作了说明。财政部又向毛泽东、中央政治局作了一次汇报,由吴波把税制修正了哪些地方,实行中出现了哪些问题,如何解决的,一一作了说明。但毛泽东仍然尖锐地批评说:"公私一律平等纳税"的口号违背了七届二中全会的决议;修正税制事先没有报告中央,可是找资本家商量了,把资本家看得比党中央还重;这个新税制得到资本家叫好,是"右倾机会主义"的错误。毛泽东的这些批评,比信中的批评又进了一步,语气也更为严厉。批评的重点侧重于"事先没有报告中央",错误的性质是"右倾机会主义"。

修正税制在工作中确实存在一些问题。陈云在中央人民政府委员会第25次会议上的讲话指出:"修正税制的错误,归纳起来主要有两个:一个是'公私一律',一个是变更了纳税环节。公私可不可以一律?不可以。'公私一律'的提法是错误的。因为国营商业和私营商业是不同性质的。首先,国营商业的全部利润要上

缴,私营商业只向国家缴所得税。另外,私营商业和国营商业对国家担负的责任不同。私营商业就是做买卖,赚钱,当然它也供应市场的需要。国营商业不仅是为了做买卖,赚钱,更重要的是为了维持生产,稳定市场。国营商业为了维持工厂的生产,不管是旺季还是淡季,都要加工订货。农产品下来了,也要收购,不管是过半年后才能推销,或是过一年才能从外国换回东西来,不然,农产品就会滞销。为了稳定市场,就必须有相当数量的积存物资。如果没有这个积存,私商的投机活动就打不下去。有积存,商业部门就要负担很重的银行利息。不但如此,有时还要做赔本买卖。比如,用轮船、军舰把粮食从四川运到武汉、上海出卖,就要赔很多钱,因为运费很高。可不可以在武汉、上海市场上标上几个字:'此米来自四川,运费很高,要加多少运费,所以价钱贵'?不能加价出卖,只能赔本出卖。这从国家角度来看,是完全必要的。如果人民政府不采取这样的办法,那就要犯很大的错误。私商会不会采取这样的办法呢?决不会。所以说,私商和国营商业性质是不相同的。合作社和国营商业的性质差不多,它们担负着同样的任务。对国营商业、合作社和私营商业提出'公私一律',看起来好像是很公平合理,实际上是不公平的,因此,'公私一律'的提法是错误的。变更纳税环节的毛病在什么地方?毛病在于批发营业税移到工厂缴纳,给批发商免了税,这样他就可以打击国营商业。为什么?因为他的进价和国营商业的进价一样,但是在卖价上他可以低于国营商业,现在他不怕营业额多,营业额越多,资金周转得越快,赚钱就越多。这样私营商业

① 薄一波:《若干重大决策与事件的回顾》上卷,中共中央党校出版社,1991年版,第234—235页。

就会得到很大的发展,对国营商业打击很大。同时,也打击内地工业。如重庆、西安这些地区的工业,本来是纳两道税,即货物税和出厂营业税,很多商品是直接到工厂去买,并不需要纳批发营业税,现在加了一道批发营业税,这就给内地工业造成很大困难,并会刺激上海、天津这些沿海城市工业的盲目发展。上半年发生的'大鱼吃小鱼'的现象,就是这样来的,这是不合乎国家政策的。"

薄一波在38年后的1991年回顾这段历史时说:修正税制本身虽然是一项具体的业务工作,但检讨起来,确实存在着一些严重缺点。主要表现在:

(1)"在修正税制的过程中,确有操之过急、工作过粗的毛病。新税制从9月财经会议酝酿到年底出台,仅用了三个多月时间。"为什么这么急呢? 是"为了赶在元旦前一天公布实施,为了抢在春节前一个半月的旺季多收点税,许多该做的工作没有去做,或虽然做了但做得很粗","新税制方案公布前,我们主管的同志特别是我自己没有向毛主席进行汇报,听取他的意见,以致他'看报始知',这是更不应有的疏失和错误"。

(2)"修正后的税制,有些具体条文修改得不适当"。意见最多的是把在流通环节难以收上来的工业品的批发营业税移到工厂去征。由于担心物价引起波动,未能及时调整出厂价格,以及其他一些相应的措施没有跟上,致使2000多户被合理批准免缴批发营业税的专营批发商,得到了一些便宜,工厂税负相应增加,"这样乍一看来,新税制就给人一种似乎偏袒了资本家的印象"。还由于取消了对供销社的一些优待条件,使得供销部门的意见也很

大。新税制公布时正赶上商业系统贯彻中央关于调整商业的指示,正在调整一些商品的价格。个别商品确实因为实行新税制的缘故而提了价。宣传解释工作又没有跟上,因而使人们产生了误解,以为修正税制是又要涨一次物价。人民对国民党统治下的物价飞涨吃够了苦头,记忆犹新,十分珍惜新中国成立后经过几年努力赢得的市场繁荣、物价平稳。当时正值年关,人们在心理上十分害怕物价上涨。由于这种种原因,新税制公布后,在很短的时间里确曾引起过一些混乱。

(3)关于"公私一律平等纳税"。当时发表的《人民日报》社论,为了说明修改税制的必要性和目的,原稿上有这样一句话:"国营企业和私营企业都要按照修改的税制纳税。"我在修改时,把这句话简化为"公私一律平等纳税"。看来,这是多余的,以不改为好。这次修正税制主要是针对流通环节的。货物一上市,就只能对物不对人了,商品按照一定税率平等纳税是应该的。这句话的确引起许多人的误解。但是,薄一波认为"新税制确曾起到过保税、增税的作用"。①

这件事情发生后,毛泽东认为政府工作中存在分散主义。根据毛泽东的提议,中共中央在1953年3月10日作出《关于加强中央人民政府系统各部门向中央请示报告制度及加强中央对于政府工作领导的决定(草案)》,其中规定,今后政府工作中一切主要的和重要的方针、政策、计划和重大事项,均须事先请示中央,并经过中央讨论和决定或批准以后,始得执行。中央人民政府党组干事会应即撤销,政务院各部门的党组组织和直属政务院的其他部门,直接接受中央领导。决定还

---

① 《陈云文选》第二卷,人民出版社,1995年版,第198—199页。

对中央政府的领导工作重新作了分工：

国家计划工作，由高岗负责；

政法工作（包括公安、检察和法院工作），由董必武、彭真、罗瑞卿负责；

财经工作，由陈云、薄一波、邓子恢、李富春、曾山、贾拓夫、叶季壮负责；

文教工作，由习仲勋负责；

外交工作（包括对外贸易、对外经济、文化联络和侨务工作），由周恩来负责；

其他不属于前述五个范围的工作（包括监察、民族、人事工作等），由邓小平负责。

政务院根据中共中央的决定，又在5月15日发出《关于中央人民政府所属的财政经济部门的工作领导的通知》，对中央人民政府所属的财政经济部门领导重新作了分工，其中一个重要内容就是把政务院24个部中的8个部，即重工业部、一机部、二机部、燃料工业部、建筑工业部、地质部、轻工业部、纺织工业部，由国家计委主席高岗领导。这八个部，都是工业建设的重要部门，尤其是在国家开始大规模经济建设时，它们的重要性更显突出。

四

高饶联手"发难"

由于工作经验的缘故，1953年上半年的财政经济工作中出现了一些问题。当时是中国大规模经济建设的第一年，也是第一个五年计划的第一年。大家的积极性很高，都想把建设搞得多一点，摊子铺得过大，财政收入却不能有相应的增加，而且在制定年度财政预算收入时，把上一年的财政结余40多亿元打了进去。事实上这笔钱已存入银行变成信贷资金，被银行贷出去了，成了所谓"一女二嫁"。这样，上半年国家预算执行的结果，出现了21.5亿元的赤字。鉴于这些问题，中共中央决定在1953年6月中旬召开一次全国财政经济会议。

财经会议原定的议程有三项：经济建设问题、财政问题、资产阶级问题。大会的经常主持人是周恩来、高岗、邓小平。原设想"总的会期争取半个月结束"，但随着会议的进行，会议时间和议题发生了变化。会议足足开了两个月，直到8月13日才结束。原因是高岗"发难"，使"讨论和批评新税制，实际上成了会议的中心问题"。

1952年夏，为加强中央的集中统一领导，中共中央决定逐步缩小各大行政区，将一些主要领导同志及一批工作人员调到北京。8月以后，邓小平首先由西南局来京，担任政务院副总理。以后，邓子恢、饶漱石、高岗、习仲勋等也陆续到京。高岗来京之前已担任中央人民政府副主席，来京后安排他担任国家计划委员会主席，应当说，高岗是很受器重的，权力、地位颇为显赫，一时有"五马进京，一马当先"之说。实行新税制后中央对政府重新分工，无疑是对中央人民政府党组干事会书记、政务院总理周恩来的严重批评。根据这个决定和分工，周恩来对政务院的工作除必须担负全部责任外，实际上他所直接领导的就只剩下一个外事口了。而政务院八个主要工业部划归高岗领导，这不能不被认为是对高岗的信任和重用。高岗自认为已经组织了"经济内阁"，而这和1951年他得的"两分"是有联系的。正因为如此，高岗感到这是一个借以攻击刘少奇和周恩来的绝好机会，于是在会内外进行许多不正常的活动，急于谋取更高的权力。

一方面，高岗在小组会议上和会后的私下谈话中，多次"鼓动"别人向薄一波等

"放炮",给会议气氛加温。中南局第一书记陶铸后来揭发,财经会议刚刚开过第一次领导小组会后,高岗就把他请到家里吃饭,在饭桌上高岗对他说,这次会议的方针就是要重重地整一下薄一波,"希望大家能勇敢发言",并要他放头炮。陶铸没有答应。

另一方面,高岗亲自出马,在大会发言中对薄一波等提出种种责难,批评的调子一直居高不下。薄一波在 7 月 13 日和 8 月 1 日接连两次在会上作检查,都过不了关。高岗还采取"移花接木"的手法,把刘少奇曾经讲过的话,包括 1949 年视察天津时的讲话、1950 年有关东北富农党员问题的谈话、1951 年对山西互助合作报告的批语等,统统安在薄一波头上,加以批判,这是明里批薄一波、暗中攻击刘少奇的"批薄射刘"的手法,暗示刘少奇犯有一贯的、系统的路线错误。高岗后来在被迫写的《我的反省》中作过这样的交待:我的发言"除批评薄一波同志外,还有指桑骂槐说少奇同志的意思"。高岗还对人说过:"我在全国财经会议上不讲话则已,要讲就要挖少奇的老底。"①

薄一波在第二次检讨后"已意识到高、饶绝不仅仅是攻击我,而是进而攻击刘、周,为了不使事态扩大到中央领导核心,我决定再不多说一句话。当时会上要我作第三次检讨,我拒绝了。周总理把我的态度报告了毛主席,毛主席说:薄一波同志可以不检讨了"②。

财经会议后期,毛泽东也发现会议的方向偏了,有些不大对头。因此,希望早点结束会议,要周恩来尽快作结论。但在这种情况下,周恩来是会议的主持人,很难作结论。话说轻了,会上是那样一种气氛,不大好通得过,而且有开脱、庇护之嫌;话说重了,就会为高、饶利用。最后还是毛泽东出了个主意,他对周恩来说:结论作不下来,可以"搬兵"嘛!把陈云、邓小平请回来,让他们参加会议嘛!陈云、邓小平对薄一波是比较了解的,陈云在北戴河疗养时,一些人去看望他,同他谈到财经会议的情况,陈云当时就明确表示:不能把薄一波同志几年来在中财委工作中的成绩抹煞了,我反对两条路线的提法。因此,毛泽东提出请陈云、邓小平回来,实际上也有为薄一波解围的意思。

陈云到会后在发言中首先指出,几年来,薄一波在中财委做了大量的工作,这些工作即令是事务性的,也是非常重要的。因为,如果没有人顶住事务,中财委的工作是不行的。他针对有人说中财委存在两条路线的问题说,我以为在工作中间个别不同的意见是不会没有的,在一起做了四年工作,如果说没有一点不同意见,当然不行。这些意见,也不能说他的都是错误的,我的都是对的,也不能说他的都是对的,我的都是错。总的说起来,我在今天这样的会上不能说中财委有两条路线。

邓小平也在会上作了一次发言。大意是,大家批评薄一波的错误,我赞成。每个人都会犯错误,我自己就有不少错误,在座的其他同志也不能说没有错误。薄一波的错误是很多的,可能不是一斤两斤,而是一吨两吨。但是,他犯的错误再多,也不能说成是路线错误。把他这几年在工作中的这样那样过错说成是路线错误是不对的,我不赞成。

①　薄一波:《若干重大决策与事件的回顾》上卷,中共中央党校出版社,1991 年版,第 311 页。
②　同上,第 243 页。

由于陈云、邓小平讲了话,会议的气氛起了变化,结论也就好作了。

8月11日晚,周恩来在全国财经会议上作会议结论。结论报告经过毛泽东多次修改。对高岗在全国财经会议上的表现,邓小平在1955年3月党的全国代表会议上所作的《关于高岗、饶漱石反党联盟的报告》中指出:高岗利用财经会议"大大施展他的阴谋活动。他和他的追随者不但在会上为了有意制造党内纠纷而发表种种无原则的言论,并且在会外大肆散布各种流言蜚语破坏中央的威信,特别攻击中央书记刘少奇和周恩来同志,同时鼓吹他自己。他是想通过这些阴谋活动把这次会议转变为对党中央的进攻"。

财经会议后,高岗的活动更加嚣张。他搜集整理了许多刘少奇的讲话材料,向人散布现在党内有"两条路线斗争"。在南下杭州、广州期间,他又到处游说,制造种种流言蜚语,指名道姓地贬低和攻击刘少奇、周恩来,抬高他自己。

高岗在分裂党的活动中,提出所谓"军党论"。他散布说,在党的历史上,党的干部分为两部分。一部分是以毛泽东为代表的红区党,一部分是以刘少奇为代表的白区党。党是红区的党即军队的党创造的,是"枪杆子上出党","军队的党"是党的主体。现在党和国家领导机关的权力掌握在"白区的党"的人手里,应当彻底改组。他还说,党的历史上有"二元论",党的六届七中全会通过的《关于若干历史问题的决议》要修改,决议中关于"刘少奇是党的正确路线在白区工作中的代表"的提法不对头,需要重新作出结论。

1953年下半年,毛泽东在领导层内提出中央分一线、二线的问题,希望自己退居二线,由其他同志主持一线工作。中共中央还考虑过最高国家行政机关是否采取部长会议形式,党中央是否增设副主席或总书记的问题。高岗觉得这是他谋取更高权力的好时机,他背地里的阴谋活动也达到了高潮。

高岗四处活动,捏造说刘少奇已不被毛泽东所重视,还说毛泽东打算让刘少奇搞"议会"(人大常委会),周恩来当部长会议主席,由他(高岗)来搞政治局。在另外场合,他又表示不同意周恩来担任部长会议主席,主张由林彪来担任。他正式找到邓小平,说刘少奇不成熟,想拉邓小平一起拱倒刘少奇,遭到邓小平的驳斥。高岗也找到陈云谈判,说,搞几个副主席,你一个,我一个,被陈云断然拒绝。对高岗的阴谋活动,邓小平、陈云立刻向毛泽东和中共中央作了报告。

事隔27年后的1980年,邓小平回顾这段历史时说:"这个事情,我知道得很清楚。毛泽东同志1953年底提出中央分一线、二线之后,高岗活动得非常积极。他首先得到林彪的支持,才敢于放手这么搞。那时东北是他自己,中南是林彪,华东是饶漱石。对西南,他用拉拢的办法,正式和我谈判,说刘少奇同志不成熟,要争取我和他一起拱倒刘少奇同志。我明确表示态度,说刘少奇同志在党内的地位是历史形成的,从总的方面讲,刘少奇同志是好的,改变这样一种历史形成的地位不适当。高岗也找陈云同志谈判,他说:搞几个副主席,你一个,我一个。这样一来,陈云同志和我才觉得问题严重,立即向毛泽东同志反映,引起他的注意。高岗想把少奇同志推倒,采取搞交易、搞阴谋诡计的办法,是很不正常的。"①

---

① 《邓小平文选》第二卷,人民出版社,1994年版,第293页。

1953 年 12 月，毛泽东准备去外地休假，在 24 日的政治局扩大会议上，提议由刘少奇临时主持中央工作。这是自党的七大以来的惯例，属正常的安排。刘少奇提出，这一次不要代理了，还是由书记处的同志轮流负责好了。书记处其他同志都赞成毛泽东的提议，不赞成轮流。高岗在会上不吭声，会后却一再说，"轮流吧，搞轮流好"。高岗这一系列活动的目的，如他后来在《我的反省》中所承认的：就是"企图把刘少奇拉下来，使自己成为主席的唯一助手，准备自己将来做领袖"。

在高岗积极进行反刘、周篡权活动中，饶漱石密切配合，尤其是在 1953 年 9 月至 10 月中共中央召开的第二次全国组织工作会议期间，他故意夸大中央组织部工作中的某些缺点，大批长期主持日常工作的副部长安子文，施展"讨安伐刘"的阴谋。

饶漱石给人印象是非常谨慎，有时连一句话都说不完整，在战争年代曾在刘少奇领导下工作过，受到刘少奇的器重。其实，饶漱石也是一个玩弄权术的行家。40 年代延安整风时期，他就在华中无端地打击陈毅。后来陈毅被迫离开华中，去了延安。刘少奇离开华中后，由饶漱石接任华中局书记。同高岗一样，饶漱石也有着极强的权力欲。

1949 年 10 月，各大区都由大军区司令员担任大区军政委员会主席，毛泽东两次说到华东军政委员会主席由陈毅担任，陈毅觉得自己是大军区司令员又是上海市市长，够忙了，推辞说让饶漱石当。毛泽东吩咐让华东局同志讨论，饶漱石得知此事后对陈毅说，你不担任我担任，根本没有提到华东局会议上讨论，就用华东局

名义报中央以他为军政委员会主席。饶漱石到北京，毛泽东问起此事，饶漱石撒谎说：华东局几个同志都不同意陈毅担任，只好由我来担任。这样才骗取毛泽东的批准。饶漱石又是华东局书记，又是军政委员会主席，就显得比所有的大军区司令员、政治委员高一头了。饶漱石问题暴露之后，毛泽东才明白了事情的真相。他对陈毅说："你推让，是不对的。谦逊并非在任何情况下都是好的，野心家就不让。让给他就使党受损失。"[1]

1952 年饶漱石调到中央担任中共中央组织部长。他进京后，看到刘少奇受毛泽东批评，认为刘少奇已经失势，就一反常态，同高岗串通一气，相互配合，企图拱倒刘少奇。

饶漱石同高岗呼应，在第二次全国组织工作会议上开始"讨安伐刘"。饶漱石施展阴谋的借口是安子文草拟的一份名单。

1953 年 3 月初，高岗向安子文转达毛泽东同他谈话的内容，说中央政治局成员要改组，要加强中央各部机构。安子文没有经过中央授权，就草拟了一份中央政治局委员名单和中央各部主要负责人名单。在这份名单上，政治局委员分两组写出，一组在毛泽东、刘少奇、周恩来、朱德、陈云(以上是书记处成员)以外，写有高岗、林彪、彭德怀、邓小平、饶漱石、薄一波、邓子恢(以上是各中央局书记)；另一组上写有董必武、林伯渠、彭真、张闻天、康生、李富春、习仲勋、刘澜涛。对中央各部，列了组织部、宣传部、政法统战部、农村工作部、财经工作部负责人和中央正副秘书长人选。

这个名单安子文曾给高岗看过，也向

---

① 《陈毅传》，当代中国出版社，1991 年版，第 494—495 页。

饶漱石谈过。后来中央批评了这件事。安子文也向中央作了书面检讨，并请求处分。但高岗和饶漱石却抓住把柄不放，拿这个名单大做文章。高岗和饶漱石私下里在许多人中间传播这个名单，并造谣说这个名单是刘少奇授意的。高岗还编造说，政治局委员会的名单中"有薄无林"（即有薄一波而无林彪），连朱总司令也没有；说刘少奇不赞成陈正人担任建委副主任或中组部副部长，不赞成陶铸在广西工作等。饶漱石也捏造说，某某是一个宗派，一个"圈圈"，刘少奇是他们的支持者。并说，财经会议上斗了薄一波，会后还要斗"圈圈"中的安子文。

果然，财经会议结束后，饶漱石就在中组部内开展对安子文的斗争，并夸大中组部工作中的某些缺点错误，在中组部的两次部务会议上大批安子文。

1953年9月，中共中央决定召开第二次全国组织工作会议，研究如何加强干部工作。饶漱石在这次会议上故意改变会议主题，再次挑起批判安子文的"高潮"。中央发觉问题的严重性，决定会议暂停，先举行领导小组会议，解决中组部内部团结问题。在领导小组会议上，饶漱石不但没有收敛，反而继续对安子文进行指责和攻击，致使会期一再延长，直到10月底才结束。

饶漱石如此起劲地大批安子文，实际矛头是对准刘少奇的。饶漱石在领导小组会议上受到批评后，曾对安子文这样说过，我说你对财经会议有抵触，其实不是指的你，而是指的刘少奇。后来他在检讨中也承认，在中组部斗争安子文，目的也是反刘少奇，以取得高岗的信任，进行政治投机。① 据《刘少奇传》讲："尽管毛泽东在某些问题上对刘少奇有过批评，但他对刘少奇是信任的。他发觉高岗的问题后曾对人说过，少奇同志是大公无私的，是正派的，他绝不是那种搞宗派的人。"②

对高、饶的活动，毛泽东在1955年3月党的全国代表会议上明确指出：虽然高岗、饶漱石之间没有订立文字协定，但是他们的思想、目标和行动的一致，说明他们不是两个互不相干的独立王国和单干户。薄一波认为"毛主席的话切中要害，完全符合高、饶反党活动的实际"。他还补充了几个事实：

（1）饶漱石一向被认为是尊重少奇同志的，可是在高岗发动"批薄射刘"斗争时，他却另辟一个"讨安伐刘"的战场予以配合。他后来承认："我不否认我们两个在行动上、目标上都是反对刘少奇同志。"

（2）关于"名单问题"。毛主席说问题不在提名单的人身上，而要追查散布名单的人。散布者恰恰就是高岗、饶漱石两人。他们会上会下广为传播这份名单，造谣惑众，以达到不可告人的目的。

（3）高岗推荐的干部，饶漱石一概同意；高岗反对的干部，饶漱石一律排斥。饶漱石还说，今后中组部要以原东北局的组织部长为核心。

（4）饶的问题被揭露后，高两次找毛主席，要求保护饶。高岗问题被揭露后，饶也为高申"冤"。毛主席曾风趣地说："高岗说饶漱石现在不得了了，要我来解围。我说，你为什么代表饶漱石说话？我在北京，饶漱石也在北京，他为什么要你代表，不直接来找我呢？在西藏还可以打电报嘛，就在北京嘛，他有脚嘛。第二次

① 金冲及主编：《刘少奇传》下，中央文献出版社，1998年版，第745—746页。
② 同上，第750页。

是在揭露高岗的前一天,高岗还表示要保护饶漱石。"

由此,薄一波认为:"当年党中央把他们称为'高饶反党联盟'不是没有道理的。"①

中共七届四中全会

1954年新年伊始,毛泽东发出的一个重要批示是建议召开七届四中全会。这一年的头一件大事也当属在2月份召开的中共七届四中全会。这次会议揭露和批判了高岗和饶漱石分裂党、妄图篡党夺权的阴谋,通过了《关于增强党的团结的决议》。这场斗争维护与加强了中国共产党的团结和统一。在贯彻过渡时期总路线的社会大变动时期,这一点显得尤其重要。

一

会前的准备

高岗、饶漱石在财经会议上和第二次全国组织工作会议上的反常活动,以及他们在背地里搞的种种活动,引起毛泽东的关注和警惕。特别是毛泽东在听了陈云和邓小平的汇报之后,逐步觉察到高饶的阴谋活动。

1953年12月23日,毛泽东主持中央政治局扩大会议。毛泽东当面对高岗、饶漱石提出严重警告:"北京有两个司令部,

一个是以我为司令的司令部,就是刮阳风,烧阳火;一个是以别人为司令的司令部,就是刮阴风,烧阴火,一股地下水。"毛泽东还颇为直白地打了个比喻:颐年堂门可罗雀,东交民巷8号(高岗的住处)车水马龙。就是在这次会上毛泽东建议要起草一个关于增强党的团结的决议,至于是否需要召开一次中央全会讨论通过,这次会议并未作议论。

政治局会议结束后,毛泽东动身去杭州休假,并主持起草宪法。刘少奇在北京主持起草关于增强党的团结的决议初稿。初稿送毛泽东审改时,毛泽东才提出召开全会的建议,并对中央全会的议程和方针提出了明确的具体意见。

1954年1月7日,毛泽东致信刘少奇和中央书记处各同志。信中说,决议草案已作了修改,使之有根据些和更明确些。参加修改的,有在这里的几位同志(即随毛泽东在杭州起草宪法草案的胡乔木、陈伯达、田家英),林彪同志亦表示同意。毛泽东说:"此决议似宜召开一次中央全会通过,以示慎重。中委大多数在京,不在京的是少数,召集甚易,加上若干负重要工作责任的同志参加会议。此议是否可行,请你们考虑。如召开全会,时间以在一月下旬为宜。议程可有三个:(一)批准三中全会以来中央政治局的工作;(二)决定于本年内召开党的全国代表会议讨论第一个五年计划纲要;(三)通过关于加强党的团结的决议。报告请刘少奇同志作,事先写好,有四五千字就够了。报告可分为三段:第一段,略叙抗美援朝,土地改革,镇反,恢复经济,过渡时期总路线及第一个五年计划第一年的成绩等事;第二段,为了讨论和通过第一个五年计划的纲

---

① 薄一波:《若干重大决策与事件的回顾》上卷,中共中央党校出版社,1991年版,第318—319页。

要,有必要于本年内召开一次党的全国代表会议,并述代表已经选出,只待文件准备好,即可召开;第三段,将关于加强党的团结的决议草案的要点加以叙述,请求全会讨论和批准这个决议。此报告有三五天工夫即可写成,如时间许可,请用有线电发给我一看,如定于1月25日开会,则时间完全来得及。"

毛泽东还交代说,全会应发一个简报,将三项议程公布就可以了,其他都可不公布。毛泽东特别关照:"关于第三个议程,应尽可能做到只作正面说明,不对任何同志展开批评。"

同日,毛泽东又专门给刘少奇单独写了一封信,说:"如各同志同意开全会,于你的报告稿宣读完毕后,似宜接着宣读你已有准备的自我批评稿,两稿各有一小时左右即够。自我批评稿宜扼要,有三四千字即可,内容宜适当,不可承认并非错误者为错误。如可能,请一并电告我一阅。"

根据毛泽东的建议,中共中央起草了关于增强党的团结的决议草案,送杭州请毛泽东审阅。毛泽东对决议草案作了这样一些修改:

在"阶级是由党领导着的,党又是由它的中央委员会领导着的"后,毛泽东加上"党的中央委员会还紧紧地依靠着一批忠实的有能力的高级干部"一句话。

在"党的团结的利益高于一切,因此应当把维护和巩固党的团结作为指导自己言论和行动的标准"一句中加上"言论和"三个字。

在"即有利于党的团结的话就说"中加上"的话就说"四个字。在"不利于党的团结的话就不说,有利于党的团结的事就做,不利于党的团结的事就不做"一句中,增写了"话就不说,有利于党的团结的事就做,不利于党的团结的事就不做"27

个字。

1月18日,毛泽东的建议得到中央书记处同意后,他致电刘少奇并书记处各同志,建议将决议草案即日用电报发给参加会议的同志阅看,以便他们"事先有所准备"。毛泽东还强调"如有因病因事不能到会的,请他们用电报表示意见",同时可征求各中央分局省市委的意见,"以供全会参考"。

高岗得知中央决定召开四中全会的消息后,当即写信给毛泽东,要求到杭州面见毛泽东。毛泽东于1月22日专就此及四中全会开会的方针致电刘少奇,说:高岗同志在信里说完全拥护和赞成关于增强党的团结的决议草案,并说他犯了错误,拟在四中全会上作自我批评,想于会前来这里和我商量这件事。我认为全会开会在即,高岗同志不宜来此,他所要商量的问题,请你和恩来同志或再加上小平同志和他商量就可以了。毛泽东接着又一次强调:关于四中全会开会的方针,除文件表示者外,对任何同志的自我批评均表欢迎,"但应尽可能避免对任何同志展开批评,以便等候犯错误同志的觉悟。这后一点我在1月7日致你和书记处各同志的信中已说到了。如你们同意这个方针,就请你们据此和到会同志事先商谈,并和高岗同志商谈他所要商谈的问题"。毛泽东在电文最后表示:"此电请送高岗同志一阅,我就不另复信了。"

按照毛泽东的指示,刘少奇同周恩来、邓小平一起,在1月25日和2月5日两次找高岗谈话,对他进行教育和挽救。2月3日,刘少奇又和朱德、陈云、邓小平一起,找饶漱石谈话。

二

会议的召开

1954年2月6日至10日,中共七届四中全会在北京召开。由于毛泽东不在北京,刘少奇主持会议。这是毛泽东建国以来第一次未出席的中央全会。开幕当天,刘少奇受中央政治局和毛泽东的委托,作了报告。在报告的第三部分,针对高岗、饶漱石的错误,严肃指出:"我们从来反对任何党员由满腔热忱地勤勤恳恳地为人民服务的高贵品质堕落到资产阶级的卑鄙的个人主义方面去;在1949年3月召开的党的二中全会,曾经特别告诫全党干部在革命胜利以后严防骄傲,因为骄傲就可以引导个人主义的发展,就可以引导到党的团结的损害和破坏,就可以引导到党的事业的严重损失。我们应当时时刻刻都记得,我们的万里长征才走完了第一步,而且凶恶的敌人还包围着我们,等待着利用我们的不谨慎不和睦来损害我们,而只要有可能,他们就要来消灭我们,在这种情况下,党的团结就是党的生命,对于党的团结的任何损害,就是对于敌人的援助和合作。只要党内出现了个人主义的骄傲的人们,只要这种人的个人主义情绪不受到党的坚决的制止,他们就会一步一步地在党内计较地位,争权夺利,拉拉扯扯,发展小集团的活动,直至走上帮助敌人来破坏党分裂党的罪恶道路。因此,中央政治局认为自己有绝对的责任,哪怕只是发现了这种状况的萌芽,就必须敲起警钟,动员全党来克服这种危险,并要求犯有这种错误的同志迅速彻底改正自己的错误;而如果等闲视之,任其蔓延滋长,就是对党和人民的犯罪。

为着增强党的团结,政治局认为应当指出,在我们党内的某些同志中有一种说法和做法是错误的,即他们认为,只要他的意见自以为是对的,就可以不遵守党的民主集中制和集体领导原则,不受党的纪律的约束,就可以不服从领导,不按党的章程办事。这些同志应当认识到违反党的民主集中制,破坏党的纪律,就是破坏党的团结,而破坏党的团结,就是破坏党的最高利益,危害党的生命。

为了增强党的团结,反对破坏团结的言论行动,为了粉碎帝国主义者和反革命分子破坏我们党的团结的各种阴谋,为了反对混进党内来的各种敌对活动和敌对思想,为了正确地区别党内斗争的不同情况而采取不同的方针,都需要全党干部首先是高级干部有充分的革命警惕性和政治敏感。毛泽东同志在《整顿党的作风》的演说中曾经号召全党同志提高嗅觉,'对于任何东西都要用鼻子嗅一嗅,鉴别其好坏,然后才决定欢迎它,或者抵制它'。这仍然应当成为我们的座右铭。"

在全会上,周恩来、朱德、陈云、邓小平等44人发言,对破坏党的团结的行为进行严肃的批评。高岗和饶漱石也被迫作了检讨。全会一致通过《中共中央关于增强党的团结的决议》。

在发言中,刘少奇作了诚恳而又不失分寸的自我批评,并对有些问题作了说明。比如他说道,1950年1月与东北个别同志谈到农村互助合作问题时,我有一些话是说得不妥当的。在1951年春我批评了山西省委《把老区互助合作组织提高一步》的文件,我的批评是不正确的,山西省委的意见则基本上是正确的。在1951年秋中央讨论农业生产互助合作问题后,由于毛泽东同志的指示得到了改正,我也就抛弃了这种想法。他承认,1949年春在天津的讲话批评了当时某些对资产阶级的"左"倾情绪，虽原则上没有错误，但其中有些话是说得不妥当的。刘少奇还对解放战争后期土改工作中的一些"左"的做法、1943 年延安审干期间发生的一些问题、1946 年关于"和平民主新阶段"的提法也作了检讨。最后，刘少奇诚恳地说："党中央给我很大的责任，就我所处的工作地位来说，我就应该有更多警惕，特别慎重，去尽量避免发生错误。有些问题如果我能够采取更加谨慎的态度，更多地向党中央和毛泽东请示，用适当的态度更多地和同志们商量，就可以不犯或少犯错误。"①

在会议的第一天，即 2 月 6 日，邓小平就发了言。他说："我认为骄傲情绪在党内，主要是在相当一部分高级干部中，正在滋长着，如果不注意克服，就会发展到一种可怕的危险的地步……我们常常闻到这样一些味道，例如有的人把某些人或者把他自己夸大到与实际情况极不相称的地步，不愿意受检查，不愿意受批评，自以为是，听不进别人的意见，批评与自我批评的空气稀薄，不注意集体领导，不注意团结，对犯错误的同志不是采取治病救人的态度，不大照顾别的部门、别的地区等等。尤其严重的是，有些同志不注意维护中央的威信，对中央领导同志的批评有些已经发展到党组织所不能允许的程度。毛泽东同志提倡对党的负责同志（毛泽东同志经常说，包括他自己在内）的批评，但是这种批评必须根据党的原则在一定场合下进行，或者向他本人提出……全国财经会议以来，刘少奇同志的言论较多，有些是很不适当的。我认为少奇同志在这次会议上的自我批评是实事求是的，是恰当的。而我所听到的一些传说，就不大像

是批评，有些是与事实不相符合的，或者是夸大其词的，有的简直是一些流言蜚语，无稽之谈。比如今天少奇同志在自我批评里讲到的对资产阶级的问题，就与我所听到的那些流言不同。对资产阶级问题，虽然我没有见到 1949 年初少奇同志在天津讲话的原文，但是据我所听到的，我认为少奇同志的那些讲话是根据党中央的精神来讲的。那些讲话对我们当时渡江南下解放全中国的时候不犯错误是起了很大很好的作用的。虽然在讲话当中个别词句有毛病，但主要是起了好作用的。当时的情况怎么样呢？那时天下还没有定，半个中国还未解放。我们刚进城，最怕的是'左'，而当时又确实已经发生了'左'的倾向。在这种情况下，中央采取坚决的态度来纠正和防止'左'的倾向，是完全正确的。我们渡江后，就是本着中央的精神，抱着宁右勿'左'的态度去接管城市的，因为右充其量丧失几个月的时间，而'左'就不晓得要受多大的损失，而且是难以纠正的。所以，我认为少奇同志的那个讲话主要是起了很好的作用的，而我所听到的流言就不是这样的。又比如富农党员的问题，不过是早一点或迟一点发指示的问题，但是我所听到的流言就不是这样……我认为四中全会和全会的决议，对某些犯有错误的同志是很重要的，是给了这些同志一个改正错误的机会，是对这些同志最直接的帮助……我们要把这个决议当做一面镜子来照我们自己。在党提出过渡时期总路线和总任务的时候，全党高级干部都来照照镜子、洗洗脸是很必要的。毛泽东同志曾说过：在七大以后为什么我们能够在很短的时间内取得全国的胜利呢？主要是在七大以前，经

---

① 金冲及主编：《刘少奇传》下，中央文献出版社，1998 年版，第 755 页。

过整风阶段,我们党在思想上、政治上、组织上形成了高度的统一,形成了坚强的团结,形成了集中统一的党中央的领导。因为这样,就使我们全党的所有共产党员和所有干部,以百倍的信心和饱满的士气,奔赴前线。这是取得全国胜利的根本原因之一。"①

邓小平的这番讲话,在 35 年后的 1989 年得以公开发表,凡是认真看过的人,都由衷地感到,邓小平说了一席公道话。

尽管七届四中全会对高岗、饶漱石采取了团结的方针,但高、饶却执迷不悟,不作深刻检查,痛改前非。为全面查清他们的反党阴谋活动,根据中央书记处的决定,在 2 月中旬分别召开了由周恩来主持的高岗问题座谈会,邓小平、陈毅、谭震林主持的饶漱石问题座谈会。毛泽东在周恩来的发言提纲中增写了这样一些话:"高岗的这种黑暗面的发展,使他一步一步地变成为资产阶级在我们党内的实际代理人","同时也就是资产阶级在过渡时期企图分裂、破坏和腐化我们党的一种反映"。在事实面前,高岗、饶漱石虽不得不在口头上承认错误,但仍避重就轻,百般抵赖。高岗竟在座谈会期间自杀(未遂),并在 8 月 17 日再次服安眠药自杀身死。

1955 年 3 月 21 日至 31 日,中共中央举行全国代表会议,通过了《关于高岗、饶漱石反党联盟的决议》。决议总结说,高岗、饶漱石反党活动的特点"就是他们始终没有在任何党的组织或党的会议上或公众中公开提出过任何反对党中央的纲领,他们的唯一纲领就是以阴谋手段夺取

党和国家的最高权力"。决议正式决定开除高岗、饶漱石的党籍。

后来的评说

从 1954 年至今已有 55 年了,对中共七届四中全会在历史上的地位看得更加清楚了。邓小平在 20 世纪 80 年代初是这样回顾这段历史的:"揭露高饶问题没有错。至于叫不叫路线斗争,还可以研究。这个事情,我知道得很清楚……高岗想把刘少奇同志推倒,采取搞交易、搞阴谋诡计的办法,是很不正常的。所以反对高岗的斗争还要肯定。高饶问题的处理比较宽,当时没有伤害什么人,还有意识地保护了一批干部。总之,高饶问题不揭露、不处理是不行的。现在看,处理得也是正确的。"②

胡绳主编的《中国共产党的七十年》一书指出:"反对高、饶的斗争,是按照党的惩前毖后、治病救人的方针进行的,着重从思想上政治上吸取教训,从而使全党特别是党的高级干部受到教育,是中国共产党在全国执政以后进行得比较成功、比较健康的一次党内斗争。"③

中央文献研究室组织编写、金冲及主编的《刘少奇传》一书指出:"高饶事件作为中国共产党在向社会主义过渡的战略转变中的一个'插曲',以高岗、饶漱石的阴谋活动彻底暴露和失败而结束。但这件事无论在党的历史上还是刘少奇个人的政治生涯中,都造成严重的影响。高

---

① 《邓小平文选》第一卷,人民出版社,1994 年版,第 202—208 页。
② 《邓小平文选》第二卷,人民出版社,1994 年版,第 293—294 页。
③ 胡绳主编:《中国共产党的七十年》,中共党史出版社,1991 年版,第 319 页。

岗、饶漱石借以攻击刘少奇的一些'问题',有些确是刘少奇工作中的失误,有些却是党在前进道路上还需要继续探索的问题,并且在以后的实践中证明未必都是错了。对这些问题,是非没有得到完全澄清。尽管刘少奇作了检讨,但在十二年后的'文化大革命'中,这些问题又被重新翻出来,当做刘少奇的'罪行'而加以批判,这不能不说是这次事件在党的历史上留下的一个缺憾。"①

最后,再补充一个情节。1954 年 3 月 14 日,此时,党的七届四中全会早已开过。毛泽东离京南巡,将路过太湖之滨的无锡。陈毅当时正在济南出席山东分局的会议,闻讯即赶赴无锡迎候,当日,把毛泽东迎至太湖疗养院。次日,毛泽东即邀陈毅去谈话。谈话气氛格外融洽,内容十分丰富。聊到阶级斗争,生产关系与生产力,假象与本质,等等。但有一句话特别触动陈毅。毛泽东说:"伸手岂止高饶。"毛泽东又说,只是目前不必如此提出,以免有扩大化的嫌疑。4 月 26 日,毛泽东在中南海颐年堂召开的一次会议上谈到"三反"、"五反"、高饶联盟,从马克思主义理论高度来分析这些运动和事件,指出都属于社会主义改造过程中阶级力量的重新组合和改造。新旧社会制度交替,必有一部分人拥护旧制度,反对新制度。毛泽东在这次会上再一次提出"伸手岂止高饶",当然,这一次听者的范围大了很多。1954 年 12 月 19 日,毛泽东召集参加政协会议的党内外人士座谈,内容主要是关于政协的性质、任务、作用诸问题。但毛泽东谈到新旧矛盾、新旧制度时,又一次说到高饶:不要以为高饶事件解决了,就不会再发生高饶事件了。

第一届全国
人民代表大会

1953 年,我们国家在经济上开始进行有计划的大规模建设的同时,在人民民主政治建设和法制建设方面也迈出了新的步伐,制定并颁布了《中华人民共和国全国人民代表大会及地方各级人民代表大会选举法》。全国先后完成了基层普选工作,并召开了地方各级人民代表大会。1954 年 9 月,全国人民代表大会第一次会议的召开,标志着我国人民代表大会制度在全国范围内从下到上系统地建立起来了。

一

第一届全国人大工作概况

第一届人大的任期是从 1954 年 9 月至 1959 年 4 月,期间召开了 5 次代表大会。其工作可分为两个阶段。第一个阶段,从 1954 年 9 月一届人大一次会议到 1957 年一届人大四次会议,这是我国人民代表大会制度建设和工作比较活跃的 3 年。这期间人大工作逐步加强,社会主义民主和法制建设取得重大进展。全国人大和地方各级人大认真履行宪法赋予的职权,努力贯彻落实党和国家过渡时期的总路线、总任务,决定了一系列重大问题,

---

① 金冲及主编:《刘少奇传》下,中央文献出版社,1998 年版,第 755—756 页。

制定了一批重要法律,有力地促进了我国社会主义工业化和对农业、手工业、资本主义工商业的社会主义改造,推动了各项建设事业的发展。这3年是建国以来人民代表大会制度建设史上最好的时期之一。主要表现在:①讨论和决定国家重大问题。当时,国家的重大问题特别是经济建设计划和财政预决算,都及时提交人民代表大会审议通过。如一届全国人大二次会议听取了国务院副总理兼国家计委主任李富春关于发展国民经济的第一个五年计划的报告,讨论了发展国民经济的第一个五年计划草案。全国人大会议还认真审议和批准了国家的预算和决算。从1954年10月至1957年底,全国人大常委会举行了89次会议,平均每月2—3次,及时讨论和决定一些重大问题,如审议和批准了国务院对1956年国家预算所作的调整方案,听取和讨论了国务院及各部委、最高人民法院和最高人民检察院所作的20多个专题工作报告。②制定了一批重要法律和法令。全国人民代表大会除一届一次会议通过了宪法和5个国家机构方面的基本法律外,还在一届二次会议上审议通过了兵役法。3年中,全国人大常委会先后审议通过了《城市居民委员会组织条例》、《逮捕拘留条例》、《治安管理处罚条例》、《军官服役条例》等20多个法规。全国人大常委会还先后批准了《内蒙古自治区人民代表大会和各级人民委员会组织条例》、《新疆维吾尔自治区各级人民代表大会和各级人民委员会组织条例》、《西藏自治区筹备委员会组织简则》等。③重视发挥人民代表的作用。1955年2月12日,一届全国人大常委会第七次会议通过了《关于设立全国人民代表大会代表办事处的决定》,由办事处为住在本地的全国人大代表办理秘书工作。会议还通过了

《关于我国人民代表大会代表津贴工作费的决定》,规定全国人大代表每人每月津贴工作费50万元(旧币)。1955年10月,在最高国务会议上,毛泽东主席提议,全国人大代表、全国政协委员、省市人大代表、政协委员,一起作一个月的视察。全国人大及其常委会还注意逐步建立和健全组织制度和工作机构。在这3年,由于党对民主法制建设的重视,人大工作取得了很大的发展。1956年9月召开的党的第八次全国代表大会,制定了扩大人民民主、健全社会主义法制的政治战略方针。中共八大通过的政治报告决议指出,在我国进入社会主义建设时期以后,进一步地扩大国家的民主生活,开展反对官僚主义的斗争,有迫切的、重要的意义。必须用加强党对于国家机关的领导和监督的方法,用加强人民群众和机关中的下级工作人员对于国家机关的批评和监督的方法,来同脱离群众、脱离实际的官僚主义做坚持不懈的斗争。必须进一步加强人民民主的法制,巩固社会主义建设的秩序。国家必须根据需要,逐步地系统地制定完备的法律。从1957年下半年至1959年二届人大一次会议为第二阶段。在这个阶段,由于反右斗争严重扩大化,给人大工作造成严重的损害。1956年,社会主义改造基本完成,在我国开始探索社会主义建设道路的时候,国内外出现了一些新情况和新问题。1956年6月和10月,社会主义国家相继发生了波兹南事件和匈牙利事件。在国内,从1956年下半年到1957年春,一些城市和农村先后发生了少数工人罢工、学生罢课、农民闹退社的事件。1957年6月发生了全国范围内的反右斗争。反右斗争的严重扩大化对人民代表大会制度建设产生了不利的影响。一是把民主法制建设方面的一些正确意见如对国家政

治生活中存在的某些弊端提出的批评意见,对社会主义民主和法制建设提出的有益建议当做否定和取消中国共产党在国家政治生活中的领导作用的错误言论而遭到严厉的批判。二是把人民内部的一些不同意见和善意批评当做阶级敌人的猖狂进攻和恶意诽谤进行反击和组织处理,许多人被错划为右派分子。特别是在反右扩大化的浪潮中,一些人大代表在视察过程中、在小组讨论和大会发言中,一些全国人大常委会委员在常委会会议中提出的一些正常的、善意的批评和建议,也被当做右派言论进行批判和追究。人大代表在人代会上所提议案逐年减少,尤其是政治法律方面的提案更加明显。这种状况是同党和国家领导制度上的高度集权和个人专断的发展和强化相关的。1957 年以后,随着"左"倾错误的发展,阶级斗争扩大化、绝对化的错误蔓延到人民内部和执政党内部,党内的政治生活不正常,缺乏有效的批评和自我批评,党外缺乏有效的监督,强化了党和国家领导制度上的高度集权。党和国家的重大问题由少数人甚至个人说了算。1959 年以后,党和国家在指导思想上逐渐转向"以阶级斗争为纲",迷信群众运动,重视人治,轻视法制,以革命大批判和群众专政代替法制。《刑法》、《刑事诉讼法》、《民法》、《民事诉讼法》等法律的起草工作停顿了下来。一届全国人大前期建立起来的办事机构也遭到削弱,由 1957 年的 365 人减至 1959 年的 100 多人。

二

第一届全国人大第一次会议

根据《共同纲领》规定,召开人民代表大会需要三个条件,即军事行动完全结束、土地改革彻底实现和人民有充分组织。新中国成立之后,经过三年努力,这些条件都已具备。1953 年 1 月 20 日,中央人民政府委员会举行第二十次会议,讨论关于召开全国人民代表大会问题。周恩来在会上对这个问题作了说明。他说,中国共产党正向人民政协全国常委会提出建议,并经各民主党派、各人民团体和无党派民主人士一致同意,兹特提请中央人民政府委员会依照《中华人民共和国中央人民政府组织法》的规定通过决议,在 1953 年召开由人民用普选的方法产生的乡、县、省(市)各级人民代表大会,并在此基础上接着召开全国人民代表大会,以制定宪法,批准国家五年计划纲要和选举新的中央人民政府。中央人民政府委员会一致通过了《关于召开全国人民代表大会及地方各级人民代表大会的决议》。为了进行起草宪法和选举法的工作,会议决定成立中华人民共和国宪法起草委员会,以毛泽东为主席,以朱德、宋庆龄等 32 人为委员。会议决定成立中华人民共和国选举法起草委员会,以周恩来为主席,以安子文、李维汉等 23 人为委员。1953 年 2 月 11 日,中央人民政府委员会第二十二次会议审议了选举法草案。会上,邓小平对选举法草案作了说明。他说,选举法草案贯穿一个总的精神,就是根据我国当前的具体情况,制定一个真正的民主选举制度。中央人民政府委员会审议通过了《中华人民共和国全国人民代表大会及地方各级人民代表大会选举法》。3 月 1 日,毛泽东主席以中央人民政府命令,将选举法公布实施。选举法的通过和公布,是一件具有重大历史意义的事件,标志着我国人民民主政治发展的新阶段。根据选举法的规定,从 1953 年下半年开始,在全国范围内开展了普选工作。参加投票的选民达 2.78 亿人,选出基层人大代表 566.9 万人,其中妇女代表占 17.31%。这是中国历史上第一次规模空前的普选,极大地焕发了广大人民群众翻身解放、当家做主的热情,增进了人民的民主意识,把中国的民主生活向前推进了一大步。1954 年 7 月底至 8 月中旬,各省、直辖市和内蒙古自治区先后召开了人民代表大会。在这些大会上,讨论了宪法草案,审查了政府工作报告,选举了全国人大代表。由于宪法还未制定出来,普选后的地方各级政权组织形式尚待确定。因此,省、市、县本届人民代表大会不在首次会议上选举本级人民政府。总计选出全国人大代表 1226 人,其中中共党员 668 人,占代表总数的 54.49%,非共产党人士 558 人,占代表总数的 45.51%,妇女代表 147 人,占代表总数的 11.99%,少数民族代表 177 人(其中选举法规定 150 人,各省、市选举 27 人),占代表总数的 14.44%,各民族、各阶层都有与其地位相当的代表。

1954 年 9 月 15 日至 28 日,第一届全国人民代表大会第一次会议在北京隆重举行。到会代表 1211 人,因病因事请假未报到的代表 15 人。大会的任务是:制定宪法;制定几个重要的法律,即全国人民代表大会组织法、国务院组织法、人民法院组织法、人民检察院组织法、地方各级人民代表大会和地方各级人民委员会组织法;通过政府工作报告;选举新的国家领导工作人员。毛泽东在开幕词中说:"我们这次会议具有伟大的历史意义。这次会议是标志着我国人民从 1949 年建国以来的新胜利和新发展的里程碑,这次会议所制定的宪法将大大地促进我国的社会主义事业。"刘少奇向大会作了《关于中华人民共和国宪法草案的报告》。他说,提

交大会的宪法草案,是经过郑重的起草工作而完成的。宪法起草委员会在 1954 年 3 月接受了中共中央提出的宪法草案初稿,随即在北京和全国各大城市组织各民主党派、各人民团体和社会各方面的代表共 8000 多人,用两个多月的时间,对这个初稿进行了认真的讨论。以这个初稿为基础经过修改后的宪法草案,由中央人民政府委员会在 1954 年 6 月 14 日公布,交付全国人民讨论,参加讨论的约有 1.5 亿人,进行了 3 个月,提出了 1160420 条意见和问题。9 月 9 日,宪法起草委员会举行会议,对草案再次作了修改。刘少奇说:"我国宪法的公布,是全国各族人民长期共同奋斗获得了伟大胜利的一个成果。宪法一方面总结了我们过去的奋斗,另一方面给了我们目前的奋斗以根本的法律基础。""宪法是全体人民和一切国家机关都必须遵守的。全国人民代表大会和地方各级人民代表大会的代表以及一切国家机关都是为人民服务的机关,因此,他们在遵守宪法和保证宪法的实施方面,就负有特别的责任。中国共产党是我们国家的领导核心。党的这种地位,决不应当使党员在国家生活中享有任何特殊的权利,只是使他们必须担负更大的责任。中国共产党的党员必须在遵守宪法和一切其他法律中起模范作用。"在经过充分讨论之后,9 月 20 日,大会以无记名投票方式一致通过了《中华人民共和国宪法》。大会主席团发表公告,予以公布。新中国第一部宪法的制定,获得了全国各族人民的热烈拥护。这是中国第一部社会主义类型的宪法,是中国宪法史上的伟大创举。实践证明,这是一部比较完整、比较正确的好宪法。随后,大会相继通过了《中华人民共和国全国人民代表大会组织法》《中华人民共和国国务院组织法》、

《中华人民共和国人民法院组织法》、《中华人民共和国人民检察院组织法》、《中华人民共和国地方各级人民代表大会和地方各级人民政府组织法》。这些法律对有关机关的产生、组成、地位、职权、活动范围和它们之间的关系等，作出了具体的规定，使各级国家机关按照民主和法制的原则开展活动。

9月23日，周恩来向大会作《政府工作报告》，对新中国成立5年来在恢复国民经济、工业化建设、发展农业、对资本主义工商业改造、改善人民生活、学校教育和科学文化事业、政权建设、外交工作等方面取得的成绩作了全面的说明，并指出了国家建设中的困难、问题和工作上存在的缺点。会议讨论时，有75位代表在大会上发言，肯定成绩，指出不足，提出希望。大会于26日通过决议，批准了《政府工作报告》。大会最后选举和决定了国家领导工作人员。在大会之前，中共中央与各民主党派反复协商人选。大会召开后，9月23日晚，毛泽东邀请各民主党派的主要负责人、政府主要负责人进行协商。9月24日，在大会主席团扩大会上进行了讨论。周恩来解释了拟提名人选的情况，并作了说明。他说，新中国成立时中央人民政府委员会受中国人民政治协商会议的委托，代行国家权力，同时又是行政领导机关，是双重任务，故那时许多政协委员兼政府的工作，宪法颁布后即不适用。我们国家大，应在民主集中的原则上适当分工。所以，全国人大常委会委员一般不兼行政、审判、检察机关的职务。原中央人民政府委员，一部分参加了国务院、最高人民法院、最高人民检察院，一部分参加了全国人大常委会。常委会中中共党员与党外人士的比例和中央人民政府委员中中共党员与党外人士的比例相同，79人中，

40人是中共党员，39人是党外的。这个名单取得了各民主党派负责人的同意，在今天这次主席团扩大会上提出。如果大家也没有意见，就在小组会讨论。除了各代表组讨论外，各民主党派自己开会讨论也是允许的。在主席团扩大会上通过人选名单后，交各代表团讨论。在各组讨论后，由王一伦等109名代表联合提出了国家领导工作人员的候选人。9月27日，通过无记名投票方式，选举产生了国家领导工作人员。毛泽东当选为中华人民共和国主席，朱德当选为副主席，刘少奇当选为全国人大常委会委员长，宋庆龄、林伯渠等13人为副委员长，王昆仑等65人为全国人大常委会委员。董必武当选为最高人民法院院长，张鼎丞当选为最高人民检察院检察长。根据国家主席提名，决定周恩来为国务院总理。次日，根据总理提名，大会通过了国务院组成人员人选的决定；根据国家主席提名，通过了国防委员会副主席和委员人选的决定。大会还通过了第一届全国人大民族委员会、法案委员会、预算委员会的主任和委员的人选。

大会圆满完成了它所担负的各项重大历史任务，于9月28日胜利闭幕。这次会议的整个进程，显示了我国政治的民主性质和全国人民在民主基础上的团结一致。第一届全国人民代表大会第一次会议的召开，标志着中国的民主政治建设进入了一个新的历史发展阶段。

第一届全国人大第二次会议

一届人大二次会议于1955年7月5日至30日在北京举行。向会议报到的全

国人大代表有 1118 人。7 月 5 日,在北京怀仁堂举行了开幕式,毛泽东、朱德、刘少奇、周恩来等领导人出席了会议,有 1105 名代表参加了开幕式。列席会议的政府各部门负责人 7 人,旁听的有 163 人。应邀参加开幕式的各国驻华使节和外交人员 23 人,各国来宾 22 人。会议的主要议程是:决定中华人民共和国发展国民经济的第一个五年计划;审查和批准 1954 年国家决算和 1955 年国家预算;制定《中华人民共和国兵役法》;通过关于治理黄河规划的决议;通过全国人大常委会的工作报告;补选全国人大常委会委员。

一届全国人大二次会议听取了国务院副总理兼国家计委主任李富春《关于发展国民经济的第一个五年计划的报告》,讨论了中华人民共和国发展国民经济的第一个五年计划草案,并作出决议,通过中华人民共和国发展国民经济的第一个五年计划,同意李富春副总理《关于发展国民经济的第一个五年计划的报告》。责成中华人民共和国国务院和各级国家机关,采取有效的措施,并督促全体工作人员依靠群众,努力工作,保证按期完成和超额完成五年计划和各个年度计划。会议听取了国务院副总理邓子恢《关于根治黄河水害和开发黄河水利的综合规划的报告》。会议作出决议,批准国务院所提出的关于根治黄河水害和开发黄河水利的综合规划的原则和基本内容,责成国务院采取措施迅速成立三门峡水库和水电站建筑工程机构,完成刘家峡水库和水电站的勘测设计工作,并保证这两个工程的及时施工。为了有计划有系统地进行黄河中游地区的水土保持工作,要求陕西、山西、甘肃三省人民委员会应根据根治黄河水害和开发黄河水利的综合规划,在国务院各有关部门的指导下,分别制定本省

的水土保持工作分期计划,并保证其按期执行。会议批准了国务院提出的 1954 年国家决算和 1955 年国家预算,同意国务院副总理兼财政部长李先念《关于 1954 年国家决算和 1955 年国家预算的报告》。一届人大二次会议通过了关于授权常务委员会制定单行法规的决议。认为,随着社会主义建设和社会主义改造事业的进展,国家急需制定各项法律,以适应国家建设和国家工作的要求。在全国人民代表大会闭会期间,有些部分性质的法律,不可避免地急需常务委员会通过施行。为此,特依照《中华人民共和国宪法》第三十一条第十九项的规定,授权常务委员会依照《宪法》精神,根据实际的需要,适时地制定部分性质的法律,即单行法规。一届全国人大二次会议批准了国务院关于撤销热河省、西康省并修改《中华人民共和国地方各级人民代表大会和地方各级人民委员会组织法》第二十五条第二款第一项规定的建议,撤销热河省,将热河省所属行政区域,按国务院建议分别划归河北省、辽宁省和内蒙古自治区。撤销西康省,将西康省所属行政区域划归四川省。修改《中华人民共和国地方各级人民代表大会和地方各级人民委员会组织法》第二十五条第二款第一项的规定为:省、直辖市 25 人至 55 人,人口特多的省,必须超过 55 人时,须经国务院批准。会议还通过了《中华人民共和国兵役法》。这次会议共收到提案 214 件,其中属于政治法律方面的 39 件,属于工业、交通方面的 72 件,属于农业、林业、水利方面的 44 件,属于财政、金融、贸易方面的 14 件,属于文化、教育、卫生方面的 45 件。提案审查委员会分设了政治法律、工业交通、农林水利、财金贸易、文教卫生 5 个组,对提案进行审查,并将提案分别交有关方面负责处理。大

会在完成各项议程后,于 7 月 30 日下午闭幕。大会号召全国人民为完成第一个五年计划而奋斗。

四

第一届全国人大第三次会议

一届人大三次会议于 1956 年 6 月 15 日至 30 日在北京举行。向会议报到的代表有 1041 人,出席开幕式的有 1025 人。刘少奇委员长主持了开幕式,毛泽东等领导人参加了会议。会议的主要议程是:审查和批准 1955 年国家决算和 1956 年国家预算,讨论和通过高级农业合作社示范章程,讨论和通过全国人大常委会的工作报告,补选全国人大常委会委员。

国务院副总理兼财政部长李先念代表国务院向会议作了《关于 1955 年国家决算和 1956 年国家预算的报告》。他的报告分三个部分:①1955 年的国家决算;②1956 年的国家预算;③为实现 1956 年的国家预算而努力。农业部长廖鲁言向会议作了《关于高级农业生产合作社示范章程(草案)的说明》。他说,现在农业生产合作化的任务已经基本完成了,单是加入高级农业生产合作社的农户,就已经达到了全国农户总数的 61%。完全社会主义性质的高级农业生产合作社已经成为农业生产的主要组织形式。《高级农业生产合作社示范章程》(草案)是在已经在全国通用的供初级合作社采用的农业生产合作社示范章程的基础上,针对初级合作社转为高级合作社以后所产生的新问题,根据农业生产合作社建设的新经验起草的。全国人大常委会副委员长兼秘书长彭真作了全国人大常委会的工作报告。报告列举了常委会从一届全国人大二次会议

闭幕后到现在的 10 个月来所进行的各项工作,还说明了代表们在各地视察工作的概况。在讨论中,许多代表对 1955 年国家决算和 1956 年国家预算中有关收入和支出的项目、重工业和轻工业的投资比重、农林水利建设的投资、文化教育和科学等方面的支出、中央财政和地方财政的职责范围和权限的划分等方面的有关问题,提出了询问。国务院派到各会场的工作人员对代表提出的问题作了回答。代表们根据他们不久以前在视察中看到的情况和问题,对政府部门的某些工作提出了批评。上海代表小组有的代表认为,1955 年国家预算中规定的商业收入没有完成任务,除了一些客观原因外,商业部门本身在组织物资供应、满足人民需要方面也存在许多缺点。辽宁代表小组有些代表对某些工矿企业存在的片面追求产量数字、忽视安全的现象提出了批评。大会共收到代表提案 176 件,其中属于综合性的(包括政治法律、民族事务、华侨事务等方面)27 件,属于工业、交通方面的 53 件,属于农业、林业、畜牧、水利方面的 28 件,属于财政、金融、贸易方面的 14 件,属于科学、文化、教育、卫生方面的 54 件。6 月 30 日,周恩来在大会上发表讲话,首先代表国务院向大会表示接受代表们在大会讨论中对政府工作所进行的认真批评,并且愿意在实际工作中,督促各有关部门和地方,检查和纠正这些缺点和错误,改善政府各方面的工作。周恩来还就代表在发言中涉及政府工作的几个重要问题,即关于各种体制问题、关于财政工作问题、关于职工群众生活问题、关于文教工作问题和关于反对官僚主义问题,分别作了说明和解答。陈云副总理就商业工作和工商关系问题作了发言。他在发言中分析了商业工作中存在的一些缺点、错误所产生

的历史条件，并且提出了改正这些错误、缺点的各项措施。大会通过决议，批准1955年国家决算和1956年国家预算，并且同意国务院副总理兼财政部长李先念在报告中提出的关于实现1956年国家预算的各项方针和措施。决议指出，实现1956年国家预算是全国各族人民、各民主党派、政府各部门和地方各级人民委员会的共同任务。会议通过了《高级农业生产合作社示范章程》；通过了《关于全国人民代表大会常务委员会工作报告的决议》，对常委会10个月来的工作表示满意；通过了这次会议的提案审查意见；通过了《关于修改中华人民共和国地方各级人民代表大会和地方各级人民委员会组织法第二十五条第二款第四项第五项规定的决议》。根据本次会议主席团的提请，会议补选了陈铭枢、华罗庚、周叔弢、茅以升、谢扶民为第一届全国人大常委会委员。一届人大三次会议历时16天，于6月30日下午闭幕。

五

第一届全国人大第四次会议

一届人大四次会议于1957年6月26日至7月15日在北京举行。毛泽东、朱德、刘少奇、周恩来等领导人出席了开幕式。开幕式由刘少奇委员长主持。向会议报到的代表有1079人，出席开幕式的代表有1064人，政府各部门负责人列席了会议。开幕式上，全体代表选出了主持这次会议的主席团和秘书长，共89人。会议的主要议程是：听取和审议周恩来总理《政府工作报告》、李先念副总理《关于1956年国家决算和1957年国家预算草案的报告》、薄一波副总理《关于1956年度国民经济计划的执行结果和1957年度国民经济计划草案的报告》、张鼎丞检察长《关于最高人民检察院工作的报告》、董必武院长《关于最高人民法院工作的报告》、彭真副委员长兼秘书长《关于全国人大常委会工作的报告》、乌兰夫副总理《关于成立广西壮族自治区和宁夏回族自治区问题的报告》、讨论下届全国人民代表大会代表的选举等问题。

由于这次会议的召开正处于反右派斗争的高潮，因此在大会的报告、发言和小组讨论中都充满着反击右派的气氛。周恩来总理在《政府工作报告》中，肯定了我国在社会主义革命和社会主义建设事业中取得的伟大成就，检查了工作中存在的错误和缺点，并且对资产阶级右派反对社会主义的言论进行了批驳。一些代表在分组讨论和大会发言中，对右派言论进行了批判。被点名为右派的20多名全国人大代表作了检讨，有些人为自己进行了辩护和说明。会议没有对全国人大代表中的右派分子进行处理。

会议就大会的各项议程通过了相应的决议。会议认为，周恩来总理的报告、李先念副总理的报告和薄一波副总理的报告实事求是地反映了一年来政府工作的巨大成绩和某些缺点，正确地总结了政府工作的经验和教训，并且用事实驳斥了最近一个时期右派分子的荒谬言论。会议批准彭真副委员长兼秘书长所作的《关于全国人大常委会的工作报告》，批准董必武院长《关于最高人民法院工作的报告》，批准张鼎丞检察长《关于最高人民检察院工作的报告》。会议通过《关于第二届全国人民代表大会代表选举问题的决议》，决定第二届全国人民代表大会代表的选举必须在1958年7月15日以前完成，代表的名额为1226人。会议在听取民族委员会主任刘格平《关于成立广西壮族自治区和宁夏回族自治区议案的审查报告》后,通过了关于成立广西壮族自治区和宁夏回族自治区的两项决议。会议决议:今后一切死刑案件,都由最高人民法院判决或者核准。会议就周恩来总理兼外交部长关于中缅边界问题的报告通过了决议,同意政府继续根据解决中缅边界问题的原则性建议同缅甸联邦政府进行具体协商,以求得中缅边界问题的全面的和公平合理的解决。会议听取了提案审查委员会主任委员李雪峰《关于提案的审查报告》,通过了关于提案审查的意见。本次会议共收到提案 243 件,其中属于政治、法律、国防、人事、编制、民族事务、华侨事务方面的有 23 件,属于财政、金融、粮食、贸易方面的有 23 件,属于工业、交通、基本建设、劳动、工资方面的有 79 件,属于农业、林业、畜牧、水利方面的有 23 件,属于文化、教育、科学、卫生、体育方面的有 95 件。会议根据本次会议主席团的提名,补选了陈其尤、季方为第一届全国人大常委会委员。

六

第一届全国人大第五次会议

一届人大五次会议于 1958 年 2 月 1 日至 11 日在北京举行。向会议报到的代表有 1015 人,出席开幕式的代表有 975 人。政府各部门的负责人、各国驻华使节和在北京访问的一部分外宾列席了会议。毛泽东等国家领导人出席了开幕式。会议的主要议程是:审查和批准 1958 年国家预算、决定 1958 年度国民经济计划、批准汉语拼音方案、通过代表资格的审查报告、通过全国人大常委会的工作报告。代

表资格审查委员会作了《中华人民共和国第一届全国人民代表大会资格审查委员会关于补选的代表资格和 38 名右派分子的代表资格问题的审查报告》,认为这 38 人已经丧失了继续执行全国人民代表大会代表职务的合法根据,不应出席这次会议。会议同意全国人大常委会的建议,通过了关于罢免黄绍竑等 10 人职务的决议,决定罢免黄绍竑、龙云、陈铭枢的全国人大常委会委员职务;罢免费孝通、黄现璠、欧白川的全国人大民族委员会委员的职务;罢免张云川、陈铭枢、黄绍竑、黄琪翔、谢雪红、罗隆基的全国人大法案委员会委员职务;罢免龙云的国防委员会副主席、黄琪翔的国防委员会委员职务。国务院副总理兼财政部长李先念向大会作了《关于 1957 年国家预算执行情况和 1958 年国家预算草案的报告》。报告共分四个部分:①1957 年国家预算执行情况;②1958 年国家预算的安排;③1958 年财政制度的改进;④反保守、反浪费,用大规模的增产节约运动来保证实现 1958 年的国家预算。薄一波副总理作《关于 1958 年度国民经济计划草案的报告》,中国文字改革委员会主任吴玉章代表中国文字改革委员会作《关于当前文字改革工作和汉语拼音方案的报告》,全国人大常委会副委员长兼秘书长彭真作《全国人大常委会的工作报告》。一届全国人大五次会议是在“大跃进”气氛越来越浓的情况下召开的。2 月 2 日,在会议开幕的第二天,《人民日报》正式提出国民经济“全国大跃进”的口号。3 日,又公开提出苦战 3 年基本上改变面貌的浮夸口号。许多人大代表在小组讨论和大会发言中,介绍了本地区、本部门和本单位大搞经济革命、政治革命、思想革命、技术革命和文化革命等方面的经验。一些发言出现了片面夸大主观能动性、盲

目乐观、为浮夸叫好的现象。一届全国人大预算委员会在审查 1958 年国家预算草案时，认为鉴于当时各个生产战线上新的建设高潮正在继续高涨，越来越多地提供新的增加收入的可能，主张调整国务院制定的 1958 年国家预算草案，将财政收入和财政支出各增加 1.35 亿元。2 月 11 日，在大会讨论结束后，会议开始通过各项决议。在听取预算委员会主任委员刘澜涛的报告后，通过了《关于 1957 年国家预算执行情况和 1958 年国家预算及 1958 年国民经济计划的决议》，原则批准 1957 年国家预算的执行情况；修正批准 1958 年国家预算和李先念副总理兼财政部长代表国务院所作的《关于 1957 年国家预算执行情况和 1958 年国家预算草案的报告》；批准 1958 年度国民经济计划和薄一波副总理兼国家经济委员会主任代表国务院所作的《关于 1958 年国民经济计划草案的报告》。会议批准的 1958 年的国民经济计划和国家预算的具体情况是，计划规定工业总产值为 643.7 亿元，比 1957 年增长 14.6%；农副业总产值为 688.3 亿元，增长 6.1%；财政收入为 331.98 亿元，增长 8.2%；基本建设投资 145.77 亿元，增长 17.8%；钢 624.8 万吨，增长 19.2%；发电量 224.5 亿度，增长 18%；粮食 3920 亿斤，增长 5.9%；棉花 3500 万担，增长 6.7%。国务院将会议批准的这个国民经济计划和财政预算下达各省、市、自治区和中央国家机关各部门，并指出这是中央的第一本账，要求各省、市、自治区和各部门在此基础上再编制第二本账，在国民经济计划上层层加码。会议就大会的其他各项议程通过了各项决议。会议在听取提案审查委员会主任委员李雪峰关于提案的审查报告后，通过了关于提案审查的意见。这次会议收到有关各方面工作的提案共 81 件，经过提案审查委员会的逐案审查，会议决定：把这次会议的提案交由全国人民代表大会常务委员会和国务院依照审查意见进行处理，并将处理情况提出报告。会议号召全国各族人民应当鼓起干劲，力争上游，为争取 1958 年国家预算和国民经济计划的顺利实现而奋斗，为争取 1958 年国民经济新的跃进和为第二个五年计划创立一个良好的开端而奋斗。

中国人民政治协商会议第二届会议

中国人民政治协商会议第二届会议任期从 1954 年 12 月至 1959 年 4 月，5 年有余。其间召开了 3 次全国委员会会议，55 次全国委员会常务委员会会议。

一

第二届全国委员会第一次会议

1954 年 12 月 21 日至 25 日，中国人民政治协商会议第二届全国委员会第一次会议在北京举行。1954 年 10 月 28 日，周恩来在全国政协一届常委会第六十一次会议上代表中共中央提出了《关于召开第二届中国人民政治协商会议准备工作的建议》。11 月 13 日，政协全国委员会工作会议初步拟定了参加政协的单位，商定由各民主党派、人民团体组织酝酿讨论参加二届政协的代表人选，并推定李维汉等 13 人组成修改政协组织法小组。12 月 4

日召开的政协一届常委会第六十二次会议通过了《中国人民政治协商会议第二届全国委员会委员名单》。第二届全国政协委员共 559 人,比第一届政协委员 198 人增加近两倍。委员分别代表:中国共产党、中国国民党革命委员会、中国民主同盟、中国民主建国会、中国民主促进会、中国农工民主党、中国致公党、九三学社、台湾民主自治同盟、无党派民主人士、中国新民主主义青年团、中华全国总工会、中华全国民主妇女联合会、中华全国民主青年联合会、农民合作社、中华全国工商业联合会、中国文学艺术界联合会、自然科学团体、社会科学团体、教育界、新闻出版界、医药卫生界、对外和平友好团体、社会救济福利团体、少数民族、华侨、宗教界、特邀代表等,共计 29 个党派和团体。除去了原各大区和军队的代表。委员中,共产党员 150 人,占 1/4 强,其他党派和无党派人士 409 人,占绝大多数,旧军人、旧政协的代表人物和旧知识分子等代表也进入了政协。

这次会议的主要任务是要在我国国民经济恢复并取得决定性胜利,特别是一届全国人大召开后,全国政协代行全国人民代表大会职权的权力机关作用已经消失的情况下,研究和确定新形势下政治协商会议的任务。

会议的开幕式由政协第一届全国委员会主席毛泽东主持,以后的会议由周恩来、陈叔通、宋庆龄等分别主持。会议的主要内容是:第一届全国政协副主席周恩来作《政治报告》;一届全国政协副主席陈叔通作《中国人民政治协商会议第一届全国委员会工作报告》;一届全国政协常委章伯钧作《关于〈中国人民政治协商会议章程〉(草案)的说明》。周恩来在《政治报告》中强调:中国人民一向为促进国际合作、和缓国际紧张局势和保卫远东和平而努力。但是我们决不能容忍侵略。只有反抗侵略,才能保卫和平。保卫和平的斗争是世界一切爱好和平的国家和人民的共同斗争。为着进行这一伟大斗争,全国人民今后需要更广泛地动员起来和更巩固地团结起来。中国人民政治协商会议作为人民民主统一战线的组织,在这一斗争中将继续发挥它在抗美援朝时期曾经起过的重大作用。周恩来指出,根据《中国人民政治协商会议章程(草案)》总纲的规定,今后中国人民政治协商会议的任务,按照毛泽东主席的意见,可归纳为:一、协商国际问题;二、对全国人民代表大会代表和地方各级人民代表大会代表候选人名单以及中国人民政治协商会议各级组织组成人员的人选进行协商;三、协助国家机关,推动社会力量,解决社会生活中各阶级间相互关系问题,并联系人民群众,向国家有关机关反映群众的意见和提出建议;四、协商和处理政协内部和党派团体之间的合作问题;五、在自愿的基础上,学习马克思列宁主义和努力进行思想改造。周恩来最后说,中国人民政治协商会议在完成国家过渡时期总任务和反对内外敌人的斗争中,将要继续发挥它的作用,负起它的光荣使命。

陈叔通在《中国人民政治协商会议第一届全国委员会工作报告》中,总结了自 1949 年 9 月第一届政协召开以来,政协的工作成绩,同时指出存在的主要缺点:了解、反映各方面人民意见和宣传各种政策时事问题的活动不够经常和宽广,协助各民主党派、人民团体和民主人士商讨处理共同性的活动和问题不够主动,对省、市政协的指导和帮助也是不够的。报告指出,今后政协会议的任务将是:在继续加强工人阶级领导和巩固工农联盟的基础上,经过参加中国人民政治协商会议的各单位在中国共产党领导下的团结努力,去团结一切可以团结的力量,为建设我国成为一个伟大的社会主义国家而斗争,为粉碎一切企图破坏我们国家的内外敌人而斗争,为保卫世界和平和发展人类进步事业而斗争。《报告》提出从以下几个方面加强政协的工作:一是经过各民主党派、各人民团体、各级人民民主统一战线组织及其他有关机关和人员,多方面地联系人民,经常地了解各方面人民的意见。在此基础上,政协就有关国家政治生活和人民民主统一战线的重要事项进行协商讨论,以沟通思想,统一认识,并向有关国家机关反映人民的意见和依情况需要提供建议;同时,对国家的政策、法令进行宣传,协助推行,并进行人民民主统一战线的各种活动。二是推动人民民主统一战线全体成员进行理论和实践相结合的思想改造,动员和帮助他们加强爱国主义、国际主义和国家过渡时期总任务的教育,学习马列主义理论,积极参加社会主义建设和社会主义改造事业,运用批评和自我批评的方法,不断地提高觉悟水平。三是动员全国人民努力完成解放台湾、消灭蒋介石卖国集团的神圣任务。反对美帝国主义,保卫祖国安全。四是推动全国人民加强保卫世界和平、巩固和发展对苏联和各人民民主国家及全世界爱好和平的人民的友谊、促进国际合作的活动。五是关于各级人民民主统一战线地方组织的工作,主要需由当地领导方面加以支持和帮助;同时,中国人民政治协商会议全国委员会及省、市组织,对其下级组织应及时给予指导。六是协助各民主党派、人民团体和民主人士商讨处理共同性的活动和问题,并交流经验。

大会通过了《中国人民政治协商会议章程》、《中国人民政治协商会议第二届全国委员会第一次会议宣言》和《关于第一届全国委员会工作报告的决议》。会议还通过了《致中国人民解放军的慰问电》、《致中国人民志愿军的慰问电》和《致修筑康藏、青藏公路的全体人民解放军、工程人员和民工同志们的慰问电》。会议推举毛泽东为政协二届全国委员会的名誉主席。选举周恩来为主席,宋庆龄、董必武、李济深、张澜、郭沫若、彭真、沈钧儒、黄炎培、何香凝、李维汉、李四光、陈叔通、章伯钧、陈嘉庚、班禅额尔德尼·确吉坚赞、包尔汉等16人为副主席,邢西萍为秘书长,王芸生等65人为常务委员。

这次会议正确地解决了全国人民代表大会召开后,人民政协的性质、地位、作用和任务等问题,促进了我国政治民主化的进程,进一步调动了各民主党派参加国家政治生活和国家建设的积极性。《中国人民政治协商会议章程》的制定,是中国人民政治协商会议职能变化后政协工作的主要依据,它为第二届政协会议后的工作,奠定了思想上、政治上和组织上的基础。12月22日,《人民日报》以《祝第二届政协圆满完成任务》为题发表社论。社论说:中国人民政治协商会议“不是政权或半政权性质的组织,它是一种党派性的组织,它的任务,就是在中国共产党的领导下,继续巩固和发展我国人民民主统一战线,通过各民主党派和各人民团体的团结,更广泛地团结我国各族人民,共同反对国内外敌人,为和平民主和伟大的社会主义事业而奋斗”。中共中央十分重视二届政协会议的召开,毛泽东亲自主持了对政协章程、政协主席团和常委会委员人选的协商,并于1954年12月14日,以中共中央的名义发出《关于召开政协第二届全国委员会第一次全体会议的宣传通知》。

通知指出，政协二届一次会议的召开，在进一步巩固和发展人民民主统一战线方面，在团结全国人民加强反对国内外敌人的斗争方面，都有很重要的意义。人民民主统一战线的进一步巩固和发展，对于在中国共产党领导下广泛团结全国人民争取社会主义事业的胜利和反对国内外敌人斗争的胜利都有极为重要的意义。统一战线政策仍是党在过渡时期的一个重要政策。《通知》要求党的组织，特别是省、市以上的党组织和全体党员应当充分认识这一点，并把做好自己所应担负的统一战线工作看做是自己的一个重要政治任务。同时指出，在巩固和发展统一战线工作中，又必须不断地加强党在统一战线中的领导核心作用，任何以为可以放松或减弱党的领导核心作用的想法都是错误和有害的。

二

第二届全国委员会第二次会议

1956年1月30日至2月7日，政协第二届全国委员会第二次会议在北京召开。出席会议的有政协委员588人，列席会议的有各省、自治区、直辖市政协，各民主党派、人民团体和中央国家机关负责人614人，共1202人到会。会议听取了周恩来的《政治报告》，李济深的《中国人民政治协商会议第二届全国委员会常务委员会工作报告》、郭沫若的《在社会主义革命高潮中知识分子的使命》的报告，陈叔通的《关于资本主义工商业社会主义改造的报告》，董必武的《关于肃清一切反革命分子问题的报告》和陈伯达的《中国农业的社会主义改造的报告》。会议着重讨论了关于知识分子的问题。周恩来在《政治报

告》中强调：我国知识分子"无论在数量方面、在业务水平方面、在政治觉悟方面，都远不能适应社会主义事业急速发展的需要"，"需要我们加强领导，克服缺点，采取一系列有效的措施，最充分地动员和发挥现有知识分子的力量，不断地提高他们的政治觉悟和业务水平，大规模地培养新生力量来扩大他们的队伍，以适应国家对于知识分子的不断增长的要求"。会议通过了《关于政治报告的决议》、《关于工作报告的决议》和《关于提案审查委员会提案审查报告的决议》。会后，政协全国委员会决定成立知识分子问题研究小组，研究1955年下半年政协委员视察知识分子问题所反映的情况、意见。政协常委将经过整理的390多个项目分别转送大约30个与之相关的中央主管部门，协商处理。会议对于推动知识分子全力投入社会主义革命和建设起到了重要作用。

三

第二届全国委员会第三次会议

1957年3月5日至20日，政协二届三次会议在北京召开。这次会议以前，全体政协委员列席了最高国务会议，听了毛泽东主席《正确处理人民内部矛盾的问题》的讲话。会议听取了周恩来《关于访问亚洲和欧洲11国的报告》，陈叔通《关于中国人民政治协商会议第二届全国委员会常务委员会工作报告》，以及陈云、李先念等关于增产节约、政法工作等重要专题发言。会议重点讨论了增产节约运动、肃清反革命运动和农业工作等问题。这次会议的预备会议上，委员们还听取了李富春《关于发展国民经济的第二个五年计划的建议的说明》。与会代表本着"知无不

言、言无不尽"的精神,广泛讨论了国家各方面的工作,肯定了成绩,严格地批评了工作中的缺点,提出了改进工作的意见,并且提出了287件提案。会议最后通过了《政治决议》、《关于常委会工作报告的决议》、《关于增产节约问题的决议》和《关于提案审查的决议》。会议增选了王绍鏊、王葆真、叶慕绰等8人为政协二届全国委员会常务委员。

民族区域自治制度的建立

民族区域自治作为新中国的一项重要政治制度,在整个国家的发展,特别是在建设有中国特色的社会主义的历史进程中,占有十分重要的地位。它对于巩固国家的统一和加强民族团结,对于各民族的共同发展繁荣,起着巨大的保证作用,得到了各民族人民的衷心拥护。

一

推行民族区域自治和建立民族民主联合政府

1949年9月29日,经中国人民政治协商会议第一届全体会议通过的《中国人民政治协商会议共同纲领》明确规定:"各少数民族聚居的地区,应实行民族的区域自治,按照民族聚居的人口多少和区域大小,分别建立各种民族自治机关。"当时,祖国大陆包括西藏在内的许多地方尚待解放,人民政权初建,还未得到巩固。在经济上,土地改革尚未完成,经济凋敝,物价上涨,财政情况极为严重,国家开始了三年经济恢复时期。少数民族地区的工作也存在很大的困难。许多少数民族地区刚刚解放,情况复杂,外国间谍、国民党残余势力和特务、土匪扰乱社会治安,挑拨离间少数民族同中国共产党和政府的关系,民族之间和民族内部的纠纷时有发生。由于历史上遗留下来的民族间的隔阂,少数民族对党和人民政府还很不了解,甚至抱有疑虑,一些少数民族上层人士对新中国还持观望态度。为了团结各少数民族,争取少数民族地区社会稳定,党和人民政府在少数民族聚居区和杂居区,开始推行民族区域自治,建立民族民主联合政府。

首先在少数民族地区开始民族区域自治的试点工作。1950年、1951年中央访问团分别到西南、中南、西北、东北和内蒙古等少数民族地区,代表党中央、中央人民政府慰问少数民族,宣传党和国家的民族政策。当时的西康省藏族自治区和广西省龙胜各族自治区,就是在中央访问团的指导下建立的。在实行民族区域自治的同时,还在民族杂居区及未具备实行民族区域自治条件的民族聚居区建立了民族民主联合政府。

民族民主联合政府在全国普遍推行,取得了很大成绩。到1952年底,仅西南地区(包括云、贵、川)就建立了各级民族民主联合政府163个,其行政地位相当于专区级、县级、区级、乡级的。在西北新、青、甘、陕各省的民族杂居区也普遍建立了民族民主联合政府,新疆、青海、甘肃、宁夏四省建立了民族民主联合政府。在其他民族暂缺或尚未实行民族区域自治的民族聚居区也建立了民族民主联合政府。

1955年12月,国务院根据《中华人民共和国宪法》的规定,发布了《国务院关于改变地方民族民主联合政府的指示》。根据指示规定,过去建立的民族民主联合政府,凡适合建立自治州、自治县的改建为自治州、自治县;适合建立民族乡的,可改建为民族乡。到1956年完成了改建工作。如三都民族民主联合政府改建为三都水族自治县;云南丽江地区民族民主联合政府改为专区,后又改为丽江纳西族自治县。全国各地民族民主联合政府的建立,保障了民族杂居区少数民族的民族平等权利,从而增强了各民族间的团结,对于各族人民群众进行民族民主政权建设的实践和民主教育,也为实行民族区域自治准备了条件。可以说,1954年9月《中华人民共和国宪法》的公布,为民族区域自治作出了全面的规定,民族区域自治也进入了健全发展的时期。

内蒙古自治区的建立

1947年5月1日建立的内蒙古自治区,是新中国建立的第一个相当于省级的民族自治区。它的建立,主要是解决了实行自治的方向问题和逐步完成被分割的区域的统一问题。

内蒙古自治区是中国蒙古族主要聚居区,具有十分重要的战略地位,长期以来是帝国主义觊觎的地方。沙皇俄国、日本帝国主义早就妄图侵入内蒙古地区。1931年以后内蒙古东部地区逐渐变成日本帝国主义的殖民地。从清朝以来历代统治阶级和蒙古内部封建统治阶级相勾结,都对内蒙古各民族人民进行残酷的剥削和统治。内蒙古各族人民长期以来为反抗帝国主义和本国本民族的统治阶级进行了英勇的斗争。他们渴望内蒙古各民族得到解放,实行人民当家做主的自治。

在内蒙古地区,从本世纪20年代中期到内蒙古自治区建立之前,在实行什么样的自治问题上,存在着两条道路的斗争:一条是以乌兰夫为代表的中国共产党人,以内蒙古劳动群众和进步的知识分子为主力,联合包括爱国的王公贵族等上层在内的进步人士,在中国共产党的领导下,为内蒙古民族的解放,在统一的祖国内实行自治的正确道路。另一条是以内蒙古反动的王公贵族上层分子为代表的,以维护封建统治为目的的,投靠日本帝国主义的分裂祖国的反动的"自治运动"的道路。

中国共产党早在建党初期就十分关心内蒙古问题,培养了一批蒙古族干部,并在内蒙古地区建立起第一批党组织。1929年秋,党派乌兰夫等同志从苏联回内蒙古领导革命斗争。1931年又派王若飞等同志在内蒙古西部广泛开展活动,进行地下斗争。"九一八"事变后,日本帝国主义侵占了我国东北和内蒙古东部广大地区,广大人民群众遭受残酷的屠杀和压迫,中国共产党领导内蒙古各族人民进行了武装游击战争和各种形式的对日斗争。"七七"事变后党派杨植霖、高凤英(蒙古族)、贾力更(蒙古族)等同志在归绥、大青山一带开展武装抗日斗争,1938年党派李井泉、姚哲、武新宇等率领八路军和工作人员,从山西挺进大青山,建立了大青山抗日游击根据地和大青山骑兵支队,在日寇统治内蒙古的中心地带开展武装抗日斗争,并进行建立政权,培养蒙古族干部的工作。

1945年抗日战争胜利后,鉴于内蒙古在发展东北、取得华北优势方面的极重要的战略地位,中央书记处在1945年10月

23 日发出了《对内蒙工作的意见》的电报，提出解决内蒙古民族问题的基本方针是实行区域自治。11 月 10 日，中央书记处再次电示，要求先成立自治运动联合会，准备将来成立内蒙古自治政府。在中央指示发出前后，党中央从延安派乌兰夫等一批蒙汉干部进入内蒙古地区进行实行民族区域自治的准备工作。乌兰夫等同志在内蒙古西部和东部，根据党中央的指示，积极开展工作，宣传中国共产党民族平等的政策，为实现民族区域自治作出了艰苦的努力。1945 年 11 月 25 日至 27 日，在张家口召开了内蒙古各族代表大会，成立了"内蒙古自治运动联合会"。该会是在中国共产党领导下的、团结内蒙古各民族各阶级人士的、统一战线性质的政治组织，是内蒙古自治政府成立之前开展自治运动的领导机构，具有一定的临时政权的性质。乌兰夫当选为主席。从 1946 年初开始，在内蒙古地区各盟建立了中国共产党的地方组织。

1947 年 4 月 3 日，内蒙古人民代表大会在王爷庙（今乌兰浩特）胜利召开。会议听取了乌兰夫作的政治报告，选出了第一届临时参议会议员 121 名，并由临时参议会选举博彦满都（蒙古族）为议长、吉雅泰（蒙古族）为副议长。会议选举乌兰夫（蒙古族）为内蒙古自治政府主席，哈丰阿（蒙古族）为副主席，选举特木尔巴根、奎璧等 19 人为委员，委员包括汉族 3 人。1947 年 5 月 1 日，内蒙古自治政府宣告成立。5 月 19 日，毛泽东主席和朱德总司令复电内蒙古人民代表会议："曾经饱受苦难的内蒙古同胞，在你们领导之下，正在开始创造自由光明的新历史。我们相信：蒙古民族将与汉族和国内其他民族亲密团结，为着扫除民族压迫与封建压迫，建设新蒙古与新中国而奋斗。"

内蒙古自治区的建立和发展，为党和国家确定以民族区域自治作为解决我国民族问题的基本政策作出了成功的实践，积累了重要的、较为全面的经验。

新疆维吾尔自治区的建立

在新疆推行民族区域自治工作，首先是从帮助人口较少的少数民族聚居区实行自治入手的，即自下而上逐步建立的。1954 年，先后帮助哈萨克族建立一个自治州和二个自治县；帮助蒙古族建立了二个自治州和一个自治县；帮助回族建立一个自治州和一个自治县；帮助柯尔克孜族建立了自治州；帮助锡伯族和塔吉克族分别建立了自治县，然后才着手建立维吾尔自治区。

在酝酿新疆全省实行自治的过程中，根据维吾尔族聚居在全省的情况和其历史作用，对建立自治区的认识是一致的，所不同的意见是自治区的名称问题。当时主要意见有三个：一是主张用"新疆维吾尔自治区"；二是主张用"新疆自治区"；三是认为"新疆"一词不够尊重，主张用"维吾尔斯坦"。经过反复酝酿，广泛征求各族、各界人士的意见，权衡利弊，认为"新疆"一词虽然是新开辟的疆土的意思，使用时间不长，但无贬义，而且已为群众所接受。"维吾尔斯坦"一词，群众不易理解，容易同历史上分裂主义分子所制造的"东土耳其斯坦"混淆，对多民族居住的新疆，如用此名称不利于民族之间的团结；称"新疆自治区"虽然有利于维吾尔族团结境内其他各民族，但它没有表明是哪个民族在实行自治，而且新疆已经建立的自治州、自治县都同时表明了地名和民族名称,对自治区也应该取得一致;称"新疆维吾尔自治区",符合《民族区域自治实施纲要》关于民族自治区名称的规定,能够体现维吾尔族在新疆团结各民族和汉族关系的良好发展,有利于加强维吾尔族团结其他民族共同建设新疆的责任感。这项工作用了一年的时间,各民族各界人士在各级人民代表会议和政治协商会议以及其他一些专门会议上,经过充分讨论和反复酝酿,在逐步取得一致的基础上,按照绝大多数各族干部和人民群众的意愿,确定了"新疆维吾尔自治区"这个名称。

1955年9月,全国人民代表大会常务委员会第二十一次会议批准了国务院总理周恩来提出的成立新疆维吾尔自治区的议案,撤销新疆省建制,以原新疆省的行政区域为新疆维吾尔自治区的行政区域。

广西壮族自治区和
宁夏回族自治区的建立

广西和宁夏两个自治区建立的方法步骤,基本上属于同一类型,都是考虑到壮、回两个民族在祖国大家庭中的地位,由中共中央倡议,经过长期酝酿,与有关各方广泛协商,在各自已建有一定的自治地方的基础上,扩大建立为自治区的。

新中国成立初期,广西采取省的建制。后来中共中央鉴于壮族是全国55个少数民族中人数最多的一个民族,如果不建立一个省一级的自治区,则与其在祖国大家庭中的地位不相适应。中共中央在1956年9月关于建立省一级的壮族自治区的建议中,提出了两个方案:一是将广西省改建为壮族自治区,简称"合"的方案;二是保留广西省建制,以广西省东部汉族地区为其行政区域,在广西省西部壮族聚居区域建立壮族自治区,这个方案是把广西省一分为二,简称为"分"的方案。

究竟采取合的方案还是采取分的方案,广西省组织各方人士酝酿讨论了较长时间。在整个酝酿讨论的过程中,中央和地方的领导,特别是周恩来和李维汉同志,做了大量的思想工作。经过讨论协商,在大的原则上,即合比分好的问题上,取得了一致意见。1957年3月,全国政协主席周恩来在谈到建立壮族自治区当中壮汉两个民族间的人口比例问题时说:"在我国,汉族人多地少,少数民族人少地多,这种悬殊的情况是一个特点,因而要创造一些范例,使少数民族感到汉族是愿意同他们合作的。在这方面,绥远划归内蒙古自治区是一个好的范例,广西也应当这样做。"最后,经过自上而下和自下而上的广泛讨论和协商,终于采取联合的方案,并定名为广西壮族自治区,于1958年3月正式成立。

宁夏回族自治区的建立,也是中共中央倡议的。因为回族在祖国大家庭中有着特殊的地位和影响,人口仅次于壮族和维吾尔族,居55个少数民族中的第三位,中央认为必须建立一个省一级的回族自治区,才能与其历史和现实的地位相称。因此,在1956年2月,倡议在甘肃省境内回族人口较集中的地区,建立省一级的自治区。这个倡议,得到了全国广大回族干部和群众以及甘肃省各界的热烈响应和积极支持。

关于回族自治区的行政区域,在酝酿过程中曾提出几个方案,主要有两个方案。第一个方案是以甘肃省包括以原宁夏省地区(蒙古族地区除外)为基础,再划入邻近地区。这个方案的优点是:回民人口比较集中,占全区人口的 1/3 以上,把原来的两个回族自治州、一个自治县连成一片,对回族今后的发展有利。另一个方案是:除了第一个方案的辖区外,把平凉专区的其他县、市和天水专区的张家川回族自治县划入自治区。这个方案的好处是:可以把这两地划入自治区,但平凉专区回族人口只占总人口的 5％,如采取这个方案,回族人口在自治区内所占比例会大大降低,而且这个地区历史上回汉关系非常复杂,仇杀事件较为突出,新中国成立后两族关系虽有很大改善,但要彻底消除历史上形成的民族隔阂,还需要一个较长的时间。基于上述原因,中共甘肃省委没有采取第二个方案,而将第一个方案提交省人民委员会和政协委员会联席会议讨论通过后呈报国务院。

1957 年 6 月 7 日,国务院举行了第五十一次全体会议,听取了国家民委副主任汪锋作的《关于建立宁夏回族自治区的报告》后,决定成立宁夏回族自治区,并由国务院向全国人大一届四次会议提出议案。全国人大一届四次会议于 1957 年 6 月通过了成立宁夏回族自治区的决议。此后,经过反复协商,确定划出甘肃省的银川专区(9 个市、县)、吴忠回族自治州(5 个市、县)、固原回族自治州(3 个县)和隆德县、泾源回族自治县等 19 个市、县,作为宁夏回族自治区。于是,在各方取得一致意见的基础上,成立了自治区筹备委员会,正式开始了自治区的筹备工作。中央和国务院从中央各部门和全国各地区抽调了以刘格平为首的一批回族领导干部和各方面人才支援宁夏,并派李维汉等同志前往指导筹备工作。在一切准备工作完成以后,宁夏回族自治区遂于 1958 年 10 月宣告成立。

西藏自治区的建立

西藏自治区的成立,经历了曲折复杂的斗争过程,可以说是由两种政权并存逐步过渡到自治的。从 1951 年 5 月《中央人民政府和西藏地方政府关于和平解放西藏办法的协议》(简称"十七条协议")签订,到 1956 年 4 月西藏自治区筹备委员会成立,经过了 5 年时间,到 1965 年 9 月自治区正式成立,又经过了 9 年时间,前后长达 14 年之久。

在西藏,必须实行民族区域自治,这是"十七条协议"中规定了的。协议第二条规定:"根据《中国人民政治协商会议共同纲领》的民族政策,在中央人民政府统一领导之下,西藏人民有实行民族区域自治的权利。""十七条协议"同时还规定,对于西藏的现行政治制度,中央不予变更;达赖喇嘛的固有地位和职权,中央也不予变更;班禅额尔德尼的固有地位及职权,应予维持。另一方面,根据"十七条协议"的规定,有关西藏的国防、外交等重大事宜,由中央驻西藏代表代表中央统一管理,同时昌都地区已经成立了具有人民民主政权性质的人民解放委员会,这就形成了两种政权并存的局面。为逐步结束两种政权并存和对立的局面,中央不得不花费较长的时间,进行大量的工作。关键是消除历史造成的中央和西藏地方之间、汉族和藏族之间的隔阂,促进西藏内部,主要是达赖和班禅之间的团结,广泛争取上层人士,孤立和打击帝国主义及分裂主义势力。经过多年艰苦细致的努力,逐步密切了中央和西藏地方的关系,加强了藏汉民族之间和西藏民族内部的团结。

1955年3月,国务院通过了《关于成立西藏自治区筹备委员会的决定》。决定指出,西藏自治区筹委会是受国务院领导的带政权性质的机关,其主要任务是创造各种条件,筹备在西藏实现区域自治。1956年4月,西藏自治区筹委会在拉萨宣告成立,从而完成了在西藏实行区域自治的一个重大步骤,标志着西藏形势已发生了重大的变化,一个代表百万农奴希望的新生人民政权开始出现,并将不断成长;而原西藏地方政府——一个代表农奴主统治的政权,逐渐走向没落。在这种形势下,西藏上层反动集团不甘心灭亡,他们极力阻挠自治区筹委会的工作,猖狂进行破坏,甚至发动武装叛乱,妄图永远保持封建农奴制的黑暗统治。但是,西藏的百万农奴已经觉醒,西藏走向进步时代的脚步是任何人和势力也阻挡不住的。一小撮反动上层的垂死挣扎,只能加速他们的失败。1959年3月,随着西藏叛乱的平息,中央宣布解散了西藏地方政府,两种政权并存和对立的局面终于结束。在以后的几年中,经过民主改革和社会主义改造进一步创造了实行区域自治的条件,终于1965年9月正式成立了西藏自治区。

民族区域自治制度的优越性

实行民族区域自治符合我国各民族历史发展的客观规律,是各族人民共同的根本利益和强烈愿望。由于我国采取了完全适合国情的解决民族问题的政策和形式,其具体做法又具有很突出的创造性,因而,使这一基本政策和重要的政治制度在贯彻实施中表现出巨大的优越性。

第一,实行民族区域自治,激发了各族人民当家做主的积极性。我国的民族区域自治,是民族自治与区域自治的正确结合,是以少数民族聚居区为基础建立的自治地方。它有很大的灵活性,可以充分适应我国民族分布上的大杂居、小聚居、交错居住的特点,使人口多的少数民族和人口少的少数民族、大聚居的少数民族和小聚居的少数民族,都能建立相应的自治单位,充分体现人民当家做主和管理本民族内部事务的权利。此外,对散居杂居的少数民族,又通过民族乡保障他们的平等权利,这就能够充分调动少数民族人民维护国家统一和安定团结,建设好民族自治地方和全国的社会主义现代化建设事业的积极性。

第二,实行民族区域自治,有利于巩固国家的统一。民族区域自治,是在统一的多民族的中华人民共和国内实行的一种政治制度和基本的民族政策。作为国家整个政治制度一部分的任何一个自治地方,都是中华民族大家庭中的一员。自治地方与中央的关系,是地方与中央的关系。任何自治地方,都必须服从中央的法令和政策,在国家法律范围内活动,在享受着法定权利的同时,也承担着法定的义务。这样,就从根本上保证了祖国的统一。同时,在统一的多民族的国家里实行民族区域自治,有利于各民族的交往,在互相学习、互相支援、共同进步中增进友谊,增强团结,形成无坚不摧的凝聚力,从根本上保证粉碎国内外敌对势力的颠覆和破坏活动,保证国家的统一。

第三,实行民族区域自治,有利于发展平等、团结、互助的社会主义民族关系。平等、团结、互助的社会主义民族关系,是迄今为止人类发展史上最进步的民族关系。它是社会主义制度的产物,是社会主义各民族关系的集中体现。民族区域自治制度和政策,赋予了少数民族的自治权利,国家又采取各种措施维护和实现这些权利,从而确定了少数民族当家做主的主人翁政治地位和经济权益,消除了历史上民族压迫、剥削和歧视,以及民族间的隔阂、不信任心理状态等。这就促进了社会主义民族关系不断地得到巩固和发展。

第四,实现民族区域自治,有利于各民族的共同繁荣。周恩来同志讲,所有的民族都是优秀的、勤劳的、智慧的,只要给他们发展的机会;所有的民族都是勇敢的、有力量的,只要给他们锻炼的机会。世界上所以有些民族比较落后,这是环境造成的,是因为没有给他们发展和锻炼的机会。我们社会主义的民族政策,就是要使所有的民族得到发展,得到繁荣。所以,我们国家的民族政策是繁荣各民族的政策。民族区域自治使各民族都获得了发展和锻炼的极好机会。各民族人民自己管理本民族自治地方的事务,可以发展和锻炼他们的政治才干;可以充分利用本地方的资源,结合本民族的生产、生活特点,使经济迅速发展起来;可以运用自己的语言文字,把民族文化发展起来。而且各民族自治地方政治、经济和文化建设事业的发展,是通过各族人民的共同努力,是在得到国家的大力帮助下实现的。这样可以把全局的统筹兼顾和实行特殊照顾结合起来,把汉族地区的人力、物力、财力和技术优势与少数民族地区的资源优势结合起来。因此说,民族区域自治又是全国各民族人民互助合作的最现实最具体的形式。

第五,中国的民族区域自治制度具有不可低估的国际意义。从近期来说,我们尊重国内各少数民族的平等权利,使他们在自己的自治地方当家做主,世界上的弱小国家和被压迫民族就会把我们社会主义中国看成可以信赖的真诚的朋友,他们将由此得出结论:中国一再声明不当超级大国,不称霸,决不是空洞的诺言。从长远来看,我国民族区域自治制度确实开辟了解决民族问题的现实道路,这将在国际社会中产生广泛而深远的影响。

总之,民族区域自治既可以保证多民族国家的集中统一,又可以保证少数民族的平等权利和依法管理本民族内部事务;既可以把国家的发展与各民族进步、中央的统一领导与各个自治地方的积极性结合起来,又有利于各民族间的互相学习、互相帮助、各展所长,以及地区间的结合与合作,从而促进各民族的共同繁荣。随着民族区域自治制度的进一步巩固和发展,这将在国家的社会主义现代化建设进程中发挥更大的作用,表现出更大的优越性。

第一个五年计划的制定和实施

第一个五年计划,即1953年至1957年中华人民共和国国民经济发展的计划。它是新中国诞生以后制定的第一个全面的中期国民经济计划,简称"一五"计划。

一

"一五"计划的编制

"一五"计划是在任务艰巨,又毫无经验的情况下编制的,经过反复认真的摸索、研究,虚心征求意见,历时4年,五易其稿才最终形成。第一次编写于1951年2月由中财委试编，编制领导小组成员为周恩来、陈云、薄一波、李富春、宋劭文。试编工作遵照中共中央提出的"3年准备、10年计划建设"的思想，提出了五年计划的初步设想。第二次编写于1952年8月开始，仍由中财委负责，在周恩来亲自主持下，形成了《中国经济状况和五年建设的任务（草案）》和《三年来中国国内主要情况及今后三年建设方针的报告提纲》。同年12月，中共中央发出《关于编制1953年计划及长期计划纲要的指示》，确定了"边打、边稳、边建"的经济建设方针。在此基础上，1953年由中财委和国家计委共同进行第三次编制，弥补了以往计划草案在各个经济部门和各个年度互相配合、基建投资在各个部门的分配等方面资料不足的缺陷。第四次编写于1953年6月由国家计委编制，对原计划作了一些重大修改，如工业增长速度由年均20％改为14％—15％，要求加快发展农业和交通运输业等。第五次编写于1954年3月进行，中共中央成立了陈云任组长的编制五年计划纲要的8人工作小组。这时党在过渡时期总路线已经明确，苏联援助我国的建设项目已经确定，编制五年计划条件成熟。陈云主持连续开了14次会议，认真研究我国国情，力求在综合平衡中建设苏联援助的项目。1954年10月，毛泽东、刘少奇、周恩来在广州集中一个月时间共同审核了修改后的"一五"计划草案。1954年11月，陈云主持召开中央政治局会议，仔细讨论了方针任务、发展速度、投资规模、工农业关系、建设重点和布局等，又提出许多修改意见。同月，中共中央决定将这个计划草案发给各省、市委、国务院各部委党组讨论。1955年3月31日，中国共产党全国代表大会讨论并原则通过这个草案。此后根据各方面意见作了适当修改后，7月30日，一届全国人大二次会议审议并正式通过"一五"计划。

计划编制过程中探讨的重要问题之一是：把一个经济落后的农业大国逐步建设成为工业国，从何起步？在探讨过程中曾提出过多种设想。经过对政治、经济、国际环境诸多方面利弊得失的反复权衡和深入讨论以后，编制计划之初统一了认识：必须从发展原材料、能源、机械制造等重工业入手。在计划执行的过程中，优先发展重工业的重要性日益显现出来。这是因为我国工业基础十分落后，在国民经济建设全面展开的情况下，各工业部门在供需和生产协作配合上，呈现出日益紧张的形势。突出表现在：地质工作薄弱；煤、电、油供应紧张；钢铁、有色金属、化工产品、建材等数量不足、品种不够、规格不多、质量不高；机械工业尚处在由修配到独立制造的转变过程中，还谈不到用最新技术装备国民经济各部门。情况表明，"一五"时期乃至以后一个相当长的时期内，如果没有钢铁、有色金属、机械制造、能源、交通等重工业的建立和发展，要想大力发展轻工业，使工业给农业以更大的支持，都是办不到的。特别是当时我国遭受西方资本主义国家的禁运和封锁，全靠苏联等社会主义国家去支援也不现实，美国帝国主义实际上同我国处于军事对峙状态，我国急需建设强大的军事工业以增强国防力量。这些因素都是客观的现实，决定了"一五"计划不能不采取优先发展重工业的指导方针。优先发展重工业，并不意味着置其他事业于不顾。"一五"计划在执行优先发展重工业方针的前提下，适当地安排了农业、轻工业和其他事业的发展。

计划的编制和实施得到了苏联的帮助。1952年8月，以周恩来为首的我国政府代表团赴苏,征询苏联政府对我国"一五"计划的意见,商谈苏联援助我国经济建设的具体方案。在一个多月时间中,周恩来、陈云两次会见斯大林。斯大林对"一五"计划提出一些原则性意见。如计划不能打得太满,必须留有后备力量,以应付意外的困难。他同意帮助中国设计一批企业,并提供设备。此后,李富春率代表团继续同苏联有关部门广泛接触,征询意见,时间长达9个月。1953年4月4日,米高扬向李富春通报了苏共中央、苏国家计委和经济专家对"一五"计划的意见。要点有:首先建设重工业的方针任务是正确的;工业的年平均增长速度调低到14%—15%为宜;要注意培养自己的专家;加强地质勘探等发展经济的基础工作;大力发展手工业和小工业,以补充大工业之不足;要十分注意农业的发展,巩固人民币;要保证劳动生产率的增长、国家的积累和技术水平的提高。这些意见虽然主要是立足于苏联的经验而谈的,但基本上符合当时中国的实际。"一五"计划参考这些意见对计划草案作了较大的调整。①

由于我国缺乏编制五年计划的实践经验,而且对国内资源状况不明,统计资料缺乏,对原有企业的生产能力不太清楚,这使计划编制困难较大。而且1950年冬开始的抗美援朝战争至1953年7月才实现停战。苏联援助的156项工程,到1953年5月才正式确定。加之当时普遍存在着急于改变经济落后面貌的强烈愿望,直到第四次编制以后才把过高的计划指标、过快的增长速度逐步压缩下来。这些情况要求计划的制订者慎重从事,边建设制订边调整补充,所以最后形成的计划比较符合实际。

全国人民代表大会一致认为,这个计划"是全国人民为实现过渡时期总任务而奋斗的带有决定意义的纲领,是和平的经济建设和文化建设的计划"。"一五"计划在我国社会主义经济发展史上,是一份重要的文件和宝贵的文献。

"一五"计划的主要内容

第一个五年计划的指导方针是:集中主要力量发展重工业,建立国家工业化和国防现代化的初步基础,相应地发展交通运输业、轻工业、农业和商业;相应地培养建设人才;有步骤地促进农业、手工业的合作化;继续进行对资本主义工业的改造;保证国民经济中社会主义成分的比重稳步增长,同时正确地发挥个体农业、手工业和资本主义工商业的作用;保证在发展生产的基础上逐步提高人民物质生活和文化生活的水平。

"一五"计划包括绪言和11章,计11万余字。各章题目分别是:①第一个五年计划的任务;②第一个五年计划的投资分配和生产指标;③工业;④农业;⑤运输和邮电;⑥商业;⑦提高劳动生产率和降低成本的计划指标;⑧培养建设干部,加强科学研究工作;⑨提高人民的物质生活和文化生活的水平;⑩地方计划问题;⑪厉行节约,反对浪费。②

根据中国共产党提出的过渡时期的总路线和"一五"计划的指导方针,"一五"计划确定了基本任务和具体任务。第一个五年计划的基本任务是:集中主要力量

---

①　薄一波:《若干重大决策与事件的回顾》上卷,中共中央党校出版社,1991年版,第286—288页。

②　《中华人民共和国发展国民经济的第一个五年计划》,人民出版社,1955年版。

进行以苏联帮助我国设计的156个建设单位为中心的、由限额以上的694个建设单位组成的工业建设，建立我国的社会主义工业化的初步基础；发展部分集体所有制的农业生产合作社，建立对于农业和手工业的社会主义改造的初步基础；基本上把资本主义工商业分别地纳入各种形式的国家资本主义的轨道，建立对于私营工商业的社会主义改造的基础。

在这里，"限额"的含义是对一个工业建设单位的投资数额。例如，钢铁、汽车制造、拖拉机制造、船舶制造、机车车辆制造的建设单位的投资限额为1000万元；有色金属化工、水泥的建设单位的投资限额为600万元；电站、输电线路、变电所、采煤、石油开采、石油加工、除交通机械以外的机械制造业、汽车船舶修配、纺织（包括印染）为500万元；橡胶、造纸制糖、卷烟、医药为400万元；陶瓷、食品工业和其他轻工业为300万元。

围绕着基本任务，"一五"计划制定了12项具体任务：

（1）建设重工业。建立和扩建电力工业、煤矿和石油工业；建立和扩建现代化的钢铁工业、有色金属工业和基本化学工业；建立制造大型金属切削机床、发电设备、冶金设备、采矿设备和汽车、拖拉机、飞机的机器制造工业。

（2）相应建设纺织工业和其他轻工业，建设为农业服务的、新的中小型工业企业，以适应城乡人民对日用品和农业生产资料的日益增长的需要。

（3）充分地合理地利用原有的工业企业，发挥它们的潜在的生产力量。在"一五"计划实施期间，工业生产任务主要是依靠原有企业完成的。

（4）采用说服、示范和国家援助的办法，推动农业生产的合作运动，并在此基础上进行初步的技术改良，提高单位面积的产量。计划规定到1957年，参加现有的初级形式的农业生产合作社的农户将占全国农户总数的1/3左右，其中老解放区合作化的规模可能达到农户总户半数左右，同时注意发挥单干农民潜在的生产力量，加强国营农场的示范作用，逐步克服农业落后于工业的矛盾。

（5）相应发展运输业和邮电业，主要是铁路的建设，同时发展内河和海上运输，扩大公路、民用航空和邮电事业的建设。

（6）在国家统筹安排的方针下，按照个体手工业、个体运输业和独立小商业等不同行业的情况，分别用不同的合作形式把它们逐步地组织起来，使它们能够有效地为国家和社会的需要服务。

（7）继续巩固和扩大社会主义经济对于资本主义经济的领导，正确地利用、限制和改造资本主义经济。"一五"计划期间，私营工业的大部分将变为各种形式的国家资本主义，而私营的现代工业的大部分将变为高级形式的国家资本主义，即公私合营。

（8）保证市场的稳定。考虑到"一五"期间人民购买力的增长速度将超过消费品生产的增长速度，必须继续保持财政收支的平衡，在努力增产的基础上逐步地实施计划收购和计划供应的政策。

（9）发展文化教育和科学研究事业，提高科学技术水平，积极地培养为国家建设特别是工业建设所必需的人才。

（10）厉行节约，反对浪费，扩大资金积累，保证国家建设。

（11）在发展生产和提高劳动率的基础上，逐步地改善劳动人民的物质生活和文化生活。

（12）继续加强国内各民族之间的经济和文化的互助和合作，促进各少数民族的经济和文化事业的发展。

根据上述任务,"一五"计划的主要指标是:

(1)基本建设。5 年内国家用于经济和文化建设的投资总额达 766.4 亿元,折合黄金 7 亿多两;其中用于基本建设的为 427.4 亿元。在基本建设投资之中,工业部门为 248.5 亿元,占 58.2%,其中,制造生产资料的工业投资占了 88.8%。新建和改建工业单位共 694 个,加上农林水利、运输邮电、文教卫生等,全部限额以上单位有 1600 个,此外,限额以下单位有 6000 多个。在 694 个限额以上的工业建设项目中,有 222 个摆在东北和沿海各地,156 项重点工程的民用项目有近一半摆在东北。同时进行华北、西北、华中等新工业区,包括武汉钢铁联合企业和包头钢铁联合企业两个新的工业基地的建设,并在西南开始部分工业建设。

(2)工农业产值。工农业总产值计划由 1952 年的 827.1 亿元增加到 1957 年的 1249.9 亿元,增长 51.1%,平均每年增长 8.6%。工业总产值平均每年增长 14.7%,其中生产资料产值年均增长 17.8%、消费资料年均增长 12.4%。手工业总产值计划由 1952 年的 73.1 亿元增加到 1957 年的 117.7 亿元。5 年之中国营工业的产值在工业总产值中的比重由 52.8% 上升到 61.3%,合作社营由 3.2% 上升到 4.4%,公私合营由 5% 上升到 22.1%,这三类产值合计在全部工业产值中所占的比重由 61% 上升到 87.8%。私营工业比重有所下降,但产值仍然是增长的。农业及副业总产值年均增长 4.3%,粮食、棉花年均增长分别为 3.3% 和 4.6%。

(3)计划估计整个国民经济的社会主义改造大约需要 3 个 5 年的时间才能完成。

(4)运输和商品流转额。5 年之中,计划铁路货物周转量增长 101%,铁路旅客周转量增长 59.5%,内河货物周转量增长 321.5%,公路汽车货物周转量增长 373.5%。5 年之中社会商品周转额增长 80% 左右,1957 年计划达到 498 亿元。从公私比重变化看,国营商业计划由 15.8% 上升到 20.5%,合作社营由 18.2% 上升到 34.4%,两项合计 1957 年达到 54.9%。

(5)教育。5 年内高等院校除对原有学校进行院系调整和扩大外,计划扩建新建 60 所,到 1957 年达到 208 所,在校学生人数达到 43.5 万人。1957 年中等专业学校在校学生人数达到 67.2 万人,普通中学达到 470.7 万人,在校小学生人数达到 6023 万人。5 年派出国留学生 1 万人和实习生 1.1 万人。

(6)人民生活。计划规定,5 年内工人、职员的平均工资约增长 33%。农民的生活也将得到进一步改善,农村购买力 1957 年将比 1952 年提高一倍。

根据第一个五年计划的基本任务和各项主要指标的要求,我国国民经济的落后面貌将发生巨大变化,我国将建立起社会主义工业化的初步基础,并为社会主义改造打下稳固基础。

经济建设计划的实施①

在"一五"计划宏伟目标的鼓舞下,全国城乡迅速形成参加和支援国家工业化建设的热烈气氛。首先,在合理利用原有工业基础的同时,开始新的工业基地的建

---

① 统购统销和对农业、手工业、资本主义工商业的社会主义改造详见有关条目。

设。"一五"计划期间的工业建设,首先是合理利用东北、上海和其他沿海城市的工业基础,特别是集中力量加强了以鞍山钢铁联合企业为中心的东北重工业基地的建设。5 年累计,东北地区工业基本建设投资占全国工业基本建设投资总额的40％左右。出于国防安全考虑,上海等近海城市除安排少量改扩建项目外,主要依靠原有企业的挖潜改造,充分发挥其以轻纺工业、机械工业为主体的综合性工业基地的作用,从而使东北和沿海工业基地迅速成为支援全国建设的重要基地。老基地的建设以利用原有基础的改扩建为主,新基地的建设以新建为主。为了给新工业基地的建设准备条件,这个时期的资源勘探和交通运输建设等与工业建设密切相关的先行部门,5 年累计完成的投资中,内地分别占 75.5％和 60％多。经过 5 年的建设,到 1957 年底,以鞍钢为中心的东北工业基地已基本建成,并开始了以武汉钢铁公司(简称武钢)和包头钢铁公司(简称包钢)为中心的华中和华北工业基地的建设,西南、西北地区的钢铁工业、石油工业基地的建设也在积极进行。中国的工业建设向西跨到了包头、兰州、成都等地。许多过去工业基础较为薄弱的城市,已逐步成为新兴的工业城市,如哈尔滨、长春、包头、兰州、西安、太原、郑州、洛阳、武汉、湘潭、株洲、重庆、成都、乌鲁木齐等,交通运输线也逐渐向内地延伸,除西藏外,各省、市、自治区都已铺设了铁路。

在农业生产方面,全国农村全面开展生产建设高潮,并相继进行了从初级农业生产合作社到高级农业生产合作社的生产合作运动,到 1956 年底基本上实现了高级形式的农业合作化。为了配合城乡社会主义改造,保证国家建设和人民基本生活的需要,国家开始对粮棉等重要农产品实行统购统销和派购制度。为完成"一五"计划规定的农业指标,中共中央和国家机关积极采取有效措施,加快农业发展。首先,国家从经济上加强对农业生产的扶持。调整了农副产品收购价格,1953年至 1957 年,农副产品收购价格的总指数由 132.5(以 1950 年为 100)上升到146.2,显著高于同期农村工业品零售价格总指数由 108.2 上升到 112.1 的速度,并对棉、粮比价进行适当调整,以满足纺织工业对原料的需要;实行优惠的农村税收政策,"一五"时期农业税额趋于稳定,1957 年全国农业税额 29.67 亿元,占当年农业总产值比重的 5.5％,比 1952 年的5.9％下降 0.4 个百分点;增加国家用于农业的资金,这 5 年农业投资额平均每年达到 8.37 亿元,比 1952 年的 5.83 亿元增长了 43.6％,特别是 1956、1957 两年投资额分别达到 11.88 和 11.87 亿元,比前 3 年的平均额增长 97％,同期国家财政支援农业的资金共达 99.58 亿元,国家信贷资金中农业贷款也有很大增加,1957 年底对农业的贷款余额相当于 1952 年的 6.6 倍;增加了农用生产资料的投放数量;扩大农田水利建设规模;并积极发展国营农业企业。其次,国家从技术上加强对农业生产的指导。再次,深入开展爱国增产竞赛运动。此外,为了推动农业的更快发展,中共中央于 1955 年底开始酝酿和制订《1956年到 1967 年全国农业发展纲要》,虽然其中提出了许多不切实际的过高要求,但也起到了鼓舞人心,促进农业生产建设的作用。[①]

"一五"计划的制定和实施过程中,我

---

① 《当代中国的农业》,当代中国出版社,1992 年版。

国贯彻了自力更生为主,争取外援为辅的方针。在建设资金筹措中主要依靠内部积累,5 年中国外贷款 36.4 亿元,外债仅占财政总收入的 2.7%。在人才需求方面,对于工业、运输、地质及建筑方面急需的 30 万技术人员和 110 万技术工人,主要依靠我国的高、中、初等学校培养,组织分散在非技术岗位上的技术人员归队,同时派遣到苏联、民主德国、捷克等国家的留学生 1 万人左右,并根据基建需要有计划地、成套地(从工厂厂长、技术人员到技术工人)派出学习。苏联的援助对我国"一五"计划实施起了很大作用,对于 156 项重点工程,他们从选择厂址、供应设备、指导建筑安装和开工运转,一直到新产品制造,供给新产品的技术资料等都进行了多方面的具体帮助。对于当时苏联和东欧各人民民主国家的各项援助、贷款,我国从 1955 年就开始用大量出口矿产品和农产品来偿还。

"一五"计划实施的头 3 年(1953—1955)生产建设稳步发展。据统计,全国实际完成的国家投资,1953 年比 1952 年增长 75%,1954 年比 1953 年增长 15%。1955 年又比 1954 年增长 15%。到 1955 年底,5 年投资额已经完成了 51%;在限额以上的 694 个工业建设单位当中,已有 253 项建成投产或部分投产。这使我国的工业生产能力有了较大增加。农业生产由于自然灾害,头两年没有完成计划,但粮食产量还是达到并稍稍超过前一年的水平。1955 年农业生产获得了丰收,粮食产量比 1952 年增长了 12.2%。1955 年农业的丰收以及财政、物资的节约,为工业和国民经济的发展创造了良好条件。同时,1955 年下半年社会主义改造出现高潮,当年 10 月中共中央七届六中全会开展反右倾保守。在这种形势下 1956 年 1 月制定的 1956 年国民经济计划草案考虑需要多,而对国家的财力、物力的可能条件研究不够,把基本建设投资、增加职工工资、增放农业贷款的盘子打得较大。基建投资比上年增长 71%,全民所有制职工工资总额比上年增长 37%,农业贷款和手工业、公私合营企业贷款都大大突破计划。由于以上原因,1956 年经济建设一方面取得了巨大的成就,提前完成了第一个五年计划所规定的主要指标;另一方面出现了财政赤字 18.3 亿元,引起银行货币投放增加,市场货币流通量比 1955 年底增加 17 亿元,国家不得不动用物资库存,因此商业库存比上年减少 17 亿元。因此造成了国民经济各方面相当紧张的局面,周恩来和陈云及时发现了经济建设中的问题。周恩来于 1956 年 5 月在国务院全体会议上提出,反保守不能一直反下去了。[①] 1957 年 1 月,陈云提出"建设规模必须同国力相适应"。2 月,第四次全国计划会议调整了 1957 年的计划草案,基本建设投资定额比上年实际减少 20%,对行政费、军费、劳动计划等方面也作了压缩。同月,中共中央向全党发出了《关于 1957 年开展增产节约运动的指示》。这些都对缓和财经紧张局面,完成当年计划和超额完成"一五"计划起了重要作用。

四

"一五"计划时期
经济建设的成就和经验

1957 年,我国超额完成第一个五年计

---

①　《党的文献》编辑部编:《共和国走过的路(1953—1956)》,中央文献出版社,1991 年版,第 279 页。

划,在社会主义改造和社会主义建设上都取得了巨大的成就,社会经济结构和国民经济面貌发生了重大的变化,为实现国家工业化打下了初步基础。

5年内,全国完成的基本建设投资总额达到550亿元。其中,国家对经济和文教部门的基本建设投资总额达到493亿元,超过原定计划427.4亿元的15.3%。在施工的1万多个建设单位中,限额以上的有921个,比计划规定的单位数增加227个,到1957年底,全部投入生产的有428个,部分投入生产的有109个。这921个限额以上的建设项目,在很长时期都是我国现代化工业的骨干,其中许多是过去没有的新工业,包括飞机、汽车、发电设备、重型机器、新式机床、精密仪表、电解铝、无缝钢管、合金钢、塑料、无线电和有线电的制造等。这些新工业的建立,改变了1949年前我国工业门类残缺不全的状况,为实行整个国民经济技术改造创造了有利条件。

工业发展迅速。1957年工业总产值超过原计划的21%,比1952年增长128.5%,年均增长18%,超过了"一五"计划规定的14.7%。在工农业总产值中,工业总产值所占的比重由1952年的41.5%提高到1957年的56.5%。生产资料生产在工业总产值中的比重由1952年的35.6%提高到1957年的48.3%;机器制造工业在工业总产值中的比重由1952年的5.2%提高到1957年的9.5%。旧中国重工业极端落后的状态已开始转变。在优先发展重工业的同时,轻工业也有很快的发展,平均每年增长12.9%。"一五"期间我国工业发展速度年均增长18%。同期的英国此项指数为4.1%,美国为2.8%,我国的速度远远超过了它们。随着新建、改建企业陆续投入生产以及广大职工技术水平的不断提高,工业品不仅数量增加,而且品种增多。钢材品种由1952年的400种增加到1957年的4000种。机械工业、化学工业的许多产品在旧中国都是靠从国外进口的,1957年钢材的自给率已达86%,机械设备自给率达60%以上。

农业也有较大发展。这5年中,除1955年丰收外,其余几年都是平年或歉收,但5年内农业生产还是得到较大发展。1957年比1952年增长25%,年均增长4.5%。粮食和棉花平均每年增长3.7%和4.7%。5年内全国扩大耕地面积5867万亩,水利建设年均完成国家投资5亿元以上,完成土石方工程93亿立方米;农民兴修的小型农田水利工程也有很大发展,农用拖拉机由1952年的2006台增加到1957年的24629台。

运输邮电业发展很快。到1957年底,全国铁路通车里程达到29862公里,比1952年增加22%。穿越高山峻岭的宝成铁路和鹰厦铁路、贯通南北的武汉长江大桥,都在这个时期先后建成。1957年底,全国公路通车里程达到25万多公里,比1952年增加1倍,穿过世界屋脊的康藏、青藏、新藏公路建成通车。全国内河航运里程比1952年增长51.6%,空运线路增长101.5%。1957年邮路总长度比1952年增长72.3%,电信线条长度增长137.4%,1957年邮电业务量比1952年增长72%。1952年全国大约只有59%的乡通达邮路,到1957年底已经基本上乡乡通邮。

5年中,科学教育事业有较大发展,市场商品增多,人民生活有了明显的改善。全国人民的平均消费水平5年中提高34.2%,其中职工和农民1957年分别达到205元和79元,比1952年的148元和62元提高了38.5%和27.4%。少数民族地区经济也有了很大发展。①

　　"一五"计划实施得比较顺利,经济建设取得举世瞩目的成就,为我国实现社会主义工业化奠定了初步基础。

　　"一五"计划编制和执行的过程,也是展开对国情全面系统调查的过程,探索我国发展工业化道路的过程。实践证明,"一五"计划编制得是好的,执行结果是人民满意的。其基本经验主要有:①计划任务一定要实事求是。五年计划和年度计划的任务和指标必须切实可行,不仅考虑需要,而且考虑可能,经过周密的调查和计算,做到积极可靠,各项指标要留有余地,并允许在执行过程中作某些必要的修订。②重点建设与全面安排相结合。在资金与技术力量严重不足的情况下,集中力量保证重点是十分重要的。同时,重点建设必须有各方面配合,必须保持农业、轻工业、国民经济的其他部门与重工业之间的适当比例,协调发展。③正确处理积累和消费的关系。要进行大规模的经济建设,没有一定数量的资金积累不行,积累过多影响人民的消费也不行。"一五"时期五年平均积累率为 24.2%,比 1952年提高 2.8%。人民的生活水平在发展生产的基础上得到较大的提高,财政收支基本平衡,从而保证了经济效益和经济的持续稳定发展。② ④发展中国家成功地进行经济建设离不开世界的先进技术和设备,必须突破敌人的封锁,改变封闭状态。

　　"一五"时期的经济工作曾经出现1953 年和 1956 年的"冒进",有的指标订得过高,社会主义要求过急等问题。"冒进"的问题由于发现及时,纠正较快,没有严重影响"一五"计划的完成。但 1957年下半年开始批评"反冒进",要求以过高的

速度发展国民经济,对以后的经济工作带来了不利影响。"三大改造"以后形成的经济管理体制束缚了市场的作用和商品经济的发展,也对我国经济工作效益产生长期不良作用。这些历史教训值得认真总结和汲取。

"156 项"工程的建设

　　"一五"计划时期是我国首次大规模、有重点地进行工业建设时期,也是为新中国建立独立的工业体系和工业化奠定基础的重要时期。如前所述,根据"一五"计划,当时的工业建设是以苏联援助的"156"项建设单位为核心,以 694 个限额以上建设单位为主体。这些项目在后来中国的工业化过程中发挥了重要作用。因此这里有必要对其作简单介绍。

一

"156 项"建设项目的确立

　　"156 项"工业建设工程,是指 1950 年至 1955 年期间,苏联答应帮助中国建设的一批工业项目。"一五"计划明确规定整个工业化建设将以"156 项"为核心展开。虽然后来人们一般都将其归为"一五"计划时期的建设项目,但是实际上它是整个50 年代中国大陆工业化进程的标志。它

① 柳随年、吴群敢主编:《第一个五年计划时期的国民经济》,黑龙江人民出版社,1984 年版。
② 国家统计局:《中国统计年鉴(1984)》,中国统计出版社,1984 年版,第 35 页。

起于国民经济恢复时期,贯穿于第一个五年计划和第二个五年计划。

苏联援助建设的项目,是经过多次研究商谈,陆续确定下来的。国民经济恢复时期的 1950 年确定了 50 项;1953 年商定增加 91 项;1954 年商定增加 15 项,总数达到 156 项,被列入"一五"计划;1955 年又商定增加 16 项;后来又口头商定再增加 2 项。五次商谈共确定 174 项,经过反复核查调整后,有的项目取消,有的项目推迟建设,有的项目合并,有的项目将一个分为几个,有的项目不列入限额以上项目,最后确定为 154 项。由于"一五"计划公布 156 项在先,所以仍称"156 项"工程。这"156 项"工程,实际施工的为 150 项,其中在"一五"计划期间开工的有 146 项。

由于"156 项"工业建设的特点是从国防工业、机械工业、电子工业、化学工业、能源工业等方面比较先进技术的引进,大部分填补了我国工业的空白或提高了技术水平,因此习惯上将 50 年代 156 项为核心的工业建设,称之为"工业化奠基之役"。以"156 项"为中心的工业建设,不仅填补了大量工业空白,奠定了基础工业发展的基础,而且也改善了地区分布的不平衡状况,加快了中西部地区的工业化。

从"156 项"的产业结构来看,当时主要出于以下三种考虑:一是针对朝鲜战争爆发后的国际形势和中国国防工业极其薄弱的情况,将国家安全放在紧迫的地位加以考虑;二是根据旧中国重工业基础非常薄弱,已经成为工业化中的瓶颈部门;三是既考虑到利用原来的工业基础,又考虑到备战和改善过去地区布局不平衡。因此"156 项"主要分为三个部分(括号内为开工和建成时间):

(1)国防工业共 44 项。它们是航空工业 13 项(《当代中国的航空工业》第 23 页

说是 13 项):南昌飞机厂、株洲航空发动机厂、沈阳飞机厂、沈阳航空发动机厂、西安飞机附件厂、西安发动机附件厂、陕西兴平航空电器厂、陕西兴平机轮刹车附件厂、宝鸡航空仪表厂、哈尔滨飞机厂、哈尔滨航空发动机厂、南京航空液压附件厂、成都飞机厂(成都航空发动机厂)。电子工业 10 项:如北京电子管厂、西安电力机械制造公司等,兵器工业 16 项,航天工业 2 项,船舶工业 4 项。

(2)冶金工业共 20 项。它们是钢铁工业 7 项:鞍山钢铁公司(1952—1960 年)、本溪钢铁公司(1953—1957 年)、吉林铁合金厂(1953—1956 年)、富拉尔基特钢厂(1953—1958 年)、武汉钢铁公司(1955—1962 年)、热河(承德)钒钛厂(1955—1958 年)、包头钢铁公司(1956—1962 年)。有色金属 13 项(《当代中国的有色金属工业》第 23 页说其中 3 项未实现):抚顺铝厂(1952—1957 年)、哈尔滨铝加工厂(1952—1958 年)、吉林炭素厂(电极厂)(1953—1955 年)、洛阳铜加工厂(1957—1962 年)、白银有色金属公司(1955—1962 年)、株洲硬质合金厂(1955—1957 年)、杨家杖子钼矿(1956—1958 年)、江西大吉山钨矿(1955—1959 年)、江西西华山钨矿(1956—1959 年)、江西岿美山钨矿(1956—1959 年)、云南锡业公司(1954—1958 年)、云南东川铜矿(不详)、云南会泽铅锌矿(不详)。

(3)能源工业 52 项。它们是煤炭工业 25 项:峰峰中央洗煤厂(1957—1959 年)、峰峰通顺三号立井(1957—1961 年)、大同鹅毛口立井(1957—1961 年)、潞安洗煤厂(1956—1958 年)、辽源中央立井(1950—1955 年)、阜新海州露天煤矿(1950—1957 年)、阜新平安立井(1952—1957 年)、阜新新邱一号立井(1954—1958 年)、抚顺西露

天矿（1953—1959 年）、抚顺东露天矿（1956—1961 年）、抚顺龙凤矿（1953—1958 年）、抚顺老虎台矿（1953—1957 年）、抚顺胜利矿（1953—1957 年）、通化湾沟立井（1955—1958 年）、兴安台二号立井（1956—1961 年）、鹤岗东山一号立井（1950—1955 年）、鹤岗新安台十号立井（1952—1956 年）、兴安台洗煤厂（1957—1959 年）、双鸭山洗煤厂（1954—1958 年）、城子河洗煤厂（1957—1959 年）、城子河九号立井（1955—1959 年）、淮南谢家集中央洗煤厂（1957—1959 年）、平顶山二号立井（1957—1960 年）、焦作中马村立井（1955—1959 年）、铜川王石凹立井（1957—1961 年）。电力工业 25 项：北京热电厂（1956—1959 年）、石家庄热电厂（1955—1959 年）、太原第一热电厂（1953—1957 年）、太原第二热电厂（1955—1958 年）、包头四道沙河热电厂（1955—1958 年）、包头宋家壕热电厂（1957—1960 年）、阜新热电厂（1951—1958 年）、抚顺电厂（1952—1957 年）、大连热电厂（1954—1955 年）、丰满水电站（1951—1959 年）、吉林热电厂（1955—1958 年）、富拉尔基热电厂（1952—1955 年）、佳木斯造纸厂（1954—1957 年）、郑州第二热电厂（1952—1953 年）、洛阳热电厂（1955—1958 年）、三门峡水利枢纽（1956—1959 年）、武汉青山热电厂（1955—1959 年）、株洲热电厂（1955—1957 年）、重庆电厂（1952—1954 年）、成都热电厂（1956—1958 年）、云南个旧电厂（1954—1958 年）、西安热电厂（1952—1957 年）、陕西户县热电厂（1956—1960 年）、兰州热电厂（1955—1958 年）、乌鲁木齐热电厂（1952—1959 年）。石油工业 2 项：兰州炼油厂（1956—1959 年）、抚顺第二制油厂（1956—1959 年）。

（4）机械工业 24 项。它们是：沈阳风动工具厂（1952—1954 年）、沈阳第一机床厂（1953—1955 年）、沈阳电缆厂（1954—1957 年）、沈阳第二机床厂（1955—1958 年）、长春第一汽车制造厂（1953—1956 年）、哈尔滨量具刃具厂（1953—1954 年）、哈尔滨电表仪器厂（1953—1956 年）、哈尔滨锅炉厂（1954—1960 年）、哈尔滨汽轮机厂（1954—1960 年）、哈尔滨电机厂（1954—1960 年）、第一重型机械厂（1955—1959 年）、哈尔滨电碳厂（1956—1958 年）、哈尔滨轴承总厂（1957—1959 年）、洛阳滚珠轴承厂（1954—1958 年）、洛阳矿山机械厂（1955—1958 年）、洛阳第一拖拉机厂（1956—1959 年）、武汉重型机床厂（1955—1959 年）、湘潭船用电机厂（1957—1959 年）、西安高压电瓷厂（1956—1962 年）、西安开关整流器厂（1956—1961 年）、西安绝缘材料厂（1956—1960 年）、西安电力电容器厂（1956—1958 年）、兰州石油机械厂（1956—1959 年）、兰州炼油化工机械厂（1956—1959 年）(《当代中国的机械工业》说最初有 26 项，可能包括成都电机厂、成都锦江电机厂，后来这两项没建。后来上述 24 项中又有 3 项移交军工部门)。

（5）化学工业和轻工业共 10 项。它们是化学工业 7 项：太原化工厂（1954—1958 年）、太原氮肥厂（1957—1960 年）、吉林氮肥厂（1954—1957 年）、吉林染料厂（1955—1958 年）、吉林电石厂（1955—1957 年）、兰州氮肥厂（1956—1959 年）、兰州合成橡胶厂（1956—1960 年）。轻工业（包括医药）共 3 项：华北制药厂（1954—1958 年）、太原制药厂（1954—1958 年）、佳木斯造纸厂(1954—1957年)。①

从"156项"的地区布局来看,特别是能源工业和机械工业的分布,比较均衡,照顾到内地的发展。旧中国留下的不多的工业设施,70%左右集中在沿海地区,内地的少量工业,也主要是集中在几个大城市,工业布局极不平衡。"156项"则尽可能地改善这种工业布局不合理的状况,主要配置在东北地区、中部地区和西部地区。在实际建设的150个项目中,国防工业的44个项目大部分都放在了内地,布置在中部和西部地区35个,其中21个安排在四川和陕西两个省;106个民用工业项目,布置在东北地区50个,中部地区32个。从电力工业的布局来看,除东北地区布置7个外,遍及北京、河北、山西、陕西、内蒙古、甘肃、河南、湖北、湖南、四川、云南、新疆,都是过去电力工业比较落后的地区。据当时担任中财委副主任的薄一波回忆,新建工业在地区上作这样的布置,是费了心思的。"当时,着重考虑了以下几个因素:①就近资源。钢铁厂、有色金属冶炼厂、化工企业,主要摆在矿产资源丰富或能源供应充足的地区;机械加工企业,要摆在原材料生产基地的附近……②有利于经济落后地区改变面貌……③军事上的需要。"②

"156项"建设情况和作用

以"156项"建设为中心进行工业建设的提法,虽然是在"一五"计划中提出的,但是由于这批项目是从1950年陆续确定下来的,因此第一批项目是在1950年就开

工了。如民用工业的阜新海州露天煤矿、辽源中央立井、鹤岗东山一号立井。民用工业中,最早建成投产的项目是重庆电厂和哈尔滨量具刃具厂。前者用了两年时间,1952年开工,1954年建成;后者则仅用了一年时间,1953年开工,1954年即建成投产。实际建设的150个项目,绝大部分是在1952年至1957年间开工,在1955年至1962年间陆续建成投产的。在此期间,由于党和人民经济建设热情高涨和干劲充足,再加上有效的政治动员和苏联专家的帮助,工程建设效益很好。大多数都按期或提前完成建设计划。并且,在这次中国有史以来第一次大规模工业建设中,涌现出许多可歌可泣的事迹。

武汉钢铁公司于1955年8月开始施工。武钢的建设得到全国人民的支援,先后有18个省(自治区)、48个城市、1000多家工厂为武钢制造设备和配件。铁道部专门改造车皮,为武钢运输直径为4.8米的高炉炉顶大钟;人民解放军也给予了支援,总参谋长粟裕亲自下令,派13架军用运输机为武钢运输建设用物资。

作为"156项"之一的长春第一汽车制造厂,是中国第一家现代化汽车制造厂。1953年6月,中共中央为此发出力争3年建成长春汽车厂的指示,毛泽东主席还为开工写了奠基题词。7月15日,建设工程破土动工,建设者经过3年的奋斗,终于将一座宏伟壮丽的汽车厂矗立在长春大地上。在630公顷的土地上,工人们建造了37万多平方米的厂房,33万平方米的宿舍,安装了设备近万台,铺设铁路30多公里、管道8万多米。1956年7月12日,从总装配线上开出了国产第一辆解放牌汽

① 详见国家统计局:《1950—1985中国固定资产投资统计资料》,中国统计出版社,1987年版,第196—205页。
② 薄一波:《若干重大决策与事件的回顾》上卷,中共中央党校出版社,1991年版,第298页。

车,结束了中国不能制造汽车的历史。同样,作为我国第一个拖拉机制造厂的"洛阳拖拉机制造厂"也是经过 4 年的建设,于 1959 年 11 月建成投产,结束了我国不能生产拖拉机的历史。与拖拉机厂同处一个城市的"洛阳滚珠轴承厂",设计规模为总投资 10700 万元,年产轴承 1000 万套。该厂 1954 年开工,1958 年即建成投产,1959 年即为国家生产轴承 1100 多万套、300 多种型号,提前 2 年达到设计水平,其产量在 1959 年约占全国轴承总产量的四分之一以上。

在化学工业建设方面,1954 年我国最大的医药联合企业华北制药厂开始施工(1958 年建成投产)。该企业建成后,基本上满足了当时国内对青霉素的需要,从根本上改变了过去青霉素主要依靠进口的状况。

"156 项"中的 3 个化学工业项目,即吉林染料厂、吉林氮肥厂和吉林电石厂,组成了全国最大的化学工业基地——吉林化工区,也于 1955 年 4 月进入施工。为了集中力量打歼灭战,中央从全国各地调集了 3 万多名职工,组成了一支浩浩荡荡的建设大军。"当时,松花江北岸地区几乎是一片荒芜的原野,没有道路,交通不便,每逢雨季,运输车辆经常'抛锚';松花江像天然的'封锁线',隔断南北两岸,许多工人上班只好乘摆渡小船。同时,又缺乏建设经验,缺少施工工具。就是在这种情况下,各路建设大军开进了施工现场,艰苦奋斗,排除困难,保证了建设的顺利进行。例如:为了把长达 100 公尺、重达 100 吨的硝酸排气筒安装就位,工人们解放思想,打破常规,在地面上逐节焊接,单

凭四个据点的卷扬机和推土机,就一次整体吊装成功并安全就位。广大职工就是凭着这么一股不畏艰难、坚韧不拔的精神,仅用了三年半时间,就建成了当时国内最大的染料厂和化肥厂,安装了亚洲最大的电石炉和一系列后加工设备。据有关资料记载,建设'三大化',共挖了 300 多万土石方,用砖 2.3 亿块,垒起了 40 多万平方米的厂房和民用建筑;安装了 3 万多台设备、1 万多吨高中压管道和管件;铺设了 150 公里上下水管线。全部工程一次试车成功,并于 1957 年 10 月 25 日正式投入生产,当年就为国家提供了 7900 吨染料和中间体、4.3 万吨化肥和 2.83 万吨电石,生产品种达到 37 个。"[①]

"156 项"中唯一的轻工业项目"佳木斯造纸厂",于 1954 年 8 月开工建设,1957 年即建成投产。三年中完成了 40 万立方米土方工程,7 万立方米钢筋混凝土工程,近 8 万立方米的砌砖砌石工程和 4 万米长的地上地下管道的铺设工程,比预定计划提前 8 个月完成了这座综合制浆造纸工厂的建设任务。该厂年产 6 万平方米的铜网生产系统,建设时间仅 15 个月,年制浆 5.4 万吨和机制纸 5 万吨的浆纸系统,建设时间仅 25 个月。从质量上看,土建和设备安装工程的质量都是"优良"。佳木斯造纸厂投产后一年,生产就达到了设计水平。它生产的产品,填补了我国造纸工业的空白,大大减少了我国工业技术用纸和造纸用无端铜网进口的数量,供应了 28 个省、市、自治区、直辖市的近千家工商企业。从 1960 年开始,机制纸、造纸用铜网、造纸副产品粗木素塔尔油开始出口,为国家提供了新的外汇来源。[②]

---

① 《现代中国的一百项建设》,红旗出版社,1985 年版,第 244 页。

② 同上,第 390—391 页。

总之,以"156 项"为中心的 50 年代工业建设,是中国近代以来引进规模最大、效果最好、作用最大的工业化浪潮。仅就"156 项"中的民用工业 106 项工程来说,仅花了 156.0865 亿元人民币,就使我国的工业生产能力和技术水平前进了一大步,为后来的工业化奠定了坚实的基础,特别是人力资源和技术资源的基础。

1953 年修正税制

1953 年初的"新税制"出台后,立刻在党内引起了轩然大波,并导致了新中国成立以来第一次党内思想和政治斗争,结果是加强了党对政府工作的控制,并促使了过渡时期总路线的形成和全党的认同。

一

带有过渡性质的工商税制
(1949—1952)

抗日战争胜利以后,由于实际上存在着国民党和共产党领导的两个政府及其各自的管辖区域,即国统区和解放区,工商税制也有着两套完全不同的体系,再加上在 1947 年人民解放军战略反攻前,由于各解放区被分隔并且政治经济条件差异较大,中共中央对财经工作实行"统一领导、分散管理"的办法,各解放区的财政经济实际上是相对独立的,其工商税制也呈现出较大的差异。在这种情况下,1949 年中华人民共和国建立前后,随着解放战争的推进,中国大陆的工商税制也必然要经历一个由多样性走向全国统一的过程。

1947 年下半年人民解放军转入战略反攻以后,大中城市开始陆续得到解放。在城市解放之初,曾经出现因解放区税制与城市原有税制不同而无所适从的情况,一度引起工商界不安。1949 年 1 月,中共中央在批转华北局关于接管平津经验的报告中,充分肯定了北平和天津军管会继续按照原有税制征税、以维持安定和保证税收的办法。1949 年 4 月 25 日,中共中央关于接管江南城市给华东局的指示中再次重申:"根据平、津经验,新解放的城市,照旧收税是完全可能和必要。"[①]

1949 年全国陆续解放,各解放区在城市解放后所实行的税制,呈现出多种多样。一般在解放初,根据中共中央指示,不使税收停顿,准许暂时沿用国民党的旧税法征收,逐步整理,或作部分修正,或部分停征,或加以调整合并。因此,有的税种不同,有的税率不一,各解放区之间还存在着货物税重征问题。

1949 年 8 月,为了协调各大解放区的财政经济,集中全国财力保证战争胜利和市场稳定,中共中央财经委员会在上海召开由各大区财经负责人参加的财经会议。为了便于调运物资,畅通国内贸易,到会人员认为各区货物税税目、税率应该统一,主张"制定全国统一的货物税税目、税率,货物税之由产地税局征收一次,各区

---

① 中国共产党历史资料丛书编辑部:《中国资本主义工商业的社会主义改造》中央卷(上),中共党史出版社,1993 年版,第 30 页。

验照放行,不得重征"①。会后在大区之间物资大调运过程中,货物税重复征收的问题解决了。至于其他各税,则仍然维持原状。

但是,随着中华人民共和国的建立,迅速结束这种因革命战争和政权更替所造成的工商税制新旧混杂、各地各行其是的局面,并进而简化税制、实行合理负担,就非常必要了,这也是现代国家统一的重要标志之一。因此,第一届中国人民政治协商会议通过的带有临时宪法性质的《共同纲领》规定:"简化税制,实行合理负担。"②1949 年 11 月,政务院召开首届全国税务会议,讨论统一全国的税政、税法、税率问题。中央人民政府副主席朱德到会并讲话,他指出:"各自为政的办法必须打破,全国的税种、税目、税率及一切法令,必须统一起来。"③这次会议拟订了统一税政的《全国税政实施要则》,并于 1950 年 1 月 27 日经政务院讨论通过。《要则》提出:"全国各地所实行的税政、税种、税目、税率极不一致,应迅速加以整理,在短期内逐步实施,达到全国税政的统一。"④并规定了中央和地方税政机构的权限,强调:"凡有关全国性的税收条例法令,均由中央人民政府政务院统一制定颁布实施,各地区应切实遵照执行,如有意见可建议中央考虑。在中央未修改前,不得自行修改,或变更。""凡有关全国性之各种税收条例之施行细则,由中央税务机关统一制

定,经财政部批准施行。"⑤《要则》还参照上海财经会议精神和当时各地区所实行税种、税目和税率,略加整理,全国统一执行。根据全国税务会议的总结报告,就占工商税收大头的货物税和工商业税(不算盐税)来看,货物税基本上是沿用了国民党统治时期的税种和税率;工商业税则是参考北京和上海两市的先行办法修改而来,实际上也基本上是沿用国民党统治时期的税种和税率。⑥

1950 年 1 月 31 日,政务院在颁布《全国税政实施要则》和《全国各级税务机关暂行组织规程》的同时,还颁布了《货物税暂行条例》、《工商业税暂行条例》。同年 4—5 月间,中央财政部又颁布了印花税、利息所得税、特种消费行为税、使用牌照税、屠宰税 5 种试行草案,而交易税、房产税、地产税暂用原办法征收,薪给报酬所得税、遗产税缓期开征,盐税、关税则由盐务机关和海关主管。

这次统一税政,仍然是照顾当时实际情况,带有过渡性质。例如仍然采取多税种、多次征的复税制。《要则》规定全国统一开征的 14 种税,就是从生产、销售、所得、财产以及商事、产权凭证等各个环节来征税的。加上当时大多数企业规模小、管理不正规,缺乏准确的账册,不得不实行"民主评议"或估计的方式征税,常常出现畸轻畸重、"大户挤小户"、"小户挤大户"和偷漏税情况,因此税收的成本也很

①　上海财经会议:《关于若干问题的共同意见》,1949 年 8 月。转引自吴承明、董志凯主编《1949—1952 年中华人民共和国经济史》,中国财政经济出版社,2001 年版,第 739 页。

②　中国共产党历史资料丛书编辑部:《中国资本主义工商业的社会主义改造》中央卷(上),第 71 页。

③　财政部税务总局编:《中华人民共和国财政史料》第四辑(工商税收),中国财政经济出版社,1987 年版,第 36—37 页。

④　同上,第 47 页。

⑤　同上,第 48 页。

⑥　参见《第一次全国税务会议总结报告》,1949 年 12 月 15 日。财政部税务总局编:《中华人民共和国财政史料》第四辑(工商税收),第 42—44 页。

高。这可以从 1952 年"五反"运动中所揭露出来的大量偷漏税情况看出。

1950 年 6 月,为了解决统一财经后出现的市场呆滞、私营工商业经营困难问题,党和政府决定调整工商业政策。作为其中重要内容的"调整税收",是将原定货物税的 1136 个征税品目,免征 387 个,合并 391 个,保留 358 个;将印花税的 30 个税目减为 25 个;同时还调整了税率,简化了一些征收手续。但是就工商税收来说,税种多、征收手续繁的问题并没有解决。但是,这种情况是历史的延续,加上百废待兴和抗美援朝,为保证税收和经济稳定,很难马上改变这种状况。

1950 年 1 月统一工商税制后,由于各地解放时间不同、条件不一样,在工商税收方面,由于改革条件还不是很成熟,为了维持各地的税收,统一后的税制在税种、税率及征收办法上与以前变化并不大。正如财政部副部长吴波在 1953 年所解释的那样:"第一次修改税制是在全国解放不久,我们对工商业的情况未能深入了解,为了保证税收,只能在国民党旧税制的基础上加以若干改革,采取了'多税种、多次征'的办法,手续复杂,商品流转一次征一道营业税、营业附加及印花税,工商界意见很大。"①

此外,就税收政策来说,政府对于不同的纳税对象,也采取了不同的政策。换句话说,就是从经济成分看,实行了不利于私营工商业者的政策;从产业看,实行了不利于商业的政策。例如:对国营商业部门之间的内部调拨不予征税,对供销合作社在税收上实行减免或优待,对私营商业实行多税种、多次征(批发环节、零售环节)。

由此可见,1950 年初统一后的工商税制,仍然是一个过渡性的税制,还需要进一步的改革和完善。

1952 年底新税制出台的背景

1. 1952 年的经济形势对工商税收的新要求

经过三年恢复时期的努力,中国国民经济得到恢复和发展,取得初步成就。到 1952 年底,工农业总产值达到 810 亿元,比 1949 年的 456 亿元增长 77.6%,其中工业总产值增长 152.9%,农业总产值增长 43.6%。1952 年国民收入达到 589 亿元,比 1949 年的 358 亿元增长 64.5%。② 工农业主要产品的产量均已达到或超过历史最高水平。城乡市场购销两旺,物价保持稳定。1952 年全国商品零售总额为 276.8 亿元,比 1950 年增长 62.3%。进出口贸易额为 64.6 亿元,比 1950 年增长 55.6%。随着经济的繁荣,国家的财政状况获得了根本性的好转。1952 年财政总收入为 183.7 亿元,比 1950 年 65.2 亿元增长 181.7%;财政支出为 176 亿元,比 1950 年的 68.1 亿元增长 158.8%;当年收支相抵结余 7.7 亿元。③ 在经济发展的基础上,人民的物质文化生活水平也有了明显的提高与改善。

国民经济的恢复发展,尤其是从 1951

① 中国社会科学院、中央档案馆编:《1953—1957 中华人民共和国经济档案资料选编·财政卷》,中国物价出版社,2000 年版,第 390 页。
② 国家统计局:《中国统计年鉴(1984)》,中国统计出版社,1984 年,第 23、29 页。
③ 同上,第 345、381、417 页。

年开始,由财政赤字转为连续两年有了结余,这对壮大中国的经济实力,保证生产建设,支持抗美援朝,巩固人民民主专政都具有重要意义。但从工商税收收入分析,也出现了新的情况,即工商税收收入的绝对数,虽然在 3 年中是大幅度增长的,但它在国家财政总收入中所占的比重却是逐年下降的。1950 年工商税收收入为23.6 亿元,占财政总收入的 36.2%;1951年为 47.5 亿元,下降为 35.7%;1952 年为61.5 亿元,又降低到 33.5%。① 国家税收来源于经济,经济的发展变化,尤其是工商业的发展与税收的变化不尽吻合。

由于公私关系和经营方式改变,引起的税源变化,直接影响到国家税收计划的完成。税务总局在《1952 年全国税务工作报告》中指出:1952 年的工商税收收入,从数字上看,勉强完成了任务,收入为计划的 100.75%,但占全国税收约 70% 的华东、中南、西南三个区,都没有完成计划(华东完成 95.84%,中南完成 92.73%,西南完成 93.64%)。如再把有些地区"寅吃卯粮"(即 1952 年 12 月份的营业税、第四季度的所得税和一些货物税应在 1953 年征收的,却在 1952 年年底提前征收入库了),以及国营、合作社自查补报与罚没收入的数字减除后,则征收计划只完成 97%左右。② 从税种上看:货物税、棉纱统销税、私营营业税、临时商业税和利息所得税都未完成计划。其中货物税完成92.2%,私营营业税只完成 82.4%。影响税收计划完成的因素,除物价下降和货物税中有些商品未能完成生产计划外,主要是私营企业的营业税与营业额没有得到同步增长。私营企业营业额上升的指数,

以 1950 年为 100%,至 1952 年上升到182%,而营业税上升的比例只达到162.93%,相差 11.1%,这就影响了税收计划的完成,出现了商品流通扩大,税收相对减少,税制同经济发展不相适应的新情况。

如果说上述的增加税收是修正税制的根本目的,那么降低征税成本、缓和"五反"后与私营工商业的矛盾,则是 1952 年8 月召开的全国财经会议决定要修正工商税制的另一个直接原因。一是因为旧税制繁杂、征收成本高;二是"五反"后出现的市场呆滞、私营工商业积极性不高,导致税收减少,需要调整政策。

同时,还应该看到,此时,中国共产党还没有提出过渡时期总路线,因此政府部门制定政策和措施的依据仍然是新民主主义的《共同纲领》,仍然是沿着新民主主义轨道前进。1952 年底中共中央所决定的调整商业,也显然带有扶持私营工商业恢复活力、活跃市场的目的,修正税制自然要反映中央政府的这个意图。

2.有关部门关于修正工商税制的具体要求

经济发展引起税源变化的状况,不仅财政、税务部门感到需要调整税制结构,而且有关部门也提出修改税法要求,因为它影响了公私经济的税收负担和公营经济对私营经济的领导。当时,商业部和合作总社就一再反映:他们收购、销售商品,经过国营企业或合作社的几级批发部门,直到零售商店,要交纳三道营业税,而工业生产部门,不论是工厂直接销售或设分支机构派员推销,都只要交纳一道或两道营业税;工厂委托私营零售商代销商品也

---

① 国家统计局:《中国统计年鉴(1984)》,中国统计出版社,1984 年,第 419 页。

② 《中共中央同意财政部关于 1952 年税收情形的报告》,1953 年 4 月 21 日。

只交纳一道营业税和一道佣金营业税,而通过国营企业或合作社销售的却要交纳三道营业税。这种状况尤其不利于国营批发商。商品流转环节多、税负重,还影响到订货、包销业务的开展和对私营企业的领导问题。因此,有关部门竭力要求税务部门在税收政策上采取措施,改变这种状况。1952年6月召开的全国工商联筹备委员会代表会议的提案中,也提出了减少纳税手续、简化税制的建议。

在新中国建立初期,经过统一全国税政而建立起来的一整套新的税收制度,是基本上适应中国多种经济成分并存和发展商品经济的实际情况的,发挥了税收的经济杠杆作用。但在三年经济恢复、发展的过程中,由于产生了上述新的经营方式与税收制度不相适应的矛盾,税制结构要适应经济情况的变化进行修正和改进,以便适应即将到来的大规模经济建设(1953年开始实施第一个五年计划)。

税务总局在1952年第二季度就开始做了大量的调查研究工作,经过半年时间,到同年9月,向财政部提交了一份关于《改革现行税制草案初稿》。这份初稿就中国税制存在的问题,苏联、东欧国家的经验,中国税制改革的途径,采用商品流通税的优点,以及执行中可能发生的问题与解决的办法等,提出了看法和建议,为税制改革作了酝酿与准备。

此外,1952年上半年进行的"三反"、"五反"运动,沉重地打击了私营工商业。特别是运动初期因政策、办法不明确而产生的过"左"行为,严重地冲击了私营企业,出现了市场呆滞、大批私营企业停歇(因政府规定运动中一律不得关停企业,

所以运动结束后的下半年,才出现大批企业关闭),绝大多数私营企业主经营积极性不高甚至躺倒不干。这其中就"五毒"之一的偷漏税来说,也有税收制度上的因素,即手续繁杂、监管成本太高和公私负担不平等导致的私营企业主心理不平衡。因此,当1952年下半年中央为解决"五反"后私营工商业缺乏活力问题而征询意见时,调整税收就与调整商业、规定加工订货合理利润率成为工商界的主要要求。

3.新税制赶在1952年底出台的原因

新税制为什么要赶在1952年底出台?按照当时任财政部长薄一波的事后回忆,完全是为了多征点税。"新税制从9月财经会议酝酿到年底出台,仅用了3个多月时间。为了赶在元旦前一天公布实施,为了在春节前一个半月的旺季多收点税,许多该做的工作没有去做,或虽然做了但做得很粗率。"[①]这里所谓的多收点税,有两个含义,一是新旧年关之际,是生产最旺盛、市场最活跃的阶段,按照常规也是工商税中收入最高的季节;二是新税制虽然从总体上没有增加税种、税目和提高税率,但是改变了过去"相互拨货""不视为营业行为,不课营业税"的做法,使得原来国营企业部门和上下级之间的调拨也需要纳税,同时取消了对合作社的优待,而这两块都是旺季的大宗生产和流通货物,在货物税和营业税中所占的比重较大,因此就需要赶在此时收税。实际上,所谓多收点税,是指不漏过这部分税收,并不是加重了私营企业的税负。因此,也就明白为什么新税制出台后国营企业和合作社不满,私营工商业并没有意见。

---

① 薄一波:《若干重大决策与事件的回顾》(修订本)上卷,人民出版社,1997年,第243页。

三

修正税制的过程和内容

1952 年 9 月召开的全国财经会议和大区财政部长会议,分析了"经济日益繁荣,税收相对下降"的情况,作出了修正税制的决策,并确定以"保证税收,简化手续"作为修正税制的原则。同年 11 月,财政部召开第四届全国税务工作会议,进一步讨论了税制修正问题。税务总局局长李予昂在会上作了关于《改革现行税制,提高工作效率,迎接新的任务》的报告。报告中分析了"经济日益繁荣,税收相对下降"情况及产生的原因,指出:由于社会经济情况的巨大变化,引起了税收关系的很大变化。首先是国营及合作经济的增长,物价稳定,批零差价、地区差价调整合理,私营企业利润初步纳入正轨,因而使私营企业营业税的比重相对减少,所得税也要减少。其次,由于经营方式的变化,出现了近购远销、长距离大调拨、代购代销、包销、委托加工等许多新的经营方式,导致商品流转环节减少,少纳了批发环节营业税,引起了工商业税收入的减少。

1.新税制方案的形成

1952 年 9 月 21 日至 27 日,中央财政经济委员会召开全国财经会议,主要讨论 1953 年的财政概算,并结合研究了整顿乡村财政、扩大税源和市场情况、价格政策以及公私关系等问题,也研究了税制问题。与此同时,财政部召开了大区财政部长会议,对中国税收制度的修正作了具体研究,认为当时的税制已不能适应经济发展的要求,特别是营业税的征收制度,迫切需要修正。企业经营方式的变化,应收的税收收不起来,还直接影响了物资交流,扩大了"剪刀差",增加了私商的利润。为了保证收入,积累建设资金,促进经济发展,全国财经会议作出了修正税制的结论,并以"保证税收,简化手续"作为修正税制的原则。

1952 年 11 月 2 日至 12 日,财政部召开第四届全国税务会议。这次会议是根据全国财经会议以及各大区财政部长会议提出的关于修正税制的建议而召开的。会议肯定了两年来税收工作的成绩,着重讨论了修正税制、试行商品流通税的问题,研究了品目选定、征收原则、税率、征税环节和纳税期限等问题,并决定简化货物税和简化工商业税,调整营业税的纳税环节和税率。

在第四届全国税务会议以后,又经税务部门和各部门共同会商,确定在保证国家财政收入的前提下,变更营业税的纳税环节。为了达到保证税收和平衡税负的目的,按照商品流转的顺序,征收工厂、批发、零售三道营业税,同时把批发环节的营业税移至工厂一次交纳,以限制私商产销直接见面、工厂自设门市部或设分支机构逃避税收的现象,采取"控源泉、堵大门"的办法,在工厂出售产品时即交纳工业和商业批发环节的两道营业税,商业零售时再交纳一道零售营业税。并对国营商业批发环节不再征税,对私营专业批发商经税务局批准的,也不再征收营业税。

2.同有关部门的会商和向中央的汇报

修正税制试行商品流通税,既涉及税目、税率的调整,又涉及纳税环节的变更,关系到产品的出厂价格、批发部门的批发价格和商品的零售价格,关系到工商、批零、地区之间的利益分配问题。财政部和税务总局对税目、税率的确定在事先与有关部门进行了会商。1952 年 11 月 19 日,财政部副部长吴波邀请有关主管部门的局、司长级干部作了1953年重点试行商品流通税的报告,并决定由税务总局邀请中财委、商业部、合作总社、各工业部、对外贸易部、出版总署、专卖公司等41个单位进行会商。从11月19日至12月3日,历时半个月,连续召开了22次会议。会商的内容先以1952年11月初第四届全国税务会议初步拟定的修正税制方案作为会商基础,根据各单位所提的意见加以修正,最后取得了一致的意见。主要内容有:关于商品流通税税目选定的依据、税率的设计以贯彻保证国家收入和合理负担为原则。商品流通税税率的设计和交纳营业税的道数是根据实际情况确定的,只有一小部分是综合了三道营业税,大部分只是两道营业税,有相当一部分只按一道营业税确定综合税率。新设计的税率、税负同原来相比,保持"基本不增不减"的原则。最后确定的40个税率,除啤酒按定额征收外,其余39个税率中,比原综合税率减低的有29个,稍有增加的有10个。

对因税制变动而引起的产品价格的调整问题,会商时也作了充分研究。凡因税率变动应予调整批发或零售价格的均作出调整幅度的约定。

从修正税制的提出到拟定方案整个工作,是在中央财政经济委员会领导下进行的。全国财经会议和大区财政部长会议之后,对税制不适应客观形势的分析和建议向中共中央作了汇报。修正税制的方案经反复研究拟订以后,于1952年12月正式向政务院作了报告。据当时直接负责此事的中财委副主任薄一波回忆:"总理用了好几个钟头的时间,逐字逐句对方案进行了修改。"[1]12月26日,政务

院召开第164次政务会议讨论并批准了这个由周恩来亲自修改过的方案。1952年12月31日,中共财政部党组向中共中央和毛泽东主席作了《关于税制若干改革的方案》的报告(但是这个报告在1953年1月3日才由中财委党组转报上去),该报告对修正税制的主要内容、工商业税条例的若干修改、试办商品流通税以及对其他各税的裁并税种、调整税率等问题作了说明。在此之前,财政部曾专门征求了全国工商联筹备委员会的意见。全国工商联筹委会还于12月16日至20日专门召开常委临时扩大会议讨论此事(财政部副部长吴波到会作了问题解答),并于会后发表了拥护修正税制的声明。这就是毛泽东后来所批评的"修正税制事先没有报告中央,可是找资本家商量了,把资本家看得比党中央还重;这个新税制得到资本家叫好"。[2]

3.政务院财经委员会发布修正税制通告和实施过程

1952年12月26日政务院第164次政务会议后,同年12月31日政务院财政经济委员会根据政务会议的决定,发布了《关于税制若干修正及实行日期的通告》。《通告》指出:"根据全国财政经济情况的发展与国家经济建设的需要,本委报经政务院第164次政务会议核准,在保证税收,简化纳税手续的原则下,将现行税制加以若干修正,决定自1953年1月1日起实行。"政务院财经委员会还同时公布了《商品流通税试行办法》、《商品流通税税目、税率表》、《货物税税目、税率表》和《合并计征后营业税分级税率对照表》。

同日,财政部依据《商品流通税试行

---

① 薄一波:《若干重大决策与事件的回顾》(修订本)上卷,第240页。
② 同上,第242—243页。

办法》的规定,公布了《商品流通税试行办法施行细则》。与此同时,税务总局根据《通告》的精神,还向所属各级税务机关陆续发出了一系列贯彻实施的具体规定。

如果对这次修正税制的内容进行简单概括,一是简化税制,货物税由多道税、多次征收,改为移到工厂出厂时一次征收(试办商品流通税亦为逐步替代办法);二是公私一律平等纳税,取消对国营和合作社的优惠和减免。

1.试行商品流通税

从征收货物税的品目中,选择卷烟、酒、麦粉、水泥等几种基本上可由国营经济控制的产品,把原来在生产环节应纳的货物税、营业税及其附加税、印花税与在商业批发及商业零售环节应纳的营业税及印花税加以合并,只征收一次商品流通税。把棉纱统销税和棉花交易税合并为商品流通税的一个税目。商品流通税实行从生产到零售的一次课税制。采用"就物征税"与"税不重征"的原则,已交纳过商品流通税的商品,可以行销全国,不再交纳其他各税。商品流通税的税率设计是根据每一种商品原来交纳各种税的综合税率为尺度,纳税环节放在批发环节交纳,计税价格以国营商业批发牌价为准。开征商品流通税的商品有 22 个项别和 58 个目别,最高税率甲级机制卷烟为 66%,最低税率生铁为 5%。

2.修订货物税

除上述 22 种征收货物税的产品改征商品流通税外,对其余征收货物税的产品,将原来交纳的营业税及其附加税及印花税均并入货物税内征收;粮食、土布交易税改征货物税,同时兼并了货物税税目,从原来的 358 目改为 36 项 174 目;货物税的税率在与营业税等合并折算后也作了调整。

3.修订工商业税

对工商业税中的营业税,除将工业企业交纳的一部分分别并入商品流通税和货物税以及将屠宰商交纳的并入屠宰税以外,对其余工商企业,将其交纳的营业税及其附加税及印花税均并入营业税内,按合并后的税率计税。并把工业品批发环节应纳的营业税移到工业环节征收。同时,对营业税、所得税、临时商业税的计征办法,分别作了修正,还简化了小型商业户和摊贩的纳税手续。

4.对其他各税也作了修订

对印花税、棉纱统销税、屠宰税、交易税、城市房地产税、特种消费行为税的税率、计税价格、减免规定及各税的地方附加都分别作了修订。主要内容是:调整屠宰税,将屠宰商应纳的营业税及其附加税及印花税并入屠宰税内征收;简化交易税,除将粮食、土布交易税并入货物税外,停征了药材交易税,原交易税中只保留牲畜交易税;取消特种消费行为税,将其中的电影、戏剧及娱乐部分的税目改征文化娱乐税,单立税种征收,其余税目并入营业税内征收。

为了配合税制改革各项办法的贯彻执行,1952 年 12 月 31 日,《人民日报》发表了题为《努力推行修正了的税制》的社论。社论论述了修正税制的起因,修正税制的必要,修正后的税制特点——修正是为了"保税",不是"加税",是简化纳税手续;还提到修正了的税制继续保持"公私一律平等纳税"的原则,并说明国营商业、合作社和私营商业在按税法规定纳税上处于同等待遇等,以消除疑虑,使新税制顺利实行。

四

修正税制成为六个问题的焦点

修正税制之所以在当时引发了如此大的风波，是由于它牵涉到了当时党面临的许多敏感问题，从而成为毛泽东和全党关注的焦点。而这一点，是仅从"增加税收，简化方法"方面考虑问题的财政部、薄一波，甚至周恩来所没有想到的。

第一，"修正税制"涉及到如何向社会主义过渡的问题，也即是对待私人资本主义经济问题。表面上看，这样说似乎扯远了，但是从此时(1952年下半年至1953年上半年)毛泽东开始并形成过渡时期总路线，而"修正税制"却继续沿着原来的新民主主义经济思想发展看，就很清楚了。毛泽东从1952年9月24日首次提出了过渡时期总路线的思想，虽然这还是他个人不成熟的想法，但是已经开始去探索和完善这种思想了。例如他委托刘少奇在10月20日写信给斯大林征求意见，到1953年2月他南巡时已经基本成熟并开始宣讲了。而"修正税制"的酝酿也是在1952年底出台。从时间上看，此时毛泽东的过渡思想还只是一种仅在高层知道的个人想法，并没有形成党的正式决议或公开讨论，即使周恩来、薄一波知道毛泽东的新想法，但是在制定经济政策和法规时，仍然只能按照已有的正式的党的思想政策来做，而"修正税制"就是这样出台的。它一出台，就与毛泽东的想法对立起来，从而在后来就成为毛泽东将全党思想统一到过渡时期总路线上的一个事端。

第二，"修正税制"还成为当时党政关系的一个焦点。这次修正税制，一直是在中财委直接领导下进行的。直到1953年1月3日，即新税制已经实行了3天后，中财委党组才以告知的形式向毛泽东和中共中央报告："兹将中财部党组关于税制改革的方案报告送上，经中财委党组干事会讨论通过，并已于1952年12月26日在政务会议上讨论后批准公布试行，此报告供中央参考。"[①]这也是毛泽东后来一直不肯原谅直接负责此事的薄一波的重要原因。我们知道，早在国民经济恢复时期，毛泽东就一直考虑如何加强党对政府的领导问题，并对董必武、周恩来等强调政府工作应该具有相对的独立性、不要以党代政的主张不满意，由此改组了政务院党组干事会。而这次"修正税制"，作为一件牵一发而动全身的大事，中财委和政务院事前竟然未请示中共中央，方案也未报经中共中央批准，显然标志着"分散主义"倾向不但没有被遏制住，反而进一步发展和严重。这是毛泽东所不能容忍的。此后不久，新华社的胡绩伟《关于山东省级机关分散现象的情况报告》更使毛泽东感到这是一种普遍现象，必然会削弱党对政府的控制力，因此需要加以制止。

第三，"修正税制"还成为中央与地方经济关系的一个焦点。新中国成立以后，中央通过"统一财经"加强了中央财权，后来又经过调整，照顾了地方的经济利益。但是地方仍然感到所掌握的财力太少。而这次"修正税制"则以通过改变税制和征收环节的办法，减少了地方财政收入，增加了中央财政收入。本来，国营企业上缴给国家的收入部分，是以税的形式还是以利润的形式，是无关紧要的，只是拿取的方式不同。而以税的形式拿取，相对于

---

① 财政部税务总局编：《中华人民共和国财政史料》第四辑(工商税收)，第305页。

私营经济来说,更显得公平、合理,并且从国家角度来说,更规范。这大概也是"修正税制"的初衷。但是考虑到新中国成立初期的国营企业分为中央所有和地方所有两部分(当时前者叫国营企业,后者叫地方国营企业),而其利润也是分属于其所有者。因此,将部分利润改为税收,虽然都是进入国家腰包,但是地方国营企业的那部分税原来是地方的财政收入,而现在变成了中央财政收入。此外,新中国成立初期,地方国营企业一般生产成本较高,而效益比较低,如果与私营企业纳同样的税,在市场上就没有竞争力,而如果按照原来的办法,这些企业是否交纳或交纳多少利润,弹性很大(企业本身和地方政府都趋向于保护它们)。此外,新税制取消对合作社的税收优惠,取消对国营企业之间、国营与合作社之间调拨商品不收税的优惠,也加重了地方国营企业的负担,不仅地方政府的利润减少了,而且这些企业在市场上的竞争力也受到削弱。而这些对于1953年都想大干快上的地方领导人来说,无论是从收入还是从发展地方国营企业来说,都是不能容忍的。这才是1953年地方领导人对新税制一片反对声的深层原因。

第四,"修正税制"成为处理公私关系的一个焦点问题。新税制的一个主要内容,就是国营和合作社由工厂加工或订货再经批发到零售,由原来课一道营业税改为课三道营业税,同时还取消了对合作社营业税减免20%的优惠,并将货物流通税移到工厂征收。这样,过去国营企业或合作社总分支机构之间的调拨或批发等业务也纳入征税范畴。同时,在批发和零售中占很大比重的私营企业,则由于合并简化征收,实行在产品出厂时一次性征收货物流通税,实际上减轻了负担。根据中国共产党七届二中全会决议和《共同纲领》,政府是有扶持和优先发展国营和合作社经济之责的。后来在一系列对《共同纲领》各种经济成分在国营经济领导下"分工合作,各得其所"基本政策的解释中,也强调了"一视同仁"和"有所不同"。因此当新税制强调"公私一律平等纳税",自然就造成政策有所改变之感,从而引起毛泽东和不少党内干部的不满。另外,当时就国营商业和合作社来说,由于他们也确实承担了稳定物价、保障供给等政府职能,同时他们的经营效益也不如私商,因此让他们与私营企业同样纳税,也引起他们的不满。正如全国合作总社党组在1953年1月7日的报告中所说:"特别是在新税制公布实行以后,给我们提出了更繁重的任务,即如何加速资金周转降低流转费用,从而保持合作社不高于私商市价,借以巩固阵地,保证完成计划。"①

第五,"修正税制"成为处理工商关系的一个焦点问题。中国共产党长期以来,受马克思主义商业不创造价值理论和中国传统文化的影响,加上自根据地以来的商品短缺和交通受阻而导致的商人牟取高利,长期对商业存有偏见,认为商人的利润是靠剥削小生产者和消费者而获得的。新中国成立前后政府大力扶持供销合作社和消费合作社,除了弥补商业不足

---

① 《全国合作总社党组关于合作社调整商业执行情况的报告》,1953年1月7日。关于国营商业经营效益不高的情况,可以参见毛泽东:《关于曾山、姚依林关于商业问题的来信的批语》,1953年1月4日,《建国以来毛泽东文稿》第四册,第6—7页,中央文献出版社,1990年;还可参见郜汇东:《各地国营零售公司必须加强经营管理贯彻经济核算制更好地完成1953年任务》,1953年3月10日,中国社会科学院、中央档案馆编:《1953—1957中华人民共和国经济档案资料选编·商业卷》,第634—636页。

的原因,主要是为了减少商人的"中间剥削",这个目的在当时的宣传中随处可见。笔者曾经翻阅了许多当时的文献资料,仅看到两个人替商业说过公道话,一是刘少奇在 1948 年 12 月《关于未来新中国经济的建设方针报告》中强调商业与农业、工业同样重要;二是陈云在 1950 年统一财经后,为搞活经济,强调商业的重要性,大力推进城乡交流和内外交流。但是他们两个人都是希望由国家和合作社来掌握商业和流通。在国民经济恢复时期的三年里,从政府的政策和措施来看,都是公开宣称扶持私营工业,而限制私营商业的,并鼓励私商转业。但是,"修正税制"却针对 1952 年"五反"以来私商纷纷歇业、市场呆滞的状况,配合中央"调整商业"的决策,在税收上对商业采取了倾斜政策,显得重商轻工了。例如税收环节的变化,将货物税移到工厂征收,暂时有利于批发商;又如试行商品流通税,一次性征收,不得在流通环节再重征,也显然有利于商业,特别是私营批发和零售商业;又如简化了税种税目。

第六,"修正税制"成为稳定市场和物价的焦点。为了赶在生产和购销旺季多征税,将新税制施行时间放在了新年,并且来不及多宣传。本来这个时间就容易出现抢购和物价波动,加上调整商业中适当扩大批零差价和地区差价也在这个时候出台,遂导致了商人和企业趁机搭车涨价,于是它又成为稳定市场物价问题的焦

点。1953 年 1 月 1 日新税制出台后,西南财委、河南财委、天津财委、山东分局、北京市委等都纷纷向中央报告,认为"在执行新税制当中物价的调整过于仓促草率,因而造成了严重的市场混乱"。[①] 其实,上述这些报告更多地认为物价波动和人心紊乱的主要原因,是新税制的出台与国营商业部门物价管理配合不好,国营商业部门通过涨价来消化新增加的税负。[②] 例如华北财委就报告说:"根据新税法与中商部调价的指示,我区国营商业提高批发及零售牌价的商品共 1500 种左右,其中尤以面粉、粮食上提最多。"[③]

实际上,物价的波动早在 1952 年 12 月 4 日中共中央关于调整商业的指示发布后,就已经出现了,而新税制则是造成了新一轮的波动。例如北京市委的报告就说:"去年 12 月 4 日根据中央调整商业的指示,北京市有 4479 种商品提高了零售价格(批发价格与工商界利害关系很大,其他市民对此不甚注意),因改变了若干税制,今年 1 月 3 日又调整了 1370 种商品的价格,两次调整后,几种牵涉人民生活很大的货物零售价变动如下:面粉涨价 6.3%(第一次加 1.9%,第二次加 4.4%),大米涨 8.8%(第一次加 1%,第二次加 7.8%),小米涨 2.3%,玉米面涨 3.7%。"[④]显然,新税制并不是物价波动的唯一因素。但是,一般市民则多认为是新税制为了增加税收,而由此导致了物价上涨。

① 《山东分局向明同志等关于在执行新税制中物价调整草率造成市场混乱的情况的电报》,1953 年 1 月 9 日。中国社会科学院、中央档案馆编:《1953—1957 中华人民共和国经济档案资料选编·财政卷》,第 430 页。

② 参见《山东分局向明同志等关于在执行新税制中物价调整草率造成市场混乱的情况的电报》,1953 年 1 月 9 日;《天津市财委:新税制公布后的市场物价情况和意见》,1953 年 1 月 11 日。中国社会科学院、中央档案馆编:《1953—1957 中华人民共和国经济档案资料选编·财政卷》。

③ 中国社会科学院、中央档案馆编:《1953—1957 中华人民共和国经济档案资料选编·财政卷》,第 435 页。

④ 同上,第 432—433 页。

五

对"新税制"的否定

既然新税制的出台成为上述六个问题的焦点,它自然就成为 1953 年中国共产党政治、经济思想和政策转折的导火索。由此引发了财经会议上的新中国成立后的第一次党内政治斗争,并促成了过渡时期总路线的最终形成。具体说来,对新税制的否定可以分为三个层次:一是就新税制本身的修正。二是在党政关系上,严厉批评了新税制不向中共中央请示、不与地方党委商量,并通过反对分散主义、改组中央政府内的党组,加强党对政府的控制。三是针对新税制所强调的"公私一律平等纳税",将其定性为"右倾机会主义错误",并通过党内公开的斗争,清除了党内普遍存在的继续贯彻新民主主义的思维定式,确立了过渡时期总路线并统一了思想。

第一,是对党内领导关系和党政关系的调整。1953 年 1 月 15 日,毛泽东致信中央人民政府党组干事会党组书记周恩来、副书记陈云、邓小平以及中财委党组副书记薄一波:"新税制事,中央既未讨论,对各中央局、分局、省委亦未下达通知,匆促发表,毫无准备……此事我看报始知,我看了亦不大懂。"①毛泽东这里有两点批评:一是新税制没有报经中共中央讨论通过,暗指党组干事会自行其是,有脱离中共中央领导的趋势;二是新税制没有通过党的系统事先传达布置,暗指政府工作有脱离党的领导趋势。按照薄一波的回忆,当时周恩来和他都感到毛泽东的

批评非常严厉。

毛泽东本来就对周恩来、董必武强调党不应包办、代替政府工作的主张不满意,并进行了小的调整(如改组政务院党组干事会,撤销董必武的副书记职务)。针对"修正税制"事先未经中共中央批准这个问题,3 月 10 日,中共中央作出《关于加强中央人民政府系统各部门向中央请示报告制度及加强中央对于政府工作领导的决定(草案)》,主要内容为:①为使政府工作避免脱离党中央领导的危险,今后政府工作中一切主要的和重要的方针、政策、计划和重大事项,均需事先请示中共中央,并经中共中央讨论和决定或批准后,始得执行;②撤销中央人民政府党组干事会,政府各部门党组直接受中共中央领导;③中共中央领导人分别负责领导有关各口:周恩来负责外交,高岗负责计划,陈云负责财经,习仲勋负责文教,董必武负责政法,邓小平负责其他。4 月 28 日,中共中央又作出《关于加强对中央人民政府财政经济部门工作领导的决定》,进一步明确了中共中央领导人"分兵把口"直接领导有关财经各部的工作。

上述规定实际上有两个重大改变(并对后来产生重大影响)。一是对新中国成立初期形成的党通过在政府内的党组来领导政府工作的形式改变为党直接领导政府,可以说是后来的党政不分的始作俑者;二是党对政府的控制加强了。此前,中央各部委的工作主要是受该部委党组领导,而部委党组则直接受中央人民政府党组干事会领导,即中共中央对各部委的领导是通过中央政府的党组实现的,现在则直接领导,不仅从形式上越过了中央政府,而且也将对政府的控制权下伸到部委

①　中共中央文献研究室编:《陈云年谱》中卷,中央文献出版社,2000 年,第 162 页。

一级,加强了控制。在《决定》下达的同时,全国还开展了一场反对"分散主义"的斗争,并调整了中央政府的领导体制,即将原来由政务院统一领导的体制,改变为由5个中共中央领导人分别负责的"五口通商"。①

此外,反对"分散主义"也再次成为全国财经会议的重要内容,并在会议结论中重申反对分散主义、加强党的统一领导。

第二,通过批评"修正税制",将全党思想统一到过渡时期总路线上。

毛泽东借批评新税制和薄一波,将全党的思想由新民主主义思想和政策转变到向社会主义过渡上来。毛泽东在1953年6月以前,虽然对薄一波的新税制很不满意,提出了尖锐的批评,但主要还是从组织上采取了办法,即上述的通过取消党组干事会,加强了党对政府的直接领导。这可以从毛泽东关于全国财经会议的议程的批示中看出。而当1953年6月15日,毛泽东在中央政治局扩大会议上明确阐述了过渡时期总路线(他通过李维汉的报告找到了逐步改造私人资本主义经济的办法,而这一点不解决,就无法实现逐步过渡),并对主张巩固新民主主义秩序和"走向"社会主义的观点进行不点名的批评以后,毛泽东似乎认为有必要在党内高层开展一场公开的思想斗争,以统一思想。

据薄一波回忆:"当时会议每天进行的情况,都是由周总理向毛主席汇报。"毛泽东看到有些人对薄一波有意见,就让薄一波公开检讨,于是会议内容就超出了原来的议程。财经会议最大的作用,就是公开、彻底地用过渡时期总路线取代了《共

同纲领》所体现的新民主主义思想和政策。这种转折,从今天来看,作为进入和平建设时期的执政党来说,虽然有半年多的时间酝酿,还是显得有些仓促。如果经过党内外更充分的酝酿和讨论就好了。

第三,纠正了新税制确定的公私平等、工商平等纳税的观念和措施,改变了公私关系和工商关系。党对私营经济的政策由利用、限制、改造转变为逐步消灭。对此,带有结论性质的全国财经会议提出的"税收任务:一方面要能更多地积累资金,有利于国家重点建设;另一方面要调节各阶级收入,有利于巩固工农联盟,并使税制成为保护和发展社会主义、半社会主义经济,有步骤、有条件、有区别地利用、限制、改造资本主义工商业的工具。""税收政策:对公私企业应区别对待,繁简不同。对公私合营企业应视国家控制的程度逐渐按国营企业待遇。"②

在公私关系方面,恢复了在税收上对国营企业和合作社的优惠和扶持。政务院财政经济委员会于1953年2月20日发表的《关于修正税制后国营企业纳税若干具体问题的规定》中明确:国营工矿产品纳税的价格,凡经中财委统一核定价格的各种商品,如调拨给工业或使用部门时,由税务机关验证所签订的合同或物资分配证明文件,按中财委核定的调拨价格核税,全部税款由生产部门负担;调拨给商业部门的,一律按国营贸易公司批发价格核税,生产部门只负担原核定价格内所含的税款,其余部分由商业部门负担。对于连续生产企业的营业税交纳问题,货物税、商品流通税的交纳问题等也作了一些补充规定。对于合作社,新税制曾规定对

① 参见李格:《1953年反"分散主义"问题初探》,《史学集刊》(长春),2001年第4期。

② 《中共中央批准周恩来同志1953年8月在全国财经会议上所作的结论》,1953年10月10日。

代购、代销或包销,一律按进销货计税。这对供销合作社给国营商业收购农产品等业务活动带来了一定的影响。为此,1953 年 4 月 15 日,税务总局发出了《关于合作社代理购销及经营农产品纳税问题》的通知,区别不同情况,也改变了规定。

此外,还恢复了对私营批发商的征税。财政部于 1953 年 7 月 22 日发出《关于已批准不纳营业税的私营批发商自八月一日起一律照纳营业税的通告》,恢复对私营专营批发商的征税。这就解决了因"修正税制"出现的公私关系方面的矛盾。

在工商关系方面,恢复了对小型工业和非全能工厂的照顾。税务总局在 1953年 1 月 5 日发出《关于执行工商业税若干修正的指示》中,对小型工业的照顾作出了如下规定:有些小型工业产品,因为系直接售给消费者,并不经批发商推销,故对此类小型工业户,仍须一律按商业税率计征,不征工业的营业税,其产品为货物税应税货物者,不再征营业税。对于非全能工厂的纳税,税务总局于 1953 年 2 月 2日发出《关于工商营业税几个具体问题》的通知中规定:非全能工厂与全能厂因原料的税负不同,生产成本原来就不平衡,加以修正税制后,批发商的营业税移至工厂交纳,非全能厂购买成品、半成品加工,如不予以照顾,税负就更高,势必影响其经营。因此,凡工厂出售成品、半成品给另一个工厂作原料,事先订有合同,并经当地税务局核准者,只交纳一道工业营业税;非全能厂最后出售成品时,须交纳工业和商业两道营业税。对于商业,则重新加强了限制的力度。首先是强调划分批发与零售商业,以加强国家对商业的控制。如 1953 年 1 月 27 日财政部电告各大区税务管理局:批零兼营的批发征税,批发、零售能划分的予以照顾,批零难以划分的不予照顾;中等以上城市的批发商给予照顾,小城市因批发商很少,即使有也很难划分,不予照顾;为缩小批零兼营商户的数量,凡经营批发在 80% 以上的,应促其专营批发;凡经营零售在 80% 以上的,应促其专营零售,对批零兼营的批发商,税务机关应加强查账监督。此外,如前所述,恢复了对私营批发商的征税。

总之,新税制从出台之日起就受到责难,并且随着党在过渡时期总路线的提出和积极贯彻,它除了作为一个反面教材在财经会议上起到了作用外,它的原则和具体办法都又被彻底修正了。这可以从1953 年全国财经会议所作的、经毛泽东亲自修改的如下结论得到证明:"修正税制实施的结果,使税负公重于私,工重于商,打击了工业,特别是落后工业,帮助了私营商业,特别是大批发商,并使市场一度发生混乱,造成群众不满。这样,就有利于资本主义经济,不利于社会主义经济和半社会主义经济。依照党的二中全会决议,税收政策是限制私人资本主义经济的一个方面,故对私人资本主义经济与对国营经济和合作社经济应该区别对待,亦即'有所不同'。但修正税制却提出了'公私一律平等纳税'的口号,不但取消了对国营经济、合作社经济的便利和优待,反而给私人资本主义经济以更多便利,所谓'简化税制',也就在这种意义上得到了全国工商联筹备委员会的热烈欢迎与拥护。""应该再一次指出,修正税制的错误,是违反党的二中全会决议在这方面所规定的原则的错误。"[①]

---

① 《中共中央批准周恩来同志 1953 年 8 月在全国财经会议上所作的结论》,1953 年 10 月 10 日。

粮食统购统销

1953年进行的"粮食统购统销"与新中国成立初期的"统一财经"、稳定物价及后来的社会主义改造曾被称为20世纪50年代经济战线上的三大战役。粮食统购统销不仅对当时的经济发展和经济体制的演变产生了重大影响,而且这种农产品统购统销制度一直延续了30余年,对我国后来的工业化进程和城乡关系产生了重大影响。

一

实行粮食统购统销事出有因

新中国成立初期,我国虽然是一个农业大国,但是由于农业生产技术落后和人口众多,农产品的供给一直比较紧张。1949年以前,由于帝国主义、封建主义和官僚资本主义的压迫剥削,农村经济处于衰退萎缩状态,粮食、棉花都需要从国外进口。新中国成立以后,经过土地改革和国家大力兴修水利等许多重要措施,农村经济得到迅速恢复。到1952年,我国主要农产品都基本恢复到抗战前的水平。从1950年,我国就停止了粮食进口,1951年以后,由于西方的经济封锁,我国停止了棉花进口,并通过扩大植棉,到1952年基本满足了国内市场的棉花需求。但是新中国成立初期这种主要农产品供求关系的平衡不仅是较低水平的,而且也是暂时

的,因为它是建立在国民经济恢复时期我国没有进行大规模经济建设和人民消费水平很低的基础之上的。

1953年,是我国进入大规模经济建设的第一年,这一年由于经验不足和各部门热情较高,计划的盘子打得大了些,结果当年基本建设投资比1952年增长75%,工业总产值比1952年增长30%(其中重工业增长37%、轻工业增长27%),对外贸易总额比1952年增长25.2%。工业经济增长较快,带动城市人口和就业人数有较大幅度增加。1953年城市人口比1952年增加663万人,增长9.3%,非农业居民消费水平比1952年提高15%。工业、外贸、城市消费用粮数量大增,农村经济作物的种植面积相应扩大,国家在农村的粮食返销量也大增,比1952年增加1.3倍。此外,经过几年的经济恢复,农民的粮食消费量也增加了,不仅要求吃饱,还希望家有余粮。因此,1953年我国的粮食需求量比1952年有了较大增长。本来按照1953年的年度计划,为了与上述工业发展速度相匹配,农业总产值计划比1952年增长6.4%,其中粮食产量增长7.2%,但由于农业尚未摆脱靠天吃饭和投入不足,上述计划并没有把握,结果1953年农业总产值仅比1952年增长3.1%,粮食产量仅增长1.8%。据粮食部报告,1952年7月1日至1953年6月30日国家共收入粮食547亿斤,支出587亿斤,收支相抵,赤字40亿斤。1953年小麦受灾,预计减产70亿斤,形势相当严峻。问题还不止于此,当时粮食的供求关系是由市场调节的,供给者是非常分散的上亿个农户,购买者则是国营公司、合作社和私商。在统购统销前,粮食市场实行由国营公司控制粮价的牌价办法,即国营公司利用雄厚资力,根据社会需求和经济政策制定出一个市场牌价,

当市场价格高于牌价时,国营公司就抛售;当市场价格低于牌价时,国营公司就大量收购,以此来平衡粮食价格,使其不致有波动。但是这个办法只能建立在市场供求基本平衡的基础之上。当1953年粮食市场需求明显大于供给时,一方面农民出于惜售心理(粮价看涨),国家无法按合理价格大量收购到粮食(因此也就无粮可抛);另一方面,由于市价高于牌价较多(当时湖南、江西、山东、河北等主要产粮区市价高于牌价30%—50%),私商见有利可图,参与抢购、囤积。如1952年冬一个短时期内,江西吉安市上市的稻谷全被私商买走。江苏徐州专区各县1953年黄豆收割时,大江南北粮商蜂拥而至。有个叫王雨农的粮商,一人就抢购了50万斤。私商出售粮价一般都高出牌价的20%—30%①。部分市民见粮食供应紧张和价格看涨,自然也要增加储存。因此1953年夏收以后,国营公司的粮食销售量远远高于收购量,动用了大量库存后仍然供不应求。

　　粮食市场供不应求的紧张局面,任其发展下去,就会出现供销严重脱节的混乱局面,就有可能牵动物价全面上涨,使几年来国家努力实现的物价稳定成果付之东流。正是在这种形势下,中共中央和人民政府迫不得已选择了粮食统购统销这条道路。

二

粮食统购统销政策的确定

　　针对粮食供求紧张形势,1953年上半年毛泽东就要求中财委拿出具体办法。

薄一波组织粮食部和中财委粮食组的同志共同研究,草拟了《粮食收购办法》、《粮食计划供应办法》、《加强粮食市场管理办法》和《节约粮食办法》,6月15日提交全国财经会议粮食组讨论、修改。汇总各方意见,共提出"只配不征"、"只征不配"、"原封不动"、"临渴掘井"、"动员认购"、"合同预购"、"不搞统一办法,由地方各行其是"、"又统又配"等8种解决方案。陈云经过广泛征求意见和认真思考,认为前7种方案都不可选择,只有又统又配即农村征购,城市配售的办法,才能彻底解决问题。陈云的建议得到周恩来、邓小平的大力支持,并得到毛泽东的赞许。毛泽东嘱陈云代中央起草《关于召开全国粮食紧急会议的通知》。1953年10月2日凌晨,毛泽东审改陈云起草的通知并决定当晚7时召开中共中央政治局扩大会议讨论。会议首先听取陈云的报告,经过讨论,毛泽东最后发言说,赞成陈云的报告。这次会议决定召开全国粮食紧急会议,各大区主管经济的负责同志必须参加。

　　10月10日,全国粮食会议在京召开,陈云就粮食问题作报告,报告主要有3个方面:

　　1.对当时粮食供求的严重情况作了如实的介绍和分析

　　陈云通过对1953年粮食供求关系的具体分析,提出由于粮食的需求量逐年上升,不可能减少,而农村随着生活水平的提高,消费量也在增加,因此粮食供求紧张将是一个长期的问题。"现在,全国粮食问题很严重,如果不采取适当的办法加以解决,还要更加严重。""只要粮价一波动,搞粮食投机的人一个晚上就可以增加几十万;如果波动两三个月,粮贩子就可

---

①　薄一波:《若干重大决策与事件的回顾》上卷,中共中央党校出版社,1991年版,第257—258页。

以增加几百万。"对于粮食市场混乱的后果,陈云说:由于吃的消费在劳动者收入中所占比重较大(约占收入的 60%—70%),粮价一涨,物价就要全面涨;物价一涨,工资就要跟着涨;工资一涨,预算就要超过。这样一来,就会造成人心恐慌,人民政府成立以后老百姓叫好的物价稳定这一条,就有丢掉的危险。因此,应该采取坚决的措施,加以解决。

2.解决粮食问题的办法

陈云提出,在粮食问题上,有四种关系要处理好。这就是:①国家与农民的关系;②国家与消费者的关系;③国家与商人的关系;④中央与地方,地方与地方的关系。在这四种关系中,难处理的是头两种,而最难的又是第一种。处理好了第一种关系,天下的事就好办了。怎样解决粮食问题,陈云将中财委拟的 8 种方案都摆出来让大家讨论:①统购统销。这个方案跟每一个人都有关系,是件大事。②只统销不统购。即只把住城镇粮食消费这个关口,避免投机和浪费。农村同志满意这个方案。③只统购不统销。即把住粮食供给这个关,保证国家可以买到足够的粮食。城市同志满意这个方案。④原封不动,先观察一段再说。⑤"临渴掘井"。即先自由买卖,到实在没办法时再来征购。⑥动员认购。⑦合同预购。⑧各行其是,即各地可根据自己的情况实行不同的办法。陈云分析了上述 8 种办法,认为第二种办法可能买不上来粮食,第三种办法会边征边漏,第四、五两种办法是出了乱子再去解决,会更被动、更困难,第六、七两种办法收效不大,第八种办法容易造成互相影响,引起混乱。此外,陈云还提到能否把外汇用来进口粮食的方案。认为如这样做就没钱买设备,会影响工业化。经过分析,陈云认为尽管第一种办法难度较大,但却是可行的彻底解决问题的办法。

3.如何实行统购统销

关于如何实行统购统销,陈云提出:如果大家都同意实行统购统销,就要认真考虑一下会有什么毛病,会出什么乱子。全国有 26 万个乡,100 万个自然村,如果 1/10 的村出毛病,就是 10 万个村。因此必须细致地解决好这个问题,使农民不致因不能自由支配粮食而影响生产情绪。对于征购办法,陈云提出征购时间与征收公粮一起进行;征购数量又比照农民所缴公粮为标准;关于征购价格,应实行公道价格,即既对农民合适,也对国家有利(使农民可以得到一些季节差价,即略高于粮食上市时的市价);关于征购的依靠对象,是区乡干部和党、团员。对于城市的定量配售,陈云提出"配给"不好听,叫做"计划供应"为好(章乃器先生提出来的),并提出按人口发配给证(来不及发配给证的先用户口证),配给等级开始可以粗一点,以后再细。

4.关于实行统购统销后,如何管制私商和调整中央与地方关系问题

陈云提出:实行统购统销后,粮食基本上由国家经营。国家对与粮食有关的私营工商业应加强管理,除了粮食加工厂、食品加工厂可继续加工但不准从事粮食买卖外,对于从事粮食投机的粮食贩子则予以严厉取缔,对从事粮食买卖的私商,则逐步将其改造为国家销售粮食的代理店。关于中共与地方的关系,陈云提出,既要改变过去统一管理时地方上没有积极性不负责任的毛病,也要改变分管以后所发生的只顾局部和地方,不顾整体和国家的毛病,在粮食问题上应确立中央统一筹划,地方分级负责的管理体制。

陈云报告之后,副总理兼财政部长邓小平也作了讲话,着重论述了粮食统购统

销与巩固工农联盟、与国家有计划经济建设的关系。

会议经过讨论，大家同意中央的决策。1953年10月16日，中共中央作出了《关于实行粮食的计划收购和计划供应的决议》。《决议》将粮食统购统销政策概括为：①在农村向余粮户实行粮食计划收购（简称统购）的政策；②对城市人民和农村缺粮人民，实行粮食计划供应（简称统销）的政策，亦即是实行适量的粮食定量配售的政策；③实行由国家严格控制粮食市场，对私营粮食工商业进行严格控制并严禁私商自由经营粮食的政策；④实行在中央统一管理之下，由中央与地方分工负责的粮食管理政策。决议认为，"实行上述政策，不但在现在的条件下可以妥善地解决粮食供求的矛盾，更加切实地稳定物价和有利于粮食的节约，而且是把分散的小农经济纳入国家计划建设的轨道之内，引导农民走向互助合作的社会主义道路和对农业实行社会主义的改造所必须采取的一个重要步骤，它是党在过渡时期的总路线的一个不可缺少的组成部分。"这样，为解决粮食供求矛盾的统购统销措施就被上升到向社会主义过渡的重要条件和措施，从而提高了它在计划经济体制形成过程中的地位和作用，统购统销已经不单纯是一个解决经济问题的具体措施，而成为未来经济体制的重要组成部分。

粮食统购统销政策的实施

由于实行粮食统购统销是一个关系到城乡全体居民的大事，它取消粮食的市场调节，不仅可能直接影响到农业生产，而且可能会影响到一切与粮食有关的城乡工商业。它对社会经济上、政治上的震动都将是很大的。同时，这对于党和国家是否具有实施这种重大经济体制变动的能力也是一个考验。为了顺利地实现这一具有向传统社会主义过渡性质的战略性任务，中共中央充分估计了可能出现的问题，详细考虑和制定了具体的政策和办法。

关于1953年粮食征购数量，中共中央根据1953年的粮食供求情况，估计国家须掌握700亿斤商品粮，才能有把握控制市场，满足城市人民和乡村缺粮人民的需要，同时参照1951年和1952年农民每年实际拿出600多亿斤粮食（1952年农民缴纳给国家的公粮和卖给国家及私商的粮食共约670亿斤左右），而1953年粮食产量又略高于1952年（并且过去3年丰收，农民手中存有若干余粮），因此计划征购430亿斤（加上全国农业税收粮食275亿斤，可达705亿斤），这个数字估计是可以完成的。根据这个计划，农民仅比上年多拿出粮食30亿斤，即平均每户农民多拿出约26斤。若抛开需吃返销粮的缺粮户、非种粮户的近1亿农村人口，每个农户提供的商品粮比1952年增加则不止30斤。

关于征购的具体办法，中央规定：①统购价格必须合理，国家所定的统购价格，在大体维持现有的城市出售价格的基础上，以不赔不赚为原则。②统购价格及统购粮种，必须由中央统一规定，以便于合理地规定地区差价和调节品种比价，消除粮食投机的可能。③统购价格必须固定，以克服农民存粮看涨心理。在既定的收购数字和收购价格下，农民可分期交粮、分期取款，也可一次交粮、一次取款，还可一次交粮，分期取款。最后一种情况，可由银行给予较为优厚的利息。④实行统购时，必须加强农村的物资供应，使农民出卖粮食所得之现款，能够买到生产和生活必需的物资。⑤统购面宜于稍大，不宜过小，才有利于完成统购任务。⑥实行统购必须进行充分的政治动员，采取由上级下达控制数字（即指标）和群众民主评议相结合，乡、村两级的控制数应公布，使群众心中有数。

关于统销的具体办法，中央规定：①在城市，对机关团体、学校、企业等的人员，可通过其组织进行供应，对一般市民，可发给购粮证，凭证购买，或暂凭户口簿购买。②在集镇、经济作物区、灾区及一般农村，则应采取由上级颁发控制数字并由群众实行民主评议相结合的办法，使真正的缺粮户能够买到所需要的粮食，同时又能适当控制粮食的销量，防止投机囤积。③对于熟食业、食品工业等所需粮食，旅店、火车、轮船等供应旅客膳食用粮及其他工业用粮，应参照过去一定时期的平均需用量，定额给予供应，不许私自采购。

为了使统购统销有效实施，国家决定加强对与粮食有关部门的管理，具体规定如下：①一切有关粮食经营和加工的国营、地方国营、公私合营和合作社经营的商店和工厂，必须统一归当地粮食机关领导。②所有私营粮店，一律不许自由经营粮食，但可以在国家严格监督下，由国家粮食机关委托办理代国家销售粮食的业务，即只能起代销店的作用。③所有私营加工厂，一律由国家粮食部门委托加工，不得自购原料、自销成品。④一切非粮食商禁止跨行业兼营粮食。⑤在城市，居民消费量有余和不足间的调节，不同习惯不同粮种需要间的调节，可到指定的国家商店及合作社或国家建立的粮食市场卖出或买入；在农村，农民缴纳公粮和统购以后的余粮，可自由存贮和使用。

关于粮食问题上中央与地方的关系，中央规定：①粮食的收购和供应计划，由国家计委颁布控制数字，各大区根据控制数字和当地情况，制定计划报中央批准，然后按照计划负责收购、供应和保管。②按照计划拨给大区供应的粮食，全部由大区负责掌握调度。③除拨给大区供应的粮食以外，其他粮食包括各大区间的调剂粮、出口粮、储备粮、全国机动粮、全国救灾粮等，统归中央统一调度。④各大区如遇自己不能克服的困难，中央负责解决。⑤中央认为必要和可能从地方调出一定数量粮食时，地方必须服从中央的调度。⑥计划供应的标准，由大区提出方案，报中央批准。⑦中央统一规定若干大中城市及各大区间毗邻地点的粮价，大区和省根据中央所定的原则，规定其他城镇的粮价，报中央批准。

根据中共中央的指示和政务院的命令，全国农村于1953年12月份开始进行统购工作。由于中央把粮食统购统销提到向社会主义过渡的高度来宣传和教育全党及全国人民，同时在管理体制上实行统一领导、分工负责，方法上也考虑得较为细致得当，因此1953年10月部署的粮食征购任务如期并超额完成。全国粮食会议曾决定，从1953年7月1日到1954年6月30日的粮食年度内，连同农业税在内，国家共获得粮食705亿斤。而据国家统计局的资料，在这一粮食年度内，全国实际收入粮食784.5亿斤，超过计划75.5亿斤，比上年度多收177.9亿斤，增长29.3%，国内销售粮食596.4亿斤，比上年多销195.3亿斤，也增长29.3%，购销相抵，库存粮食有较大幅度增加。这样，粮食供不应求的难关终于渡过了，供求紧张的形势缓和下来。

但是在统购过程中，正如中央已估计到的那样，由于这等于剥夺了农民保有和出卖自己生产的粮食的自主权利，因此国家与农民的关系很紧张,强迫命令、乱批乱斗,甚至逼死人命等现象都发生过,个别地方还发生了聚众闹事的事件。当时从经济运行方面来看,粮食统购统销把建国以来较为活跃的农村初级市场大部分给统死了,使其陷于停顿状态,这就给农村经济生活带来一系列的问题:①农民之间粮食的余缺调剂停止了,原来部分缺粮农民可通过初级市场调剂解决的问题,现在得由国家负担起来,而且不见得能及时并调剂好。②市场停顿,使商业销售受到严重影响,销售计划完不成,农村货币回笼不上来。③不少商贩停止活动,农村的土特产收购不上来。上述这些问题引起了中央注意,1954年5月专门发出指示,要求各地限期建立国家粮食市场。

在部署了粮食统购统销的同时,由于食用油、棉花、棉布的供求关系也趋于紧张,并且短期内难以缓和,中央于1952年11月15日作出《关于在全国计划收购油料的决定》,对食用植物油实行统购统销,1954年9月,国家又决定对棉花、棉布实行统购统销。

1954年,我国农业发生特大自然灾害(百年未遇水灾),加上国家又多征购了几十亿斤粮食,不少地方购了过头粮,农民一时感到"购粮无底"、"增产无益"。到1955年春夏之交,粮食供应情况又紧张起来,部分地区出现了"家家谈粮食"、"户户谈统销"的紧张局面。同时城镇粮食供应方面,由于制度不严,供应偏宽,粮食销售超计划很多,粮食浪费现象也相当普遍。为了改进粮食统购统销工作中的缺点,完善统购统销制度,国务院于1955年8月颁布了《农村粮食统购统销暂行办法》和《市镇粮食定量供应暂行办法》两个文件。前者的基本内容是:实行粮食的定产、定购、定销,使国家和农民都心中有数,避免征

购过头和供应混乱的现象。后者的基本内容是:对市镇居民口粮供应,实行按人分等定量供应办法;对工商行业用粮,实行按计划定量供应办法,此外还决定采用票证管理制度,进一步加强了供应工作的计划性。自此以后,主要农产品的统购统销工作一直实行了30多年,直到1985年我国才由粮棉统购制度改为"合同定购"。

粮食统购统销的作用和影响

实行粮食统购统销的实质,是在粮食供销问题上用国家的计划管理代替了市场调节,实施的结果,既在当时收到了明显的成效,对于我国计划经济体制的形成也起到了推动作用,并对后来的经济发展产生了一定影响。概括地说,粮食统购统销的作用和影响主要有以下三个方面:

(1)它在粮食生产不足、供不应求的情况下,保证了社会的基本需要。由于我国农业落后,基本靠天吃饭而又人口众多,因此吃饭问题长期以来是一个没有完全解决的问题,而粮食统购统销则通过由国家集中管理的方式,在粮食短缺的情况下,既保证了人民群众的基本消费,又保证了国家工业化建设的基本需要。"一五"计划期间,尽管我国曾于1954年出现百年未遇的水灾和1956年经济的"冒进",但粮食价格没有波动,人民消费保持稳定,都是与统购统销分不开的。

(2)统购统销促进了社会主义改造。实行主要农产品的统购统销,将这部分市场经济转变为计划经济,不仅仅削弱了城市资本主义工商业的阵地和力量,更重要的是割断了它与农民的联系,极大地削弱了资本主义对农民的影响。这不仅使以

轻工业为主的城市资本主义工商业变得更为软弱,不得不听从于国家计划,而且也使得作为个体经济的农民失去了与市场的联系,被置于国家的直接计划管理之下,更容易接受社会主义改造。统购统销的这个作用当时党和国家已经充分认识到,并努力发挥它在这方面的作用。

(3)统购统销作为当时解决粮食供求紧张的暂时经济措施,成效是非常明显的,也是非常必要的,但是它毕竟是以取消农产品供求市场调节为代价的。尽管在当时这样做利大于弊,但是从长远来看,统购统销是不利于城乡商品经济发展的。当然,后来长期实行主要农产品统购统销及其产生的副作用,主要的责任应由单一公有制的计划经济模式来承担,但是不能不承认统购统销毕竟对后来经济模式的选择产生了一定影响。

私营金融业的社会主义改造

国家在 20 世纪 50 年代中期进行社会主义三大改造之前,在 1952 年底对私营金融业也进行了社会主义改造。私营金融业作为第一个完成社会主义改造的行业,不仅对后来生产关系的变革产生了积极作用,而且对于当时的经济运行也产生了重要的影响。它是 50 年代我国向社会主义过渡的一个重要步骤,也是最为成功的社会主义改造。

一

旧中国私营金融业积弊太深

私营金融业在新中国成立后率先完成社会主义改造,固然与金融业在国民经济中的重要地位有关,但更重要的原因是其积弊太深,不能适应新民主主义经济体制。

旧中国的私营金融业是在半殖民地半封建政治经济环境中产生和发展起来的。由于民族资本主义经济很微弱,再加上连年战争,社会动荡,经济凋敝,使得近代金融业逐渐成为旧中国经济的投机重点。特别是 1935 年币制改革以后,伴随着国民党政府的剧烈通货膨胀政策畸形繁荣发展,投机活动愈演愈烈。综观旧中国的私营金融业,大致有以下三个特点:

(1)私营行庄的数量大大超过了社会正常生产和流通的需要。旧中国私营金融业的繁荣和行庄数量的增加,不是生产和流通发展的结果,而是由通货膨胀、信用泛滥造成的。因为在通货膨胀严重的情况下,掌握信用工具是攫取利润的主要源泉,因此很多投资纷纷涌入金融业,甚至不少人靠走后门、行贿来取得开业执照,或者采用顶替、挂靠等方式,建立与母体毫无关系的分支机构。

(2)脱离正常业务,以投机为主。帝国主义官僚资本的压迫和严重的通货膨胀,造成旧中国社会经济中"工不如商、商不如囤、囤不如金、金不如汇"的畸形现象,正当的工商业萎缩凋敝,而投机活动则可获得暴利。在利润的引诱下,私营金融业将大部分资金和业务转向获利丰厚的商业和金融投机。据天津、北京、沈阳三大城市的调查,在当地解放时,私营行庄资金用于投机的占90%以上。

（3）人事臃肿，开支浩大。由于金融业获利大，成为投资热门，自然成为人们向往的就业行业，加上各行庄为了巴结官府而不得不接受官吏们推荐的人，同时为了争取存款，又要接受存款大户推荐的人，结果导致私营行庄冗员过多，不少行庄的经理、副经理多于办事人员。另外，由于金融业获利丰厚，往往一次投机活动成功，就够数月开支而有余，因此在开销方面也很铺张，支出浩大，员工工资明显高于其他行业。

旧中国的私营金融业的特点，属于与生产力发展水平和要求不相适应的畸形状态，因此在新中国成立以后，它要想适应新民主主义经济体制，必然要经历较大的改革和阵痛。

二

人民政府对私营金融业的清理整顿

各大城市解放以后，人民政府鉴于金融业在社会经济中的重要地位和私营行庄的严重畸形，立即采取措施，对私营行庄进行清理整顿。

第一，严厉打击金银外币投机活动，取缔地下钱庄。为了使人民币迅速占领市场，人民政府除宣布限期兑换金圆券外，还明令宣布禁止金银外币在市场上流通。由于当时解放战争尚在进行，政府开支浩大，人民币也处于膨胀状态。为了不使通货膨胀加剧，政府对金银采取了"低价冻结"的兑换政策。旧中国盛行的金银外币投机活动得以继续存在，地下钱庄非常活跃。为了稳定市场，打击投机活动，各地人民银行会同公安部门，对违法金融活动和地下钱庄进行了严厉打击。例如

上海市政府继1949年6月查封证券交易大楼后，又于12月对地下钱庄进行了一次突击清查，共查获地下钱庄26家，拘捕111人，抄出大量支票、黄金、银元和美元，对于整顿上海金融市场起了较大作用。与此同时，广州市政府也组织2000多人，对地下钱庄和金银外币炒卖摊档（群众称之为"剃刀门楣"）进行了突击清查，共查获地下钱庄170家，"剃刀门楣"498个，对1016个投机分子分别予以惩处或教育释放。其他城市也先后采取了打击违法金融活动的行动，使得非法金融活动逐渐敛迹。

第二，通过增资验资，淘汰资金少、信用低的行庄。所谓增资验资，就是人民政府规定了私营行庄最低资本限额（包括现金所占比例），然后据此查验私营行庄资本，凡资本未达到最低限额的，限期补足；在期限内无力补足者，则停业清理。通过增资验资，各地均淘汰了一批资力小、信用差、投机性较大的行庄，京、津、沪三大城市共淘汰64家行庄，占三市私营行庄总数的15.6%。

第三，加强行政管理，限制其经营范围，监督其业务活动。各地解放后，人民政府颁布了对私营金融业的暂行管理法规，具有临时宪法作用的《共同纲领》也规定国家应加强对私营金融业的管理与监督。上述政策法规不仅禁止私营行庄从事金融和商业方面的违法投机活动，而且规定政府有关部门和人民银行有权力对私营行庄的存贷业务实施监督管理，如规定行庄贷款总额不得超过其存款总额的50%；存贷利率由当地银钱业工会视市场情况拟订，但须呈请当地人民银行核定，私营行庄要按时将业务情况以周报表、月报表、年报表的方式呈报当地人民政府有关部门。

通过上述清理整顿措施，到1949年

底,全国的私营行庄数量即由解放时的1032家减为833家,并堵塞了私营行庄直接从事金融投机和商业投机活动的途径。但是此时私营行庄还未受到根本改造,它仍可以利用物价上涨之机,通过资助工商业中的投机性经营活动来获取投机利润。例如1949年11月私营行庄的存款利息为31%,放款利息为95%,利差64%,当月放款3000亿元(人民币旧币值,1955年币制改革时,1万元旧币等于今1元,下同),获利约1800亿元,收入颇可观。

三

“一碗饭该谁吃”与调整

1950年3月以后,人民政府通过“统一财经”有效地控制了通货膨胀。这不仅使工商业失去投机基础,而且使贷款利率下降,私营行庄收入减少。由于物价趋于平稳和银根抽紧,市场一时呈现疲软,许多私营企业陷入困境甚至停业关门,这又使私营行庄的不少贷款成为“呆账”。私营金融业出现一次倒闭浪潮,到1950年6月底,全国私营行庄数量由1949年底的833家减为387家。这种集中倒闭虽然是畸形的金融业进入新中国和物价稳定后不可避免的结果,但是也导致一部分职工失业和存款人利益受损,引起社会不安。因此,国家决定在调整工商业的同时,也适当调整金融业的公私关系,帮助私营行庄渡过难关。

1950年8月,人民银行总行牵头在京召开全国金融业联席会议。在参加会议的人员中,私营行庄的代表占了将近一半。会议根据《共同纲领》的有关规定,着重商讨如何调整金融业的下列三种关系:公私关系、劳资关系、金融业与工商业的

关系。会议初期,私营行庄的代表不是从本身找问题,而是认为社会存款就那么多,国家银行业务发展太快,抢了他们的业务,从而提出“一碗饭该谁吃”的问题,要求在业务上与国营、公私合营银行实行“分疆而治”,即国家银行只管国营企事业的存贷业务,公私合营银行管公私合营企业的存贷业务,私营行庄负责私营企业和个人的存贷业务。这种要求既违背《共同纲领》,也不符合公平竞争的原则,国家自然不能接受。会议通过讨论,逐渐澄清了上述认识及要求,使与会代表认识到公私银行应该共同发展、互相照顾,国家银行负有稳定金融、发展生产的领导责任,不可能与私营行庄实行“分疆而治”。同时,会议也决定给予私营行庄一定的照顾,帮助其摆脱困境,走上为生产服务的正轨。例如会议决定:适当扩大私营行庄业务活动范围;可办理人民银行委托的业务;当私营行庄在因资金信用阻滞而一时不易贷出时,可转存人民银行,当贷款发生周转不灵时,可向人民银行申请转抵押、转贴现等。

在调整金融业与工商业关系方面,私营行庄希望存贷利率下降不要太急,利差大些,贷款期限短些,而工商业的要求则相反,希望贷款利率再低些,利差小些,贷款期限长些,数额大些。针对这个矛盾,会议明确了金融业应为工商业服务的基本方针,提出私营行庄应降低利率,面向工商业,加强与工商业的联系。会议也根据实际情况,决定采取缓和的步骤,逐步地调低存贷利率和利差,并通过采取联合放款和成立投资公司,来满足工商业希望贷款期限长、数量大的要求。

这次会议虽然也讨论了金融业中的劳资关系问题,认为私营行庄机构臃肿、冗员过多、职工工资过高的情况应予改

善,但是在裁员问题上劳资双方代表未能取得一致意见,雇员不愿裁人减薪,而资方虽然希望"裁员减薪",但又怕由此引起本行庄信用下降,不利于业务开展,因此不敢下决心,结果会议在此问题上未能取得预期效果。

四

积重难返,"五反"后陷入绝境

国家对金融业公私关系的调整,使私营行庄自1950年下半年逐渐稳定下来,经营情况趋于好转。但是私营行庄冗员过多、开支浩大的问题并没有解决。据1950年8月的测算,要使当时私营行庄的收支达到平衡,其吸收的存款需增加4倍,而这在当时是不可能的。由于冗员过多和工资过高,人事费用往往占私营行庄全部开支的70%—80%。以工资为例,由于私营金融业是在长期获利丰厚的环境中发展起来的,其员工的工资普遍高于其他行业,更大大超过国营银行员工工资。如当时一些私营银行员工的平均工资折合小米1800斤,相当于当时实行供给制的人民银行总行行长的待遇。私营行庄除正常的月薪外,一般逢年过节还要发双薪和奖金,数额也很大,1950年私营行庄员工加发工资的最高额达到1000余万元,折合小米10000余斤,约等于政府部长级别半年工资的总和。

在业务方面,尽管1950年8月以后工商业经过调整趋于好转,金融业的公私关系也经过适当调整,但私营行庄的人均吸收存款额仍然很低。例如某一全国性大银行1950年下半年月最高存款额为8400万元,最低为2000万元,即使以最高额8400万元计算,扣除存款保证金和付现准

备金约20%后,可以用作贷款的约为6400万元,存放利差按月息2分算,则每人月收入只有128万元,还不够支付员工平均月工资,更不用说纳税和业务费了,因此不少银行不得不靠变卖资产乃至挪用存款来弥补亏空。1951年是私营经济发展的黄金年,私营工商业获利较丰,但私营金融业却被冗员和开支问题所困扰,潜伏着严重危机。

1952年初开展的"五反"运动,对于私营金融业来说,不啻雪上加霜,再也难以支撑下去了。首先,"五反"运动揭露了私营行庄的违法行为,使其信用急剧下降。信用是银行的命根子,存款者不愿去私营行庄,怕不可靠,贷款者也不愿与私营行庄打交道,怕受牵连,这就从根本上打击了私营行庄。结果,"五反"中私营行庄的存款减少一半。当6月份国家银行宣布降低贷款利率和存贷利差,并要求私营行庄向其看齐后,私营行庄吸收的存款又减少一半,只及"五反"前的1/4。其次,"三反"、"五反"运动使社会的正常经济活动和私营工商业者的积极性受到影响,1952年上半年出现市场停滞、私营工商业停业关门户数增多的不正常现象,而私营金融业的主要放款对象是私营工商业,这样一来,其贷出的款项不仅不能获得利息,甚至本金也难以按期收回,许多贷款成为"呆账"。

对于私营金融业怎样才能摆脱困境,当时金融业中意见纷杂,莫衷一是。概括起来,主要有以下八种意见:①丢包袱,即转让;②改牌子,丢包袱的另一种形式;③卖房子吃饭;④提高贷款利率;⑤自由竞争;⑥国家银行照顾;⑦搞大联营;⑧合并改造,实行全行业公私合营。上述意见中,第一、二两种靠兼并的方法是行不通的,因为当时只有国家有力量接受转让,

但国家没有理由以人民利益替私人背包袱，第三种意见等于消极待毙，不可取，第四、五两种意见违背新民主主义经济体制和基本政策，行不通，第六种意见也行不通，因为国家不能牺牲人民利益来照顾私营行庄，第七种方法仍然解决不了问题，看来只有第八种意见，接受国家的社会主义改造才是唯一出路。

五

接受改造，成立统一的公私合营银行

私营金融业在"五反"后迫切要求合并改造，希望由国家直接领导的情况，引起了中共中央的重视。同时，中央通过"五反"揭露的问题，也感到在国家银行业务发展和力量强大的条件下，私营行庄的存在已是弊多利少，认为对金融业实行全行业社会主义改造的条件已经成熟。在上述情况和认识下，中共中央于1952年4月发出《关于加强对私营金融业社会主义改造的指示》。5月份，人民银行总行召开区行行长会议研究此事，提出将全部公私合营银行（中国银行和交通银行虽有私人股份，但国有股份所占比重很大并且实质上已成为国家专业银行，故不包括在内）和私营行庄合并为一个联合银行，使之实际上成为国家银行经营私营工商业业务的一个专业银行，同时注意保存其公私合营形式，并照顾资本家及其代理人，以便继续发挥其专业知识和能力，减少社会震动。

经过中共中央批准，从1952年下半年开始，中国人民银行在政务院财经委员会的直接领导下，开展了对私营金融业的全行业社会主义改造。

国家对私营行庄的改造是根据不同情况采取不同的办法。国家对于资产超过负债的行庄，将其并入合营银行，取消原名号；对于资不抵债的行庄，则予以淘汰，令其停业清理；对于自愿停业转业的行庄则予以准许，并提供适当的指导和帮助。

经过半年的合并改造，到1952年底，全国的公私合营和私营行庄合并为一个统一的银行，成立了公私合营银行总管理处。至于私营金融业原有的1万余名职工，国家则采取包下来的办法，进行整编，除留用、调用者外，其余视其具体情况分别予以培训、转业或退休养老。由于上述安置较为妥当，私营金融业的资产阶级和雇员都比较满意。如上海市就有2000多名职工自动报名前往西北地区参加金融建设。两地的政府和有关部门的组织安排工作也做得比较好，据反映职工情绪很高，也解决了上海金融专业人员过剩和西北严重不足的问题。对于金融资本家，公私合营银行除按期发放股息外，还对各行庄或某一系统的代表人物作了合理适当的安排，如周作民、项叔翔、王志莘为联合董事会副董事长，陈朵如、资耀华、党钦书、沈日新为公私合营总管理处副主任。

经过合并改造，资本家交出经营、财务、人事"三权"，完全由国家统一管理。国家则接管了拥有300多家机构、10000余名人员、10000亿存款、5000亿放款、16000亿投资的私营行庄。从此，私营行庄不复存在，它们转变成国家对工商业办理存贷业务的专业银行。

对私营金融业的社会主义改造，不仅对当时我国的社会和经济发展有好处，而且也令当时的民族资产阶级满意和接受，它对于我国的社会主义改造起到了一定的示范作用。当时不仅金融资本家认为这样做与停业清理相比是一个较好的结局,而且工商业资本家也认为,私营金融业对国计民生很少建树尚且能有这样好的结局,私营工商业的结局起码不会低于金融业,这样的社会主义改造是不可怕的。

可以说,金融业社会主义改造的顺利完成,不仅反映了当时社会经济发展的客观要求,保证了"一五"计划期间社会资金的集中使用,而且也为后来私营工商业的社会主义改造提供了较好的经验。

农业的社会主义改造

20世纪50年代的农业社会主义改造,是我国历史上一次重大的经济制度转变,它不仅使我国落后的农村由个体经济转变为集体经济,而且也促进了城镇手工业和资本主义工商业的社会主义改造。同时,这场运动并不仅仅限于经济方面,它在政治和思想文化方面也都产生了重大影响。农业的社会主义改造是中国现代化进程中最重要的历史事件之一。

在农业的社会主义改造过程中,一方面,党和农民创造了由互助组到初级社、再到高级社这种逐步过渡形式,提出了自愿互利、不损害中农利益等原则,使我国的合作化没有像苏联那样引起农业经济的滑坡;但另一方面,正如《关于建国以来党的若干历史问题的决议》所说,合作化运动后期由于改造过急、变动过快、形式单一,也留下了很多后遗症,特别是由于追求单一公有制和计划经济这种模式,曾导致了农村经济长期发展缓慢。由于50

年代的农业社会主义改造运动是一个比较复杂的重大历史事件,就其评价来说,见仁见智,褒贬不一,故这里着重从史实角度去叙述分析这场运动。

一

未雨绸缪:中国农业社会主义改造模式的确定和初步实践

从1949年10月共和国成立到1953年10月的全国第三次互助合作会议召开,是我国农业社会主义改造道路的探索和确立阶段。

共和国成立以后,随着战争结束、土地改革和兴修水利等,过去严重影响农村经济发展的不利因素消失,农村经济迅速恢复和发展,特别是较早完成土改的老解放区经济恢复得更快。在这种背景下,农村中出现了以下两种新情况:一是土地改革后,经济得到恢复发展。一方面就总体来说,农村经济呈中农化趋势,日子越过越好。另一方面就少数农民来说,则出现两极分化现象,即一部分原来基础较好和善于经营的农户发展迅速,进入新富农行列,买地拴车,雇工经营;另一部分农民则因天灾人祸或经营不善或缺乏劳力等因素走向破产,卖地或当雇工。这种现象虽然尚未普遍,并且分化速度较慢,但它却是土改后农村商品经济发展的必然结果。二是由于战争结束和经济的恢复发展,过去老解放区因牲畜、劳力不足(战争和贫穷两种因素造成)而成立的互助组呈现涣散状态,富裕起来的农民开始追求以家庭为生产经营单位的传统模式。

上述两种现象引起了中国共产党的关注。对于民主革命后以实现社会主义为具体目标的中国共产党来说,上述两种倾向显然是不利于向传统社会主义模式（单一公有制和计划经济为特征）过渡的。早在共和国成立前召开的七届二中全会上，毛泽东就提出：要"谨慎地、逐步地而又积极地引导分散的农业个体经济和手工业向着现代化和集体化的方向发展"。但他同时又强调："在今后一个相当长的时期内，我们的农业和手工业，就基本形态说来，还是和还将是分散的和个体的。"①具有临时宪法作用的《共同纲领》基本体现了七届二中全会的上述精神，将"引导农民逐步地按照自愿和互利的原则，组织各种形式的劳动互助和生产合作"列入基本经济政策。这时，对于如何将中国农业由传统的小农经济引导转变为现代化的社会主义经济，党还处于审慎的思考和探索中。

1949年底，东北地区农村中出现两极分化现象，农村基层干部和党员不知如何对待个人发家致富和富农问题。当时任东北局第一书记的高岗在东北农村工作座谈会上的回答是："组织起来发展生产，乃是我们农村生产领导的基本方向。"《东北日报》将高岗的回答概括为"把互助合作组织提高一步"。在关于党员能否雇工、单干问题上，高岗主张党员不应该雇工和单干，应积极参加互助合作组织，但是对此不能用强迫命令和采用组织手段。会后，东北局就有关党员雇工问题，写报告向中央请示。刘少奇对高岗的上述看法却持有不同意见。刘少奇认为："今天东北的变工互助是建筑在破产、贫苦农民的个体经济基础上的，这是一个不好的基础。将来70％的农民有了三匹马，互助组就会缩小，因为中农更多了，他能够单干

了，这是好现象。""不能把新民主主义阶段同社会主义阶段混为一谈。由个体生产到集体农庄，这是生产方式上的革命。没有机器的集体农庄是巩固不了的。"关于富农问题，刘少奇认为"有三匹马一副犁一挂大车的农民，不是富农，而是中农。""现在对富农雇人买马不要限制。"党员成为富农并不可怕，"认为（当）党员便不能有剥削，是一种教条主义。"②刘少奇的上述看法在高岗转呈毛泽东时，据高岗说，毛泽东对此很不满意。由于刘少奇的谈话只有很少的高级干部知道，而高岗的看法却在《东北日报》和东北各省报全文发表，因此高岗的意见对东北乃至全国影响较大。

1951年4月，山西省委鉴于老解放区互助组织发生涣散的现象，也提出为逐步动摇和削弱私有制，战胜农民的自发趋势，应引导互助组走向更高一级形式。山西省委的报告再次引起党内关于农业合作化问题的讨论。

当山西省委将这篇题为《把老区互助组织提高一步》的报告送到华北局和中央后，华北局的负责人薄一波、刘澜涛以及政策研究室认为在现有落后的农业生产水平上，是不能实现农业集体化的。刘少奇也明确表示不同意山西省委的意见，并对山西省委的意见作了严厉批评，认为"这是一种错误的、危险的、空想的农业社会主义思想"。③尽管刘少奇在这里没有谈到他自己关于农村向社会主义过渡的办法，但是在其他的场合谈到现在农村应该着重发展供销和信贷合作社，利用这种形式来加强国家对分散的小农经济的领

---

①　《毛泽东选集》四卷本，第1320—1321页。

②　转引自薄一波：《重大决策与事件的回顾》上卷，中共党史出版社，1991年版，第197、198页。

③　《农业集体化重要文件汇编》上，中共中央党校出版社，1982年版，第33页。

导,等到将来工业化了,农业可以实行机械化了,再来实施社会主义改造。刘少奇的观点来源于生产关系要适合生产力水平的马克思主义基本原理,因而在党内有相当大的代表性。

毛泽东的思路却与刘少奇和华北局不同。7月25日,当华北局在上报中央的《关于华北农村互助合作会议的报告》中否定了山西省委的意见后,毛泽东找刘少奇、薄一波、刘澜涛谈话,明确表示他支持山西省委的意见。同时他指示陈伯达召开互助合作会议。毛泽东批评了互助组不能生长为农业生产合作社的观点和现阶段不能动摇私有基础的观点。毛泽东认为:既然西方资本主义在其发展过程中有一个工场手工业阶段,即尚未采用蒸汽动力机械、而依靠工场分工以形成新生产力的阶段,那么中国的合作社,依靠统一经营形成新生产力,去动摇私有基础,也是可行的。毛泽东的上述道理说服了刘少奇、薄一波等人。这里应该指出,毛泽东忽略了资本主义工场手工业与我国当时农村实行集体经营之间的两个重大差异:一是前者为完全的商品生产,它要受市场规则制约,而当时中国农村仍然是半自然经济,可以不计成本和效率,没有市场造成的竞争和淘汰;二是劳动对象不同,工场手工业的生产对自然条件依赖较小,可以集中生产并使工人分工更细,各道工序同时进行生产,而农业受农作物生长周期的制约,农民的集中生产和分工较细几乎不可能,因此,当时农村实行集体化并不一定能够比家庭经营效率更高。

1951年9月,在毛泽东的倡议下召开了全国第一次互助合作会议。会后起草的《关于农业生产互助合作的决议(草案)》经过广泛征求意见,基本明确了中国农村社会主义改造的形式和办法。同年

12月,中共中央将此决议草案批转全国。决议草案的重要内容是:①明确提出农业生产合作社是农业生产互助运动的高级形式,比互助组更优越,它是我国农村走向社会主义的过渡形式。党应积极提倡和发展互助合作运动。②承认土改后农民中存在着两种积极性,即个体经营积极性和互助合作积极性,对这两种积极性都要加以保护,防止损伤任何一种积极性。③各地互助合作运动要适合当地的实际情况,有重点地分别发展三种形式(临时互助组、常年互助组、初级生产合作社),特别是第三种形式,一定要在条件具备的基础上,在加强领导、自愿互利、典型示范、逐步推广的方针下去发展。

1951年,党内关于农业合作化问题的讨论及分歧的消除,使党对农业社会主义改造的形式和步骤有了较为明确的统一认识。从最后形成的决议(草案)来看,这时期党关于农业合作化的方针和步骤还是得当的,促进了农业经济的恢复和发展。

1951年,全国参加互助合作组织的农户共2100.2万户,占农户总数的19.2%。在这些农户中,参加互助组的为2100万户,组成467.75万个互助组,参加初级社的为1588户,组成129个初级社,高级社仅1个,有30户农民。到1952年底,全国参加互助合作组织的农户达到4542.3万户,占农户总数的39.95%,其中初级社为3634个,参加农户57188户,合作社在互助合作组织中所占比重仍然相当小。

到1952年底,我国基本上完成了国民经济的恢复任务,中央从1952年下半年开始着手编制"一五"计划,同时也开始考虑向社会主义过渡问题。1952年10月,刘少奇受毛泽东的委托,在给斯大林的信中谈到,中国打算用三个五年计划或者更多

一点时间,在实现工业化的同时,逐步完成对农业的社会主义改造。1953年3月,中共中央鉴于1952年冬和1953年春许多地方在互助合作运动中发生急躁冒进倾向,不顾条件地去办合作社,决定合作社仍停留在重点试办阶段。同时,中央肯定并批转了华北局提出的"当前农业生产互助合作运动应以发展和巩固互助组为中心环节","从全国范围看,互助组依然是适合广大人民群众生产要求和文化水平的一种合作形式"。① 据1953年11月的统计,当时参加互助合作组织的农户已达4790万户,占全国农户总数的43%,其中绝大多数仍然是参加互助组,参加合作社的农户仅为27.3万户,占参加互助合作组织农户总数的0.57%。

这个阶段,农业总产值和农民收入都有较大幅度的增长,从1950年到1952年,农业总产值平均每年以15.1%的速度增长。当然,其中属于经济恢复性质的因素很大,但是从当时的大量文字资料来看,农业生产互助组织是起了很大作用的。由于这个时期的合作化是以互助组为主体,而互助组是在自愿互利、不打破家庭经营核算的原则下,实行平等互利的有偿互助,再加上规模小、自由结合、互助方式灵活,因此较受广大缺乏生产资料或劳力的农民欢迎,它使农村的人力、畜力、物力和土地都能得到比较充分合理的利用。这时期为数不多的初级社,由于尚处于重点试办、典型示范阶段,各方面条件都比较好,并得到政府有关部门的大力扶助,因而其增产效果也很明显,一般建社头一年即能比当地互助组增产一成以上。

总之,1950年至1953年的互助合作运动由于方针政策比较得当、形式灵活多样,因而在当时农村生产资料严重不足的情况下,确实显示出它的优越性,而这种优越性对后来中央和毛泽东有关经济发展的决策产生了较大影响。

加快步伐:关于农业合作化速度的分歧及统一认识

1953年10月,中共中央农村工作部召开第三次互助合作会议。会议期间,毛泽东两次召集农村工作部负责人谈话,毛泽东根据"一五"计划头一年即出现粮食及副食品供应紧张局面和合作社取得的增产成绩,指出小农经济与社会主义工业化不相适应,提出各级党的一把手要亲自动手抓农业社会主义改造这件大事,县区干部的工作重点要逐步转到农业合作化方面来;同时,毛泽东也强调要根据实际情况和可能条件,"积极领导,稳步前进"。同年底,中共中央通过《关于发展农业生产合作社的决议》,《决议》总结出初级社的十大优点,提出"必须采用说服、示范和国家援助的方法使农民自愿联合起来",要求各地政府及有关部门"给农业生产合作社以适当的物资援助"。《决议》还要求到1954年秋,合作社应由1953年的1.4万个发展到3.58万个,即翻一番半。② 这个《决议》标志着互助合作运动的重心已由巩固发展互助组转变为发展初级生产合作社。虽然如此,就上述发展计划来说,还没有违背"积极领导、稳步前进"的方针,还是比较适当的。但是由于中央实际上鼓励"韩信将兵,多多益善",再加上

---

① 《农业集体化重要文件汇编》上,中共中央党校出版社,1982年版,第184页。

② 同上,第215—227页。

1953 年底开始大张旗鼓地宣传过渡时期总路线，这就使不顾条件急于求成的"冒进"倾向在基层干部中再次滋长发展起来。到 1954 年春，合作社已发展到 10 万个，到 1954 年秋收前，又建立了 12 万个合作社，结果合作社的数量比 1953 年翻了十五番，大大突破了原订计划。

1954 年 4 月，第二次全国农村工作会议根据 1954 年春合作社发展情况，拟定 1955 年合作社发展到 30 万或 35 万个，这个计划得到中央批准。但是到 1954 年 11 月第四次全国互助合作会议时，由于春季前建立的 10 万个合作社基本巩固，并有 90% 以上的社获得不同程度的增产，再加上中央"一五"计划八人小组向中央提出加快合作化以使农业发展与工业发展相适应的建议，这次会议提出到 1955 年春耕前，将合作社发展到 60 万个。同年 12 月中央批转了这个计划。于是 1954 年冬和 1955 年春，全国农村掀起建社浪潮。到 1955 年 3 月，全国农业合作社共发展到 67 万个，经过整顿，减为 65 万个。

这个阶段合作社的数量增长太快（在一年半的时间里由 1.4 万个发展到 65 万个），其中许多合作社的建社条件并不成熟，结果造成不少新社在经营管理方面遇到很大困难，存在较多问题。其中较为突出的问题有以下三个：①帮助合作社建社整社的干部严重短缺。1954 年 3 月，中共农村工作部部长邓子恢就指出："区一级干部，不只是质量弱而且数量也少，现在好多地方，一个区只有三五人可以办合作社，每人管三四十个，确实抓不起来。"当时有许多合作社，上面派来建社整社的干部一走，管理就乱了。②严重缺乏称职的财会人员。当时我国广大农民缺少文化，同时传统的小农经济也不需要现代专业财会人员，加上城镇有文化者受地域限制不能入社，农村有文化的地主富农受政治限制即使入社也不能担任此职，因此称职的财会人员严重不足。合作社数量很少时这个问题尚不突出，但是到 1955 年合作社发展到 65 万个时，这个问题就十分突出了。尽管从 1954 年春国家就加紧培训合作社会计，但由于会计需要一定的文化基础和业务实践，非短期能培训出来的。据当时反映，在一般地区，合作社财会工作走上正轨，社员满意的，仅占合作社数量的 20%—30%；账目严重混乱的占 20%—30%；还有约 5% 的合作社甚至没有账。③合作社经营管理水平普遍较低。由于合作社是在生产力没有较大进步的条件下迅速建立的，一下子将过去以家庭为生产经营单位、没有文化的农民组织到统一经营管理的合作社中，经营管理上的困难是可想而知的，这方面的问题主要表现在计划不周全，制度不健全，干活时窝工，评工分时闹意见。

针对上述情况，邓子恢于 1955 年 1 月 4 日提出两项建议：一是制定一个全国性的农业合作社章程，以避免底下乱立法；二是将合作化运动转入"控制发展、着重巩固"阶段。中共中央采纳了邓子恢的上述两项建议，于 1 月 10 日发出《关于整顿和巩固农业生产合作社的通知》。《通知》发出后，虽然合作社数量仍在发展，但中央农村工作部的工作重心已转向整顿、巩固工作，并着重协助河北、浙江、山东等合作社发展较快的省搞好整顿工作。

在前述的合作社发展过程中，浙江省的问题比较突出。1954 年浙江省在反对饶漱石错误思想后，对合作化产生了盲目的积极性，全省农业合作社 1954 年秋收前只有 3800 个，到 1955 年春即发展到 50950 个，加上 4800 个自发社，共有 55000 多个合作社，入社农户由占农户总数的

6‰猛增到 28％。发展中求快求多,产生了不少强迫命令和侵犯中农利益等问题,结果造成不少合作社问题较多,严重影响了春耕生产。据估计,由于办社条件不够,大约有 30％的合作社即使整顿也办不好。为了帮助浙江做好合作社的整顿工作,1955 年 3 月 25 日,中央农村工作部向浙江省委发出题为《对浙江省目前合作化工作的意见》的电报,电报的中心思想是希望浙江省对合作社大胆整顿,有条件的社巩固,没条件巩固的社则退回互助组或单干。同时,中央农村工作部秘书长杜润生亲自到浙江去解释电报精神。

浙江省委收到电报和听取杜润生的解释后,一致表示同意中央农村工作部的意见,召开了四级干部会议布置工作。经过一个多月的努力,浙江的农业合作社由 53144 个减为 37507 个,减少 15637 个。后来“文化大革命”时说浙江“砍了二十万个合作社”,实属夸大不实之词。

浙江省的整顿工作操作上猛了些,在一个多月的时间里一下子解散了近 1/3 的合作社,因而少数地方存在着收缩草率,没处理好善后的问题。但是总的来说,整顿效果比较好,绝大多数被解散的社确实是条件不够、草率成立的。可是浙江省这种大刀阔斧的整顿,对于视合作社为社会主义因素并对其期望甚高、倍加爱护的毛泽东来说,感情上是难以接受的,其他没有分管农业、不太了解情况的人也感到可惜。

本来毛泽东是同意对合作社进行整顿的,“停、缩、发”方针就是他在 1955 年 3月总结提出的,即当时议定的浙江、河北两省收缩一些,东北、华北一般停止发展,其他地区(主要是新解放区)适当发展一些。4、5 月间,毛泽东外出视察并于 5月 17 日在杭州召开了 15 个省市委书记会议。在此期间,毛泽东发现不少地方同志对办农业社是积极的,用毛泽东的话来说,就是大家认为农业社“好得很”。这使毛泽东感到中央农村工作部对农业合作化形势的反映不够真实。与此同时,1954年水灾和粮食统购较多造成的粮食紧张被证明许多喊缺粮的并不真缺粮(毛泽东说:“所谓缺粮,大部分是虚假的,是地主富农以及富裕中农的叫嚣”)。上述对形势估计的变化使毛泽东对邓子恢和中央农村工作部的合作化方针及整顿工作都产生了不同看法。在这种情况下,毛泽东通过自己的调查研究,并经过反复思考,终于在 1955 年 7 月 31 日的省市自治区党委书记会议上作了著名的《关于农业合作化问题》的报告。报告在回顾和总结了共和国成立以来党的合作化方针和实践结果后,对邓子恢提出了严厉批评,认为在合作化问题上,邓子恢及有些人像小脚女人一样,已落在了群众运动的后面。毛泽东提出:农业合作化目前不是“下马”的问题,而是赶快“上马”的问题。邓子恢在毛泽东批评后发言,表示拥护毛泽东的批评。自此,农业合作化运动就由整顿巩固转为加速发展并走向高潮。

高潮迭起:农业社会主义改造提前完成

毛泽东《关于农业合作化问题》的报告实际上改变了农业合作化的发展方针。8 月 1 日,毛泽东说:现在证明合作社在新区能发展。今冬明春明夏可大发展。准备工作加巩固工作不会冒险。准备工作的第一项就是批评错误思想。8 月 26 日,毛泽东批示通知中央农村工作部:各省市区党委关于农业合作化问题的电报,由中央直接拟电答复。毛泽东开始亲自主管农业合作化运动。从 8 月 13 日到 10 月 2 日,中共七届六中全会开幕前夕,毛泽东亲自起草中央批语,连续批发了湖北、安徽、山西、河南、浙江等 10 个省委学习《关于农业合作化问题》、批判右倾保守思想、重新部署合作化发展计划、加快发展速度等方面的报告。

10 月 4 日,中共中央召开以讨论农业合作化为主要议题的扩大的七届六中全会。会上 248 篇发言或书面发言都一致拥护毛泽东《关于农业合作化问题》的报告,不点名地批评了合作化运动中的"右倾保守思想",其中包括邓子恢的检讨。在此基础上,会议通过了《关于农业合作化的决议》。该决议除了对合作化运动的方针政策作了具体规定外,还对合作化发展速度作了如下大致规划:在互助合作运动比较先进的地方,到 1957 年春季以前基本上实现半社会主义合作化;在全国大多数地方,在 1958 年春季前,先后基本上实现半社会主义合作化。

从 1955 年 7 月 31 日毛泽东作《关于农业合作化问题》报告后,开展了批判合作化方面的"右倾保守思想",从而给合作化运动造成巨大政治压力,党内外各级干部不甘也不敢落后,于是在全国范围内掀起了一场农业合作化高潮。其势头之猛、速度之快,甚至超过了七届六中全会的规划。到 1955 年底,初级社即由年中的 65 万个增加到 190 多万个,入社农户已占全国农户总数的 63% 左右。1956 年 1 月,毛泽东主编并亲自写了两篇序言和大量按语的《中国农村的社会主义高潮》一书公开出版,进一步推动了合作化运动。到

1956 年 3 月,全国就基本上实现了农业合作化,入社农户占全国农户总数的 90%,到年底,则达到 97%。农业合作化速度之快,甚至超过了毛泽东的估计。

初级社发展高潮的辉煌成果,又诱发人们加快了高级社的发展速度。本来《中国农村的社会主义高潮》就大力提倡高级社和办大社,1956 年 1 月中共中央提出的《一九五六年到一九六七年全国农业发展纲要(草案)》也强调"对于一切条件成熟的初级社,应当分批分期地使它们转为高级社,不升级就妨碍生产力的发展"。[①] 该草案要求合作基础较好并且已办了一批高级社的地区,在 1957 年基本完成高级形式的合作化,其余地区在 1958 年基本上完成高级形式的合作化。于是从 1956 年春全国又掀起了建立高级社的高潮。

同年 6 月 30 日,一届人大三次会议通过《高级农业生产合作社示范章程》,又进一步推动了高级社的发展,宣传舆论工具也大造声势,使得基层干部和农民争先恐后地将初级社转变成高级社。在 1955 年 7 月合作化高潮前,全国参加高级社的农民仅 4 万户,到 1956 年 3 月,参加高级社的农户已达 6000 万户,到年底又达到 10742.2 万户,已占入社农户总数的 90% 以上。至此,农业社会主义改造基本完成。

到 1957 年底,几乎全部农民都加入了合作社,其中 98.5% 的农民加入了高级社。这样,以单一公有制和集体经营为目标的农业社会主义改造终于顺利完成了。

初级社向高级社的过渡,是农业社会主义改造过程中的一个带有本质性的重要变化。因为初级社是私有制基础上的劳动人民集体经济组织,土地和其他生产资料可以作为股份参加分红,社员入退社

---

① 《农业集体化重要文件汇编》上,中共中央党校出版社,1982 年版,第 529 页。

自由,实行按劳分配为主和积累归公。合作社的规模也不大,1956 年以前平均每社 20 余户农民。这种股份制形式的经济组织虽然在当时被称为"半社会主义性质",但它与当时农村的生产力水平还能基本适应,这也是 1951 年至 1954 年合作社能够逐步发展并巩固的根本原因。但即使是初级社这种形式,它的普及也需要一个相当长的过程,需要一定的社会经济和文化条件。而高级社与初级社相比,不仅公有化程度提高了,即土地和主要生产资料公有,而且规模也扩大了,平均每社拥有 200 户农民,相当于后来人民公社时期的生产大队。这种公有化程度高和规模过大,对于缺少文化和经验的农民来说,经营管理方面的困难和问题就更多了。可以说,当全国广大农民(占农村总人口 80% 以上)刚刚由互助组或单干加入初级社,不待巩固又在不到一年的时间,急急忙忙转入高级社,这种变化实在是太急太快了。

总之,农业社会主义改造以惊人的速度实现,使 5 亿农民在短短的数年间由个体经济转变为集体经济,这种变化不能不说是空前绝后的。土改以后,我国农村确实需要发展互助合作经济,这不仅是生产关系向社会主义过渡的需要,从生产力发展的角度看,也是农业经济走向现代化的一种形式,因此可以说党提出的农业社会主义改造方向是正确的。但是,由于我国农村经济的落后和全国经济发展的不平衡,这种互助合作,必须在农民自愿互利的基础上产生和发展,必须是农民在生产过程中根据客观需要和条件成熟情况自主决定选择哪种组织形式(互助组、初级社或高级社),同时也应该允许办得不好的社解散或重组。党在合作化初期的方针政策正是以此为原则并取得了较好效果。但是 1955 年下半年全国在政治压力

下掀起的合作化高潮,这种生产关系的急剧变化不是农村生产力发展的客观要求,它超越了大多数农民的经营管理能力,对部分农民没有贯彻自愿互利的原则,因此社会主义改造的完成虽然没有像苏联那样立即引起农业经济严重滑坡,但是也导致 1956 年农业经济效益明显下降,并引起部分农民的不满。在这种情况下,当国家在整顿合作社效果不明显时,不得不靠政治手段来维持和巩固合作社,这不仅影响了农民的生产积极性,也增加了国家对合作社和农民的非经济控制,从而助长了基层干部"唯上"和强迫命令作风,这也是后来农村"大跃进"和人民公社化能够一哄而起的重要因素。

反过来说,当时如果按照过渡时期总路线和"一五"计划的设想,在 15 年或更长一些的时间里,随着工业化的进程逐步实现合作化,使得农民可以在一个较长的时间里,根据自己的需要,自由选择家庭经营、互助组、初级社、高级社等多种不同经济形式,可能不仅更有利于农村经济的发展,也有利于党积累经验,加深对社会主义的认识,使我国农村经济的发展少走些弯路。

手工业的社会主义改造

一

对手工业的扶植和初步改造

所谓手工业,顾名思义,就是主要依靠手工劳动,使用简单工具的小规模工业

和服务业。共和国成立初期,我国的主要手工业,就其和农业分离的程度来说,分为四种类型:一是从属于农业的自然经济形态的家庭手工业,如自制农具、衣服等;二是农家兼营的商业性手工业;三是独立经营的个体手工业;四是雇工经营的工场手工业。按照党和政府的有关规定,手工业社会主义改造的对象,主要是第三类,即个体手工业,同时也包括第二类中以经营商品性手工业为主的兼业户和第四类中雇工不足4人(学徒不算雇工)、本人参加劳动而且是手工业劳动出身的工场主。

由于我国发展现代工业起步较晚,共和国成立后,手工业生产在全国经济中仍然占有相当大的比重,其产值约占全部工业总产值的1/4。据统计,1951年11月,手工业产值约占工农业总产值的15%—20%。农民需要的生活和生产资料工业品中,手工业品占80%左右。1952年,全国农业产值、现代工业产值、手工业产值在工农业总产值中所占的比重分别为50.5、28.3和21.2。进入"一五"计划时期,个体手工业仍大量存在。据1954年统计,全国个体手工业的从业人数约为2000万人,产值约为93亿元。由于我国经济技术发展不平衡,电子化、机械化和手工操作将长期并存,加上某些工艺只适合手工业,用机械代替会失去它的特色,因此,手工业是不可能被消灭的。朱德曾多次讲到发展手工业生产的重要性,他说:"手工业不仅过去和现在,而且在今后很长时期中,都将是国营工业不可缺少的助手。"

要发展和改造手工业,必须了解它的生产经营特点。第一,它的行业种类众多,产品极为复杂,仅上海市的手工业就有180多个行业。第二,劳动密集型,劳动就业面广。第三,就地取材,就地销售。手工业原料来源渠道很多,产品销售也很灵活,一般为适应本地需要而生产。就手工业者本身而言,既是劳动者又是小私有者,和农民个体经济一样,经营分散,规模狭小,都是小商品经济。但手工业比个体农民更加依赖市场,从购进原料到销售产品都离不开市场,对商业资本的依附程度比个体农民深得多。技术传授方面,手工业者主要采用师傅带徒弟的方式,由于市场竞争激烈,手工业者两极分化严重,时刻面临失业的威胁,因此,他们的技术不轻易传人。为了引导手工业者走社会主义道路,尽量发挥它在建设中的作用,必须对它进行社会主义改造。

国民经济恢复时期,手工业改造主要是围绕着扶助手工业者医治战争创伤、恢复和发展手工业生产这一目的进行的。

1950年7月,中财委召开了中华全国合作工作者第一次会议。提交讨论的《中华人民共和国合作社法(草案)》明确规定:在市民和工人中组织消费合作社,农民中组织供销合作社,城乡独立生产的手工业者和家庭手工业者组织手工业生产合作社。目的在于"联合起来,凑合股金,建立自己商业的和生产的组织,去推销自己的手工业产品,并购买原料和其他生产资料","避免商人的中间剥削,提高产品的数量和质量"。刘少奇还强调指出:"手工业合作应从生产中最困难的供销环节入手,保持原有的生产方式不变,尽量不采取开设工厂的方式。"根据上述指示,政府一方面在一些同国民经济关系最密切、有发展前途的行业中选择觉悟高又有代表性的手工业劳动者,重点试办合作社;另一方面,对一般个体手工业者,从供销入手,组织加工订货,给予银行贷款,使他们摆脱对商业资本的依附关系,促使他们改进生产技术,提高产品质量。国民经济恢复时期,手工业生产迅速得到恢复和初步发展,主要表现在从业人数增加,产值提高等方面。1949 年,个体手工业总产值为 32.22 亿元,占工业总产值的 23%,1952 年,个体手工业总产值增加到 70.66 亿元,占工业总产值的 20.6%。这三年内,建立的手工业合作组织有 2700 多个,社(组)员从 8 万人发展到 25 万多人。这一切,为手工业生产的迅速恢复和发展,为进一步组织起来,打下了良好的基础。

二

手工业合作社的逐步建立

过渡时期总路线公布之后,党中央提出了手工业社会主义改造的新任务。1953 年 11 月 20 日到 12 月 17 日,中华全国合作社联合总社召开了第三次全国手工业合作会议,确定了对手工业进行社会主义改造的方针和政策。即"在方针上,应当是积极领导、稳步前进;在组织形式上,应当是由手工业生产小组、手工业供销生产合作社到手工业生产合作社;在方法上,应当是从供销入手,实行生产改造;在步骤上,应当是由小到大,由低级到高级"。朱德在会上作了题为《把手工业者组织起来,走社会主义道路》的重要讲话,他指出:手工业合作社的组织要由低级到高级,由简单到复杂,防止盲目地强调集中,盲目地将小社并作大社,盲目地要求机械化,要根据手工业者的要求,采取不同的形式,加以组织,不要规定一个死格式,那样会妨碍、限制合作社的发展。自此,手工业的合作化运动全面展开了。

手工业合作化从组织形式上看,主要有三种形式,首先从供销合作小组开始,它是对手工业进行社会主义改造的初级形式。它负责统一安排原材料采购、产品推销和统一接洽加工订货等业务,小组成员仍然独立生产,分散经营,自负盈亏。第二种是手工业供销生产合作社,它是一种过渡形式,特点为:生产资料仍为私有,一般也是分散生产,也是在供销环节上组织起来。但它已在有些生产环节上开始集中生产,并开始购置公有的生产工具,它较前一种具有更多的社会主义性质。手工业社会主义改造的最高形式是手工业生产合作社,它的特点是:入社的社员必须将自己全部的生产工具、设备折价归社;社员直接参加集体生产劳动,根据按劳分配的原则取得劳动报酬。

从 1953 年到 1955 年,这段时期建立起来的手工业生产合作社,是在手工业供销合作社开始有了公共积累和全体成员自愿的基础上建立起来的,所以,这批手工业生产合作社很有生气。加上合作社以生产资料集体所有制为基础、实行统一经营,社员之间实行按劳分配、即采取工资和劳动分红的形式,因此,社员劳动积极性很高,从而提高了劳动生产率。由于采取的方针政策和措施都比较正确,1953 年到 1955 年的手工业合作社发展进程比较正常、稳妥,取得了很大的成绩。1953 年底,全国共有手工业生产合作社 4629 个,从业人员 27.1 万人,占全国手工业从业人员的 3.5%,产值 4.86 亿元,占全国手工业总产值的 5.3%。到 1955 年底,全国手工业合作社发展到 20928 个,从业人员 97.6 万人,占全国手工业从业人员的 11.9%,产值 13.01 亿元,占全国手工业总产值的 12.9%。

1954 年 12 月,召开了全国第四次手工业生产合作会议。会议提出了"统筹兼顾,全面安排,积极领导,稳步前进"的方针。鉴于当时大规模的经济建设已展开,对主要农产品和某些工业品实行统购统销、统购包销使手工业原料供应遇到困难这一情况,会议决定1955年手工业社会主义改造工作的中心任务是:把手工业主要行业的基本情况继续摸清楚,分别轻重缓急,按行业拟定供产销和手工业劳动者的安排计划,有准备、有步骤、有目的地进行改造、整顿、巩固和提高现有社(组)。每个县(市)分别总结出主要行业的社会主义改造和整顿的典型经验,为进一步开展手工业社会主义改造工作奠定稳固的基础。1955年5月,中共中央批准了这次会议的报告,并要求各地在两年内把手工业重点行业的基本情况摸清楚,以便对手工业进行安排和改造。要求各地建立与健全手工业管理机构,充实各级手工业部门的干部,对手工业的经营管理普遍地进行一次整顿。为此,陈云曾指示:"对手工合作社生产的发展,要加以管理和控制。""手工业合作化宁可慢一点,使天下不乱。如果搞得太快了,就会出毛病。"

手工业社会主义改造
高潮及其后的纠偏

1955年下半年,农业合作社出现高潮。随后,中央对把资本主义工商业的社会主义改造引向高潮作了指示。在这种形势下,手工业改造的步伐也急剧加快了。

12月5日,刘少奇在中央座谈会上传达了毛泽东的指示,要求各条战线批判"右倾保守"思想,加快社会主义改造和社会主义建设的步伐,批评手工业社会主义改造"不积极,太慢了"。他要求手工业合作化到1957年达到70%—80%。12月20日,刘少奇听取了手工业管理局负责人的汇报,指出,手工业改造不应比农业慢。与其怕背供销包袱,还不如把供销包袱全

部背起来好搞些。他要求手工业合作化在1956、1957两年搞完,"时间拉长了,问题反多"。

1955年12月21日到28日,中央手工业管理局和中华全国手工业合作总社召开了全国第五次手工业生产合作会议。会议要求,手工业合作化的发展速度,必须与国家对农业和资本主义工商业的社会主义改造相适应,在1956年和1957年两年内,基本上完成手工业合作化的组织任务,各地要订出手工业社会主义改造的规划。1956年1月5日,中央手工业管理局、全国手工业生产合作社联合总社筹备委员会发出《关于在集镇和农村发展手工业合作社的通知》。《通知》指出:农村手工业改造必须与农业合作化紧密配合进行,发挥手工业为农业生产和农民生活需要服务的作用,要以县为中心,建立农具修配的大型生产合作社。自此,全国范围的手工业社会主义改造高潮开始出现。1956年1月12日,北京市手工业全部实现了合作化,其他各大城市纷纷学习北京的经验,改变了原来以区为单位按行业分期分批分片改造的办法,采取全市按行业全部组织起来的方法。之后,天津、南宁、武汉、上海等城市也都实现了手工业合作化。2月,全国有143个大中城市(占城市总数的88%)和691个县实现了手工业基本合作化,参加手工业合作化的从业人员达300万人。

毛泽东在1956年发表的《中国农村的社会主义高潮》一书的序言中,提出了加快手工业改造的速度问题。1956年3月4日,毛泽东听取了手工业管理局负责人的汇报,他指出:"个体手工业社会主义改造的速度,我觉得慢了一点。今年一月省市书记会议的时候,我就说过有点慢。1955年以前只组织了200万人,今年头两个月

就发展 300 万人，今年基本上可以搞完。这很好。"

毛泽东的意见促使手工业合作化的速度进一步加快。1956 年 6 月底，全国组织起来的手工业者已占手工业者总数的 90%。同年底，全国手工业合作社（组）已达到 10.4322 万个，社（组）员 470 万人，占全国手工业从业人员的 91.7%（不包括农村兼业手工业者），产值 108 亿元，占手工业总产值的 92.9%。至此，全国手工业合作化已基本完成。

但是，由于我们在指导思想上存在着对整个社会主义改造急于求成，盲目求纯的缺点，加上忽视手工业分散生产、独立经营的特点，因此，急剧加速手工业的社会主义改造，反而给我们的经济生活带来了曲折。

《中共中央关于建国以来党的若干历史问题的决议》指出："在一九五五年夏季以后，农业合作化以及对手工业和个体商业的改造要求过急，工作过粗，改变过快，形式也过于简单划一，以致在长期间遗留了一些问题。"改造中的缺点主要表现在：①过早过快地集中生产和集中经营。由于合作化发展过快，盲目办大社、并大社，过早过急地集中生产和统一计算盈亏，致使产品的花色、品种减少，人民的需要和方便得不到满足。据统计，石家庄市将 88 个社合并为 31 个，其中人数最多的社达 1400 人。四川省眉山县五金社把 13 个乡的烘炉、制秤、自行车、钟表修理等行业组织在一起，发一次工资骑自行车要走 7 天。有些特种手工艺，如雕刻也组成合作社，每星期开一次会，进货和销路都实行统一。②对一些有特点的手工业者和民间老艺人照顾不够。合作化后，不论师傅和徒弟都是社员，原有的师徒关系淡薄甚至割断了，对技术传授十分不利。加上吃

"大锅饭"，出"大路货"，使产品品种减少，质量降低，使某些传统名牌产品失去了原有的传统风格。③有相当一批小手工业者，在社会主义改造中，随同私人资本主义工业一起实行公私合营，他们本来属于劳动者范畴，却被称为"资产阶级工业者"，受到了不公正的对待。

党中央早就估计到手工业改造高潮中会出现一些问题，一边发动改造高潮，一边提醒下边注意防止发生这些问题。

1956 年 3 月 4 日，毛泽东听取手工业有关人员汇报，听说修理和服务行业集中生产，撤点过多，群众不满意时，他说："这就糟糕！""提醒你们，手工业中许多好东西，不要搞掉了。王麻子、张小泉的剪刀一万年也不要搞掉。我们民族好的东西，搞掉了的，一定要来一个恢复，而且要搞得更好一些。"2 月 8 日，周恩来就手工业社会主义改造现状指出："不要光看到热火朝天的一面。热火朝天很好，但应小心谨慎。要多和快，还要好和省，要有利于提高劳动效率。现在有点急躁的苗头，这需要注意。社会主义积极性不可损害，但超过现实可能和没有根据的事，不要乱提，不要乱加快，否则就很危险。"陈云在 3 月 30 日的讲话中强调："有些工厂和商店并得对，应该并。但也有很多是并得不对的，其中数量最大的是手工业。""并错了怎么办呢？要分开来，退回去。"

1956 年 7 月，中共中央批转了中央手工业管理局、全国手工业合作总社筹委会党组《关于当前手工业合作化中的几个问题的报告》。《报告》要求，地方党委、政府应设立专门机构负责领导手工业生产和改造工作，根据不同行业的特点，按照根据社员自愿，不影响社员收入和有利于生产、有利于为居民服务的原则，处理手工业的集中生产与分散生产问题。对于手

工业合作社的生产和所需要的分配物资,应纳入地方计划。允许手工业合作社对其产品(除加工订货外)进行自销和其他原料的自购。对手工业者的工资必须贯彻"按劳取酬、多劳多得"的原则,技术工人、熟练工人和老师傅的工资不应低于原来的水平,要纠正工资方面的平均主义倾向,等等。

根据中央有关指示,各地对手工业改造中的一些问题进行了纠正和调整。盲目合并起来的手工业合作社很大一部分改成了合作小组,对手工业合作组织的供产销实行按行业管理,提高了手工业者的劳动热情,因此,1956年和1957年两年,手工业生产有了较大幅度的提高。1956年,手工业合作社(组)的产值为76亿元,提前一年完成"一五"计划指标。人均年产值1702元,比1955年提高33.5%。新社员同入社前比较,老社员同1955年比较,90%增加了收入,劳动条件亦有较大改善。

从加工订货到扩展公私合营

一

国家资本主义的低级形式

农业的社会主义改造是通过农业互助合作的道路得以实现,资本主义工商业如何向社会主义过渡呢?中国共产党对这一问题一直在进行探索。1948年9月,

在中共中央东北局任常委兼组织部长的张闻天在《关于东北经济构成及经济建设基本方针的提纲》中提出,用国家资本主义的方法,把一部分私人资本吸收在国营经济体系之内。国家资本主义是私人资本主义经济中最有利于新民主主义经济发展的一种形式,因为是从国家需要出发,吸引私人资本来为国家服务,并把私人资本置于国家的管理和监督之下,使之成为国民经济建设计划的有机组成部分。张闻天起草的提纲,受到毛泽东、刘少奇等领导人的高度重视。毛泽东亲自对提纲作了一些修改,将提纲中关于国家资本主义的分析吸收到七届二中全会的报告中,明确把国家和私人合作的国家资本主义经济列为新民主主义经济结构的五种主要经济形式之一。刘少奇在1949年6月《关于新中国的经济建设方针》的报告中也指出,国家资本主义的经济十分接近社会主义的经济,可以在一定程度上成为国营经济的助手。但是,由于实践还不够丰富,关于国家资本主义的形式讨论还不充分。当时谈得具体而有见地的是陈云,在七届二中全会的发言中他提出通过加工订货的办法把私营工厂"夹"到社会主义的思想。在此以后,调整工商业——政府帮助私营工商业克服生产经营上的困难而采取的一项措施和手段,创造了加工订货、公私合营的一系列国家资本主义形式。1952年9月,毛泽东在中央书记处会议上谈到他对如何向社会主义过渡的看法时,肯定了公私合营、加工订货这些国家资本主义形式将使私营工商业发生质变。

工业中的加工订货是统称,其中包括收购、加工、订货、统购、包销五种形式。

收购,是国营商业根据产品的规格、质量,以合理的价格,临时或定期地向私营工厂收购一定数量的产品,是国家资本主义

最低级的一种形式,也是最灵活的形式。国营经济与资本主义经济之间只发生不太稳定的外部经济联系,但也能起重要作用。因为数量很大,而且有些产品,如手工业产品,以基本上保持自由竞争和自由贸易为有利,所以还是一种宜于采用的形式。

加工,是由国营企业或其他国家单位,通过订立合同,向私营工厂供给原料或半成品,委托其按照国家规定的价格、质量、数量和期限,进行加工生产,并将成品交给国营企业或其他国家单位,由后者付给私营工厂加工费,又称工缴费。加工的产品多是指加工的数量很大、规格较为固定而国家掌握了原料的产品,如棉纱、粮食等。在一部分行业中,由于国家控制了原料,私人资本就不得不依赖于加工,因此加工是在稳固性上仅次于公私合营的国家资本主义形式。

订货,是国营企业或其他国家单位,通过订立合同,向私营工厂订购产品,后者按规定的规格、数量、质量,按时交货,取得合理货价。由于某些行业国家是主要买主,如机器制造,所以订货这种形式在这些行业中也是稳固的形式。一般说,采取订货形式的多是规格复杂多变,并有指定的专门用途的产品。在这方面,国家也是掌握部分或大部分原料的,如机器制造业的钢、铁等,可以在必要时作为使私人资本不得不接受订货的武器。在当时一般是采取将原料卖给私人的办法。

统购,是由国家以法令形式作出规定,由指定的国营商业部门,对私营工厂生产的某些与国计民生关系重大的产品,按照适当价格长期地统一收购。统购的产品,一律不准私营工厂在市场上自行销售。

包销,是指国营企业同私营工厂订立合同,规定后者所生产的某些产品,按照规定的规格、质量和合理的价格,在一定时期内全部卖给国营企业,即由国营企业对私营工厂的这部分产品全部包下来销售,也有的产品只包销一部分。采取包销这种形式的多是日用品中的名牌货,如黑白牙膏、固本肥皂、四一四毛巾、金星水笔等,或者是其他重要轻工业品。经过这种形式国家长期地和全部地控制了某些私营工业的产品。但因国家在这方面经济上的主动权不多,这种形式一般只能建立在互利和资本家自愿的基础上,因此是较不稳固的形式。

上述这些形式都只是国家资本主义的低级形式。它们都还是国营经济与资本主义经济在外部进行经济联系的形式,但联系得已经比较固定,比较紧密了,有的还带有法律强制性,从而大大加强了国营经济对资本主义工业的领导,并使后者的生产逐步纳入国家计划间接控制的轨道。1952年,加工订货比例已经达到资本主义工业总产值的56%。

商业中国家资本主义的低级形式,对零售商业来说主要是批购、经销、代销。

批购,又称批购零销或批销,是指私商以现款向国营商业批购商品,并按照规定的牌价或核定的价格出售,私商在零销中取得批零差价的收入。批购零销的私商仍可向自由市场进货。

经销,是指国营商业把自己的商品委托给私营零售商店经销。经销的私商按国营商业供应计划,以现款从国营商业进货,并按国营商业规定的零售牌价和供应办法出售,私商从批零差价中取得收入,经销店对经销的商品,不得再从自由市场进货。

代销,是指国营商业把自己的商品委托给私营零售商店代销。私营代销店在按国营商业的供应计划和规定的牌价出售商品后,把货款全部交给国营商业,从后者领取规定的手续费。执行代销业务的私营商店,须向国营商业缴存一定的保证金,并不得再向自由市场购进属于代销品种的商品。除一般代销外,还有专业代销或专柜代销的形式。

在国民经济恢复时期,批购、经销、代销还都处于萌芽状态,户数不多。1953年下半年,国家对粮、棉、油、布等主要商品相继实行了统购统销,掌握了这些商品的全部货源,粮、油、布三个行业的零售商全部纳入了经销、代销的轨道。随后,猪肉、煤、茶叶、煤油、烟、酒等行业陆续实行了全行业改造,大都实行了经销、代销。

上述所有这些,都是对资本主义改造的低级形式。

1953年3、4月间,为了研究新形势下的公私关系和如何加强对资本主义工业的改造等问题,中共中央派中央统战部调查组到武汉、南京、上海等工业比较集中的大城市进行调查研究。中共中央统战部部长李维汉于当年5月向中共中央和毛泽东汇报并提交了关于《资本主义工业中的公私关系问题的报告》。

《报告》分析指出,共和国成立三年来,我国私人资本主义经济经历了深刻的改组和改造。国家资本主义有了相当的发展,呈现出从统购、包销、加工、订货至公私合营等一系列从低级到高级的形式变化。各种形式国家资本主义都不同程度地改变了资本主义企业的生产关系,这些形式在产品归国家所有和掌握上是共同的,但以生产资料所有权、生产过程中的关系和国家借以取得产品的形式不同而互相区分。公私合营企业(就其标本形式而言,即国家占有相当股权以至大部分股权,派出领导干部的企业,如民生公司、天原、天利公司等),是高级的国家资本主义形式。在这样的企业中国家可以掌握经营管理权,工人群众则从为资本家生产

的观点改变成为国家生产的观点,从而容易改变为新的劳动态度。因此,这样的企业就具备了将其生产、财务和基本建设都列入国家计划的条件。这样,公私合营是最有利于将私有企业改造和过渡到社会主义的形式。

《报告》又说:生产关系的一定程度的改变,还表现在价值分配上。在国家资本主义企业中,新生产的价值已不仅分为可变资本和剩余价值,而是首先分为工人工资、企业的利润和国营企业的利润三个部分,三分天下,工人阶级有其二。企业利润又分为国家的税收、资本家的股息和红利、工人的奖金和福利、企业的公积金,四马分肥,工人阶级得其大半。国家资本主义企业中的工人,已经不是单纯为资本家生产,同时也是为国家生产。

《报告》的结论是:高级形式的国家资本主义即公私合营,"是最有利于将私有企业改造和过渡到社会主义去的形式",于国计民生有利的私营大工厂转向公私合营是一个进步的现象。这些大工厂在私营的形式下,甚至在国家资本主义的低级形式下,其资本主义的外壳已经束缚了生产力的发展,特别是在"五反"之后,工人不服管,职员不敢管,资本家消极,原有的代理人纷纷辞职甚至逃走,后继无人,开支日增,浪费严重,生产潜力难以发挥。这种严重状态固然与一部分工人中的经济主义和无政府主义倾向有关,与公私关系不调有关,但也充分暴露出这些私营企业的生产关系与生产力不适应的情况。向公私合营过渡,即是说在保持私有财产权的条件下最大限度地改变其生产关系,将使这些企业获得最大的进步发展的可能。现存的公私合营厂由原来的混乱和困难的境地转为进步与盈利的许多例子,充分证明了这一点。所以对于有利于国

计民生和有发展前途的大工厂,采取逐步实行公私合营的方针,应加以肯定。但在步骤上必须照顾需要、干部、资金、资本家自愿和政治影响等条件,有计划地进行,并须有控制,即有一定的批准程序。

毛泽东看过《报告》后,将其送交中央政治局讨论,刘少奇、周恩来都认为这个文件很好,系统地解决了问题。1953年6月中旬,政治局召开两次扩大会议进行讨论。会议确定通过国家资本主义改造资本主义工业的方针,决定发展公私合营,把它作为过渡时期总路线的一个重要组成部分。毛泽东在6月15日第一次会上说:对公私合营,过去是"西向让三,南向让再"①,今后每年都要发展。

二

走历史必经之路

变革资本主义私有制,是一场极其深刻的革命,必然引起资产阶级的疑虑和误解。1953年9月4日,中共中央有关方面负责人邀请黄炎培、陈叔通、李烛尘座谈,向他们通报了党在过渡时期的总路线,党对资本主义工商业实行改造的基本方针和政策。陈叔通针对对私商采取"排除"的政策说:"商业的数目很大,是最难办的。我认为应向他们公开地讲清私人商业的方向、前途、困难和办法,告诉他们要消灭商业,以国营贸易、合作社代替之。"这反映了商业界人士对前途感到茫然的思想状况。

过渡时期总路线经过全国政协发布的《庆祝中华人民共和国成立四周年口号》向全国公布,资本家普遍受到震动,引起不安,其中尤以中小资本家为甚。

有的认为,新民主主义"很优越",还是"让我们多喊几声新民主主义万岁吧"。他们形容自己的处境是"上了贼船","跟着走,能有出路","逆着办,只有下水","船在河中,只好认头"。他们要求保持现在的秩序,不甘接受"逐步过渡"。回想起1950年"黄金时代",不胜依依,认为"那年头是睡在席梦丝床上","什么国法、纲领也不放在心上","现在是睡在炕上",已经退居一等,最好不要再"过渡"了。

很多资本家,不情愿走国家资本主义道路,认为原来多好,不用和国家打交道,"晚睡晚起,自由自在"。加工订货已经"不太自由",公私合营就是要被"溶解掉"。"代购代销是进去了一点",加工订货是"进去了一半",公私合营"就全进去了"。公私合营是"借地插秧",公的比例一天比一天大,到时候"哪有你的份"!

中共中央认真分析这一新形势,决定自上而下,先骨干后一般,有领导有步骤地开展过渡时期总路线的宣传教育,打消顾虑,减少抵触,以期顺利地完成对资本主义工商业的社会主义改造。

1953年9月7日,毛泽东同民主党派和工商联部分代表谈话,民建方面的还有章乃器、李烛尘、盛丕华等。毛泽东说:"有了三年多的经验,已经可以肯定:经过国家资本主义完成对私营工商业的社会主义改造,是较健全的方针和办法。"

"《共同纲领》第31条的方针,现在应该明确起来和逐步具体化,所谓'明确起来',是说在中央及地方的领导人物的头脑中,首先肯定国家资本主义是改造资本

---

① 指过于谦让、谨慎。见《史记·孝文本纪第十》:吕后死后,诸吕欲为乱,大臣共诛之,谋召立代王。代王西向让者三,南向让者再,遂即天子位。

主义工商业和逐步完成社会主义过渡的必经之路。这一点无论在共产党和民主人士方面，都还没有做到，此次会议的目的，应当做到这一点。稳步前进，不能太急。将全国私营工商业基本上引上国家资本主义轨道，至少需要三年至五年的时间，因此不应该发生震动和不安。公私合营、全部出原料收产品的加工订货和只收大部分产品，是国家资本主义在私营工业方面的三种形式。"

"私营商业亦可以实行国家资本主义，不可能以'排除'二字了之。这方面经验较少，尚须研究。占有大约 380 万工人店员的私营工商业，是国家的一项大财富，在国计民生中有很大的作用。私营工商业不仅对国家供给产品，而且可以为国家积累资金，可以为国家训练干部。"

"有些资本家对国家保持一个很大的距离，他们仍没有改变唯利是图的思想。有些工人前进得太快了，他们不允许资本家有利可得。我们应向这两方面的人们进行教育，使他们逐步地（争取尽可能快些）适合国家方针政策，即：使中国的私营工商业基本上是为国计民生服务的，部分的是为资本家谋利的——这样就走上国家资本主义的轨道了。"

"需要在资本家中间进行爱国主义教育，为此需要有计划地培养一批眼光远大的、愿意和共产党和人民政府靠近的资本家，以便经过他们去说服大部分资本家。"

"实行国家资本主义，不但要根据需要和可能（共同纲领），而且要出于资本家自愿，因为这是合作的事业，既是合作就不能强迫，这和对地主不同。"

……

"至于完成整个过渡时期，即包括基本上完成国家工业化，基本上完成对农业、对手工业和对资本主义工商业的社会主义改造，则不是三五年所能办到的，而需要几个五年计划的时间。在这个问题上既要反对遥遥无期的思想，又要反对急躁冒进的思想。一个是领导者，一个是被领导者，一个是不谋私利者，一个是还要谋一部分私利者，等等，这些是不相同的。但在我们现在的条件下，私营工商业基本上是为国计民生服务的（就利润分配上说，约占 3/4 左右），因此可以而且应当说服工人，和国营企业一样，实行增产节约，劳动竞赛，提高劳动生产率，降低成本，提高数量质量，这样对公私劳资都有利。"①

毛泽东的这番谈话，明确指出经过国家资本主义的社会主义改造是一个历史必经之路，这一点要认识清楚。同时也强调要稳步前进，不必为之不安。他还指出，私营工商业是国家的一项大财富。

9月8日至11日，全国政协召开常委扩大会，邀请部分工商界代表人物参加。周恩来在会上作了关于过渡时期总路线的报告，系统地阐述了我国社会主义改造的方针政策。他说：什么叫做社会主义？社会主义最基本的就是完成了社会主义改造，就是消灭了生产资料的私人资本主义所有制，归国家所有了，就是农业、手工业集体化了。完成这个任务，不是要等到那么一天，由国家宣布所有的生产资料都归国家所有，而在这一天以前，一切都原封不动毫无变化。这是不可能的。我们不采取激烈的突然变革的办法，而采取温和的逐步过渡的办法。在过渡期中，要使社会主义成分的比重一天一天地增加。过去我曾与盛丕华先生说过，将来是"阶级消灭，个人愉快"。就是说采取逐步过

---

① 《建国以来重要文献选编》第四册，中央文献出版社，1993 年版，第 344—346 页。

渡的办法,做到"水到渠成"。

周恩来接着说:为什么现在提出这个问题?有人说,因为朝鲜停战了。这个说法有一部分道理。如果朝鲜战争还在打,我们的军费开支就不能保证没有变动。现在朝鲜问题虽然还没有彻底解决,但战争已经停下来了。毛主席指导工作有一个原则,当一个任务完成了的时候,就要赶快提出新的任务,以免松懈下来。我们现在就应该提出新的任务。从这方面说,强调朝鲜停战这个原因是有一部分道理的。但是这不完全。现在提出这个问题,还有国际国内的各种条件。从国际方面看,当前世界形势的特点是:新世界诞生了36年,世界和平民主阵营更加巩固和扩大了;旧世界尽管叫嚣扩军备战,但困难重重。形式上是两个阵营的对立,但矛盾的焦点是在旧世界的内部。这种矛盾,有和平与战争的矛盾,有民主与反民主的矛盾。中朝人民在朝鲜战争中的胜利把美国企图挑起世界大战的时间推迟了,这就不仅有利于促进资本主义阵营内部矛盾的增长,有利于和平民主阵营的巩固和扩大,有利于资本主义世界各国中民族民主力量的增长,有利于世界人民的和平民主运动的发展,同时也有利于我国进行建设工作。从国内方面看,开国快四年了,人民民主专政更加巩固,国防力量愈益增强,各种社会改革也已基本上完成。尤其是这四年来,财政经济状况已经基本好转,社会主义成分的比重一天一天增加,国营经济的领导地位一天一天加强,人民的积极性也更加充分发挥出来了。以上情况说明:现在开始五年计划经济建设,国际国内形势都是有利的;提出过渡时期的问题,也是适时的。

周恩来指出:农业、手工业的合作化和对私营工商业的改造,是一件极大的工作。毛主席说,对私营工商业改造,只要把问题说通了,还是比较容易的,更繁重的还是农业和手工业的问题。对于农业、手工业和私营工商业进行改造,需要用不同的形式和速度。农业和手工业是走合作化的道路,私营工商业是通过国家资本主义的形式。我们既然确定走社会主义道路,就要相信自己的力量能够完成这个重要任务。现在这样做,还不是多数人都懂得的,我们要做很多的教育工作,把这些道理说清楚。共产党当然首先要担负起这个责任,同时还要动员工会、民主党派、民主人士和工商业家,大家来做这件工作。政府部门也准备设立一个专门的机构来管理私营工商业方面的事情,使这方面的工作更加有领导有计划地进行。

经过这些会议,听了毛泽东、周恩来的讲话,资产阶级上层代表人物的疑虑大大减少了,他们表示拥护总路线和国家资本主义方针。盛丕华对资本家现在有利润可得,将来有工作可做,表示满意。黄炎培形容党的社会主义改造方针是"同登彼岸,花团锦簇"。

接着,10月至11月,召开了已筹备一年有余的中华全国工商业联合会会员代表大会。这是宣告中华工商联正式成立的大会。中华工商联执委会主任委员陈叔通致开幕词,他号召全国工商界人士要为实现国家总路线,正确地发挥私营工商业的积极作用而奋斗。李维汉在大会讲话中进一步阐述了过渡时期总路线和对私营工商业实行利用、限制、改造政策的内容、意义和步骤。分析了国家资本主义企业与私人资本主义企业相比所具有的五方面的优越性:

一是在不同程度上改变了企业的生产关系,因而有利于企业生产逐步纳入国家计划。

二是有利于改善公私关系和劳资关系。

三是有利于发展生产。

四是可以使企业有利可图,资本家有利可得,职工生活可以逐步提高。

五是有利于资本家及其代理人充分贡献其生产技术和经营管理的才能,并在与社会主义成分的合作中逐步受到教育,为最后完成社会主义改造准备条件。

与会者经过认真讨论,大多数人受到深刻教育,认识到"社会主义是大势所趋,不走也得走"。黄炎培在大会发言中说:在过渡时期资产阶级只要接受改造,将是"风又平,浪又静,平平安安到达黄鹤楼","到社会主义都有一份工作,有饭吃"。这个说法,博得许多代表的赞赏。

大会通过决议,郑重宣告接受和拥护过渡时期总路线和对资本主义工商业的利用、限制、改造政策。确定中华工商联的基本任务是:

(1)领导全国工商业者遵守宪法及人民政府的政策法令;

(2)指导全国私营工商业者在国家经济计划下发展生产,改善经营;

(3)代表全国私营工商业者的合法利益,向人民政府或有关机关反映意见,提出建议,并与中华全国总工会协商有关私营工商业劳资等问题;

(4)指导与推进全国私营工商业者进行学习、改造思想和参加各种爱国运动;

(5)领导并协助全国各地工商业联合会工作。

会议最后选举出中华工商联常务委员会主任委员陈叔通,副主任委员李烛尘、南汉宸、章乃器、许涤新、孟用潜、盛丕华、荣毅仁、傅华亭、陈经畬、黄长水、胡子昂、龚天民、李象九。

与此同时,北京、上海等地党委统战部门也召集工商界和民主人士代表开会,或是召开本市工商联会员代表大会,比较集中地进行了总路线的教育。北京通过工商联组织工商界活动分子和经济作用比较大的工商资本家2100人进行了系统的学习;上海在半年内针对私营工商业者所组织的有关报告会约90次,参加者有8万多人。经过这些活动,再分地区往下传达到广大工商业者当中去,组织座谈和小组讨论。

经过这些学习和教育,有一部分资本家初步解除了怀疑、顾虑和恐惧,澄清了一些混乱思想,对总路线的认识有了不同程度的提高,对接受改造的态度也开始产生了一些变化。

1954年的扩展公私合营

1954年把私营企业改造成公私合营企业的条件更为成熟。

1月6日至16日,中财委召开会议,决定扩展公私合营。方针是"巩固阵地(对已有合营企业),重点扩展,加强准备(对以后扩展企业)"。范围是将10人以上的资本主义企业基本上改造为公私合营企业。国家为此将拿出8210万元作为合营投资。计划公私合营651个企业,年总产值14.8亿元。会议提出:这只是一个拟定的框框,要根据供、产、销情况及资本家态度加以缩减和变动。各地对于扩展合营的年总产值,应在工作基本做好的前提下,如数完成。各省市在此基础上制订分期的具体执行计划,报中央局批准,中财委备案。重要企业和重要资本家的企业,在合营前须报中央批准或备案。

3月4日,中共中央批准了中财委的

文件,认为:中财委对扩展公私合营工业所提出的政策原则及1954年扩展公私合营的工作方针和具体措施"是正确的和适当的"。

9月2日,政务院通过了《公私合营工业企业暂行条例》。

这个文件首先解释了什么叫公私合营的工业企业:"由国家或者公私合营投资并由国家派干部,同资本家实行合营的工业企业,是公私合营工业企业。"

文件提出合营的三个前提是:国家的需要、企业改造的可能和资本家的自愿。而且,企业的合营,应当由人民政府核准。

文件确认:合营企业中,社会主义成分居于领导地位,私人股份的合法权益受到保护。

公私双方应当对企业的实有资产进行估价,估价要根据公平合理的原则,参酌财产的实际尚可使用的年限和对于企业生产作用的大小,协商进行。文件还规定了经营管理、盈余分配、董事会和股东会、领导关系等详细内容,从而使公私合营有了具有法律形式的条文作依据,促使资本家更易于接受公私合营。

各地的资本家对待公私合营的态度大体有三种。

第一种是主动申请公私合营的。北京的孙孚凌、乐松生是其中的代表人物。孙孚凌是北京最大、条件最好的私营福兴面粉厂经理,解放前夕参加过共产党的外围组织。解放后,他注意学习党的政策和企业管理,使企业扩大,生产发展,盈利增加,职工的工资福利也有很大提高。他在缴纳税款,稳定物价,认购公债以及抗美援朝捐献等方面都在北京市工商业中起

了积极的带头作用。1953年底,他积极响应党的号召,同乐松生等主动申请公私合营。他认识到:"改变私有制不像梅兰芳唱戏,台前台后各一套,而是要脱胎换骨。"他表示:"我得先走一步,不然怎样带头?"1954年12月29日,他在同有关部门签订协议后,正式宣布合营。北京同仁堂国药店经理乐松生在合营问题上经历了思想斗争,把家传的"乐家老铺"交出去实行合营,有点不太舍得。经过学习,他认定要使民族工商业得到发展,关键是私营企业必须走社会主义道路。他在1953年底带头申请公私合营,是首都也是全国中药行业走上公私合营的第一家。①

第二种是对公私合营存有各种疑问和抵触的,这在当时占绝大多数。如上海信谊药厂总经理陈铭珊就提出四个担心:股东红利是不是照发,总经理还让不让他做,他的高工资要不要减到工人的水平,与公方代表是否合得来。这种心理有一定的代表性。他在1954年7月正式公私合营后,被任命为厂长。他没有想到,说:"这真是出乎我的意料,我反而有点惶恐了。这件事对我触动很大,我深深感到共产党的政策是说到做到,令人信服的。"②

第三种是拒绝改造,甚至进行破坏活动。这在资本家中是极少数。他们有的用非法手段从企业中抽逃大量资金,有的故意向职工寻衅闹事,个别人甚至进行破坏生产的违法活动。有计划的公私合营一开始是对那些规模较大的、产品同国计民生关系密切的工业企业先进行。这种单个企业公私合营的发展,当时称之为"吃苹果"的方式。

工业企业比较集中的上海市采取从

① 《走在社会主义大道上》,中国文史出版社,1988年版,第171—173页。
② 同上,第107—110页。

少到多，逐步推开，分批发展的办法。到年底，公私合营的工业企业已达244家，占全市工业企业总数的0.8％，当年工业总产值占全市工业总产值的20.4％。其中轻工业共合营64户，在造纸、搪瓷、保温瓶三个行业中发展的合营企业产值占该行业总产值的1/3左右。

北京市根据有关部门"巩固阵地，重点发展"的方针，于1954年4月12日，首先在市副食行业实行公私合营试点，市国营零售公司采用国家现金投资的形式同北京副食品行业中的稻香村食品店、桂香村食品店、大有酱园等几个规模较大的私营零售商店试点进行公私合营。这些商号的特点是：历史悠久，各有特色，前店后厂，品种齐全，在消费者中有一定信誉，在同行业中声望较高。这些企业的资本家奉公守法，并有合营的要求。经市政府同意，由市委统战部、朝阳区委工商协会同北京市零售公司共同派代表组成公方，在调查研究的基础上，同私方、工会共同清产核资，确定私股股金，公方代表参加企业管理，企业隶属市零售公司。这一年工业上先后有新华橡胶厂、三星铅笔厂、中国水暖铁工厂等21个企业，商业上先后有同仁堂国药店、瑞蚨祥绸布店等近10个企业，被批准实行公私合营。户数虽然不多，但这些企业在当时社会上有一定的声誉，资本家或是资方代理人又多是些头面人物，所以在私营工商业中引起了很大的反响和震动。

天津根据市委"先少后多，先大后小，先慢后快"的意见，按照需要与可能和资本家自愿的原则进行。事先的准备工作做得比较充分，宣传工作也比较深入，个别企业合营进展比较顺利。天津解放前的北洋纱厂，生产凋敝，发展困难。解放后，经市人民政府大力扶持，生产经营状况日渐好转，1953年平均产量较1949年增长了1.4倍。1954年2月，由天津市地方工业局投资，这家历史较久、规模较大的私营纱厂正式成为公私合营企业。1954年9月，又有振华造纸厂等14家私营工厂宣布实行合营，由地方工业局领导。12月，全市有300多家私营企业资本家陆续申请将企业改为公私合营。到1954年底，全市新扩展的78家公私合营企业产值占全市工业总产值的12.6％以上。

经过各方面的共同努力，1954年扩展公私合营的工作取得了很大的进展。这一年全国合营了793户规模较大的、产品同国家建设及人民生活关系比较密切的工业企业，当年产值25.6亿元，超过过去几年全部公私合营的总产值。在1954年全年工业总产值中，私营工业只占了24.9％。这个结果不仅显示了社会主义和半社会主义的经济力量，更重要的是，第一年扩展公私合营成果，为以后的公私合营起到很好的示范作用。

1954年公私合营虽然取得很大的进展，但也暴露出一些问题。主要是我国私营工业企业规模大的只是少数，绝大部分是中小企业。少数大企业公私合营后，资本主义原有的内部联系被打破了，剩下大量分散落后的中小企业，生产发生严重困难。加上国营部门在社会主义改造中对各种类型经济未能切实贯彻统筹兼顾的方针，在加工订货分配上，重视国营和公私合营企业，较少照顾私营企业，同行业大中工厂合营后，生产迅速增长，中小企业就更吃不饱了，以至于生产难以维持。

1954年12月，国务院第八办公室和地方工业部联合召开第二次全国扩展公私合营计划会议。与会者一开始就提出"吃苹果"与"吃葡萄"的问题。他们说：现在光"吃苹果",把一堆堆又小又烂的"葡萄"甩给地方,地方又没有财力给他们加工订货的任务。如果不首先安排私营企业的生产,解决他们的困难,扩展公私合营的工作就很难开展下去。周恩来听了汇报后明确提出统一领导、归口管理、按行业一条鞭进行改造、全面规划的方针。陈云在会议的报告中也提出:安排加工订货要从全行业出发,统筹兼顾,统一安排。他指出:私营工厂也是国民经济的一部分,如果听任私营工厂停工关厂,工人失业,必然会造成社会动乱,影响工人阶级内部的团结。毛泽东也指出:不管私营不行,要看到私营工厂中有200万工人,"不看僧面看佛面"。

1955年元旦,中央政治局讨论私营生产安排问题时,批准了统筹兼顾的原则。3月,陈毅给中央的报告中提出:"为了贯彻统筹兼顾的政策,在扩展合营的方式上,应采取个别合营与按行业改造(组)相结合的办法",可以个别合营的,就进行个别合营;需要进行联营合并的,就采取以大带小,以先进带落后的办法,进行并厂和生产改组,并使这种改组工作和合营工作结合起来。

资本主义工商业的社会主义改造

共和国成立以后,在旧中国历尽磨难的中国民族资本主义经济获得了新生,在新民主主义经济体制下曾获得较快的恢复和发展。但是自1952年"五反"运动以后,随着党在过渡时期总路线的提出和"一五"计划的实施,使得资本主义工商业开始走上有计划的社会主义改造之路,到1956年底,仅4年的时间,就顺利实现了对资本主义工商业的社会主义改造。这场以消灭资本主义生产关系为目的的重大变革,对我国的政治、经济和文化都产生了重大而长远的影响,是我国20世纪50年代最重大的历史变革之一。

一

共和国成立初期国家对私营工商业的整顿和引导

从1949年到1953年,在党提出过渡时期总路线之前,是我国彻底完成民主革命任务和恢复国民经济时期。在此期间,党和国家对私人资本主义工商业采取了七届二中全会和《共同纲领》规定的既允许其存在发展,又对其加以限制改造的方针。实际工作中,尽管国家对私营工商业采取了利用限制为主的方针,并通过"调整工商业"使其"各得其所",但是由于私营工商业刚从旧中国过来,身上还带着颇为严重的半殖民地半封建社会的烙印,在产业结构和经营作风上都存在着种种弊病,因此国家在积极扶植引导其向健康方向发展的同时,也毫不留情地对其顽症痼疾加以整顿改造。这种整顿改造为后来顺利实现对资本主义工商业的社会主义改造奠定了基础,铺平了道路。

国家对资本主义工商业的第一次集中整顿发生在共和国成立前后。这个阶段由于战争尚未结束,通货膨胀较严重,私营工商业故态复萌,不服从国营经济领导,大肆从事金融和商品投机活动,同国家争夺市场的领导权。1949年4月、7月、

10月和1950年2月掀起了四次物价大涨风。面对不法资本家的挑战，中共中央立即采取措施，通过加强金融、市场管理和控制主要商品，击退了资产阶级在经济中向新民主主义国家的挑战，到1950年统一财经后，资本主义工商业彻底败下阵来，不得不服从国营经济的领导和改造自身的弊病。鉴于这种情况，中共中央又及时纠正了党内产生的进一步限制削弱私营经济的情绪，提出不要"四面出击"和调整工商业，协调了工商业中的公私关系和劳资关系，促使私营工商业走上健康发展的道路。

国家对私营工商业的第二次集中整顿为1952年开展的"五反"运动。随着我国财政经济状况的根本好转和劳资关系得到合理调整，使得私营工商业有了较大恢复和发展，1951年与1950年相比，全国私营工业户数增加11%，职工人数增加11.4%，生产总值增加39%；私营商业户数增加11.9%，从业人员增加11.8%，批发额增加35.9%，零售额增加36.6%，因此1951年被称为私营工商业的"黄金年"。但是与此同时，由于国家经济法制不够健全，资产阶级的消极面也膨胀起来，出现了不少行贿、偷税漏税、盗骗国家资财、偷工减料、盗窃国家经济情报等问题。当这些问题在"三反"运动中被初步揭露出来后，中共中央发动了著名的"五反"运动，严厉整顿私营工商业的经营作风。在"五反"运动中，由于有违法行为的资本家比重很大，使党内外不少人过于强调私营经济的消极面。毛泽东及时纠正了这种思想偏向，将运动控制在《共同纲领》规定的范围内，即只整顿资产阶级的违法行为，而不是要消灭资产阶级。"五反"运动以后，国家又对工商联进行了改组，并及时调整了工商业中因"五反"而出现的紧张关系。

通过"五反"运动，全国人民（特别是私营企业的职工）受到了教育和锻炼，不法资本家受到了沉重打击，广大工商业者也受到了爱国守法的深刻教育，促使他们进一步服从国家的领导和接受社会主义改造。可以说，"五反"运动为后来贯彻"利用、限制、改造"政策，有计划地发展国家资本主义，打下了坚实的政治基础和思想基础。

国家在整顿治理私营工商业弊病的同时，还加强对其经济上的领导，积极引导其走上有利于国计民生的健康发展道路。其中重要的领导方式就是积极发展以收购、加工订货和统购包销为主要方式的国家资本主义初级形式。

共和国成立初期，国家主要通过收购、加工、订货、统购、包销等初级形式，把资本主义工业纳入到国家资本主义轨道。收购是指国营商业按一定的规格、质量，以合理价格收购私营工厂的产品；加工、订货是指国有企业按照所需产品的规格、质量、数量和交货期限，委托私营工厂加工或向他们订货；统购是对一些重要产品，由指定的商业部门统一收购，不准许私营工厂在市场自行销售；包销是对私营工厂按规定生产的某些产品，由国有企业包下来销售，不准在市场上自行销售。从1950年到1953年，初级形式的国家资本主义发展很快：如按总产值计算，1953年比1949年增加9倍，每年平均增长77.8%；到了1953年，加工、订货、包销、收购已占公私合营和私营工业总产值的54%；到了1955年，加工订货已在全国普遍发展起来，实行加工订货的工厂职工达到34.2万人，占私营工业职工的87%，产值占全部私营工业总产值的81.7%（北京、上海、天津等12个大中城市达到 84.6%）。

通过初级形式的国家资本主义，国家基本上控制了私营企业的原料供应和产品销售两个环节，使私营企业在生产和经营方向、活动范围和剥削程度、产品价格和市场条件等方面都受到一定的限制，在不同程度上纳入到了国家计划的轨道。这样，尽管资本家仍是为利润而生产，但这类企业的生产已经不再是盲目和单纯追逐利润。这种国家资本主义强化了国家对私营经济的领导和控制，这为后来社会主义改造的顺利进行准备了必要条件。

二

过渡时期总路线提出后
对资改造工作的稳步前进

1953 年 6 月 15 日，毛泽东在中央政治局扩大会议上对党在过渡时期的总路线作了完整表述，这就是在 10 年至 15 年或者更多一些时间内，基本上完成国家工业化和对农业、手工业和资本主义工商业的社会主义改造。在此前后，毛泽东、刘少奇、周恩来、陈云、李维汉等总结几年来我国发展国家资本主义的经验，提出主要是通过公私合营的形式来实现资本主义企业向社会主义企业的过渡。毛泽东还提出要有计划、有步骤、有准备地搞国家资本主义，稳步前进，不能太急。公私合营企业，要给资本家提供一个榜样。这样，我国对资本主义工商业的改造工作不仅在思想上和政策上，而且在方式上和步骤上也更为明确了。与此同时，国家在组织上也加强了领导，中央决定成立中财委第六办公厅，由中财委主任陈云和统战部部长李维汉具体负责此项工作。自此以后，我国的对资改造工作从思想上、政治

上和组织上都得到了加强，更加有系统、有计划地开展起来。

公私合营是国家资本主义的高级形式。它经过了个别企业的公私合营和全行业公私合营两个阶段。个别企业公私合营，就是在原有的私营企业中加入国家的公股，并由国家派出干部负责领导企业的管理，原企业的资本家或资方代表也参加管理。在利润分配上，由于企业是公私共有，资本家只能按其股份所占比例提取，其余则归国家。这就使原有企业的生产关系发生了重大变化，从而促进了企业生产的进一步发展。

早在 1949 年已有公私合营，但数量不多，据统计，全国公私合营工业 193 户，职工 10.54 万人，总产值 2.2 亿元。这批合营企业的出现，是没收私营企业中的官僚资本和敌伪财产的结果。1951 年 1 月，国家颁布了《企业中公股公产清理办法》后，公私合营企业有了明显的发展，1951 年公私合营企业达 706 户，职工 16.63 万人，总产值达 8.06 亿元。1952 年由于一些资本家在"五反"后退还一部分原来用"五毒"办法盗窃国家的财产，国家考虑到企业生产等原因，没有将这些退赔资金收回，而是在取得资本家同意的条件下，将这些资金转作公股，同资本家实行合营。也有一部分合营企业是由国家直接投资造成的，国家对这些企业进行投资，多数出自国家的需要，也有扶助这些企业渡过难关的。这些企业多数是大型企业。到了 1953 年，公私合营工业达 1036 户，职工 27.01 万人，总产值 20.13 亿元。1953 年党在过渡时期总路线正式公布之后，特别是 1954 年中华人民共和国的宪法明确规定，要逐步以全民所有制来代替资本家所有制，公私合营有计划地迅速发展。1954 年 9 月，国务院制订并公布了《公私合营工业企业暂

行条例》，规定了公私合营企业的性质、任务和公私关系、劳资关系、经济管理、盈余分配等各方面的原则。到1954年底，全国公私合营工业的户数已增加到1746户，职工人数为53.3万多人，占全部公私合营和私营工业职工总数的23％；总产值50.86亿元，占全部公私合营和私营工业产值的33％，在公私合营工业和对私营工业加工订货显著增长的情况下，私营工业自产自销部分的产值比重从1952年的38.9％下降为14.4％。上述情况表明，到1954年底，已经有占总产值1/3，占职工总数约1/4的资本主义工业转变为公私合营工业。公私合营工业产值在全部工业产值中的比重已经由1952年的5％上升到1954年的12.3％，而私营工业则由38.6％降至24.9％。到了1955年，公私合营工业达3.193万户，职工78.49万人，总产值71.88亿元，约占公私合营加上私营工业总产值的50％，也就是说，1955年已有一半的私营工业合营了。

从1949年到1955年之间公私合营企业发展的特点是：一是发展相当迅速，如按总产值计算，1955年较1949年增加31.7倍，即平均每年增长78.8％；二是合营是一户一户进行的，企业的户数不多，但多是大户。据统计，到了1955年，有职工500人以上的大工厂，公私合营的由1952年的38.3％上升到1955年的90.4％，私营工业中最大的企业集团，到了1955年几乎全部实现了公私合营。公私合营工业的发展过程大致是：大户先合营，然后推广到中小户；由主要行业扩展到一般行业；由大城市扩展到中小城市。1954年有905家资本主义工业企业，经合并组成793户公私合营企业，其中大部分为规模较大的有关国计民生的重要企业，一般都拥有资金100—500万元，职工

100—500人。以上海、天津两市为例，500人以上的私营工业企业共92户，其中有45户在这一年内实行合营；100人以上的712户工厂中，也有121户实行了合营，这些企业的所有者多是较大的资本家，有些人是资产阶级代表人物，政治影响较大。这些较大规模企业的公私合营不仅削弱了资本主义经济的力量，扩展了社会主义的经济阵地，同时也使得中小资本家认识到合营的优越性，认识到变革所有制是大势所趋，难以抗拒，只有顺应变革的潮流才是唯一的出路。

公私合营企业由原来私有制改变为公私共有制，这是我国私营企业的一个根本性的变化。这一变化成为私营企业向国营企业转变中起决定作用的一个步骤。合营企业顾名思义就是公私双方合营，但是，在合营企业中居领导地位的是公方，是社会主义经济成分。因此，合营企业的经营管理不再采取资本主义方式，而是把生产纳入国家计划之中。

在有计划地改造资本主义工业的同时，国家还有计划、有步骤地对资本主义商业进行了社会主义改造。资本主义商业的社会主义改造较为复杂。一是在成分上小业主同个体商贩、民族资本的界限不易划清，二是在经营形式上既有批发、零售，又有进出口贸易。

批发商业，是联系生产和市场的中间商业。它一方面向国内外厂商、农民和手工业者购进商品，一方面把这些商品卖给工厂、作坊、零售商或小商贩。它掌握着商品流通的主要环节，在市场供求关系上起着重要作用，并决定着物价水平。所以，为了有计划地安排市场和稳定物价，逐步完成对私营商业的社会主义改造，国家必须掌握商品流通的批发环节。截至1952年，私商批发额约占全部批发额

的 36%。

从 1953 年下半年起,国家采取了一系列措施,限制私营批发商的活动。7 月起,国家有计划地扩大对私营工业的加工订货和收购、包销,把私营产品更多地掌握在国营批发机构中。9 月,恢复了国家机关、企业、事业单位在上海、天津等大城市采购工作的统一管理制度,使这些大宗交易脱离私商。11 月起,实行粮食和食用油脂的统购统销,1954 年 9 月又实行了棉花统购和棉布统购统销。统购统销意味着国家占领这些商品的全部批发环节,排除私商经营,也就是实现这些批发商业的国有化。1954 年,国家逐步扩大了对农副产品的统购、派购范围,城市方面,对煤、铁、钢材、铜、硫酸、烧碱、橡胶等重要工业原料由国营商业控制,实行计划供应;并规定私商不得自营一般商品的进口业务。这就又有一批有关的私营大批发商被国营、合作社商业所代替。

私营大批发商被代替后,余下的多是经营次要商品的较小批发商。从 1954 年下半年起,在对私营工业有计划地扩展加工订货和公私合营的同时,根据不同情况,对这些批发商采取了"留、转、包"等不同的改造步骤和方式。"留",是对允许继续经营的批发商,由国营或合作社商业委托他们代营批发;"转",是对有转业条件的批发商,引导他们把资金和人员转入其他行业;"包",是指包人员,即对无法继续经营的私商,由国家把资本家和从业人员包下来,逐步安排工作。经过上述改造,余下的批发商户数虽然不少,但都是些经营零星商品的小户。其商业额在 1955 年仅占全部市场批发交易额的 4.4%。1956 年,在全行业公私合营的高潮中,这些批发商也与零售商一起实行了公私合营。

全行业公私合营的实现

在大企业公私合营以后,新的矛盾又产生了:我国资本主义工业除少数具有一定规模外,绝大多数是设备简陋、工序不全、技术落后的中小企业,这些企业本来在生产经营上就存在困难,开工不足,当该行业中的大户因公私合营使生产迅速增长后,它们就更加"吃不饱",难以维持,不少企业准备歇业或关闭。此外,这些为数众多的中小私营企业的存在,与国家统筹安排生产,进一步实现国民经济的计划化也存在着越来越大的矛盾。

为了解决上述问题,1955 年 4 月,中共中央批转了《关于扩展公私合营工业计划会议和关于召开私营工商业问题座谈会的报告》。该报告提出对资改造应执行"统筹兼顾,全面安排"的方针。这就是在合营过程中,着眼于整个行业,采取以大企业带中小企业,以先进带落后的办法,根据不同的情况进行改组、合并,然后再实行公私合营。这种按行业对私营企业进行全面考虑、统筹安排的办法,实际上为全行业的公私合营准备了条件。

1955 年下半年,在毛泽东的推动下,我国农村出现了社会主义改造高潮。农业合作化高潮的产生,一方面切断了私人资本主义工商业与广大农民的联系,使其更为孤立,感到社会主义已是大势所趋;另一方面,也使党和人民产生了早日完成社会主义改造的急躁心情。同年 10 月,毛泽东邀集全国工商联执行委员会的委员召开座谈会,希望工商业者认清社会发展的规律,接受社会主义改造,走社会主义道路,把自己的命运和国家的前途结合起来,掌握自己的命运。不久,在工商联会议上,政府领导人又对全行业公私合营和实行定息等问题进一步作了说明,为掀起以全行业公私合营为中心内容的资本主义工商业的社会主义改造高潮揭开了序幕。随后,在全国工商联一届二次执行委员会议上,工商业界的代表们通过了《告全国工商界书》,要求全国各地工商业者响应中共中央号召,积极接受社会主义改造,使全国工商业者对资本主义工商业社会主义改造高潮的即将到来在思想上有所准备。11月,中共中央召集各省市党委代表,举行了关于资本主义工商业改造问题的会议,毛泽东、刘少奇、周恩来、陈云都在会上作了重要讲话,会议提出了实行全行业公私合营的规划,作出了部署。在同月召开的中共中央七届七中全会上,制定了《关于资本主义工商业改造问题的决议(草案)》。这些会议和文件认为,现在已经有了充分有利的条件和完全的必要,把资本主义工商业的改造工作推进到一个新的阶段,号召贯彻执行党在过渡时期的总路线,主动地、积极地、认真地领导这一工作,使之能够同社会主义工业化和农业合作化的发展相适应,并要求统一党内和工人阶级内部的认识,加强共产党对改造资本主义工商业工作的领导,作出全面规划,同时加强培养工商界进步核心分子的工作。

经过一系列的思想舆论准备和工作部署,1956年1月,全国掀起了对资本主义工商业社会主义改造的高潮。1月1日,北京的私营工商业者首先提出了全行业公私合营的申请。这种申请已不是一户一户地进行,而是一个行业一个行业地进行,经过政府批准,予以承认,因而很快形成了全行业公私合营的高潮。到1月10日,仅10天时间,北京就实现了全市私营工商业的公私合营。接着,全行业公私合营高潮迅速推广到全国。到1956年1月底,私营工商业集中的上海、天津、广州、武汉、西安、重庆、沈阳等大城市,以及50多个中等城市,相继实现了全行业公私合营。到1956年第一季度末,除西藏等少数民族地区以外,全国基本上实现了全行业公私合营。

1956年,是我国资本主义工商业社会主义改造最关键,也是最后完成的一年。年初,全国原有资本主义工业户88800余家,到年底已有87900余家实现了所有制的改造,占总数的99%。其中,有极少数转入了地方国营企业,大部分则组成了公私合营企业,计33000个。另有48000多户个体手工业,由于他们与私营工厂原有协作关系,或者是行业户数不多,也参加了全行业公私合营。到1956年底,已经实现公私合营的工业企业的产值,占年初原有私营工业企业总产值的99.6%。这样,我国对资本主义工业的社会主义改造任务就基本完成了。

资本主义工商业的社会主义改造进入全行业公私合营后,对民族资本的赎买就由"四马分肥"的分配制度改为定息制度。资本家把生产资料交给工人阶级领导的国家。国家对私营企业进行清产核资,核定私股股金,并据此付给资本家定息。据当时估算,截至1956年底,全国公私合营的私股为24亿元人民币,其中工业17亿元,商业6亿元,交通运输业1亿元。按照有关方面共同商定的意见,定息年息为5%,自1956年1月1日起计算。国家全年为定息付出的资金约1.2亿元。在"定股定息"的同时,国家还本着"量材使用、适当照顾"的原则,对资方人员进行了工作安排。"量材使用"是指根据他们的政治态度、工作能力、经验和在社会主义改造中的表现来安排职务。"适当照顾"是指对一些年老体弱、或原在本企业中有业绩但目前丧失工作能力者,安排比较适当的职位,必要时可吸取其家庭成员代替本人参加工作或劳动。据1957年统计,全国拿定息的71万在职私方人员和10万资本家代理人,都安排了工作。对于一般资产阶级代表人物,还安排了国家机关、经济业务部门的职务。

全行业公私合营和定息制度实行后,企业的生产关系发生了根本的变化。同个别企业的公私合营相比,企业的生产资料已由原来的公私共有转变为由国家统一使用、管理和支配。资本家虽有私股,但已不起资本的作用,它与生产资料已经分离,只在一定时期内起领取定息凭证的作用。资本家除了领取定息之外,对企业的生产资料已无权过问,资本家虽然在企业中安排了工作,但只是作为管理人员或技术人员进行工作。工人完全摆脱了雇佣劳动者的地位,成为企业的主人。所以,实行全行业公私合营的企业,实际上已经是社会主义性质的了。

实行全行业公私合营这种改造形式,是中国共产党进行社会主义革命的一种创造,是改造资本主义工商业,变资本主义私有制为社会主义公有制的决定性步骤。但在这一过程中,也出现了一些问题。一是合营过程中,速度太快,要求过急,搞了一刀切。大中城市全行业公私合营不到一个月就实现了,难免工作粗糙,产生大量遗留问题。二是合营时,混淆了劳动者与资本家的界限,公私合营的面过宽,把大量不属于资本家的个体劳动者的经济,同资本家的企业一起进行了合营,挫伤了这部分劳动者的积极性。1979年11月,经中共中央批准,在全国范围内进行了一次区别工作,即把这一大批参加公私合营企业,但没有雇佣剥削或只轻微剥削的小商、小贩、小手工业者以及其他劳动者,同本来属于资产阶级范畴的资本家和资本家代理人加以区别,明确他们原来就是劳动者。经过一年多的工作,这次列入区别范围的,计86万人,区别出劳动者70万人,约占81%,属于原资本家、资本家代理人的16万人,约占19%。从中也可以看出在1955年后的社会主义改造高潮中,对资改造工作的确有些过急过粗。

四

私营工商业社会主义改造的是非功过

私营工商业的社会主义改造虽然已经是一个历史问题,但是由于改革开放以来我国已允许私营和个体经济的存在和适当发展,并且将其作为一个长期的基本政策,因此如何评价20世纪50年代的对资改造工作仍然引人注目和关心,评价也莫衷一是。在这个问题上,我们认为今天的结论既要考虑当时的历史条件和结果,又要站在今天的认识高度去把握,二者均不可偏废。这里应该指出,从根本上说,中国社会主义制度的基本确立应该从1949年共和国成立时算起,因为此时在政治上实现了党的领导,在经济上国营经济处于领导地位,在思想上以马克思主义为指导。以后数年的变革只是使社会主义的因素更为扩大,而1956年社会主义改造的基本完成实质上只是使我国实现了苏联那种单一公有制的社会主义模式。

基于以上的认识,我们认为20世纪50年代的私营工商业社会主义改造应该分为两个部分来评价:1949年至1955年上半年为第一阶段,这个阶段的对资改造工作基本上是根据社会经济发展的客观要求和条件,积极稳妥开展工作的,同时效果也比较好,在促进了社会经济发展的同时,也提高了公有制经济的比重和领导作用。1955年下半年至1956年为第二阶段,这个阶段的对资改造工作主要是受农业社会主义改造高潮影响,可以说是时间短、任务重、难度大,结果出现工作过急过粗的毛病。由于将追求单一公有制作为眼前目标,结果忽视了根据国情、部分私营和个体工商业仍应该保留相当长时期这个历史唯物主义原则,导致毛泽东在1956年底即提出"消灭了资本主义还可以再搞资本主义"的观点。因此这一阶段的对资改造工作尽管是大功告成,皆大欢喜,但是从发展社会生产力的角度来看,却是弊多利少的。

总之,我国20世纪50年代的资本主义工商业社会主义改造,一方面表现出党和人民从国情出发,探索出一条适合中国实际的改造方式和政策,使对资改造没有引起社会政治经济的动荡,与此同时经济工作还取得了巨大成就;另一方面,对资改造工作又未能完全摆脱苏联单一公有制社会主义模式的影响,再加上又产生急躁情绪,结果留下了较多后遗症。

"冒进"与"反冒进"

1956年上半年,在社会主义改造高潮的鼓舞下,经济建设出现急躁冒进倾向,造成经济形势的全面紧张,周恩来等同志及时发现了问题,对冒进倾向进行了纠正,使1956年下半年和1957年的经济建设工作得以顺利进行,保障了国民经济的平稳发展。但是在1958年初的南宁会议上,毛泽东对1956年的"反冒进"提出了批评,认为它反掉了"多快好省",应对1957年经济发展的马鞍形负责,从而否定了"反冒进",于是"冒进"与"反冒进"就成为中华人民共和国历史上第一个关于经济发展速度之争的历史事件。时至今日,人们已经对这个事件作出了公正的评价。

一

"冒进"的形成

1955年下半年出现的社会主义改造高潮是在批判右倾保守主义的斗争中形成和发展起来的。随着社会主义改造高潮的出现,党在胜利面前不够谨慎了,特别是1955年10月召开的七届六中全会,在开展了反对农业合作化方面的右倾保守主义之后,还认为在经济建设和文化建设的各个方面,都多少存在右倾保守思想,应该批判和克服这种右倾保守思想。1955年12月5日,中共中央在中南海召开座谈会,由刘少奇向在京的中央委员、党政军各部门负责人(到会122人)传达毛泽东关于批判右倾保守思想,争取提前完成过渡时期总任务的指示。毛泽东指示的大意是:经济发展的速度应该快一点,不要出现"两翼"(指"三大改造")走在前面而"主体"(指工业化)落在后面的现象。毛泽东的上述思想在1956年初公开出版的《农业社会主义改造高潮》一书的序言中公开为全国人民所知。1956年元旦,《人民日报》又发表题为《为全面地提早地完成和超额完成五年计划而奋斗》的社论,这篇文章从题目到内容都充满了形势逼人的气息。

上述思想和舆论的变化,反映出党在经济建设方面产生了急躁情绪。这种情绪的出现,不完全是主观上心血来潮的产物,它有着一定的经济背景。

众所周知,1955年的经济发展速度由于受1954年农业严重自然灾害的影响(工业原料不足),增长速度比前几年大幅度下降,工农业总产值仅增长5%,其中工业总产值仅增长6%。到1955年底,第一个五年计划只剩下两年时间,而前三年只完成基本建设计划投资额的51%。同时,由于经验不足,1955年不适当地削减了某些非生产性建设项目,结果不仅年底财政结余18.1亿元,而且钢材、木材、水泥等物资也有较多剩余,使当年计划显得保守了一些。按照1955年经济建设状况,"一五"计划是难以完成的。这既是毛泽东掀起农业合作化高潮的重要原因之一(解决农业拖工业后腿问题),也是毛泽东对1955年计划工作不满意,认为存在保守倾向的原因。同时,1955年农业取得大丰收和当年财政物资的结余,也为1956年的工业和整个国民经济的发展创造了较好的条件,使1956年国民经济的高速增长有了可能。此外,1956年苏联援助的许多建设项目将进入施工高峰,为了避免建设任务过多地拖到"一五"计划的最后一年,造成被动,建设部门也希望加快1956年的建设速度。

由于上述经济因素的影响,加上政治上反右倾保守和社会主义改造高潮的推动,1956年1月第三次全国计划会议编制1956年度国民经济计划草案时,就对发展速度考虑较多,而对国家的经济发展潜力、财力、物力等可能条件研究不够,从而提出工业总产值比1955年增长21.7%,达到"一五"计划1957年的水平;粮食产量比丰收的1955年增长9.2%,棉花增长

18.3%,均超过"一五"计划1957年的水平。为了保证上述增长指标的实现,1956年的基本建设投资、职工工资总额和农业贷款三个方面自然要突破原订计划,有较大增加。为了保证高速度,就出现了"三管齐下"的偏差。主要表现在:

1. 基本建设规模过大

1956年1月,国家计委制定的年度基本建设投资额计划,由1955年9月预定的112.7亿元增加到147亿元,比1955年增长71%,占"一五"计划投资额的35%左右。由于要大干快上,1956年2月召开的全国第一次基建会议,又将"一五"计划期间的限额以上基建项目由原定的694个追加到745个,铁路建设也由原计划恢复和新建4084公里线路增加到8000公里线路。同年6月,上述基建项目又猛增到800多个,从而使1956年继续施工和新开工的建设项目大大超过了"一五"计划的规定。

基建规模过大,又造成以下两个问题:①基本建设增长速度超过了财政收入增长速度。1956年基本建设投资实际比上年增长62%(经过"反冒进"压缩后),而同期财政收入只比上年增长5.7%,从而造成资金供给紧张,出现财政赤字。②基建投资增长速度超过了生产资料生产的增长速度。1956年基建投资比上年增长62%,而以生产资料为主要产品的重工业生产只增长了40%,结果虽然动用了70万吨库存钢材,钢材仍然供不应求。其他建材和若干机械设备也供不应求,从而使建设工作中出现某些停工待料和窝工现象。仅1956年4月份,因建筑材料和设备供应不足,未能如期开工的项目即占同期应开工项目的1/5。另外,基建使用的物资增加过多,在原材料分配时,对于一般为市场服务的生产(即主要是生活消费资

料)则照顾不够,分配减少,使这些物品的生产受到限制,产品数量不能满足需求,造成市场供应紧张。例如1955年供给轻工市场的钢材,占当年钢材供应量的23.2%,而1956年则降为18.7%,结果1956年出现手工业者到处抬价抢购废钢铁的现象。

2.职工人数增加过多

1956年计划增加职工84万人,大于快上的结果是新增加职工230万人,超过计划近2倍。这一年,全民所有制企业职工人数增加和职工的升级调资(职工平均工资比1955年增长13%),使当年职工工资总额比上年增长37%,而同期以生产生活资料为主的轻工业,产值只比上年增长不到20%,农副业总产值仅比上年增长4.9%,而农副产品的交售量反而低于1955年。职工工资的增长超过生活资料的增长幅度,使1956年出现生活消费品供不应求的紧张局面,造成人们持币待购,影响了货币回笼。

3.信贷突破计划

1956年计划农业贷款增加11.2亿元,结果却增加到20.3亿元,农贷总额比1955年增长2倍,超过前三年的总和。同时,城市公私合营企业的贷款原计划1956年增加2.9亿元,结果实际增加了9.4亿元,也大大超过了原订计划。贷款出现差额,只好靠过多地动用历年结余款和增发钞票来解决。

1956年在农业生产上同样存在急于求成的问题。1956年1月由中共中央政治局提出的《一九五六年到一九六七年全国农业发展纲要(草案)》中一些本来计划12年完成的任务(即便如此,大部分指标仍不容易达到),由于受合作化高潮的影响,许多地方都主张三五年完成,结果在制定农业生产计划时,指标一再追加,

1956年粮、棉产量计划指标变动多次。粮食产量指标,1955年9月提出1956年计划比丰收的1955年增长1.7%,到同年12月则改为8.1%,1956年2月又改为9.2%;棉花产量指标,1955年9月提出1956年计划比1955年减少1.3%,同年12月则改为增长16.9%,到1956年2月,又改为增长18.3%。各省市制定的计划,则比中央制定的计划指标还要高(粮食比中央计划高4.3%,棉花比中央计划高11%)。实际上,我国农业当时还靠天吃饭,加上1956年农村经济体制剧烈变动的影响和缺乏足够的投资,上述指标是根本不可能实现的。因此,1956年不断追加农业投资,造成农用物资供应紧张,但由于当年自然灾害严重和合作化过急两个因素的影响,粮食产量仅比1955年增长4.4%,棉花产量反比1955年下降4.8%,其他农副产品产量也远没有达到预期指标。1956年初农业计划指标订得太高,其影响不仅仅是农业,农业为轻工业提供60%以上的原料,农业税在财政收入中占11%(1955年),因此农业计划指标过高必然要牵涉到工业和基建的高指标。

由于以上原因,尽管经过"反冒进"的压缩,1956年执行国家预算的结果,仍出现了财政赤字18.3亿元,支出超过收入6%,打破了1951年以来收支平衡、略有结余的局面。加上当年多放的贷款,1956年共多支出30亿元,财政信贷的多支出引起银行货币投放的增加,市场货币流通量比1955年底增加17亿元。同时社会购买力比上年增长14%以上,而同期生活消费资料的产值仅比上年增长7%左右,致使国家不得不动用库存物资。1956年商业库存物资比1955年减少17亿余元,但是市场供求关系仍然很紧张。

上述情况表明,1956年国民经济建设

中确实存在着急躁冒进倾向,建设规模和发展速度超出了国家经济承受能力。这种经济过热现象如果不及时纠正降温,必将影响国民经济的持续稳定发展并可能引发市场混乱,同时也会导致经济效益下降,"反冒进"就是在这种情况下提出的。

二

"反冒进"的提出和初步实施

对于经济建设中的"冒进"倾向,具体抓全面工作的周恩来最先觉察并感到不妥。1956年1月20日,周恩来在中共中央召开的知识分子问题会上就呼吁:不要搞那些不切实际的事情,要"使我们的计划成为切实可行的、实事求是的计划,而不是盲目冒进的计划"。"这一次我们在国务院召集的计划和财政会议,主要解决这个问题"。① 1月30日,在全国政协第二次会议上,周恩来在《政治报告》中重申了上述观点。2月6日,周恩来与计委主任李富春、财政部长李先念研究如何在计划会议和财政会议上压缩指标时,指出:既然已经存在不小心谨慎办事,有冒进急躁现象,计委、财政部就要压一压。后来周恩来曾多次把这压指标的两个会议戏称为"二月促退会议"。

2月8日,周恩来在国务院第24次全体会议上又一次指出:"现在有点急躁的苗头,这需要注意。社会主义积极性不可损害,但超过现实可能和没有根据的事,不要乱提,不要乱加快,否则就很危险。""领导者的头脑发热了的,用冷水洗洗,可能会清醒些。各部专业会议提的计划数

字都很大,请大家注意实事求是。"②4月10日,在政务院常务会议上,周恩来又一次提出搞计划必须注意实事求是。

1956年5月,中共中央开会讨论一届人大三次会议(6月召开)文件起草问题。会议由刘少奇主持,毛泽东未参加。会上各地反映基本建设太快、财政增加、人力增加,上得太快了。与会同志认为对此应该控制、压缩,1957年的计划也应该压下来。会议最后决定我国经济发展要施行既反保守、又反冒进、坚持在综合平衡中稳步前进的方针。另外,与会同志还一致主张写篇社论,反一下急躁冒进,于是刘少奇要求中宣部代《人民日报》写一篇社论。6月1日,中宣部部长陆定一在部分省市委宣传部长座谈会上讲话时传达了这个精神:"反对右倾保守,现在已高唱入云,有必要再提一个反对急躁冒进。中央要我们写篇社论,把两个主义反一反。"③

中宣部起草的社论,题为《要反对保守主义,也要反对急躁情绪》,经过陆定一、刘少奇、胡乔木三人先后修改,加重了反急躁冒进的分量。尤其是陆定一修改时加上突出的"扫盲"例子和胡乔木修改时加写的"双轮双铧犁"例子,都直接涉及毛泽东亲自主持制定的《一九五六年到一九六七年全国农业发展纲要(草案)》。由于1956年做的这两件事不符合实际,特别是"推广双轮双铧犁"是一个明显的失误,因此在当时这是比较敏感的两件事。该社论稿子经刘少奇修改后,刘少奇曾批示:"主席审阅后交乔木办。"而毛泽东接到稿子后却批了"不看了"三个字。

社论于6月20日在《人民日报》头版

---

① 转引自薄一波:《若干重大决策与事件的回顾》上卷,中共中央党校出版社,1991年版,第532页。
② 《周恩来选集》下卷,人民出版社,1980年版,第190、191页。
③ 转引自薄一波:《若干重大决策与事件的回顾》上卷,中共中央党校出版社,1991年版,第534页。

头条位置刊出。社论虽然题为反对两种倾向,但主要的篇幅和重点是反对急躁冒进。社论还指出:"急躁冒进所以成为严重的问题,是因为它不但是存在在下面的干部中,而且首先存在在上面的领导干部中,下面的急躁冒进有很多就是上面逼出来的。"这篇社论的发表,标志着"反冒进"由实际工作中抵制"冒进"扩大为在舆论宣传上也公开明确地反"冒进"。事后证明,毛泽东对这篇社论是很不满意的。

在实际工作中,"反冒进"也取得初步成效。6月1日,周恩来主持召开国务院常务会议,研究再次压缩1956年计划指标和编制1957年计划问题。周恩来提出:1956年的基本建设投资额尽管经过"二月会议"由170亿元压缩到147亿元(仍比1955年增长近68%),但是这么大的数字还是不可能完成的,要好好计算一下。经过研究,6月5日会议决定将1956年的基建投资额再由147亿元压缩到140亿元。6月10日,中共中央政治局基本通过国务院的上述意见,并在预算报告的草案中明显增加了反对冒进的分量。

由于刘少奇、周恩来以及几位主管经济工作副总理的努力和毛泽东尊重多数人的意见,到1956年年中,经济建设中来势较猛的急躁冒进势头基本上被遏制住了。但就全年来看,1956年的经济建设还是表现出前面所述的冒进和过热。

"八大"前后的继续"反冒进"

6月份全国人大会议通过1956年国家预算之后,周恩来立即把主要精力转入"二五"计划建议的编制工作中,这是为中共八大准备的一个重要文件,也成为1956年"反冒进"的第二个回合。

1955年夏,国务院在北戴河召开重要会议,各部在会上提出第二个五年计划的指标,经国家计委加以汇总后,于10月份报送党中央和国务院。当年11月间,毛泽东提出"农业十七条"和随后部署了各方面批判"右倾保守"思想后,各部委不约而同地把北戴河会议上提出的"二五"计划方案否定了。有的重新提出"二五"方案,有的索性把"三五"计划改为"二五"计划方案。例如粮、棉、钢的产量指标,有关部门在北戴河汇报时提出,1962年分别达到粮4600亿斤、棉4300万担、钢1100万吨;而1956年重提的指标则分别为粮6400亿斤、棉7000万担、钢1200万吨。毛泽东对各部重提的方案是比较满意的,但仍认为钢产量指标还是比较低,主张1962年"把钢搞到一千五百万吨",因此计委又将1500万吨钢列入"二五"计划。中央粮、棉、钢指标订得过高,不仅地方要跟上来,而且其他部门和行业也都要跟上来。到1956年6月,全国人大会议批准既反保守、又反冒进,坚持在综合平衡中稳步前进的经济发展方针,但有关部门却迟迟拿不出一个符合这个方针的"二五"计划草案。

7月3日至5日,周恩来连续召开国务院常务会议,讨论计委先后报送的两个"二五"计划方案。周恩来指出:第一个方案冒进了,第二个方案也是不可靠的、危险的。周恩来、陈云、薄一波都主张将粮、棉、钢的指标降下来。周恩来强调:现在要精打细算,搞一个比较可行的方案,作为向八大的建议。会后,在周恩来的直接指导和帮助下,计委于7月下旬又编出一个新方案。

8月3日到16日,周恩来、陈云在北戴河召开国务院常务会议,审查计委新编的"二五"计划方案。会议对部分指标又作了调整,回京后,周恩来又邀集计委有关同志将方案推敲了一遍,才提交给中共中央。

国务院最后确定提交给中央的"二五"计划方案,将1962年粮食产量指标定为5000亿斤,棉花产量定为4800万担,钢产量定为1050万吨至1200万吨,比1956年1月计委汇总的第二个方案的指标下降了很多,从而希望使"二五"计划指标较为切实可行,但也非轻易能达到。国务院最后确定的方案为中央和毛泽东所采纳。这个降低指标的方案之所以被中央和毛泽东采纳,还有一个原因,那就是在此期间,苏共中央于9月1日给中共中央复信,认为我国原拟"二五"计划指标过高,希望考虑现实的可能性,同时表示苏联没有力量按所订"二五"计划方案的要求提前提供有关设备。

在第三次修改经中央基本同意的"二五"计划方案时,周恩来鉴于人们在执行"多、快、好、省"方针时,后两条没有人提出具体指标,实现也难,而"多"和"快"则很明显,做到也较"容易",人们更容易注意"多"、"快"而忽视"好"、"省",并且"多"、"快"也常常是以牺牲"好"、"省"为代价的,因此,周恩来在一个重要地方删去了"以多、快、好、省的精神"几个字,此事引起毛泽东的注意。后来批判"反冒进"时,此事曾一再被提及。

上述"二五"计划建议在中共八大上得以通过,同时八大还肯定了刘少奇、周恩来、陈云等提出的既反保守又反冒进、坚持在综合平衡中稳步前进的经济建设方针。

八大以后,经济建设中的"冒进"倾向并没有从根本上消除,影响还很大。在制定1957年度经济计划时,"冒进"与"反冒进"又进行了第三回合的交锋。

1956年10月20日至11月9日(党的八届二中全会前夕),周恩来连续召开了10次国务院常务会议,检查1956年计划执行情况,研究1957年的主要经济控制指标。在10月24日的会上,周恩来提出:现在"主要应该批左"。在11月9日的会上,周恩来又明确提出"必须采取退的方针"。陈云也提出:宁愿慢一点,慢个一年两年。稳当一点,就是说"右倾"一点。"右倾"比"左倾"好一点。①

11月10日,中共中央召开八届二中全会,这次会议的重要议题之一是讨论1957年国民经济计划和财政预算控制数字,因此为争取1957年经济稳定发展而进行的"反冒进"就集中在这次会议上讨论。毛泽东后来也把这次会议看成是"反冒进"的"集中表现"。

八届二中全会议程有三项:时局问题;1957年国民经济计划和财政预算控制数字问题;粮食和主要副食品问题。刘少奇在作时局问题报告时,结合波、匈事件教训,提出:我们应遵照毛主席关于"又要重工业,又要人民"的指示,不能把同人民的关系搞得太紧张。我们应该注意把工业建设速度放在稳妥可靠的基础上。他赞同一位同志讲的"慢一点,右一点,还有回旋余地;过了一点,左了一点,回旋余地就很少了"。②

周恩来就第二项议程作报告,他联系波、匈事件的教训、我国"一五"计划以及1956年年度计划执行情况的总结,提出1957年应实行"重点发展,适当收缩"的方针。周恩来说:八大的建议和农业发展纲要四十条中的有些指标,都是建议性质,

---

① 参见薄一波:《重大决策与事件的回顾》上卷,中共中央党校出版社,1991年版,第555页。
② 同上,第556、557页。

在执行中如果跟不上去,不要勉强,可以修改。1956 年的生产指标多数已接近"一五"计划要求的 1957 年水平,到 1957 年,46 种工业生产指标,估计有 39 种一定超过。五年计划基本建设投资为 427 亿元,现在提出明年投资指标为 131 亿元,同前 4 年的投资加在一起,已达到 480 亿元,超出计划 50 来亿元。五年计划规定的预算收支、人才培训、劳动工资等,都将超过或 4 年就已超过。1956 年生产建设成绩很大,但有些方面"冒"了,因为今年"冒"了,明年的计划安排就非常困难。"冒"了的就要收缩一下,使整个国民经济协调发展,不然站不稳。①

各组在讨论中,除一些同志担心"适当收缩"的提法会引起"冒退"以及对某些具体指标安排有意见外,一般都同意 1957 年实行"保证重点,适当收缩"的经济建设方针。华北组认为,1956 年各方面都"冒"了,1957 年应该收缩。董必武在中南组上说:批评冒进从 6 月就开始了,但冒进的思想并未得到清除。经济建设是长期的,偶然突击一下可以,但不能经常采取突击的方法。冒进思想不清除,第二个五年计划还会发生问题。毛泽东在大会上的讲话则反映出他对这次会议的"反冒进"是有不同看法的,但当时他没有提出批评和反驳,而且同意 1957 年实行"保证重点,适当收缩"的方针。

1957 年 2 月 8 日,中共中央发出《关于一九五七年增产节约运动的指示》,该指示在肯定了 1956 年经济建设取得巨大成绩的同时,还承认 1956 年的年度计划有进展过快的缺点,并解释 1957 年对经济建设规模和速度作适当调整的必要性。

1957 年 6 月,在一届人大四次会议上,薄一波代表国务院作《关于一九五六年国民经济计划执行结果和一九五七年国民经济计划草案的报告》,提出 1957 年工业总产值比 1956 年增长 4.5%,基本建设投资 111 亿元,比上年实际完成数减少 20.6%。该草案得到这次会议的批准。

这样,1957 年的经济建设终于抑制住"冒进"的干扰,缓解了 1956 年"三大改造"和经济增长过快造成的全面紧张的局面,不仅使"一五"计划得以顺利完成,而且使财政收支平衡、略有节余,市场也趋于稳定。虽然"大跃进"期间毛泽东曾将 1957 年的经济增长速度减慢称之为"马鞍形",并认为是 1956 年"反冒进"的后果,但是事实证明,1957 年经济建设规模缩小、速度放慢是完全正确的。

1956 年的"冒进"与"反冒进",是中国共产党在缺乏社会主义经济建设经验的情况下,关于经济发展速度问题认识上的分歧。中国共产党依靠集体领导和集体智慧,实事求是的正确主张终于占了上风,从而纠正了经济建设中出现的急躁冒进倾向,成功地避免了一次可能于 1956 年或 1957 年就出现的重大经济失误。

1949—1956 年经济体制演变概述

1949 年至 1956 年的 7 年,是我国经济体制变化最大也最为频繁的时期。在短短的 7 年间,我国经济体制经历了两次

---

① 参见薄一波:《重大决策与事件的回顾》上卷,中共中央党校出版社,1991 年版,第 557、558 页。

带有根本性的变革。一是 1949 年至 1952年,随着中华人民共和国的建立,通过没收官僚资本、企业民主改革、土地改革、统一财经、调整工商业、统制外贸等一系列措施,建立了一整套新民主主义经济体制;二是从 1953 年至 1956 年,在党的"过渡时期总路线"的指导下,我国顺利地完成了对农业、手工业和资本主义工商业的社会主义改造,并通过农副产品统购统销、扩大统配物资品种等一系列措施,建立了以单一公有制和行政性计划管理为特征的传统社会主义经济体制。

上述经济体制的两次巨大变革,无论对于当时还是后来乃至今天的政治、经济和社会生活,都产生了重大影响,可以说是中国历史上最为重大的社会变革之一。这里主要从所有制结构、经济运行、劳动就业、收入分配四个方面,简要叙述一下这个时期经济体制的重大变革及前因后果。

一

所有制结构由多种经济成分
并存向单一公有制过渡

1949 年至 1956 年,是我国所有制结构发生急剧变化的 7 年。概括地说,这种变化可以分为两个阶段,第一阶段是在新中国成立前后,为实施新民主主义革命经济纲领和《共同纲领》中的经济政策,消灭了官僚资本和封建土地制度,建立了国营经济领导下多种经济成分并存发展的新民主主义经济结构。第二阶段是 1953 年至 1956 年,为完成社会主义革命任务,基本上实现了对个体农业、手工业和资本主义工商业的社会主义改造,建立了比较单一的公有制经济。上述变革使整个经济体制乃至上层建筑都随之发生了巨大变化,它是 20 世纪 50 年代中国社会大变革中最基本最重要的环节。

1.新民主主义所有制结构的确立

新民主主义所有制结构最基本的特征,就是在社会主义性质的国营经济领导下,多种经济成分长期并存,分工合作,共同发展。从当时的理论来看,新民主主义经济主要由五种经济成分组成,即社会主义性质的国营经济、半社会主义性质的合作社经济、国家资本主义经济、劳动人民的个体经济、私人资本主义经济,而从新中国成立初期的实际情况来看,除了上述五种主要经济成分外,还存在着数量不多的中外合资经济和外国独资经济。

新民主主义所有制结构的形成是新民主主义革命的结果,它是靠革命暴力和新生政权的力量而不是靠社会经济自然发展来实现的。

第一,在新民主主义所有制结构中处于领导地位的国营经济,就是通过没收官僚资本和战犯、汉奸、反革命分子的财产建立起来的。在旧中国,以蒋、宋、孔、陈四大家族为首的国民党官吏实际上占有了国家资本。在国民党统治的 20 余年里,官僚资本迅速膨胀,形成了约 200 亿美元的巨额资产,控制了金融、交通、行业等有关国计民生的行业。国民党官僚资本的迅速膨胀及其在国民经济中的垄断地位,一方面阻碍了社会经济的发展,从而使其成为民主革命的对象;但是从另一方面看,新民主主义国家又可以通过没收官僚资本,建立起在国民经济中处于领导地位的国营经济,这种强大的具有社会主义性质的国营经济的存在和发展,是新民主主义经济区别于一般资本主义经济的根本因素,又是我国走向社会主义社会的基本保证。

第二，在新民主主义所有制结构中占很大比重的农业个体经济，是通过土地改革实现的。旧中国的农村自 1840 年鸦片战争以后，封建和半封建的生产关系依然占统治地位，占农村人口约 5％的地主富农却占有 60％以上的土地，从而使废除封建剥削和实现"耕者有其田"成为新民主主义革命的三大经济纲领之一。到 1952 年底，除港澳台以及新疆、西藏等少数民族地区外，全国大陆通过土地改革，彻底消灭了农村封建制度，劳动人民个体经济取代了地主经济。据统计，全国约有 3 亿无地少地农民分到了 7 亿亩土地和大批农畜、耕具等生产资料，形成了数量众多、规模狭小的农业个体经济。至于土改后仍存在的数量不多的富农经济，由于其雇工一般维持在一个人的规模，仍然属于农民家庭经营范畴。总之，土地改革不仅是新民主主义所有制结构形成的前提，同时也为合作经济的发展提供了必要性和可能性。

第三，在合作经济方面：生产领域主要有农业生产合作社和手工业生产合作社；商业流通领域，则主要是农村供销合作社和城市消费合作社；金融领域，主要是农村信用合作社（或在供销合作社中设信用部）。在上述合作社中，由于客观条件不成熟，在 1952 年以前，农业生产合作社、城镇手工业生产合作社、农村信用合作社的发展都比较慎重和缓慢，其所占比重也很小。但是商业流通领域的供销合作社，由于顺应了共和国成立初期农村商业和城乡交流亟待发展的客观要求，再加上政府的大力扶持和帮助，获得了迅速发展。到 1952 年底，全国供销合作社发展到 34000 多个，社员人数达 1.41 亿，占农村人口总数的 25％左右。此外，城市消费合作社的发展速度也很惊人，到 1952 年底第二季度，已达 3340 个，在大城市中，社员人数已占全部人口的 23％。

第四，在国家资本主义经济方面，由于历史原因和当时的国情，在新民主主义所有制结构中的国家资本主义经济，主要表现为公私合营和加工订货。至于国家投资与私营企业合营，在共和国成立初期党和政府的方针政策是非常慎重的，必须具备以下三个条件：一是确实有利于经济发展，二是资方完全自愿，三是符合国家发展计划。在国民经济恢复时期，由国家直接投资建立的公私合营企业并不多，总数不超过 10 家。加工订货是这种国家（包括国营企业）与私营企业联系与合作的初级国家资本主义形式，在 1950 年调整工商业前后积极发展起来的，由于这种形式有利于将私人资本主义经济纳入国家经济计划轨道，减少其对市场的冲击和生产的盲目性，因此发展比较快，在少数有关国计民生的重要行业，如纺织业、机器制造业等，加工订货的比重已接近该行业私营工业产值的 40％左右。

第五，在新民主主义所有制结构中，在城市经济中占很大比重的私人资本主义经济成分，也是其重要组成部分之一。民主革命时期党就提出"保护民族工商业"，并将其列入新民主主义三大经济纲领之一。党的七届二中全会和《共同纲领》再次提出私人资本主义经济是新民主主义经济的重要组成部分，在国营经济领导下，与其他经济成分分工合作，各得其所。与此同时，国家又在经营范围、税收、劳动条件等方面对其加以适当限制，使其存在和发展有利于国计民生。在 1952 年以前，在城市经济中，尽管私营经济所占的比重有所降低，但是其绝对数量则是上升的。

2.向单一公有制经济的迅速过渡

1953年9月，经过近一年的酝酿，中共中央在纪念国庆节宣传口号中公开提出了党在过渡时期的总路线。总路线的主要内容就是用15年左右的时间基本实现工业化，同时实现对农业、手工业和资本主义工商业的社会主义改造。同年底，中央宣传部公布的"宣传提纲"（经毛泽东亲自修改过）又将生产关系的变革列为总路线的实质。这样，从1953年开始，向苏联模式的单一公有制经济过渡就提上了议事日程。

1953年是我国进入全面经济建设的第一年，由于经验不足和各方面都想多干一些，结果基建规模和经济增长指标都订得大了些，由此造成市场供求关系紧张，粮食、油料尤为突出。这种农副产品供不应求的局面给党中央造成农业拖了工业化后腿的印象。1953年12月16日，中共中央通过《关于发展农业生产合作社的决议》，确立了农业社会主义改造的道路是由互助组到初级社再到高级社这种逐步过渡的方式，同时将农业合作化的重心由过去的建立巩固互助组转到发展初级社，并向各地布置了发展农业合作社的指标。这个决策的制定和实施，反映出农业社会主义改造已不再是工业化的结果，而成为工业化的前提和保证条件。

在农业社会主义改造加快速度的同时，国家在对主要农副产品实施统购统销后，开始着手对私营批发商进行改造。1954年一年即完成了改造，基本消灭了私营批发商，使私营商业只限于零售，对于市场的供求和价格不能再产生多大作用。

在工业方面，1953年出现的资金物资供求紧张局面同样影响到私营企业。由于在银行信贷和物资供给方面，国家和有关部门的原则是优先供应国营企业，满足国家基本建设项目的需要，因此私营企业出现资金短缺、设备利用率低、开工不足和工人积极性不高等一系列问题。在这种情况下，为了更有效地利用私营企业的设备和力量，并将其纳入国家计划经济的轨道，1954年1月，中共中央批准了中财委《关于有步骤地将10个工人以上的资本主义工业基本改造为公私合营企业的意见》，确立了以公私合营形式作为改造私人资本主义工业的方式，并决定实行"摘苹果"的办法，成熟一个合营一个，成熟一批合营一批，计划1954年将500个私营厂矿转变为公私合营企业。对于广泛散布于城乡、数量众多的个体手工业者，国家从增加产量、减少盲目性和有利于转为现代工业（采用设备）等多方面考虑，也加快了合作化进程。1953年11月召开的第三次全国手工业生产合作会议提出，1954年参加各种合作组织的手工业者人数应比1953年底增加两倍，产值增加近一倍，到1960年左右，在全国范围内基本上完成手工业合作化任务。

1954年，我国农业遇到百年未遇的严重自然灾害，农业的减产必然影响到1955年的经济发展速度。由于原料不足，1955年工业总产值仅计划增长7.7%，大大低于"一五"计划规定的年平均增长14.7%的速度，按照这种速度，"一五"计划规定的指标就也许不能完成。1953年和1954年农业连续两年拖国民经济发展后腿的现象，引起毛泽东和许多领导人的重视，由于初期建立的农业生产合作社条件较好得到国家物资上的帮助，确实增产明显，因此毛泽东等人开始将促进经济增长的希望寄托在生产关系的变革上。1955年7月，毛泽东经过数月的考虑和调查，在省、市、区党委书记会议上作了《关于农业合作化问题》的报告，由此全国掀起了农业合作化高潮。1956年1月，入社农户即由 1955 年 6 月占总户数的 14.2％猛增到 80.3％,到 1956 年底,参加合作社的农户已占全国农户总数的 96.3％,其中参加生产资料实行公有、规模更大的高级社的农户占全国农户总数的 87.8％。至此,农业社会主义改造基本完成。

我国农业由以私有制为基础的家庭经营转变为高级农业生产合作社,不仅仅是生产资料由私有变为公有,更重要的是生产经营方式由家庭、互助组、初级社(一般由 30 户左右农户组成)多种形式转变为单一的较大规模的集体生产经营(高级社一般由 150 户到 200 户农户组成),这在农业生产力本身没有发生较大变化、并且整个社会的社会化生产水平也很低的情况下,使农民的生产经营活动遇到了很多困难。

受农业社会主义改造高潮的影响,手工业和资本主义工商业的社会主义改造也掀起了高潮。1955 年 12 月,第五次全国手工业生产合作会议指出,手工业合作化的发展速度,必须与国家工业化,国家对农业、资本主义工商业的社会主义改造相适应。会议要求在 1956、1957 两年内,基本上完成手工业合作化的任务。到 1956 年底,参加各种合作组织的手工业者已占手工业总人数的 91.7％,其手工业产值已占全部手工业产值的 92.9％,而且其中绝大部分是手工业生产合作社。与此同时,盐业、运输业等个体经济也基本上实现了合作化。

1954 年的农业自然灾害造成的原料短缺首先影响到私营工业,由于资金短绌,原料缺乏,再加上条件较好的大企业已逐个转为公私合营,剩下的私营工业更显得困难重重,难以为继。因此当农业社会主义改造高潮到来之后,不仅私营企业的工人迫切希望公私合营,而且那些面临困境的资本家看到大势所趋,也愿意接受社会主义改造。以统筹安排、全面规划为特点的全行业公私合营就成为私营工商业走向社会主义的恰当方式。到 1956 年底,实现公私合营的工业企业,已占年初原有资本主义工业企业总户数和职工人数的 99％,占生产总值的 99.6％。在全部私营商业中,已纳入各种改造形式的户数已占总户数的 82.2％,职工人数占从业人员的 85.1％,资金占资金总额的 93.1％。

实行全行业公私合营以后,企业中的"三权"(人权、财权、物权)已从资本家手中转归国家支配,资本家已成国家公职人员,原来雇佣的工人也转为国家职工。国营经济的比重大大增加了,同时国家管理国营企业面临的困难和复杂程度也增加了。

二

流通领域由计划与
市场并存向计划经济转变

1950 年 3 月,政务院先后颁布《关于统一国家财政经济工作的决定》和《关于统一全国国营贸易实施办法的决定》,要求建立起高度集中的国营商业管理体制,其主要内容是:①明确中央贸易部是全国的国营、合作社、私营贸易的国家领导机关;②建立全国性的专业公司,实行统一经营;③建立贸易金库制度,实行资金大回笼;④建立商业调拨制度,实行部分物资调拨。

国家对重要产品的控制主要表现在两个方面:一是保障重要产品供求关系基本平衡,二是实行国营公司牌价制度,使重要产品的价格保持在合理的水平上。在重要产品的供求关系方面,主要是保障人民日常生活必需品的供求平衡。例如在1950年春、夏时节,为保证粮食供应,国家进行了空前的粮食大调运,共调运粮食60多亿斤,保证了全国各大城市、经济作物区和灾区的粮食供应。又如1950年国内棉花供应不足时,为了解决这个问题,国家进口了大量棉花。由于我国工业落后,当全国解放后,人民的穿衣要求日益提高,而全国棉纺业的生产能力一时满足不了这种要求,因此棉纱就成为一个关系到国计民生的短缺产品,它自然成为市场上被用作投机的重要物资。为了保障棉纱的产销关系正常化、合理化,1951年1月,国家发布了《关于统购棉纱的决定》,规定公私纱厂自纺部分白棉纱及自纺的棉布以及现存的棉纱、棉布,均停止在市场上自行出售,由国营花纱布公司统购。

在牌价制度方面,国家将重要产品的国营公司牌价制定权及调整权集中到中央贸易部,规定凡带有全国性的有关国计民生的重要商品的牌价,均由该部制定,如粮食、棉花、煤炭、布匹、盐、食油、煤油以及部分工业器材等,使中央能直接掌握和控制这类商品的供求关系。

此外,在国家企事业单位内部,国家在健全查库的基础上,开始着手建立以计划分配调拨为主体的物资流通体制。从1950年开始,国家对钢材、木材、水泥、杂铜、煤炭、机床、纯碱、麻袋8种主要物资在大区之间进行统一平衡调拨,到1952年统一调拨的物资增加到55种。但是在这个时期,大部分工业品生产资料同生活资料一样,除允许生产企业自销一部分外,绝大部分是通过商业部门在市场上销售的。

除了上述国家对主要产品的直接控制外,国家还通过对重要产品的价格、比价进行调整等间接手段来调控市场,使市场机制在一定范围内发挥作用。例如1949年底,为了解决纺织工业原料严重不足和人民穿衣问题,农业部计划1950年的植棉面积由1949年的3900万亩扩大到5000万亩。为了实现这项计划,国家除了采取其他措施外,1950年4月,国家将棉花对粮食的比价作了适当提高(津、沪、汉、西安等城市1950年11月棉粮比价比1950年2月的比价平均提高约30%)。棉粮比价的调整刺激了农民种棉的积极性,以至"要发家,种棉花"成为许多乡村流行的口号,结果1950年的棉花种植面积达到5600万亩,超过了原订计划。1951年3月,国家又采用同样的办法,再次保证了国家植棉计划的实现。

总之,国民经济恢复时期,国家在流通领域采用计划管理与市场调节相结合的运行机制。国家只抓有关国计民生的重要产品的计划调控,其余放开由市场去自行调节,有效地发挥了计划和市场两种机制的优势而避免了其不利影响,因此效果是比较好的。在此期间,为了处理好这二者之间的关系,国家还两次进行了大规模的商业调整。第一次是1950年下半年的调整工商业,第二次是1952年底开始的只调整商业。两次调整工作的重心虽然表现为调整商业中的公私关系,但实质上都是为了解决商业中计划管理与市场调节相结合的问题。

1953年以后,一方面我国开始执行以优先发展重工业和国民经济高速增长为特征的第一个五年计划,另一方面开始向苏联模式的传统社会主义计划经济体制过渡,上述两种主要客观因素促成流通体制也由计划与市场并存向单一计划经济的转变。

1953年是执行第一个五年计划的头一年,由于缺乏经验和各部门、各地方都想大干快上,结果基本建设的规模有些过大了,造成了物资供应的紧张。这种紧张首先表现在农产品的供应上,1953 年 11 月起,国家决定对粮食实行统购统销,从而取消市场机制对粮食供求关系的调节作用,将这个对国计民生影响重大的农产品纳入计划经济的轨道。1954 年 9 月起,国家又对油脂、油料、棉花实行了统购统销,1955 年在 26 个省、自治区、直辖市对生猪实行派养、派购;1956 年 10 月起,又对其他一些重要经济作物和土特产品,包括烤烟、黄麻、甘蔗、茶叶、蚕茧、羊毛、牛皮等十几种产品实行统一收购。到"一五"计划结束时,就农村来说,除了在集市上仍然存在着由市场机制调节的小额非主要农副土特产品的交换外,城乡交流和大宗及重要农副产品的区内及区际流通,已经完全置于计划控制之下。

就工业产品来说,执行"一五"计划造成的物资供求关系紧张同样也导致该流通领域内计划管理比重的迅速增长。1955 年统配物资为 55 种,到 1957 年,统配部管物资增加到 532 种,以至最后基本取消了市场机制对重要工业产品的调节作用。

"一五"计划期间,为了保证基本建设和工业增长计划如期实现,国家企事业单位内部在学习苏联计划经济管理的基础上,按照"统一计划,分级管理"的原则,开始建立起一套物资集中分配管理制度。从 1953 年开始,国家对各种工业品生产资料,按其在国计民生中的重要程度,实行分类、分级管理。国家将物资划分为一、二、三类。

一类物资又称国家统一分配物资,这是关系到国计民生的最重要的和最紧缺的物资。它包括钢材、有色金属、原料及其制品,木材,水泥,煤炭,原油,橡胶,硫酸,烧碱,汽车以及各种设备、机床等。这类物资,在国家计委作出指令性计划下进行生产和分配。

二类物资又称主管部门管理物资,这是在国民经济中比较重要的物资,以及专业性强,主要由某一部门生产和使用的专用物资或中间产品,如纺织器材及专用设备、机电产品等,这类物资由国务院各主管部门分别负责平衡和分配。企业和地方需要这类物资,要提报计划,向有关部门申请,由有关部门平衡供求后安排。

三类物资为地方管理或企业自给的物资。它包括除统配、部管物资以外的各种工业品生产资料,如建筑材料中的砖、瓦、灰砂、石,机电设备中的各类小型机械和工具,这类物资虽品种繁多,使用面很广,但是由于其生产和价格受到上述一、二类物资制约,一般不会造成社会供求关系的波动。

另外,从需求方面看,计划管理成分也加强了一些重要部门和国营企业需要的物资,按隶属关系提出申请,由国家直接分配,一般不得再到市场上去采购;一般用户和市场需要,则根据国家商业计划,分配给商业部门,通过市场组织供应。直接分配供应的比例在"一五"计划期间逐年扩大,而市场供应的比例则越来越小。以钢材为例,通过商业部门供应的钢材占全国供应总量的比例 1953 年为 25.9%,1954 年为 30%,1955 年为 18.2%,1956 年则为 8.2%。

在工业生活消费品方面,虽然仍主要通过市场流通,但是自 1954 年实现了对私营批发商的社会主义改造之后,这类商品的批发阵地已完全由国营商业的供销合作社占据,这类商品的供给和价格已经完全由国家控制,私人零售商的经营活动不得不服从于国家的计划管理,在商品的定价上已不可能主要根据供求情况,而不得不根据批发价格了。

三

劳动就业由计划调配与自行就业相结合走向统一调配和包下来

我国是一个经济落后、人口众多的农业大国,由于人口多,底子薄,教育落后,一方面在城市和农村都存在大量富余劳力没有出路,另一方面,适应现代经济发展需要的高素质劳动力又非常缺乏。20世纪50年代前半期这种剩余和短缺并存的劳动力供求关系是导致我国劳动就业制度由市场调节为主转为计划管理为主直至全部由国家管起来的重要原因,也是我国在劳动就业制度上不同于苏联及东欧国家的根本原因。

共和国成立以后,我国仍然存在着劳动力结构性严重过剩问题,经过农村土地改革,农村的富余劳动力得到安置,人人有地种,个个有饭吃,但富余劳动力的转业问题并没有解决。据1952年土改后统计,农村富余劳动力几乎占劳动力总数的1/3,只不过这些过剩由公开转为隐蔽。在城市,尽管随经济恢复发展和政府的积极安置,失业问题有所缓解,但1952年底,城镇的失业待业人员仍达376万多人。与此同时,随着经济的恢复和发展,有技术、有专长的科技人员短缺问题却日见严重,基本建设和企业都感到技术人员(包括技术工人)普遍短缺,1952年大学毕业生的供求关系比为1∶4。由于整个教育水平较低,这种局面在短期内又很难扭转。在这种情况下,如果在就业方面继续像过去那样完全由市场调节,不仅会使劳动者的就业和应有权益很难得到保证,而且也会造成劳动力资源的浪费,使有限的技术人才不能用到国家最需要的地方。

共和国成立以后,为了解决城市劳动就业中存在的失业严重和高素质劳动力短缺问题,在允许自行就业的同时,加强了宏观计划调控,着手实施统一介绍就业制度。1950年3月,第一次全国劳动局长会议明确提出:各地劳动局要设立劳动介绍所,办理失业工人的登记和介绍就业。随后劳动部公布了《市劳动介绍所组织通则》。同年6月,劳动部又公布了《失业技术员工登记介绍办法》,该办法规定:无论公私营企业,需要雇用技术员工的,都要向劳动介绍所申请,由劳动介绍所统一介绍;企业自行雇用人员,也要向劳动介绍所备案。凡经劳动介绍所介绍的技术员工,用人单位都要与被雇用者订立劳动契约,明确双方的权利和义务。从1950年7月到1952年底,通过劳动介绍所介绍就业的有90.4万人,约占同时期城镇新就业人数的10%左右。

对于普遍短缺的有专长的技术人员,除了前述规定由国家统一介绍就业外,为防止企业和地区之间随意挖人才,影响原有企事业单位工作,1951年5月15日,劳动部公布《关于各地招聘职工的暂行规定》,禁止国营企业在未经本地区劳动部门同意下招聘在职职工,凡跨地区的招聘,则必须经过大区一级甚至中央劳动部门的批准,不得私自招聘;凡国营企业的在职职工,欲应聘到其他企业工作的,应征得本单位的同意。与此同时,国家对于供不应求的大学毕业生的就业也着手进行计划调配,同年6月29日,政务院发出《关于1951年暑假全国高等学校毕业学生统筹分配工作的指示》,将大学生的就业纳入国家计划。

1952年下半年,由于"三反"、"五反"运动造成城市失业人员增加,广大农村也由于基本完成土改,富余劳动力在分得一份土地后也开始流向城市寻找新职业,同时,国家控制经济的实力经过三年的积蓄也有较大增强。在这种情况下,经毛泽东提议,政务院于 7 月份开会制定了《关于劳动就业问题的决定》,提出:为适应即将到来的大规模经济建设需要和彻底解决失业问题,国家应加强对劳动就业的计划管理和统一调配。为此,决定在政务院里成立劳动就业委员会,各大区、省、直辖市也成立劳动就业委员会,并从当年 11 月在全国开展失业人员登记工作,以便统一安置工作。

城市失业人员统一登记工作开展以后,到 1952 年底,两个月即有 162.2 万人登记。这些人中大部分没有专长,就业条件差,既给安置工作带来较大困难,也增加用人单位,尤其是私营企业的顾虑,由此造成地方政府在劳动就业问题上的被动。针对上述情况,1953 年 5 月,政务院劳动就业委员会、劳动部和内务部联合召开劳动就业座谈会,会议针对当时统一登记介绍就业工作的弊病,提出了“介绍就业与自行就业相结合的方针”,即在由政府介绍就业的同时,还鼓励失业人员通过个人关系自找职业,自谋生活出路,而不是一切都由政府“包下来”。同年 8 月,中共中央批准了这个劳动就业方针,缩小了劳动力统一调配内容。对于劳动就业工作中的这个小小失误,毛泽东还在 8 月份召开的中央财经会议上主动承担了责任。

对农村剩余劳动力开始大量流入城市找工作的问题,1952 年 7 月政务院召开的劳动就业会议就提出应采取就地消化的原则,在农村扩大就业门路,积极发展非农产业,限制农民盲目流入城市。1953 年 4 月 17 日,政务院发出《关于劝止农民盲目流入城市的指示》,要求县区乡政府用行政措施劝止农民盲目流入城市找工作,并规定城市公私企业不得自行招雇农工。

1953 年底大张旗鼓地宣传“过渡时期总路线”以后,随着社会主义改造速度的加快和计划管理比重的增加,劳动就业制度也开始由介绍就业和自行就业相结合走向由国家统一调配和包下来。

最早对劳动力实行统一招收和调配制度的是城市建筑业。1950 年开始的民主改革运动废除了城市建筑业中的封建把头、包工头制度及有关组织。1952 年上半年开展的“三反”、“五反”运动又使不少投机取巧的私人建筑业垮台,再加上建筑工作季节性强、流动性大,因此迫切需要建立一套新的劳动力管理组织和制度,以便将建筑工人组织起来,统一调配,保证施工单位需要和避免失业。在这种情况下,1952 年下半年,人民政府先后在各大城市建立了管理建筑工人的专门机构,制定了建筑工人调配办法,开始对建筑工人进行有组织有计划的管理调配。1953 年是我国转入大规模经济建设的第一年,当年国家基本建设投资占财政支出的 1/3。这种大规模的基建是前所未有的,而此时的建筑队伍不但力量薄弱,而且十分分散,因此,把他们组织起来,实行统一管理和调配就成为十分迫切的任务。到 1953 年底,全国已有 93 个城市设立了建筑工人调配专管机构。1954 年 3 月,全国建筑工人调配工作会议制定了《建筑工人调配暂行办法》。从此,在全国城市统一了建筑工人的招收和调配制度。

1955 年以后,劳动力的统一招收和调配制度又从建筑业扩大到国家机关及其所属企业和公私合营企业,以解决当时国营企事业单位普遍存在的分布不合理现象(沿海地区劳动力多余,内地不足;老企业多余,新企业不足;老企业技术力量积压浪费,新企业普遍缺乏)。

1955 年 5 月,劳动部召开第二次全国劳动局长会议。会议明确规定了劳动力统一招收和调配的基本原则、办法和劳动部门的管理权限。基本原则是"统一管理，分工负责"，即在劳动部门统一管理之下，由企业主管部门分别负责进行。具体办法是：①在招工方面，国营企业招用工人和技校学生，统一经过劳动部门进行，机关和事业单位招用人员应报当地劳动部门备案；在调配方面，国营企业之间劳动力的余缺调剂主要由主管产业部门在本系统内进行，但为避免同类职工相向调动和远距离调动所造成的浪费，则由劳动部门进行地区间平衡调剂。②各部门、各地区之间劳动力余缺调剂以及抽调技术工人支援内地重点建设，由劳动部门进行。③在劳动力平衡计划方面，由各部门和各地根据国家批准的劳动计划，编制本部门本地区的年度劳动力平衡计划，然后由劳动部门进行部门之间、地区之间的劳动力调配。

1955年开始实行的国营企事业单位劳动力统一招收和调配制度，虽然保证了劳动力供求的稳定和职工的职业安定，有助于解决部门之间、地区之间、企业之间劳动力余缺的矛盾，减少了窝工浪费，支援了重点建设，但是同时也使国营企业在招工、用人方面的权利受到较多限制，使劳动制度变得越来越不灵活。特别是随着国营企业的发展和私营工商业实现全行业公私合营，使得由国家统一招收和调配的覆盖面更为扩大。到1956年底，国家不仅包下了国营企业、公私合营企业的职工，而且包下了大中专院校和技校的学生，城市转、复军人的就业，上述这些就业人员都成为用人单位的固定工，不许随便辞退。再加上城市的其他经济成分也基本上实现了合作化，变成了集体经济，因此劳动者自行就业和自由流动的可能性就极为有限了。

在农村，由于农业合作化的迅速实现，使得原来可以自由流动的农民必须服从于自己所在的合作社，即使他自动放弃自己在本合作社所享有的那份劳动权利，在外面也很难找到工作。特别是1955年6月以后全国城乡建立了经常户口登记制度以后，农民的迁徙视其范围大小必须由相应的政府机构批准，从而制止了农民向城市的自由流动，农业社会主义改造完成以后，农民实际上已经成为不能自由脱离合作社和本乡本土的劳动者。

社会主义改造完成以后，就全国来说，只是在城镇尚有为数很少，并且就业条件较差的城镇个体劳动者尚未纳入计划经济轨道，但是这部分人自谋职业的范围已受到很大限制，劳动力市场可以说已不复存在。

四

分配制度由多样化走向简单和统一

在社会收入分配制度方面，共和国成立后的头七年里主要发生了两次较大变化，一是共和国成立初期通过没收官僚资本、城市民主改革和农村土地改革，消灭了严重阻碍中国经济发展的封建剥削制度；第二次是从1953年到1956年，通过社会主义改造和工资制度的改革，将多种分配制度转变为简单统一的工分制和工资制。

新中国成立后，随着民主革命任务的完成，封建剥削制度已经消灭，但是在收入分配方面，仍然存在着四种基本制度，即部分党政军机关干部实行的军事共产主义分配原则的供给制，国营企事业单位实行的以按劳分配为原则的工资制，城乡广大个体劳动者自食其力的劳动经营收入,合作社、公私合营和私营企业实行的按资本和劳动进行分配的制度。

在国民经济恢复时期,即共和国成立后的头三年里,国家对上述四种分配制度只作了适当调整,使其更符合"公私兼顾,劳资两利"政策。在供给制方面,国家在统一财经过程中,对供给制的标准作了适当调整和统一,以后又作了两次调整,消除了部门地区间苦乐不均和供给上又过于平均等不适应新环境的现象。当时供给制的项目包括伙食、服装、津贴三部分。按照 1952 年 2 月实行的供给标准,上述三部分合计,最高的标准为 89.97 元(国家正副主席、政务院正副总理、最高人民检察院正副检察长、最高人民法院正副院长享受此待遇),最低标准为 16.53 元(工人和勤杂人员享受此标准),以至于一个私营行庄普通职员的月工资就等于中国人民银行总行行长半年的供给标准。掌握国家权力的革命干部维持这样低的收入标准,这也是共和国成立初期社会稳定、党和政府威信高、人民干劲大的一个重要原因。从 1952 年 3 月起,供给制又改成"包干制"。其主要内容是将伙食、服装、津贴三部分合并为一项,改原来直接供应伙食、服装为全部折发货币,取消或改变个人生活费以外的部分待遇,供给标准也随着经济发展和社会生活水平的提高予以适当上调。1954 年 6 月调整后的最高标准由原来的 89.97 元上调至 272.03—464.92 元(国家正副主席、政务院正副总理、最高检察院正副检察长、最高法院正副院长享受此待遇),最低为 23.49—26.21 元(工人和勤杂人员),这种收入标准仍低于同时期工作相近的拿工资职工的收入。

关于国营企事业单位的工资制度,则比较复杂,既有老解放区沿袭下来的工资制度,又有新解放区实行"原职原薪"政策后遗留下来的旧工资制度。所谓"原职原薪"政策,就是对接管的官僚资本企业中的职工按照原来的工资等级制度、工资标准,一律照支旧薪或稍加调整,对旧的奖励制度、劳动保险制度等也加以保留。当然,"原职原薪"政策只适用于企业职工和公职人员,不包括旧政权机关的职员。"原职原薪"政策虽然对于顺利接管企业和社会的稳定起到了保证作用,但是由于它保留了旧中国遗留下来的极不合理的工资制度,因此是不利于以后经济恢复发展的。因此,在 1950 年上半年,新解放区结合城市民主改革运动,对旧工资制度中的极不合理的地方作了调整和改革,并实行以实物为计算基础、以货币支付工资的办法,即以"折实单位"、"小米"、"工资分"等作为工资计算单位,再按当时的物价折合成货币发给工资。

在进行上述调整改革的同时,国家从 1950 年下半年开始着手准备工资制度改革。1950 年 8 月 31 日召开的全国工资改革准备会议确定改革工资制度的原则为:①尽可能改革得比较合理,为建立全国统一合理的工资制度打下初步基础;②照顾现实,照顾广大职工生活,做到大多数人拥护;③照顾国家财力和工农关系,不过多增加国家负担。会议还制定了《工资条例(草案)》。

经过一年多的准备工作,1952 年前后,全国各大行政区分别进行了第一次全国性工资改革。这次改革的主要内容有以下几点:①废除各种不同的工资计算单位,全国统一以"工资分"为工资的计算单位,并统一规定了工资分所含实物的种类和数量。②根据按劳分配原则,初步建立了工人和职员的新的工资等级制度。在国营企业中,工人大多数实行八级工资制,少数实行七级或六级制,职员则实行职务等级工资制。各大行政区还根据各产业在国民经济中的重要性、技术复杂程度、劳动繁重程度和劳动条件,分别确定了工资的产业顺序。产业顺序的排列一般如下:钢铁冶炼、煤矿等重工业排在前面,工资标准高些;电力、机器、纺织等产业居中,工资标准略低一些;卷烟、火柴、食品等轻工业排在后面,工资标准更低一些。这次改革的方向和内容实际上为后来国营企事业的工资制度建立了基本框架。③通过工资改革,广大职工提高了工资。

关于资本和劳动共同参加分配的制度,由于国民经济恢复时期公私合营企业很少,农业初级社也很少,数量众多的供销和消费合作社也不以赢利为目的,很少分红,农村中雇工经营的富农经济很有限,因此其主要部分是指私人资本主义工商企业内部的分配制度。在共和国成立之初,国家对城市私营企业的分配制度只制定了"劳资两利"的基本政策,没有作具体的限制和规定,"劳资两利"政策的实施一般是通过劳资双方共同协商,订立集体合同体现的,一般来说,企业的经营收入在扣除了法定的税费和支付雇员工资福利(包括资方代理人工资)外,其所有权和支配权即归资本家所有。

1952年"三反"、"五反"运动以后,私营企业的分配制度发生了一些变化。一是"五反"后为划清工人与资本家的界限,各地工会开展了动员工人退"小股子"运动。"小股子"是指私营企业主为拉拢工人或店员而让其入股或赠送的"人力股"、"厚成股"等。这样,就取消了在私营企业,尤其是商业企业中普遍存在的工人参与少量分红的现象。二是"五反"运动提高了工人的地位,于是工人普遍要求提高工资和待遇,在这种情况下,中央本着"劳资两利",有利于生产的原则,于1952年底提出下列办法:调整私营企业的工资可在一个市的范围内,通过劳资协商的方式按行业订立合同,然后由各厂、店根据本行业的合同,分别进行调整。在工资调整幅度上,工商业应有所不同,对私营大中型工厂,要求参照国营企业的工资标准和制度进行调整,以求基本上大致与国营企业趋于平衡;商店及小工厂,因其规模小、分散,类别复杂,只能要求在现有基础上改善一步,既做到为大多数职工拥护,也要做到资方过得去。

1953年以后,我国开始向社会主义过渡并逐渐加快速度以后,收入分配制度也相应发生变化,逐步削弱资本分红的比重,逐渐提高公共积累和劳动收入的比重,并着手简化和统一国营、集体所有制企业的收入分配制度,最后全社会基本实现了按劳分配。

在国营企事业单位方面,1954年以后,国家针对工资制与供给制并存,各大区工资等级和标准不统一,脑力劳动与体力劳动收入相近等不利于按劳分配和集中建设等因素,又开始酝酿第二次全国性的工资改革。1955年8月,国务院发布了《关于国家机关工作人员全部实行工资制和改行货币工资制的命令》,指出在过去革命战争中曾起过重大作用的供给制已经与今天的社会主义建设时期不相适应,因为它不符合"按劳分配"和"同工同酬"原则。该命令规定,实行工资制后,工作人员及家属的一切生活费用均由个人负担。该命令还颁布了国家机关人员新的工资等级标准,提高了国家机关和事业单位行政及技术人员的工资标准,其中国家机关工作人员共分30个等级,最高工资560元,最低18元,最高工资为最低工资的31倍。为解决各地区之间存在的物价差额,制定了物价津贴办法,当时规定了78 个物价津贴标准。至此,结束了建国后国家企事业单位中供给制与工资制并存的局面。

1956 年初,中央已开始酝酿全国性的工资改革,以调整第一次工资改革中没有解决和暴露出来的问题。1956 年 7 月 4 日,国务院发布《关于工资改革的决定》和《关于工资改革中若干具体问题的规定》两个文件,对于工资改革的方针政策、改革内容、工资增长幅度、执行新工资标准的时间,都作了具体的规定和说明。

这次工资改革的原则是:在发展生产、提高劳动生产率的基础上,逐步增加工资福利,既不可不增,也不可多增,把重点放在长远利益上;实行按劳分配原则,既反对平均主义,又反对高低悬殊。

这次工资改革的主要内容有:①取消工资分制度和物价津贴制度,直接以货币规定工资标准。在取消工资分制度和物价津贴制度以后,对于各地区存在的物价差别,主要采取了以下解决办法:根据各地区发展生产的需要,以及物价、生活水平和现实工资状况,规定不同的工资区类别和地区工资标准,对于物价过高的地区,在工资标准外另加生活费补贴,以避免过高的工资标准。当时全国实行的工资区类别有 15 种之多。例如国家机关、事业单位、商业企业、邮电企业和内河航运企业等划分为 11 类工资区,每一类工资区之间相差 3% 左右,第 11 类工资区比第 1 类工资区高 30%。②调整和改进了产业之间、地区之间、部门之间以及各类人员之间的工资关系。例如拉大了重工业企业与轻工业企业工资标准的差距,规定企业干部工资高于相应的机关干部;科技人

员工资高于同级管理人员;高级知识分子的工资提高得更多等等。这都反映出这次工资改革向复杂劳动和企业干部倾斜。③改进了工人的工资等级制度。这次改革,一方面改变了过去以各大区为单位、全国不统一的工资等级制度和标准,另一方面又针对不同产业建立了不同的工资等级制度。工资改革后,一般工人除少数实行七级制以外,大多数仍实行八级工资制,同时,较多地提高了高级技术工人的工资标准,扩大了最高工资与最低工资的倍数,从而使同一产业中熟练劳动与非熟练劳动、繁重劳动与轻便劳动在工资标准上有了比较明显的差别。④改进了企业职员和国家机关工作人员的工资等级制度。

对城市私人资本主义工商业剩余价值的分配,1953 年后,国家也开始限制。1953 年 7 月,毛泽东提出:中国现在的资本主义经济是一种特殊的资本主义经济,它主要不是为了资本家的利润而存在,而是为了供应人民和国家的需要而存在,工人为资本家生产的利润只占全部利润中的一小部分,约 1/4 左右,其余 3/4 是为工人(福利费)、为国家(所得税)及为扩大再生产设备而生产。[1] 毛泽东形象地将其概括为"四马分肥"(即所得税占 34.5%,福利费占 15%,公积金占 30%,资方红利占20.5%)。从 1953 年底开始,全部公私合营企业和私营大中型企业都先后实行"四马分肥"的利润分配办法,资本主义的剥削被限制在一定程度内。

1955 年底私人资本主义工商业实行全行业公私合营以后,由于资本家已交出了企业的人、财、物"三权",企业经营的好坏已与资本家没有多少关系,在这种情况下,为了社会安定、照顾资本家的生活,国

① 毛泽东:《关于国家资本主义》,1953 年 7 月 9 日,《个体工商业政策法规汇编》(一),第 122 页。

家规定,所有参加公私合营的资方人员,根据合营时核定的资本,拿取年息5%的定息,拿取定息的时间从1956年起算,暂定10年。这种定息带有赎买的性质,实际上是国家对于作为人民组成部分的资产阶级经济上的一种补偿,剥削制度可以说在我国城市已经消失了。至于公私合营企业的职工工资制度,则开始向国营企业靠拢。在农村,土地出租和雇工现象也随着合作化运动高潮的到来而消失了。存在了几千年的各种靠掌握生产资料而占有劳动成果的分配制度在短短的7年里就从中国大陆上消失而没有引起经济大动荡,不能不说是一个奇迹。

对于数量庞大、散布于城乡的个体农业、手工业经济,国家则是通过组织合作社的方式,逐步将其生产资料转为集体所有,将其收入限于按劳分配。在城市,除了数量很少的手工业生产合作小组、手工业供销合作社成员的收入仍带有经营性收入的性质,比重很大的手工业生产合作社已完全实行按劳分配,实行计件或计时工资,另外还有数量不多的小商贩、商业合作小组(因不便实行统一核算)仍然实行自主分配,其收入为经营性收入。

在农村,随着农业合作化的不断推进,几亿农民的收入分配制度发生了巨大变化,全体农民由过去的家庭经营、自负盈亏、自己完全享受经营劳动成果转变为集体经营、按劳分配,靠挣工分生活。在初级农业生产合作社中,是实行以社为单位的经济核算和统一分配。即合作社的收入在留下公积金和公益金后,剩余部分则根据社员入股的生产资料和劳动情况予以分配。土地和其他生产资料所占的分配比重不大,一般控制在分配总额的20%以内。劳动所占的分配比重较大,其分配方式和标准一般为"工分制",每个社

员所得工分的多少取决于他的出工天数和劳动质量,劳动质量则由民主评议。每个工分所含的价值,则要到年终决算时才能确定。1956年大多数初级社过渡到高级社后,生产资料参与分红的制度被取消,合作社内开始实行完全的按劳分配。在初级社和高级社的分配制度中,值得一提的是它无条件地实行男女同工同酬,改变了旧中国对妇女的歧视和压迫,调动了妇女参加生产劳动的积极性。

全国农村由土改后的个体经济过渡到集体经济所带来的上述分配制度的变革,使得农民的收入多少由过去主要取决于自己经营好坏的单一因素变为国家政策、集体经营好坏、个人劳动多少三个因素,因此也就限制了农民收入方面的自主和灵活。"按劳分配"虽然实现了,但"各尽所能"却未必充分发挥出来。

总之,到1956年底,随着所有制结构趋于单一公有制,我国在收入分配制度上也转为以统一和简单为特征的按劳分配制度。社会主义改造完成以后,我国的收入分配制度基本上由国营企事业的工资福利制度、城镇集体所有制企业的工资福利制度和农村集体所有制的工分和福利制度三个体系构成,这种情况直至1978年中共十一届三中全会以后才逐渐改变。

改革旧教育的重大举措

旧中国的教育是半殖民地半封建教育,文盲高达90%以上。新中国要走向繁荣富强,从根本上改变中国文化落后的状况,首要的就是要革故鼎新,改革旧的教

育体制、方针,使教育工作适应人民民主国家建设的需要。

新教育工作方针的确立

第一届政协一次会议通过的《共同纲领》明确规定中华人民共和国的教育是新民主主义教育,提出人民政府应有计划有步骤地改革旧的教育制度、教育内容和教学法。据此,中央教育部于 1949 年 12 月 23 日至 31 日在北京召开第一次全国教育工作会议。会议研究确定了新教育工作总方针,规定新民主主义教育的主要任务是提高人民文化水平,培养国家建设人才,肃清封建的、买办的、法西斯的思想,发展为人民服务的思想。新教育是民族的、科学的、大众的教育,其方法是理论与实际一致,其目的是为人民服务,首先是为工农兵服务,为当前的革命斗争与建设服务。新解放区教育工作的关键是争取团结改造知识分子,有计划、有步骤地在教师和青年学生中进行政治与思想教育,逐步地建立革命的人生观。在新区必须维持原有学校,逐步作可能与必要的改善。改造旧教育和建设新教育是两个密切联系和不可分开的过程,前者要在后者的指导下进行,新教育的建设也必须从旧教育中吸取合理的成分。

这次会议为建设新教育和改造旧教育规定了基本的方针和政策。

二

处理接受外国津贴的学校

旧中国半殖民地半封建教育造成:在落后的乡村,封建私塾为地主独占,在城市则有一批接受外国津贴的学校,其中接受美国津贴的文化教育机关约占一半。新中国成立后,人民政府对接受外国津贴的学校本着在遵守中国政府法令的条件下允许其存在,允许它们继续接受外国津贴的方针。但天主教会对由其办理的北京私立辅仁大学,用削减学校辅助经费的办法阻碍学校的发展,并以侵犯我国教育主权的无理要求作为拨付经费的条件。遭拒绝后,天主教会竟以自 1950 年 8 月起停拨一切经费以要挟我国政府。几经交涉均无效后,人民政府为使该校师生工作学习不受影响和遭受损失,1950 年 10 月 12 日,教育部明令接受辅仁大学自办,任命陈垣为校长。

中国人民抗美援朝运动开展以后,帝国主义利用接受其津贴的文化教育救济机关进行造谣诽谤和反动宣传,出版和散布反动书刊,甚至藏匿武器,勾结蒋匪特务,进行间谍活动。12 月 16 日,美国政府宣布管制中华人民共和国在美国辖区内的公私财产并禁止一切在美注册的船只开往中国港口,企图以此增加中国政府的困难。这是继其武装侵略中国台湾、轰炸中国东北之后,进一步从经济上掠夺和封锁中国。美帝国主义的侵略行径,不仅激起中国人民的义愤,而且威胁到接受美国津贴机构中全体工作人员的生活,各地教会学校和教会医院的师生员工普遍举行爱国反美示威,迫切要求将这些机关由政府接办或变为完全由中国人民自办。

为了维护中国人民对文化教育事业的自主权,排除帝国主义的影响和干涉,12 月 29 日,中央人民政府政务院第 65 次政务会议听取政务院副总理兼文化教育委员会主任郭沫若的报告,报告提出:①政府应计划并协助人民使现有接受美国津贴的文化教育救济机关和宗教团体实行完全自办。②接受美国津贴的文化教育医疗机关,应分别情况或由政府予以接办改为国家事业,或由私人团体继续经营改为中国人民完全自办的事业,其改为中国人民完全自办而在经费上确有困难者,可由政府予以适当的补助。会议完全同意郭沫若的报告,通过《关于处理接受美国津贴的文化教育救济机关及宗教团体的方针的决定》,责成政务院文化教育委员会会同各有关部门,迅速定出实施办法,完全实现处理接受美国津贴的文化教育救济机关及宗教团体。政务院号召各级人民政府、各民主党派、各人民团体及全国文化、教育、救济、宗教各方面人员本着爱国精神,同心协力,为完全肃清美帝国主义在中国的文化侵略影响而奋斗。会议同时还通过并于次年1月14日公布了《接受外国津贴及外资经营之文化教育救济机关及宗教团体登记条例》,要求条例所规定的各种事业机关和团体,除应遵照政府法令规定,按照其事业性质,分别向其主管机关进行一般性登记外,还限期向当地省市人民政府进行专门性登记,每半年要提交一份书面报告,报告其工作及经济情况,凡遇资金移动或移转及接受国外汇来之款项,应事先向专门登记处报告。凡违反上述规定或隐瞒不报或报告不实,由当地人民政府予以处分,情节严重者经上一级人民政府批准予以接管、改组或封闭。

政务院《关于处理接受外国津贴的文化教育救济机关及宗教团体的方针的决定》公布后,得到全国人民和有关单位的拥护,北京协和医学院、燕京大学、南京金陵大学等接受外国津贴院校的师生员工纷纷致电周恩来总理并发表宣言,坚决拥护和支持人民政府的决定。1951年1月

11日,中央教育部根据政务院的决定发出《关于处理接受美国津贴的教会学校及其他教育机关的指示》,规定1951年将接受美国津贴的学校全部处理完毕。按学校具体情况,采取不同处理办法:①改为公立;②改组董事会与学校行政,行政权属中国校长;③改为完全由中国人自办的私立学校。指示规定解除美籍人员的董事及学校行政职务,美籍教师思想言行反动者辞退,其余留任。中国籍教职员工一般原职留用,待遇照旧。1月16日,中央教育部在北京召开处理接受外国津贴的高等学校会议。有关学校的领导人和教师、学生代表出席了会议。会议确定了接受外国津贴的高等学校的原则、办法和接受工作中的一些具体政策、措施。会后,中央教育部进行了调查研究,分别情况予以处理。到1950年底,全国共有接受外国津贴的高等学校20所,其中燕京大学、南京金陵大学等11所改为公办学校,沪江大学、东吴大学等9所大学改为中国人民自办,仍维持私立,政府予以补助。

改 革 课 程

改革课程是改造旧教育的首要方面,牵涉到教育方向问题。因此,共和国成立之初,人民政府对课程改革做了大量的工作。

课程改革,对中小学主要是精减课程,对高等学校则是制定并实施新的课程。

当时高等学校课程设置的主要问题是:

(1)缺乏计划性和目的性。有的系没有明确的培养目标,课程自然也无明确的

重点。造成学生盲目学习,负担沉重。

(2)学用脱节。文、法两学院一些课程教学内容多偏重外国,偏重过去。有些课程则存在严重的错误,如在马列名著选读参考书中有《旧约》;有的仍用法西斯作家的著作等等。理、工两学院课程亦有一部分对国家建设无用,且都缺乏实习、实验课,而对国家建设很有用的课程或开不出来,或分量不够。

(3)内容重复,排列不科学。有的把三、四年级的课放在一年级上,有的将先修课与后续课放在同一学期学习。

针对这种状况,中央教育部成立伊始,就把大学课程列为重要议程,邀请全国著名专家、教授分别成立了文、法、理、工四院各系的课程改革小组,拟定新的课程草案。文学院课改小组负责制定中国语文、外国语文、哲学、历史、教育五系的课程草案,由 10 人组成,其中周扬是文学系课改小组组长,艾思奇是哲学系课改小组组长,翦伯赞、郑天挺是历史系课改小组委员。法学院课改小组负责制定政治、经济、法律、社会四系的课程草案,成员有王铁崖、潘光旦、季陶达、林跃华、樊弘、钱端升等 10 人。理学院课改小组负责制定数学、物理、化学、地质、生物五系的课程草案,成员有江泽涵、段学复、张青莲、饶毓华、华罗庚、张子高、王炳章、孙云铸等 16 人。工学院课改小组负责制定机械工程、电机工程、化学工程、土木工程、水利工程、地质工程六系的课程草案,成员有潘承孝、刘仙州、马大猷、曹本熹、陈士骅、夏震寰、汪德熙等 16 人。此外,中央教育部又请中央卫生部领导起草医学院的课程草案;委托华东教育部起草财经学院的课程草案;委托北京农业大学起草农学院的课程草案。

这些课程草案大都参考华北人民政府高等教育委员会 1949 年 11 月公布的《大学专科学校各系课程暂行规定》。该《规定》明确宣布废除国民党政府颁布的"党义"、"公民"、"童子军"、"军事训练"等反动课程,增设了"政治经济学"、"新民主主义论"、"社会发展史"等马列主义新课。

1950 年 8 月,中央教育部发布并实施高等学校各院系课程草案,规定文、法、理、工各院都设有公共必修课程、本系必修课程、分组必修课程和选修课程。文、法两院暂实行 3 个学习小时为 1 学分的学分制。理、工两院以学年制为基础,逐渐建立比较科学的学时制。此后,教育部除继续修改已定课程草案外,又根据实际需要,于 1951 年 2 月分别召开文学院的图书馆、博物馆系,财经学院的企业管理、金融、会计、统计、贸易、保险、财政等系,理工学院的气象、心理、基建、地理、纺织等系的课改会议。课程改革逐渐走向全面化和配套化。为了贯彻新民主主义教育方针,1952 年 10 月 7 日,教育部发出《关于高等学校马克思列宁主义、毛泽东思想课程的指示》,规定综合大学及财经、艺术院校自 1952 年度起,依一、二、三年级次序分别开设"新民主主义论"、"政治经济学"、"辩证唯物主义与历史唯物主义论";工、农、医等专门学院,依一、二年级次序分别开设"新民主主义论"及"政治经济学"。各类高等院校和专修科准备自 1953 年度起开设"马列主义基础"课。

四

改 革 学 制

改革学制的目的在于使各级各类学校教育内部结构更趋合理,理顺相互关系,其所涉及的内容有学校的性质、任务、入学条件、修业年限及彼此间的衔接等等。国民党统治时期沿用的学制是仿行美国教育制度。新中国建立之初，人民政府采取暂时允许原有学制存在的做法，使新解放地区各级学校维持现状，安定下来，以待改造。1951年5月，政务院文化教育委员会第四次全体会议，对教育部草拟的改革学制方案进行了审议，拟定出草案，经过广泛讨论，征求意见后，于10月1日，政务院正式发布了《关于改革学制的决定》。《决定》分五个部分。

第一部分，幼儿教育。决定规定实施幼儿教育的组织为幼儿园，招收3周岁到7周岁的幼儿，使他们的身心在入小学前获得健全发展。

第二部分，初等教育。包括儿童的初等教育和青年、成人的初等教育。对儿童实施初等教育的学校为小学，小学的修业年限为5年，实行一贯制，取消原来小学分初级小学和高级小学的分段制。[①] 入学年龄以7周岁为标准。小学给儿童以全面发展的基础教育。对自幼失学的青年和成人实施初等教育的学校为工农速成初等学校、业余初等学校和识字学校。

第三部分，中等教育。实施中等教育的学校为各种中等学校，即中学、工农速成中学、业余中学和中等专业学校。前三者给学生以全面的普通文化知识教育，后者按照国家建设需要实施各类中等专业教育。中学的修业年限为6年，分初、高两级，修业年限各为3年，均得单独设立。中等专业学校包括技术学校、师范学校以及医药、银行、贸易、艺术等中等专业学校。

第四部分，高等教育。实施高等教育的学校即大学、专门学院和专科学校，分别给学生以高级的专门教育。大学和专门学院修业年限以3—5年（师范学院为4年）为原则，入学年龄不作统一规定。大学和专门学院得设研究部，培养高等学校师资和科学研究人才。各高等学校得附设先修班或补习班，以便利工农干部、少数民族学生及华侨子女等入学。高等学校毕业生的工作由国家分配。

第五部分，各级政治学校和政治训练班。它们进行革命的政治教育。

新学制的突出特点有二：其一，充分保障了劳动人民，首先是工农群众受教育的权利。具体表现在，一方面，把教育工农干部和工农群众的学校分别列入正规的学校系统之中；另一方面，在中等教育和高等教育中，明确规定要招收"具有同等学历者"，便于工农干部和工农劳动者及其子女入学，体现了新教育的基点。其二，把适应国家建设，有利于培养技术人员作为新学制的重要内容。新学制给予技术学校、专门学院、专科学校、专修科以相当的地位，以期为国家的工业、农业、交通、运输等方面培养中、初级技术人才；又规定各类技术学校都可附设短期技术训练班或技术补习班，培养初级技术人才；还规定专门学院和大学具有平等的地位等等，都是体现这种思路的具体政策。

五

高等院校院系调整

高等院校调整的方针是"以培养工业建设人才和师资为重点，发展专门学院和专科学校，整顿和加强综合大学"，以根本

[①] 1953年12月11日，政务院作出《关于整顿和改进小学教育的指示》，决定停止推行小学五年一贯制，仍沿用四二制。

改变旧中国高等院校在布局和系科设置上的无政府状态和明显的脱离实际的问题,促进高等教育的发展,使之适应新中国经济文化建设的需要。院系调整是从1951年下半年开始的,是有计划、有重点地进行调整。如天津北洋大学与河北工学院合并,于同年8月成立新校——天津大学,为专门培养燃料工业、重工业、轻工业、纺织工业及水利方面人才的多科性工科大学。又如以光华、大夏两大学为基础,加上东亚体育专科学校、同济大学植物系、复旦大学教育系、沪江大学音乐系合并成立华东师范大学。

1951年11月,中央教育部在北京召开全国工学院院长会议,提出全国工学院调整方案:将北京大学工学院、燕京大学工科各系并入清华大学;清华大学的文、理、法三学院及燕京大学的文、理、法各系并入北京大学;清华大学为多科性工科学校,北京大学为综合性大学,燕京大学撤销。将南开大学的工学院、津沽大学的工学院合并于天津大学。津沽大学的商学院等合并于南开大学,南开大学为综合性大学,津沽大学撤销。其他的还有华东、中南地区的浙江大学、三江大学、南京大学、武汉大学、南昌大学、广西大学、中山大学等工学院或工科各系或调整,或撤销学校,或取消校名。

全国工科学院的调整揭开了1952年院系大调整的序幕。

1952年5月,中央教育部拟就《全国高等学校院系调整计划(草案)》,提出1952年主要调整京、津、沪、杭、宁、汉、长沙、广州及安徽、山东的大城市的高等学校。根据政务院关于学制改革的决定,按大学、专门学院和专科学校三类分别调整充实。调整的重点是发展专门学院,首先是工业学院,整顿与加强综合大学,农学院以集中合并为方针。

1953年继续调整,以中南区为重点,其他地区完善补充。调整的重点除加强和增设高等工业学校外,还适当增设高等师范学校,对政治、财经院系采取适当集中合并的办法。到1953年底,除农林、医药的系科专业设置尚需继续调整外,一般学校的院系调整基本完成。

经过调整,全国共有高等院校182所,其中综合大学14所,工科院校38所,师范院校31所,农林院校29所,医药院校29所,财经院校6所,政法院校4所,语文院校8所,艺术院校15所,体育院校4所,少数民族院校3所,其他1所。最突出的是我国高等工科学校基本上建成了机械、电机、土木、化工等主要专业比较齐全的体系。工学院学生在高等学校学生总数中所占的比例由1949年的18%上升到1952年的35.4%。一批有影响的学校就是经过调整合并新建立起来的,如北京航空学院、北京钢铁学院、北京地质学院等。调整后新设院校31所,从原综合大学独立出来的专门学院23所,停办的49所,改为中专的4所。

这次院系调整存在的问题是,工作中有过急过快和过于简单的现象。有的院校独立过早,本身的力量又不足,而原来的大学力量又被削弱和分散了,两头都不易办好。有的则未照顾到某些大学原有的特点和特长,使多年积累起来的代表该校特点的教学基础失掉了应有的作用。有的不该调整的调整了,个别有几十年历史的应该保留的大学被拆散、调整了。此外,在重点发展工科院校的同时,对文、法、财经等系科砍得过多。

1955年至1957年,教育部又进行了一次规模较大的院系调整。这次调整提出,学校的设置分布应避免过分集中于少数沿海大城市的状况,学校的发展规模一般不宜过大。对沿海城市,如上海、杭州、福州等现有的院校,一般不再进行扩建。接近沿海的城市如北京、天津等,缩小原拟的最大发展规模。加强内地城市如长春、哈尔滨、太原、西安、兰州、武汉等的现有高等院校,适当扩大和提前实现各校原定的最大发展规模。调整中还对专业设置过分分散的加以适当的集中。

在院系调整的基础上,各系科改订教学计划、改编教学大纲和教材、改革教学内容和教学方法的工作也循序进行。

经过上述一系列改革举措,改变了旧教育制度,充实了新民主主义的教育内容,树立了理论与实践相结合的教学方法,推动了新中国教育事业的发展。1952年全国高等院校在校学生 19.1 万人,中等专业学校在校学生 63.6 万多人,普通中学在校学生 249 万人,小学在校学生 5110 万人。1956 年,全国高等学校在校学生 40.8 万人,是 1952 年的 2 倍多;中等专业学校在校学生 81.2 万人,比 1952 年增加 28%;普通中学在校学生 516.5 万人,比 1952 年增加 1 倍多;小学在校学生 6346.4 万人,比 1952 年增加 24%。

"向工农开门"的 教育建设

旧中国工农大众长期受压迫,没有受教育的权利,人民民主政权实现了人民当家作主人的愿望,其中也包括把受教育的权利还给劳动人民,使他们不仅在经济上获得解放,在文化上也得到翻身。为此,人民政府在发展新民主主义教育时把工农教育放在突出重要的位置上。

一

"向工农开门"的教育方针

在 1949 年 12 月召开的第一次全国教育工作会议上首先提出了"学校必须为工农开门"的号召。1950 年 9 月,中央教育部、中华全国总工会联合召开第一次全国工农教育会议。会议决定,工农教育的实施方针应首先着重培养工农干部积极分子,并有条件地推广到青年和工农群众中去。根据地区不同,分别以文化教育(首先是识字)、政策、时事教育为主要内容,因地制宜、有重点地稳步前进。会议修正通过了《关于开展农民业余教育的指示》、《职工业余教育暂行实施办法》、《工农速成中学暂行实施办法》等 6 项草案。这次会议把工农教育列为国家教育工作的主要内容之一,使"向工农开门"的教育方向具体化为教育工作步骤和环节,集中体现了新中国人民教育事业的本质。会议并为建设工农教育的管理体制及各项规章奠定了基础。

二

工农速成中学的创办

"向工农开门"办教育的一个重要途径是创办工农速成中学。1950 年 12 月 24 日,周恩来以政务院总理名义签署《政务院关于举办工农速成中学和工农干部文化补习学校的指示》,规定:为了培养工农干部成为新的知识分子,使全国工农干部的文化程度能在若干年内提高到相当于中学水平,决定在全国范围内有计划有步骤地举办工农速成中学和工农干部文化补习学校,学生由各机关、工厂、学校有计划地抽调或选送。工农速成中学修业年限为3年,其课程相当于普通中学的基本课程,招收参加革命工作3年以上的工农干部或有3年以上工龄的产业工人并具有相当于高小毕业程度、年龄在18岁—35岁。工农干部文化补习学校修业年限为2年,其课程相当于完全小学的基本课程,招收参加革命工作3年以上的工农干部并年龄在18岁以上。工农速成中学和工农干部文化补习学校的课程内容均须力求精减,使之切合国家建设的需要和工农干部的特点。《指示》还规定,为了奖励优秀的工农干部及产业工人入学,对离职学习的青年,在学习期间,其原有的军龄、工龄继续计算;供给制干部入学后,其政治和物质生活等待遇必须保持原来水平;工资制干部按其相当等级享受供给制待遇;工人按一般供给制待遇。工农速成中学和工农干部文化补习学校教员的工资应稍高于当地普通中学和小学教员的待遇。1952年2月,中央教育部正式颁发《工农速成中学暂行实施办法》,规定学制为第一、二届3年制,第三届以后4年制。

1950年4月3日,由中央教育部与北京市文教局联合创办的全国第一所工农速成中学——北京实验工农速成中学正式开学,揭开了创办工农速成中学的序幕。此后,中央教育部和各大行政区教育部纷纷兴办工农速成中学,省、市、县人民政府分别举办工农干部文化补习学校。到1954年,全国共建工农速成中学87所,招收学生64700余名。据对1953年在校的28000名学生统计,工农干部占56.3%,产业工人占25.5%,军人占18.2%,其中劳动模范339人,战斗英雄56人,先进工作者784人。这些都较好地体现了"向工农开门"的教育方针和培养优秀工农干部为新中国建设人才的办学宗旨。

工农速成中学不仅在普及,而且还在提高。1951年11月,中央教育部根据北京大学、清华大学附设工农速成中学的经验,发出《关于工农速成中学附设于高等学校的决定》,提出为给工农速成中学毕业学生创造条件,学生毕业后一般即可直接升入本高等学校继续深造。在同期召开的工农速成中学工作会议上,又制订了工农速成中学分类教学计划,第一类是准备升入高等学校文史、财经、政法等科的;第二类是准备升入高等学校理科、工科的;第三类是准备升入高等学校医科、农科及生物学科的。根据这三类教学计划,工农速成中学在实行对工农干部实施中学基本课程教育的同时,还为他们进入高等院校作了直接准备。据第一届工农速成中学毕业生统计,在1680名毕业生中有1622名升入高等学校,升学率高达96.55%。

在创办工农速成中学的同时,为了便利工农群众及其子女入学,各级人民政府除在工业城市、工矿区和农村中增办学校外,还在中等以上学校设置人民助学金,解决工农及其子女入学方面的困难。1952年,中央教育部作出规定,中等学校工农子女入学比例,老解放区争取达到60%—70%,新区争取达到30%—50%。1953年,教育部在高等学校招生工作中又规定,工农速成中学毕业生、产业工人、革命干部等,当他们考试成绩达到所报考系科的录取标准时,优先录取。由于采取这些措施,1954年全国小学生中工农成分的学生占学生总数的82%。在普通中学中工农成分的学生超过总数的 60%。1953 年高等学校新生中工农家庭出身和本人是工农成分的占新生总数的 27.39%。

1955 年 7 月,中共中央决定从当年起工农速成中学停止招生,在校学生学习到毕业。1958 年,工农速成中学学生全部毕业。

三

广泛的工农业余教育

"向工农开门"的教育建设的另一个方面就是开展广泛的工农业余教育。1950 年 6 月,政务院发布《关于开展职工业余教育的指示》,提出开展职工业余教育是提高广大职工群众政治觉悟、文化与技术水平的最重要方法之一。职工业余教育的内容以识字教育为重点,争取在三五年内做到职工中现有的文盲一般能识 1000 字上下,并具有阅读通俗书报的能力。各地工矿企业相继设立了工人文化补习班。据山东省 1951 年统计资料显示,当时全省有职工业余学校 675 所,参加学习的工人 75000 余人,占当时职工总数的 16%。1954 年全国职工业余中、小学在校学生人数达到 290 多万人。职工在业余学校中提高了政治、文化与技术水平。

在农村,主要是学习老解放区的经验开展冬学运动。即利用冬季农闲之机,组织农民识字、学习政府文件、讨论发展生产的办法等项内容。1952 年 12 月,中央教育部经政务院批准发布《关于开展农民业余教育的指示》,要求有计划有步骤地开展农民业余教育,提高农民的文化水平,是当前我国文化建设上的重大任务之一。《指示》认为在提高农民的文化水平方面,成绩还不很大,农民业余教育应加

强。过去农民业余教育主要是采取冬学形式,为了更进一步使农民业余学习趋向经常化,必须争取条件,使这种季节性的业余学习,逐步转变为常年业余学习,举办和坚持农民业余学校,辅以各种分散形式的和有专人领导的识字班或小组。凡经过土改,农民生活初步改善的老区,首先推行识字运动,并配合时事、政策教育与生产、卫生教育。教育对象首先着重村干部、积极分子及青年男女,逐步推广到一般农民。争取在三五年内使农村干部及青年积极分子学会常用字 1000 字以上,具有初步读写算的能力。参加农民业余教育初级班或高级班学习经考试合格者,发给毕业证书,与初小、高小的毕业证书有同等效力。在全国各级政府组织下,农民业余教育蓬勃发展,到 1954 年,参加业余学校学习的农民达到 2330 多万人。

正当工农业余教育逐渐推行时,解放军西南军区某部文化教员祁建华创造了一种"速成识字法"。这种识字法使工农业余教育在短期内获得大范围的快速进展。祁建华在教解放军战士学文化时摸索出一种简便快捷的教学方法,大体分为三步:第一步,先学会注音符号和拼音,用注音字母作为辅助的工具;第二步,大量突击生字,做到会读、初步会讲;第三步,学习课文,学会阅读、写字、写话。据介绍,1951 年西南军区在 12675 名干部战士中试行祁建华"速成识字法",一般只要 15 天时间就能识字 1500 个以上,能读部队小学课本 3 册,能写 200—250 字短稿。

"速成识字法"满足了普及扫盲和短时见效的要求,是工农业余教育中摸索出来的成功经验。1952 年 5 月,中央教育部发出《关于各地开展"速成识字法"教学实验工作的通知》。全国总工会也发出《关于在工人中推行"速成识字法"的通知》。

推行"速成识字法"后，全国城乡参加扫盲识字学习的人数大为增加，仅山东省发行的文化识字课本就达 200 余万册。到 1954 年，职工扫盲人数 130 余万，农村扫盲人数 850 多万，城市中各类劳动人民扫盲人数 36 万。大规模的扫盲使一些大城市的工厂职工中基本上消灭了文盲。农村中也出现了一些"文化村"，农民扫除文盲后精神面貌也为之改观，一些农村开始办图书馆、业余剧社等文化娱乐组织，丰富农民的业余生活。"速成识字法"还对以后成人教育和小学教学中运用拼音，加快识字提供了有益的经验。但推行"速成识字法"中也出现了采用突击的方式，过分强调"速成识字"的作用，方法上机械搬用公式，主观要求过高等问题。1952 年 9 月，全国扫除文盲座谈会提出要防止克服过急过躁、草率从事的偏向。1953 年春以后，扫盲工作采取了"坚决收缩"的方针。

"向工农开门"，大力发展工农教育，在方针和政策上为工农干部、工农青年及其子女提供入学受教育的机会，为更广大的工农劳动群众兴办各种夜校，开展扫盲运动，这一切都构成新中国教育的一个重要方面，是中国历史上空前的文化建设。

意识形态领域的批判斗争

社会意识形态具有相对独立性和自身的发展规律。人民民主政权建立后，封建阶级和资产阶级思想意识不会随着阶级关系和社会结构的深刻变化立即消失。从这个意义讲，建国初期对思想文化领域中一些理论观点和学术观点进行清理，宣传辩证唯物主义和历史唯物主义，批判历史唯心主义和形而上学是历史演进的必然。但思想文化斗争又不同于其他领域的斗争，用群众运动方式，通过批判手段解决复杂的思想问题和学术问题，不仅无法取得预期的效果，还常常导致简单粗暴、处置失当和无限上纲。同时，旧社会过来的广大知识分子学习马克思主义，弄懂弄通其观点、立场和方法也需要有一个过程。以轰轰烈烈的运动代替潜移默化的思想改造，是一种短期行为，在实践上不免表现为操之过急、形式主义，伤害了一些人的感情。

一

对电影《武训传》的批判

电影《武训传》是孙瑜编导、赵丹主演的一部历史故事片。孙瑜在回忆编导这部影片的动机时说："远在 1944 年的夏天，陶行知先生在重庆北温泉送给我一本《武训先生画传》，武训行乞兴学的故事深深地感动了我，于是就改编成了和现在大致相同的《武训传》电影剧本。"[①] 该剧本 1948 年由南京中国电影制片厂摄制，年底因经济陷于困境加之解放战争正在进行，遂停拍。1949 年 2 月，上海昆仑影片公司买来该片的摄制权和已拍好的底片、拷贝。其后昆仑公司编导委员会、上海文化局和上海电影事业管理处等经过讨论研究，认为武训事迹和今天的现实生活隔离

---

① 孙瑜：《编导〈武训传〉记》，《光明日报》，1951 年 2 月 26 日。

太远,"兴学"也不能夺取政权,从根本上改变穷人的地位,但对于迎接明天的文化高潮还是可能有些鼓励作用的。同时考虑到昆仑公司经济困难,决定把《武训传》由"正剧"改为悲剧,用今天的观点加以批判,继续拍摄。1950 年 2 月开始出外景,12 月剪接完成。1951 年初,先后在上海、南京、北京、天津等全国各城市放映。

《武训传》从编写到拍摄完成,历时 7 年,先后经过了抗日战争、解放战争和新中国恢复经济 3 个时期两种社会形态。这种复杂的背景决定了影片的先天不足,以及由此产生的与新社会新生活不太合拍和主观上想配合时代宣传客观上却显得勉强与力不从心的问题。这是新旧社会更替时的特殊问题。

《武训传》基本上按照生活原型,描写武训到处下跪磕头,痴迷疯癫,为了能讨到钱,在地主豪绅面前,逆来顺受,乞求恩赐,丑态百出,奴性十足,任拳打脚踢,"打一拳,两个钱,踢一脚,三个钱",他可以在他们门前跪三天三夜,直到答应帮他为止。经过 30 年乞讨,在他 50 岁时终于办起一座义学。接着又为兴办第二座、第三座义学继续乞讨。在影片结尾,通过主题歌怀着崇敬的心情赞美道:谁启我愚? 谁济我贫? 大哉武训,至仁至勇,为牛为马,舍身舍命,行乞兴学,千古一人。

尽管作者主观上想用武训办学的事迹配合当时正在农村大张旗鼓兴起的"冬学"运动,推动扫盲和普及教育工作,但由于作者对武训的认识的局限和思想水平的影响,因而对武训的某些行为的批判是牵强附会的。特别是作者把武训的"苦行"比作共产党人所倡导的"全心全意为人民服务"的革命精神,比作"舍己为人"、"公而忘私"的共产主义精神,比作鲁迅的"俯首甘为孺子牛"的精神,就使民族传统

中落后的、消极的、反动的东西和进步的、积极的、革命的东西相混淆了,这当然是一个原则性的认识。

《武训传》在全国放映之后,一片赞扬之声。据不完全统计,从 1950 年 12 月 30 日至 1951 年 4 月下旬,仅上海、北京、天津三地的《大众报》、《文汇报》、《新民报》、《光明日报》、《工人日报》、《天津日报》、《大众电影》、《北京文艺》等报刊就发表赞扬和肯定武训和《武训传》的文章四五十篇,全国各地报刊约有一二百篇。这些文章认为:"武训这个名字,应该说是中国历史上,伟大的劳动人民企图本阶级从文化翻身的一面旗帜";"他典型地表现了我们中华民族的勤劳、勇敢、智慧的崇高品质,热爱他可以热爱我们民族,提高民族的自信和自豪",他"鞠躬尽瘁,死而后已",甘心"做无产阶级和人民大众的牛","坚韧不拔的全心全意为人民服务的崇高精神和行为,是永垂不朽而值得学习的榜样";"编导通过了武训这样一个典型的人物、典型的事迹,说明了中国人民的斗争的一些弯弯曲曲的道路",这个影片"我们无论从什么角度去看它,都可以得到满意"。

《大众电影》把《武训传》列为 1950 年 10 部最佳国产影片之一。据反映,二、三月间,北京公映《武训传》时,各界观众达 13 万人;河北省立师范学校组织全校师生看《武训传》,认为它与苏联影片《乡村女教师》有同等意义;崇德中学有些教师看后,想编武训兴学的短剧,用以激励学生学习;育英中学有的教师赞扬武训是教育工作者的模范。或多或少产生的崇拜武训或同情武训的思想尤以教育界为重。在此同时,1951 年还出版了 3 本关于武训的书:一本是孙瑜的电影小说《武训传》;一本是柏水的章回小说《千古奇丐》;一本是李士钊编、孙之隽绘的《武训画传》(政

务院文教委员会主任郭沫若为此书题了封面,写了序言)。全国兴起了不大不小的武训热。

事情引起中共中央和毛泽东的重视。1951年3月,中共中央发出通知,要求在全国开展对《武训传》的讨论,以教育干部和群众。4月底,开始有不同意见的文章发表。《文艺报》第4卷第1期发表了贾霁的《不足为训的武训》。文章认为武训和《武训传》对于历史以至于今天,没有任何意义和价值,武训的行为是不值得颂扬的。《文艺报》第4卷第2期又发表了杨耳的《陶行知先生表扬"武训精神"有积极作用么?》。文章指出,不管是今天还是昨天,"武训精神"都是不值得表扬的,在反动统治下宣传"武训精神",比起今天人民取得政权之后宣扬"武训精神",它的危害决不可能更小些。相反,倒不如说是可能更大些。因为,在反动统治下面宣扬"武训精神",就会更直接地降低和腐蚀群众的文化和政治上的战斗力,那不更加是不应该的吗?杨耳的文章不仅批判了《武训传》和"武训精神",而且把矛头直指陶行知。

5月16日,《人民日报》转载了杨耳的文章,并加编者按,认为电影《武训传》是歌颂清朝末年的封建统治拥护者武训而诬蔑农民革命斗争、诬蔑中国历史、诬蔑中国民族的。值得注意的是最早发表的评论(其中包括不少共产党员所写的评论),全部是赞扬这部影片或者是赞扬武训本人的。而且,直至现在,对于武训、《武训传》以至关于《武训传》的种种错误评论,还没有一篇有系统的科学的批判文章。为了能引起进一步的讨论,《人民日报》还同时转载了《文艺报》第2期邓友梅的《关于武训的一些材料》以及贾霁的《不足为训的武训》,江华的《建议教育界讨论〈武训传〉》和鲁迅的《难答的问题》。

5月20日,《人民日报》发表社论《应当重视电影〈武训传〉的讨论》。社论经毛泽东修改,毛泽东加写和改写的几段文字,构成这篇社论的主题。毛泽东指出:"《武训传》所提出的问题带有根本的性质。像武训那样的人,处在清朝末年中国人民反对外国侵略者和反对国内的反动封建统治者的伟大斗争的时代,根本不去触动封建经济基础及其上层建筑的一根毫毛,反而狂热地宣传封建文化,并为了取得自己所没有的宣传封建文化的地位,就对反动的封建统治者竭尽奴颜婢膝的能事,这种丑恶的行为,难道是我们所应当歌颂的吗?向着人民群众歌颂这种丑恶的行为,甚至打出'为人民服务'的革命旗号来歌颂,甚至用革命的农民斗争的失败作为反衬来歌颂,这难道是我们所能够容忍的吗?承认或者容忍这种歌颂,就是承认或者容忍诬蔑农民革命斗争、诬蔑中国历史、诬蔑中国民族的反动宣传为正当的宣传。"①

毛泽东认为"电影《武训传》的出现,特别是对于武训和电影《武训传》的歌颂竟至如此之多,说明了我国文化界的思想混乱达到了何等的程度"。"在许多作者看来,历史的发展不是以新事物代替旧事物,而是以种种努力去保持旧事物使它得免于死亡;不是以阶级斗争去推翻应当推翻的反动的封建统治者,而是像武训那样否定被压迫人民的阶级斗争,向反动的封

---

① 最后一句话是发表时的原文。21日,《人民日报》又刊登关于这篇社论的补正,指出这句话应为:"承认或者容忍这种歌颂,就是承认或者容忍诬蔑农民革命斗争、诬蔑中国历史、诬蔑中国民族的反动宣传,就是把反动宣传认为正当的宣传。"

建统治者投降。这些作者不去研究过去历史中压迫中国人民的敌人是些什么人，向这些敌人投降并为他们服务的人是否有值得称赞的地方，也不去研究自从1840年鸦片战争以来的100多年中，中国发生了一些什么向着旧社会经济形态及其上层建筑（政治、文化等等）作斗争的新的社会经济形态、新的阶级力量、新的人物和新的思想，从而决定应当歌颂什么，反对什么"。"一些号称学得了马克思主义的共产党员""一遇到具体的历史事件、具体的历史人物（如像武训）、具体的反历史的思想（如像电影《武训传》及其他关于武训的著作），就丧失了批判的能力，有些人则竟至向这种反动思想投降"。这是"资产阶级的反动思想侵入了战斗的共产党"。"社论"措辞激烈，内容尖锐，号召："应当展开关于电影《武训传》及其他有关武训的著作和论文的讨论，求得彻底地澄清在这个问题上的混乱思想。"同一天，《人民日报》"党的生活"栏为此特发表了《共产党员应当参加关于〈武训传〉的批判》的评论，指出《武训传》放映及其所引起的争论，不但证明了我国文化界思想混乱的严重情况，而且证明了资产阶级的反动思想侵入了战斗的共产党的严重事实。每个看过这部电影或看过歌颂武训论文的共产党员都不应对于这样重要的思想政治问题保持沉默。如果自己犯过歌颂武训的错误，就应当作严肃的公开的自我批评"。评论还要求："凡是放映过《武训传》的各城市，那里的党组织都要有计划地领导对《武训传》的讨论，要把领导这一讨论当作一个严重的思想教育工作。在讨论中，要足够估计武训、《武训传》以及有关武训的传记、画册、评论在某些同志可能产生的错误影响。"

《人民日报》社论和评论揭开了这次批判的序幕。中央和地方文化部门、教育部门、文联及其所属各个协会、教育工会、各省市党委宣传部门以及各民主党派中央机关都有组织地召开了座谈会、讨论会、批判会。从5月20日至8月底，《人民日报》刊登70余篇批判文章和各种讨论座谈情况报道、批评与自我批评文章40多篇，平均每天一篇。同一时期，上海《文汇报》共发表批判文章80余篇，关于《武训传》讨论的消息报道20余篇，也是平均每天一篇。《光明日报》共发表批评和自我批评的文章30多篇，读者来信20多篇，平均每2天一篇。天津及其他省市的报刊也纷纷发表文章，形成一个全国性的群众性的思想批判高潮。文化部和《人民日报》社联合组成"武训历史调查团"到武训家乡山东堂邑和临清、缤陶等地进行调查，写出长篇《武训历史调查记》一文，连载于1951年7月23日至28日《人民日报》，实际上为武训历史作了结论。

综合批判者的观点大致有以下几方面：

第一，武训不是劳动人民的典型代表，是封建统治的维护者，封建制度的崇拜者，封建道德的支持者。武训办"义学"，收的是地主、商人的子弟，学的是封建文化道德，聘请的主讲是封建士大夫，他为反动统治阶级培养爪牙和奴仆。

第二，认为电影《武训传》的思想内容是反历史的，艺术手法是反现实主义的。把一个卑微的历史人物当作"伟大"而"崇高"的英雄人物搬上银幕，歪曲了历史，美化了武训。影片用改良主义代替人民革命行动，用个人苦行代替群众斗争。给人的深刻印象是：不用触动旧的社会经济基础，不要破坏旧的政治制度，只要在人民中普及文化教育，只要有武训这样的苦行，就可以根本改变人民的被统治地位，用不着进行群众的革命武装斗争。

第三,赞扬武训和《武训传》是由于歌颂者头脑中的唯心历史观和改良主义思想在作怪。他们没有用阶级斗争观点看问题,不问武训的行为对哪个阶级有利,抽象地颂扬"奇操奇行"、"清风亮节",混淆了革命同妥协投降的根本区别。这正是旧中国资产阶级、小资产阶级知识分子的突出特点,是他们之所以颂扬武训的思想根源。

第四,"武训精神"的实质是反动派用来麻醉人民的精神鸦片,武训的行为迎合了反动派的需要。在武训备受反动派恩宠和颂扬时,中华民族有无数爱国的革命的志士仁人和工农大众,惨遭反动派的镇压和屠杀,这恰成鲜明对比。

这些批判宣传了历史唯物主义的观点。如贫苦农民要争得文化上的翻身,首先要争得政治经济上的翻身,不去触动封建主义的政治制度和经济基础,单凭读书识字改变农民社会地位,只能是一种幻想;要推翻反动的政治制度和经济制度,必须进行阶级斗争,不能寄希望于对反动统治者妥协屈从,甚至乞求他们的恩赐;考察一个历史人物要根据他所处的时代,分析他的行为在当时历史条件下所起的作用。这些历史唯物主义观点使很多旧知识分子受到教育。

但是,有很多批判的观点是错误的。例如,说武训是"大流氓、大债主和大地主",是"出卖劳动人民以求荣的叛徒"、"穿着乞丐衣服的流氓政治地主",是"农民起义的死对头、帝国主义侵略中国的帮凶"。这些吓人的政治帽子完全不符合实际。武训一生行乞,收过租,放过债,但一不是为了个人挥霍享受,二不是用来添置家产、扩大剥削,三没有把这些钱财作为私产留给后代,而是全部用来办"义学"。

还有些批判文章本身就脱离了当时历史条件苛求武训,例如指责他"义学"里学的是孔孟经书,聘请主讲的是封建士大夫。可是,在清王朝,武训除了《三字经》、四书五经外,还能讲别的什么吗?教书的也不可能是贫下中农教师。更为严重的是这次批判采取政治运动的形式,党中央机关报以"社论"的形式公开点了43篇文章、48个作者的名,对作者造成很大的政治压力。所有歌颂过武训、赞扬过电影《武训传》的人,不能不作公开的检讨。

而且,当时一些文章对陶行知也进行了不适当的批判。陶行知是我国近代杰出的教育家,从民主主义战士转变为共产主义战士的典型。他早年接受改良主义的影响,曾经对武训表示过赞许。在国民党反动派的黑暗统治下,他创办的育才学校,掩护了许多共产党人。因学校经费困难,他发起"新武训"运动,利用武训这个招牌,取得合法的地位,所以,决不能把陶行知这时发起的"新武训"运动同封建统治者宣扬武训混为一谈。

胡乔木1985年在中国陶行知研究会和中国陶行知基金会成立大会上,讲到关于电影《武训传》的批判,他说:"我可以负责地说,当时这场批判,是非常片面的、非常极端的,也可以说是非常粗暴的。因此,尽管这个批判有它特定的历史原因,但是由于批判所采取的方法,我们不但不能说它是完全正确的,甚至也不能说它是基本正确的。""这部影片的内容不能说没有缺点和错误,但后来加在这部影片上的罪名,却过分夸大了,达到简直不能令人置信的程度。从批判这部电影开始,后来发展到批判一切对武训这个人物表示过程度不同的肯定的人,以及包括连环画在内的各作品,这就使原来的错误大大扩大了。"

二

对胡适资产阶级唯心主义思想的批判

　　随着党在过渡时期总路线的贯彻执行,社会主义改造事业的深入开展,1954年党在意识形态领域开展了宣传唯物主义批判唯心主义的斗争。这个斗争是从批判《红楼梦》研究工作中资产阶级唯心主义观点开始的。

　　《红楼梦》是我国优秀古典名著之一。这部现实主义杰作自面世以来,在社会上引起强烈的反响,许多人评论它、研究它,逐渐形成一门专门的学问,叫做"红学"。"五四运动"以后,胡适发表了《红楼梦考证》,对《红楼梦》的最初版本、作者和作者的家世,作了一些有益的考证,较之过去的"红学"前进了一大步,号称"新红学派"。俞平伯在胡适的影响下,1922年写了《红楼梦辨》。因此,俞平伯被称为"新红学派"著名人物之一。当时,俞平伯从胡适所受的影响不仅是在研究的兴趣上,而且是在研究的方法上。胡适所考证的是《红楼梦》的作者和版本,俞平伯所辨的也没有超出这个范围。胡适从俞樾的《小浮梅闲话》中"《红楼梦》80回以后,俱兰墅所补"一句话找到了续书的线索,俞又从内容的对比上列举理由来证明后40回确是续书,论证续作者高鹗的"利禄熏心"的思想和曹雪芹不同,指出在艺术方面续书远不如前80回的原著,然而也肯定了高鹗续作保留了《红楼梦》悲剧的结局。这是

《红楼梦辨》一书的可取之处。① 研究《红楼梦》,对作者、版本进行辨伪存真的考证是非常必要的。但仅仅停留在局部问题的考证上面,不进一步从这部巨著的思想内容和社会意义进行科学分析,作出全面评价,这还不能算做研究工作的主要部分。就是在考证方面,《红楼梦辨》也夹杂大量的孤立的繁琐考证,许多地方穿凿附会,把《红楼梦》一书中的消极因素夸大为全书的旨意,认为《红楼梦》的基本观点是"色""空",是作者"感叹自己身世"的"情场忏悔"的人物"写生",从所谓钗黛合一图、合咏一诗的形式主义考证出发,推断薛宝钗、林黛玉这两个对立的人物形象"实为一人"即作者的"真意中人",从而得出"结论"说:"平心看来:《红楼梦》在世界文学中的位置是不很高的。这一类小说,和一切中国的文学——诗、词、曲——在一个水平上。这类文学的特色,至多不过是个人身世性的反映……其用亦不过破闷醒月、避世消愁而已。故《红楼梦》性质亦与中国式的闲书相似,不得入于近代文学之林。"②虽然他在后面又说《红楼梦》在中国文学中"依然为第一等的作品",这只是抽象的肯定,实际上已经把它否定了。很明显,俞平伯的《红楼梦辨》就是胡适的《红楼梦考证》的承袭和发挥,不可避免地贬低和歪曲了《红楼梦》的主题思想及其社会意义,不可能正确认识这部现实主义杰作所反映的我国封建社会矛盾和时代冲突的内容和反封建的精神。这说明了"新红学"的历史局限性。

　　1952年9月,俞平伯把1922年出版的上述《红楼梦辨》加以修订,改名《红楼

---

① 对《红楼梦辨》一书的评价是吸收何其芳的观点。见《没有批评就不能前进》(中国科学院文学研究所专刊二)。

② 《红楼梦辨》中卷第12—22页。

梦研究》①与读者见面。不久,1954 年 3 月,又在《新建设》上发表一篇《红楼梦简论》。② 俞在书和文章里,虽然较 20 年代的著述在观点上有明显的进步,纠正了"作者自传"的看法,开始认识到《红楼梦》是以爱情悲剧为故事来描写没落的封建大家庭的黑暗和罪恶,但仍夹杂许多错误观点和繁琐的、牵强附会的考证,继续宣扬反现实主义的文艺观。

当俞平伯的书和文章面世以后,1954 年 5 月 15 日出版的《文艺报》,在"新书刊介绍"专栏推荐说:"《红楼梦研究》一书作了细密的考证、校勘,扫除了过去'红学'的一切梦呓,这是很大的功绩。"

1954 年 9 月,青年作者李希凡、蓝翎投稿并附信给《文艺报》,对俞平伯的错误观点首先提出了批评,但没有被重视。当《文史哲》1954 年第 9 期发表了李希凡、蓝翎《关于〈红楼梦简论〉及其他》和《光明日报》1954 年 10 月 10 日第五版发表了《评〈红楼梦〉》之后,才开始引起文艺界重视。毛泽东对两位青年作者的文章非常支持。为此,1954 年 10 月 16 日给中共中央政治局的同志和其他有关同志写了《关于〈红楼梦〉研究问题的信》,③肯定了两个青年对《红楼梦》的批判文章,尖锐地批判了文艺界的"大人物"压制"小人物"的错误倾向,指出对俞平伯当然是应当采取团结态度的,但应当批判他们的毒害青年的错误思想。

10 月 18 日,作协党组开会,传达和学习毛泽东《关于〈红楼梦〉研究问题的信》。接着 10 月 23 日《人民日报》首先发表了署

名钟洛的《应该重视对〈红楼梦〉研究中的错误观的批判》的文章。10 月 31 日至 12 月 8 日,中国文联主席团和作协主席团联合召开了 8 次扩大会议,会议主题就俞平伯研究《红楼梦》的错误倾向,展开了讨论和批评,并检查了《文艺报》的工作。此期间,何其芳写了《没有批评,就不能前进》,较系统、全面地分析、批判了俞平伯在《红楼梦研究》中的资产阶级唯心论观点。④ 在第八次会议上,周扬作了题为《我们必须战斗》、⑤郭沫若作了题为《三点建议》、⑥茅盾作了题为《良好的开端》⑦的重要发言。他们在发言中一致指出必须坚决展开对资产阶级唯心论的思想斗争,正确地开展学术界、文艺界的自由讨论和批评,扶植新生力量,为保卫和发展马克思主义和社会主义现实主义而努力奋斗。他们的发言实际上是这次讨论的总结。

批判学术领域资产阶级唯心论的深入开展,使各个领域很自然地逐渐将主要锋芒对准了胡适,这是有其历史和社会原因的。"五四运动"以后几十年来欧美资产阶级文化先后输入到半殖民地、半封建的旧中国,其中影响最大的就是胡适从美国杜威那里贩来的实用主义。马克思主义者最早向胡适的实用主义开火的是李大钊。以后 30 年来,马克思主义者与胡适的实用主义的斗争一直在进行着。新中国成立后,有些人仍然留恋他的实用主义治学方法。因此,认清胡适思想的反动性和危害性,清除他的流毒和影响,将有利

---

①　俞平伯《红楼梦研究》由上海棠棣出版社出版,上海长风书店发行。

②　是俞给外文刊物《人民中国》写的向外国读者介绍《红楼梦》的文章,不合用,改在《新建设》上发表。

③　《毛泽东选集》第五卷,人民出版社,1977 年版,第 134—135 页。

④　载于 11 月 20 日《人民日报》。

⑤　见《人民日报》1954 年 12 月 10 日第 3 版。

⑥　见《人民日报》1954 年 12 月 9 日第 3 版。

⑦　同上。

于知识分子的思想改造,使马克思主义牢固地占领思想、文化阵地。这样,在意识形态领域对胡适的实用主义思想进行一次全面深入的批判就十分必要了。

1955年1月,党中央发出了《关于在干部和知识分子中组织宣传唯物主义思想,批判资产阶级唯心主义思想的演讲工作的通知》。《学习》杂志1955年第1期发表了《展开对胡适派资产阶级唯心论思想的批判》的评论和《人民日报》也先后发表了批判性的文章。

1955年3月,党中央发出了《关于宣传唯物主义思想、批判唯心主义思想的指示》。《指示》分析了思想战线上斗争的形势,论述了宣传唯物主义批判资产阶级唯心主义的重大意义,指出开展对资产阶级唯心主义思想的批判,是在学术界中,在党内外知识分子中宣传唯物主义的有效方法,是推动学术讨论和科学进步的有效办法,是促进各个学术领域中马克思主义新生力量成长的有效方法,是培养、组织理论工作队伍的有效方法。

指示又指出,开展学术批评和讨论应当是实事求是的,建立在科学基础上的。解决学术上争论的方法应该是自由讨论的方法。在批评和讨论中,应该着重联系我国社会主义革命和社会主义建设的实践,向广大人民群众系统地阐述马克思列宁主义的基本观点,以提高群众的觉悟,推动社会主义事业的发展。

《指示》还指出,在学术批评和讨论中,必须坚持党的统一战线政策和团结改造知识分子的政策。要分清政治上的反革命分子和学术思想上有严重资产阶级观点的学术工作者。在学术思想上有严重资产阶级观点的人,只要他们在政治上不反革命,在对其学术思想开展严肃批判的同时,在政治上采取团结的方针。尊重和发挥他们对社会有用的专长,鼓励其参加学术讨论和进行自我改造。

党的这些指示精神,推动了思想批判的深入和发展,但这个批判很快由文艺界迅速地转到整个意识形态领域。对胡适实用主义的系统批判在各个文化和学术领域深入地开展起来了。

对胡适实用主义的全面系统的批判,是马克思列宁主义的辩证唯物主义和历史唯物主义对资产阶级唯心主义和形而上学的一场战斗。但是,这次思想批判是从批判俞平伯《红楼梦研究》中的唯心论观点和方法开始的。对俞平伯学术上的错误观点进行适当的批评是可以的,然而应考虑采取什么方式。对这样一位政治上爱国,拥护社会主义的老知识分子,在全国范围内点名批判是不妥当的。当时批判的重点是清理胡适的实用主义对学术领域的毒害和影响,对于胡适在新文化运动中的贡献,未能充分肯定,对其在学术界和教育界的影响未能历史地、全面地作出恰如其分的评价。把政治上的结论推移到学术上的简单做法,是不利于科学和文化事业的发展的。

对胡风文艺思想的批判

胡风,原名张光人。湖北蕲春人。生于1902年,卒于1985年。他早年即接触新文学运动,1922年参加共青团,1925年退团,1927年至1928年"受过一些波折,经过了迷误",[①]1929年到日本留学,从事

---

① 胡风:《我的小传》(见《新文学史料》1981年第1期)。

马克思主义和革命文学的学习,投身日本普罗文学运动。其间,他参加日本反战同盟并加入日本共产党,后被捕,1933年被驱逐回国,同年在上海参加左翼作家联盟(简称"左联"),先后担任"左联"宣传部长和"左联"书记。1934年他开始职业作家生活,以胡风和谷非、高荒等笔名发表了一些文艺批评和作家论,并和鲁迅、冯雪峰有交往,为我党领导的左翼文艺运动作出了一定的贡献。

抗日战争爆发后,胡风创办《七月》杂志,主编"七月诗丛"、"七月文丛",1947年又出版了《希望》。他在这些出版物中发表了大量进步作家包括延安革命根据地作家的作品,在当时大后方的进步青年中有相当影响,是坚持抗日、坚持民主的一支文艺力量。

新中国成立后到抗美援朝期间,他发表了一些反映新的时代精神和社会风貌的作品,一直从事进步文艺活动。

作为文艺理论家的胡风,其文艺思想体系的渊源比较复杂。他接受过资产阶级民主主义文艺思潮的影响,也接受马克思主义的文艺观点,也受到了鲁迅文艺思想的熏陶。因此在他的理论活动中对文艺的一些基本问题的看法常常采取非马克思主义的态度,陷入资产阶级唯心主义,分不清无产阶级文艺观和资产阶级、小资产阶级文艺观的区别。在抗战以前或者更确切地说,在1942年延安文艺座谈会以前,在革命文艺界,这是普遍存在的现象。当时胡风的文艺思想充满着矛盾和复杂性,是毫不足怪的。

当时重庆文艺界进步的同志们,在周恩来的号召下学习毛泽东《在延安文艺座谈会上的讲话》,纷纷总结自己过去的文艺实践,提高认识,改进工作。但自命为"马克思主义文艺理论家"的胡风不但没

有以《讲话》的精神认识和纠正自己的非马克思主义观点,反而在他主编的刊物上大力提倡作家的"主观战斗精神",强调描写"精神奴役的创伤",欣赏和赞扬群众的自发性,发表了一些抵制《讲话》精神的文章,影响了不少知识青年和一部分作家,引起了国统区进步文艺界的许多作家对他的不满,建议重庆进步文艺界进行整风。党采纳了这个建议,于是决定在重庆也举行文艺座谈会,由周恩来主持领导,有经过延安文艺整风的作家刘白羽、何其芳等参加,对胡风进行了诚恳的帮助和善意的批评。但胡风仍然坚持和宣传自己的观点。因此,1948年集中在香港的党的文艺工作者林默涵、邵荃麟、胡绳等在《大众文艺丛刊》上发表文章,对胡风再次进行批评。胡风则写了《论现实主义的路》的小册子进行反批评。

这次争论,没有能够纠正胡风文艺思想上的错误。1949年7月,在北京举行的全国第一次文艺工作者代表大会上,茅盾代表国统区的革命文艺工作者所作的《关于十年国统区革命文艺运动》的报告中,不点名地批评了胡风的文艺思想。

1952年全国文艺界进行整风,检查资产阶级的文艺思想。许多读者写信给《人民日报》和《文艺报》,要求批评胡风的文艺思想,有些读者并检讨自己过去所受胡风的影响。同年6月8日发表舒芜的《从头学习〈在延安文艺座谈会上的讲话〉》一文,并在编者按语中说:"胡风文艺思想是一种实质上属于资产阶级、小资产阶级的个人主义的文艺思想的错误性质。"7月间,胡风写信给周恩来,要求讨论他的文艺思想。经周恩来同意,12月,由周扬主持,文艺界部分人士和胡风举行过几次座谈会,讨论他的文艺思想。胡风在个别问题上作了一些检讨,但在根本问题上仍然

认为自己是正确的。鉴于他的错误思想在一些文艺工作者和青年中间产生的消极影响，1953年初，《人民日报》和《文艺报》首先发表了林默涵、何其芳批判胡风文艺思想的文章。胡风抵触情绪很大。针对胡风思想发展的严重性，1955年1月26日，党中央批示和转发了中央宣传部关于开展批判胡风文艺思想的报告，并建议将胡风的《三十万言书》中关于思想和组织领导两部分予以公布，组织讨论和批判。中国作协主席团决定将党中央转发的胡风的《三十万言书》印成专册随《文艺报》附发，"供读者研究，以及展开讨论"。2月，作协主席团举行扩大会议，决定对胡风文艺思想开展全面的彻底的批判。中央和地方报刊发表了一系列批判文章，很快形成全国性的大规模的批判运动。

1955年5月以后，中央发现胡风与友人们的一些来往信件，并把它同《三十万言书》联系起来，在当时缺乏全面和冷静的分析下，在没有深入调查的情况下，把他和其他人的某些错误言论和活动，错误地认为是反革命言论和反革命活动，并把他们错误地定为反革命分子和反革命集团。毛泽东还为《人民日报》公布《关于胡风反革命集团的材料》亲自撰写了"序言"和"按语"，造成中华人民共和国成立初期最大的政治错案，并造成了极严重的影响，把很多同志打成了反革命，有的抓了起来。随后又形成了肃反运动。直至1980年9月，中央对此案才予以平反。

应该怎样看待胡风文艺思想呢？胡风文艺理论体系有其复杂性。

胡风文艺思想体系中合理的成分是：要求作家掌握文艺的特殊规律，注重创作实践；反对公式化、概念化；强调写真实；反对题材决定论等。这都是一些可取的见解。而这些恰恰是当时文艺界或多或少存在的问题。例如在我们的实践中，往往只强调政治性，忽视艺术性；重视倾向性，忽视真实性；强调学习马列主义和参加群众实际斗争，忽视创作实践活动，提高业务能力，掌握高度的艺术手法；单纯以题材的大小论作品水平的高低。因此，胡风的文艺理论中的合理的见解，值得我们在实践中注意，在理论上进行探索。

但在批判中混淆了文艺问题、思想错误与政治问题的界限，致使教条主义、形而上学的"左"的思想情绪有所滋长。有些批判缺乏辩证的、一分为二的全面分析，对胡风复杂的文艺思想体系中的合理部分，没有引起应有的重视，采取一概否定的态度。现实主义的一些根本理论问题，在争论中虽然提出来了，然而没有得到进一步的解决。后一段开展对"胡风反革命集团"的斗争，严重地混淆了人民内部矛盾与敌我矛盾的界限，伤害了一些革命同志，产生了不良影响。

为人民大众的文学艺术

中华人民共和国的成立，开辟了中国社会历史的新阶段，也开辟了文学艺术发展的新阶段。共和国成立初期的文学艺术赓续着发端于"五四运动"、精心培育并逐步形成的具有民族特色的革命现实主义和革命浪漫主义传统，通过形象化的表现方法，反映并促进社会政治、经济制度的建立、发展和完善巩固。

一

新的文艺创作的方针和任务
——从第一次文代会到第二次文代会

1949年7月2日至9日,第一次文代会在北平召开。参加大会的是来自全国各地区各方面的代表824人。

周恩来在《政治报告》中向文艺工作者提出:文艺工作者在反映革命战争年代的生活时"一定不要忘记表现这个伟大的时代的伟大的人民军队",一定不要忘记作为人民军队的"最伟大的支持力量"的"两万万农民","我们必须依靠"的工人阶级"正在一天比一天成为中国建设事业的主要力量","也正一天比一天成为我们的文艺创作重要主题"。他又提出,"部队文艺工作者熟悉部队,部分地熟悉农村,但对工人和城市的情形就不熟悉。解放区地方文艺工作者熟悉农村,不完全熟悉部队,对城市情况也不熟悉"。"从新解放区来的朋友,过去限于环境,不可能深入广大的群众",因此,我们主张文艺为工农兵服务,首先就应该熟悉工农兵。郭沫若在向大会作的总结报告中指出,"三十年来的新文艺运动主要是统一战线的文艺运动",现在的统一战线"包含了工人阶级、农民阶级、小资产阶级和民族资产阶级",文艺工作者应该首先"在这样的范围内在政治上团结起来",应该以"在文艺为人民服务的立场上团结"为基础,经过各种不同的途径去和人民大众结合,逐步成为"自觉的运动"。周扬在《关于解放区文艺报告》中,特别强调,毛泽东《在延安文艺座谈会上的讲话》中提出的文艺为人民服务并首先为工农兵服务的方向"也就是新中国的文艺的方向"。他说,"解放区文艺

工作者自觉地坚决地实践了这个方向,并以自己的全部经验证明了这个方向的全面正确","深信除此之外,再没有第二个方向"。周扬还指出,文艺工作者必须学习党的基本政策,"将政策作为他观察与描写生活的立场方法和观点","离开了政策观点,便不可能懂得新时代的人民生活中的根本规律"。茅盾在《十年来国统区革命文艺运动报告提纲》中总结了国统区文艺运动的基本经验,提出国统区文艺界"在从旧时代到新时代的飞跃过程中"一切问题的关键是"向时代学习,向人民学习"。

大会的"决议"和"宣言"把毛泽东提出的文艺为人民服务并首先是为工农兵服务的方向,作为发展新中国的人民文艺的基本方针,号召中国文学艺术工作者以最大的努力贯彻执行这个方针,更进一步地与广大人民、与工农兵相结合。

第一次文代会闭幕后不久,全国相继开展了土地改革、抗美援朝、镇压反革命、"三反"、"五反"、知识分子思想改造等大规模政治、经济、社会改革运动,为文艺创作提供了广泛的创作素材和创作天地。文艺工作者积极投身于现实斗争,并根据第一次文代会改造旧文艺的号召,对旧文艺进行批判、学习和改造,逐渐肃清资产阶级、小资产阶级和封建主义思想影响,逐步树立无产阶级的世界观。他们深入到工人、农民和志愿军中间,创作了一批受到群众欢迎的小说、戏剧、电影、诗歌、散文。但是,由于革命胜利的新情况是文艺事业在民主革命时期所未曾遇到的,加上文艺领导工作中存在一些"左"的或者右的偏差,造成文艺工作出现一定程度的思想混乱。这主要表现在两个方面:一是某些文艺工作者放弃无产阶级领导,脱离政治,脱离群众,追求小资产阶级艺术趣

味的右的倾向;另一方面是庸俗地、机械地理解文艺和政治的关系,在领导上,忽视艺术基本规律,以行政方式干涉文艺;在批评上,从教条出发简单粗暴裁决作品;在创作上,违背生活真实,搞概念化、公式化,损害了第一次文代会所倡导的"健全的民主作风",不利于文艺事业的发展。这种倾向在《武训传》批判运动和随之而来的文艺整风运动中又有所发展。文学艺术的现状要求总结几年来的文艺运动的正反经验,将文艺纳入正确的发展轨道。同时,国家正开始进入社会主义改造时期,文艺面对新现实应有新的发展,达到新的高度。在此背景下,1953 年 9 月 23 日至 10 月 6 日,第二次文代会在北京怀仁堂召开。

第二次文代会主要讨论和明确的问题有:

(1)在国家新的建设时期,文艺工作的主要任务是以抓创作为主。郭沫若在大会开幕词中号召"进一步发展文学艺术的创作事业,鼓励作家和艺术家创造出更多更好的作品","把任务明确化,改进工作,改进领导,使文学艺术的生产能够蓬蓬勃勃地发展起来"。

(2)确定将社会主义现实主义作为文艺创作和批评的最高准则。什么是社会主义现实主义? 周恩来在《政治报告》中提出,"革命的现实主义和革命的理想主义结合起来,就是社会主义现实主义"。具体到当前,就是文学艺术要用社会主义的思想感情,用我国民族的革命传统精神,用革命的乐观主义和爱国主义,去鼓舞、教育全体劳动人民,积极地发挥其创造精神和劳动热忱,为社会主义工业化而奋斗;培养人民中间特别是青少年中间共产主义的道德品质,以这种道德力量来帮助社会主义改造事业的加速推进;以阶级

斗争的精神教育人民去克服工人阶级队伍中间的资产阶级思想影响,去说服广大农民和手工业者,在加强工农联盟的基础上自觉地向社会主义前进,去教育资产阶级和小资产阶级的爱国分子服从社会主义改造,并在联合的条件下对资产阶级进行思想斗争。

(3)对中华人民共和国成立以来文艺创作上的概念化、公式化及其他反现实主义的倾向,对文艺批评上的简单化、庸俗化的倾向和文艺领导上的行政命令等进行了全面的总结和初步的清算。茅盾在《新的现实和新的任务》的报告中从三个方面详尽地分析了概念化、公式化的倾向,并提出克服这些倾向的具体途径。他认为:"一个作家必须有历史唯物主义的观点,必须有世界的和历史的胸襟;有高瞻远瞩的视力,而同时又有具体的丰博的生活经验与知识,有工人阶级的英雄气概,同时又有实事求是的精神,这样才能使我们的作品具有广阔的内容和丰富的色彩,才能有效地克服作家对于认识生活的狭隘和庸俗观点。"周扬在报告中肯定几年来文艺批评是有成效的,但存在不良倾向:在批评态度上,没有将整个倾向是反人民的作品和有缺点错误但整个倾向是进步的作品加以区别,没有把作家对生活的有意识歪曲和由于作家认识能力不足或是表现技术不足而造成对生活的不真实的描写加以区别,而是一律采取揭露的、打击的态度,一般批评也是指责多、帮助少;在批评方法上,有些批评家"常常不是从实际出发,而是从教条公式出发,他们常常武断地笼统地指责一篇作品这样没有描写对,那样也没有描写对,但却很少指出究竟怎样描写才对,批评家往往比作家更缺乏对于生活的基本知识和深刻的理解,同时缺乏对作品作具体的艺术分

析的能力"。茅盾也着重指出文艺批评"有严重缺点",比"创作还要落后"。他们向批评家郑重提出了掌握马克思主义的文艺理论,学会对作品进行历史的和美学的分析,克服教条主义的任务。

(4)提出如何运用社会方式领导文艺工作,以克服违背艺术规律的行政方式和不恰当的干涉。胡乔木在闭幕式上作的《关于文学艺术团体为争取我国文学艺术的繁荣的组织任务》的报告中认为,"文学艺术工作是一种社会工作,不是党所可以设想包办的工作"。因此应当充分发挥文艺团体的作用,运用社会方式来领导文艺创作和批评活动。周扬也指出,文艺组织领导工作中"习惯于采取简单的行政方式,而不善于用社会方式来领导艺术创作的活动",这种领导方式"同时也就助长了创作上的概念化、公式化的错误倾向",强调采用社会方式"并不是为了减弱党和政府对文学艺术事业的领导,而恰恰是为了更好地实现这种领导",按艺术规律,运用社会方式领导文艺,是领导文艺工作的一条重要组织原则和经验。

第二次文代会对促进文学艺术的繁荣发展产生了积极的历史作用。大会后的两三年中,文艺与人民群众、与现实生活的联系明显地得到加强,大批作家以更大的积极主动性深入工矿农村,体验生活,涌现出一批在思想性和艺术性,在反映生活的深度和广度上都很有生气的优秀作品。文学创作呈现出可喜的局面。

文学创作的收获

共和国成立初期文学创作的一个显著特点是革命战争和社会改革题材占有重要位置。

战争题材的小说可分为两类,一类是反映革命历史斗争的。其中刘白羽的中篇小说《火光在前》,描写了人民解放军在鄂西渡江战役中黑夜与黎明交替时刻的激动人心的战斗场面。马加根据一支护送干部的军队从陕北根据地前往东北经过内蒙古草原时所经历的一场特殊战斗所写的《开不败的花朵》,歌颂了党的民族政策和革命战士的牺牲精神。陈登科以涟水战役为背景写的《活人塘》,孔厥、袁静合著的《新儿女英雄传》都较真实地反映了解放战争时期的战斗生活。在这类作品中影响较大的是柳青1951年9月出版的《铜墙铁壁》。作品以沙家店为背景,情节曲折,结构完整,较成功地塑造了优秀村干部、共产党员石得富的形象,再现了陕北农民在战争中支援前线的故事。

战争题材的另一类是反映抗美援朝的。其中比较优秀的是杨朔的《三千里江山》和陆柱国的《上甘岭》。路翎的《在洼地上的"战役"》也颇具艺术特色。魏巍的散文《谁是最可爱的人》、巴金的散文《我们会见了彭德怀司令员》等也是这类题材的代表作。

社会改革题材主要是对土地改革运动、宣传新《婚姻法》等完成民主革命的遗留任务的轰轰烈烈生活的写照。1950年3月26日,《人民日报》发表谷峪的《新事新办》等短篇小说。随即,其中的《新人新事》在全国许多报刊转载。1951年7月10日,《人民日报》又转载《中国青年报》发表的马烽的短篇小说《结婚》、赵树理的《登记》、马烽的《一架弹花机》、高晓声的《解约》等,这些作品都产生了积极的社会影响。

新中国第一批诗歌创作是在庆祝共和国诞生的欢呼声中问世的。郭沫若的

《新华颂》讴歌"光芒万丈,辐射寰空"的人民中国屹立在亚洲的东方。何其芳以《最伟大的节日》为题,歌唱"如此巨大的国家的诞生"。臧克家在开国之初为纪念鲁迅而作的《有的人》,以深刻的哲理和强烈的人生观激励人民为创造新生活而奋斗。朱子奇献给新中国成立一周年的《我漫步在天安门广场上》,充满激情地吟道:"在这空中飞翔的每只鸟都展开快活的翅膀","在这路上行走的每个人都浴着幸福的阳光"。冯至的《我的感谢》,表达了广大知识分子对党的感谢和热爱之情。诗人柯仲平的长诗《献给志愿军》深情歌颂志愿军是"栽种"和平与自由的英雄。王莘的著名歌词《歌唱祖国》因其充满对新中国的热爱之情而唱遍全国。志愿军战士麻扶摇写的诗,被新华社记者陈伯坚写入通讯发表在《人民日报》后,被谱成歌曲,成为《中国人民志愿军战歌》。

在国家进入过渡时期以后,特别是第二次文代会提倡社会主义现实主义的创作方法,文学园地出现了一个繁荣时期。文学创作不仅在数量上大幅度增长,质量上也有显著提高。

李准1953年11月发表的短篇小说《不能走那条路》,通过翻身贫农宋老定想买地的故事,对土改后农村两极分化及广大农民要求走共同富裕道路的愿望作了介绍。赵树理1955年发表的《三里湾》以他惯常的为群众喜闻乐见的风趣幽默的表现手法,描绘了合作化时期农村的复杂斗争和各个阶层人物的内心世界。欧阳山的《前途似锦》、王希坚的《迎春曲》、刘澎德的《桥》、康滋的小说集《春种秋收》、刘绍棠的《运河的桨声》等都是展示农业合作化历程的作品。

反映革命历史题材的作品,也开始达到一个新的艺术水准,出现了思想性和艺术性都比较成熟的好作品。峻青1954年发表的《黎明前的黑暗》,描写了交通员小陈带领武工队负责人通过敌人封锁区时,把革命同志和革命任务看得高于一切,最后连同母亲、弟弟壮烈牺牲的故事,具有强烈的感染力。王愿坚1954年发表的第一个短篇作品《党费》,主人公黄新那种无畏的斗争精神和不怕牺牲的正气,给读者留下深刻印象。同年杜鹏程发表的优秀长篇《保卫延安》,是第一部大画面描写解放战争的鸿篇,当时被评论界称为"具有古典文学中的英雄史诗的精神"。小说不仅成功地塑造了一批解放军指战员的英雄形象,再现了保卫延安的几次著名战役,而且第一次在当代文学中描绘了彭德怀的领袖人物形象。高玉宝1955年出版的自传体小说《高玉宝》也受到普遍欢迎。

此外,还有一大批优秀的中长篇小说是在这个时期酝酿准备的基础上着手写作,于稍晚些时日问世的。其中有梁斌的《红旗谱》(1953年拟提纲,1957年出版),杨沫的《青春之歌》(1950年开始创作,1958年1月出版),吴强的《红日》(1950年动笔,1957年出版),曲波的《林海雪原》(1955年开始业余写作,1957年9月出版),艾芜的《百炼成钢》(1952年开始积累,1957年出版),周而复的《上海的早晨》(1958年第一卷问世),高云览的《小城春秋》(1952年开始创作,1956年6月完成)。

诗歌创作从1953年起到1957年上半年进入蓬勃发展的时期,一批优秀诗篇从不同角度歌颂了美好的新生活。臧克家《李大钊》尝试着用诗歌描写革命领袖人物。严辰的《祖国》一诗,讴歌志愿军的爱国热情,《心愿》描绘了水电建设者的英姿。阮章竞《金色的海螺》是深受青少年喜爱的优秀童话诗,《新塞外行》歌颂了内蒙古工业建设。张志民《小姑的故事》反映了农村新道德风尚的一个侧面。李季的《玉门诗抄》、《生活之歌》、《师徒夜话》再现了社会主义建设和石油工人的精神风貌。郭小川的政治抒情诗《投入火热的斗争》、《向困难进军》等在广大青年中反应强烈。少数民族叙事长诗的搜集、整理也取得长足的长进，其中《阿诗玛》的成就和影响最大。1953年5月云南省人民文工团深入撒尼族人聚居区，搜集到《阿诗玛》的传说异文20种，经黄铁等人整理、公刘润色后于1954年发表。

三

戏剧、电影、音乐的成就

第一次文代会上提出了改革旧戏剧的任务。会后，以欧阳予倩为主任的全国戏曲改进会筹备会立即成立，毛泽东为该会题写了"推陈出新"的题词。1950年7月，文化部又组成戏曲改进委员会，作为戏曲改革工作的顾问机关，委员会由戏曲界代表、戏剧专家和有关部门负责人组成，周扬任主任委员，田汉、洪深、欧阳予倩等43人为委员。1950年11月，文化部召开全国戏曲工作会议，检查了各地戏曲改革工作的情况，讨论党的戏改政策、如何帮助旧艺人、加强编写和修改剧本等问题。会议认为，戏曲必须发扬新的爱国主义精神，鼓舞革命斗志和劳动生产中的英雄主义。会议决定，各地戏改工作应以当地地方戏为主要对象。会议还确定了审定曲目的标准。1951年4月，中国戏曲研究院在北京成立，梅兰芳任院长，程砚秋等任副院长。毛泽东为该院题院名并题词："百花齐放，推陈出新。"周恩来的题词是："重视与改造、团结与教育，二者不可缺一。"1951年5月，政务院发布《关于戏曲改革工作的指示》，提出"改戏、改人、改制"的号召，明确规定"百花齐放、推陈出新"的方针，这就是保留与发展旧戏曲的优良传统部分而去其不合理的、由长期封建社会所造成的反现实的落后部分，使其成为以新民主主义及爱国主义精神教育人民的民族的戏曲艺术，同时鼓励各种戏曲自由发展，互相竞赛，共同繁荣。到1952年，文化部陆续发出通知，禁演某些具有严重封建毒素的旧戏共26出，其中有京剧《杀子报》、《奇冤报》、《探阴山》、《铁公鸡》、《大劈棺》，评剧《黄氏女游阴》等。对旧戏的改革方面，由南薇、宋之的、徐进等改编的越剧《梁山伯与祝英台》，既保留了这个民间传统戏的优点和特点，同时又对剧本及演出进行了大胆适当的改造，因而被认为改革的方法和道路都是正确的。

1952年10月，文化部举办第一届全国戏曲观摩演出大会，以便通过观察，互相交流经验，奖励优秀剧目，推动戏曲艺术进一步改革和发展，贯彻"百花齐放、推陈出新"的方针。参加这次会演的有京剧、评剧、越剧、川剧等20多个剧种，1800多人。大会为梅兰芳、周信芳、程砚秋、袁雪芬、常香玉、王瑶卿、盖叫天颁发了荣誉奖；评出越剧《梁山伯与祝英台》、评剧《小女婿》、沪剧《罗汉钱》、川剧《柳荫记》、京剧《将相和》、淮剧《王贵与李香香》、越剧《西厢记》、楚剧《葛麻》、秦腔《游龟山》为剧本奖；评剧《雁荡山》等4个剧为演出一等奖；沪剧《罗汉钱》等18个剧为演出二等奖；授予丁是娥等34人为演员一等奖，王文娟等41人为演员二等奖，王银柱等45人为演员三等奖。这次会演历时39天，它的成功是对中华人民共和国成立初期戏曲改革工作的一次检阅，为正确地对待祖国戏曲遗产作了可资借鉴的探索。

话剧艺术在新中国成立后结出的第

一朵奇葩是老舍于 1950 年 10 月发表在《北京文艺》创刊号上的《龙须沟》。该剧于 1951 年 2 月由北京人民艺术剧院首次上演。焦菊隐导演,于是之饰程疯子,受到首都观众的热烈欢迎。工人的创作热情在话剧方面也得到体现。1950 年 4 月,文化部召开专门座谈会,讨论石家庄工人魏连珍创作的 3 幕 14 场话剧《不是蝉》。这个剧本反映工人阶级为创造新生活自觉劳动的热情。欧阳予倩、周巍峙、张庚等在座谈会上都称赞这是中华人民共和国成立以来第一个"工人写"、"写工人"的比较优秀的话剧。大连黑嘴子车站工会工友集体创作的剧本《装卸工》荣获旅大市第二届工人文艺活动周特奖。天津市搬运工会运输二分会业余文工团创作并演出了《搬运工人翻身记》的话剧,此剧后来搬上银幕,名为《六号门》。

1956 年 3 月至 4 月,文化部在北京举行第一届全国话剧观摩演出。参加观摩演出的有 41 个剧团,50 个剧目,2000 多名话剧工作者。剧目中半数以上是 1955 年新创作的。《马兰花》、《战斗里成长》等 26 个剧目获得演出一等奖;《早晨》、《如兄如弟》等 24 个剧目获得演出二等奖;蓝马、张章、于村、魏华门、陈立中、刁光覃、杜澎、李默然、江俊、高仲实、赵蕴如等 259 名演员分获演员一、二、三等奖。

电影事业从 1949 年到 1955 年拍摄故事片 100 余部(其中有私营电影厂 1951 年前拍的 51 部),纪录片 100 余部,译制片(苏联及其他人民民主国家的)约 200 部左右。在这 7 年中,电影拍摄呈现出一个曲线,1950 年为波峰,这一年国营电影厂拍了故事片 14 部,私营厂拍摄 25 部,1952 年为曲线的谷底,全年仅拍了 5 部故事片,到 1955 年又跃上波峰,拍了 22 部。国营电影厂拍摄的第一部故事片是于敏编剧、

王编导演的东北电影制片厂于 1949 年 5 月封镜发行的《桥》。在百余部影片中比较优秀的故事片有《赵一曼》(于敏编剧、沙蒙导演)、《钢铁战士》(成荫编导)、《高歌猛进》(于敏编剧、王家忆导演)、《民主青年进行曲》(贾克、赵寻编剧、王逸导演)、《刘胡兰》(林杉编剧、冯白鲁导演)、《翠岗红旗》(杜谈编剧、张骏祥导演)、《白毛女》(水华编导)、《上饶集中营》(冯雪峰编剧、沙蒙导演)、《新儿女英雄传》(史东山编导)、《龙须沟》(冼群编导)、《南征北战》(沈西蒙编剧,成荫、汤晓丹导演)、《智取华山》(郭维等编导)、《鸡毛信》(张骏祥编剧、石挥导演)、《渡江侦察记》(沈默君编剧、汤晓丹导演)、《董存瑞》(丁洪编剧、郭维导演)、《平原游击队》(邢野、羽山编剧,王为一导演)、《宋景诗》(陈白尘、贾霁编剧,郑君里导演)。戏曲片有《宇宙锋》(京剧)、《盖叫天的舞台艺术》(京剧)、《梅兰芳的舞台艺术》(京剧)、《秦香莲》(评剧)、《打金枝》(豫剧)、《梁山伯与祝英台》(越剧)、《天仙配》(黄梅戏)等。这些优秀影片分别在国内或国际电影节(捷克斯洛伐克电影节)上获奖。

音乐方面,群众演唱歌曲成绩显著。《全世界人民心一条》(招司词、瞿希贤曲)、《歌唱祖国》(王莘词曲)、《中国人民志愿军战歌》(麻扶摇词、周巍峙曲)、《歌唱毛泽东》(托尔逊瓦依提词、阿不力克木曲)、《我是一个兵》(陆原、岳仑词,岳仑曲)、《草原上升起不落的太阳》(美丽其格词曲)、《小鸽子》(冷岩词、刘守义曲)、《歌唱二郎山》(洛如词、时乐濛曲)等都是为群众喜闻乐见、竞相传唱的。它们反映了社会精神风貌,适合大众演唱。这些歌曲代表了一个时代留在人们的记忆中。

四

对外文化交流

新中国成立以后,积极开展同各友好国家的文化交流。截至1955年底,中国派出15个文学艺术类代表团近2000人分别到亚洲、欧洲、美洲的24个国家进行友好访问。1955年6月,中国艺术团应邀参加巴黎第二届国际戏剧节,在巴黎举行首次演出。著名京剧表演艺术家叶盛兰、张云溪、张春华、杜近芳等演出了京剧《三岔口》《断桥》《闹天宫》《秋江》《雁荡山》等,受到法国人民的热烈欢迎。在欧洲观众的请求下,戏剧节后中国艺术团访问的国家由原定的二三个增加到八九个,先后访问了比利时、荷兰、捷克斯洛伐克、瑞士等国,出访时间由原定的一二个月延长到七个多月。英国广播公司还首次在电视节目中播放演出实况,使1400万英国观众欣赏到中国的传统艺术。中国杂技团访问北欧的芬兰、丹麦、瑞典,在67个城市中巡回演出,受到10余万观众的赞赏。郑振铎、丁西林还率团访问了印度尼西亚、越南等亚洲国家,演出京剧《霸王别姬》《盗仙草》《闹龙宫》等剧目。中国艺术家还向外国观众介绍了越剧、杂技及中国民族乐曲。中国古典歌舞剧团访问丹麦、冰岛等国时,冰岛的一位老妇人把一个手镯赠给中国演员,表示"愿这个手镯象征着友谊永远把我们紧紧地连在一起"。

各国来中国访问的艺术团到1954年8月达16个,人数1900余人。1952年中苏举办了中苏友好月活动,苏联艺术工作团和红旗歌舞团在中国的20余个城市演出140余场,观众90万人,演出的实况转播和广播大会22次,有组织的听众2500万人。1953年,朝鲜、匈牙利、捷克斯洛伐克、罗马尼亚、蒙古、波兰、德意志民主共和国、保加利亚、印度、印度尼西亚等国的歌舞团或杂技团、音乐队等也先后访问中国。莫斯科"小白桦树"舞蹈团、民主德国的吹奏乐和世界著名捷克斯洛伐克木偶戏、匈牙利的瓶舞都给中国观众留下了深刻的印象。1955年又有13个国家的16个艺术团和许多国家的艺术家到中国访问演出。其中南斯拉夫、缅甸和日本等国是第一次向中国派出艺术团体,使中国观众欣赏到日本著名戏剧家市川猿之助的歌舞伎,南斯拉夫"科罗"民间歌舞,美国黑人歌唱家奥布雷·潘基表演的黑人民歌。印度文化代表团先后在中国的北京、上海、广州、乌鲁木齐、重庆等15个城市演出。

交换影片是文化交流活动的另一种重要形式。中国同各人民民主国家都订有影片交换合同,互相举办电影周。中国影片和约60个国家的观众见了面。中国还参加了各种国际电影节。在第五届捷克国际电影节(1950年)上,中国故事片《中华儿女》获"为自由而斗争奖",纪录片《百万雄师下江南》等4部获"名誉奖状",演员石联星(电影《赵一曼》主演)获"演员优等奖状"。在第六届捷克国际电影节(1951年)上,中国电影代表团带去12部影片分别参加竞赛与举办电影展,故事片《钢铁战士》获该届电影节5项主要奖之一的"和平奖",《白毛女》获"第一个特别荣誉奖";《新儿女英雄传》的导演史东山、纪录片《中国民族大团圆》获"特别荣誉奖"。在第七届捷克国际电影节(1952年)上,中国故事片《人民的战士》(刘白羽编剧、翟强导演)获"争取自由斗争奖",《内蒙古人民的胜利》的剧作者王震之获"电影剧本奖",《翠岗红旗》的摄影师冯四知获"摄影工作奖",纪录片《抗美援朝》和《抗战中的越南》获"劳动人民争取和平斗争奖"。在第八届捷克国际电影节(1954年)上,中国故事片《智取华山》、《梁山伯与祝英台》荣获"剧本奖"。

从1950年至1953年,我国翻译了苏联各种影片177部,其他人民民主国家影片59部。这些影片不仅具有较高的思想性和艺术性,深为中国观众所喜爱,其中的一批科教片还起到了传播新技术、普及科学知识的作用,比如1955年12月,苏联科学家访华团向中国政府赠送的关于和平利用原子能的科学影片就属这一类。中苏两国电影工作者还合作拍摄了《中国人民的胜利》和《解放了的中国》,这两部影片都获得"斯大林文学艺术奖"。

文学作品的交流年有增加。到1954年6月底,我国共翻译出版世界各国进步作家的文学作品和科学著作7000余种。奥斯特洛夫斯基的《钢铁是怎样炼成的》,留·柯斯莫捷绵斯卡亚的《卓娅和舒拉的故事》、《普通一兵》,伏契克的《绞刑架下的报告》等革命题材的著作曾激励了新中国的青年一代。而阿里斯多德的喜剧,阿尔德里奇的《外交家》等古典和现代文学名著作为世界文化的精品,给中国人民以精神上的享受。新中国作家的作品被翻译成外文出版的首推丁玲的《太阳照在桑干河上》。这本书1949年10月译成俄文在苏联《旗》杂志上发表后,被苏联评论界称为"真实而富有感召力","有很高的艺术价值"。《太阳照在桑干河上》获1951年斯大林奖(二等奖),同时获奖的还有贺敬之、丁毅的歌剧《白毛女》(二等奖),周立波的小说《暴风骤雨》(三等奖)。《暴风骤雨》、《李有才板话》、《活人塘》、《吕梁英雄传》、《平原烈火》等文学作品还在日本翻译出版。与此同时,中国国家图书馆——

北京图书馆还同21个国家的60个文化教育单位建立了交换图书的关系,到1954年6月,中国向各国赠送约70余万册书刊,收到各国书刊30余万册。

组织和举办展览,也是对外文化交流的重要方式之一。到1954年8月底,中国在世界各国共举办164个展览会,协助各国在中国举办60个展览会。1950年8月,由文化部筹办的新中国第一次大规模"中国艺术展览会"在苏联莫斯科和列宁格勒展出中国古代和现代作品1000多件,包括齐白石、徐悲鸿在20世纪20年代和30年代的国画、木刻、年画、漫画以及解放后的新国画,有共和国的艺术摄影、油画,还有从史前的仰韶文化直到清代中叶的古代艺术品。该展览于1951年在苏联闭幕后又分别在民主德国柏林博物馆和华沙展出。1951年至1953年,在中国的北京、上海、广州举办了"匈牙利人民共和国展览会",观众达225万人。展品有匈牙利19世纪和现代油画、木刻、雕塑等复制品100余幅,历代革命重要事件画70多幅以及匈牙利各地区的民间工艺品等。坐落在北京西郊新建成的苏联展览馆(现北京展览馆),建筑面积31万多平方米,从1954年10月起开始全面系统地向中国人民介绍苏联的经济、文化等各方面的成就。

军队正规化、现代化建设的起步

关于军队正规化、现代化建设的思想,毛泽东早在抗日战争和解放战争时期就有所阐述。他提出军队要去掉游击性,使之更带正规性；军队编制要逐步统一，要以现代新式技术装备起来，使之向高级阶段发展。中华人民共和国成立后，中央军委即着手抓人民解放军的正规化、现代化建设。1951年1月，中央军委向全军发出"为建设正规化、现代化的国防军而奋斗"的号召。1953年7月，毛泽东在给军事学院的训词中提出了人民解放军进入掌握现代技术的高级阶段，建设正规化、现代化的国防部队所不可缺少的三个条件，即：第一，为与现代化装备相适应，部队的正规化建设，要实行统一的指挥、统一的制度、统一的编制、统一的纪律、统一的训练，要实行诸兵种密切的协同动作；第二，为了组织这种复杂的高度机械化的近代的战役和战斗，必须挑选优秀的富于组织和指挥才能的指挥员，组成健全的、具有头脑作用的、富于科学的组织和分工的司令机关；第三，要从教育训练上来培养组织性、计划性、准确性和纪律性。人民解放军正是遵照这些指示进行正规化现代化建设的。

一

精 减 整 编

1950年4月，人民解放军总人数已达550万人。此时，解放战争已将结束，全国形势已趋稳定，没有必要保持这样庞大的军队。因此，中共中央、中央人民政府和中央军委决定对人民解放军实行精简整编，将军队总人数压缩到400万人。5月，全军参谋会议召开。会议确定了野战军、地方军、公安部队的编制定额和分配比例；兵团、野战军机构撤销，分别与所兼军区（省军区）合并，精简整编的原则和要求。数月后，全军顺利完成了100多万指

战员转业、复员的任务。后来，由于抗美援朝作战的需要，军队员额又有增加。1952年1月，朝鲜战场出现了有可能实现停战的形势，国内剿匪和镇压反革命已获显著成效，中央军委遂复决定：人民解放军再进行精简整编。为此，中央军委制定了整编计划，压缩了军队总人数。这次整编，主要是裁减陆军，海军、空军和陆军各技术部队的员额则有了增加，军事院校有所加强。全国统一成立省军区、军分区和县（市）人民武装部，领导地方武装工作，对复员转业军人，国家实行负责到底的安置政策。

二

改善武器装备

在革命战争年代，人民解放军的武器装备主要是取之于敌。新中国建立之初，战争仍在进行，特别是在朝鲜战场上，志愿军大兵团连续作战，需要大量的武器弹药和各种军需物资。国内的军工生产远远满足不了战争的需要。中华人民共和国政府根据1950年2月同苏联政府签订的条约和协定，于1951年5月派出政府兵工代表团，赴苏联谈判购买武器装备。苏联同意卖给中国60个步兵师的武器装备。到1954年10月，这些武器装备（其中有些是第二次世界大战中用过的）全部运抵中国。同时，国内军工生产也有了较大的发展。解放军陆军的武器装备遂得到初步改善。

三

建立新的军兵种

1949年初，中共中央决定，要在单一

兵种的基础上,尽快建立一支能够使用的空军和一支保卫沿海沿江的海军。1949年11月,空军领导机构成立。1950年4月,海军领导机构成立。空军、海军正式成为中国人民解放军的军种。1950年8月,炮兵领导机构成立。1950年9月,装甲兵领导机构成立。1950年10月,防空部队领导机构成立。1950年11月,公安部队领导机构成立。1950年12月,工兵领导机构成立。1952年4月,海军航空部成立。1953年9月,铁道兵领导机构成立。经过3年多的努力,空军建立了20多个航空兵师和其他勤务部队,海军建立了少量的水面舰艇和航空兵部队,陆军各技术兵种也都达到了一定规模。1953年,人民解放军完成了由单一兵种向诸军兵种合成的转变。此后,1956年1月,防化学兵领导机构成立。1956年4月,通讯兵领导机构成立。

四

改建和新建军事院校

1949年11月,海军学校成立。1950年7月,中央军委确定,改建、新建一批培养现代化人才的各类院校。1950年11月,全军军事学校及部队训练会议召开。会议主要讨论了教育方针、教育计划、教育制度、教材、器材供应计划和学校编制等问题。会议确定的军事训练的基本方针是:在人民解放军现有素质的基础上,用迅速而有效的方法,使部队学会掌握现代化的兵器及其他军事技术,使指挥员学会组织与指挥各兵种的联合作战与协同动作,了解参谋与通讯业务,以加速军队的正规化和现代化建设。1951年1月,军事学院成立。毛泽东称它是中国人民解

放军建军史上重大转变的标志之一。1951年3月,高级工兵学校成立。1951年8月,军事医学科学院成立。1952年5月,后勤学院成立。1953年1月,总高级步兵学校成立。1953年7月,测绘学院成立。1953年9月,军事工程学院成立。1956年3月,政治学院成立。各军兵种和各大军区也都相继建立了初、中级军事、政治、文化和技术学校。1951年底,全军各种院校即已达到200余所,初步形成了比较完整的院校体系。

五

制定法律和条令条例,建立正规的制度

革命战争时期,由于客观条件的限制,部队的规章制度大多由各战区自行制定。新中国成立后,亟须取得统一。中央军委首先抓了共同条令的制定工作。1950年秋,中央军委指示军委训练部成立编修委员会,编写共同条令,随后批准了该委员会提出的编写方针和原则。共同条令主要是参考苏军条令,结合人民解放军的编制体制、武器装备等方面的实际情况制定的。1951年2月,总参谋部将内务、纪律、队列3个条令的草案颁布全军试行。1953年5月,军委正式颁布条令,作为全军进行管理教育,建立良好的内外关系、内务制度,养成优良作风,进行队列训练,维护和巩固纪律,以及实施奖励、处分的依据。1954年4月,中共中央、人民革命军事委员会颁布《中国人民解放军政治工作条例(草案)》。1955年2月,毛泽东主席公布《中国人民解放军军官服役条例》。1955年7月,全国人民代表大会制定了《中华人民共和国兵役法》。各军兵

种还翻译、颁发了苏军一些专业和勤务条令、条例、教令、教程、教范，如《步兵战斗条令》、《骑兵战斗条令》、《高射炮兵战斗条令》、《空军战斗条令》、《海军战斗条令》、《实弹射击教令》等，供部队试行。试行过程中进行了修改。人民解放军执行各项条令、条例，改进了作风，加强了纪律性，提高了战术技术水平，以及组织指挥和协同作战能力。1955年1月，全军干部由供给制改为薪金制。士兵实行供给制，同时实行津贴费制度。1955年9月，实行军衔制度（1965年5月，取消军衔制度。1988年9月，恢复军衔制度）。1955年10月，全军换穿统一的新式军服。

开展军事训练和文化教育

随着各军兵种相继建立和新技术兵器逐步装备部队，加强部队的战术技术训练日益重要。1950年11月，抗美援朝战争之初，中央军委作出决定，用迅速而有效的方法，加强解放军的战术技术训练。1951年11月召开的全军军事学校及部队训练会议，确定了军事训练的基本方针：在人民解放军现有素质的基础上，用迅速而有效的方法，使部队学会掌握现代化的兵器及其他军事技术，使指挥员学会组织与指挥各兵种的联合作战与协同动作，了解参谋与通信业务，以加速军队的正规化和现代化建设。1951年，人民解放军掀起了以学技术为主的军事训练热潮，获得了较好的效果。1951年9月至11月，军委还举办了全军高级干部集训。集训的中心思想是学习苏军的先进经验，采用现代化、正规化的训练，使人民解放军实现真正的现代化。

中华人民共和国成立初期，干部、战士的文化水平普遍较低，这种状况成为他们学习现代军事科学和军事技术，进行军队现代化建设的一大障碍。因此，人民革命军事委员会于1950年8月即发出《关于在军队中实施文化教育的指示》，要求干部战士学习文化，提高文化水平。1952年，中央军委决定要把文化教育作为全军训练的中心任务。从1952年6月开始到1953年上半年，全军开展了大规模的文化教育运动，使指战员的文化水平普遍提高。全军原来80％的干部、战士是文盲和初小文化程度，到1953年，普遍达到初小毕业程度。干部绝大多数达到高小毕业或初中文化水平。这就为解放军进行正规化、现代化建设打下了初步的文化基础。

全军大规模的文化教育结束后，比较正规的军事训练于1953年6月开始。这是人民解放军正规化、现代化军事训练的开端。为了统一军训思想，明确军训方针，改进工作作风，以及解决其他有关军训的问题，军委于1952年12月召开了各大军区、各特种兵参谋长和政治部主任联席会议。会议进一步明确和统一了建设现代化国防军的思想。会议提出：为建设现代化的革命军队，必须统一装备、统一编制、统一训练、统一制度，必须坚决贯彻条令、决定和指示。1953年12月至1954年1月，召开了全国军事系统党的高级干部会议。会议确定，军事建设的总方针、总任务是建设一支优良的现代化革命军队，以保卫祖国，抵御帝国主义侵略。现代化军队建设中长期的、经常的中心工作是训练部队，特别是训练干部；要以条令把全军各方面统一起来，实行正规化。会议就军队的编制体制、办好学校、军事训练、国防建设等问题作了规定。这次会议是人民解放军建军史上一次划时代的会议,对于统一全军思想,完成军队建设由低级阶段向高级阶段的转变具有决定性历史意义。

兵役制改革和军衔制实施

军队现代化从军队正规化建设开始,军队正规化建设又以军事制度的变革、创新为起点。我军军制是在长期革命战争中形成并适应战争形势需要的规定、规则。新中国建立后,急风暴雨式的战争结束了,大规模有计划的经济建设开始了。客观条件的改变一方面要求军制也作出相应的变更,另一方面又为新军制的实施提供了物质保障。

一

由志愿兵役制改为义务兵役制

人民解放军自1927年诞生以来,一直实行志愿兵役制,即人民自愿参军,长期服役,没有服役期限规定的兵役制度。它是在残酷战争环境下补充兵员的一种有效手段。但是,新中国成立后,志愿兵役制存在的问题,显示出局限性和不适应性,如士兵和下级军官年龄普遍偏大,服役年限普遍偏长;家庭生活和个人婚姻等问题难以解决,不利于兵员更新和后备兵员积蓄等等。

1952年8月5日,在抽样调查的基础上,代总参谋长聂荣臻向中央军委主席毛泽东提出准备实行义务兵役制方案报告,提出准备选择适当时间,有重点地试行,取得经验,再行推广。1953年3月23日,毛泽东签署命令,成立兵役法委员会,负责起草兵役法,由聂荣臻任主任,黄克诚、张宗逊、徐立清、王宗槐、孙仪之、刘道生、吴法宪、李天焕、王尚荣、苏静、肖克、傅秋涛、肖向荣为委员。1954年11月,中华人民共和国兵役法草案初稿完成。1955年7月30日,一届全国人大二次会议审议通过《中华人民共和国兵役法》,确定从1955年起,实施义务兵役制。

义务兵役制规定义务兵的征集每年进行一次,征集对象为当年12月31日以前年满18周岁的男性公民。22岁以前未被征集者都可被征集服役。被划定为地主、富农、资本家等剥削阶级家庭出身的成员,一般不得征集。在每年9月30日前,所有适龄男性公民进行兵役登记。经过初步审查合格的征集对象称应征公民。应征公民进行体格检查,体检合格后,进行政治审查。政治审查的标准根据中国共产党的总方针、政策确定。县、市兵役机关全面衡量,优先批准政治思想好、身体好、文化程度高的应征公民服现役。

义务兵服役年限规定陆军为3年,空军4年,海军5年(1965年经三届人大一次会议决定,改为陆军4年,空军5年,海军6年。1967年,中共中央、国务院、中央军委、中央文革小组决定陆军2年,空军3年,海军4年。1978年第五届全国人大常委会第一次会议恢复了1955年的规定)。[①] 服满现役期限的义务兵,一般应退出现役,根据对技术兵员和基层骨干的需要和本人志愿,少数人可以超期服役1—2年。

---

① 韩怀智、谭旌樵主编:《当代中国军队的军事工作》(下),中国社会科学出版社,1989年6月版,第405页。

义务兵役制使军队兵员能定期轮换和更新，保持兵员年轻化，使兵员身体和文化素质不断提高。20世纪50年代要求男性新兵身高为1.5米以上，60年代提高到1.55米以上；对1955年至1957年征兵质量统计，初中以上文化程度已占征兵总数的7.36％。

义务兵退出现役后，按照从哪里来回到哪里去的原则，由原征集的县、市人民政府接收安置。家住农村的由乡、镇政府安排他们的生产和生活，机关、团体、企业、事业单位在农村招工时，在同等条件下优先录用他们。家住城镇的，由县、市人民政府安排工作，入伍前是机关、团体、企业、事业单位正式职工的，允许复工、复职。义务兵退出现役后，报考高等院校和中等专业学校，在和其他考生同等条件下，优先录取。

现役军人因参战或因公负伤致残的，由部队评定残废等级，发给革命残废军人抚恤证。退出现役的特等、一等革命残废军人，由国家供养终身。二等、三等革命残废军人，家居城镇的，由所在县、市人民政府安排力所能及的工作；家居农村的，其所在地区有条件的，可以在企业事业单位安排适当工作，不能安排的，按照规定增发残废抚恤金，保障他们的生活。革命残废军人乘坐火车、轮船、飞机、长途汽车，享受优先购票和减价优待。

第一次军衔制的提出和实行

我军在长期革命斗争的实践中，逐步形成了一套具有中国特色的人民建军思想、原则和规章制度。在建军初期，由于条件极其艰苦，军队相对分散，经常处于"围剿"与反"围剿"的战事之中，致使我军无法实行军衔制度。抗日战争爆发后，国共两党的第二次合作，给我军正规化建设提供了一些条件，这时才初步提出了实行军衔制的问题。1937年，我军第一次开始实行军衔制度。1939年4月，八路军总司令朱德和副总司令彭德怀，致电毛泽东主席和中央书记处，建议规定部队中各级干部之等级，于5月20日，八路军总司令部发出了《建立等级制度的训令》。但由于当时条件不够成熟，此后斗争非常艰难，游击性较强，故正规化军制化必须有限度。如过分强调正规化，就脱离了当时的实际情况，就会陷于主观主义，给我军建设带来损失。因此，中央军委于1942年4月24日，作出"军队中暂不规定等级军衔"的决定。

1945年10月10日，国共两党签订了"双十协定"，1946年1月10日签订了《停战协定》。1946年1月31日，由国民党、共产党、其他党派和无党派人士代表，举行了政治协商会议，通过了"政协决议"。在这次会上，国民党接受了我党的和平建国的基本方针。中共中央于1946年2月24日，在《关于军队整编的若干问题的指示》中明确讲："我军各级干部即须执行将校尉的正规制度。"但国民党很快便撕毁停战协议和政协决议，发动了对解放区的全面进攻。我军被迫奋起反击，全力进行了推翻蒋介石统治的第三次国内革命战争。军队的军衔之事，不言而喻地又暂时不能实行。

解放战争取得全国胜利前夕，中央政治局在1948年9月会议上，通过的《关于中央局、分局、军区、军分区及前委会向中央请示问题制度的决议》中，涉及了"军队等级制度问题"。1950年12月30日，解放军总干部部在给毛泽东主席和刘少奇、朱德、周恩来副主席的工作总结报告中，正式提出把"研究军衔实施的准备工作"列为1951年的工作任务。1951年2月10日，中央军委下发的《关于干部评级工作指示》中明确指出：评级可为今后实行军衔制度奠定初步基础。中央军委在1953年1月发出了《关于实施军衔制度准备工作的指示》，明确提出，"如果可能的话，拟于今年7月份在全军实行军衔制度与薪金制度"。中央军委要求各总部在3月中旬前完成实施军衔制前的准备工作，4月份全军开始动员与评定，6月底以前完成审查批准与授予手续。根据军委指示，各总部、各军区都把实行军衔制的准备工作列入上半年的议事日程。总干部部于1953年1月向全军下发了《军衔鉴定工作指示》，要求于3月底前完成全军干部的鉴定工作。同时还主持草拟了《军衔条例》、《军衔实施规程》和《军官服役条例》等。军务部负责研究与制定了各兵部的肩章、标章、符号的图样、样式，总后负责研究与制定职务薪金与军衔薪金标准及相应各种待遇，并研制出军装式样。1953年4月，中央军委发出了《关于军士以下人员（含准尉）军衔评定工作指示》，对军士和兵的军衔评定工作作了具体部署。由于我军组织编制尚未确定，兵役法及有关条例尚未颁布，因此军衔制的实行延期到1955年。

1955年1月23日，中央军委发布《关于评定军衔工作的指示》。同年2月8日，中华人民共和国第一届全国人民代表大会常务委员会第六次会议通过《中国人民解放军军官服役条例》，并以中华人民共和国主席毛泽东的命令公布。《条例》明确规定了人民解放军军官的来源和条件、军官职务任免原则、军官的权利和义务、军官的军衔评定（军衔定为尉官、校官、将官和元帅4等14级）。8月11日，国防部长彭德怀、总政治部主任罗荣桓签发了《关于军士和兵评定军衔的指示》，对评定时间、等级区分、评定标准、评定方法等作了明确要求。全军评定军衔工作自军委、总部指示下达后，全军军官的评衔工作在9月底已基本完成。9月23日，第一届全国人民代表大会常务委员会第二十二次会议，通过授予中华人民共和国元帅军衔的决议，会上并有人提出授予毛泽东为中华人民共和国大元帅。毛泽东没有同意。同日毛泽东主席发布命令，授予朱德、彭德怀、林彪、刘伯承、贺龙、陈毅、罗荣桓、徐向前、聂荣臻、叶剑英中华人民共和国元帅军衔。9月27日，在北京中南海怀仁堂隆重举行授衔授勋仪式。彭真副委员长兼秘书长宣读了中华人民共和国主席授予中国人民解放军10名军官为中华人民共和国元帅军衔的命令。接着毛泽东主席将命令状一一授予10位元帅。同日，国务院举行了将官授衔授勋仪式，由国务院秘书长习仲勋宣读了周总理的授衔命令，国务院总理周恩来分别把大将、上将、中将、少将军衔的命令状，一一授予粟裕等在京将官。9月28日，国防部举行授衔典礼，彭德怀部长授予在京部分校级军官军衔。1955年9月17日，国务院第十八次会议通过决议，决定从1955年10月1日起，中国人民解放军开始佩军衔肩章、军兵种和勤务符号，着新式服装。

三

第一次军衔制的废除

1965年5月22日，中华人民共和国第三届全国人民代表大会第九次会议召开，根据国务院的提议，通过《关于取消中国人民解放军军衔制度的决定》，同日由中华人民共和国主席公布。1965年5月24日，公布了国务院关于中国人民解放军的帽徽、领章和部分军装样式的决定。规定陆、海、空军和公安部队，一律佩全红五角星帽徽和全红领章，原来徽章、符号同时予以废止，完全一律戴解放帽，原帽一律废止。海军军服也改为同陆、空军式样相同，颜色为深灰。废止军官武装带、校以上军官西式大礼服和女裙服。决定从1965年6月1日起实施，从此结束了中国人民解放军实行了10年的军衔制历史。

附：1955年实行的中国人民解放军军衔

肩　章

元　帅	金底红边银星金徽
陆军大将	金底红边银星
海军上将	金底黑边银星
空军中将	金底蓝边银星
陆军少将	金底红边银星
陆军大校	金底红边红条银星
海军上校	金底黑边黑条银星
空军中校	金底蓝边蓝条银星
陆军少校	金底红边红条银星
陆军大尉	金底红边红条银星
海军上尉	金底黑边黑条银星
空军中尉	金底蓝边蓝条银星
陆军少尉	金底红边红条银星
陆军准尉	金底红边红条

领　章

元　帅	红底黄边金徽
陆军将军	红底黄边
海军将军	黑底黄边金锚徽
空军将军	蓝底黄边金飞行徽
陆军步兵校、尉官	红色
海军校、尉官	黑色金锚徽
空军校、尉官	蓝色金飞行徽
步兵上士	红底黄条银星

炮兵上士	红底黄条银星银徽
骑兵中士	红底黄条银星银徽
步兵下士	红底黄条银星
装甲兵上等兵	红底银星银徽
空军列兵	蓝底银星银徽
海军上士	黑底黄条
海军中士	黑底黄条
海军下士	黑底黄条
海军上等兵	黑底黄条
海军列兵	黑底黄锚徽
海军学员	黑底黄锚徽黄边

国庆五周年庆典和赫鲁晓夫第一次访华

一

中　苏　会　谈

赫鲁晓夫率团来中国不仅是参加中华人民共和国五周年国庆活动，他还要访问中国。他这次来的身份是苏共中央第一书记。

1954年10月3日，中苏两国领导人开始正式会谈。中国方面出席会谈的有：毛泽东、刘少奇、周恩来、朱德、陈云、彭德怀、邓小平、邓子恢、李富春。苏联方面有：赫鲁晓夫、布尔加宁、米高扬。会谈的内容主要是：苏联军队从旅顺口海军基地撤退问题、四个中苏股份公司移交问题等，有些问题是斯大林在世时没有解决或没有来得及解决的。

会谈中赫鲁晓夫问毛泽东还有什么

要求,毛泽东直言不讳地说,我们对原子能、核武器感兴趣,希望你们能在这方面对我们有所帮助,使我们有所建树。赫鲁晓夫听到这儿愣住了,他稍停了一下说,搞那个东西太费钱了,我们这个大家庭有了核保护伞就行了,无须大家都来搞。那个东西既费钱费力,又不能吃,不能用。生产出来还得储存起来,不久又过时了,还得重造,太浪费了。我们的想法是,目前你们不必搞这些东西,还是集中力量搞经济建设,发展与国计民生有关的生产,改善人民的福利。提高人民生活水平比搞原子弹好。假使目前要搞核武器,把中国的全部电力集中用在这方面是否足够还很难说。但如果你们十分想办这件事,而且是为了进行科研、培训干部,为未来新兴工业打基础,那我们可以帮助先建一个小型原子堆。这比较好办,花钱也不太多。这是一个比较切实可行的办法。借这个条件培训干部,也可以派一些有基础的人员到苏联学习、实习和深造。你们以为如何?毛泽东回答:也好,让我们考虑考虑再说。后来的事实是,在中国的要求下,苏联答应帮助中国发展核武器。但计划尚未执行完,随着中苏关系的破裂,苏联撤走了全部技术专家。中国依靠自力更生,几经艰难,终于拥有了自己的核武器。中国发展自己的核工业是意义深远的战略决策。60年代,中国那么穷,国际反华势力对中国不能不有所顾忌,就是因为中国爆炸了原子弹。

二

中苏签订七个文件

赫鲁晓夫一行同毛泽东会谈后,先后到上海、杭州、广州、武汉参观游览。

在杭州,赫鲁晓夫游览了西湖之后,计划稍事休息就走,但主人已经准备好了午饭,赫鲁晓夫说,不吃饭。中方陪同、翻译师哲劝道:要尊重主人嘛!赫鲁晓夫才同意。席间,赫鲁晓夫对西湖鱼汤大加赞赏。这种鱼汤味道鲜美,汤浓而不腻。苏联客人喝了一碗又一碗,非常满意。赫鲁晓夫险些错过了一道难得的美味。在广州,赫鲁晓夫是第一次来到我国南方,椰子等水果都是第一次见到、第一次吃。他们兴高采烈地一一品尝,乐不可支。但他们见到广州的名菜——"龙虎斗"、"龙凤斗"时,吓得够呛,因为苏联人从来不吃蛇,他们根本不知道蛇肉可以做成美味佳肴。赫鲁晓夫在广州郊区参观橡胶园时询问得很仔细,并同当地干部就海南岛和雷州半岛的橡胶生产情况进行了交谈。

赫鲁晓夫一行回到北京后,于10月12日,中苏两国政府正式签订了七个文件:《中华人民共和国政府和苏维埃社会主义共和国联盟政府宣言》、《中华人民共和国政府和苏维埃社会主义共和国联盟政府关于对日本关系的联合宣言》、《中苏关于苏联军队自共同使用的中国旅顺口海军根据地撤退并将该根据地交由中华人民共和国完全支配的联合公报》、《中苏关于将各股份公司中的苏联股份移交给中华人民共和国的联合公报》、《中苏关于签订科学技术合作协定的联合公报》、《中苏关于修建兰州—乌鲁木齐—阿拉木图铁路并组织联运的联合公报》、《中华人民共和国政府、苏维埃社会主义共和国联盟政府和蒙古人民共和国政府关于修建从集宁到乌兰巴托的铁路并组织联运的联合公报》。

苏军从旅顺口海军根据地撤退的文件规定,1955年5月31日之前将该基地交由中国完全支配。1955年2月21日,中国人民解放军海军和沈阳军区部队开始接收驻旅顺、大连地区苏军的武器装备和防御设施,4月15日接收完毕。同日,中国人民解放军海军旅顺基地成立。4月16日零时起,该防务由中国人民解放军第三兵团担任。5月24日,中苏双方举行交接签字仪式。5月26日,苏军全部人员启程回国。中国无偿地接收苏军一个潜艇基地、五个歼击机师、一个轰炸机师、两个步兵师、一个机械化师、三个地面炮兵师、三个高射炮兵师部队的大部分武器装备。

关于股份公司是指1950年3月和1951年7月创办的中苏股份公司,即"新疆省开采有色及稀有金属公司"、"新疆省开采和提炼石油公司"、"大连建造和修理轮船公司"、"组织和经营民用航空路线公司",又叫"中苏金属公司"、"中苏石油公司"、"中苏造船公司"、"中苏航空公司"。当时这些合营公司对中国开发矿藏,发展冶金、民用航空军和造船事业起到了积极作用。但在中苏共同管理四个公司的过程中,也发生过苏方不充分尊重中国主权的情况,苏方也企图把它们变为独立于中国主权之外的经济实体。这次签订的文件商定,苏方股份自1955年1月1日起完全移交中国,苏方股份的价值将用中国供应苏联通常出口货物的办法数年内偿还。

关于中苏科学技术合作协定规定,苏联免费向中国提供大量技术资料。

关于修建兰州—乌鲁木齐—阿拉木图铁路的协定规定,在中国境内的铁路,将由中国政府负责修建,苏联给予技术援助,由于1960年后中苏关系明显恶化,这条铁路没有修成。此外,还确定苏联帮助中国新建15个工业企业和扩大原有的141项目的供应范围,我们常说的"一五"时期苏联援建的156项目就是指这个。

这些协定的签订,对中国来说是值得高兴的事。因为,中国对1950年2月毛泽东访苏时签订的条约和协定,总的来说是肯定的,但对其中某些内容有自己的看法。例如,关于中长路、旅顺口、大连港的规定,仍留有《雅尔塔协定》的某些痕迹。刘少奇谈到此事,坦率地指出,当时为了共同反对帝国主义,中国在某些问题上作了让步。此番这七个协定的签订,使"某些问题"得到解决。

赫鲁晓夫赠送给中国一套可播种两万公顷面积农场所必需的机器和装备,中国用这些设备组建了"友谊农场"。在组织和熟悉这个国营农场生产的第一年,苏联政府派遣一批专家来华担任顾问,帮助中国工作人员在最短的时期内掌握了技术和农场的管理方法。苏联政府代表团还把在北京举行的"苏联经济及文化建设成就展览会"的机床和农业机器等83件展品赠给中国。为这两件赠送之事,毛泽东专门致信表示感谢。

赫鲁晓夫一行圆满地结束参加中国国庆五周年庆典及对中国的访问,于10月13日离开北京,乘专列从哈尔滨回国。

五十年代前期的中苏关系

政协一届全体会议通过的《共同纲领》确定了"中华人民共和国外交政策的原则为,保障本国独立、自由和领土主权的完整,拥护国际的持久和平和各国人民的友好合作,反对帝国主义的侵略政策和战争政策"。1954年一届人大一次会议通过的《中华人民共和国宪法》肯定了《共同纲领》的这一规定,重申"在国际事务中,我国坚定不移的方针是为世界和平和人类进步的崇高目的而努力"。当时的世界,以苏联为首的社会主义阵营同以美国为首的帝国主义阵营针锋相对。美国政府采取敌视新中国的做法,军事上威胁中国,政治上孤立中国,经济上封锁中国。因此,中华人民共和国建立初期把同社会主义国家特别是同苏联建立和发展友好关系作为外交工作的首要任务。

一

刘少奇秘密访苏与中苏建交

中共七届二中全会后,中共中央机关由西柏坡迁到北平,共和国成立问题已迫在眉睫。中共中央领导人亟须同斯大林直接面谈,以建立中苏两国的新型关系,特别是新政府成立时苏联应立即予以外交承认,谋求苏联对新中国的援助。这是关系到新中国能否在国际上站稳脚跟的至关重要的问题。经征得斯大林的同意,7月2日以刘少奇为首,包括高岗和王稼祥在内的中共中央代表团即前往苏联。

刘少奇同斯大林及联共中央其他领导人共进行5次会谈,向斯大林详细通报了中国大陆即将全部解放和新中国开国准备工作的情况以及对内对外政策,阐明中共中央对以下几个问题的立场:①关于中苏建立新型外交关系问题。新中国对苏联坚决执行"一边倒"方针,反对走"中间路线",一定为增进与巩固两大民族的友谊而不懈努力。中苏巩固的友谊对于两国和全世界都有极为重大的意义。②关于外国对新中国的承认问题。帝国主义国家可能有一段时间不理我们,或提出足以束缚我们手脚的条件来作为承认我们的代价。新中国成立后,希望苏联及东

欧各民主国家能快些予以承认。③对处理苏联与国民党政府签订的《中苏友好同盟条约》问题。一是继承旧约;二是重新订约;三是暂时维持原状,在适当的时机重新加以签订。④关于中苏合作的一些具体问题。中共中央感谢苏联给予3亿美元的贷款,希望中苏通邮、通电、通车、通航诸问题能迅速办理;由苏中合办一航空公司,同时解决通商问题;除苏联派专家外,希望派一些教授到中国讲学;帮助中国建立海岸防御工程、军事工业和创办空军与海军两个学校。最后刘少奇转达毛泽东在中苏建交后公开到莫斯科的意向,请斯大林考虑时机和方式。

斯大林对刘少奇关于中国情况的介绍表示满意,并谈了以下几点意见:①中国共产党的方针政策是正确的,中苏两党应建立密切关系,互相帮助。苏联将给予新中国提供援助。②对帝国主义国家,你们可以观察,了解他们,看他们表现如何。你们有很好的法宝,他们要做买卖,中国是最好的做买卖的对象。你们的政府一成立,我们立刻承认。同东欧民主国家建立外交关系,可直接向他们谈,苏联可以帮助。③关于苏联1945年同国民党签订的《中苏友好同盟条约》的问题,我们承认这个条约是不平等的,已和毛泽东同志交换过意见,那个时候不得不采取那样的政策,此事等毛泽东来莫斯科再解决;对日和约未签字,美国不从日本撤兵,苏联在旅顺驻兵是为了抵制美蒋的进攻。如中国共产党愿意苏联撤兵,我们就马上撤退;处理大连问题,因大连是自由港,与有关政府未建立外交关系以前,中苏可以共同利用它。④中国新政府成立后请毛泽东同志马上来,如不便来,我们可派代表团去中国。⑤新的世界大战打不起来,美国没有准备好。我们要建设,和平是最重

要的,要争取和平多几年。正常的情况是这样,但历史上也有冒险家。虽然发生战争的可能性不大,但不能不作准备。

斯大林还谈到他在 1945 年要求中共与国民党妥协问题上的失误。他说:"由于不了解情况,我们过去曾经给中国的革命出了一些不好的主意,给你们的工作带来困难,干扰了你们。"刘少奇表示"没有什么妨碍"。但斯大林一再对中共表示歉意,并说中国共产党是一个成熟的党,在政治、理论和国家建设各方面都将取得迅速发展,祝愿中共站在国际共产主义运动的前列。刘少奇说:"我们还是你们的学生。"斯大林毫不迟疑地表示学生也可以超过先生,革命的中心将会从欧洲移转到东方,那时,你们的历史责任就加重了。我们会落后的,你们会进步很快,也一定会超过先生,希望中苏两国无论什么时候都要讲团结。

刘少奇等于 8 月 14 日回国。回国时同行的有 96 名苏联专家。这次为期一个多月的访问,为苏联最早承认新中国并建立中苏新型外交关系以及毛泽东而后访问苏联,奠定了基础。

1949 年 10 月 1 日,周恩来外长将中央人民政府主席毛泽东发表的宣告中华人民共和国和中央人民政府成立的《公告》送交苏联原驻北平总领事齐赫文斯基。10 月 2 日,苏联外交部副部长葛罗米柯受苏联政府委托致电周恩来外长:"苏联政府决定建立苏联与中华人民共和国之间的外交关系,并互派大使。"同日,葛罗米柯副外长代表苏联政府向国民党广州政府驻莫斯科代办发表声明:"与广州的外交关系已经断绝,并已决定自广州召回其外交代表。"10 月 3 日,周恩来外长电复葛罗米柯副外长:"中华人民共和国中央人民政府深信苏联政府具有对中国人民的深厚友谊,今天又成为承认中华人民共和国的第一个友邦,中国政府和中国人民对此感到无限的欢欣。我现在通知阁下:中华人民共和国中央人民政府热忱欢迎立即建立中华人民共和国与苏联之间的外交关系,并互派大使。"

中苏建交后,双方立即派出外交代表。中国政府委任戈宝权为中华人民共和国驻苏联大使馆参事兼任临时代办,苏联政府则委任齐赫文斯基为苏联驻华大使馆参事兼任临时代办,先行开始各自的开馆工作。不久,苏联政府任命罗申为驻中华人民共和国大使;中国政府任命王稼祥为中华人民共和国驻苏联大使。10 月 10 日,苏联驻华大使罗申抵达北京,中国政府给予特殊的礼遇,周恩来总理、董必武、郭沫若、聂荣臻、各民主党派负责人以及首都群众共 3000 余人到车站相迎。10 月 16 日,罗申大使向毛泽东主席呈递国书,毛主席设晚宴款待罗申大使。10 月 31 日,中国驻苏大使王稼祥抵达莫斯科,受到葛罗米柯副外长及莫斯科市主要负责人的欢迎。对苏联方面来说,这也超过一般礼宾接待的惯例。

随着苏联对新中国的率先承认与建交,东欧一系列人民民主国家相继同新中国建立外交关系。当时,美国要求西方国家在不承认新中国问题上"采取统一战线",并叫嚣要执行"坦率地敌视中国共产党人"政策,苏联同新中国迅速建交,打破了帝国主义孤立新中国的图谋。

二

毛泽东、周恩来访苏和《中苏友好同盟互助条约》的签订

根据刘少奇与斯大林达成的协议,新

中国成立后中国政府就着手为毛泽东主席正式访问苏联作准备。这次访苏的主要目的,是同斯大林就中苏两国重大的政治、经济问题进行商谈,重点是处理国民党政府与苏联1945年签订的《中苏友好同盟条约》。这个条约是《雅尔塔协定》的产物,而《雅尔塔协定》则是苏美背着中国签订的严重损害中国主权与权益的条约。按照新中国成立时"另起炉灶"的外交方针,旧的中苏条约应该废除而商订新约,以适应中国革命胜利后国际关系的新形势和中苏关系的新变化。此外,还要参加斯大林七十寿辰的庆祝活动和进行参观访问。

毛泽东于1949年12月6日乘专列离开北京前往莫斯科。随行人员有陈伯达、师哲、叶子龙和汪东兴。苏方由罗申大使陪同。王稼祥大使专程到斯维尔德洛夫斯克登车相随。16日正午,毛泽东到达莫斯科的雅罗斯拉夫车站。前往车站迎接的有苏联部长会议副主席莫洛托夫、布尔加宁元帅、外贸部部长缅希柯夫、外交部副部长葛罗米柯、莫斯科卫戍司令西尼洛夫中将和社会主义国家驻苏联使节。毛泽东在车站发表简短书面讲话,指出:"中苏两国人民是有深厚友谊的。十月社会主义革命后,苏维埃政府根据列宁、斯大林的政策首先废除了帝俄时代对于中国的不平等条约。在差不多30年的时间内,苏联人民和苏联政府又曾几次援助了中国人民的解放事业。""目前的重要任务,是巩固以苏联为首的世界和平阵线,反对战争挑拨者,巩固中苏两大国家的邦交,和发展中苏人民的友谊。"书面讲话虽是礼仪性的,但也不难看出它含蓄地反映了毛泽东这次访苏的意向。

当晚10时,毛泽东与斯大林举行第一次会晤。在2个小时的交谈中谈了和平的可能性、条约、借款、台湾及《毛选》出版等问题。斯大林说,美国人很怕打仗。美国人叫别人打,而别人也怕打。关于条约问题,斯大林说,因《雅尔塔协定》的缘故,目前不宜改变原有中苏条约的合法性,如果改变原有的,重新订新约,会牵涉到千岛群岛的问题,美国就有理由要拿千岛群岛。因此,旅顺为苏联租界30年这一点,目前在形式上不能改变,但在实质上苏联可实行撤兵,由中国军队进驻。毛泽东说,撤得太早也不利。斯大林说,可想办法使苏联成为袖手不管,让中国同志首当其冲。他的意见是签一个声明,照上述内容解决旅大问题,如此即可使中共取得政治资本。毛泽东说,照顾《雅尔塔协定》合法性是必要的,唯中国社会舆论有一种想法,认为原条约是和国民党订的,国民党既然倒了,原条约就失去了意义。斯大林说,原条约是要修改的,大约2年以后,并且须作相当大的修改;如果要签个声明,周恩来外长不必飞来。毛泽东则表示考虑一下,想将商务、借款、航空等协定一起签。

12月21日,毛泽东出席了苏方在苏联国家大剧院举办的斯大林70寿辰的庆祝大会。毛泽东是第一个致祝词的外国元首。他在祝词中对斯大林的历史功勋作出高度评价之后说:中国人民在反抗压迫者的艰苦斗争中,深切地感觉到斯大林同志的友谊的重要性。毛泽东的讲话受到热烈欢迎,全场3次起立长时间鼓掌。

24日,斯大林与毛泽东举行第二次会晤,主要是谈越南、日本、印度等一些亚洲兄弟党的事情,斯大林根本未提中苏条约问题,使毛泽东感到失望。

毛泽东参加祝寿活动后苏联没有对毛泽东访苏进行任何新闻报道,英国通讯社就此放风说,毛泽东被斯大林软禁起来了,以挑拨中苏关系,这对刚建交的中苏双方都是不利的。这时,印度继缅甸之后于12月30日承认新中国。缅、印原属英国的势力范围,斯大林从中意识到英美的对华政策有差异,如果中苏签订新约,美英不致于联合起来对付苏联。另外,毛泽东对受命来看望他的柯瓦廖夫和费德林说:你们把我叫到莫斯科来,什么事也不办,我是干什么来的?!难道我仅仅是来祝寿的吗?我是来办事的。毛泽东激动而坚定的语言,也震动了斯大林。在这些情况的影响下,斯大林不得不改变维持旧约的原来立场,连续采取了两个行动:

首先,针对英国通讯社散布的谣言,由苏方与毛泽东商定于1950年元旦发表《塔斯社记者对中华人民共和国主席毛泽东访问记》。在这篇访问记中,毛泽东有意披露他这次访苏的目的和不怕拖延、坚持重订新约的决心。当记者问:"您在苏联逗留多久?"毛泽东答:"我打算住几个星期。我逗留苏联的时间的长短部分地决定于解决有关中华人民共和国利益的各项问题所需的时间。"当记者问:"您所考虑的是哪些问题?"毛泽东答:"在这些问题当中,首先是现有的中苏友好同盟条约的问题,贵我两国贸易和贸易协定问题,以及其他问题。""此外我还打算访问苏联的几个地方和城市,以便更加了解苏维埃国家的经济与文化建设。"第二天,苏联《真理报》和中国《人民日报》同时发表了《访问记》的全文,西方的造谣不攻自破。更为重要的是,这样做的结果无疑是斯大林对处理中苏条约的立场有所转变的一个信号。

紧接着,斯大林1月2日派莫洛托夫和米高扬去会见毛泽东,明确征求他对处理中苏条约的意见。毛泽东提出3个方案,着重强调签订新约的好处。莫洛托夫

表示苏方同意废除旧约,另订新约。双方还为周恩来总理来莫斯科参加谈判作出安排。至此,拖了半个月之久的商订新约问题才在原则上得到解决。

遵照毛泽东有关中苏条约谈判的部署和党中央、政务院的决定,周恩来总理兼外交部长率领中华人民共和国政府代表团于1950年1月9日乘火车离京赴苏。代表团成员有东北人民政府副主席李富春、外贸部部长叶季壮、外交部苏欧司司长伍修权等,后来新疆人民政府副主席赛福鼎也从新疆去苏联。

1月22日晚,中苏就签订新约和协定问题开始正式谈判。中方参加的有毛泽东、周恩来、李富春、王稼祥、陈伯达等;苏方是斯大林、莫洛托夫、米高扬、维辛斯基、罗申等。毛泽东和斯大林交换了意见,商定各项问题的原则及工作方法。从23日起,主要由周恩来、李富春、王稼祥同米高扬、维辛斯基、罗申进行具体商谈。

关于中苏新条约问题很快就达成协议,斯大林说:经过仔细考虑,过去的《中苏友好同盟条约》已不适用,因为那个条约是在反抗日本帝国主义战争的时候订立的。这种情况现在已不存在,所以必须另订新约,即友好合作条约。毛泽东认为,中苏两国的关系应固定在一个条约之上,首先包含友好合作,而其目的,是为防止日本及其同盟国再起及巩固两国的友谊。斯大林表示,为着这一目的,两国应在政治、军事、经济、文化以及国际外交上建立合作关系。根据斯大林与毛泽东商定的关于新条约的基本精神,在苏方的提议下,由中方周恩来主持起草新条约的文本。为了区别于旧约,新约以旧约的名称为基础,加上"互助"两字,即《中苏友好同盟互助条约》;新约的宗旨及条文比之旧约作了重大的修改与补充,新约宗旨是加

强中苏的"友好与合作,共同防止日本帝国主义之再起及日本或其他用任何形式在侵略行为上与日本相勾结的国家之重新侵略"。新约第一条具体规定:"缔约国双方保证共同尽力采取一切必要的措施,以期制止日本或其他直接间接在侵略行为上与日本相勾结的任何国家之重新侵略与破坏和平。一旦缔约国任何一方受到日本或与日本同盟的国家之侵略,因而处于战争状态时,缔约国另一方即尽其全力给予军事及其他援助。"新约还增加了"双方根据巩固和平和普遍安全的利益,对有关中苏两国共同利益的一切重大国际问题,均将进行彼此磋商"的内容。新条约共有六个条款,有效期为30年。苏方同意中方的草案本。

关于中长路问题。中长路是"中东铁路"与"南满铁路"相连的统称,原是清朝李鸿章在1896年的《中俄同盟密约》中把该路的建筑权出卖给俄国后由俄国修建的。1904年日俄战争中日本从帝俄手中夺去了"南满铁路"。1935年苏联又将"中东铁路"作价卖给了日本。1945年中苏协定规定的苏联对中长路拥有"共同所有,共同经营"的权利,没有什么法律依据,新中国成立后苏联应主动交还中国。按照这一情况,中国要求立即收回,苏方却予拒绝,理由是中长路乃苏联驻军旅顺口的交通线,也是它通向海参崴和滨海地区的重要通道。中方认为这是借口,强烈要求苏方召开联共政治局会议讨论解决,让中方代表参加。中方在会上表示一定要收回中长路,苏方才被迫同意归还,但时间要拖到苏中两国与日本缔结对日和约之后。中方指出,对日和约签订之日很难预计,应该规定一个归还的年限,即不迟于1952年末,归还前由中苏双方共同经营,苏方找不到推托的理由,同意按中方提出

的年限将中长路的一切权利及附属该路的全部财产无偿地移交中国政府。另外,中方从体现主权原则考虑,要求中长路在过渡期内共同经营的股权中方占51%,苏方占49%,中长路局长由中方任正局长,苏方任副局长。苏方表示双方股额的这一比例是不平等的,会影响苏联与东欧人民民主国家的合作,因它们之间的股权都各为一半;铁路的正副局长可采取定期轮换制。中方考虑,铁路既已定期归还,便照顾了苏方的意见。

苏方同意归还中长路,但要另订一个议定书作为附件,规定苏军及军需品沿中长铁路由满洲里至绥芬河之间的往返运送,按中国军事运输价目付款。在中方提出加上"如在远东发生对苏联的战争威胁时"为前提条件后,双方达成了一致协议。

关于旅顺口问题。斯大林与毛泽东第一次会晤时主张苏方租借旅顺口30年在形式上不变。在正式谈判中,斯大林的态度有了松动,他表示不必顾虑雅尔塔协定的约束,并提出两个解决方案:一是保持1945年协定的形式而实际撤兵;二是实际上暂时维持现状,而采用一个新的形式。中方的想法是,新中国刚成立,海军尚未建立,不如让苏军晚一些撤离,但应在协定上规定撤兵的期限,使中方日后收回旅顺口有法可依。如果协定形式不变,苏军虽撤离,以后随时可以进驻,于我不利,所以毛泽东赞成斯大林的第二个方案。苏方提议旅顺口撤军的期限与中长路一样,要在缔结对日和约之后,中方还是要求归还期应规定一个具体的年限。后来根据中方的意见,这个过渡期与中长路一样定为3年,即不迟于1952年末,苏方将撤回其驻军,并将该地区设备有偿地移交中国政府。

关于大连港问题。苏方认为大连港

原与美、英在雅尔塔会议上定为自由港，牵涉到与美、英的关系，主张这个问题待缔结对日和约后再处理。事实上，中方早在全国解放前就已在大连建立了党组织和人民政府。在得到苏方将大连的行政完全直属中国政府管辖，并将其临时代管或租用的财产于 1950 年内交中国政府接收的保证后，中方照顾了苏方的建议。

关于外蒙古问题。苏方的态度很明确，这就是外蒙古独立已成为历史既成事实，是不容谈判的。毛泽东考虑到这一点，已把"承认外蒙古独立"作为谈判的基本方针之一。因此，在这次谈判中，中方没有提出归还外蒙古问题，周恩来只是向斯大林表示关于蒙古人民共和国问题要发表一个声明。斯大林认为这个问题早已解决，听了发愣，他问：要发表什么声明？干什么？周恩来答道：这样做有必要，因为你们同国民党解决过这一问题，我们可以承认外蒙古独立的现状。最后，双方对承认外蒙古独立问题同意以换文方式加以解决。

关于贷款问题。根据毛泽东多借不如少借为好的想法，中方只向苏方提出 3 亿美元，在 3 年内还清。斯大林说，偿还期 3 年太短，可延长为 10 年，并在利率上给予优惠，年利定为极轻微的 1%。

贷款协定谈定之后，苏方要求中方提供他们所缺少的战略原料钨、锡、锑，以偿还贷款。为此，双方商签了一个秘密议定书。另外，双方还达成在中国创办石油、有色金属、航空和造船 4 个合营公司的协议。

关于空军支援问题。在谈判期间，2 月 6 日发生了国民党集团的飞机袭击上海的事件。中方要求苏方派空军保护，斯大林答应给予支援，但提出苏中要签一个秘密的《补充协定》，规定在苏联的远东和中亚地区、中国的东北和新疆，"不给予外国

人以租让权利，并不准许第三国的资本或其公民以直接或间接形式所参加之工业的、财政的、商业的及其他的企业、机关、会社与团体的活动"。斯大林把苏联与东北、新疆接壤的两个地区作为对等，实际上苏联的那些地方没有人去。其目的无非是想在中国的东北和新疆搞两个势力范围。周恩来问：第三国指的是哪些国家？东北原来就有许多朝鲜人，不也是第三国人员吗？斯大林回答说："主要是指美、英、日。"毛泽东不肯签这个文件，斯大林则坚持。中方考虑当时美、英等是敌视新中国的国家，为了照顾中苏团结的大局，只好让步。至此，斯大林才表示要把东北和北京的敌伪财产由中方接收。这就是后来周恩来所说的，两个势力范围交换两个东西，一是在上海对中方提供空中保护，二是给一点敌伪财产。

1950 年 2 月 14 日，中苏条约和有关协定的签字仪式在克里姆林宫举行，由周恩来外长和维辛斯基外长代表各自政府在文件上签字。中方参加签字仪式的有毛泽东、王稼祥、陈伯达、赛福鼎、师哲；苏方参加的有斯大林、联共全体政治局委员和葛罗米柯、罗申、费德林。签字的条约和协议是：《中苏友好同盟互助条约》；根据《关于中国长春铁路、旅顺口及大连的协定》协定，在对日和约缔结后，中国长春铁路将移交给中华人民共和国完全所有，而苏联军队则将自旅顺口撤退；根据《关于苏联贷款给中华人民共和国的协定》协定，苏联将给中国以长期经济贷款，作为偿付自苏联购买工业与铁路的机器设备。周恩来与维辛斯基互换照会，声明 1945 年 8 月 14 日中苏间所缔结之相当的条约与协定，均失去效力；同样，双方政府确认蒙古人民共和国之独立地位，因其 1945 年的公民投票及中华人民共和国业已与其建

立外交关系而获得了充分保证。

同时，维辛斯基与周恩来就苏联政府将苏联经济机关在东北自日本所有者手中所获得之财产，无偿地移交中华人民共和国政府的决定，以及苏联政府将过去北京兵营的全部房产无偿地移交中华人民共和国政府的决定，亦互换了照会。

2月17日，毛泽东、周恩来等乘专列离开莫斯科，沿途进行参观访问，3月4日回到北京。

中苏关系的发展：
苏联支持中国的外交斗争

中苏建交以后，苏联政府全力支持中国为恢复联合国的席位和反对美国侵台的斗争。

1949年11月15日，中国外长周恩来分别致电联合国秘书长赖伊和联合国大会主席罗慕洛，声明国民党反动残余政府无权代表中国，要求取消国民党集团在联合国组织中代表中国的权利，并将其开除出安理会。11月23日，苏联驻联合国代表团团长维辛斯基在联大会议上发言，支持周恩来外长的声明。1950年1月10日，苏联代表马立克在安理会发言表示完全支持中国外长1月8日要求安理会开除国民党代表的声明，并正式提出一项相应的提案。1月13日，马立克在苏联提案遭到安理会否决后声明：只要国民党集团的代表未从安理会开除出去，苏联代表团就将不出席安理会会议；安理会在有国民党集团代表参加的情况下作出的决议，苏联都将不承认其为合法。苏联代表随即从安理会及联合国其他机构中退出。

根据苏方的建议，1月19日，中国外交部副部长李克农致电联合国大会主席和秘书长，通知中华人民共和国政府已任命张闻天为出席联合国会议和参加联合国工作，包括安理会及其工作的代表团的首席代表。中国的这一外交行动由于美国等的阻挠虽未实现，但充分显示了中苏两国在国际斗争中的密切配合。

1950年6月，美国在武装侵略朝鲜的同时武力占领台湾。为了揭露美国对中国领土主权的侵略，苏联代表于8月间重新出席安理会会议。中苏两国先后向联合国提出关于美国侵略中国的控诉案，并要求中华人民共和国代表参加讨论。联大第一委员会被迫将中苏对美国的控诉案列入议程，并决定邀请中国代表参加讨论。中国代表伍修权得以在联合国讲坛上尽情揭露美国侵略中国的罪恶行径。这表达了中苏两国团结一致反对帝国主义侵略的坚强意志。

1954年12月，美国同台湾当局签订了所谓《共同防御条约》，并在台湾地区扩大对中国的侵略行动。周恩来外长12月8日发表声明，强烈谴责美蒋《共同防御条约》。苏联外交部于同日发表声明，认为美蒋条约是对中国内政的干涉，是对中国领土完整的侵犯，威胁中国的安全与亚洲的和平。苏联政府完全支持中国政府的要求：美国军队必须从台湾、澎湖列岛和台湾海峡撤走，停止对中国的侵略行为。

针对美蒋《共同防御条约》的签订，1955年1月，中国人民解放军解放一江山岛。美国策动联合国讨论所谓停火问题，遭到中国政府的坚决反对。英国驻苏大使曾约见苏联外长莫洛托夫，希望苏联政府劝说中国政府克制并参加联合国对停火问题的讨论。莫洛托夫向英国大使指出，美国粗暴干涉中国内政是引起紧张局势的真正原因。为制止美国侵略中国的行为和消除由此而引起的台湾地区的危险局势,苏联驻联合国安理会副代表索波列夫要求安理会召开紧急会议并邀请中国代表参加。莫洛托夫向英国建议召开除中美两国外,有英、苏、法、印度、缅甸、印尼、巴基斯坦和锡兰参加的国际会议。赫鲁晓夫1956年9月16日接见中国驻苏大使时,也表示坚决支持中国在台湾海峡地区的斗争,说要以实力加强对美蒋的压力,为谈判和整个远东的对敌斗争创造有利条件。苏联在联合国内外所采取的行动,对中国反抗美国侵略台湾的斗争,起了积极的配合作用。

朝鲜战争爆发后,美国拒绝朝鲜问题的和平解决,打着"联合国军"的旗号,在仁川登陆。根据金日成的要求、斯大林的建议,为了捍卫中朝两国安全与远东和平,中国派出志愿军入朝作战,给美国侵略军以沉重打击。

1951年1月30日,在美国的操纵和胁持下,联合国第一委员会置苏联与其他一些爱好和平的国家的反对于不顾,竟然通过诬蔑中国为"侵略者"的提案。周恩来外长2月2日发表声明指出,美国诬蔑中国的这一提案是非法的、诽谤的、无效的,中国人民坚决反对。斯大林随即发表谈话,称这是一个"可耻的决定"。

朝中部队经过7个多月的奋力反击,将美军赶到"三八线"附近。在战场上取得转折性胜利的有利形势下,中苏密切配合展开了外交斗争。6月23日,苏联驻联合国代表马立克在联合国新闻部发表广播演说,提出解决朝鲜武装冲突的建议:第一个步骤是交战双方谈判停火与休战,把军队撤离"三八线"。这一建议立刻得到中朝两国的支持。军事上的失败,迫使美国不得不于1951年7月接受谈判。在谈判过程中,战俘问题是争论最为激烈的

棘手问题,也是停战协定迟迟不能达成协议的关键。朝中方面力争遣返全部战俘,坚决反对美国"自愿遣返"的主张。1952年8月,斯大林同访苏的周恩来就停战谈判问题进行会谈时说:朝鲜战争对美国不利,使美国患了败血症,实际上北朝鲜和中国都没有损失领土,美国并未达到战争的目的;毛泽东同志主张"忍耐"和"坚持"的方针是对的。在谈到战俘问题时,斯大林也反对"自愿遣返",而提出先实行全面停火,后谈交换战俘等可供选择的3个方案。他还应中方的要求,同意给予中国装备60个师的军事贷款,以加强中国继续同美国进行军事较量的实力。

1953年3月5日,斯大林逝世。苏联新领导出于稳定局势的考虑,表示准备在战俘问题上求得妥协,以掌握和平的主动权。朝中方面反复考虑后,顾全大局,同意了苏方的建议,从而导致战俘问题的解决和停战协定的签字。

在印度支那问题上,中苏两国也协同支持越南人民的民族独立斗争。1950年,中苏两国先后与越南民主共和国建立外交关系。1952年周恩来访苏时,又同斯大林讨论了印度支那问题。斯大林同意中国军事顾问团关于在越南发起西北战役的建议。关于与法国和谈问题,斯大林说,如果胡志明把河内包围起来,则可提出和谈;如果法国加以拒绝,则可攻下河内继续南下。中苏双方对此取得共识。

1954年奠边府战役的胜利,使在美国支持下的法国殖民主义势力遭到毁灭性的打击,从而为通过谈判实现印度支那和平创造了极为有利的条件。

中苏还互相配合共同反对对日单独媾和。1950年美国为了拉拢日本,把它纳入其矛头针对中苏的军事战略体制,开始策划与日本单独媾和,并把新中国排斥在

外。对此,周恩来外长于同年 12 月 4 日发表声明指出:"对日和约的准备和拟制如果没有中华人民共和国参加,无论其内容和结果如何,中央人民政府一概认为是非法的,因而也是无效的。"

1950 年 3 月,美国撇开中国,照会其他有关各国,送交它所草拟的对日和约草案。5 月 6 日,斯大林致电毛泽东,通报苏联政府就对日和约问题给美国复照的内容,并征询毛泽东的意见。苏联致美国的复照说,对日和约草案的准备工作不应由美国政府单独进行,而应由中、苏、美、英等国并吸收所有对日参战国一起参加。对日和约应在《开罗宣言》、《波茨坦公告》和《雅尔塔协定》的基础上制订,并以日本应当成为和平民主的独立国家、限制日本武装力量使之不得超过自卫的要求、反对日本军国主义复活以及对日本和平经济事业发展不加任何限制等作为指导原则。即日,毛泽东电复斯大林,完全同意苏联政府对美国政府对日和约草案的复文。5 月 9 日,苏联政府就此事正式照会中国政府,并附来苏联对美国草案的意见书及致美国照会的副本。但美国一意孤行,于 1951 年 9 月召开旧金山会议,签订了片面的对日和约。中国、朝鲜、越南未被邀请,苏联、捷克、波兰拒绝签字。同日,美国与日本又签订了《美日安全条约》。在这种形势下,中国根据《中苏友好同盟互助条约》的规定,向苏联政府提议:"将中苏关于旅顺口协定第二条中规定苏联军队自共同使用的中国旅顺口海军根据地撤退的期限予以延长,直至中国与日本和苏联与日本之间的和约获致缔结为止。"苏联政府对此表示同意。

1954 年 10 月,日本吉田内阁将要下台之前,中日关系有所松动,这时中苏两国发表《对日关系宣言》,共同谴责了片面的旧金山对日和约,并表示中苏两国政府愿意采取步骤,使它们自己同日本的关系正常化;声明日本在致力同中苏建立政治关系和经济关系方面,将会得到中苏方面完全的支持。同样地,日本方面为了保障它的和平和独立发展的条件所采取的一切步骤也将会得到中苏方面完全的支持。这一宣言有利于分化美日军事同盟关系与孤立日本的军国主义势力。

四

中苏关系的发展:中国在外交上对苏联的支持

美、英、法等国 1954 年 10 月签订《巴黎协定》,将联邦德国拉入北大西洋公约组织并允许它建立自己的军队,欧洲局势骤趋紧张。苏联为维护欧洲的安全与和平,于同年 11 月照会欧洲国家和美国,建议在莫斯科或巴黎召开全欧会议,讨论建立欧洲集体安全体系问题。苏联政府认为由中华人民共和国派遣观察员参加会议是适宜的。同日,苏联政府就此照会中国政府。11 月 20 日,中国复照苏联,认为苏联关于召开全欧会议的建议是适时的,这是为了和平解决德国问题、保障所有欧洲国家安全所作的又一次重大努力。中国政府完全赞成并准备派代表以观察员身份参加会议。

苏联建议遭到西方国家拒绝后,苏联于 1954 年 11 月 29 日与波兰、捷克斯洛伐克、德意志民主共和国、匈牙利、罗马尼亚、保加利亚和阿尔巴尼亚等八国代表在莫斯科举行会议。会上通过了八国政府联合宣言,宣言指出:如果《巴黎协定》被批准,与会各国将在组织武装力量司令部方面采取共同措施。中国政府应苏联的邀请,任命外交部第一副部长张闻天为观察员参加会议。张闻天在发言中表示,中国完全同意会议所通过的宣言,坚决支持宣言所提出的主张。

1955年3月,赫鲁晓夫致函毛泽东,就苏联东欧国家签订友好合作互助条约征求中国政府的意见,并附来条约草案本。随后苏联等八国政府在莫斯科再次举行会议,就缔结八国友好合作互助条约问题进行磋商,并对这一条约的原则和组织缔约国联合司令部的问题抱有一致的看法,这个司令部将在《巴黎协定》一旦被批准后建立。中国政府完全赞同条约草案以及会议所拟定的措施。

《巴黎协定》批准后,苏联等八国于5月11日在华沙举行会议,缔结了友好合作互助条约,即《华沙条约》,并成立武装部队联合司令部和政治协商委员会。中国政府派出国务院副总理兼国防部长彭德怀以观察员身份参加了会议。彭德怀在会上发言表示"亚洲的和平和欧洲的和平与安全是分不开的,中华人民共和国的利益同欧洲爱好和平的国家的利益是分不开的","中国政府和6亿人民对于这项条约和建立缔约国武装部队联合司令部的决定给予完全的支持和合作"。

为缓和欧洲局势,苏联1955年1月宣布结束对德战争状态,9月同德意志联邦共和国建立了外交关系。中国于同年4月7日亦宣布结束中国对德国的战争状态,予以响应。紧接着,苏联在5月间,同美、英、法签订《对奥和约》,使奥地利恢复了自由与独立,并获得中立地位。《人民日报》5月16日发表社论支持《对奥和约》的缔结。

1953年6月,苏联与南斯拉夫恢复外交关系。1954年7月29日,赫鲁晓夫在莫斯科向周恩来解释苏联采取的主动改善苏南关系的政策时,承认苏联过去对兄弟党的某些做法不对,并在苏南两党关系问题上作了自我批评。他征询周恩来对此事的意见,周恩来表示"是正确的"。1955年1月,中国与南斯拉夫也建立了外交关系。

在裁军问题上,苏联外长维辛斯基1951年11月在六届联大会议上提出包括有裁减军备和五大国缔结和平公约在内的4项和平倡议,周恩来外长发表声明予以支持。1954年1月,苏联在柏林4国外长会议上要求在当年召开世界普遍裁军会议,并在联合国裁军委员会会议上提议由中、苏、捷等8国组成裁军小组委员会,研究裁减军备和禁止原子武器问题。1955年5月,苏联推出裁军和禁止原子武器的具体方案。同年7月在日内瓦举办的苏、美、英、法4国政府首脑会议上,苏联又提出关于裁减军备和禁止原子武器的决议草案。中国政府出于对裁减军备与缓和国际紧张局势的真诚愿望,对苏联的裁军倡议原则上表示了支持。

1956年10月相继发生了波兰事件和匈牙利事件,使苏联受到冲击。中国积极协助苏联妥善处理了这两个事件,在批评苏联大国主义错误的同时,大力维护社会主义阵营的团结和苏联的威信,使苏联摆脱困境。

10月下旬,中共中央副主席刘少奇和总书记邓小平应邀秘密访问莫斯科。在与苏联领导人会谈时,中方指出:"波兰和匈牙利民族情绪高涨,同斯大林时期的大国主义有密切联系,而这种大国主义至今没有彻底克服。"中方还转达了毛泽东的建议:在社会主义国家之间也应实行和平共处五项原则,甚至超过这些原则,敦促苏联据此发表相应声明,以改善它同东欧社会主义国家的关系。赫鲁晓夫表示要拿出勇气,把苏联同东欧社会主义国家的关系建立在新的基础上,并同意发表一个政府文件。

10月30日,苏联政府发表了《关于发展和进一步加强苏联同其他社会主义国家的友谊和合作的基础的宣言》,承认过去在处理社会主义国家的关系方面犯了错误,表示今后将遵守互相尊重主权和平等互利的原则,准备同有关国家的政府共同讨论一些措施,以消除破坏国家主权、经济上的互利和平等这一原则的任何可能性。对此,中国政府于11月1日发表声明予以支持,强调社会主义国家的相互关系更应该建立在互相尊重主权和领土完整、互不侵犯、互不干涉内政、平等互利、和平共处五项原则的基础上。

五

中苏双边友好合作

1952年8月17日,周恩来总理率领中国政府代表团访问苏联,与苏联领导人进行会谈,讨论了有关中国与苏联两国关系的重要政治与经济问题。通过会谈,双方决定对中长路和旅顺口问题作出处理。按照1950年中苏《关于中国长春铁路、旅顺口及大连的协定》的规定,中长路与旅顺口归还期将于1952年末届满。中苏发表公报,决定苏联于1952年12月31日前将中长路的一切权利无偿地移交给中国政府。1952年底,双方代表在哈尔滨签署了完成移交的议定书。关于旅顺口问题,苏方同意中方的要求,即出于当时国际形势的考虑,延长苏军自旅顺口海军根据地撤退的期限。

1954年10月赫鲁晓夫访华,主动表示将旅顺口海军根据地归还中国,双方为

此发表联合公报。公报指出:中苏两国政府鉴于朝鲜战争停止和印支和平恢复以来远东形势的变化,并注意到中国国防力量的巩固和两国日趋加强的友好合作关系,决定苏联军队自共同使用的旅顺口海军根据地撤退,并将该地区的设备无偿地移交中国政府。该项工作于1955年5月31日完成。

关于大连问题,原协定规定于中苏对日和约缔结后再处理。实际上在中方的提议下,中苏于1950年末即签订议定书,苏方将大连的行政管理权于1951年初完全移交给中方,从而使大连问题的处理提前得到解决。

对1950年签订的《补充协定》,斯大林逝世后,毛泽东曾几次向米高扬表示不满。1954年赫鲁晓夫在北京向中国领导人流露了苏方可以考虑放弃这一协定的想法。1956年5月10日,苏联政府正式照会中国政府,认为该《补充协定》已不符合苏中之间现有的友好关系精神,建议加以废除。5月29日中国复照表示同意。

1950年2月,苏联向中国提供3亿美元的贷款,当年就用这笔贷款向中国提供第一批大型工程项目达50个,以帮助中国进行国民经济最重要部门的恢复与改造。在3年经济恢复时期结束之前,中国着手编制发展国民经济的第一个五年计划。1952年周恩来、陈云与斯大林会谈时,由于新中国缺乏经验,征求苏方对中国编制五年计划的意见,并要求苏联提供经援和军援项目。斯大林谈了有关中国制定五年计划的有益建议,同意对中国给予长期的、全面的经济援助。在中苏双方取得原则协议后,由李富春同米高扬进行具体商谈。1953年5月15日,中苏签订了关于苏联援助中国发展国民经济的协定和议定书,苏联承诺援助中国新建和改建91个

规模巨大的工程项目,其中包括钢铁联合企业、有色冶金企业、煤矿、炼油厂、机器制造厂、汽车制造厂、拖拉机制造厂、电力站等。1954年10月,中苏又签订关于苏联帮助中国新建15个工业企业和扩大原有协定规定的企业设备供应范围的议定书。至此,苏联向中国提供的援助项目共为156个。这些项目成为中国第一个五年计划中工业建设的骨干企业,对奠定中国工业化的初步基础起了重大作用。

为援建上述工业企业项目,苏联每年派遣数百名专家来中国帮助工作,接受近千名中国工人和工程技术人员去苏联实习。

由于国际市场上的橡胶受英国控制,为缓解苏联橡胶短缺的困难,1951年斯大林向毛泽东提出中苏合作在中国建立橡胶园的要求。毛泽东答复说,在目前中国的政治条件下,这一合作不宜按照先前成立的中苏4个合股公司的方式进行,建议由苏方提供贷款及技术,由中方经营,以其产品作为偿付苏联的贷款。双方决定按照毛泽东的意见,于1952年9月15日签订了关于在中国种植橡胶的技术合作协定。协定规定,苏联向中国贷款7000万旧卢布,为偿还贷款,中国在生产出橡胶前,每年为苏联从第三国尽可能购得1.5万—2万吨橡胶,并向苏方提供钨、钼、锡、铅、锑;中国产胶后,向苏方提供橡胶年产量的70%,1963年以前按国际市场价格计算,当中国大量出胶时,则按低于国际市场价格的8%售予苏方。

苏联向新中国提供军事技术装备,是中苏经贸合作的重要组成部分。从建国前夕开始,应中方的要求,苏方帮助中国建立空军和海军。在抗美援朝战争时期,苏联对中国提供各方面的大量的武器装备,并协助中国建立制造飞机、坦克、军舰

和雷达等的军事工厂。苏联向中国提供的军援贷款占苏联对华贷款总额的61.5%,使中国国防力量得到迅速的加强。

对苏联提供的经援项目、工业产品和军事援助包括通过贷款形式提供的所有设备和物资,连同利息在内,中国都是用物资、可以自由兑换的外汇和黄金偿付。在偿付的物资中,有苏联急需的矿产品和农产品。1950年2月,根据苏联要求,中国同意在14年内每年向苏联提供大量的钨、锡、锑矿砂。后还同意向苏联出口其他重要矿产品,包括锂砂、铍砂、钽铌砂、钼砂等,其中不少是发展尖端科学、制造火箭和核武器所必不可少的战略原料。中国还向苏联输出橡胶、农畜产品和日用消费品,从1953年至1957年的5年内共提供1.56亿美元的自由外汇,以帮助苏联的社会主义建设。

中国对苏联经济军事援助的贷款都是通过两国每年签订贸易协定的渠道来偿付的。因此中苏贸易额呈现逐年增长的势头,苏联成为中国最大的贸易伙伴。中苏贸易额占当年中国对外贸易总额的比重分别为:1950年为30%,1953年上升到56.3%,1955年为61.9%,1956年比1950年增长6倍半。随着贸易关系的发展,双方也加强了交通运输合作。1952年9月,中国、苏联、蒙古签订了组织铁路联运的协定,由3国共同修建集宁—乌兰巴托—乌兰乌德铁路。1954年10月,中苏双方签订关于修建兰州—乌鲁木齐—阿拉木图铁路的协定。后由于中苏关系恶化,这条铁路没有完成。

为了适应中苏经济合作迅速发展的需要,1954年10月两国签订了《中苏科学技术合作协定》,互相供应技术资料,交换有关情报,并派遣专家进行技术援助和介

绍两国在科技方面的成就。双方供应技术资料不付代价,仅支付用于复制资料副本所需的实际费用。苏方根据协定的规定,免费向中方提供了大量的技术资料,中国也以自己的科研成果,向苏方提供它所需要的技术资料。1955年4月,中苏又签订关于苏联在和平利用原子能方面给中国以帮助的协定,使中国建立起第一个原子能反应堆和回旋加速器,中国还参加了苏联和各人民民主国家在莫斯科成立的国际原子能研究机构。这些都有助于中国建立原子能工业的基础。

中苏两国形式多样、内容丰富的文化交流与其他领域的合作同步进行,大大促进了中苏人民之间的相互了解与友谊。从新中国成立起,双方互派文化艺术团到对方国家进行巡回演出,互相举办介绍经济文化建设成就的展览会、电影周、友好月。两国有关部门以及工、青、妇、新闻出版等各界专业团体与学者频繁地进行对口联系与互访。中苏友好协会与苏中友好协会经常开展多方面的友好活动。

1952年9月,中苏签订互派留学生协定,中国派往苏联的留学生1953年为583人,以后逐年增加,到1956年达2000余人。从1954年起,苏联也开始派留学生来中国学习。

但在中苏双边友好合作过程中,苏联也夹杂一些大国主义和民族利己主义,中国政府加以抵制,要求纠正。例如:中长路和中苏合营公司在共同经营中,苏方力求把这些合营企业变成独立于中国主权之外的经济实体,不尊重中国统一的车辆调度制度,随意扩大矿区的开采而拒不追加中方的股权份额,并自行在矿区修建铁路,架设电台,从而引起双方代表的争执,直至这些企业归还中国后才得到解决。另外,卢布和人民币的比价极不公平,中

苏非贸易支付的清算也很不合理,中方吃很大亏,经中方提出改正办法,直到1956年7月,苏方才加以纠正,并将过去多收的款项退还中国。1954年赫鲁晓夫访华,他在旅大参观时要求修建5个纪念物中有2个是纪念1904年帝国主义瓜分中国领土的日俄战争的俄国将领,中国政府理所当然地加以拒绝。

五十年代前期的中美关系

中华人民共和国的成立标志着中国对外关系史上的一个新时代的开始,它不仅以"保障本国独立、自由和领土主权的完整,拥护国际的持久和平和各国人民之间的友好合作,反对帝国主义的侵略政策和战争政策"为基本外交原则,而且以"另起炉灶"、"打扫干净屋子再请客"和"一边倒"为具体外交政策。这种方针政策既是出于对中国人民的根本利益的考虑,也同当时的世界格局,特别是美国对华政策密切相关。

一

新中国成立前后美国对华政策

如果说在中国内战时期美国的政策没有给它同中国共产党建立关系提供机遇,那么同样,在新中国成立后美国的立场也未能给自己发展同中华人民共和国的正常关系留有余地。

随着中国人民解放战争的迅速进展,对于即将建立的新中国的承认问题提到

了美国决策者的议事日程。美国国务院的一些官员认为,中国本身在相当一段时间内不可能构成对美国的威胁,但是如果中国成为苏联的盟友,中国的资源和人力为苏联所用,就将使亚洲大陆的力量对比大大不利于美国。基于和苏联展开"争夺中国人头脑的战斗"①和在中国尽可能保持政治、经济、文化的影响及利益的双重考虑,在中共渡过长江之后,美国决定让司徒雷登留在南京。司徒雷登滞华期间同南京市军管会外办负责人黄华进行了数次非正式的试探性的接触。1949 年 6 月 28 日,黄华代表毛泽东和周恩来邀请司徒雷登以私人身份到北平访问燕京大学。但是杜鲁门最终否决了司的北平之行。美国当时的指导思想是,不能做任何有利于中共建立统治,而不利于反共抵抗活动的事情。同时,美国决策者还错误地以为中共或其领导人是从弱者的地位出发有求于美国,美国应继续施加压力逼中共软化对美态度。美国务院政策设计委员会的戴维斯在 8 月提出的备忘录就声称,美国从来没有面临过像中共这样一个对美国抱有毫不妥协的敌意的政权,美国在中国的"威望"也从来没有下降到如此程度。其原因之一是中共对世界权力关系没有正确的"估价",把美国看作纸老虎。因此必须使中共认识到美国的力量,其办法就是通过采取惩罚性行动向中共施加压力。其他诸如腊斯克、凯南、杰塞普和麦克阿瑟等也都在"计划"、"方案"中要求对中共采取"公开敌视"政策,表明美国使用武力的意愿。②

美国还把承认新中国看作是一种恩赐和"使中国新政府接受国际义务的有力

杠杆",妄图迫使中共认可外国根据不平等条约取得的在华特权。5 月 13 日,艾奇逊在给司徒雷登的电报中正式提出承认的三个条件:①在事实上控制国家领土和行政机构;②政府既有能力又有愿望承担其国际义务;③得到中国人民的普遍认可。当英国等一些北约国家开始考虑对中国新政权给予"事实上的承认"时,美国政府指示驻北约各国使节向驻在国政府表明美国政府反对给予"任何类型的承认"的立场。中华人民共和国诞生后,美国的立场未发生变化。10 月 3 日,杜鲁门指示国务院:"我们不要那么匆匆忙忙承认这个政权,我们在承认苏联的共产党政权之前曾经等待了 12 年。"12 月 6 日,艾奇逊在与印度大使潘迪特夫人的谈话中竭力劝阻印度承认新中国,他希望在承认中国共产党人的问题上,"民主国家"能表现出采取一致行动的共同愿望。

美国一方面拒不承认新中国,采取敌视方针,一方面又千方百计要保持其在华的利益和影响。美国的决策者认为,美国在华利益的重要性不在于它们用美元计算的价值,而在于它们是美国施加影响的工具,因此,美国原驻北平、上海等地的领事馆人员在司徒雷登返美之后,仍然滞留中国不走,积极进行活动。1950 年 1 月,北京市军管会发出布告,征用美、法、荷等国在北京根据不平等条约占据的兵营地产和其他建筑。美国想以"封闭在共产党中国的全部政府机关和从共产党中国撤回其全部政府人员"相威胁,迫使中国"改变主意,停止这一行动"。但是中国政府不为所动,仍按计划实行征用。美国无

① 美国国务院:《美国外交关系,1948 年》(U. S. Department of State,Foreign Relations of United States),第 8 卷,华盛顿 1973 年版,第 155 页。
② 同上,第 545、546 页。

奈,只得宣布"准备下令从共产党中国撤回全部美国政府人员"。① 从而打破了美国认为中国有求于美国,可以在不承认中国的情况下继续在华保持其利益和影响的幻想。

美国在政治上不承认中国,在经济上则奉行封锁和制裁方针。美国决策者认为,新政权一成立就要负起解决中国的吃饭问题,恢复国家经济的重任,为此,中共势必寻求外援和与西方的贸易。没有外来的经济和技术援助,中国共产党无法解决使国民党垮台的那些老问题。这样,"共产主义理论与中国具体现实之间的第一个冲突,大概会具体在经济领域中产生","正是在对华经济关系领域中美国具有对付中共政权的最有效的武器"。② 假以时日,中国"最终会卑躬屈节地""敲山姆大叔的门要求援助"。③ 美国决定利用经济手段,给新中国政权制造困难。虽然此时美国还没有实行全面禁运,但实行了相当严格的贸易控制,规定一切直接的军事物资和装备、重要的工业、交通、物资通讯和设备都禁止向中国出口。美国还听任、配合甚至支持国民党自1949年6月下旬起对南起闽江口、北至辽河口的中国东部沿海港口实行封锁,禁止一切外国船只驶入的行动。

1949年12月,毛泽东率中国党政代表团对苏联进行友好访问。美国国务院曾认为最有希望在此期间产生中苏不和,也有人断言,苏联对中国"勒索",加上中国自身的困难,有可能造成中共"领导层的分裂和政变图谋"。④ 但1950年2月,中苏签订了同盟互助条约后,使美国大失

所望。美国从中苏结盟、越南民主共和国成立、朝鲜北方政权巩固等事件中很快得出亚洲存在着"由斯大林操纵的铁板一块的共产主义运动"的结论,并同美苏在欧洲的对峙相联系来框定它的亚洲政策,加强了在西太平洋的军事部署,企图建立一个地区性的军事集团与亚洲共产主义运动相对抗。1950年4月美国通过的国家安全委员会第六十八号文件,是对美国政府这种重新估计的亚洲政治格局,把冷战战略扩大到全球战略最好的注解。无怪乎美国解释其对朝鲜武装干涉的理由时,把朝鲜发生的军事冲突说成是"国际侵略",而不承认它是朝鲜内战。出于这种观念,美国对中国的敌视进一步升级,其对华政策已经纳入"积极遏制"的新远东战略轨道。

朝鲜战争时期的中美关系

1950年6月25日,朝鲜战争爆发。当天,联合国安理会召开紧急会议,在苏联代表缺席的情况下,通过美国关于朝鲜情势的提案,指责朝鲜民主主义人民共和国对南朝鲜"发动武装进攻","构成了对和平的破坏",为美国武装干涉制造舆论。6月27日,美国总统杜鲁门发表声明,命令美国海、空部队给南朝鲜军队以掩护和支持。同时命令第七舰队进入台湾海峡。当日晚,美国操纵安理会通过要求联合国各会员国援助南朝鲜的决议。6月28日,

---

① 美国国务院:《美国外交关系,1950》第6卷,第270—272页。
② 美国国务院:《美国外交关系,1949》第9卷,第827页。
③ 美国国务院:《美国外交关系,1949》第7卷,第1140—1141页。
④ 美国国务院:《美国外交关系,1950年》第6卷,第305—306页。

美国参议院通过关于延长征兵法有效期限的决议。6月29日，杜鲁门决定授权麦克阿瑟全权使用他指挥下的地面部队，并授权海军封锁北朝鲜。美国陆海空军全面介入朝鲜战争。6月30日，美国操纵联合国安理会通过非法决议，为美国和其他国家的侵朝军队披上"联合国军"的外衣。

中国政府坚决反对美国对朝鲜的侵略。6月28日，毛泽东主席在中央人民政府委员会第八次会议上指出，全世界各国的事务应由各国人民自己来管，亚洲的事务应由亚洲人民自己来管，而不应由美国来管。他号召，全国和全世界的人民团结起来，进行充分的准备，打败美帝国主义的任何挑衅。7月6日，政务院总理兼外交部长周恩来致电联合国秘书长赖伊，声明反对联合国安理会6月27日通过的非法决议，指出这一决议是支持美国武装侵略、干涉朝鲜内政和破坏世界和平的，并且这一决议是在没有中华人民共和国和苏联这两个常任理事国参加下通过的。联合国宪章规定不得授权联合国干涉在本质上属于任何国内管辖之事件。因此安理会关于朝鲜问题的决议，不仅毫无法律效力，并且大大破坏了联合国宪章。

中国在反对美国武装干涉的同时，主张公平合理地和平解决朝鲜问题。8月20日，周恩来外长表示支持苏联代表提出的在讨论朝鲜问题时有必要邀请中华人民共和国代表参加，并听取朝鲜人民代表的意见，停止朝鲜境内的敌对行动，并同时自朝鲜撤退外国军队的和平调处朝鲜问题的建议。美国却操纵联合国安理会于9月1日否决此提议。

8月27日，侵朝美军飞机侵入我国领空，沿鸭绿江岸扫射建筑物、车站、车辆和平民，造成财产损失和人员伤亡，情形严重。为此，周恩来分别致电联合国安理会和美国国务卿艾奇逊，要求安理会制裁美国飞机侵入中国进行扫射的罪行，对美国政府提出严重抗议并要求它担负全部责任及其后果。美国海军还在公海上破坏中国商船的正常航行，袭击中国渔船。美军在仁川登陆并加速向北推进时，美国对中国的挑衅更是有增无减。

事实证明，美国的侵朝战争有扩展到中国境内之势，为了援朝，也为了自卫，中国不能不考虑出兵问题。但中国仍采用先礼后兵的方针。9月30日，周恩来在政协全国委员会庆祝国庆节大会上发表演说，对美国提出严重警告："中国人民决不能容忍外国的侵略，也不能听任帝国主义者对自己的邻人肆行侵略而置之不理。"为争取避免出现中国被迫出兵的情况，中国决定通过外交途径向美国再一次提出警告。10月2日深夜，周恩来紧急约见印度驻华大使潘尼迎，请印度转告美国，美军正企图越过"三八线"，扩大战争。美军果真如此做的话，我们不能坐视不顾，我们要管。印度在转达信息时加上了自己的理解，说如果只有南朝鲜军队越过"三八线"，而美军不越过，中国就不会出兵。这种解释没有什么不对。但美国当局却缘此作出错误判断，认为中国的警告只是虚声恫吓，因而置若罔闻，仍一意孤行。10月7日，美军越过"三八线"，并向中朝边境进逼。10月15日，美国总统杜鲁门偕高级军政官员飞抵太平洋中部的威克岛，同"联合国军"总司令麦克阿瑟举行秘密会谈，讨论朝鲜战争的所谓"最后阶段"的战略问题和中国出兵参战的可能性问题。他们认为中国出兵参战的"可能性很小"，"充其量也不过是他们有可能派五六万人进入朝鲜"。他们"坚信在南北朝鲜，抵抗都会在感恩节前结束"，断言侵朝战争"是赢定了"。威克岛会议以后，以美国为首的"联合国军"大大加速了行动。10月19日,在西线占领平壤。朝鲜民主主义人民共和国将临时首都由平壤迁至江界。美国空军更加频繁地出动飞机轰炸、扫射中国边境地区的集安、安东、长甸河口等城镇乡村。中国的安全受到严重威胁。

无论是从无产阶级国际主义立场出发,挽救民主朝鲜的危局,还是从爱国主义立场出发,保卫国家安全,中国都别无选择。10月上旬,经过深思熟虑的讨论和科学分析,中国党和政府毅然作出"抗美援朝,保家卫国"的战略决策,决心克服一切困难,组织中国人民志愿军入朝参战。

"联合国军"总司令麦克阿瑟发现中国人民志愿军入朝,立即向联合国安理会作了报告,美国驻联合国代表奥斯汀也发表声明,指责中国干涉朝鲜。11月11日,中国外交部发言人发表声明驳斥麦克阿瑟的报告和奥斯汀的声明。声明指出:事实证明,美国侵略朝鲜的目的,不仅是为了朝鲜本身,而且是为了扩大侵略中国,朝鲜的存亡与中国的安危从来就是密切关联着的,抗美援朝正是为了保家卫国。声明还援引世界近现代历史上发生过的此种先例,阐明中国抗美援朝行动的正义性。

中国人民志愿军入朝参战,采取在运动中歼敌的方针,第一次战役,把"联合国军"打退到清川江以南,初步扭转了朝鲜战局。第二次战役,把"联合国军"打退到"三八线",粉碎了美国的战略企图。第三次战役,"联合国军"溃退到平泽、三陟一线。在此同时,中国继续为恢复朝鲜的和平而努力。1951年1月13日,周恩来外长建议在中国举行中、苏、美、英、法、印、埃及7国会议,以谈判结束朝鲜战争。亚洲和非洲12个国家也于1月24日向第五届联大提出召开7国会议的提案。

美国对于这些新建议拒不接受,操纵联大于1月30日否决了"十二国提案",进而又操纵联大于2月1日通过了诬蔑中国为"侵略者"的决议。5月18日,美国再一次操纵联大通过了对中国和朝鲜民主主义人民共和国实行禁运的美国提案,要求会员国对中国禁运武器、弹药、战争用品、原子能材料、石油、具有战略价值的运输器材以及对制造武器、弹药和战争用品有用的物资。由于美国的倒行逆施,中美之间的对抗由军事斗争为主要形式,扩展到政治、经济领域。

美国对中国政治上诬蔑,经济上封锁,都不能改变它在军事上无法取胜的局面。经过五次战役,双方大体相持在"三八线"上,美国已无力把志愿军赶回鸭绿江北。长期陷于朝鲜战场,它担心在与中国的军事较量中力量消耗过大使苏联乘机在欧洲发展力量。美国公众在第二次世界大战以后厌恶战争的情绪普遍增长,不愿为侵入朝鲜而肩负沉重的包袱。其盟国和仆从国也都反对扩大朝鲜战争,不愿为美国卖力。这一切促使美国政策的变化。1951年5月16日,美国国家安全委员会作出决定,放弃"武力统一朝鲜"的战略,寻求通过停战谈判来结束敌对行动。中国组织志愿军赴朝参战是为了履行国际主义义务和保障本国的安全,当战线推到"三八线",帮助朝鲜民主主义人民共和国恢复了原有国土,目的已经达到。所以当获悉美国的谈判意愿后,经与朝方协商,在6月中旬也提出"充分准备持久作战和争取和谈达到结束战争"的指导方针。

6月23日,苏联驻安理会代表马立克提出和平解决朝鲜问题的新建议。第一个步骤是交战双方谈判停火与休战,把军队撤离"三八线"。中国政府迅速作出反应。6月25日,《人民日报》发表社论支持马立克的建议。6月30日,"联合国军"总司令李奇微向朝鲜人民军和中国人民志愿军发出了举行停战谈判的建议。7月7日,金日成和彭德怀复函李奇微,同意举行停战谈判。7月10日,朝鲜停战谈判正式开始。

朝鲜停战谈判开始后,进展很不顺利,形成了边打边谈,打谈交织进行的"马拉松"局面。其主要原因是美国政府缺乏诚意,既想通过谈判结束军事行动,又想继续争取有利的军事地位。因此,美国先是谋求多占土地以"补偿海、空军优势",于8月23日中断谈判,先后发动夏季攻势和秋季攻势,结果遭到惨重失败,损兵25万人。继而在战俘遣返问题上纠缠,制造"一对一遣返"、"自愿遣返"、"不以武力遣返"等等节外生枝的借口,企图强迫和扣留中、朝方面的被俘人员。1952年10月8日,美方代表团因其扣留战俘的无理要求遭到拒绝后,竟片面宣布无限期休会。为了达到在谈判桌上达不到的目的,美国向上甘岭发动了自1951年秋季以来的最大攻势。中国人民志愿军依托坑道工事,坚守阵地,在44天内,打退美军900多次攻击,歼敌27000多人。美国的这一攻势也以失败告终。1952年12月2日,美国新当选总统艾森豪威尔到朝鲜考察军事形势,他承认美国没有什么简易的办法迅速而胜利地结束这场战争。在此稍后,毛泽东在政协一届四次会议的讲话中表明了中国方面的强硬立场:"美帝国主义愿意打多少年,我们也准备跟他打多少年,一直打到美帝国主义愿意罢手为止,一直打到中朝人民完全胜利的时候为止。"

在这种情况下,美国政府深感一切压力都行不通,只好下决心在朝鲜停战。1953年2月23日,美军总司令克拉克致

函朝中方面,建议在战争期间先交换伤病战俘。这是美国有意在板门店转弯的一个试探,企图从杜鲁门造成的束缚中解脱出来,争取主动。经研究,中朝3月28日复函美方,不但同意交换伤病战俘,提出这一问题的合理解决应使之导引到全部战俘问题的顺利解决,建议双方立即恢复停战谈判。3月30日和31日,周恩来和金日成代表中、朝又提出分两步解决战俘问题的新建议,主张在停战后双方立即遣返其所收容的一切坚持遣返的战俘,而将其余战俘转交给中立国,以保证他们对遣返问题的公正解决。这一建议得到全世界的普遍同情和支持。4月21日,双方签订《遣返病伤被俘人员协定》。4月26日,停战谈判复会。由于美方反对把不直接遣返的战俘送往中立国,朝中方面建议把这些战俘交由五中立国组成的遣返战俘委员会于一定期限内在朝鲜境内予以看管,以便其行使被遣返权利。5月25日,美国国务卿杜勒斯专程到新德里,向印度总理尼赫鲁表明美国要达成战俘遣返协定和签订停战协定的意图。印度将这个信息转告给中国政府。此后,停战谈判进展较快,6月8日,双方就战俘问题达成协议。7月27日,朝鲜停战协定在板门店签字,持续三年多的朝鲜战争得以停战。通过这场战争不仅保卫了中朝两国及远东的和平与安全,也为全世界各国人民争取和平解决国际争端树立了一个新的范例。

中国在台湾问题上同美国的斗争

台湾自古以来就是中国的领土。这对于胜利的共产党和失败的国民党来说都是不可移易的事实。中华人民共和国成立

后,就明确提出解放台湾,完成统一中国是人民政府的神圣事业。国民党将"国民政府"迁至台湾时,也一再声称,中国只有一个,台湾是中国不可分割的一部分。

美国对台湾所处的战略地位早就有所考虑。第二次世界大战进入全面反攻和接近最后胜利时,美国海军部长谈到太平洋战略形势就指出,谁掌握福摩萨(即台湾),谁就能控制亚洲大陆整个海岸,我们永远不能允许这个岛被任何可能在未来与我们为敌的大国所控制,在战后的亚洲,我们必须从这里的基地保持前进的态势。如果说这个论调还只是代表美国政府官员个人的话,那么,1949年初美国国内出现的"台湾地位未定论"就颇耐人寻味了。1948年12月至1949年3月,美国参谋长联席会议、美国国务院和国家安全委员会等从不同角度反复研讨对台政策,得出大体一致的意见:台湾对美国在西太平洋的战略具有重要意义,因为:①美国已经失去利用中国其他地区作为军事基地的可能性,台澎的地位就更加重要,必要时可用作战略空军行动的基地,并据以控制邻近的航道。②如果落入"敌对力量"手中,一旦发生战争,"敌人"就可以利用它控制马来西亚到日本的航道并使"敌人"有更好的机会进而控制琉球及菲律宾。③目前台湾是向日本提供粮食和其他物资的主要来源,如果切断了这一供应来源,日本就可能变成美国的负担,而不是资产。因此,美国的基本目标是不让台湾和澎湖落入共产党手中。目前为达此目的的最实际的手段是把这些岛屿同中国大陆隔离开。为了贯彻这一方针,"台湾地位未定论"应运而生。其说法是:现在对日和约尚未签订,台湾在法律上还是日本帝国的一部分,自第二次世界大战以来,美国只承认中国对该岛的"事实上"的控制。现在形势已变,当初在岛上临时行使主权的国民党政府已无力统治,失去了掌权资格,因此台湾的地位问题需要等待对日和约签订后最后解决。对此,国民党政府前外交部长王世杰在一次公开讲话中说,台湾是"收复失地",不是"军事占领区",中国对内外事务有绝对自主权。自中国1941年对日宣战起,《马关条约》即失效,从那时起,法律上台湾已归中国,而于战争结束时实际上收回。这实际上驳斥了"台湾地位未定论"。

中华人民共和国成立前后,美国对台湾政策出现了两种主张。以国务卿艾奇逊为代表,视台湾为酒筵席上的鸡肋,食之无味,弃之不舍。美国如果要阻止中共夺取台湾,就必须与盘踞该岛的蒋介石结盟。但这是同"与'沉船'拉开距离"、"等待尘埃落定"的政策相悖的,为艾奇逊所不情愿。同时,艾奇逊相信中苏存在"天然矛盾",如果中苏分手或对立,中共解放台湾就不会构成对美国的威胁,美国不应为了区区台湾把中共推入苏联怀抱。出于担心坚持分离台湾会破坏"脱身"政策和难以实现与中共建立非敌视关系的总政策,艾奇逊的对台政策开始改弦更张。

1949年10月,美国中央情报局报告,台湾可能在1950年底为中共攻占。艾奇逊随即将这一报告交给杜鲁门,并劝其不要阻止这一变故。同年12月,美国国务院《对台政策宣传指示》明确说明,台湾在历史上和地理上是中国的一部分,台湾"没有特别的军事重要性",美国军事援台没有"实际上的好处"。1950年1月5日,由艾奇逊负责起草的杜鲁门声明问世,声明"美国无意在台湾获取特别权利或特权或建立军事基地。美国亦不拟使用武装部队干预其现在的局势。美国政府不拟遵循任何足以把美国卷入中国内争中的途径"。

另一方面,美国政府中某些势力,特别是军方,从整个远东战略考虑,从1949年底开始谋求对台湾采取更积极的政策。军方的意见得到国务院腊斯克、杜勒斯等执掌远东政策决策权人士的支持。中苏条约签订的当天,军方立即要求艾奇逊进一步向台湾提供军事援助,认为为了确保东南亚,必须采取措施减轻中国对东南亚的压力,主要办法就是加强支持台湾的国民党政权。腊斯克对此表示出积极的姿态,极力推动艾奇逊扩大援蒋范围。5月25日,在国务院和国防部联席会上,与会者同意在"美国现存政策范围内采取一切步骤向福摩萨的国民党提供援助"。① 5月30日,腊斯克召集国务院有关对华政策官员就台湾问题开会时声称,世界舆论和美国舆论对美未能在远东采取"直截了当的行动"表示不满,认为应当在台湾"划线"。与会者同意向艾奇逊提出如下建议:让杜勒斯6月15日访日途中去台湾见蒋介石,要蒋介石向联合国请求托管,美国将在托管实行之后,派舰队防止对台湾的任何武装进攻。② 5月30日,腊斯克交给艾奇逊一份由杜勒斯代为起草的备忘录。备忘录提出了使台湾"中立化"的计划,认为美国必须在远东的"不确定"地区"迅速采取剧烈的和强硬的立场"。在这些地区中,台湾比其他地区更具备美国"划线"的有利条件,正受到中苏的"威胁"。③ 麦克阿瑟也就台湾问题不断地制造舆论,要求由他亲自对防止台湾被共产党统治的军事、政治和经济措施进行调查。他还在5月29日、6月14日先后向参谋长联席会议和陆军部递交备忘录,首次提出台湾在战时将是"不沉的航空母舰"之说。美国国防部长路易斯·约翰逊也建议美国应不惜动用军队拒共产党于台湾之外。这些主张在1950年五六月间已经渐占上风。朝鲜战争爆发则给这些决策者染指台湾一个极好的借口和时机。

1950年6月27日,美国总统杜鲁门宣布,命令美国第七舰队进入台湾海峡,阻止对台湾的任何攻击,并称,"台湾未来地位的决定,必须等待太平洋安全的恢复,对日和约的签订,或经由联合国的考虑"。当天,美海军第七舰队的10余艘军舰先后占领台湾基隆、高雄两港口。7月27日,杜鲁门批准给予蒋介石以广泛的军事援助。7月31日,美国远东军总司令麦克阿瑟到台湾与蒋介石会谈,决定设立美"驻台军事联络组",美台双方海陆空军归麦克阿瑟统一指挥,共同防守台湾。8月4日,美国空军第十三航空队一批飞机进占台北空军基地。

美国武装封锁台湾海峡,阴谋制造"两个中国",是对中国主权和领土完整的侵犯。从此,中国为实现自己领土和主权的统一,在台湾问题上同美国开始了长期的斗争。

1950年8月24日,周恩来外长致电联合国安理会主席和联合国秘书长,揭露美国的侵略政策,要求安理会制裁美国的侵略,并立即采取措施,使美国政府自台湾及其他属于中国的领土完全撤出它的武装侵略部队。8月31日,安理会将中国控诉美国侵略案列入议程,但把议题改为笼统的"控诉武装侵略福摩萨案"。9月10日,周恩来外长向联合国提出,在安理会讨论这一议程时,必须有中华人民共和国的代表参加。9月29日,安理会接受了中国的上述要求。11月24日,联大第一委员会决定邀请中国代表参加讨论美国侵

---

①②③　美国国务院:《美国外交关系,1950年》第6卷,第346—347页,第347—349页,第349—351页。

略中国案。

中国政府任命伍修权为大使级特别代表，出席联合国安理会讨论中国对美国的控诉，同时兼任中国出席联大第一委员会讨论美国侵略中国案的代表。

11月28日和11月30日，伍修权在安理会作了两次发言。伍修权在发言中列举大量历史和当时的一系列事实确凿地说明了台湾是中国领土不可分割的一部分，美国政府用武装力量侵占台湾，就构成了美国政府对中国公开直接的武装侵略行为。针对所谓"台湾地位未定论"，伍修权指出，这样说是不行的。首先是1950年1月5日的杜鲁门反对1950年6月27日的杜鲁门。1950年1月5日的杜鲁门说，"美国及其同盟国承认中国对该岛行使主权"，当时杜鲁门先生并没有以为对日和约已经签订了。其次，罗斯福总统反对杜鲁门。1943年12月1日，罗斯福总统庄严宣布了"日本所窃取于中国的领土例如满洲、台湾、澎湖群岛等应归还中国"的开罗宣言，当时罗斯福总统或其他任何人也不以为在对日和约签订以前开罗宣言是无效的，以为满洲、台湾、澎湖在那时以前仍然应当归日本所有。几百年的历史事实和日本投降后5年来的现状也反对杜鲁门，因为历史的事实和日本投降后的现状早就决定了台湾的地位问题，台湾是中国领土不可分割的一部分。最后，伍修权代表中国政府向安理会提出3项建议：①公开谴责并采取具体步骤严厉制裁美国武装侵略台湾和干涉朝鲜的罪行。②采取有效措施，使美国自台湾完全撤出它的武装力量。③采取有效措施，使美国及其他外国军队一律撤出朝鲜。

由于美国的操纵，安理会拒绝了中国的建议。联大第一委员会对美国侵略中国案采取不讨论的办法。12月16日，伍

修权在纽约成功湖举行记者招待会，对美国不让他在联大第一委员会有发言的机会表示愤慨，并将发言稿和美国侵华的各种资料散发给各国新闻记者。

美国第七舰队侵入台湾海峡以后，美国的海、空军都在台湾设立了基地，美国军事顾问训练台湾的军队，美国还给予台湾当局巨额军事和经济援助。据不完全统计，从1950年7月到1954年6月，美援总额超过14亿美元。1953年1月，艾森豪威尔出任美国第三十四任总统，杜勒斯出任国务卿。美台关系进入"蜜月"时期。在艾森豪威尔宣布撤销台湾"中立法"的同时，美国统治集团积极策划"台湾独立"、"联合国托管"。1953年4月6日，杜勒斯向记者透露，美国政府"正在寻找一个可以保证台湾独立的办法"，"现在正在考虑的一个可能性是由联合国托管这个战略岛屿，最终目标是建立一个台湾共和国"。之后，美国军政官员频繁到台湾活动，包括即将接任美国参谋长联席会议主席的雷德福、美国副总统尼克松、美国防部长威尔逊，进一步加强对台湾的援助。6月15日，美国援台第一批F—48喷气战斗机运抵台湾交付台湾空军。9月间，美国与台湾当局签订了《军事协调谅解协定》。

美国还支持蒋介石集团在台湾海峡制造紧张局势。1954年1月9日，美国海军第七舰队在台湾海域举行军事演习，蒋介石登上旗舰参观演习。随后，蒋介石集团加剧对大陆沿海的骚扰与破坏，并增强了金门、马祖等沿海岛屿的兵力。8月17日，艾森豪威尔答记者问时说，美国决心防卫台湾。如果大陆军队进攻台湾的话，美国第七舰队将迎战。他还向国会报告了加强援助台湾的措施。与此同时，杜勒斯也表示，美国已决定协助台湾防卫本岛

和外围岛屿。对此,中国政府和中国人民作出严正警告。8月22日,中国人民政治协商会议全国委员会和各民主党派各人民团体发表《解放台湾联合宣言》。《宣言》指出,为了保障祖国安全和领土完整,为了保障亚洲及世界的和平,中国人民一定要解放台湾。解放台湾,是行使中国的主权,是中国的内政,决不容许任何外国干涉。9月23日,周恩来在一届人大一次会议作《政府工作报告》时说,一切想把台湾交给联合国"托管"或中立国"代管"以及"中立化台湾"和所谓"台湾独立国"的主张都是企图割裂中国的领土,奴役台湾的中国人民,使美国侵略台湾的行为合法化的做法,都是中国人民绝对不能容忍的。并再次强调,中国人民一定要解放台湾。

1954年12月2日,美国同台湾当局签订了所谓《共同防御条约》。该条约共10条,规定美国"维持并发展"台湾的武装力量,"缔约国的领土"遭到"武装攻击"时,双方应采取"共同行动"。还把所谓"领土"规定为台湾与澎湖,同时又可扩及除台湾、澎湖以外经美台双方"共同协议所决定的其他领土"。12月8日,周恩来外长发表声明,严正指出,上述条约根本是非法的、无效的。这是对中华人民共和国和中国人民一个严重的战争挑衅。如果有人硬把战争强加在中国人民头上,中国人民一定要给干涉者和挑衅者以坚决的回击。

为了反击美台签订《共同防御条约》,中国人民解放军于1955年1月18日解放了大陈岛的外围据点——一江山岛。2月5日,美国宣布"协助"国民党军队自大陈岛撤退。2月13日,中国人民解放军解放大陈岛及外围的渔山列岛和坡山岛等岛屿,拔除了国民党军队在浙江沿海地区进行骚扰和破坏活动的最大据点,使国民党军队占领的福建沿海的金门、马祖成为人民解放军进攻的主要目标。这时,美国又拒绝了台湾当局要它承担"协防"金、马的义务,并迫使蒋介石将国民党军撤出金门、马祖地区。

四

中　美　会　谈

朝鲜和印度支那停战后,中国希望美国撤走在台湾海峡的武装力量,中美关系能够有所缓和。为此,中国主张中美两国坐下来谈判。

中美接触的大门是在1954年日内瓦会谈期间打开的。美国有一批因侵犯中国领空而被拘禁的美国军事人员和因违反中国法律而被拘禁的美国侨民。美国舆论认为这些在押人员是美国政府僵硬的对华政策的牺牲品,这对美国政府是很大的压力。中国则对美国无理扣留那些要求回国的在美侨民和留学生深为不满。日内瓦会议期间,美国政府决定通过参加会议的英国驻北京代办汉弗莱·杜维廉办理美国在华被押人员问题。中国代表团得知这个消息后,周恩来连夜召集会议研究对策。周恩来认为,我们不应该拒绝和美国接触。在中美关系如此紧张、美国对华政策如此敌对和僵硬的条件下,我们可以抓住美国急于要求在华的被押人员获释的愿望,开辟接触的渠道。据此,中国代表团告诉英国代办,现在中美双方都有代表团在日内瓦开会,有关中美双方的问题,可以由两个代表团进行直接接触,没有必要通过英国作为第三者插手。5月26日,中国代表团发言人向记者发表关于美国政府无理扣押中国侨民和留学生的谈话,表示中国愿就被押人员问题同美国举行直接谈判。

经英国驻华代办杜维廉中介，出席日内瓦会议的中国代表王炳南和美国代表美国驻捷克斯洛伐克大使约翰逊在 6 月 5 日至 21 日进行了 4 次商谈。商谈中，美方向中方递交了在中国境内的部分美国侨民和被中国拘禁的一些美国军事人员的名单，要求中国给予他们早日回国的机会。中方要求美国政府"立即停止拘留中国留学生，并恢复他们随时离开美国返回中国的权利"。至于居留在美国的中国侨民，也同样享有随时回国的权利。对于美国提出的要求，中方代表指出，中国政府对守法的美侨是友好的，并予以保护。他们可以在中国境内居留，从事合法的职业。如果他们为了某种原因要离开中国回美国去，只要他们没有未了的刑事案件或民事案件，他们随时都可以走。实际上，从中华人民共和国成立以来，已经有 1485 名美国侨民离开中国。对犯法的美国人，中国则根据犯罪事实和服罪情况，量刑处理。判刑以后，如果犯人表现良好，可以考虑减刑或提前释放。中方还表示，对美方交来的名单将予以审查，因犯法而被拘禁的美国侨民以及因侵犯中国领空而被俘虏的美国军事人员，可通过中国红十字会与他们的家属通信。他们的家属也可寄小包裹给他们。对中方提出的要求，美方代表强调，扣留中国的学者，完全是按美国的法律行事的。同时也承认在朝鲜战争期间，美国政府确曾发布一道命令，规定凡高级物理学家，其中包括受过像火箭、原子能以及武器设计这一类教育的中国人，都不准离开美国。对此，中方代表多次提出批驳，要求废除这条无理的规定。中方还主张由双方发表联合公报，宣布住在一方的对方守法侨民和留学生将享有返回祖国的完全自由，并建议在相互

平等的基础上，由第三国代管双方侨民和留学生的权益。由于美方片面要求中方"释放被扣留在中国的美国人员"，拒不同意中方提出的解决美方阻挠中国侨民和留学生回国问题的建议，商谈并无结果。

7 月间，双方派联络员又进行了接触，审核了各自提交的名单。中方向美国提出 6 名已经获准出境的在华美侨名单，同时要求美方提供在美的中国侨民和留学生的情况，并再次询问美国是否同意中方在前几次会谈中提出的第三国使节代管双方侨民利益的建议。美方没有进一步提供中国侨民和留学生的新情况，并再次拒绝了第三国代管双方侨民利益的建议。

从 9 月 2 日起，双方改在日内瓦举行领事级会谈。中方继续要求美方尊重中国侨民和留学生回国与家人团聚的权利，消除在这方面所设置的障碍，但仍没有被美方接受。在此期间，美方通过中国红十字会转递了给犯法的美侨和被俘的美军人员寄来的包裹和信件。中方还曾通知美方，有些美国犯人的家属如果想到中国探视犯人，中方可给予签证。但美方答复说："美国政府已决定目前不发护照给任何要去共产党中国访问的美国公民。"

日内瓦的这段接触，成为中美大使级会谈的前奏。

1955 年 4 月，亚非会议在印度尼西亚的万隆举行。周恩来在会议上发表声明："中国人民同美国人民是友好的。中国人民不要同美国打仗。中国政府愿意同美国政府坐下来谈判，讨论和缓远东紧张局势的问题，特别是和缓台湾地区的紧张局势。"周恩来的声明在全世界引起强烈反响，声明所表达的中国政府的立场获得了国际舆论的好评。许多中立国家，特别是参加亚非会议的广大国家，都向美国施加压力，希望美国能够响应周恩来的建议，

同中国政府直接谈判。美国也想找机会缓和中美之间的紧张关系,以安抚国内舆论在被押人员和间谍问题上对美国国务院的指责。7月13日,美国通过英国向中国提出中美双方各派一名大使级代表在日内瓦举行会谈的建议。14日,中国政府答复表示同意。经过磋商,双方确定将原来在日内瓦进行了将近一年的领事级会谈升格为大使级。25日,中美双方同时发表新闻公报,宣布第一次大使级谈判将于1955年8月1日举行。中方代表是中国驻波兰大使王炳南,美方代表是美国驻捷克斯洛伐克大使约翰逊。

中国对会谈采取积极的态度,争取通过这次会谈解决一些问题,并为中美之间和缓和消除台湾地区紧张局势的高一级谈判作准备,决定在会谈中既要有坚定的立场,也要有协商的和解的态度。为此,在会谈开始的前一天,中国最高法院军事法庭按照中国的法律程序,判决提前释放阿诺德等11名美国间谍。

根据双方的协议,会谈有两项议程,一是"双方平民回国问题";二是"双方有所争执的其他实际问题"。

经过争论,双方于1955年9月10日就第一项议程达成平民回国问题协议,其主要内容是:中美双方承认,在各自国家内的对方平民享有返回的权利,并宣布已经采取、且将继续采取适当措施,使他们能够尽速行使其返回的权利,中美两国分别委托印、英政府协助中美平民返回本国。这是中美大使级会谈达成的唯一协议。

关于第二项议程,中方提出的议题一是禁运问题;二是准备更高一级的中美谈判问题。但美方却要求先讨论所谓"放弃为了达到国家目的而使用武力"问题,并在10月8日正式建议:中美双方分别发表声明,在台湾地区除防御外不使用武力。

和平解决中美之间的争端而不使用武力,这是中国政府的一贯主张。但这不能与解放台湾混为一谈。因为中国通过和平方式还是使用武力解放台湾是中国的内政,不应成为中美会谈的议题。中方代表阐明了中方的立场后,于10月27日建议两国大使根据联合国宪章有关条款协议一项声明。但美方不愿意在声明中具体提到联合国宪章的条款,也不愿明确规定举行中美外长会议,却在11月10日要求写上:一般来说,并特别对于台湾地位来说,"除了单独和集体的自卫外",中美放弃使用武力。台湾是中国的领土,美国要在中国领土上拥有"单独和集体自卫"的权利,这是十分荒谬的,不能为中方所接受。但为了争取会谈能有所进展,中方又提出新的声明草案,美方对这个新草案拒绝作任何具体评论,既不表示反对,也不表示同意,一直拖到1956年1月12日才提出一个对案,同它11月10日的草案没有什么差别。关于禁运问题,美方以双方尚未对不使用武力问题达成协议以及美国在华犯人尚未被全部释放为由,拒绝讨论中方建议,使会谈继续陷入僵局。

1957年12月12日,中美大使级会谈已进入到第73次会议。会上美方代表约翰逊宣布,他将撤出会谈,调任驻泰国大使,指定他的副手埃德·马丁(参赞)接替他的工作。美方委派非大使身份的人为代表参加会谈,是降低会谈级别的表示。中方一再催促美方指派大使级代表,美方采取拖延做法,从而使会谈从僵持到中断。

虽然这一段中美会谈,除平民回国问题达成协议外,其他涉及中美关系的一切实质问题均无结果,但却在中美没有正式外交途径的情况下,打开了双方接触的一条渠道。

中国出席日内瓦会议

新中国成立后,在恢复本国经济、推进社会改革的同时,也开始步入世界舞台,在国际事务中发挥作用。中国出席日内瓦会议以及在会议中所作的努力就是中国政府为缓和国际紧张局势,寻求通过协商解决国际争端途径的积极贡献。

一

会前的周密准备

1945年雅尔塔体制划分了美苏的势力范围,朝鲜半岛和印度支那半岛正处于边缘地带,一直是战后国际问题的热点。美国在入侵朝鲜的同时,宣布直接干涉印度支那。朝鲜停战以后,亚洲总的形势开始趋于缓和,美国为从朝鲜战争的被动局面中解脱出来,加紧对亚洲其他国家和地区的控制,在与英、法密商后,向苏联提出召开日内瓦会议讨论朝鲜问题和印度支那问题的建议。

新中国成立甫定,百废待兴,但为援助朝鲜人民,派志愿军入朝作战。同时又在物质各方面支持越南人民的民族解放战争。抗美援朝战争和抗法援越斗争,显示出中华人民共和国已经成为维护亚洲和世界和平的重要力量,也使中国在这两个问题上拥有发言权。唯其如此,苏联政府1953年9月28日照会法、英、美三国政府,提议召开有中华人民共和国参加的五大国外长会议,审查缓和国际紧张局势的措施。10月8日,周恩来外长发表声明,

表示完全赞同苏联政府这一建议,"因为在第二次世界大战之后,法、英、美、苏联和中华人民共和国五大国,对于解决和平与国际安全的重大问题,负有特别重要的责任"。1954年1月9日,周恩来外长再次发表声明,指出:"亚洲方面一些迫切的国际问题,正如欧洲方面一些迫切的国际问题一样,已经发展到了必须由各有关大国举行协商来加以审查和解决的阶段","我们认为,由即将在柏林召开的四国外长会议,导向有中华人民共和国参加的五大国会议,来促进迫切的国际问题的解决,将会有利于缓和国际紧张局势及保障国际的和平与安全"。1月25日,苏联外长莫洛托夫在柏林四国外长会议上再次提出召开五大国会议的建议,但美国国务卿杜勒斯却声称:"美国不同意参加有中共侵略者在内的五大国会议来一般地讨论世界和平问题。"当时英、法都希望召开这一会议讨论印度支那问题。美国后来也不得不改变态度,表示美国政府不赞成同中国谈判有关世界安全或缓和东亚和其他地区的紧张局势的一般问题,但同意讨论特定或特殊的问题,如果有其他有关方面也参加的话。四国外长会议最后决定,在1954年4月举行日内瓦会议,讨论朝鲜问题和印度支那问题,除苏联、美国、法国、英国、中华人民共和国参加会议的全过程外,同这两个问题有关的其他国家也派代表分别参加各项问题的讨论。

日内瓦会议是中华人民共和国建国以来参加的第一次重大国际会议,中共中央对此十分重视并为此作了充分的准备,对弄清英、美、法提出召开这次会议的目的、有可能或应争取解决的问题,以及应当如何去争取、采取何种策略等等,都作了专门的研究。1954年3月初,中央制定了《关于日内瓦会议的估计及其准备工作

的初步意见》,指出:由于美、英、法在朝鲜特别是印度支那问题上矛盾重重,困难很多,我们应该积极参与,尽一切努力,务期达成某些可以获得一致意见和解决办法的协议,甚至是临时或个别性的协议,力求不使会议无结果而散。中共中央还确定中国代表团参加这次会议的方针是,"加强外交和国际活动,以破坏美国的封锁禁运、扩军备战的政策,以促进国际紧张局势的缓和",并且要尽一切努力达成某些协议,"以利于打开经过大国协商来解决国际争端的道路"。3月下旬,中国同越南民主主义共和国在北京就和平解决印度支那问题交换了意见。4月上旬,政务院总理兼外交部长周恩来3次访问了莫斯科以商议和协调中苏双方对日内瓦会议需要采取的方针、政策以及对日内瓦会议的进展情况与可能取得的成果进行分析和估价。

4月1日,周恩来第一次访问苏联。会谈中赫鲁晓夫认为日内瓦会议虽是一次带有政治意义的国际会议,但可能根本解决不了什么问题,因此不能期望过高。莫洛托夫同意赫鲁晓夫的看法,同时指出,在国际斗争和外交场合中很难预料会有什么问题出现,强调尤其不可设想一切都按我们的预定方针和计划进行;我们应该有自己的立场、原则和态度,但也必须有极大的灵活性、预见性和机动性,要随机应变。

周恩来从另一个角度来阐述了我们对这个问题所持的态度。他指出:既然中国、朝鲜、越南一齐都出席了这次国际大会,这件事本身的意义就不同寻常,就是一种胜利。并且我们可以利用这次国际会议的机会阐明我们对各项问题所持的原则立场和我们的政策方针,对有关事态作出声明解释和澄清。这是一种政治收获。如果工作进行得顺利,能阐明和解决某些问题,那就是很有益的收获了。

周恩来再三讲到中国是第一次参加这样的国际大会,缺少国际斗争的知识与经验,中苏之间必须保持密切联系,交换意见,互通情报,校正口径,协同动作。我们希望苏联外交部介绍苏联同西方国家关于这次国际会议磋商的整个经过,并确定相互协调的原则。对此,苏方都予以了肯定的答复。当时,中国同英、法、美都没有外交关系,中国是受苏联的邀请参加会议的。同时也由于中苏特殊的盟友关系,中国同苏联必须进行详尽的磋商。这次会谈双方基本上取得一致看法。

两三天后,周恩来再次到莫斯科,进一步确立我国参会的方针、对策和中苏两方参会人员。苏联代表团的参会成员包括了各方面的人士近300人,中国代表团也参照了苏联的组团情况,代表团包括各方人士,在人数上略少于苏联,为参加日内瓦会议的第二大团。

这次访问除了再次协调双方的方针、政策和校对口径外,还研讨了需要整理和研究的材料。周恩来还和赫鲁晓夫、莫洛托夫以及同在莫斯科的胡志明一起研究了印度支那问题。

4月19日,中国政府任命周恩来为出席日内瓦会议代表团首席代表,张闻天、王稼祥、李克农为代表,王炳南为秘书长,雷任民、师哲、乔冠华、陈家康、柯柏年、宦乡、黄华、龚澎、吴冷西、王倬如、雷英夫为顾问。一切工作的安排都由周恩来总理亲自负责主持,李克农则主要负责代表团秘书、机要、警卫、翻译、后勤等内部事务。在出国前的准备中,周恩来指出,要通过这次会议打开我国外交局面,使更多的国家了解新中国,并争取同他们建立外交关系。并要求代表团全体成员任何人不论职务高低都要遵守代表团的制度和纪律，不得违反。他还特意让两位有名的厨师随行，以便广交朋友。

4月20日，周恩来率中国代表团乘专机经莫斯科前往日内瓦。

二

争取和平解决朝鲜问题

1954年4月26日，日内瓦会议在国际联盟大厦开幕。参加讨论朝鲜问题的国家除五大国和朝鲜双方外，还有澳大利亚、比利时、加拿大、哥伦比亚、阿比西尼亚、希腊、卢森堡、荷兰、新西兰、菲律宾、泰国和土耳其。讨论从4月27日直到6月15日，历时51天。

会议的第一天，朝鲜外务相南日就提出恢复朝鲜统一和组织全朝鲜自由选举的三项建议方案，即①举行国民议会的全朝鲜选举，组成朝鲜统一政府，由南北朝鲜议会选派的代表组成全朝鲜委员会，其任务之一是草拟一个全朝鲜选举法，并采取措施保证朝鲜居民的各种自由；②一切外国武装力量在6个月内撤出朝鲜；③为维护远东和平具有最大关心的相应国家应保证朝鲜的和平发展，并为朝鲜的和平统一创造条件。美国国务卿杜勒斯发言，要求实现所谓联合国统一朝鲜问题的决议。周恩来外长在会议上发言表示完全支持南日外务相的建议。他说，举行这个会议的本身，就意味着经过和平协商解决国际争端的可能性的增长。中国代表团希望参加这次会议的全体代表都为着实现这一任务作出真诚的努力。他指出，中华人民共和国政府和人民一贯爱好和平，反对战争。我们从不侵略，也不会侵略任何国家，但也决不容许任何人对我们进行

侵略。我们尊重各国人民的选择和维护他们自己的生活方式和国家制度而不受外来干涉的权利。同时，我们也要求其他国家用同样的态度对待我们。只要世界各国都遵守这些原则，并抱有互相合作的愿望，我们认为，在不同的社会制度下的世界各国是可以和平共处的。

南朝鲜代表卞荣泰在4月27日的会上却提出：由联合国监督在北朝鲜举行自由选举，选举南朝鲜议会中留给北朝鲜代表的约100个席位。5月22日，卞荣泰又提出所谓14点建议，主要内容是：①按大韩民国的宪法手续，在全朝鲜举行选举，由联合国监督，在选举前、选举期间和选举后，监督选举的联合国人员在朝鲜整个地区有充分的行动和言论等自由。②全朝鲜国会代表按全朝鲜人口的直接比例计算。③在选举前一个月，中国军队全部撤出朝鲜，但联合国军队要在选举和完成统一后才撤退。这些建议，明显是把大韩民国的法统强加给全朝鲜人民，由南朝鲜并吞北朝鲜。美国代表支持这些建议。周恩来外长在发言中指出，从朝鲜撤出一切外国军队，是朝鲜人民在全国选举中能自由表示意志而不受外力干涉的先决条件。有人说一切外国军队撤出朝鲜会影响朝鲜的和平，这是没有根据的。他还指出，联合国是朝鲜战争中的交战一方，不能由交战一方来监督朝鲜的选举，但中国同意对选举进行国际监督。周恩来并建议：为了协助全朝鲜委员会根据全朝鲜选举法在排除外国干涉的自由条件下举行全朝鲜选举，成立中立国监督委员会，对全朝鲜选举进行监督。

由于会议参加者对如何和平解决朝鲜问题存在着原则分歧，美、英、法密商不再开下去，苏联外长莫洛托夫及时掌握这一动向，并告之中国代表团。6月15日，

举行和平解决朝鲜问题的最后一次会议。朝鲜、中国、苏联作了最大努力,提出有助于达成协议的新建议。南日提出保证朝鲜和平状态的6点建议:①建议各有关国家的政府采取措施,遵照按比例的原则尽速从朝鲜境内撤退一切外国军队。②在不超过一年的期限中,缩减朝鲜民主主义人民共和国和大韩民国的军队力量,双方军力不得超过10万人。③由朝鲜民主主义人民共和国和大韩民国的代表组成一个委员会,来研究创造逐步解除战争状态的条件、将双方军队转入和平时期的状态等问题,并建议朝鲜民主主义人民共和国政府和大韩民国政府缔结相应的协定。④认为朝鲜的这一部分或另一部分和其他国家订有牵涉到军事义务的条约是同和平统一朝鲜的利益不相容的。⑤为创造使南北朝鲜接近的条件,成立一个全朝鲜委员会来拟定建立和发展朝鲜民主主义人民共和国和大韩民国之间的经济和文化关系的措施,并执行已取得协议的措施。⑥日内瓦会议的参加国有必要保证朝鲜的和平发展,并从而为尽快解决把朝鲜和平统一为一个统一、独立和民主的国家的任务创造有利的条件。

周恩来外长认为这些建议提供了保证朝鲜和平发展的基本条件。他主张"召开中、苏、英、美、法、朝鲜民主主义人民共和国和大韩民国7国参加的限制性会议,讨论巩固朝鲜和平的有关措施"。苏联外长莫洛托夫提议:除南日外务相的建议外,与会各国发表一共同宣言,同意"在等待朝鲜问题在建立一个统一、独立、民主国家的基础上最后解决期间,不得采取任何足以对维持朝鲜和平构成威胁的行动"。中国完全支持苏联的建议。

这些建议打乱了美国的阵脚,大会主席英国外交大臣艾登立即宣布休会。美国等15国与南朝鲜紧急磋商,讨论对策。复会后,美国副国务卿史密斯发言,带头反对上述建议。泰国代表宣读了参加联合国军国家的《十六国宣言》,声称"共产党国家代表拒绝承认联合国在朝鲜的权威与职能并拒绝在联合国的监督下举行自由选举,因此,本会议继续考虑和研究朝鲜问题是不会有什么用处的,并认为应把这个会议进行的情况通知联合国"。

《十六国宣言》的提出实际上已表明日内瓦会议关于朝鲜问题的讨论面临破产。周恩来再次发言。他不无遗憾地表示"连这样一个表示共同愿望的建议都被美国代表毫无道理地断然拒绝","会议开了这么久,我们不能功亏一篑",他建议"日内瓦与会国家达成协议,他们将继续努力以期在建立统一、独立和民主的朝鲜国家的基础上达成和平解决朝鲜问题的协议"。"如果这样一个建议都被联合国军的有关国家所拒绝,那么,这种拒绝协商和解的精神,将为国际会议留下一个极不良的影响。"①周恩来外长的发言打动了比利时外长——老外交家斯巴克,他表示周恩来的意见中有合理的成分,与《十六国宣言》的精神并不矛盾,希望今后恢复对朝鲜问题的讨论。周恩来抓住机会第三次发言:"如果《十六国宣言》和中国代表团的最后建议有着共同的愿望,那么《十六国宣言》只是一方面的宣言,而日内瓦会议却有十九个国家参加,我们为什么不可以用共同协议的形式来表示这一共同的愿望呢?难道我们来参加这一会议却连这点和解的精神都没有吗?"②

斯巴克起而响应周恩来的建议。苏

---

①② 《新华月报》,1954年第7期第73、75页。

联代表也赞成。会议主席英国外相艾登说，如果大家同意，可否认为这个声明已被会议所普遍接受？在会场短暂寂静，没有人表示反对的情况下，美国代表史密斯仓皇发言，说他不准备在未向美国政府请示的情况下同意这个建议。

由于美国的无理阻挠，日内瓦会议关于朝鲜问题的讨论被迫结束。但中国代表团，特别是周恩来为开好这次会议而殚精竭虑赢得与会代表的赞赏，树立了新中国外交形象。苏联外长莫洛托夫祝贺周恩来的精彩发言使会议取得大的成就。朝鲜代表团认为，中国同志使外交变成艺术。加拿大代表团副团长郎宁20年后回忆说，周总理的讲话和建议完全可以作为讨论的基础。

实现印度支那的停战

日内瓦会议从5月8日开始讨论印度支那问题。

印度支那的越南、老挝、柬埔寨在第二次世界大战前原为法国的殖民地。第二次世界大战期间被日本占领。日本投降后，法国企图重新建立在印度支那三国的殖民统治。1946年12月，法国撕毁法越初步协定，发起印度支那战争，先后侵入这三个国家。三国起而反抗。到1954年，法国在印度支那战场上所消耗的军费已从1947年的23000亿法郎增加到1952年的28000亿法郎，1953年已达到40000亿法郎。法国政府财政已无力负担，进退维谷，只好求助于美国。美国出于战略上的考虑，开始插手印度支那事务，一方面提供给法国大量的军事援助；另一方面，又利用法国在越南屡屡失败的窘境，直接

派遣军事使团，加强对印度支那干涉，以图逐步取代法国在印度支那的地位。从1954年3月起，美国国务卿杜勒斯就积极向英法等国鼓吹"联合行动"，即对印度支那战争进行"联合干涉"，并向中国提出"联合警告"，如果中国不停止对"越盟"的援助，就对中国海岸采取海空军事行动。由于英国强调任何行动都必须在日内瓦会议失败后再考虑。法国国内反战情绪日益高涨，在国内一片反对浪潮中，主战的拉尼埃—皮杜尔政府倒台，国民议会通过了停止印度支那战争的决议。新上台的孟戴斯—弗朗斯内阁表示"将竭尽一切力量达成印度支那的和平"。英国也表现出积极的和解精神。许多国家的政府特别是亚洲国家政府表示了对解决印度支那问题的积极态度。

出席印度支那问题讨论的国家有中、苏、美、英、法、越南民主共和国（即北越）、越南共和国（即南越）、老挝王国和柬埔寨王国等。会议的前一天（5月7日），越南人民军在以陈赓、韦国清为首的中国军事顾问团的帮助下组织实施的奠边府战役中取得胜利，为日内瓦会议和平解决印度支那问题创造了极为有利的条件，使越、中、苏等国代表有了更大的主动权。周恩来外长采取了尽可能争取法国等多数国家，着重反对美国的破坏，大力把会议推向前进的做法。为了推进会议的进程，中国代表团在5月27日的9国代表团会议上，提出了《关于在印度支那停止敌对行动的建议》，这是中国代表团为谋求在军事停战方面达成协议所作的重大努力，目的是在求同存异的基础上达成协议，以作为进一步谈判的基础。在中国代表团的推动下，5月29日，会议达成了第一个协议——《九国代表团关于印度支那问题的一项决议》，该决议规定双方军事司令部

代表应在日内瓦会晤,讨论有关停战的具体问题,以便"使敌对行动早日和同时终止"。① 这一决议的通过为日内瓦会议处理印度支那问题打下了良好的基础。

在关于印度支那谈判的75天进程中,主要讨论了停战后交战双方武装力量划分集结区、老挝和柬埔寨问题如何同越南问题区别对待、停战的监督与保证和印度支那三国的政治前途等问题。

1. 关于划分集结区

北越和法国一开始就同意在越南停战后双方部队各自集中到协议的集结区,后来又同意北越部队集中到越南北半部,法国和南越部队集中到越南南半部,但南北两集结区之间的分界线如何划分却是双方争论的焦点。北越主张划在北纬16°,法国则主张划在北纬18°。

周恩来利用法国孟戴斯—弗朗斯上台,倾向于早日结束战争的机会,6月23日专程到伯尔尼拜访了孟戴斯—弗朗斯,并同他交换了意见。这次会谈促进了双方的信任与理解,"对印度支那问题的解决起了积极的有决定意义的作用"。② 7月17日,英法苏三国外长会谈时,孟戴斯—弗朗斯表示可以在18°线与9号公路之间划线,并愿意以确定越南普选日期的"政治上让步"作为交换。

6月24日,周恩来又应邀访问了印度、缅甸,向两国领导人通报了日内瓦会谈的情况,并就如何争取和平广泛地交换了意见。7月3日,周恩来飞到中国柳州同胡志明等越南民主共和国领导人会谈,达成了"7月5日协议":在越南争取16°以北的地方划线停火,在老挝争取把靠近中国和越南的桑怒和斗沙里两省划为抗战

力量的集结区,政治解决柬埔寨问题。7月10日,周恩来从北京返回日内瓦途中到达莫斯科,又同苏联领导人进行会谈。苏联领导人也认为:当时美国正极力拉拢法国主战派,对孟戴斯—弗朗斯施加压力,企图破坏日内瓦会议,如果在划分集结区问题上坚持孟戴斯—弗朗斯所难以接受的要求,则易为美国所乘,法国主战派势力又会抬头,孟戴斯—弗朗斯政府将垮台,这对解决印度支那问题不利,对越南民主共和国也不利。越、中、苏进一步协调了彼此的看法。

7月18日至19日,中国和英国代表团频频交换意见。英国表示:法国绝不会放弃9号公路,但可以把越南的普选日期订在1956年内。9号公路在北纬17°线南不远,是沟通越南中部和老挝的战略通道。在靠近16°线附近有土伦(即岘港),这是重要的军事基地和出海口。法国坚持不放弃。中国代表团同越南和苏联反复磋商,劝越南方面不要在划线问题上过分纠缠,应给法国人留个面子以使其体面地摆脱在越南的困境。越南表示可以通过9号公路北约10公里,但应确定越南普选在停战后两年举行。经过多次协商,在越南划分集结区的谈判终于在7月20日下午达成协议,两集结区以北纬17°线南,9号公路北约20公里的六滨河(又名贤良河)为界。

2. 关于老挝和柬埔寨的停战问题

会议一开始,越南民主共和国就提出:老挝和柬埔寨的问题应作为整个印度支那问题的一部分加以考虑,必须根据同样的原则方法和程序,同时在印度支那三国停止敌对行动,恢复和平。中国和苏联也都同意这种观点。但老挝、柬埔寨认为

---

① 《日内瓦会议文件汇编》,世界知识出版社,1954版,第257页。
② 《在历史巨人身边——师哲回忆录》,中央文献出版社,1991版,第556页。

两国还存在越南军队入侵的事实,对这两个国家的停战问题必须单独处理。老挝代表甚至认为中国支持越南,越南代替中国侵略了他们,所以一开始就骂中国是帝国主义。

为了弄清老挝、柬埔寨的问题,消除他们的误会,中国代表团特意请来了这两国的代表,并同他们进行了推心置腹的谈话。通过谈话,我们了解到印度支那三国的实际情况,及时修改了政策。

在 5 月 27 日的会议上,周恩来总理提出了折中的方案,他讲道"关于双方军队集结地区,也就是双方地区调整问题,印度支那三个国家——越南、高棉、寮国的情况不完全相同,因而在双方地区调整原则确定之后,还要根据三国的具体情况加以实施,因而解决的办法也会有所不同"。① 会议因此决定越法双方军事代表谈判越南问题,外长会议继续讨论老挝和柬埔寨问题。

6 月 16 日,周恩来提出了具体解决老挝和柬埔寨问题的合理建议。首先,一切外国军队包括可能进入两国的越南志愿人员应撤出老挝和柬埔寨;建议研究两国敌对军队的部署问题,但没有明确说要划集结区;主张国际监察委员会在两国的监察,但没有要求成立像越南那样由双方代表组成的军事联合委员会;停战后停止从境外运入新的军事人员和武器弹药,但应考虑到两国自卫的需要。这个建议得到了多数国家的赞同和欢迎。范文同和莫洛托夫外长表示完全支持,老挝王国的代表萨纳尼空说可以接受作为讨论的基础,柬埔寨王国代表泰普潘认为这个建议具有协商的精神,英法代表也都肯定了周恩

来发言的积极意义,美国的史密斯亦表态认为这些建议是既适度又合理的。

周恩来总理的建议使僵持了 7 个半星期的会议复活,为进一步解决老挝和柬埔寨问题打下了基础,激起了法国的希望,推动了谈判的进程。

7 月 21 日凌晨,老挝和柬埔寨的停战协定签订。规定:在老挝为寮国抗战部队划定桑怒和丰沙里两省作为集结区,在柬埔寨的高棉抗战人员则就地复员。一切外国军队除双方协议在老挝保留有限的法国军事人员外应全部撤出。同一天,老挝王国政府和柬埔寨王国政府发表声明:在越南敌对行动停止之日到该国政治问题最后解决期间,决心不要求关于军事物资、人员和教官的外国援助,除非为了有效地保卫本国领土的目的;两国不参加不符合《联合国宪章》原则的军事同盟,在其安全不受威胁时不在本国建立外国军事基地。②

3.《日内瓦会议最后宣言》

日内瓦会议关于印度支那和平问题讨论的结果是非常令人鼓舞的。到 7 月 21 日,印度支那三国的交战双方都分别签定了停战协定,即:《关于在越南停止敌对行动的协定》、《关于在老挝停止敌对行动的协定》和《关于在柬埔寨停止敌对行动的协定》。法国政府发表了关于从印度支那三国撤出自己军队的声明以及尊重三国的独立、主权、统一和领土完整的声明。老挝王国政府和柬埔寨王国政府分别发表了关于使全体人民参加全国共同生活,特别是参加普选的声明,以及关于两国决心奉行中立不结盟政策的声明。日内瓦会议本身则发表了《日内瓦会议最后宣言》,对上述各协定和声明予以确认和支持。

---

① 《新华月报》1954 年第 5 期,第 82 页。
② 《日内瓦会议文件汇编》,第 262—266 页。

在1954年7月21日日内瓦的最后一次会议上，通过了《日内瓦会议最后宣言》。正如周恩来总理所指出的，"本会议曾经一再努力使印度支那的停战问题和政治问题都能获得解决。我们现在获效的协议规定了停止印度支那战争的具体办法，同时也规定了解决印度支那政治问题的原则"。已达成的协议不仅将结束长达八年的印度支那战争，而且将进一步缓和亚洲和世界的紧张局势，"毫无疑义，我们会议的成就是很大的"。①

美国政府未在这个《日内瓦会议最后宣言》签字，仅声明：美国政府将按照《联合国宪章》条款关于各会员国在其国际关系中不得使用威胁和武力的规定，美国将不使用威胁或武力去妨害这些协定和条款。但又声称："美国将充分关切地注视违反上述协定的任何侵略的再起，并认为这是严重威胁国际和平和安全的。"美国政府这个声明为以后扩大干涉印度支那埋下伏笔。

第一次台海危机

朝鲜战争和印度支那战争结束以后，亚洲和整个国际形势都缓和下来。但是因朝鲜战争所导致的美国驻军台湾的问题却没有解决。这成为解放台湾、实现中国统一的巨大障碍，美国干涉中国内政的这种做法是中国共产党和中华人民共和国政府所不能容忍的。而美国出于其国际战略的考虑，则试图把中国的台湾问题国际化，形成"一中一台"或"两个中国"，将台湾变成美国"遏制共产主义扩张"的防御体系中。因此，从1953年到1955年，围绕台湾问题爆发了"台海危机"和中国致力于反对美国干预台湾事务、为解放台湾作准备的战争手段和和平谈判相交织的斗争。

一

台湾问题的提出和我们的方针

朝鲜停战以后，美国一方面在亚洲实行战略收缩，一方面谋求建立以"遏制共产主义扩张"为目标的共同防御体系。艾森豪威尔在其1953年2月2日的国情咨文中表示：美国政府将奉行"一个崭新的、积极的外交政策"。艾森豪威尔指出，1950年6月，第七舰队所接受的是一个"双重"任务，即一方面"防止任何对台湾的进攻"；另一方面，"确保台湾不被用作反对中共大陆的军事基地"。他说该政策的问题就在于它实际上是为"共产党中国的防御助了一臂之力"。艾森豪威尔回顾了朝鲜局势，"特别是中国共产党人入侵朝鲜、攻击那里的联合国军"以及同苏联一道反对"联合国提出的停战协定"等事实，指出美国所奉行的台湾海峡"中立政策"，只起到了保护"共产党人""和允许他们在朝鲜肆意屠杀我们及盟国的士兵"的作用。美国政府决定："第七舰队不再用于保护共产党中国。"②西方新闻界称这一政策调整为"放蒋出笼"。艾森豪威尔的所谓"崭新"和"积极"的外交政策，与其前任相比，实际上并无根本的区别。杜鲁门时期已经修补了美国与台湾当局的关系，

---

① 《国际关系史资料选编》，武汉大学出版社，1983年版，第286—290页。
② 《国务院公报》(State Department Bulletin)，1953年2月9日，第207—209页。

支持台湾当局把持中国在联合国的合法席位,并已经逐渐形成了一个反对中华人民共和国的军事"遏制"网。艾森豪威尔声明中要求第七舰队放弃所谓的"中立",只不过是对既定事实的再次确认。艾森豪威尔的反共言辞给了台湾当局心理上的支持。蒋介石高度赞扬艾森豪威尔"取消对台湾军事力量限制"的决定"实为美国最为合理与明智之举措"。①

在这种情况下,蒋介石利用美国急于在亚洲建立共同防御体系的机会,于1953年6月7日给美国总统艾森豪威尔写信,要求美国同台湾等签订双边或多边共同安全条约,以便像南朝鲜那样,把台湾的安全置于美国的保护之下,进而希望借助美国的军事力量伺机反攻大陆,从而形成美国插手中国台湾问题的复杂局面。

1953年8月,美国与台湾举行首次海空军联合演习。1953年9月,美国与台湾当局秘密签订了《军事协调谅解协定》,并在台北成立"协调参谋部"。根据协定,国民党军队的编制、监督、装备由美方负责;如果发生战争,国民党军的调动指挥,必须获得美方的同意。协定中的"军事协调区"包括金门、澎湖、大陈、马祖及台湾,美国第七舰队、第十三和第二十航空队为参加协定的单位。本来美国第七舰队是以朝鲜战争期间"维护台湾海峡中立"为借口而进驻的。现在朝鲜战争已经结束,美蒋双方又签订了这样一个协定,表明美国企图长期把台湾置于自己的势力范围。

这个秘密协定签订以后,蒋介石又通过多种渠道向美国政府游说,企图与美国再订立一个像1953年8月《美韩共同防御条约》那样的攻守协定。

从1953年起,在美国政府的军事援助下,国民党军队及其收编的海匪经过整训,重新调整了兵力部署,将以海匪窜扰为主改为以正规军为主;海上活动舰艇亦日趋增多,并且有空军配合。1953年1月以后,窜犯的规模一次比一次大,投入的兵力一次比一次多。② 1953年11月6日,美国发表的对台政策声明宣称,美国鼓励和支持国民党军队袭击大陆沿海地区和贸易活动,并暗中帮助国民党向在大陆的反共游击队提供后勤援助。③ 美国政府决定,在1953财政年度,美国为台湾提供10550万美元的经济援助,并打算在1955年财政年度为蒋介石提供3亿美元的军事援助。④ "在美国支持下,国民党训练和装备了数万名游击武装,在中国东南沿海地区进行骚扰破坏活动;国民党海军破坏东南沿海的海上交通,袭击大陆渔民,破坏其正常作业。"⑤

美国插手台湾事务,美蒋联手阻止中国人民解放军解放沿海岛屿和台湾,引起了中共中央的高度关注。

1953年11月,美国副总统尼克松访台,表示美国重视台湾的战略地位。12月,台湾当局正式向美国政府提出美台共同防御条约草案。1954年1月,美国第七

---

① 《中华日报》,1953年2月15日。转引自陈志奇:《美国对华政策三十年》,第70页。

② 参见当代中国丛书编委会:《当代中国海军》,当代中国出版社,1999年电子版,第189页。

③ 《国家安全委员会政策声明(美国对于福摩萨和中国国民政府的目标和行动方针)》(华盛顿,1953年11月6日),《美国对华政策文件集(1949—1972)》(第二卷•上),第164页。

④ 《国家安全委员会政策声明》的附件《国家安全委员会工作人员对美国有关福摩萨和中国国民政府的政策和行动准则的研究》(华盛顿,1953年11月6日),《美国对华政策文件集(1949—1972)》(第二卷•上),第175—176页,第181页。

⑤ 陶文钊主编:《中美关系史(1949—1972)》,上海人民出版社,1999年版,第220页。

舰队在台湾海域进行军事演习,并邀请蒋介石观看演习,公开向中国政府炫耀武力。由于美国担心蒋介石利用这个条约把美国再次拖入一场没有胜利希望的战争,因此,这个共同防御条约草案被搁置。1954年7月8日,蒋介石会见即将回国述职的美国"大使"兰金,表示愿意满足美国的要求,在采取任何重大军事行动前,必须征得美国同意。这个表态,加快了双方订立美台共同防御条约的进程。1954年9月8日,美国推动的《东南亚集体安全防御条约》在马尼拉签订,此时,台湾成为美国完成对中国大陆环形包围圈的最后一环。

当时的舆论即反映了这个动向。据新华社1954年7月30日讯,"美国当局正在加紧策划和蒋介石残匪缔结军事性的所谓共同防御条约,以谋永远强占我国领土台湾,并进一步把台湾变为美国侵略我国的长期基地。据《纽约邮报》专栏作家罗伯特·艾伦27日透露,美国国务卿杜勒斯和援蒋集团头目诺兰等参议院共和党领袖们,就美国侵占台湾问题举行了一系列的秘密会议。杜勒斯着重表示美国政府决心阻止台湾获得解放,重归祖国怀抱。杜勒斯也表示美国政府有把台湾包括进美国策划中的东南亚军事侵略集团的意思,但他认为,鉴于其他有关国家的反对,'最好的办法'是由美国和蒋匪缔结一项类似和南朝鲜缔结的共同防御条约。到东南亚集团成立以后,再把台湾包括进去。"

"台湾蒋匪方面传出消息说,美国与蒋匪间的所谓共同防御条约预计要在9月间缔结。当最近回到美国的美国驻台湾'大使'兰金再到台湾后即将进行缔结条约的最后商谈。消息还透露,这项美蒋条约在美国战争贩子范佛里特最近第三次到台湾活动时已获得'原则性的决定',并完成第一次初稿。兰金这次是带着条约草稿回去和美国政府磋商的。蒋匪驻美国'大使'顾维钧最近回到台湾后,28日也公开对记者说,美蒋所谓双边条约的缔结仅是时间问题。"①

面对美蒋联手阻止中国人民解放军解放台湾和台湾问题可能被国际化的严重事态,1954年7月7日,在听取和讨论周恩来关于日内瓦会议情况汇报的中共中央政治局扩大会议上,毛泽东专门讲到了台湾问题。

毛泽东说:"现在美国同我们关系中的一个重要问题就是台湾问题,这个问题是个长时间的问题。我们要破坏美国跟台湾订条约的可能,还要想一些办法,并且要作宣传。我们要组织一些宣传,要大骂美国搞台湾,蒋介石继续卖国。另外,在外交方面要有一种适当的表示,比如在侨民问题上的接触,目的就是迫使美国跟台湾不要订条约。我看,美国跟台湾订条约,英国也怕,也反对,法国也可能是反对的,对于它们也没有什么好处,就会成为很长时间的僵局嘛。"②

1954年7月间,中共中央召开政治局会议,研究日内瓦会议后的形势。中央认为,如果美蒋阴谋得逞,我们与美国的关系将会长期紧张下去,更难寻求缓和与转弯的余地。因此,中央决定发动一场声势浩大的解放台湾的运动,从政治上揭露美国的意图。当时,出席日内瓦会议的周恩来尚在国外,中共中央于7月23日致电周恩来,通报了中央对形势的估计和斗争的方针。信中写道:"在朝鲜停战之后,我们

① 《人民日报》1954年7月31日。
② 《毛泽东文集》第6卷,人民出版社,1999年版,第333—334页。

没有及时（约迟了半年时间）地向全国人民提出这个任务，没有及时地根据这个任务在军事方面、外交方面和宣传方面采取必要的措施和进行有效的工作，这是不妥当的，如果我们现在还不提出这个任务，还不进行工作，那我们将犯一个严重的政治错误。"①信中还提请周恩来考虑回国后以外交部长的名义发一个声明。

7月间，中共中央作出"一定要解放台湾"的决定。7月22日彭德怀主持军委专门会议，传达中共中央和毛泽东关于开展解放台湾斗争的指示。确定由张震（时任总参谋部作战部部长）拟订解放台湾的军事斗争计划。7月23日，《人民日报》发表社论，将这个决定昭告全世界。社论列举美国企图长期侵占台湾、提出所谓"台湾交联合国托管"的方案、正在同蒋介石谈判签订所谓《共同安全双边协定》等严重事态，表达了全中国人民不可动摇的决心："台湾是中国的领土，中国人民一定要解放台湾。不达目的，决不罢休。"8月1日，朱德在建军节讲话中也强调"中国人民一定要解放台湾"。8月22日政协第一届全国委员会常委会第58次全体会议一致通过了《中华人民共和国各民主党派各人民团体为解放台湾联合宣言》。

8月15日，周恩来会见以艾德礼为首的英国工党代表团。在对方问到台湾问题时，周恩来阐明了中国政府的基本立场，指出：台湾是一个容易激动中国人民感情的问题。这件事的现状是中国人民所不能容忍的。这一点，希望英国朋友了解中国人民的感情和意志。台湾从任何方面都证明是中国领土的一部分。不仅中国人民认为如此，世界公正舆论也认为

如此。甚至被中国人民赶出大陆的蒋介石也这样说。而在像开罗、波茨坦这样的国际会议上也承认了这一点。美国过去也承认这一点。美国侵占台湾是最没有道理的。如果没有美国对台湾的支持，台湾早就解放了。台湾应该归还中国，应该由中国人民来解放台湾。跑到台湾去的人是愿意回来的，如果回来，我们都将以宽大政策对待他们。我们解放台湾不仅不会引起世界大战，相反的，我们坚决解放台湾，就能阻止世界大战在东方发生，因为在东方引起世界大战的一个军事基地就会被去除。②

1954年9月23日，周恩来在第一届全国人民代表大会第一次全体会议上作《政府工作报告》。关于解放台湾，报告强调指出："中华人民共和国政府屡次宣布：台湾是中国神圣不可侵犯的领土，决不容许美国侵占。我们在台湾的同胞，包括高山族在内，从来就是中国大家庭的成员，决不容许美国奴役。解放台湾是中国的主权的内政，决不容许他国干涉。美国参加签订的《开罗宣言》和《波茨坦公告》都肯定台湾是中国的领土，这些庄严的国际协议，决不容许美国背信弃义地加以破坏。美国政府和盘踞台湾的蒋介石卖国集团，无论订立什么条约都是非法的。在这里还必须指出，一切想把台湾交联合国托管，或交中立国代管，以及'中立化'台湾和制造所谓'台湾独立国'的主张，都是企图割裂中国的领土，奴役台湾的中国人民，使美国侵占台湾的行为合法化。这都是中国人民绝对不能容许的。"《报告》指出："为了进一步缓和国际紧张局势，为了消除战争威胁和保障世界和平，我们认为，

① 转引自中共中央文献研究室：《毛泽东传（1949—1976）》上卷，中央文献出版社，2003年版，第585页。
② 中共中央文献研究室编：《周恩来年谱（1949—1976）》上卷，中央文献出版社，1998年版，第408—409页。

盘踞台湾海峡的美国舰队必须撤走;中华人民共和国在联合国中的合法地位和权利必须恢复;用集体和平代替战争集团的主张必须实现;复活日本和德国的军国主义的计划必须停止;世界各国人民普遍要求裁减军备、禁止使用原子武器、氢武器和其他大规模毁灭性武器的愿望必须满足。这是全世界爱好和平的人民的共同愿望。""为了保卫我们的国家建设事业不受破坏,还必须加强我们的国防。当公开敌视中华人民共和国的国家疯狂地扩张军备并且加紧威胁我国安全的时候,我们不能不有强大的现代化国防力量。这就是说,要有足以保卫我国领土完整,领空、领海不受侵犯的强大陆军、空军和海军。"①

1955 年 3 月 22 日,刘少奇在中国共产党全国代表会议上作关于国际形势的报告。在谈到台湾问题时,他指出:"在任何外交接触中或任何有关国际会议的商谈中以及在宣传中,我们都不能承认美国占领台湾为合法,都不能承认'两个中国',都不能放弃'解放台湾'的口号,而必须坚持'不解放台湾决不罢休'的口号。这是我们的坚定不移的原则。不管现在我们有无力量去解放台湾,也不管我们什么时候去解放台湾,我们都必须坚持这样的原则,决不能向人说我们不去解放台湾。"②

炮击金门和美国的反应

解放台湾及沿海岛屿,完成中国的统一大业,是新中国建立以后中国共产党和人民政府坚定不移的方针政策。1950 年 5 月,海南岛解放以后,由于中国人民解放军渡海作战能力不够,加上朝鲜战争爆发,解放台湾和沿海岛屿的事情就搁置下来。

1953 年朝鲜停战以后,加上中国人民解放军的海、空军战斗能力提高,国防部长彭德怀即责成中央军委总参谋部在 1953 年 10 月制定出攻击金门作战的准备工作计划,并报中央军委审阅。计划提出,要在 1955 年 1 月底以前完成解放金门的一切准备工作。

1953 年 12 月 5 日,彭德怀同陈毅、聂荣臻、黄克诚及各部、各军兵种领导同志听取张爱萍、叶飞汇报攻打金门问题的汇报。此前,华东军区 9 月 7 日上报了《攻击大陈、金门作战方案》,提出如先攻下金门,则其他岛屿可不战或小战而解决,付出代价比逐岛攻击小,毛泽东批示:"于1955 年 1 月底前完成解放金门的一切准备工作。"总参谋部遵照毛泽东批示,于 10月 5 日拟定了攻打金门的准备工作计划。彭德怀 10 月 12 日批示:"按此计划进行准备。"并于 10 月 15 日通知华东军区立即开始准备。③

12 月 19 日,毛泽东看了由彭德怀转来的华东军区参谋长张震上报中央军委的来信。信中列举了目前攻打金门的各种不利因素,并提出两条建议:第一,在攻打金门之前,可以先攻克上下大陈岛,使兵力可以集中使用;第二,将攻打金门的战费节约下来,先修通福建铁路,便于攻取金门、台湾时保证供应,即就经济意义而言,也可使物资得到交流。毛泽东将这封信退给彭德怀,批

---

① 《周恩来军事活动纪事》下卷,第 346—347 页。

② 刘少奇:《关于目前国际形势问题》,1955 年 3 月 22 日。中共中央办公厅编:《中央文件汇集》1955 年第 1 册,第 87 页。

③ 《彭德怀年谱》,第 563—564 页。

了一句话:"此意见可注意。"

12月21日,彭德怀就王尚荣19日上报的两个预算文件作出批示:攻金门问题耗费巨大,和陈毅同志商定,暂不进行,待勘察后再决定。陈毅也对此提出不同意见。22日,毛泽东审阅了这个概算,连同他的批语送给刘少奇、周恩来、朱德、彭德怀、陈毅传阅。批语写道:"请彭处理。陈毅同志意见,目前不打金门为有利,否则很被动,且无攻克的充分把握。我同意此项意见。需费近五万亿元,无法支出,至少1954年不应动用如此大笔经费。"25日,中央军委通知华东军区停止攻打金门准备。①

1953年以后中国政府加紧了解放沿海岛屿的准备工作,因为沿海岛屿的国民党军队经常骚扰渔民和过往船只、偷袭大陆。尤其是国民党军队在大陈岛上的航空管制中心,可以直接引导轰炸机袭击浙江沿海过往船只,对东南沿海人民的生产秩序和生命财产安全造成了威胁。例如1950—1953年间,仅福建、浙江两省就有2000多艘渔船遭到国民党军队的抢劫和炮击,被抓走的渔民达1万多人。沿海居民的生活受到严重影响。②

另据新华社1954年8月20日讯:在7月份内,蒋匪残余海军和盘踞在海岛上的匪军,炮击我商轮和同我国通商的外国船只4次,袭击我海岸和沿岸岛屿16次。7月18日晨,盘踞在大担岛上的残匪发炮轰击行驶在厦门港外同我国通商的英国商轮仁秀华号。蒋匪残余空军在7月份内,轰炸、扫射我沿海地区2次。7月6日,美造蒋匪F—47型飞机4架偷袭我舟山地区,投弹2枚,并扫射我船只。当时,

我人民空军出动打击敌机,在激烈空战中击落敌机2架,击伤敌机2架。

8月以来,残余蒋匪军更不断骚扰我东南沿海地区。8月1日,蒋匪残余海军军舰二艘在福建崇武附近海面袭击我海防部队,遭我军击伤军舰一艘后逃去。另外,蒋匪残余海军和盘踞金门岛的残余匪军在8月上半月内,曾炮击我海岸和沿海岛屿三次,偷袭我巡逻艇队一次;蒋匪残余空军飞机多次骚扰我沿海地区,并两次向我象山和南碇岛进行轰炸、扫射。在此期间,残余蒋匪军不断对我海上渔船进行海盗式劫夺和抢掠,破坏我渔民生产。据不完全统计,在7月份内,蒋匪军在我浙江沿海劫走我渔船三只。在7月1日到8月15日一个半月内,蒋匪军在福建沿海劫走我渔船16只。③

1954年5月11日开始的解放东矶列岛之战,是海军水面舰艇、海军航空兵和陆军部队协同作战的开端。当时海军航空兵担负的任务是打击海门、一江山、渔山一线的敌机,夺取150公里半径的制空权,从空中保证渡海登岛作战的胜利。在攻占东矶列岛的整个战斗过程中,海军航空兵的作战任务分为预先夺取战区制空权,掩护舰艇、陆军部队登陆作战和巩固战斗成果这样三个实施阶段。1954年5月15日,人民解放军开始向东矶列岛发起总攻,海军航空兵的作战任务随之转入第二阶段,即掩护舰艇、陆军部队登陆作战。当日18时30分,海军航空兵4团1大队和水面舰艇协同,掩护登陆艇运载陆军180团渡海登陆,一举攻占了东矶列岛。④

① 《彭德怀年谱》,第565页。

② 徐焰:《金门之战》,第171页。

③ 《人民日报》1954年8月21日。

④ 《当代中国海军》,第209页。

从1954年3月到7月,人民海军航空兵浙东前线部队共战斗起飞86批、252架次,空战9次,击落敌机10架,击伤4架。人民海军的飞机轻伤3架,飞行员伤1人。6团和4团1大队飞行员从不熟悉海上飞行到掌握海空作战特点,从一般气象条件到复杂气象条件下作战,逐步压缩了国民党空军海上活动的范围,扩大了作战区域,夺取了150公里半径的战区制空权,从而扭转了三门湾上的斗争形势,保护了航运和渔业生产的安全。这就为人民解放军陆海空三军继续南伸作战,解放一江山和大陈诸岛创造了良好的条件。1954年7月,中央军委命令华东军区以海、空军轰击上、下大陈岛。①

根据7月间中共中央关于解放台湾的决定,7月30日,彭德怀主持召开有大军区领导参加的军事会议,讨论对台湾蒋介石集团进行斗争及军事行动计划。彭德怀在31日讲话中主要阐述以下问题:一、解放台湾的政治意义;在朝鲜停战后,未及时把解放台湾作为长期斗争方针提出来,这一错误应由我来负责。二、在解放台湾的军事斗争中逐步提高我军战斗力。三、斗争中把握对美军的政策界限,坚持自卫原则,决不示弱。四、对敌占岛屿近期实施轰炸、炮击和准备攻占的部署。要在无美机、美舰时实施。五、政治工作要教育部队、瓦解敌军。这个讲话经中央书记处审阅并修改后,于8月26日下发给各大军区党委和华东、中南中央局,华南与山东分局,上海、广州、青岛市委。并明确在部队中口头传达到执行战斗任务的飞

行员、舰长、艇长、炮兵连长以及守岛部队、水上公安部队。特种兵发到军级,口头传达到师级。②

面对中国人民解放军解放沿海岛屿的攻势,美国政府对此报以强硬态度。8月3日,杜勒斯叫嚷美国要用海空军"保护台湾和澎湖列岛"。8月17日,艾森豪威尔在记者招待会上公开宣称,任何对台湾的进攻,都必须越过第七舰队。宣布要以美国第七舰队武装干涉中国。8月19日,美国太平洋舰队总司令斯图普率领美国海军军舰六艘侵入大陈岛一带海面,并出动飞机160多架在大陈岛海面上空活动。③

由于美国的干涉,中国政府解放沿海岛屿的战争演变成与美国之间的较量。因此,中国解放沿海岛屿和台湾,就不再单纯是军事问题,而是与政治和外交交织在一起的。为了表达中国人民统一国家的决心和意志,进一步引起国际社会的关注,中国政府在舆论反击的基础上采取了军事行动。中央军委根据毛泽东的提议,以解放台湾作为长期的斗争目标,制定了对台斗争的军事计划和实施步骤。在制定计划的过程中,毛泽东提出"边打边建"的方针,即在准备解放台湾的战争中,加强空军和海军建设,推动军事工作、外交工作、政治宣传工作和经济工作。炮击金门,就是其中的重要一环。

"炮击金门"就是在这个背景下进行的。炮击金门原定在8月10日前后开始,后因发生洪水,交通受阻,兵力调动困难,推迟到9月上旬。④

9月3日和22日,中国人民解放军驻

① 《当代中国海军》,第206页。
② 《彭德怀年谱》,第574页。
③ 参见《中华人民共和国外交史》,第337页。
④ 彭德怀向毛泽东的请示报告,1954年8月5日。《毛泽东传(1949—1976)》上卷,中央文献出版社,2003年版,第585页。

福建前线部队两次连续多日炮击金门。

炮击金门已经不是军事意义上的进攻和解放金门，而是中国政府的一种特殊斗争方式，即在中国还不能通过联合国等渠道申述自己原则立场的情况下，将中国人民反对外国干涉、一定要解放台湾的决心表达出来，以期引起国际社会的关注。

金门的炮声牵动着华盛顿的敏感神经。9月4日，美国中央情报局提出一份关于中国沿海岛屿形势的报告。报告分析了国共双方在台湾海峡地区的力量对比，影响中共对沿海岛屿考虑的种种因素，结论是：中共的炮击主要是一种"试探美国意图"的行动。中共可能对国民党占领的沿海岛屿进行袭击，增加海、空和炮兵活动。如果这种军事行动没有受到美国的有力还击，中共就会扩大行动的规模，甚至占领某些沿海岛屿。如果美国卷入，这些军事的、外交的、宣传的行动就配合起来，在美国与盟国关系中制造裂隙，削弱亚洲反共联盟，提高中共在亚洲国家中的威望，并损害美国在亚洲的地位。

9月5日早晨，一支由3艘航空母舰、1艘巡洋舰和3艘驱逐舰组成的美国舰队开到在金门海外仅几海里处，并形成战备状态。

9月8日、12日，美国政府接连举行国家安全委员会会议，讨论台湾海峡形势。台海危机爆发后，应采取何种应对措施，美国决策者曾一度陷入"极端进退两难"的困境。一方面，协助蒋介石防御沿海岛屿，可能导致与中共的武装冲突，甚至引发世界大战；另一方面，对这些沿海岛屿放弃不管，则会对台湾、韩国、日本等盟友造成心理打击，不利于美国在西太平洋的防线巩固。于是，在9月12日国家安全会议上，国务卿杜勒斯提出了将处理台湾海峡危机提交联合国安理会，请其决议停火，以维持台海地区现状的构想。此议得到与会者的一致赞成，随后便出台了所谓《新西兰议案》。1954年9月下旬至10月上旬，九国外长会议在伦敦召开，杜勒斯出席了这次会议。9月26日，在美国驻英国使馆宴会上，杜勒斯和艾登再次商议台湾海峡问题。艾登建议选择新西兰为提案国。三天后，杜勒斯向参加会议的新西兰代理高级专员坎贝尔提出此项要求。新西兰政府同意了美国的要求。

1955年1月28日，新西兰向联合国安理会提出讨论沿海岛屿地区"停火"的提案，要求安理会干涉，实现台海地区"停火"。苏联针锋相对地提出制止美国侵略中国的提案。1月31日，安理会通过决议，把两项提案都列入议程，先讨论新西兰提案，后讨论苏联提案，并邀请中华人民共和国代表参加讨论新西兰提案。中华人民共和国拒绝派代表出席安理会，台湾当局也反对新西兰提案"两个中国"的主张。苏联提出讨论的苏联提案遭到美英拒绝。美苏双方僵持不下，安理会不得不无限期搁置讨论新西兰提案。

在此之前，1954年12月2日，美台《共同防御条约》正式签订。从美国方面说来，《共同防御条约》是企图使台湾与中国大陆的分离永久化的重要步骤。通过该条约，美国不但承担了继续向国民党军队提供援助、提高其作战能力的责任，而且得以在需要时动用美国的军事力量阻止大陆同台湾的统一。该条约使美国得到的好处是正式完成了美国在西太平洋的战略部署，从日本北部开始，经南朝鲜、琉球群岛、台湾、澎湖列岛、菲律宾，南下至澳大利亚和新西兰，形成了一条"岛屿锁链"，而台湾是这条锁链上的中间环节。但是，对于签订《共同防御条约》，艾森豪威尔政府不是没有顾虑的。同西太平地区的一系列军事条约签订之后，美国希望暂时维持现状，巩固已取得的战略地位，不愿在朝鲜战争结束后不久就轻易大规模动武。美国决策者一方面坚持"不让台湾落入共产党手中"的战略考虑，另一方面又担心蒋介石会利用同美国的条约把美国拖入一场新的内战。美国统治集团中的一部分人，特别是一些军方领导人，确实主张采取一切手段包括战争手段来推翻中国政府。但是杜勒斯私下表示，美国政府不愿承担支援国民党军队进攻大陆的义务。签订《共同防御条约》的同时，美台双方交换了由杜勒斯和台湾"外交部长"叶公超签署的照会，其要旨是，在未经美国允许的情况下，台湾不得对大陆主动采取军事行动。

解放浙江沿海岛屿与美国的干涉政策

炮击金门始于9月3日，共持续了12天。但是，台海形势并未因停止炮击而趋于缓和，因此解放一江山岛的战役拉开了序幕。

1954年，根据中央军委确定了从小到大、由北向南、逐岛进攻的解放华东沿海岛屿的方针，大陈群岛被选为解放沿海岛屿的第一个目标。张爱萍等浙江军区领导人的主要考虑是：大陈远离台湾，并非台湾必守的战略要地，是其防卫的薄弱环节；美国也不值得为这几个小岛与我发生直接冲突，形成国际争端；同时这几个小岛位于灵江口外，直接威胁着浙江沿海航运与渔业生产的安全。华东军区和中央

军委同意了张爱萍的意见，1954年8月，正式成立了浙东前线指挥部，张爱萍任司令员。8月13日，中央军委下达了作战方针，充分准备、逐岛攻击，先选最小最弱的敌占岛屿，攻占后巩固下来，看情况决定下一步行动。8月31日，前线指挥部在宁波召开会议，讨论与制订了攻打大陈的具体作战方案。一江山岛被确定为整个战役的突破口。

在准备战役期间，据新华社浙江前线11月3日电称，"美国第七舰队兵舰多艘侵入我国浙江省附近海面，直接威胁我国安全"。[①]

解放一江山岛，按照浙东前线指挥部的作战方案，战役将于11月1日开始，在这之前，为战役作准备的小规模战斗已在进行。与炮击金门相比，一江山岛战役是一次比较单纯的军事行动。前者是利用有限的军事行动来达到吸引国际舆论的政治目的；而后者则是经过精心计划旨在收复一江山岛的军事行动。中国政府并不希望这次军事行动引发中美直接冲突，变为国际性事件。为此，中央军委不仅限制了作战的规模，而且还采取了多种措施，降低它所产生的国际影响。首先，中央军委为战役规定了对美不主动惹事，避免造成国际局势过分紧张的方针。为贯彻这个方针，浙东前线指挥部向部队进行教育，制订纪律，尽量避免和美军发生直接冲突。例如，战役空军司令员聂凤智规定飞行员们在没有得到司令部批准前，不得与美机交火。这些措施保证了在整个战役中未发生与美军直接冲突的事件。其次，中央军委为了观察国际形势，特别是美台《共同防御条约》谈判的进展，有意延缓了战役发动的时间。直至1月17日，

---

① 《内部参考》1954年253号，1954年11月6日。

在战役发动的前一天总参谋部还打电话给浙东前线指挥部，要求推迟进攻的时间，以避免万一战役进展不利，时间拖延，引起美国的干涉，给中国的外交斗争带来不利的影响。

1955年1月12日，张爱萍宣布1月18日正式对一江山岛发起登陆作战，并于次日将这一决定报告中央军委。17日早晨，张爱萍等已赶赴前线指挥作战，副总参谋长陈赓从北京打来电话，说军委要求推迟发动进攻，甚至可能推迟两三个月。军委的最新指示经过一番周折才传达给张爱萍，但张爱萍认为停止进攻已经来不及了，坚持要按原计划行动。彭德怀只好叫醒尚未起床的毛泽东，向他汇报了情况。毛泽东说：和平两天不好吗？彭德怀表示，生米几乎做成熟饭，已经没有办法保持和平了。毛泽东听罢沉吟良久，最后只好听之任之了。①

1955年1月18日，中国人民解放军一举攻占了一江山岛。

在一江山岛战役结束后，按原订计划，部队休整一周，然后继续攻占大陈岛。这时彭德怀代表中央军委致电浙东前线指挥部：考虑到国际形势的变化和美第七舰队的活动，让浙东部队停止攻占大陈岛的军事行动。并规定了浙东部队船只、飞机不得前往公海活动，以免和美军发生冲突，使形势复杂化。

一江山岛解放后，美国面临的当务之急是大陈岛问题。美国发现，大陈岛离大陆海岸只有12英里，离台湾有200多英里，岛上岩石遍布，易攻难守。19日中午，应杜勒斯的要求，艾森豪威尔、雷德福与之共进午餐。杜勒斯报告了沿海岛屿的危急情况，他和雷德福都认为美国必须"绝对清楚地表明自己的立场，并且要切实'坚守'这一立场"。这次工作午餐作出三项决定：一是鼓励国民党从大陈和其他沿海岛屿撤退，但金门除外；二是美国为国民党部队的有序撤退提供海空掩护；三是美国将协助国民党防守金门。在目前情况下这对保卫台、澎是重要的。在联合国采取有效行动之前美国将坚持这一立场。1月21日的国家安全委员会会议采纳了这些决定。②

1月20日，美国家安全委员会举行第232次会议。会后美国决定把马祖也列入协防范围。艾森豪威尔和杜勒斯等人都明白，承诺协防金马只是换取国民党迅速撤出大陈的权宜之计，而不是一种永久性的义务。因此他们决定让国会赋予总统在台海地区动用美军的权力，解决美军援助国民党撤离大陈和协防金马的法律障碍。③ 24日和28日，美众、参两院分别以410票赞成、3票反对和83票赞成、3票反对通过《福摩萨决议案》。美国国会正式授权总统：为保证国民党控制台澎，可动用美军保卫国民党控制的任何区域，也可采取其他必要措施。④ 据说，"当时国会中许多议员并不愿将此重大决定托付给总统，但是面临台湾海峡日益紧张的局势又没有其他办法。1月29日，艾森豪威尔签署了该项议案"。⑤

① 聂凤智：《配合陆海军解放一江山岛》，《空军回忆史料》，第450页。
② 《中美关系史》，第237页。《美国对外关系文件》（FRUS1955－1957,vol.Ⅱ），第42页，注释2。
③ 《国家安全委员会第232次会议讨论备忘录》（华盛顿，1955年1月20日），《美国对华政策文件集（1949—1972）》（第二卷·上），第415、419页。
④ 《防御福摩萨联合决议》，《美国对华政策文件集（1949—1972）》（第二卷·上），第438页。
⑤ 《未实现的和解》，第162页。

为了使国民党军队安全撤离大陈岛，杜勒斯于1月24日将此事通知了莫洛托夫，并希望苏联劝说中共在国民党军队撤离时不要加以攻击，以免与美军发生冲突。1月30日，第七舰队得到命令，将帮助国民党部队从大陈撤退，但美军将不开进中国沿海3海里之内；如果遭遇零星炮击，可进行有限回击；如果中共军队对美军和国民党军队采取大规模军事行动，第七舰队可予回击，并可对中国大陆领空及领海进行攻击。2月5日，美国国务院宣布，美国政府已命令第七舰队和其他部队帮助国民党军队从大陈岛撤退。①

接到苏联方面转达的信息后，毛泽东得知美军将掩护国民党军队撤离大陈岛，2月2日给主持军委工作的彭德怀写了批复："在蒋军撤退时，无论有无美舰均不向港口及靠近港口一带射击，即是说，让敌人安全撤走，不要贪这点小便宜。"②3月14日，他再次指示彭德怀："马祖及其他任何岛屿敌人撤走时，我均应让其撤走，不要加以任何攻击或阻碍。此点请予考虑酌定，指示华东及福建。"③

2月8日，大陈列岛的国民党军队在美国第七舰队司令普赖特、美国驻台湾大使兰金、美国驻台湾军事顾问团团长蔡斯、美国海军少将隆宾等军政府官员的直接指挥下开始撤退。至2月12日，大陈、渔山、披山等岛屿的国民党军队2.5万余人及被掳走的居民1.5万余人全部撤至台湾。在撤逃时，国民党军队将岛上的营房、民房、工事及各种设施全部破坏，到处

埋设地雷，在水井中投放了毒药。2月13日，人民海军台州、石浦、温州巡逻艇大队配合陆军分别进驻上下大陈、渔山、披山等岛屿。在南麂山的国民党守军在人民解放军强大压力下，也被迫于2月23日至25日胁迫岛上居民2000余人一起撤逃台湾。2月26日，温州巡逻艇大队掩护陆军两个营驻南麂山列岛。至此，除台湾、澎湖、金门、马祖外，东南沿海岛屿已全部解放。

我占领大陈岛后，美国在防守金马问题上陷入进退维谷的境地。美台《共同防御条约》把金马等沿海岛屿排除在《条约》适用范围之外，而《台湾决议案》规定，美国协防的范围"包括该地区现由友方掌握的有关阵地及领土之防卫"。台湾当局据此认为，这是指金马等岛屿。蒋介石又多次重申保卫金马之决心。美国总统艾森豪威尔不得不宣布："为了不损害自由中国的士气，及断绝他们的希望，美国决心协防金门、马祖以巩固台澎地位。"

3月6日，杜勒斯对艾森豪威尔说，台海局势迅速恶化，美国不能在中共攻击金、马时袖手旁观，他认为形势的发展需要美国使用核武器。艾森豪威尔对杜勒斯的观点表示同意。3月7日，杜勒斯对参院外交委员会主席乔治（Walter George）说他认为美国应当协防金、马，并指出这样做需要美国使用原子弹来摧毁中共在金、马对岸的军事设施。④

3月10日，杜勒斯向国家安全委员会报告了他和总统的意见，并指示，为美国

---

① 《中美关系史》，第240—241页。

② 《毛泽东传（1949—1976）》（上），第588页。该页注（1）：毛泽东对海军司令部关于蒋军从大陈岛撤退期间我海岸炮使用问题给中共中央军委请示电的批语，手稿，1955年2月2日。请示电中提出："如无美舰直接参加大陈撤退时，我海岸炮可对大陈及港口实施准确射击。"毛泽东阅后，在一旁批"不妥"，并写了这个批语。

③ 毛泽东对彭德怀转报的华东军区司令部关于对马祖、金门斗争问题给总参谋部的请示电的批示，手稿，1955年3月14日。《毛泽东传》，第588页。

④ 《未实现的和解》，第184页。

介入台海地区的军事行动和使用原子武器制造舆论,使盟国与国内民众思想上能有所准备。[①] 杜勒斯与艾森豪威尔和副总统尼克松多次在新闻记者招待会上暗示了美国有可能会采用包括原子武器在内的一切手段来对付共产党中国的进攻。[②]

3月16日,艾森豪威尔在记者招待会上的讲话,语惊四座。他说,一旦远东地区发生战争,战术核武器当然会在战场上使用。"在任何战役中,只要严格地限于军事目的,严格地限于军事目标,正像人们用子弹和其他武器一样,我看不出什么理由它们(战术核武器)不能使用"。[③] 3月17日,副总统尼克松在芝加哥讲演时表示,战术核武器应视为常规武器,美国海空军均可发射,以有效摧毁敌方目标;只有中共保持理性,才能避免台海战事。[④]

艾森豪威尔虽然同意用核武器威胁中国,但并不想真正使用核武器。他在3月11日的国安会会议和12日在总统办公室召开的会议上都强调,使用核武器是最后迫不得已的选择,而且需要通知盟国。[⑤] 艾森豪威尔在其回忆录中承认,使用核武器的说法只是为让中国政府相信美国保卫台澎的决心。[⑥]

到1955年3月初中国占领南麂岛之后,炮击金门的目的,如:表明中国维护主权、独立和领土完整,打击国民党对中国大陆、沿海地区的骚扰和破坏性战争等已基本上达到,其他目的如顺利解放其他重要的沿海岛屿,阻止美台《共同防御条约》的签订等由于种种原因一时则不可能实现。但更为重要的是,到1955年2月份,中国已意识到局势的严重性,预见到中美之间爆发战争的可能性,有必要实现与美国的直接沟通和谈判。

3月7日,《人民日报》发表社论指出:"任何国家都不会容忍外国占据其领土,支持本国的叛乱集团在这个国家挑动战争的。如果说哪个国家占领了美国的长岛,并支持那里的反美团体针对美国从事敌对活动的话,美国也是不会容忍的。换句话说,美国应设身处地地为中国想一想,尊重中国政府解决台湾问题的权利。"社论最后提出:"为了缓和紧张局势、保卫和平,中国赞成举行一个由中国、美国、英国、苏联、印度、缅甸、印尼、巴基斯坦和锡兰参加的国际会议,讨论缓和台湾地区的紧张局势问题。"

4月4日,周恩来在向中共中央政治局提交的《参加亚非会议的方案》的报告

① "Memorandum of Discussion at the 240th Meeting of the NSC, March 10, 1955", *FK Eisenhower Papers*, FS NSC Series, Box 6. NSC Summaries of Discussion, Eisenhower Library.

② Thomas E. Stolper, *China, Taiwan and the Offshore Islands*, FS M. E. Sharpe Inc., 1985, pp. 89—90.

③ 《从对峙走向缓和》,第99页。

④ 参见 Gordon Chang, *Friends and Enemies*, pp. 127—128. 3月间,白宫决策者有个基本的共识,即短期内可能需要使用核武器"教训"一下中共,才会让台海局势平静下来。美国准备用核武器解决台海危机,见 H. W. Brands, Jr., "Testing Massive Retaliation: Credibility and Crisis Management in Taiwan Strait", *International Security* 12(Spring 1988); Gordon H. Chang, "To the Nuclear Brink: Eisenhower, Dulles, and the Quemoy-Matsu Crisis", *International Security* 12(Spring 1988); John L. Gaddis, *Strategies of Containment: A Critical Appraisal of Postwar American National Security Policy* (New York: Oxford University Press, 1982), chapter 6.

⑤ 陶文钊主编:《中美关系史(1949—1972)》,第245页;《卡特勒备忘录》(1955年3月11日),《美国对华政策文件集(1949—1972)》(第二卷·上),第474—475页。

⑥ 德怀特·艾森豪威尔:《受命变革》,复旦大学资本主义国家经济研究所译,北京:三联书店,1977年,第536页。

中也强调:"我们主张通过国际协商和缓并消除国际紧张局势,包括台湾地区的紧张局势在内。"[1]

于是,从4月份中国参加亚非会议开始,寻求直接与美国的对话和谈判成为解决台湾问题的主要办法。

中国与亚非会议

1955年4月18—24日,拥有世界人口近2/3的29个亚非国家的304位代表欢聚在印度尼西亚美丽的山城万隆,举行亚非会议。这是亚非两洲的第一次聚会,是亚非国家自行发起召开,讨论与亚非各国有关重大问题的国际会议,亦称万隆会议。会议一致通过了《亚非会议最后公报》。亚非会议产生的"万隆精神",对世界和亚非各国产生了深远的影响。会议的成功标志着亚非国家作为重要的政治力量登上了国际舞台,要在国际事务中发挥自己独立的作用。在会议酝酿到召开的整个过程中,中国政府及周恩来总理率领的中国代表团所起的积极作用是不可抹杀的。

一

和平共处五项原则及会议的发起

亚非会议的发起和召开顺应了历史的潮流。第二次世界大战后,国际政治局势发生了巨大变化,民族解放运动勃兴,一系列亚非国家冲破殖民体系的枷锁。到20世纪50年代中期,亚非两洲已有约30个国家相继独立。独立后的亚非国家迫切需要一个和平的国际环境并发展它们之间的经济合作和文化交流,以维护各自的独立主权,建设各自的国家。增进相互之间的友好关系是当时亚洲新兴国家的普遍要求。1953年12月,中印两国政府代表团在北京就印度同中国西藏地区的关系问题举行谈判时,周恩来总理提出了处理中印两国关系的五项原则,即互相尊重领土主权、互不侵犯、互不干涉内政、平等互惠和和平共处的原则。经过会谈,这五项原则写入了中印两国签订的《关于中国西藏地区和印度之间通商和交通协定》的序言中。翌年6月,周恩来总理访问印度和缅甸,中印两国总理和中缅两国总理分别发表《联合声明》,对和平共处五项原则给予再次确认,并正式倡议将其作为处理国际关系的准则。五项原则的提出获得国际上广泛的好评,被称为"亚洲的宪章",它的发表为亚非国家之间友好合作的发展奠定基础,也是亚非会议得以成功召开的重要保证。

召开亚非会议的倡议,首先是由印度尼西亚总理阿里·沙斯特罗阿米佐约于1954年3月提出的。同年4月,南亚五国[2]总理在科伦坡召开会议,讨论印度支那局势和关于召开亚非会议的建议问题。9月,印尼总理先后访问印度和缅甸,三国总理都认为有必要在近期内举行亚非国家代表会议。12月底,在印尼的茂物会议上,参加科伦坡会议的五国总理审时度势,决定由与会五国联合发起召开会议,

---

① 中共中央文献研究室编:《周恩来年谱(1949—1976)》上卷,第461页。
② 南亚五国即缅甸、锡兰(斯里兰卡)、印度、印度尼西亚和巴基斯坦。

邀请包括中华人民共和国在内的 25 个亚非国家参加,并定于 1955 年 4 月在印尼的万隆举行。《茂物会议公报》提出亚非会议的目的和宗旨是:"一、促进亚非各国的亲善和合作,探讨和促进相互与共同的利益,建立和促进友好与睦邻关系。二、讨论参加会议各国的社会、经济与文化问题和关系。三、讨论对亚非国家人民具有特别利害关系的问题,例如有关民族主义的问题和种族主义及殖民主义的问题。四、讨论亚非国家和它们的人民今天在世界上的地位,以及它们对于促进世界和平与合作所能作出的贡献。"[①]茂物会议的建议,受到亚非各国的欢迎与支持。除中非联邦外,其余 24 个国家都接受了邀请。

中国虽然没有直接参加亚非会议的酝酿和筹备,但从一开始就给予积极支持,并作出自己的努力。1954 年 6 月,周恩来总理访问印度和缅甸期间,曾向两国总理明确表示中国赞同酝酿中的召开亚非会议的计划。12 月,毛泽东主席又向来访的缅甸总理吴努表明中国对召开这个会议的计划的态度。1955 年 1 月,《人民日报》发表社论《欢迎召开亚非会议》,指出:"中国人民愿意和亚非各国人民一道为促成亚非会议的召开而共同努力。"在会议筹备期间,中国和印尼双方还曾通过外交途径就会议问题交换了意见,并建议把和平共处五项原则作为会议的指导思想。《茂物会议公报》公布后,我国政府当即复电表示热烈响应和欢迎。1955 年 4 月 4 日,周恩来向中共中央提出《参加亚非会议的方案(草案)》,他指出:"我们在亚非会议的总方针应该是争取扩大世界和平统一战线,促进民族独立运动,并为建

立和加强我国同若干亚非国家的事务和对外关系创造条件。"5 日,中共中央举行政治局会议讨论。6 日,国务院会议通过了中国出席亚非会议的方针和代表团成员名单:周恩来为首席代表,陈毅、叶季壮、章汉夫、黄镇为代表。

二

"克什米尔公主号"事件

第二次世界大战后,美国登上了资本主义世界霸主地位,亚非形势的变化特别是新中国的建立使其感到称霸世界的全球战略受到威胁。为此,朝鲜战争后,它加紧在东南亚和远东制造新的紧张局势,并公开插手印度支那事务。艾森豪威尔以多米诺骨牌一个倒、倒一片来鼓吹美国必须介入印度支那,以顶住共产主义的攻势。1954 年 9 月,美国一手策划成立了东南亚条约组织,严重破坏了同年 4 月达成的日内瓦协议给东南亚地区带来的短暂缓和,正式把冷战引进了东南亚地区。1954 年,美国还同台湾当局签订了《美国、"中华民国"共同防御条约》,公开在我国台湾地区进行战争挑衅。从 1951 年到 1955 年短短的 4 年间,美国在亚太地区拼凑了大小共 7 个军事集团。这些军事集团和北大西洋公约组织联结起来,形成一个包围社会主义国家的军事同盟条约网,并以此"遏制"新中国。当然,从其全球战略出发,美国对亚非世界的团结和觉醒深为惧怕,极力阻挠亚非会议的召开。当茂物会议决定召开亚非会议时,美国一家报纸《圣路易邮报》报道说:"美国希望根本就

① 《当代中国外交》,中国社会科学出版社,1987 年版,第 81—82 页。

不召开亚非会议。"① 美国还开动宣传机器，贬低会议价值，说这个会议将只是"一个午后的茶会"，②"算不得是一件有重大意义的事件"。③ 此外，美国还利用政治拉拢和经济引诱的办法对一些与会国施加影响，要它们在会上保护美国和美国的军事集团政策。美国的用意是，即使阻止不了亚非会议的召开，也要给会议制造种种难题，使其"分裂而瓦解"。

为了达到阻止会议召开的目的，美国把矛头首先对准中国。茂物会议后，美国对中国的战争挑衅步步升级，加紧在我国台湾地区进行战争挑衅，妄图毒化亚洲会议的气氛。1955 年 1 月，美国国会授权美国总统为所谓"防护和保卫"台湾和澎湖列岛"不受武装进攻"，可以"使用美国武装部队"。④ 2 月，美国完成了批准美蒋条约的立法程序。3 月，美国总统和国务卿多次叫嚷准备同中国打一场全面战争，并露骨地进行核讹诈。⑤ 美国还在亚非国家中孤立中国，不遗余力地挑拨中国与亚非国家的关系，捏造中国要"夺取亚非世界领导权"，已对远东"构成了尖锐、迫切的威胁"。⑥ 直到万隆会议的前一天，美国国务卿还倒打一耙要求会议"将设法谴责以武力实现国家野心的做法"。⑦

1955 年 4 月 7 日，周恩来率代表团离京赴广州，原定 11 日和工作人员一起乘中国政府包租的印度航空公司"克什米尔公主号"星座式客机出发。美台特务图谋乘中国代表团赴印途中，暗杀中国代表团，破坏亚非会议，在机翼安放了定时炸弹。4 月 11 日 12 时 15 分，"克什米尔公主号"载着参加亚非会议的中国代表团工作人员、越南民主共和国代表团工作人员和采访亚非会议的中外记者共 11 人由香港启德机场起飞，前往印度尼西亚首都雅加达。飞机飞到沙捞越西北的海面时，突然爆炸起火，机身坠入海中，机上 11 人连同机组 5 人遇难。⑧ 这就是震惊中外的"克什米尔公主号"事件。周恩来因应约前往缅甸仰光同缅甸、印度、埃及总理会晤，未乘坐这架飞机而幸免于难。

4 月 12 日，中华人民共和国外交部发表声明，一方面要求英国政府和香港英国当局对这一事件进行彻底查究，将参与这一阴谋暗害事件的特务分子逮捕法办，以明责任。另一方面郑重宣告：中华人民共和国代表团一定会同与会各国代表团一起在亚非会议中为远东和平和世界和平而坚决奋斗。美国和台湾统治集团的卑劣行为，只能加强亚洲、非洲和全世界人民争取和平和自由的共同行动。4 月 17 日，北京各界举行追悼大会，中国红十字总会会长李德全在讲话中表示：这是一种卑鄙的暗算，是一种没有人性的杀人阴谋，是对中国人民的挑战，也是他们破坏亚非会议的阴谋计划的一部分。只要亚非各国人民对帝国主义阴谋提高警惕，团结起来进行斗争，帝国主义的罪恶阴谋是

① 《害怕侵略阴谋被揭露，美国打算从内部破坏亚非会议》，《人民日报》，1955 年 3 月 20 日，第 4 版。
② 徐天新、梁志明等主编：《当代世界史》，人民出版社，1989 年版，第 227 页。
③ 《当代中国外交》，中国社会科学出版社，1987 年版，第 227 页。
④ 艾森豪威尔：《受命变革》，三联书店，1978 年版，第 527 页。
⑤ 同上，第 536 页。
⑥ 李慎之、张彦：《亚非会议日记》，《新华月报》，1955 年第 7 号，第 137 页。
⑦ 杜勒斯：《对于中国共产党意图的估计》，1955 年 3 月 21 日在纽约广告俱乐部的演说。
⑧ 中国代表团工作人员：石志昂、李肇基、钟步云，记者沈建图、黄作梅、杜宏、李平、郝凤格；越南代表团工作人员：王明彦；波兰记者斯塔列茨；奥地利记者严斐德共 11 人。机组人员：杰塔、顿哈、杰苏查、毕门塔、蓓莉共 5 人。

一定会被粉碎的。

三

为求同存异而来

"克什米尔公主号"事件增加了亚非会议前的紧张空气，也使友好国家为周恩来的安全感到担忧。许多人自然要关心周恩来能否出席会议。周恩来以大无畏的精神仍然按既定议程工作。4月16日，他到达仰光，16日晚同印度总统尼赫鲁、缅甸总理吴努、埃及总统纳赛尔、越南民主共和国总理范文同、阿富汗副总理兼外长纳伊姆汗举行非正式六国会议，交换意见。周恩来提出在会上不提共产主义问题，以免引起不必要的争论，致使会议无结果。这个建议获得一致赞同。

亚非会议于4月18日在印度尼西亚的山城万隆独立大厦开幕。参加会议的29个国家中，同中国建交的只有7个，同美国有援助关系的有21个。很多国家对新中国很不了解，有些国家受帝国主义的影响对新中国怀有恐惧，甚至敌意。

会议的第一阶段是全体会议。从18日下午到19日，先后有22个国家的代表致辞，大多数代表的发言都围绕着促进世界和平、经济合作和谴责殖民主义3个题目进行。但是，由于与会各国在社会制度和意识形态方面的差异，彼此间存在分歧，美国在会前会外又进行破坏和干扰活动。因此，有少数代表的发言偏离大会的宗旨，提出"亚非国家当前面临的问题不是反对殖民主义，而是反对共产主义"，"共产主义是一种'新式的殖民主义'"。有的代表甚至提出所谓"颠覆活动"和"宗教信仰自由"等问题，影射、攻击中国。这些言论使会议气氛异常紧张，人们担心会

议陷入无休止的争论而毫无结果。

在这种情况下，中国代表团团长周恩来总理将在19日下午发言的消息，引起会议内外的高度重视和关注。各种各样的猜测在流传着。会议还没开始，美国记者们就伏在打字机上"紧张工作"，急于发出这样的消息："亚非会议将在今天碰到难关……"

面对复杂的情况，周恩来总理表现出了非凡的勇气、魄力和伟大政治家的气度与风格。他在会上仔细听取各种不同意见，冷静分析，区别对待，时而记一点笔记，有时还当场起草发言稿。上午会议结束后，周总理随机应变，临时决定将原来的发言稿印发给与会各国代表团。同时，他利用午间的短暂休会时间起草补充发言稿，回答对中国的造谣中伤，边写边交给工作人员译成外文。

周恩来总理推迟了发言的时间。在差不多所有报名发言的人都讲完后，大会主席宣布："我现在请中华人民共和国的代表发言。"会场里爆发出一阵暴风雨般的掌声。全场座无虚席，苏联大使、美国大使、荷兰高级专员等许多国家外交官都来列席旁听。全场安静得连翻纸的声音都听得见。周总理开始讲话了："中国代表团是来求团结而不是来吵架的。"这第一句话就扣住了全场听众的心，人们感到会上的气氛陡然变了。他接着说："我们共产党人从不讳言我们相信共产主义和认为社会主义制度是好的。但是，在这个会议上用不着宣传个人的思想意识和各国的政治制度……""中国代表团是来求同而不是来立异的。"周恩来继续指出："在我们中间有无求同的基础呢？有的。那就是亚非绝大多数国家和人民近代以来都曾经受过，而且现在仍在受着殖民主义所造成的灾难和痛苦。这是我们大家

都承认的。从解除殖民主义痛苦和灾难中找共同基础,我们就很容易互相了解和尊重,互相同情和支持,而不是互相疑虑和恐惧,互相排斥和对立。"①进会场来的人越来越多,人们被周恩来的话语深深地吸引住了。"这就是为什么我们同意五国总理茂物会议所宣布的关于亚非会议的四项目的,而不另提建议。"周恩来总理又明确指出:"本来,对于美国一手造成的台湾地区的紧张局势,我们很可以在这里提出……而且,中国在联合国所受的不公正待遇,也可以在这里提出批评。但是,我们并没有这样做。因为这样一来,就很容易使我们的会议陷入对这些问题的争论而得不到解决。"②这一番话使笼罩在会场上空两天的乌云渐渐被驱散了,人们如释重负,会场气氛顿时轻松下来。周总理接着强调:"我们的会议应该求同而存异。同时,会议应将这些共同愿望和要求肯定下来。这是我们中间的主要问题。我们并不要求各人放弃自己的见解,因为这是实际存在的反映。但是不应该使它妨碍我们在主要问题上达成共同的协议。我们还应在共同的基础上来互相了解和重视彼此的不同见解。"③

周总理就不同思想意识和不同社会制度国家间互相了解、友好合作的问题,宗教信仰问题以及所谓"颠覆活动"问题等,以确凿的事实和令人信服的论述回答两天来少数代表对中国的误解和指责,阐明中国政府的立场和政策。他还真挚地欢迎所有到会的各国代表到中国去参观。最后,周恩来用洪亮的声音说:"十六万万

的亚非人民期待着我们的会议成功。全世界愿意和平的国家和人民期待着我们的会议能为扩大和平区域和建立集体和平有所贡献。让我们亚非国家团结起来,为亚非会议的成功努力吧!"④

周恩来总理的发言,获得了与会各国代表的广泛赞扬,会场上爆发了经久不息的掌声。菲律宾外长罗慕洛主动迎上去与周总理握手,他说:"这个演说是出色的、和解的,表现了民主精神。"⑤缅甸总理吴努说,这个演说是对抨击中国人的一个很好的答复。中国代表团提出的"求同存异"方针成为引导会议下一阶段绕过暗礁,消除对立和争吵的原则。全体会议后,代表们分为政治、经济和文化3个委员会分别举行秘密会议。会议进入实质性的讨论阶段。经济委员会和文化委员会很顺利地取得一致意见,政治委员会的争论较大,主要是围绕殖民主义问题及和平共处两个问题。对此,中国代表团充分表现出了求同存异的精神,周恩来总理也充分表现出了其杰出的外交才能和政治家的风范。

周总理照顾大局、善与人同的精神,使人们对与会各国能够平等协商、共同工作增加了信心。在与持各种不同意见的人共同工作时,他既坚持原则,又争取团结,以取得可能达成的最大限度的协议。例如:关于和平共处五项原则,有人不喜欢某些措词或写法,周总理就同意修改。他在政治委员会会议上发言说:"在座的有些代表说,和平共处是共产党用的名词。那么我们可以换一个名词,而不要在这一点上发生误会。"他主动建议:"在《联

① 《周恩来外交文选》,中央文献出版社,1990年版,第121页。
② 同上,第121—122页。
③ 同上,第125页。
④ 同上。
⑤ 《当代世界史》,人民出版社,1989年版,第228页。

合国宪章》的前言中有'和平相处'的名词,这是我们应该能够同意的。我们应该能够站在《联合国宪章》的立场来谋求和平合作。"① 还有的国家的代表不完全同意五项原则的措词和项目。针对这个话题,周恩来以和解的态度说:"五项原则的写法可以加以修改,数目也可以增减,因为我们所寻求的是把我们的共同愿望肯定下来,以利于保障集体和平。"② 他随之提出一项中国代表团草拟的"和平宣言"议案,采取了各代表团的提案中大家都能同意的内容列成七条,并且就每条原则都作了详尽的解释,这一议案保留了五项原则的实质内容,成为万隆精神的组成部分。周总理的豁达大度赢得了人们的尊敬,也促进了会议的成功。

会议的进展不是一帆风顺的。4月21日,周总理大会发言后的两天,当政治委员会正在开会时,锡兰总理科特拉瓦拉突然退出会场,单独在他的别墅里临时召集了一个记者招待会。他公开宣称台湾应该取得独立的地位,建议把台湾托管4年或5年。他甚至提出同共产主义无法和平共处,应"解散共产主义团体"的主张。当时持类似观点的还有几个国家的代表。招待会结束后,刚刚得以轻松的会议气氛又紧张起来了。亚非会议处在十字路口,是讨论一国内政问题还是互不干涉内政,讨论增进共同利益问题?是讨论不同意识形态、不同社会制度的是非长短,还是讨论如何争取和平,维护新兴国家的独立自主和增进与会国家间的互助合作问题?如何抉择将影响整个会议的成败,亚非会议如何解决这些问题,中国代表团如何处理这一棘手问题,举世瞩目。

面临这一挑战,周恩来总理从容不迫,高屋建瓴,表现出了政治家的沉稳和外交家的风范。他首先在会上简明地表示中国不能同意这位总理的一些言论,但不准备展开争论。这争取了外交主动权。当天下午会议休会之后,周总理在会场上和这位总理促膝长谈,向他介绍有关台湾问题的实际情况和中国的政策主张。周恩来的诚恳和坦率感动了这位总理,减少了这位总理的疑虑和对立,使他同意不在会上展开争论,保证了会议顺利进行。4月23日,印尼总理沙斯特罗阿米佐约举行午宴,印尼、印度、缅甸、锡兰、巴基斯坦、菲律宾、泰国和中国八国代表团团长对缓和远东紧张局势问题,特别是缓和台湾地区紧张局势问题进行了会谈。周总理向大家介绍了围绕台湾局势的两个不同性质的问题:一、解放台湾是中国的内政,不容外国干涉;二、台湾地区的紧张局势是美国武装干涉造成的。中国政府为了缓和这一紧张局势,愿意同美国政府举行谈判。在当天下午的八国代表团团长会议上,周总理发表了一个不到70字的简短声明:"中国人民同美国人民是友好的。中国人民不要同美国打仗。中国政府愿意同美国政府坐下来谈判,讨论和缓远东紧张局势的问题,特别是和缓台湾地区的紧张局势问题。"③

这一简短的声明,立刻震动了万隆,传遍了全世界,博得了广泛的同情与赞赏,粉碎了美国想利用它一手造成的台湾地区的紧张局势来影响亚非会议的阴谋,使会议得以顺利进行。这一重要声明还导致了而后在日内瓦举行的中美大使级

① 《周恩来外交文选》,中央文献出版社,1990年版,第127页。
② 同上,第129页。
③ 同上,第134页。

谈判,是中美两国改善关系的基础。

四

万隆精神永存

亚非会议于 4 月 24 日闭幕。会议在《关于促进世界和平和合作的宣言》中提出指导国家关系的十项原则:①尊重基本人权,尊重联合国宪章的宗旨和原则。②尊重一切国家的主权和领土完整。③承认一切种族的平等,承认一切大小国家的平等。④不干预或干涉他国内政。⑤尊重每一国家按照《联合国宪章》单独地或集体地进行自卫的权利。⑥不使用集体防御的安排来为任何一个大国的特殊利益服务,任何国家不对其他国家施加压力。⑦不以侵略行为或侵略威胁或使用武力来侵犯任何国家的领土完整或政治独立。⑧按照《联合国宪章》,通过如谈判、调停、仲裁或司法解决等和平方法以及有关方面自己选择的任何其他和平方法,来解决一切国际争端。⑨促进相互的利益和合作。⑩尊重正义和国际义务。这十项原则和亚非会议所体现的亚非各国人民反对殖民主义、种族主义,争取和巩固民族独立,保卫世界和平,要求亚非国家之间和平相处、友好合作的精神,被称为“万隆精神”。

万隆精神对以后世界形势的发展有着深远的影响。

首先,万隆精神鼓舞了亚洲、非洲和拉丁美洲被压迫民族争取独立和自由的斗争,给帝国主义的殖民体系以致命的打击。亚非会议所制定的十项原则对帝国主义奉行的强权政治以有力冲击,是对美国筹划的以分裂亚洲为宗旨的军事侵略集团政策的否定。万隆精神同时促进了亚非国家之间的团结合作和睦邻友好。和平、独立、自由和友好已经成为亚非人民的共同旗帜。

其次,万隆精神推动了日益众多的亚非国家走上和平、中立和不结盟的道路。由于万隆精神与随后发展起来的不结盟运动所体现的基本思想是一致的,因此可以说亚非会议揭开了不结盟运动的序幕。不结盟运动是亚非会议合乎逻辑的发展。在万隆精神鼓舞下,亚非国家作为一支新兴政治力量崛起,在国际事务中发挥日益显著的作用,使第二次世界大战后世界政治格局发生了重大变化。亚非拉国家和其他地区一百多个发展中国家组成第三世界,是反对霸权主义、维护世界和平的重要力量。

在一定意义上说,亚非会议的胜利是中国外交的胜利,成为中国进一步发展和亚非国家友好关系的转折点。中国的保卫和平、反对战争和大力支持亚非国家正义斗争的严正立场和“求同存异”、“协商一致”、“不强加于人”、摆事实、以理服人的态度赢得了广大亚非国家的同情和支持,为会议所采纳并融入万隆精神中。特别是会议期间,周恩来打破资产阶级外交规格,不管是大国还是小国,已经建交的还是尚未建交的,都平等以待,积极主动地进行广泛的接触。周恩来顾全大局的崇高风格、谦逊的作风和杰出政治家的博大胸怀所体现出的新中国外交风范,增进了各国对新中国的了解,为后来一些亚非国家同中国建立外交关系,发展中国同广大亚非国家的友好关系打下了良好的基础。

新中国第一个科技发展规划

《1956—1967年科技发展远景规划》（以下简称"十二年科技规划"）是新中国制订的第一个长期科技发展规划，它的制订实施，拉开了中国向科学进军的序幕，对中国科学和技术的发展产生了巨大而深远的影响，使中国科技事业走上了生机勃勃的发展道路。

一

"十二年科技规划"的制定

共和国成立初期，中国科学技术相当落后，缺乏科研工作必须具备的基本条件。当时，科研机构（包括社会科学研究机构在内）不过三四十个，科技人员不过5万人，其中专门从事科研工作的人员仅600余人，[①]尖端科学基本属于空白。

1955年1月，中科院院长顾问 B. A. 柯夫达[②]向中科院建议，规划全国的科学研究工作，编制15年科学发展远景规划，以解决国民经济建设15年计划中提出的最重要的科学技术问题。柯夫达的建议

加快了制订中国第一个科技发展远景规划的进程。随后，制订中国科学发展远景规划也成为6月中科院学部成立大会的中心议题。9月，中科院院务常务会议讨论通过的《关于制订中国科学院15年发展远景计划的指示》强调：制订科学院发展科学事业的长远计划是全国科学发展的重要措施，是规划全国科学事业的主要组成部分。

2月12日、4月7日，中科院党组和院长郭沫若先后向周恩来总理和陈毅副总理汇报了柯夫达的建议，同时认为由于柯夫达的建议涉及范围广，建议由国家计委、中科院、高教部及其他相关各部共同组成"全国科学研究工作计划委员会"，统筹制订全国五年与远景科学研究工作规划，并在国家计委下设立管理科学计划的专门机构——科学研究工作计划局。4月22日，中共中央政治局召开会议讨论中科院的报告，刘少奇在总结时指出：柯夫达的建议很重要，值得重视，并责成计委、中科院和有关部门提出实现这些建议的具体意见再提交中央讨论解决。[③] 同年夏天，国务院召开北戴河会议，讨论15年远景规划的编制。会后，不同领域均开始着手制订远景规划。7月，根据毛泽东"全面规划，加强领导，这就是我们的方针"的指示，国家计委主任李富春要求中科院把科学远景规划工作抓起来。9月15日，中科院组织各方面专家，在认真研究国民经济的第一个五年计划、分析了各学科的国内外情况、了解了全国各地区的科研机构和力量的基础上，开始着手制订中科院15年

① 《当代中国的科学技术事业》，当代中国出版社，1992年版，第4—5页。
② B. A. 柯夫达（B. A. КовДа），苏联科学院通讯院士、著名土壤学家。1951年和1953年两次获得苏联国家奖；1953年当选为苏联科学院通讯院士；曾任苏联科学院共产主义建设支援委员会副主席，对规划与组织科学工作有丰富的经验。到中国后，他在相继考察科学院京区、华东、华南各研究所和阅读了大量有关资料的基础上，提出了关于规划全国科学的建议。
③ 樊洪业主编：《中国科学院编年史（1949—1999）》，上海科技教育出版社，1999年版，第52页。

(1953—1967 年)发展远景计划。10 月,国务院提出了编制"十二年科技规划"的任务。

1956 年 1 月,国务院开始组织编制"十二年科技规划"。1 月 31 日,国务院召开动员大会,会议由周恩来、陈毅、李富春主持,中科院、国务院各有关部门、高等院校的领导人和科技人员参加了大会。会上宣布由计委负责,会同有关部门制订"十二年科技规划",并由国务院总理周恩来亲自挂帅,当时中央主管科学工作的陈毅副总理和兼任国家计委主任的李富春副总理负责具体领导。会上还宣布了国务院成立十人科学规划小组的决定。十人科学规划小组由范长江、张劲夫、刘杰、周光春、张国坚、李登瀛、薛暮桥、刘皑风、于光远、武衡组成,范长江任组长。

2 月 24 日,中共中央政治局会议正式批准将十人科学规划小组改组为国务院科学规划委员会。经过充分酝酿,3 月 14 日,国务院科学规划委员会正式成立。陈毅副总理任主任(其后,由于陈毅副总理调外交部门工作,中央和国务院在 1956 年 11 月任命聂荣臻为副总理兼国务院科学规划委员会主任),由李富春副总理、国家建委主任薄一波(在 1956 年 6 月 15—30 日召开的一届全国人大三次会议上被任命为国务院副总理兼国家计委主任)、中科院院长郭沫若、副院长李四光任副主任,张劲夫为秘书长,科学规划十人小组的其他九人任副秘书长,科学规划委员会成员是来自中科院、高等院校和各产业部门的科技专家。

早在 1955 年 10 月,中科院就已经开始编制中科院第一至第三个五年计划期间的科技发展远景计划(即"十五年科技发展远景计划"),并提出了编制计划的原则。即首先要了解国民经济发展对科学工作的要求,研究国内外各门科学的现状与趋势,分析各项科学研究与国家经济建设实践的关系,科学地预见出国家发展对科学的要求,找出各门科学的生长点。然后再提出发展的途径、步骤和应该研究的重大问题。"十五年科技计划"的内容包括重大科学问题的研究、学科发展、机构设置、重要的调查和考察工作、重要的科学著作和图书资料的编纂、干部的培养以及基本建设和财务概算。"十五年科技计划"的制订,为后来国家编制"十二年规划"作了基础性的准备,"十五年科技计划"中提出的大部分任务均被收入了"十二年科技规划"之中。

1956 年 1 月 23 日至 2 月 11 日期间,在中科院第二任院长顾问 Б. Р. 拉扎连柯[①]的指导和帮助下,中科院 3 个学部[②]和学术秘书处共组织约 360 名科学家,根据各学部提出的十五年远景计划方案,经过综合平衡,拟订了科学院远景规划初稿。在此基础上,中科院学术秘书处于 3 月 10 日上报了《中国科学院十二年内需要进行的重大科学研究项目》,共 53 项。其中涉及国防科研和尖端技术领域的有:原子能、半导体、无线电电子学、电子计算机、自动化系统、火箭、精密机械仪器、新材料等,

---

① 第二任中科院院长顾问 Б. Р. 拉扎连柯是苏联金属电火花加工的发明者。在华期间,他参加了中科院十五年发展远景计划的编制,并自始至终地参与了"十二年科技规划"的制订工作,且亲自编写了第 43 项任务中有关电加工和电能新应用的计划任务书,促进了在中科院电工研究所内建立联合电加工的研究机构,为新中国培养了第一代的电加工科技工作者。参见樊洪业主编《中国科学院编年史(1949—1999)》,上海科技教育出版社,1999 年版,第 59 页。

② 3 个学部即中科院的物理学数学化学部、生物学地学部和技术部。

涉及科学前沿的有蛋白质的结构与生物合成等，此外还有资源的考察、开发与利用等在国民经济建设中带有综合性、关键性的一系列重大理论与技术问题。

随着3月14日国务院科学规划委员会的正式成立，大规模的编制工作随即全面铺开，参加编制工作的主要是自然科学方面的中科院学部委员，以及从中央和全国的23个单位中挑调的787名科技人员，[1]他们均是各个领域的知名学者。

编制规划遇到的第一个问题，是以学科为主还是以任务为主。政府有关部门和科学界人士经过充分讨论和交流，认为发展科学技术应该坚持自力更生，但应该瞄准当代世界的新兴科学技术，不失时机地迎头赶上去。根据中国国力有限的国情，在选择和确定科研项目上要重点发展，以避免分散力量。因此，"十二年科技规划"的总方针确定为"重点发展，迎头赶上"。在这个方针指导下，经过激烈的讨论，规划制定并没有采用苏联按学科规划的方法，而是确定采取"以任务为经，以学科为纬，以任务带学科"的基本原则来制订规划，即以解决国民经济和国防建设对科学技术的需求为主要目标，同时带动学科发展。根据国民经济发展的需要和科学发展的方向，确定国家的重要科技任务，把各个科学部门的力量集合在统一的目标下，大力开展科学研究并带动其他有关部门的发展。

专家学者们按学科和部门分组，以任务为横线，以各学科为纵线，结合国家计

委制订的国民经济长期计划草案及各部门已拟的生产和科学技术长远计划进行研究，弄清整个国民经济对科技的具体要求，在此基础上作出学科发展报告，讨论中国科学技术发展现状，提出赶超的办法和条件。正是由于充分的讨论，保证了"十二年科技规划"的科学性，拉扎连柯感叹道："像这样一个全面的科学规划，又采取这种民主的议事方式，工作的本身就是先进水平。苏联都不曾举办过。"[2]

由于中国在许多领域的技术水平都相对比较落后，拉扎连柯向科学规划委员会提出建议，希望中国邀请苏联相关领域的著名学者到中国参与编制工作。国务院及科学规划委员会根据毛泽东提出的"自然科学方面，我们比较落后，特别要努力向外国学习。但是也要有批判地学，不可盲目地学。在技术方面，我看大部分先要照办，因为那些我们现在还没有，还不懂，学了比较有利"[3]的精神，经研究后决定接受拉扎连柯的建议，邀请苏联各学科的著名科学家来华作短期讲学。3月26日至4月5日，由苏联科学院的16名院士、博士组成的专家组先后来华（专家组共为18人，另两人因其他工作，当时已在中国），帮助拟订和审议科学规划。苏联专家组的到来，帮助中国科学家及时了解当代世界科技的水平和发展趋势，使编制工作更加有的放矢。苏联专家组还提出了需要重点发展的一些新兴学科。根据他们的建议，我国设立了几个科技重点发

① 关于参加编制工作的科技工作者的确切数字有几种不同说法：一说是有600多人，如薄一波认为当时"中央调集了600多名各种门类和学科的科学家"（见《若干重大决策与事件的回顾（修订本）》上卷，人民出版社，1997年版，第527页）；樊洪业主编的《中国科学院编年史（1949—1999）》认为"集中全国600多位科学家"（上海科技教育出版社，1999年版，第67页）；另一说是有787人，如《当代中国丛书》的《中国科学院》上卷第73页（当代中国出版社，1994年版）。
② 《张劲夫、杜润生、于光远访谈录》，《百年潮》，1999年第6期。
③ 《毛泽东著作选读》下册，人民出版社，1986年版，第742页。

展领域,对后来的发展起到了重要作用。

在确定"以任务带学科"的方针以后,有人担心以任务带学科,最后弄不好成为任务"代"学科,不是带动而是代替了。于是,周恩来又指出,在大力发展应用科学研究的同时,必须加强基础理论研究。他说:为了有系统地提高我国科学技术水平,必须打破"近视"的倾向,如果我们不及时加强对长远需要和基础理论工作的注意,那么,我们就要犯很大的错误。没有一定的理论科学的研究作基础,技术上就不可能有根本性质的进步和革新。① 在周恩来的直接指导下,"十二年科技规划"增列了"现代自然科学中若干基本理论问题的研究",以后又在这一基础上专门制定了基础科学研究规划。

编制规划遇到的第二个问题是怎样引导中国的科学技术更快地赶上世界先进水平。所以,一方面要了解当时国际上科技发展的现状和趋势,另一方面又要考虑到本国的实际能力和可能,否则每个学科就无从制定研究方向,各产业部门也无从确定基本技术政策。根据周恩来确定的总的指导思想,又经过周密的调查研究,规划的内容确定为以下几个重要方面:①必须建立世界上已有的、又为我国国民经济和国防所必需的尖端学科,如喷气技术、计算技术、原子能和无线电电子技术等。②基于我国的特点,需要进行综合性研究的大问题,如长江、黄河的综合治理、综合开发等。③在国民经济建设方面和科学技术发展方面急需研究的关键问题,如农业、冶金、能源开发等。④各业务部门在当前和不久的将来在实际生产中和基本建设中需要解决的较大的科学

技术问题。除此之外,还制定了培养科学技术人才和设置科学机构的规划。对我国科技发展的进度、科学机构的布局和分工配合等一系列问题也进行了研究。

8月下旬,陈毅召集了国务院科学规划委员会扩大会议,这次会议讨论了"十二年科技规划纲要"(草案)和关系到当前措施的附件——《1956年紧急措施和1957年研究计划要点》,特别着重讨论了"十二年科技规划纲要"(草案)中一些主要的有争论的问题。会议共开五次,每次出席列席约四五十人,有29位科学家和有关负责同志发了言。10月28日又开了一次科学规划委员会主任、副主任、科学规划十人小组常务组员以及与科学研究有重要关系的几个部门的主要负责人参加的会议,对规划的方针、原则和重点取得一致意见。会后陈毅、李富春、聂荣臻于10月29日向中央提交了《关于科学规划工作向中央的报告》。11月15日,周恩来修改了该《报告》,并批示:"富春、陈毅、荣臻三同志关于科学规划工作的报告,我意可以原则批准,以便按照他们提出的程序进行讨论和审议,最后再提中央批准。"②

12月,中共中央和国务院批准了科学规划委员会扩大会议的结论,即根据"重点发展,迎头赶上"的方针,从57项重大科学技术任务中综合提出12个重点任务。12月下旬,"十二年科技规划纲要"修正草案完成,中央即将草案连同陈毅、李富春、聂荣臻10月29日的报告转发给国务院各部、委和各省(市)人民委员会征求意见。同时,还将"十二年科技规划纲要"包含的各项任务和基础科学学科规划的说明书寄到苏联征求意见。苏联科学家仔细研

① 参见《周恩来年谱》上卷,中央文献出版社,1997年版,第580—581页。
② 《建国以来重要文献选编》第9册,中央文献出版社,1994年版,第435页。

究后,对每个项目提出了书面意见和建议。经过国家各部门严格、周密地斟酌、推敲,最终形成了"十二年科技规划"。

1957年6月26日,周恩来在第一届全国人民代表大会第四次会议所作的《政府工作报告》中说:"一九五六——一九六七年科学发展远景规划已经制订,并且已经作为试行草案,付诸实施。"①

二

"十二年科技规划"的主要内容

《1956—1967年科学技术发展远景规划》文件由《1956—1967年科学技术发展规划纲要(修正草案)》(简称《规划纲要(修正草案)》)和4个附件组成,其中《规划纲要(修正草案)》包括序言、1956—1967年国家重要科学技术任务、任务的重点部分、基础科学的发展方向、科学研究工作的体制、科学研究机构的设置、科学技术干部的使用和培养、国际合作、结束语等9个部分;4个附件分别是《国家重要科学任务说明书和中心问题说明书》、《基础科学学科规划说明书》、《1956年紧急措施和1957年研究计划要点》、《任务和中心问题名称一览》,全部文件共600余万字。

《规划纲要(修正草案)》在序言中明确提出:"进行科学技术发展远景规划是为着实现国家的这样一个基本任务:迅速壮大我国的科学技术力量,力求某些重要的和急需的部门在十二年内接近或赶上世界先进水平,使我国建设中许多复杂的科学和技术问题能够逐步地依靠自己的力量加以解决,做到更好更快地进行社会主义建设。""完成这样一个伟大的建设任务,一个强大的科学技术力量是绝对不可缺少的。现代世界科学技术正处在日新月异的发展过程中,各门科学都有了崭新的发展,并且彼此互相带动、互相交叉,产生了许多边缘科学和新的科学生长点,使自然科学占领了许多新的领域,引起生产技术的不断的更新。""这些科学新成就,正为人类社会准备一次新的生产技术大革命。我国在这个大革命的前夕进行社会主义建设,只有充分利用现代一切科学技术成就,并通过自己的努力来充实和发展这些成就,才能保证社会生产力的不断提高。""为了更好地服务于社会主义建设,必须努力使我国科学技术工作逐步走上自立的道路。对于科学的空白部门必须迅速加以填补,原来较有基础的部门必须迅速加以提高和加强,务须迅速摆脱我国在科学技术方面的落后现象,在十二年内接近或赶上世界先进水平。这是一个必须完成的历史任务。""我国科学技术既然还很落后,在短时间内要赶上世界先进水平,必须善于利用一切有利条件,有组织有计划地进行工作。我国的社会主义建设是按计划进行的,服务于建设的科学技术研究工作必须配合整个建设计划的需要。因此,发展我国科学技术事业必须实行全面规划。只有这样,才便于国家更有效地加强对科学技术战线的领导,把全国各部门分散作战的力量组织起来,把一切潜在的和仍被闲置的力量发动起来,组成一个全国性的相互协调的有组织的科学研究力量,来完成巨大的任务。""我国发展科学必须执行'重点发展,迎头赶上'的方针。"②

---

① 《建国以来重要文献选编》第9册,中央文献出版社,1994年版,第427页。
② 《建国以来重要文献选编》第9册,中央文献出版社,1994年版,第436—439页。

（一）国家重要科学技术任务

"十二年科技规划"从 13 个方面提出了 57 项全国的、综合性的、长远的科学技术任务,确定了 616 个中心研究课题并备有详细的说明书。

1. 重大科学技术任务(见表 1)

表 1　1956—1967 年国家主要科技任务

方面	任　务
一、自然条件及自然资源	第 1 项:中国自然区划和经济区划
	第 2 项:测量制图新技术的研究和我国基本地图的测绘
	第 3 项:西藏高原和康滇横断山区的综合考察及其开发方案的研究
	第 4 项:新疆、青海、甘肃、内蒙古地区的综合考察及其开发方案的研究
	第 5 项:我国热带地区特种生物资源的综合研究和开发
	第 6 项:我国重要河流水利资源的综合考察和综合利用的研究
	第 7 项:中国海洋的综合调查及其开发方案
	第 8 项:提高气象预报准确率,发展全国气象工作
	第 9 项:我国矿产分布规律和矿产的预测
	第 10 项:地球物理、地球化学和其他地质勘探方法的掌握及新方法的研究

方面	任　务
二、矿冶	第 11 项:高效率的采矿方法的研究
	第 12 项:先进的选矿方法和共生矿物利用的研究
	第 13 项:强化现有的并探索新的黑色金属的冶金过程
	第 14 项:强化现有的并探索新的有色金属和轻金属的冶金过程
	第 15 项:合金钢及特种合金系统的建立
	第 16 项:钛冶金及其合金
三、燃料和动力	第 17 项:发现并开发石油和天然气资源
	第 18 项:扩大液体燃料及润滑剂来源
	第 19 项:可燃矿物作为燃料及化工原料的综合利用
	第 20 项:全国能源的合理利用和动力技术的研究
	第 21 项:发电厂和电力网的合理配置与运行,全国统一动力系统的建立
四、机械制造	第 22 项:掌握现有的并研究新的、更完善的工业、运输业各部门的机器器械,特别是大型机器器械的制造
	第 23 项:掌握并研究高效率、高精密度和高材料利用率的材料加工过程
	第 24 项:机器和工具使用期限的延长方法,特别是金属防腐问题的研究
五、化学工业	第 25 项:现有元素和分散元素的开采、提取和利用
	第 26 项:改进现有的水泥、耐火材料、陶瓷和玻璃的性能并制造新型产品
	第 27 项:矿物肥料、农业药剂和重无机化学产品的生产过程的研究
	第 28 项:重有机化学产品和高分子化合物的生产过程的研究及其应用范围的扩大
	第 29 项:轻工业新技术的建立

方面	任务
六、建筑	第30项:区域规划、城市建设和建筑创作问题的综合研究
	第31项:建筑工业化问题的综合研究
	第32项:大型水工建筑物和水利枢纽的建设问题
	第33项:中国地震活动性及其灾害防御的研究
七、运输和通讯	第34项:建立统一的、更完善的通讯系统和广播系统
	第35项:运输装备技术的研究和综合发展运输问题
八、新技术	第36项:原子能的和平利用
	第37项:喷气和火箭技术的建立
	第38项:无线电电子学的研究和新的应用
	第39项:生产过程的机械化和自动化
	第40项:半导体技术的建立
	第41项:计算技术的建立
	第42项:改进电和超声波的技术并扩大其应用范围
九、国防	第43项:国防上的一些问题(略)
十、农、林、牧	第44项:农业机械化、电气化和农业机械的制造问题
	第45项:提高农作物单位面积年产量
	第46项:荒地开发问题
	第47项:扩大森林资源及森林的合理经营与合理利用
	第48项:提高畜牧业、水产业和养蚕业的产量和质量问题
十一、医药卫生	第49项:对防治我国人民主要疾病的综合措施的研究
	第50项:掌握生产现有的和研究新的抗生素、药物和医学器材
	第51项:总结和发扬中医的理论和经验

(续表)

方面	任务
十一、医药卫生	第52项:劳动卫生、劳动保护的综合措施及对防治主要职业病和职业中毒的研究
	第53项:环境卫生、人民营养和体育活动的研究
十二、仪器、计量及国家标准	第54项:掌握现有的并建立新型的、更完善的控制仪表、精密仪器和化学试剂
	第55项:统一的计量系统、计量技术和国家标准规格的建立
十三、若干基本理论问题和科学情报	第56项:对现代自然科学中若干基本理论问题的研究
	第57项:科学技术情报的建立

资料来源:《建国以来重要文献选编》第9册,中央文献出版社1992年版,第444—504页。

2.重点科学问题

在确定的57项科学技术任务中,又提出12项科学研究重点(见表2):

表2　1956—1967年的科学研究重点

序号	科学研究重点内容
1	原子能的和平利用
2	无线电电子学中的新技术(指超高频技术、半导体技术、电子计算机、电子仪器和遥远控制)
3	喷气技术
4	生产过程自动化和精密仪器
5	石油及其他特别缺乏的资源的勘探,矿物原料基地的探寻和确定
6	结合我国资源情况建立合金系统并寻求新的冶金过程
7	综合利用燃料,发展重有机物合成
8	新型动力机械和大型机械
9	黄河、长江综合开发的重大科学技术问题
10	农业的化学化、机械化、电气化的重大科学问题
11	危害我国人民健康最大的几种主要疾病的防治和消灭
12	自然科学中若干重要的基本理论问题

资料来源:《建国以来重要文献选编》第9册,中央文献出版社,1992年版,第504页。

这 12 个重点中,有的是中国特有的问题,必须依靠自己的力量独立研究解决;有的在当时经济建设中不一定是重点,但在科学技术上必须提前研究;有的则是当时世界上发展最迅速的新的生长点。

3.紧急措施

在"十二年科技规划"制订的同时,为填补我国在一些急需的尖端科学领域里的空白,规划委员会还制订了 1956 年 4 项紧急措施,即:

(1)优先发展计算机技术、半导体技术、自动化技术、无线电技术、核技术和喷气技术;

(2)开展同位素应用研究;

(3)建立科学技术情报系统;

(4)建立国家计量基准、开展计量研究工作。

除了加快发展计算机、半导体、自动化和电子学 4 个领域外,国家还另外部署了两个更重大的项目:原子能核导弹。

(二)基础科学规划

"十二年科技规划"还进行了八项基础科学的学科规划。对数学、力学、天文学、物理学、化学、生物学、地质学、地理学八个基础科学部门的众多学科,采取"全面考虑、重点规划"的方针,编写了学科规划说明书,此外还编写了八个基础科学部门的总论(地质学只有总论,没有分学科的规划说明书),以使不同科学部门内的各学科进行更合理的平衡,使整个科学部门的发展方向更为明确,同时也使这些基础科学部门的发展与解决 57 项任务配合得更恰当。

"十二年科技规划"还对全国科研工作的体制(主要是科学院、产业部门和高等院校三个方面之间的分工合作与协调原则)、现有人才的使用方针、培养干部的大体计划和分配比例、科学研究机构设置

的原则等作了一般性的规定,是一个项目、人才、基地、体制统筹安排的规划;在组织上,规划工作由周恩来总理亲自领导,成立专门的规划委员会,并组织几百个中国科学家和近百个苏联专家历时半年多讨论制订,尽了当时条件下的最大努力;在编制思路上,规划根据国民经济发展的需要和科技发展的方向确定国家的重要科学技术任务,把各个科技部门的力量汇集到统一的目标下;在实施上,将科学规划委员会保留下来,成为规划实施的高级协调机构,负责协调规划实施的重大问题,监督规划的实施,特别是监督重点任务的实施等任务,并向中央报告规划实施的检查报告,确保了规划任务的完成。

"十二年科技规划"的
实施组织管理与执行

"十二年科技规划"制定后,负责组织实施的国务院科学规划委员会和以后由国务院科学规划委员会、国家技术委员会合并组成的国家科学技术委员会先后采取了一系列重要措施,组织落实和实现"十二年科技规划"制定的目标和各项任务。

(一)组织管理

1.明确科技工作体制

为使全国的科学技术力量,按照合理分工与密切合作的原则有计划地协调进行科研工作,要求把全国科技力量集合于统一的科学研究工作系统中,形成完善明确的中国科技工作体制。

在编制"十二年科技规划"时,参与规划编制的各方面对中国的科学体制问题就有争论。经过广泛征求意见和深入讨

论,于1957年6月国务院科学规划委员会第4次扩大会议上基本达成一致,明确了中国的科学研究工作系统是由中国科学院、国家各产业部门、高等院校和地方研究机构四个方面构成。在这个系统中,中国科学院是全国学术领导和重点研究的中心,其主要任务是进行重大基础理论研究和发展新的科学技术领域,同时也要担负经济建设中共同性、综合性、关键性的重大研究课题。高等院校和国家各产业部门的研究机构是两支主要力量,高等院校科学研究工作的任务是使教学和科学研究结合起来,同时注意基础科学和当前生产实践中紧迫的科学技术问题;国家各产业部门的科技工作的任务是密切结合生产中需要解决的比较专门的问题,把科学技术研究的新成果推广到生产中去,并总结生产实践中的新经验来发展和丰富科学技术的新理论。地方科研机构则是不可缺少的助手,要充分以自己的优势,采取委托、合作等方式,有计划有步骤地开展科学技术研究工作。

2.合理设置科学研究机构

按照"十二年科技规划"中提出的科学研究机构设置的五项原则,①1956年,中国科学院成立了计算机技术研究所、自动化及远距离操纵研究所以及电子学研究所的筹备委员会,并在应用物理所建立半导体物理研究小组。这样做是因为无线电、自动化、半导体和计算机技术是现代科学技术赖以生存的关键,需要集中地更快地发展,使其在短时间内接近国际水平。另外,1956年中国科学院还建立了科技情报研究所。1958年中国科学技术大学成立。到1962年,各主要学科和技术领域基本上都设置了专门的研究机构。这些研究机构和学校的组建,充分发挥了科学技术资源,迅速培养了新生力量,为"十二年科技规划"的实施奠定了坚实的基础。

3.重视科技干部的使用、培养及国际合作

合理使用、大力培养科技人才,是使"十二年科技规划"得以顺利实施的必要条件。按照"十二年科技规划"提出的合理规定生产、研究和教育三方面科技力量的分配比例,积极培养科学领导干部和合理配备辅助人员的要求,国家将绝大部分科技力量(80%)放在产业部门的研究机构中,以解决当时生产中的科学技术问题。同时集中少数优秀的科学研究人员于中国科学院,以保证中国科学发展的基础和长远利益。为保证科技干部的来源不断扩大和高等学校科研工作的开展,国家每年还以一定比例的人员充实高等院校师资。为了保证科学研究和高等教育的质量,国家要求在一段时间内高级科学研究人员和初级科学研究人员(指大学毕业生)的比例要尽快达到和保持以下比例:科学院为1∶3,高等院校和新技术研究部门为1∶4,比较成熟的科学和工艺性研究部门为1∶6—7。国家采取以下措施从比较成熟的科学技术干部(讲师、高级技术人员、大学毕业工作3—5年者)中选拔对象,在生产和教学中培养和提拔未经正式培养而经验丰富、科学水平较高的人参加科学研究的领导工作,对重要的、急需的空白或薄弱的科学部门聘请苏联及其他外国专家来指导,充分发挥高级研究

---

① 科学研究机构设置的五项原则:(1)必须有明确的任务;(2)注意各方面的配合;(3)必须有周密的准备和必要的人力物力条件;(4)研究机构的规模应适应科研工作的特点;(5)科研机构设置地点接近研究对象和生产基地,并尽可能和高等学校的设置相配合。

人员"带徒弟"的作用,争取还在资本主义国家中的留学生回国,向苏联及其他国家派出实习生和研究生,大力开展科学普及工作和群众性的业余科学活动以培养爱科学的风气及扩大科学储备等,这些措施加速了高级科学人才的培养。为充分发挥科学研究人员的作用,国家为他们配备一定比例的中等技术学校的毕业生作为助手。科学研究人员与辅助人员的比例,在科学院和高等院校一般为 1∶1,在产业部门的研究机构中为 1∶2。

"十二年科技规划"提出了"实事求是,量力而行"的国际合作原则,要求避免贪多求大、齐头并进。在国际合作中,国家根据各国科学技术的特长和双方需要,在进一步扩大和苏联合作的同时,也积极开展和世界上其他国家的学术交流,采取的具体合作方式有:派遣科学家出国考察和进修;派遣研究生出国学习;派遣研究人员出国实习;请外国帮助我国建立研究工作基地;聘请外国科学家到我国讲学或共同进行科学研究工作;建立科学联系,交换科学情报,参加学术会议等等。

4. 为科学研究事业创造良好的环境条件

为了给科学研究事业创造良好的环境,国家从以下几个方面切实解决发展科学研究必备的条件:

——图书资料;

——仪器、设备、试剂、实验材料的供应;

——保证科学工作者每周六分之五的工作时间;

——保证必要的学科经费和外汇;

——建立厂矿、研究机关和高等院校的直接联系制度,建立宽严适宜并且便于科学研究工作的保密制度,建立一定数量的中间试验工厂,制定有关推广研究成果的程序及其技术经济的鉴定办法,制定对于科学研究的重大成果和重大发明的奖励办法;

——对群众性的科学普及给予有效的支持,发动广大群众向文化科学进军。

随着"十二年科技规划"实施工作的全面展开,科研工作服务机构逐步建立起来。全国成立了一批情报资料、计量、标准、仪器仪表、化学试剂、图书、计算中心、风洞试验中心等机构,各相关图书馆馆藏图书资料猛增,各研究机构的科学仪器状况有了很大的改观,对"十二年科技规划"的实施起了重要保障作用。

5. 明确了组织管理程序

"十二年科技规划"的各项任务均规定了主持单位和参与单位,实施管理主要靠部门进行。总的管理任务由国务院科学规划委员会负责。1957 年 5 月 10 日,国务院批准科学规划委员会的任务有:①负责监督远景规划的实施,特别是重点研究任务的实施;②负责编制科学研究的长期计划和年度计划,成为整个国家计划的组成部分;③解决各个系统在科学研究工作中的重大协调问题;④负责研究和解决科学研究工作中重要的工作条件问题,如图书、仪器等;⑤负责统一安排科学研究的国际合作问题;⑥管理全国重点科学研究工作的基金;⑦统筹安排高级专家的培养、分配和使用计划,以及在资本主义国家的专家回国后的工作问题。1957 年 11 月 12 日,国务院科学规划委员会和国家技术委员会合并,改称国家科学技术委员会。合并后的国家科委的任务,除处于科学规划委员会掌管的哲学、社会科学部分由中共中央宣传部直接领导外,原则上仍按照原两委原有的各项任务进行工作,并进一步明确了"十二年科技规划"的组织程序:①国务院有关各部相应的科学技术联络机构,在科学技术工作上受国家科学技术委员会指导;②各省、市、自治区的科学工作委员会,受当地党委和人委的领导,受国家科学技术委员会的指导;③国家规划委和技委原有的专业组和专题组是组织协调科学技术工作的有效组织形式,应加强和调整;④国家技术委员会应和建委、计委、经委等密切配合,分工协作。毛泽东主席任命聂荣臻副总理兼任国家科学技术委员会主任。

6.制订年度科学技术计划

国务院科学规划委员会在组织执行"十二年科技规划"的过程中,每年根据规划的总方向,结合当时国家建设所急需解决的重大科学技术任务和继续建立的学科,对全国的科学技术工作作出年度的具体安排,使远景规划和年度计划结合起来,同时协调各方面的工作,避免不必要的重复和遗漏,更加合理地使用人力、财力和物力。①

为了加强各部门之间的联系,国家科委对重大课题进行协调。1957年初,按照26个专业组编制年度计划;1959年,国家科委组建了35个专业组;1962年又成立了技术科学组。专业组既包括中国科学院、高等院校和产业部门三方面的科学家,又包括有关部门的领导干部,很好地把科学研究、生产和教学结合起来。因此,专业组制订的计划既体现了专业的先进性和高水平,又容易得到有关部门的支持,研究成果比较容易推广。科学规划委员会在每年召开的科学技术计划会议上将计划落实到各科研单位、高等院校和厂矿企业,分别组织实施。实践证明,这个方法是非常有效的。

在编制年度计划的同时,每年还由主管部门对规划的执行情况作一次例行检查,曾先后在1958年和1960年对规划的执行情况作了两次全面的检查,总结经验,发现问题,采取措施,促使规划顺利实施。

(二)执行情况

1962年,国家科学技术委员会通过一系列专业学术会议,组织科学技术专家全面检查了"十二年科技规划"的执行情况和各学科、各专业的状况和水平。检查结果表明,在"十二年科技规划"的57项国家重要科学技术任务中,有50项已经基本达到了原定目标。有5项没有完成(即"全国能源的合理利用和动力技术的研究"、"重有机化学产品和高分子化合物的生产过程的研究及其应用范围的扩大"、"生产过程的机械化和自动化"、"中国地震活动性及其灾害防御的研究"和"农业机械化、电气化和农业机械的制造问题"),还有2项(即"西藏高原和康滇横断山区的综合考察及其开发方案"和"钛冶金及其合金")因为实际情况的变化和科学技术发展方向的改变而放缓。同时,根据生产建设的需要和科学技术的新发展,在规划执行过程中,还通过年度计划不断补充安排了许多重要工作。可以说,"十二年科技规划"提前5年基本上实现了预期目标。

经过7年的努力,完成了十几年的工作量,中国的科学技术水平已经从十分落后的状况,大大缩短了同世界先进水平的差距。从科研机构和研究队伍上看,科研

---

① 例如,在编制1957年科学技术研究计划时,根据当时的实际情况,对一些条件不足或不太急的任务,像"西藏高原和康滇横断山区的综合考察及其开发方案的研究"就决定推迟进行。又如,在苏联撕毁合同、撤走专家以后的几个年度中增补了大量新型材料、测试技术、关键性的精密和重型设备、计算技术等研究项目,有力地配合了原子能、喷气技术、核潜艇技术和若干工业新技术的发展。

机构（国防系统研究机构除外，下同），由 1956 年的 381 个增加到 1962 年的 1296 个，各主要学科和技术领域几乎都设置了专门的研究机构。其中，仅中科院系统的研究所就由原来的 40 多个发展到 100 多个，至此中科院成为学科门类比较齐全的综合研究基地。同时，全国专门从事研究工作的科技人员，从 1956 年的 6.2 万多人增加到 1962 年的近 20 万人，其中大学毕业的有 5.5 万人，副研究员以上的高级研究人员达到 2800 多人。① 从科研成果上看，"十二年科技规划"任务的实现，解决了第二个和第三个五年计划国家经济建设和国防建设中迫切需要解决的一批科技问题，填补了中国科学研究的一些重要空白，加强了某些重要的基础学科，发展了原子能、电子学、半导体、自动化、计算机技术、喷气核火箭技术等新兴科学技术，并为以后科学技术和国家各项建设事业的继续发展打下了良好的基础。

总之，"十二年科技规划"是新中国第一次体现国家意志的一个科学发展远景规划，它紧密结合国家建设的实际需要，根据中国当时科技力量的实际及其可能的发展速度，同时参考了世界科技发达国家，特别是苏联的经验，提出了"以任务带学科"的规划原则和"重点发展，迎头赶上"的方针，对新中国科技发展作了重要部署，不仅提出了任务和课题，而且对全国科研工作的体制、科研干部和科研机构等问题都进行了探索，对基础科学和基础研究在理论上给予阐述和重视。规划"对我国科学事业的发展画出了轮廓，并作出了初步的安排"，"是中国科学史上的创举"。"通过规划工作，全国科学家都实际

看到了党和政府对科学事业和科学家的重视，几百个直接参加规划工作的科学界骨干体会更深，这对党团结科学家和组织科学队伍是有巨大作用的。"② "十二年科技规划"较好地体现了当时中国经济社会发展的需求和战略性预期。在制订阶段，既照顾了当前，又考虑到长远；在组织实施阶段，由专业组督促、检查、协调，及时解决问题，使远景规划的实施效果得到了切实保证。"十二年科技规划"是新中国组织科学技术事业取得的巨大成功范例，体现了社会主义的优越性，它的制定和实施不仅对我国科学技术的发展起了重要的推动作用，而且，对我国科研机构的设置和布局、高等院校学科及专业的调整、科技队伍的培养方向和使用方式、科技管理的体系和方法，以及我国科技体制的形成起了决定性的作用。

第一次文字改革

语言文字作为信息的主要载体，服务于社会的政治、经济、文化生活，反过来又影响社会的发展。自清末以来，许多有识之士致力于语言文字改革，改文言为白话，提倡汉字读音统一，实行汉字横排，使中国的语言文字发生了巨大变革。新中国的成立实现了中国大陆的统一，为社会主义建设事业的开展创造了条件，但当时汉语方言众多，在相当程度上影响着人们的交往，而且社会主义建设要求提高人民

① 薄一波：《若干重大决策与事件的回顾（修订本）》上卷，人民出版社，1997 年版，第 532 页。
② 《建国以来重要文献选编》第 9 册，中央文献出版社，1992 年版，第 429 页。

的文化素质和科学技术水平,因此,党和政府把文字改革当做一项重要的政治任务和社会主义事业的重要组成部分而将其提上了议事日程。

一

新中国文字改革的序幕

新中国成立初期,在党中央的领导下,各级党政机关、各人民团体为促进文字改革、促进汉语规范化做了大量的工作。1949年10月10日,中国文字改革协会在北京正式成立,这是新中国成立的第一个全国性的文字改革组织。吴玉章在开幕词中明确提出文字改革的任务和工作内容:汉字改革以采用拉丁字母的拼音方案为研究的主要目标,汉字的简化和整理也是研究的目标之一;继续进行汉语统一问题的综合研究和分区的调查研究,并研究以北方话为统一汉语的基础问题;有系统地研究少数民族的语言,进而研究他们的文字改革和创造文字的问题,帮助他们发展教育。在10月20日召开的中国文字改革协会第一次理事会议上又决定把研究拼音文字作为主要任务。这些成为新中国文字改革工作的基本内容。1952年2月5日,中国第一个主管文字改革工作的国家研究机构——中国文字改革研究委员会成立,在成立大会上决定以民族形式的拼音文字为中国文字改革的方向,以制定汉字笔画式拼音方案为主要研究工作。为了加强对文字改革工作的指导,1954年10月1日成立了以胡乔木为主任的中央文字问题委员会,旨在协调党内对于文字改革的不同意见,研讨文字改革工作上的重大原则和实行步骤问题,向党中央提供切实可行的意见。为把文字改革工作由研究阶段推向实践阶段,在全国推行文字改革政策,经全国人民代表大会常务委员会批准,直属国务院的中国文字改革委员会于1954年12月成立。

1955年10月15日至23日,教育部和中国文字改革委员会召开了全国文字改革会议,这次会议是中国历史上第一次全面讨论文字改革问题的会议。参加会议的有来自全国28个省市自治区和中央一级有关机关、人民团体和部队的代表207人。国务院副总理陈毅就当时的政治形势和文字改革、推广普通话的问题作了重要讲话。吴玉章作了《文字必须在一定条件下加以改革》的报告。他指出汉字改革首先要解决两个迫切的具体问题:简化汉字和推广以北京语音为标准音的普通话——汉民族共同语。这次会议标志着新中国文字改革工作研究准备阶段的完成,开始进入全面实施阶段。10月25日至31日,中国科学院在北京召开了现代汉语规范问题学术会议,中国科学院院长郭沫若在开幕词中指出,民族语言的统一是民族形成过程中的必然趋势,我们迫切需要有一个规范明确的、统一的民族共同语,以便于我们在一切的活动当中调节我们的共同的意识和行动。要大力推广以北京语音为标准音的普通话,推广普通话是实现中国文字根本改革的一个必要阶段。

确定了文字改革的方针任务,建立了领导机构,召开了两次全国性会议,标志着中国文字改革和汉语规范化工作进入了全新的阶段。

二

文字改革的全面开展

新中国的文字改革工作经过六年多

的摸索和努力,到 1956 年各方面准备已经基本就绪,各项工作已经逐步展开。

1956 年 1 月 27 日,中共中央作出《关于文字改革工作问题的指示》,批准了文字改革的方针是:"汉字必须改革,汉字改革要走世界文字共同的拼音方向,而在实现拼音化以前,必须简化汉字,以利目前的应用,同时积极进行拼音化的各项工作。"[①]1958 年 1 月 10 日,周恩来在政协全国委员会举行的报告会上作了《当前文字改革的任务》的报告,指出文字改革的三大任务是:"简化汉字,推广普通话,制定和推行汉语拼音方案。"[②]

1.汉字的简化和整理

新中国成立后,文盲在全国人口中的比例约为 70% 左右,农村人口中的文盲比例高达 80% 以上。文化落后的现实对于建设新民主主义社会和实现国家工业化是一个不利因素。为了改变农村的落后面貌,中国政府开展了扫盲运动,而扫盲运动中最重要的就是解决识字问题。汉字繁难、笔画多、结构复杂、异体字多,对于广大劳动人民来说,学习、书写比较困难。这就促使简化汉字工作成为当务之急。

简体字的研究和选定工作是从 1950 年 7 月开始的。1952 年,中国文字改革研究委员会已开始草拟简化汉字笔画和精简字数的方案,1954 年年底编成《汉字简化方案草案》,后又根据全国各地讨论中提出的意见作了修订。1956 年 1 月,国务院正式公布了《汉字简化方案》。这个方案将 554 个繁体字简化为 515 个简化字,并有 54 个简化偏旁,采用社会上长期广泛流行的、约定俗成的简化汉字,规范了千百年来流行在民间的俗体字、减笔字、手头字。这是新中国文字改革工作的第一个重大成果。《汉字简化方案》公布以后,受到广大群众的热烈欢迎。汉字的简化,对于儿童识字、成人扫盲、日常书写都有较大的便利,减轻了人们学习和使用汉字的负担,在一定程度上缓和了学习文化和识字难的矛盾,对普及教育起了很大的作用,推行起来比较顺利。

1960 年 4 月 20 日,中共中央在《关于推广注音识字的指示》中指出:"为了加速扫盲和减轻儿童学习负担,现有的汉字还必须再简化一批,使每一字尽可能不到十笔或不超过十笔,尽可能有简单明了的规律,使难写难认难记、容易写错认错记错的字逐渐淘汰。这一项任务必须依靠广大群众,广大群众对此是十分热心和有办法的。"尽管这一指示是想尽早完成扫盲工作,加快提高中国人民文化水平的步伐,但是提出的简化汉字的进度和笔画数的要求却缺乏客观基础和科学依据。6 月 4 日,教育部、文化部、中国文字改革委员会联合发出《关于征集新简化字的通知》,《通知》指出,"近几年来各地群众创造的新简化字,数量很大,而且还在不断增加。这些新简化字是我们继续简化汉字的重要依据",并要求"各省市区都能提出四百至一千个新简化字"。《通知》发出后,中国文字改革委员会陆续收到了 29 个省、市、自治区和部队系统推荐的简化字材料。根据这些材料,1961 年 6 月 16 日,中国文字改革委员会、文化部和教育部公布了新的《简化汉字表》。但是由于这些简化字大多是新创造的,没有经过长期流行,加上当时国民经济发生严重困难,文

① 《建国以来重要文献选编》第 8 册,中央文献出版社,1994 年版,第 93 页。
② 《建国以来重要文献选编》第 11 册,中央文献出版社,1994 年版,第 22 页。

字改革从高潮转为低潮,这个新的《简化汉字表》没有推行。

从1961年起,中国开始对国民经济实行"调整、巩固、充实、提高"的方针,文字改革工作也随之进行了调整,着重巩固成果和提高质量。《汉字简化方案》在推行过程中产生了两个问题:一是这段时间群众创造了许多新的简化字,使许多人不清楚哪些是国家公布的简化字,哪些不是;二是方案中关于简化偏旁的适用范围交代得不够明确,因而在教学上产生不少困难,在印刷上出现许多分歧。为了对已经推行的简化字进行一次总结,减少推行过程中发生的分歧,1962年4月16日,中国文字改革委员会、文化部和教育部向全国各省、市、自治区文化、教育厅(局)公布了《汉字简化总表》,其中包括已经推行的和修订补充的简化字,共1914个。

简化汉字的推行,一方面受到广大群众的欢迎,一方面也有一些人提出不同意见。为此,1962年5月20日,周恩来指出:"简化字应当邀请各方人士,重新讨论;如有不同意见或反对意见,必须虚心接纳;即使国务院早已公布的简化字,如大家有意见,亦可考虑重新修改。"在《汉字简化方案》经过修订小组广泛征求意见和多次研究修订的基础上,1964年3月7日,中国文字改革委员会、文化部和教育部联合发出《关于简化字的联合通知》。《通知》规定了92个已经简化的字,作偏旁时应该同样简化;40个已经简化的偏旁,除去4个偏旁(讠、饣、纟、钅),其余在独立成字时应该同样简化;在一般通用字范围内,根据以上规定类推出来的简化字将被收入《简化字总表》中。这样,就为使用简化字确立了一个明确的、统一的规范,对消除使用简化字方面的混乱现象以及避免乱造不规范的简化字起到积极的作用。

1964年5月,中国文字改革委员会在总结使用简化字经验的基础上,明确了简化偏旁的应用范围,经国务院批准编印了《简化字总表》,作为使用简化字的规范。总表共收录了2236个简化字,简化了2264个繁体字,成为全国图书、报纸、刊物、学校教育和日常工作的用字规范。

对汉字的简化和整理既继承了中国传统文化的优点,又适应了当时社会的要求。通过推行简化汉字,在中国人口总数增长的情况下,中国文盲的数量大幅度减少,对中国教育和文化事业的发展作出了积极贡献。

2.推广普通话

全国政权的统一,需要确定和推行汉民族的共同语——普通话。在全国推广普通话不仅对中国的政治、经济、文化、国防有重大意义,也为汉语的进一步发展和汉字的根本改革创造了有利的条件。

党中央和国务院十分重视汉语的发展和规范化。1955年在北京召开了全国文字改革会议和现代汉语规范问题学术会议,教育部部长张奚若作了题为《大力推广以北京语音为标准音的普通话》的报告,指出:汉民族的共同语应是"以北方话为基础方言,以北京语音为标准音","普通话"作为一个概念被赋予了新的含义,获得了作为汉民族共同语言的标准语地位。1956年1月28日,中央推广普通话工作委员会成立,随后各省、市、自治区也相继成立了推广普通话工作委员会,加强了推广普通话工作的组织领导。

1956年2月6日,国务院发布了《关于推广普通话的指示》,《指示》指出:"汉语统一的基础已经存在了,这就是以北京语音为标准音、以北方话为基础方言、以典范的现代白话文著作作为语法规范的普通话。"对全国文字改革会议关于普通话的定义进行了进一步补充,这就使普通话的标准更加全面、更加科学。与此同时,教育部、文化部、中国人民解放军总政治部、共青团中央等有关部门也相继发出通知和指示,推动了推广普通话工作的全面开展。教育部、广播事业局和中央人民广播电台还联合举办了普通话语音教学广播讲座。全国中小学和师范学校开始用普通话教学,这种做法不但推广了普通话,而且提高了教学质量。

经过两年的努力,推广普通话从学校走向了社会,到1958年在全国范围内形成了高潮。1958年7月25日,中央推广普通话工作委员会和教育部在北京联合召开了第一次全国普通话教学成绩观摩会,对推动全国各地的群众学习普通话起了很大的作用。1959年9月,全国基本完成了汉语方言的初步普查工作,调查了全国1800多个调查点,写出方言调查报告1200种,学习普通话手册320种。方言调查工作的基本完成是推广普通话工作的一项重大成绩,也是语言科学为实践服务的一项重大成果。

1961年以后,推广普通话的工作基本停止。为了配合学校的普通话教学,中国文字改革委员会和中央人民广播电台举办了小学语文课文朗读教学广播讲座,中小学、师范学校语文朗读教学广播讲座等。值得一提的是,在社会上推广普通话工作基本停止的情况下,上海市不但抓紧学校的普通话教学工作,而且仍然坚持从各方面推广普通话,使这一工作稳步前进。

1956年1月31日,中国科学院语言研究所成立了普通话审音委员会,开始审订普通话异读词的读音。1957年至1962年,普通话审音委员会分三次发表了《普通话异读词审音表初稿》,审订了1800多个异读词的读音。这是推广普通话工作的一个重要成果,对普通话语音的规范化起了很大的作用。

1963年8月1日至13日,中国文字改革委员会在北京召开了部分省市推广普通话工作会议,会议除了汇报工作、交流经验之外,还讨论了推广普通话的意义、方针、同语文教学的关系以及师资培训和拼音教学法等问题。中国文字改革委员会副主任叶籁士在会上讲话,他充分肯定了推广普通话八年来的成绩:方言区开始使用普通话教学;社会上讲普通话的人增加了;培训了一批骨干和大批教师;积累了初步的工作经验,如在学校推广普通话与语文教学相结合的经验。叶籁士的讲话总结了八年来推广普通话的工作,澄清了人们的一些模糊认识,并提出了许多切合实际的意见,对当时的推广普通话工作起了很好的作用。

1964年8月17日,第四次全国普通话教学成绩观摩会在西安召开,这是推广工作中断了四年后举行的一次盛会,标志着推广普通话工作再一次活跃起来。

经过多年的努力,普通话已经逐步成为全国通用的交际语言,南方方言区的学校逐步采用普通话进行教学,青少年基本上能用普通话交际。推广普通话对促进民族团结和社会进步起到了重要的作用。

3.制定和推行《汉语拼音方案》

1949年10月至1952年2月,中国文字改革协会成立后的主要工作是组织对拉丁化汉语拼音文字方案的研究,不到半年就收到了几百种汉语新文字方案。1952年2月5日,中国文字改革研究委员会召开了成立大会,会议根据毛泽东关于制定民族形式的汉语拼音文字方案的指示,决定以民族形式的拼音文字作为中国文字改革的方向,并规定了今后的主要任务是:研究并提出中国文字拼音化的方案(汉字笔画式),整理汉字并提出简化方案。从 3 月起,中国文字改革研究委员会开始了以制定汉字笔画式拼音方案为主的研究工作。

1953 年初,毛泽东对中国文字改革研究委员会拼音方案组拟出的中国拼音文字字母草稿提出意见。拼音方案组根据毛泽东的指示,决定分人拟出几套草案。拼音方法以双拼为主。7 月,中国文字改革研究委员会召开了第四次全体委员会议,对拼音方案组提出的 5 种民族形式的拼音方案草案进行了讨论,但是没有确定最终的方案。

为了加强文字改革工作的领导,把文字改革工作由研究阶段推向实践阶段,在全国推行国家的文字改革政策,1954 年 10 月,周恩来指示:拼音方案可以采用拉丁化,但是要能标出四声。

1954 年 12 月,中国文字改革委员会成立,设立了汉语拼音方案委员会,进一步对拼音方案进行了全面系统的研究和探讨。到 1955 年 10 月,拟订出四个汉字笔画式和一个拉丁字母式、一个斯拉夫字母式的拼音方案草案。这六个拼音方案草案曾经分发给当时在北京举行的全国文字改革会议的代表征求意见。1956 年 1 月,中共中央在对中国文字改革委员会和教育部的批示中指出:"汉语拼音方案采用拉丁字母比较适宜。"毛泽东在同年 1 月中央召开的知识分子问题会议上的讲话中表明放弃汉语拼音采用民族形式自创字母的主张,而回到了他曾经赞成过的主张——采用拉丁字母。这种转变为汉语拼音字母形式的选用重新定下了基调。周恩来在会议总结发言时说:"中央政治局决定:'首先简化汉字,推行书报横排,拼音方案采用拉丁字母,公布后用在小学

课本上,代替注音字母。'"

1956 年 2 月 12 日,《人民日报》发表了《汉语拼音方案(草案)》和《关于拟订汉语拼音方案(草案)的几点说明》,向全国人民征求意见。从 1956 年 2 月到 9 月,收到了全国各方面人士及海外华侨对"草案"的书面意见 4300 多件。制定汉语拼音方案是关系到全国人民的大事,为了把方案审核修订好,1956 年 10 月,国务院批准成立了汉语拼音方案审订委员会,任命郭沫若为主任。审订委员会成立后,召开了多次会议进行商讨,并邀请社会各界人士进行座谈,向社会上广泛征求意见。经过反复讨论和磋商,审订委员会于 1957 年 10 月提出了《汉语拼音方案修正草案》。1957 年 11 月 1 日,国务院全体会议第 60 次会议通过方案,决定在报纸上发表,并提请全国人民代表大会讨论、批准。1958 年 2 月 11 日,第一届全国人民代表大会第五次会议批准公布《汉语拼音方案》。

为了让全国人民了解汉语拼音和文字改革,周恩来指示要做好文字改革的宣传工作,并确定 1957 年 12 月 11 日至 1958 年 1 月 11 日为汉语拼音方案宣传月。1957 年 12 月 11 日,《人民日报》发表了《汉语拼音方案草案》和《当前文字改革的任务和汉语拼音方案》的社论。在汉语拼音方案宣传月中,全国各地多家报纸发表了 20 多篇宣传《汉语拼音方案草案》的文章。

1958 年 1 月 10 日,在政协全国委员会举行的报告会上,周恩来作了《当前文字改革的任务》的报告。关于制定和推广《汉语拼音方案》的问题,他首先提出:"《汉语拼音方案草案》是用来为汉字注音和推广普通话的,它并不是用来代替汉字的拼音文字。"接着,他指出了《汉语拼音方案》的用处是:给汉字注音;拼写普通

话,作为教学普通话的有效工具;作为我国少数民族创造和改革文字的共同基础;音译外国的人名地名和科学技术术语;在对外文件、书报中音译中国的人名地名;帮助外国人学习汉语,以促进国际文化交流;解决编索引的问题,等等。① 胡乔木作了《关于汉语拼音方案草案的几点说明》的报告。

2月3日,中国文字改革委员会主任吴玉章在第一届全国人民代表大会第5次会议上作了《关于当前文字改革工作和汉语拼音方案的报告》。《报告》提出了文字改革的任务,回顾了几年来文字改革工作的情况和《汉语拼音方案草案》的制定经过。《报告》指出,《汉语拼音方案草案》是经过专家长期研究、各方反复讨论和多次修订的,反映了参加讨论的大多数人的意见。②

2月11日,第一届全国人民代表大会第5次会议正式批准《汉语拼音方案》,并立即在全国推行。新闻、出版、广播、工商、交通、科技等各方面都开始广泛应用,特别是在小学拼音教学和注音扫盲工作中显示出良好的效果,推行工作得到迅速发展。

在进行小学拼音教学的同时,全国各地开展了注音扫盲工作,先是在山西、山东、黑龙江、河北、河南、安徽、湖北等北方话区进行试点,后来又扩展到福建、浙江等南方方言地区。根据各地区的经验,文盲和半文盲一般经过20—30小时的教学就可以基本学会拼音方案,再经过100多个小时的阅读和写作教学就可以认识1500字,摘掉文盲的帽子。

1960年5月11日,《人民日报》发表社论,总结了注音识字的优越性:“第一是消灭了扫盲后又大量回生的现象;第二是加快了扫盲和业余教育的速度;第三是解决了早期阅读和早期写作的问题;第四是便于工农群众利用劳动间隙分散自学;第五是群众掌握了拼音字母,就为推广普通话创造了极为有利的条件。”

中央和地方的广播电台举办了多次汉语拼音广播讲座,对普及拼音知识和推广普通话起了很好的作用。

1964年2月17日,《人民日报》发表了吴玉章的《汉语拼音方案在各方面的应用》一文,文章对《汉语拼音方案》公布后各方面的应用情况进行了总结,同时也促进了此后汉语拼音方案的推行工作。文章指出:《汉语拼音方案》在各方面发挥了一定的作用:一是给汉字注音,二是帮助少数民族创造和改革文字,三是帮助外国人学习汉语,四是提高了聋哑教学质量,五是改进盲字,六是增加电报速度,七是用于视觉通信,八是用作代号和缩写,九是用于编写字典辞典,十是用于序列索引。

在少数民族新文字方案的设计方面,《汉语拼音方案》发挥了很好的作用。我国壮、布依、苗、彝、侗、黎、哈尼、傈僳、佤、纳西、景颇(载瓦)、土12个民族从20世纪50年代起先后设计了拉丁字母形式的文字方案。《汉语拼音方案》公布后,已经创制文字的民族参考《汉语拼音方案》,对原定方案作了进一步调整。新创制文字的民族则以《汉语拼音方案》字母为基础,设计文字方案。拉祜等民族以《汉语拼音方案》字母为基础,进行了文字改革。

《汉语拼音方案》在帮助识字、推广普

---

① 《建国以来重要文献选编》第11册,中央文献出版社,1995年版,第22、26页。
② 吴玉章:《关于当前文字改革工作和汉语拼音方案的报告》,《语文建设》,1958年第3期。

通话等方面发挥了重要作用,对扫除文盲、普及教育起了重要的促进作用。

文字改革的意义及其影响

新中国成立初期,我国面临着统一政治、经济的艰巨任务,但当时汉语方言分歧严重,在相当程度上影响着人们的交往。要加快经济建设,改变落后的面貌,但是当时全国80%以上的人口是文盲,这是无法建成社会主义的。在这样的条件下,推广全国共同使用的语言,普及教育,提高全民文化素质,不仅是文化建设的紧迫任务,而且具有政治意义和经济意义。中共中央及时把文字改革提上了议事日程,向全国人民提出了文字改革的三大任务,即简化汉字、推广普通话、制定和推行《汉语拼音方案》。

建国以来我国第一次文字改革成绩卓著,意义重大,影响深远。汉字简化,方便了初学文字的人,特别是儿童,对于扫除文盲、普及教育、发展文化事业起到了促进作用。通过文字改革,简化字作为规范的现代汉语用字,不仅在国内全面普及,而且得到国际社会的承认,现在联合国文件中的中文文本用的就是规范的简化字。

通过推广普通话,使普通话成为我国各行各业的通用语言,促进了经济的发展和民族的团结,有利于扩大国际交往。1951年6月6日,《人民日报》发表了题为《正确使用祖国的语言,为语言的纯洁和健康而斗争》的社论,指出:正确地运用语言来表现思想,在共产党所领导的各项工作中具有重大的政治意义。语言文字应用的混乱现象是对人民利益的损害,对于祖国的语言也是一种不可容忍的破坏。同时,为帮助纠正语言文字应用中的缺点,在《人民日报》上还连载了吕叔湘、朱德熙的《语法修辞讲话》。这些都极大地促进了普通话的推广,同时也推动了语言文字应用的规范化。

在文字改革中,为了推广普通话、规范现代汉语,我国开展了一系列工作,如开展普通话的审音工作、召开现代汉语规范问题的学术会议、编撰现代汉语辞书等等。其中,对推广普通话和规范词汇最有影响的是在新中国成立初期对《新华字典》和《现代汉语词典》的编写。

1950年8月1日新华辞书社成立,魏建功、萧家霖等十几位专家学者和语文工作者着手编写了一本小字典《新华字典》,经过送审修改,1953年12月由人民教育出版社出版,1957年改由商务印书馆出版,1959年按照汉语拼音字母的顺序改排。《新华字典》是新中国成立后由国家出版社出版的第一部新编字典,是为初、中等文化程度读者所使用的一本小型语文工具书,是国内流行最广、影响最大的一部小字典。

根据国务院《关于推广普通话的指示》,1956年下半年,现代汉语词典编辑室成立。吕叔湘任室主任。经过收集资料和选词,1958年4月,词典的编写工作正式开始,1959年初完成了初稿。1960年,《现代汉语词典》(试印本)由商务印书馆印出。自1961年起,由丁树生主持词典的编辑定稿工作。经过审查修订,1965年5月商务印书馆印出试用本。1965年底至1966年春,《现代汉语词典》又进行了一次修改。当准备排印时,"文化大革命"开始了,词典的印刷停顿下来,直至1978年终于出版了修订本。《现代汉语词典》是继《新华字典》之后,以确定现代汉语的语音和词汇规范为目的,以推广普通话、促进汉语规范化为宗旨的一部中型词典。直至现在,广大人民群众依然将其作为汉语规范广泛使用,《现代汉语词典》对我国文化教育事业的发展发挥了巨大的作用。

1958 年 2 月 11 日,《汉语拼音方案》公布后,从 1958 年秋季开始,全国小学的语文课本采用汉语拼音给汉字注音,中学课本也用汉语拼音给生字、难字注音。学校师生和广大群众,利用汉语拼音作为学习普通话的正音工具。在小学进行汉语拼音教学,有助于解决长期以来未能很好解决的发展儿童语言、提高儿童理解和运用语言能力的问题。新出版的字典、辞书用汉语拼音注音,许多重要的工具书采用汉语拼音字母的顺序编排条目,利于检索。全国重要的报纸报头,期刊刊名,图书书名,大城市街道路牌,公路、铁路站名,商店招牌、商标、广告等加注汉语拼音的比例在逐步扩大。许多省、市积极开展应用汉语拼音来扫除文盲的工作。从 1961 年 10 月 1 日起,《人民日报》实行用汉语拼音给难字注音。后来,许多报纸、刊物和儿童读物、通俗读物也实行了难字注音,受到广大群众的欢迎。《汉语拼音方案》在帮助识字、推广普通话以及中文信息处理等方面都发挥了重要作用,现在成为拼写中国人名地名和汉语的国际标准。

第一次文字改革还有一项重要成果就是实现了全国报刊横排。过去中国报刊的文字横排、竖排、左行、右行都有,较为混乱。1955 年 1 月 1 日,《光明日报》首先实行横排,并发表了胡愈之的文章《中国文字横排是和人民的生活习惯相合的》。后来,全国许多报纸、刊物、图书也陆续实行横排。到 1956 年 1 月 1 日,《人民日报》和地方报纸也一律改为横排。至此,我国全面实行了横排横写。这是汉字排写方式的一大改革,是符合科学技术需要的,也是新中国文字改革中的一项重要成果。

共和国成立初期,由于我国印刷用铅字字形不统一,同一个字在报纸、杂志、图书上有几种不同的笔画结构。为了使汉字印刷体的字形趋于统一,笔画结构力求与手写楷书一致,减少初学者阅读和书写的困难,经过多年的反复研究,1964 年 5 月《印刷通用汉字字形表》公布。该字形表共有 6196 字,成为汉字字形的范本,是新中国文字改革的又一个重要成果,自此,中国印刷字体的字形有了一个比较统一的规范。

20 世纪五六十年代历史学界关于"五朵金花"的讨论

中华人民共和国成立后,随着唯物史观在中国的广泛传播,广大史学工作者在"百花齐放,百家争鸣"方针的指引下,围绕重大的历史问题和史学理论问题展开了热烈的讨论。在讨论的众多问题中,最引人注目的是中国古代史分期问题、中国封建土地所有制形式问题、资本主义萌芽问题、中国封建社会农民战争问题、汉民族形成问题,这五个问题是中国历史研究中的根本性的问题,因此被人们称为"五朵金花"。20 世纪五六十年代中国史学界围绕这些重大问题的讨论,推动了中国历史学界运用马克思主义对中国历史若干重大理论问题的研究。

一

关于中国古代史分期问题的讨论

"五朵金花"中最先提出来讨论的是中国古代史分期问题。这个问题是郭沫若、范文澜等马克思主义史学家以马克思主义社会发展理论探讨中国历史的重要问题。讨论的焦点集中在奴隶社会与封建社会的分期上。这个问题在20世纪30年代已在中国社会史论战中引起过讨论。

对古史分期问题的重新讨论始于1950年3月19日郭宝钧在《光明日报》发表的《记殷周殉人之史实》一文。曾参加河南殷墟发掘工作的郭宝钧在文中谈到了发掘中发现大量活人殉葬的事实。3月21日,郭沫若在《光明日报》发表了《读了〈记殷周殉人之史实〉》。郭沫若认为郭宝钧文中提到的史实是证明殷代是奴隶社会的绝好证据,同时郭沫若还提到了奴隶社会的下限问题:"在我的理解中,殷周都是奴隶社会,而奴隶社会的告终应该在春秋与战国之交。"由此开始了一场由殷商社会性质的研究演变为中国古代史分期问题的学术讨论。7月5日,郭沫若又在《光明日报》发表了《申述一下关于殷代殉人的问题》,文中说:"我自己很想把春秋和战国之交作为奴隶制与封建制的分水岭。"1952年郭沫若出版了《奴隶制时代》一书,运用文献资料和考古发掘材料系统地阐述了"战国封建说"。他的观点引起了激烈的讨论和争鸣。赞同郭沫若"战国封建说"的还有白寿彝、杨宽、吴大琨等。

"西周封建说"以范文澜、吕振羽、翦伯赞等为代表,主张中国封建社会开始于西周。范文澜于1954年发表了《关于中国历史上的一些问题》一文,论述了"初期封建社会开始于西周",他的主要论据是:根据西周生产资料所有制的材料来分析,西周封建土地所有制已经普遍建立起来;殷代有大量杀殉,用人作祭品,周代则不然,祭祀不用人,殉葬也是个别现象,因此殷周两代社会性质不同;从《诗经》有关篇章分析,西周的生产者有了自己的生产工具和独立的经济生活,符合农奴的特征;西周存在以宗子为中心的宗法制度,这是封建社会的上层建筑。[①] 1955年3月,范文澜主编的《中国通史简编》第一编修订本出版,他在书的《绪言》中集中阐述了他对西周社会性质的看法,扩大了"西周封建说"的影响。这也引起了我国史学界对古史分期的标准、我国奴隶制的类型及西周社会性质等问题的热烈争辩,从而在1955—1956年掀起了古史分期问题讨论的第一次高潮。

西周封建论者中因为对西周封建制的形成特征及生产力水平等问题有不同的理解,因而对西周封建社会的提法也不太一致。吕振羽认为,西周前期封建制和奴隶制两种秩序还在斗争,封建制到"宣王中兴"才算确立。范文澜、束世澂等人强调西周初年的分封就是领主制封建社会的形成。徐中舒、杨向奎肯定西周基层的社会组织是家族公社和农村公社,他们着重从受田制和井田制的性质及公社成员身份来分析西周的封建生产关系。童书业认为西周社会的最大特点是封建关系的早熟并且与宗法制度密切结合,因此

---

① 范文澜:《关于中国历史上的一些问题》,《中国科学院历史研究所辑刊》,1954年第1期。

他把西周称为"早熟的宗法封建社会"。①

除了"战国封建说"和"西周封建说"，第三种看法是以周谷城为代表的"东汉封建说"。他强调应从世界史的角度考虑这个问题。古代埃及、波斯、印度、罗马等帝国无一不是征服许多部族或国家扩大而成，而这些帝国兴盛之时都是奴隶社会的全盛时代。秦汉帝国与这些帝国属于同一系列，其社会性质也应是奴隶制。汉武帝采取了有利于封建经济发展的措施，但是并没有颁布过否定奴隶制的法令。东汉初年光武帝颁布的几次有关奴隶的法令则明显地具有否定奴隶制的意义。②

第四种是以侯外庐为代表的"西汉封建说"。他的观点在共和国成立以前的《中国古代社会史》一书中就已提出。1956 年，侯外庐在《论中国封建制的形成及其法典化》一文中指出，确定奴隶社会与封建社会的分界线"应该从固定形式的法典来着手分析"，秦汉的制度为封建社会奠定了基础。经过汉初的一系列法制形式，如叔孙通制礼、萧何立法、张苍章程等，到汉武帝时的"法度"，封建构成才典型地完成。③

第五种看法是"春秋封建说"，代表人物是李亚农、唐兰等人。李亚农把阶级关系的发展和变更作为区别奴隶社会和封建社会两种社会形态的标准。他认为夏代是比较温和的奴隶制，殷代和西周是奴隶制的繁荣期。周宣王实行"不籍千亩"

和"科民于太原"两项重大改革，使奴隶主转变为封建领主，奴隶则变为农奴。中国的奴隶制由周宣王开始转变为封建制，春秋时代已经成为典型的封建社会。唐兰则认为，西周到春秋的最大变革有两个方面：一个是"甿"的身份的变化，另一个是"四民"的固定，这是由奴隶社会转变为封建社会的明显证据。④

第六种看法是"秦统一封建说"，以金景芳等为代表。金景芳把经济形态和政治斗争结合起来作为奴隶社会和封建社会的分期标准。秦统一六国后从经济基础到上层建筑都作了重大的根本性的改革，正是这些改革最后完成了由奴隶制向封建制的转化。⑤

第七种看法是"魏晋封建说"，以尚钺、王仲荦、日知、何兹全为代表。1954 年 8 月，尚钺主编的《中国通史纲要》出版，书中最先提出了"魏晋封建说"。⑥ 在"百花齐放、百家争鸣"方针的指引下，王仲荦、何兹全、王思治、日知等学者纷纷发表文章支持这种看法。他们认为，汉武帝以后封建的生产关系逐渐萌芽和成长，自魏晋开始中国才开始进入封建社会。在论述分期标准时，他们主张，主要的生产关系必须适应生产力的性质，一切历史现象必须和当时社会的经济结构结合起来研究。

20 世纪 50 年代关于中国古代史分期问题的讨论以"西周封建说"、"战国封建

① 吕振羽：《殷周时代的中国社会》，三联书店，1962 年版；范文澜：《关于中国历史上的一些问题》，《中国科学院历史研究所辑刊》，1954 年第 1 期；束世澂：《中国的封建社会及其分期》，新知识出版社，1957 年版；徐中舒：《论西周是封建社会——兼论殷代社会性质》，《历史研究》，1957 年第 5 期；杨向奎：《关于西周的社会性质问题》，《文史哲》，1952 年第 5 期；童书业：《从生产关系适合生产力的规律说到西周春秋的宗法封建制度》，《文史哲》，1957 年第 1 期。
② 周谷城：《中国奴隶社会论》，《文汇报》，1950 年 7 月 27 日。
③ 侯外庐：《论中国封建制的形成及其法典化》，《文史哲》，1951 年第 1 卷第 1 期。
④ 李亚农：《中国的奴隶制与封建制》，华东人民出版社，1954 年版。
⑤ 金景芳：《中国奴隶社会的几个问题》，中华书局，1962 年版。
⑥ 尚钺主编：《中国通史纲要》，人民出版社，1954 年版。

说"和"魏晋封建说"的影响最大。通过讨论,促进了史学界对古史分期标准、中国奴隶社会过渡到封建社会的具体途径等一系列重要的史学基本理论的探讨,在讨论中呈现出"百家争鸣"的局面,成为共和国成立以后马克思主义历史学发展的一个重要组成部分。1958 年以后由于受"厚今薄古"思想的影响,讨论一度中断,但 20 世纪 60 年代初期又重新展开讨论,各家继续发表文章论述自己的学术主张,在讨论形式上由全国性的争鸣转为地区性的辩论。尽管这场讨论并没有在古史分期问题上取得一致的意见,但是深化了史学界对历史唯物论的理解。

二

关于中国封建土地所有制
形式问题的讨论

封建土地所有制是封建制度的经济基础,对我国封建社会历史发展进程有重大影响。新中国成立前,郭沫若、翦伯赞、范文澜、邓拓等人就探讨过封建土地所有制问题。他们认为,中国封建土地所有制形式上经历了领主所有制到地主所有制的演变过程,只是在二者的交替阶段上看法不尽相同。1954 年,侯外庐在《历史研究》创刊号上发表了《中国封建社会土地所有制形式的问题》一文,提出了中国封建社会的土地所有制占主导地位的是封建的土地国有制,即以"皇族垄断的土地所有制形式"为主要内容。接着,他在《历史研究》1956 年第八期上发表了《论中国封建制的形成及其法典化》,指出皇权垄断的土地所有制形式贯穿了秦汉至明清的全部封建史。而侯外庐的理论体系大致形成的标志是他在《新建设》1959 年第四期上发表的《关于封建主义生产关系的一些普遍原理》一文。此文发表后,他所提出的观点引发了史学界关于中国封建土地所有制的热烈讨论。

讨论不仅涉及历代具体的土地制度,而且对我国封建土地所有制形式的一般规律进行了激烈的争论。土地所有制的最基本的内容是土地所有权的问题,因此,争论的焦点就集中在我国封建社会土地所有制的形式,即占支配地位的究竟是土地国有制还是私人土地所有制即地主土地所有制,抑或是多种所有制并存。

关于封建土地所有制形式的讨论,主要是三种见解的争论:

第一种见解是认为中国古代封建土地所有制形式主要是土地国有制,以侯外庐、郑天挺为代表。侯外庐认为:中国封建土地所有制是"皇族所有制",豪强地主、农民都没有土地所有权,他们或者只有占有权,或者只有使用权。皇族垄断的土地所有制,"像一条红线贯穿着明清以前的全部封建社会史"。[①] 郑天挺也认为,中国封建社会是土地国有制,封建国家才是土地的最高所有者。他认为:"农民向地主交租,地主似乎有所有权,但地主必须按法律规定向政府纳粮,不管是否耕种,都得按期交纳。如果不交,则被政府视作闲田,予以没收;甚至土地已被政府没收了,还要继续纳粮当差。由此可见,地主只是土地的占有者,耕种地主土地的佃农则是土地的租佃者,国家才是土地的

---

① 侯外庐:《中国封建社会土地所有制形式的问题》,《历史研究》,1954 年第 1 期;《论中国封建制的形成及其法典化》,《历史研究》,1956 年第 8 期。

最高所有者。"①

　　韩国磐、贺昌群也主张中国封建社会是以封建土地国有制占主导地位,但他们不同意侯外庐所主张的"像一条红线贯穿着明清以前的全部封建社会史"。他们认为封建土地国有制只有在魏晋隋唐时占主导地位,封建国家是全国范围内集中的土地所有制,是最高的地主。封建土地国有制是整个地主阶级的所有制。大土地占有者也是地主,但地主、农民只有占有权。②

　　第二种见解是认为中国封建社会土地所有制是地主土地所有制占主导地位,以胡如雷、束世澂、邓广铭、杨志玖为代表。胡如雷认为,从地租、地主阶级政权、阶级斗争等方面来考察,中国封建土地所有制包括国家土地所有制及地主土地所有制,而地主土地所有制占支配地位。③束世澂在《论中国封建社会中土地国有制问题》④一文中认为,封建土地所有制是指领地制而言,是私有制的一种形式。

　　第三种见解是认为中国封建社会土地所有制形式是多种多样的所有制共存,以李诞为代表。他在《论我国的"封建土地国有制"》⑤一文中认为,中国封建社会的土地所有制是多种形态构成的,包括封建土地国有制、大土地占有制、小农土地所有制、残余的农村公社所有制。这些不同的形态彼此的区别是明显的,不容混同,但这些不同的形态是同时并存的。

　　20 世纪 60 年代以后,讨论这一问题的专文较少,在对中国封建社会长期延续的原因等问题的探讨中,史学工作者更加注重对中国封建社会经济结构的研究,其中包括对封建土地制度结构的分析。20 世纪五六十年代史学界对封建土地所有制问题的热烈讨论,虽然并未取得一致的意见,但是通过不同意见的交流,使这一问题无论是在理论方面还是史实方面,无论是深度还是广度都得到进一步提高。

关于资本主义萌芽问题的讨论

　　资本主义萌芽问题在新中国成立以前已有一些零星的研究,但是没有形成规模。1954 年,学术界展开的对《红楼梦》研究的讨论涉及该书的时代背景和中国历史上的资本主义萌芽问题。10 月 10 日,李希凡、蓝翎在《光明日报》上发表了《评〈红楼梦研究〉》一文,揭开了新中国成立后中国资本主义萌芽问题探讨的新篇章。1955 年,邓拓发表了在当时影响极大的《论〈红楼梦〉的社会背景和历史意义》一文。⑥ 此后,翦伯赞、吴晗、尚钺、黎澍等相继撰文,使资本主义萌芽成了热烈讨论的课题。

　　20 世纪 50 年代中期到 60 年代中期是史学界讨论资本主义萌芽最为热烈的时期,探讨侧重于资本主义萌芽产生的时间、发展程度以及对阶级关系的影响等问

---

①　《关于中国封建土地所有制问题的讨论——记南开大学第三届科学讨论会》,《历史研究》,1960 年第 1、2 期合刊。

②　韩国磐:《关于中国封建土地所有制的几点意见》,《新建设》,1960 年第 5 期;韩国磐:《从均田制到庄园经济的变化》,《历史研究》,1959 年第 5 期;贺昌群:《关于封建土地国有制的一些意见》,《新建设》,1960 年第 2 期。

③　胡如雷:《试论中国封建社会土地私有制形式》,《光明日报》,1956 年 9 月 13 日。

④　束世澂:《论中国封建社会中土地国有制问题》,《华东师范大学学报》,1957 年第 4 期。

⑤　李诞:《论我国的"封建土地国有制"》,《历史研究》,1956 年第 8 期。

⑥　邓拓:《论〈红楼梦〉的社会背景和历史意义》,《人民日报》,1955 年 1 月 9 日。

题。由于研究者掌握的主要材料不同以及各自对资本主义萌芽含义的不同理解，在探讨中出现了较大的意见分歧。

1. 资本主义萌芽出现的时间

"唐代出现资本主义萌芽说"。孔经纬在《新史学通讯》1955年第12期上发表了《中国封建社会手工业中的资本主义萌芽》一文，他认为，在唐朝时的一些地区内，雇佣劳动关系已经有了相当的发展。中唐以后，个别地方出现了商业资本家与家庭手工业相结合的最初的资本主义萌芽形式。吴海若的《中国资本主义生产的萌芽》一文也持类似看法。①

"宋代出现资本主义萌芽说"。1956年束世澂在《论北宋时资本主义生产关系的产生》②一文中提出了宋代出现资本主义萌芽的三条理由：宋代商品经济已空前发展，北宋时雇佣劳动者普遍、大量地存在着，北宋社会存在着资本家剥削雇佣工人的制度。

"元代出现资本主义萌芽说"。郑天挺、钱宏依据徐一夔的《始丰稿·织工对》，认为该篇描写的是元末江南丝织业中生产资料为作坊主私人所有，直接生产者是一无所有的劳动力出卖者，表明江南丝织业在元末时已经出现了资本主义的萌芽。③

"明清出现资本主义萌芽说"。持此观点的学者较多，但在萌芽出现的具体时间上却有不同的看法。吴晗认为，明初已产生大作坊资本家对手工业工人的剥削关系。④ 尚钺认为明代中国封建社会内部已出现了资本主义生产因素的萌芽，并强调明末三五十年间，中国封建社会已在开始起着本质的变化。⑤ 邓拓主张从明朝万历年间到清朝乾隆年间是资本主义萌芽的产生时期。⑥ 侯外庐、翦伯赞等人则主张从明嘉靖到万历年间是中国历史上资本主义萌芽最显著的阶段。⑦ 黎澍则认为明末虽然出现了个别的手工工场，但资本主义萌芽至清朝时期才比较显著。⑧

2. 资本主义萌芽发展的水平

史学界对这一问题展开了热烈的讨论，大体说来有两种看法：一是认为资本主义萌芽已经发展到手工工场阶段或资本原始积累时期，中国封建社会开始瓦解、崩溃，作为资本主义经济代表的市民阶级正在形成。二是承认当时已有资本主义萌芽，而且在某些地区、某些行业还得到了进一步的发展，但并未达到手工工场阶段或资本主义原始积累时期，没有也不能瓦解封建经济基础。

第一种意见以尚钺为代表。他在《清代前期中国社会的停滞、变化和发展》一文中认为，清代资本主义萌芽不仅存在于沿海的城市工商业中，而且存在于中国从南到北的广大地区。商品经济和社会分工在乾隆时期较之明末是发展得更高了。

① 吴海若：《中国资本主义生产的萌芽》，《经济研究》，1956年第4期。
② 束世澂：《论北宋时资本主义生产关系的产生》，《新史学通讯》，1955年12月号。
③ 郑天挺：《关于徐一夔"织工对"》，《历史研究》，1958年第1期；钱宏：《鸦片战争以前中国若干手工业部门中的资本主义萌芽》，《中国科学院历史研究所集刊》第2集，科学出版社，1955年版。
④ 吴晗：《明初社会生产力的发展》，《历史研究》，1955年第3期。
⑤ 尚钺：《中国资本主义关系发生及其演变的初步研究》，三联书店，1956年版。
⑥ 邓拓：《论〈红楼梦〉的社会背景和历史意义》，《人民日报》，1955年1月9日。
⑦ 侯外庐：《十七世纪的中国社会和启蒙思潮的特点》，《中国早期启蒙思想史》，人民出版社，1956年版；翦伯赞：《论十八世纪上半期中国社会经济的性质》，《北京大学学报》，1955年第2期。
⑧ 黎澍：《关于中国资本主义萌芽的考察》，《历史研究》，1956年第4期。

清代中叶,资本主义生产方式所需要的物质条件都已具备,从经济观点看,已是资本主义的"所谓原始积累"时期。[1] 李希凡、蓝翎在评论《红楼梦》的文章中也作了类似的判断。[2]

第二种意见以吴大琨为代表。在《略论〈红楼梦〉的时代背景》一文中,他认为,清代私人所有的手工制造业至多只能在某些特殊的地区得到一些发展,因此说乾隆时中国就已经有了可以动摇整个封建社会经济基础的资本主义萌芽是不符合历史事实的。18 世纪中叶以后清王朝由盛转衰的原因也不是由于当时的社会产生了资本主义萌芽,或者发生了资本主义的原始积累过程。真正动摇清王朝的,还是由封建社会内部固有的矛盾造成的农民起义。[3] 翦伯赞、许大龄等大体也持这种意见,但是具体论析略有不同。

3.资本主义萌芽对阶级结构的影响

大多数研究者认为,明清时期社会的主要矛盾虽然是农民和地主的矛盾,但是由于资本主义生产关系萌芽的发展,出现了一些新的矛盾和新的斗争,主要表现为市民的兴起和市民运动。

傅衣凌在《明代江南市民经济试探》一书中认为,明代中叶前后,江南城镇商品经济的发展扩大了市民阶层的队伍。明代后期,江南地区市民的反封建斗争已不同于封建社会的内部分裂。翦伯赞、邓拓等人也认为,明代市民阶级已经出现并成为和封建专制制度相抗衡的一种社会力量。

也有少数研究者不同意上述意见。他们认为,对资本主义萌芽的阶级结构方面的表现与影响不能过高估计。明后期没有形成市民阶层,城市手工业者和商人反税监、矿监的斗争不是市民运动。它和农民反对地主一样,并不具备别的性质。吴大琨认为,把明代封建社会内部的矛盾,手工业者、中小商人与官僚统治阶级的矛盾看成是与整个封建势力对抗的"市民运动",是对这个术语原有意义很大的误解。明清城市手工业者与商人的斗争"只能被作为封建社会内部农民反对地主的斗争同样性质的斗争来看待"。[4]

除了上述问题,史学界还比较集中地探讨了丝织业、棉织业、矿冶业、陶瓷业等手工业部门中的资本主义萌芽问题。大多数论者主张这些部门在明清时期已经出现了资本主义萌芽,少数人则认为某些部门还没有出现资本主义萌芽。但是即使是认为已经出现萌芽的论者,对于萌芽的表现形式及其发展程度,看法也略有不同。关于农业中资本主义萌芽的问题,专门研究这个问题的论文和著述较少,翦伯赞、尚钺等人认为明清时农业生产中已经有了资本主义萌芽,但许大龄、尹进等学者则持相反意见。

史学界关于资本主义萌芽问题的讨论,从 20 世纪 50 年代中期到 60 年代中期,共发表论文 200 多篇,出版了《中国资本主义萌芽问题讨论集》及《中国资本主义萌芽问题讨论集续编》两本论文集,极大地促进了学术界对中国经济史的研究,推动了较为薄弱的手工业史、商业史等行业史的研究。

① 尚钺:《清代前期中国社会的停滞、变化和发展》,《中国资本主义关系发生及演变的初步研究》,三联书店,1956 年版。

② 李希凡、蓝翎:《评〈红楼梦〉研究》,《光明日报》,1954 年 10 月 10 日。

③ 吴大琨:《略论〈红楼梦〉的时代背景》,《文史哲》,1955 年第 1 期。

④ 吴大琨:《关于〈中国历史纲要〉明清史部分几个经济问题的意见》,《文史哲》,1955 年第 3 期。

四

关于中国封建社会农民
战争问题的讨论

中国封建社会农民起义和农民战争的次数之多、规模之大是世界历史所罕见的。共和国成立以来，史学工作者认真学习马克思主义理论，着重对中国历史上各次较大规模的农民战争进行了研究。在此过程中，史学界就农民战争的性质、农民政权的性质、让步政策、皇权主义、平均主义以及两者的关系、农民战争的历史作用等问题展开了探讨。1958 年至 1966 年达到理论探讨和争论的高潮。

1. 关于农民战争性质的讨论

关于农民战争的性质是当时争论最多、分歧最大的问题之一。争论主要围绕农民战争是否具有反对地主阶级和封建制度的性质问题展开。

孙祚民、蔡美彪、翦伯赞认为，中国的农民战争只是在封建社会内部打击地主阶级的封建统治，不曾超越封建制度的范围。历史上所有的农民起义和农民战争的矛头自始至终总是指向统治阶级中的个别人物。农民反对封建压迫剥削和反对封建地主、皇权，没有也不可能意识到把封建当做一个制度来反对、把地主当做一个阶级来反对、把皇权当做一个主义来反对。[1]

郭沫若、梁作榦、戎笙认为，在封建社会的上行阶段，农民起义的主观动机首先是反对过重的剥削，其最高目的只是求得获得土地，绝不想根本推翻封建制度，农民起义也没有提出过土地问题。在封建社会的下行阶段，农民起义提出了"均财富"、"均田"、"均产"等口号，而且有的还付诸实践。这在事实上反映了农民的平均主义思想，"在主观上有了废除封建制度的意识并在客观上起着打击封建制度的作用"。[2]

侯外庐、漆侠、白寿彝等则认为，封建社会的核心问题是土地关系问题。为了解除封建土地所有制对自己的奴役和压迫，农民的革命斗争就指向封建土地所有制，同地主阶级展开对土地的争夺。这个农民战争的基本内容贯穿于封建社会的全部过程。[3]

2. 关于农民起义所建立的政权性质

第一种意见认为：在同样的封建经济基础上，不可能建立两种性质不同的政权。农民起义领袖建立的所谓短期的政权，都是以封建王朝的体制作为蓝本，从它统治地区的社会现状、经济关系、政治制度、斗争目标和发展前途来说，都是封建性政权。这种"新政权"基本上还是封建的、专制的，它与"旧政权"只是存在差

① 孙祚民：《关于"农民政权"问题》，《新史学通讯》，1955 年第 6 期；蔡美彪：《对中国农民战争史讨论中几个问题的商榷》，《历史研究》，1961 年第 4 期；翦伯赞：《对处理若干历史问题的初步意见》，《光明日报》，1963 年 12 月 22 日。

② 郭沫若：《中国农民起义的历史发展过程》，《人民日报》，1959 年 5 月 16 日；梁作榦：《反对庸俗地理解"阶级斗争是社会发展动力"的原理》，《光明日报》，1956 年 5 月 24 日；戎笙：《试论明代后期农民阶级斗争的性质和特点》，《历史研究》，1958 年第 10 期。

③ 侯外庐：《中国封建社会前后期的农民战争及其纲领口号的发展》，《历史研究》，1959 年第 4 期；漆侠：《关于中国农民战争性质问题》，《光明日报》，1960 年 2 月 18 日；白寿彝：《关于中国封建社会农民战争性质的商榷》，《历史研究》，1961 年第 4 期。

别,而没有实质上的不同。①

第二种意见认为,不能把农民战争中出现的"短期的农民政权"和封建政权画等号,但是不可否认,"短期的农民政权"具有革命和封建两重性质。它一方面力图保护和救济广大农民大众,另一方面并没有触动、摧毁封建土地所有制,革命的内容和封建的形式是两重性的具体反映。②

第三种意见认为,判断一个政权的性质,最根本的标准是看它掌握在哪个阶级手里,反对哪种社会制度和哪些阶级。农民政权建立后,一方面团结农民和其他劳动者,镇压地主阶级的反抗;另一方面组织发展经济,废除封建剥削,实现农民阶级的经济解放。这说明它是一种"多数人统治少数人,劳动人民统治剥削者的政权"。③

3.关于农民起义的指导思想

在中国封建社会,农民起义的指导思想究竟是皇权主义还是平均主义,这一问题曾经是史学界讨论的热点问题之一。

第一种意见认为,只要封建的土地所有制存在,就有皇权主义思想存在,这种思想是阶级支配的原则在政治思想上的表现。农民推翻了皇帝却没有打算推翻皇权,而且农民领袖自己称王称帝,因此农民战争中存在皇权主义思想。④

第二种意见认为,中国农民战争的领袖曾经称王称帝,并模仿封建王朝的样子设置官职,但不能因此说他们是皇权主义者,这是由农民阶级的局限性和受地主阶级影响的结果。⑤农民战争中具有平均主义思想,主要表现在"等贵贱"和"均贫富"两个方面。一是反对封建的剥削压迫,一是要求建立一种自由平等的小农社会生活,即反对政治上的贵贱不平等和经济上的贫富不平均。⑥

第三种意见认为,应当承认农民有皇权主义思想,中国农民战争带有皇权主义性质。这是农民思想和农民战争落后与局限性一面的反映,但不是农民思想和农民战争性质的主要方面。在农民革命的实际中,皇权主义思想和平均、平等思想,即民主主义思想结合在一起,是农民及农民革命两重性与局限性的具体表现。⑦

4.关于农民战争的历史作用

这是史学界争论最多、分歧最大的问题之一。

第一种意见认为,每一次农民起义后,新的封建统治者为了恢复社会秩序必须对农民作出某种程度的让步,这就或多或少地减轻了对农民的剥削压迫,减轻了封建生产关系对生产力的束缚,使封建社会的生产力继

---

① 孙祚民:《关于"农民政权"问题》,《新史学通讯》,1955 年第 6 期;蔡美彪:《对中国农民战争史讨论中几个问题的商榷》,《历史研究》,1961 年第 4 期;翦伯赞:《对处理若干历史问题的初步意见》,《光明日报》,1963 年12 月 22 日。

② 戚立煌:《中国封建社会"农民政权"的两重性及其向封建政权转化的必然性》,《历史研究》,1962 年第 3 期;关履权:《略论农民起义的政权问题》,《学术研究》,1964 年第 3 期。

③ 宁可:《中国农民战争史上的农民政权问题》,《新建设》,1960 年第 10、11 期。

④ 《翦伯赞谈中国农民战争问题》,《人民日报》,1961 年 11 月 18 日;孙祚民:《关于中国农民战争中皇权主义的问题》,《历史研究》,1961 年第 5 期。

⑤ 白寿彝:《中国历史上农民战争的特点》,《新建设》,1960 年第 8、9 期。

⑥ 江地:《有关农民战争史研究中的一些问题》,《文汇报》,1964 年 7 月 23 日;洪家义:《关于中国农民战争中的平均主义思想及其实践问题》,《南京大学学报》,1965 年第 2 期。

⑦ 宁可:《关于中国封建社会农民战争中的皇权主义问题》,《光明日报》,1960 年 12 月 13 日。

续发展,因而推动了历史的前进。①

第二种意见认为,农民战争从根本上改变了地主和农民的关系,使农民获得了自由。在农民战争失败后,封建政权的"让步政策"实质上恰恰剥夺了农民在战争中夺得的自由。在农民战争失败后制定的许多政策和措施,是对农民起义后的反攻倒算。②

第三种意见认为,如果农民革命能够推翻旧政权,给封建统治阶级以沉重的打击,则农民起义是能够推动封建社会前进的。如果农民革命不能推翻旧政权,反而被统治阶级扼杀,历史上出现的便是黑暗与混乱。③

第四种意见认为,农民战争在封建社会的不同阶段,起着不同的作用。封建社会上行阶段的农民战争一般起了推动封建生产关系发展和完善的作用,封建社会下行阶段的农民战争则主要推动了封建生产关系日益衰落和灭亡,必须具体情况具体分析。④

关于中国封建社会农民战争问题的讨论极大地推动了中国封建社会农民战争史的研究,提高了对此问题的研究水平。

五

关于汉民族形成问题的讨论

1950 年,范文澜发表了《中华民族的发展》一文⑤,对汉民族形成问题进行了初步考察。他认为,秦始皇统一中国,建立起统一的中央集权的汉族为基干的民族国家可以说是伟大中华民族形成的开始。1953 年,苏联历史学家格·叶菲莫夫在苏联《历史问题》上发表了《论汉民族的形成》一文,后被译为中文刊登在《民族问题译丛》1954 年第 2 辑上,引起了中国史学界的高度重视。该文认为中国的民族在 19 世纪与 20 世纪之间形成。1954 年,范文澜在《历史研究》第 3 期上发表了《试论中国自秦汉时成为统一国家的原因》,对汉民族形成问题作了进一步的考察和说明。此后,史学工作者纷纷撰文参与讨论,50 年代至 60 年代形成了讨论的高潮。

1.关于秦汉以来汉族是否已经形成为民族

以范文澜、张冠英为代表的学者认为汉民族形成于秦汉之际。他指出,秦汉时汉族已经具备了斯大林指出的民族的四个特征,即民族是历史上形成的一个有共同语言、共同地域、共同经济生活、共同心理状态的稳定的人的共同体。⑥

许多论者认为,在中国还没有资本主义的秦汉时代不可能产生民族,而只能是部族,并对范文澜把"车同轨、书同文、行同伦"理解为共同语言、共同地域、共同经济生活及表现在共同文化上的共同心理

① 翦伯赞:《对处理若干历史问题的初步意见》,《光明日报》,1961 年 12 月 22 日;吴雁南:《关于农民起义和农民战争的历史作用》,《光明日报》,1960 年 11 月 24 日。

② 孙达人:《应该怎样估价"让步政策"》,《光明日报》,1965 年 9 月 22 日;覃延欢、钱宗范:《封建统治阶级的两面手法》,《光明日报》,1965 年 11 月 3 日。

③ 尹湘豪:《问题解答》,《新史学通讯》,1955 年第 12 期。

④ 方之光、倪景熙:《论中国封建社会农民战争的几个问题》,《光明日报》,1960 年 8 月 18 日;李荫农:《如何理解毛主席关于中国农民战争历史作用问题的论述》,《史学月刊》,1960 年第 9 期;宁可:《对农民战争后封建王朝一些政策的分析》,《新建设》,1963 年第 3 期。

⑤ 范文澜:《中华民族的发展》,《学习》,1950 年第 8 卷第 1 期。

⑥ 范文澜:《试论中国自秦汉时成为统一国家的原因》,《历史研究》,1954 年第 3 期;章冠英:《关于汉民族何时形成的一些问题的商榷》,《历史研究》,1956 年第 11 期。

素质提出了不同的意见。

曾文经认为汉民族形成于鸦片战争以后。汉民族是在封建主义解体、资本主义出现、全国市场形成之后开始形成的。在中国封建社会末期已经孕育着资本主义的萌芽,民族资本迅速发展,形成了全国统一的市场,各地有了经济上的密切联系,有了共同的经济生活,事实上融合成为一个民族的整体。①

杨则俊、张正明则认为汉民族开始形成于明代后期。16 世纪后期中国社会内部发生了非常重要的变化,即在国内商品经济的基础上产生了原始形态的资本主义,手工业、货币都有了相当的发展,原料生产和加工过程中的分工以及地域分工也有了发展,开始形成国内市场。除了这些经济生活,共同语言、共同地域、共同心理素质等民族特征也开始出现。因而从明代后期开始,汉民族由部族转化为民族。②

2.关于民族的定义、译名

在汉民族形成问题上引起的争论是同民族定义不确切、经典著作中"民族"的译名问题相联系的。

"民族"一词在我国是从近代开始出现和被广泛使用的。广义的民族一般指历史上形成的处于不同社会发展阶段上的各种人们的共同体,包括民族、部族、部落以及资产阶级民族和社会主义民族;狭义的民族则专指资本主义时代形成的具有四个特征的稳定的人们的共同体。然而由于共和国成立初翻译的经典著作中,对"部族"、"民族"的译名不统一,民族的

含义混乱,给民族史学研究造成了不少困难。汉民族形成问题的分歧就是由于对"部族"和"民族"的不同理解。为了解决这个问题,1962 年,哲学社会科学部和中央编译局召开了一次讨论会。与会者认为,经典著作中的中文译名既要忠实于原著的精神,又要照顾汉语的特点,应该把译名统一起来,建议以后只用"民族"而不用"部族"。同年冬,中央编译局翻译的《斯大林文选》出版,对《马克思主义和语言学问题》一文中的"民族"与"部族"作了改动。新译文将"部族"改为"(资本主义以前的)民族","部族"后边的"民族"改为"(资本主义时期的)民族"。

3.关于资产阶级民族和社会主义民族的形成

以范文澜为代表的学者认为汉民族始终没有形成资产阶级民族。他指出,汉族在秦汉时已开始形成为民族。近百年来,它在原来的基础上加强了,但并不曾转化为资产阶级民族。辛亥革命是资产阶级领导的,但是它没有领导农民阶级,这一点正是资产阶级民族不曾形成的确实证据。③

张正明、曾文经等则认为汉族自明代后期以来或鸦片战争以后至资产阶级民主革命结束以前是资产阶级民族。张正明指出,明代后期以来至旧民主主义革命阶段结束前的汉民族是资产阶级民族,因为这一期间的资产阶级(市民阶级)逐渐成了民族的主角和领导力量。新民主主义革命阶段的汉民族仍然属于资产阶级民族类型。④

① 曾文经:《论汉民族的形成》,《历史研究》,1955 年第 1 期。
② 杨则俊:《关于汉民族形成问题的一些意见——与范文澜同志和格·叶菲莫夫同志商榷》,《教学与研究》,1955 年第 6 期;张正明:《试论汉民族的形成》,《历史研究》,1955 年第 4 期。
③ 范文澜:《试论中国自秦汉时成为统一国家的原因》,《历史研究》,1954 年第 3 期。
④ 张正明:《试论汉民族的形成》,《历史研究》,1955 年第 4 期。

曾文经不同意范文澜用中国民族资产阶级软弱等理由来否认作为资产阶级民族的汉民族的产生和存在。他认为在汉族形成的过程中,中国已经是一个半殖民地国家,汉民族是在帝国主义压迫下的半殖民地的民族,其性质只能是资产阶级民族。① 主张汉民族形成于秦汉以后的章冠英也认为,不能以中国资本主义的微弱来否定近代的汉民族是资产阶级民族。由于汉族在资本主义出现于中国之前就已形成为民族,资本主义的出现只是加强了各地的联系,使汉民族从独特的低级阶段的民族发展为资产阶级民族。②

关于汉民族是否形成为社会主义民族问题在讨论中涉及不多。范文澜认为,五四运动和中国共产党成立以后,汉族在中国无产阶级和中国共产党的领导下逐渐形成为社会主义民族,社会主义革命胜利以后经过一个过渡时期就成为完全的社会主义民族。③ 曾文经、张正明则认为,中华人民共和国的成立标志着中国资产阶级民主革命的基本完成、社会主义革命开始,汉民族开始形成为社会主义民族。到社会主义建成时,汉民族最后完整地形成为社会主义民族。

在汉民族形成问题的争论中,学者们不仅讨论了汉民族的特征及其形成过程,而且对“民族”一词的定义和翻译的准确性展开了激烈的讨论,从而将历史研究与民族学、社会学的研究结合起来,促进了中国民族史的研究。

20 世纪五六十年代中国史学界开展的对“五朵金花”的讨论虽然都没有取得一致的结论,但是史学工作者们都坚持以历史唯物论为指导思想去分析和解释历史现象,并且能够充分发扬学术民主,以理服人,极大地促进了我国历史学科的繁荣和发展。此外,围绕“五朵金花”的讨论,还引发了学术界对亚细亚生产方式、中国封建社会内部分期、中国封建社会长期延续的原因、历史发展的动力、历史人物评价等史学理论问题的探讨。这些都推动了中国马克思主义史学的全面发展。

港澳台地区概况

一

国民党败退台湾后的混乱与重组

国民党败退台湾之初,整个岛内处于内外交困、危机四伏、人心惶惶、混乱不堪的境地。当时的外国报纸凡是提到“中华民国政府”时,总要在其前面“加上一个垂死的(Dying)形容词”,表示它正“等待签发死亡证明书”。面对危局,蒋介石加快“复职”步伐,并在党政军各方面进行大清洗、大改组,恢复工农业生产,进行土地改革,严密控制社会,稳定台湾的局势。

1. 国民党败退台湾

1948 年 9 月至 1949 年 1 月,中国人民解放军在三大战役中取得了决定性的胜利,国民党损失兵力达 150 万人之多。

① 曾文经:《论汉民族的形成》,《历史研究》,1955 年第 1 期。
② 章冠英:《关于汉民族何时形成的一些问题的商榷》,《历史研究》,1956 年第 11 期。
③ 范文澜:《试论中国自秦汉时成为统一国家的原因》,《历史研究》,1954 年第 3 期。

解放军乘胜追击,南向长江天险,陈兵百万,国民党政府垮台指日可待。

面对败局,已宣布"下野"的蒋介石以国民党总裁的身份,躲至幕后编练军队,以图继续顽抗,并采纳其幕僚张其昀的建议,加紧做好东撤台湾、建立反共基地的准备工作。

战后归还中国的台湾,四面环海,利于发挥海、空军优势,也易于获得外援。为确保台湾,蒋介石早在 1948 年 12 月 29 日和次年 1 月 16 日,先后任命亲信陈诚接替魏道明为台湾省政府主席兼台湾省警备总司令、国民党台湾省党部主任委员,以控制台湾党政军大权。1949 年 1 月 19 日,任命亲信汤恩伯为京沪杭警备总司令,控制京沪杭地区;密令资源委员会、中央银行向台湾抢运各类财产和物资,其中有国库中价值约 5 亿美元的金银、外汇,有北京故宫博物院和南京博物院的近 26 万件的文物、珍宝和档案,以及上海等地的大批工业设备;密令教育部、中央研究院将部分高校、科研院所的图书、仪器和部分著名学者转移至台湾。

1949 年 4 月 21 日,人民解放军渡过长江,挥师江南。23 日,解放南京。25 日,蒋介石乘军舰离开家乡,游弋于上海、舟山、马公岛等地。5 月 25 日早晨,上海战役即将结束,蒋介石黯然登上军舰,驶往台湾高雄,不久,转至台北草山(后易名阳明山),并在台北设立由其担任主席的国民党非常委员会。[①] 8 月 1 日,蒋介石在台湾设立总裁办公室,将其变成自己的幕僚机构,构建自己的指挥系统,15 日,又成立东南军政长官公署,负责苏、浙、闽、粤四省的军事部署与防务,并负责国民党军队和政府退台事宜,由陈诚任军政长官;调亲信汤恩伯为福建省主席,将嫡系胡琏部调往潮汕、金门等地,以拱卫台湾。不仅如此,蒋介石还在 7 月中旬和 8 月上旬飞往菲律宾碧瑶和韩国镇海,会见菲总统季里诺和韩总统李承晚,企望谋求国际支持。然而这一切均无助于事。10 月 12 日,广州告急,搬迁此地不足半年的国民党"中央党部"和"国民政府"再迁重庆。12 月上旬,西南战役又近尾声,蒋介石在大陆的最后一块战略基地也将不复存在。7 日,"国民政府"宣布迁往台北。10 日下午 2 时,蒋氏父子在人民解放军隆隆的炮声中紧急飞离成都,败退台湾。

溃退到台湾的国民党一片混乱。在政治上,由于国民党各派系人员是在一片混乱中聚集在这仅有 3.6 万平方公里的小岛上的,岛上资源有限,矛盾和冲突十分激烈。国民党上层失败情绪严重,谣言四起,一些"党国要员"纷纷躲避在海外或港澳地区观望。在经济上,由于连年战争,台湾经济已处于崩溃边缘,加之一下涌入百万军民,更使台湾面临通货膨胀、物价飞涨、外汇枯竭、财政困难的危险境地,许多国际大公司不愿和台湾做生意,甚至台湾银行开出的信用证,外国银行也予以拒收。在军事上,虽有 60 万军人退往台湾,但军队的状况极为糟糕,"败兵残卒,乌合之众,未经整补训练前,难挡强敌;许多单位,徒具虚名,官多于兵,或有官无兵,为普遍现象,官兵成分,五花八门,职业军人,混杂着受裹胁的农民;野战师团,零零星星,系临时由流亡学生、保安团队拼凑"。在外交上,"撤退来台的外国使节,

---

①　"非常委员会"是 1949 年 6 月 11 日由蒋介石主持国民党中常会与中政会联席会议后宣布成立的,用以代替原中政会职权。非常委员会为国民党非常时期最高权力机关,政府的一切措施必须先经其决议后方能生效。

寥若晨星。举世没有一个同情台湾的人"。美国政府发表《美国与中国关系》白皮书,公开指责国民党的失败在于蒋介石集团的贪污、腐化、专制、昏庸,明确表示将采取"在未采取进一步行动之前,将先等待亚洲之尘埃消除"的"袖手政策"。

2. 蒋介石在台湾"复职"

1949年1月21日,随着国民党军队在全国战场的节节败退和国民党内部地方派系的紧逼,内外交困的蒋介石不得不宣布"引退",由副总统李宗仁代理总统职位。蒋介石名为下野,实则以国民党总裁身份继续操纵大局,予李宗仁的施政以极大的制肘。初期,面对"一国两公"的局面,焦头烂额的李宗仁曾多次请求蒋介石复任总统视事,均被蒋介石托词拒绝。蒋、李矛盾日益尖锐,公开并引发桂系内部矛盾。心力交瘁的李宗仁决定远走美国,避开是非旋涡。11月19日,李宗仁致电在重庆的"行政院长"阎锡山,嘱其"以责任内阁立场全权处理国政"。次日,李宗仁又致函蒋介石,以胃病突发为由,提出赴香港转往美国就医。李宗仁此举在国民党上层引起强烈震动。21日,蒋介石派人携亲笔信赴港"慰问"李宗仁并劝请其速返重庆,遭李拒绝。国民党中常会又派人赴港对李宗仁提出"万一病情不允许,则请蒋复职",李仍不从。12月8日,李宗仁携随员赴美。

退台之初,岛内严重混乱的局面尚未平息,蒋介石迫不及待地进行"复职"活动。1950年元旦刚过,台湾的"监察院"、"国大"就开始频频发动攻势,指责流亡海外的"代总统"李宗仁失职,促其速回台北。李宗仁则以接洽"美援"为由,继续滞留美国,"遥领国是",也不放弃"代总统"资格,以此抗议蒋介石的"复职"举动。2月14日,受蒋介石控制的国民党"非常委员会"向在美国做寓公的李宗仁发出通牒式电文,限3日内返台,否则将视为自动放弃"代总统"职权。李宗仁以身体尚未完全康复断然拒绝。3月1日,蒋介石在台北复行"总统"职权。在"复行视事"的文告中,蒋介石声称"中正许身革命四十余年,生死荣辱早已置之度外,进退出处,唯国民之公意是从。在此存亡危急之时期,已无推诿责任之可能。爰于三月一日复行视事,继续行使总统职权"。

蒋介石"复职"后,立即对行政部门和军队系统进行了大清洗和大换班。3月7日,以陈诚取代阎锡山出任"行政院院长"。3月12日,陈诚"组阁"完成,"阁揆"包括"副院长"张厉生、"秘书长"黄少谷、"国防部长"俞大维(郭寄峤代理)、"内政部长"余井塘、"财政部长"严家淦、"外交部长"叶公超、"经济部长"郑道儒、"交通部长"贺衷寒、"法务部长"林彬、"教育部长"程天放、"蒙藏委员会委员长"余井塘(兼)、"侨务委员会委员长"叶公超(兼)以及"政务委员"吴国桢、蔡培火、董文琦、王师曾、杨毓滋。3月13日,改组"总统府",以王世杰任"总统府秘书长"、俞济时为"总统府"第二局局长。3月17日至25日,蒋介石又任命原空军司令周至柔接替顾祝同出任"参谋总长"兼"空军司令",任命孙立人为"陆军总司令"、黄镇球为"联勤"总司令、蒋经国为"国防部总政治部主任";桂永清则继续担任"海军总司令"。以上人员加上早在1949年12月接替陈诚出任台湾省"政府主席"的吴国桢,构成了蒋介石"复职"后的军政新班底。他们之中,除用来充当点缀角色的亲美人士王世杰、吴国桢、孙立人和一些党外人士如王师曾、杨毓滋(分别为青年党和民社党成员)之外,多为蒋介石的亲信。

3. 国民党"改造运动"

1950 年 6 月 25 日，朝鲜战争爆发，国际形势突变，台湾警报解除，酝酿于 1947 年的国民党"改造运动"得以实施。1950 年 7 月 22 日，蒋介石在台北阳明山主持召开国民党中常会临时会议。会议决定原国民党第六届"中央执委会"、"中央监委会"（均为 1945 年产生）停止行使职权，授权蒋介石遴选 15—25 人组成"中央改造委员会"代行上述两会职权，成为国民党的最高权力机构。26 日，蒋介石宣布陈诚、蒋经国等 16 人为"中央改造委员"。这些人员中原任中央执、监委的仅有五分之三。他们平均年龄 47 岁，均有军校、大学以上学历，绝大多数与蒋氏父子有师生、部属或是同乡关系，仅担任过蒋介石秘书的就有五人之多。蒋介石正是通过这种"太上内阁"式的委员会，取代原有 460 名委员的两会职权，负责对国民党进行"改造"。

"改造运动"从 1950 年 8 月 5 日"改造委员会"正式成立拉开帷幕至 1952 年 10 月国民党"七全"大会召开时结束，历时近两年零三个月，大体可分为三个实施步骤。

第一是接管"中央执行、监察委员会"，制定和颁发改造的具体政策和规程。8 月 7 日，"中央改造委员会"及其所属工作部门分别接管了国民党第六届"中央执行委员会"和"中央监察委员会"的工作，并在 9 至 10 月间，以蒋介石《中国国民党现阶段政治主张》为纲领陆续制定了包括《原有党员整肃办法》、《征求新党员办法》、《整顿党的作风方案》、《党员编组及工作计划》、《各省市及海外党务改造程序》、《省改造委员会组织规程》、《县（市）改造委员会组织规程》等一系列有关国民党各级组织整肃、扩展及其程序等政策措施，作为各级国民党党组织党务改造的

依据。

第二是直接督导和控制各级国民党党部改造委员会进行改造。"中央改造委员会"不仅通过建立直属机构——区党部的方式负责"中央"各部门党的改造，还通过逐级委派改造委员组建各级党部、改造领导机构的方式监督、控制各地方、行业、海外党部进行改造，即"中央改造委员会"直接委派台湾省党部改造委员，省改造委员会又指派县（市）党部改造委员。至 1951 年 3 月，国民党各级党部改造委员会全部成立，组织实施国民党各级党组织的全面改造，并在 9 月前，完成了"举办讲习"、"扩大宣传"、"发动党员归队"、"厉行党员整肃"等项工作。

第三是发展组织，正式组建党部。在整肃的基础上，吸收新党员，加强党员训练，正式成立台湾省、县（市）、区各级党部。至 1952 年 4 月，国民党在台湾普遍建立起包括省党部在内的各级党部。

"改造运动"涉及的领域众多，主要包括思想、组织、制度、纪律、作风等方面。通过"改造运动"，国民党获益匪浅，但对蒋介石来说获益更大。"改造运动"的开展使他至少获得了三项重要成果：

第一，重整了国民党组织。在大陆期间，国民党组织系统就十分混乱，败退台湾之初，更是"只见党部，不见党员"，组织系统完全涣散。蒋介石认为，国民党在大陆统治之所以崩溃，根本原因在于国民党本身的失败。为把台湾建成"反共复国"的基地，他必须彻底改造国民党和改组国民党组织。这次"改造"中，各级改造委员会通过各种方式，号召党员"归队"，拓展党员队伍，改变党员成分构成，重组国民党各级党部和组织，有利于国民党在台湾的统治；同时成立由蒋介石任院长的阳明山革命实践研究院，通过对党员进行严格

管理,强化组织纪律和加强教育学习、培训,使全体党员能更好地服从蒋介石的"领袖意志"。

第二,削弱了国民党内非蒋派别的政治力量。在大陆期间,国民党内派系林立,相互倾轧,钩心斗角,并不完全听命于蒋介石。通过这次"改造",蒋介石借机排斥和压制了一大批异己力量。如军队系统的显赫人物何应钦、阎锡山、顾祝同、白崇禧,党务系统的CC系陈立夫、陈果夫,行政系统的政学系众多成员和财经系统的宋子文、孔祥熙的人马等。这些人或被夺权失势,退隐贬逐;或被挂上"中央评议委员"、"总统府战略顾问"的虚衔。他们的退出对蒋介石加强权威和完全控制国民党十分有利。

第三,提拔了一大批亲信。16名"中改委"委员,多为蒋介石的嫡系。他们中有一半人在后来召开的国民党"七全"大会上被选为"中央委员"和"候补中央委员",有的甚至成为常委,进入国民党第七届中央委员会的最高决策层中。特别是1938年6月才入党的蒋经国更是通过"改造运动"和国民党"七全"大会,一跃成为仅次于陈诚的国民党中央委员和中央常委,为其日后顺利接班、主政打下了基础。

4. 中国国民党第七次"全国"代表大会

为总结"改造运动"的成果,重组国民党中央权力核心,确定退台初期的政纲政策,根据《国民党改造措施及其程序》有关条文的规定,1952年5月29日,中央改造委员会第347次会议决定于同年10月召开国民党"七全"大会。10月10日至20日,国民党"七全"大会在台北阳明山召开,出席大会的代表300余人。大会的中心议题是确定国民党退守台湾后的政纲、各方面的基本政策、党规党法,选举国民党中央委员会。大会通过了蒋介石所作的《政治报告》,张其昀所作的《党务报告》,以及陈诚、周至柔、叶公超分别所作的施政、军事、"外交"报告,并作出相应的决议,强调国民党当前工作的中心在于推进政治、经济、文化、社会四项改造运动,并与军事动员密切配合,以"达成建设台湾和反攻大陆的任务"。

大会通过的《中国国民党总章修正案》对过去的"总章"作了大幅度修改,除将"总章"改为"党章"外,新增内容包括:①将国民党定性为"革命民主政党";以"青年、知识分子及工农、生产者等广大劳动民众为社会基础,结合其爱国的革命的分子为党的构成分子";组织原则为民主集权制,由选举产生干部以讨论决定政策,个人服从组织,少数服从多数,下级服从上级,在决议前得自由讨论,一经决议,需一致服从。领导原则是以组织决定一切,以思想沟通全党,以政策领导政治,以工作考核党员,并将"改造运动"中确定的党政关系在章程中明确规定下来。②规定乡镇设区党部,小组为党的基本组织,各级委员会执行纪律,每年进行一次"党籍总检查",以考核党员,加强党的组织。③规定了党员的五点义务:研究和宣扬本党理论;按时交纳党费,出席党的会议,参加党的工作;服从党的纪律,接受党的命令,保守党的秘密;恪守工作岗位,坚持党的政策;努力为民众服务。④将中央执行委员会、中央监察委员会合并为中央委员会,以加强其权力职能;另设中央评议委员会,以安排"党国元老"。

大会通过的《中国国民党政纲》分为政治、"外交"、军事、经济、教育、社会、侨务等七个纲领,是国民党现阶段实行三民主义的具体办法。政纲主张团结反共力量,"驱逐俄寇","消灭共匪","重建中华"；促进亚太地区"反共友邦团结"，与"非共产集团国家"合作贸易；厉行精兵政策；依据民生主义制订经济计划；普及"国民教育"，实施军事训练，注意文化发扬和人格教育；举办社会保险；扶植和奖励侨民教育、海外文化事业及侨民岛台投资。

为确立"反共复国"的具体目标和行动纲领，大会讨论并制订了《中国国民党反共抗俄时期工作纲领》，从"巩固自己"、"结合民众"、"摧毁敌人"三方面确定了"反共抗俄"的工作思路、方法、措施。

大会根据主席团提议，以起立通过的方式推荐蒋介石为国民党总裁。根据蒋介石提名，通过宋美龄、吴敬恒、张群、阎锡山、于右任、邹鲁、何应钦、胡宗南等48人为中央评议委员会委员，选举陈诚、蒋经国等32人为中央委员，郑介民、马季壮等16人为候补中央委员，并在23日召开的国民党七届一中全会上选举陈诚、蒋经国、张道藩、谷正纲、吴国桢、黄少谷、陈雪屏、袁守谦、陶希圣、倪文亚、张其昀11人为中央常务委员。至此，中央改造委员会代行两年零三个月的职权，移交回中央委员会。

国民党"七全"是"改造运动"的重要成果和"改造运动"结束的标志，也是国民党面临生死存亡关头起死回生的一次重要会议。会议确定了国民党退守台湾后一段时间的政纲和政策，特别是重新组建了以蒋介石为核心的中央权力机构，有助于国民党稳住阵脚，也有助于蒋介石掌握台湾党政军大权，建立独裁统治。

5. 国民党整治军队运动

国民党溃退到台湾的军队约有60万人，由于经历连续的军事打击和溃败，军队内部军心不稳、士气低落、战斗力不强。即或是蒋介石引以为傲的空军和海军也面临着诸多困难，如空军拥有兵员85000余人，各式飞机400架，但缺乏维修零件，真正能作战的仅有半数，汽油储存量仅有两个月；海军拥有官兵35000人，舰艇50艘，但实际发挥战斗力的海军攻击舰艇不及半数，且零部件缺乏。

面对这种情况，蒋介石不能不加快对军队的整治步伐。1950年3月，蒋介石"复任""总统"后，在陈诚对军队整编的基础上，开始进行整军建军运动。

蒋介石对军队的整治建设包括：一是重建军队政工制度。1945年秋，为欺骗国人并要求共产党交出武装，国民党极力鼓吹"军队国家化"，并一度取消了军队中的党务组织。很多政工人员虽仍以各种名义继续充当"监军"角色，但实权大为削弱。在总结大陆军事斗争失败的教训时，蒋介石将取消军队中党务组织、缺乏政工制度作为失败的主要原因之一。因此，蒋介石"复职"后，立即宣布将"国防部"政工局改为"国防部"总政治部，任命蒋经国为总政治部主任。1950年4月1日，蒋介石亲自批准实施《国军政治工作纲领》。《纲领》规定，政治工作的基本任务为主持军队政治教育思想领导，建立精神武器；筹划军中组织，考核官兵思想，防止逃亡反动；监察所属单位之人事经费，核实人员马匹；激发官兵战斗情绪；推行保密防谍教育，展开官兵保防工作。按照这一《纲领》，蒋经国在各部队中自上而下安插骨干亲信，建立了一整套严密的政工体系，加强了蒋氏父子对军队的控制。

二是整饬军纪。国民党军队中结党营私、任人唯亲现象严重，导致军纪废弛，部队战斗力下降，且散兵游勇骚扰民众，强抢财物，强派壮丁，极大损害了国民党形象。1950年6月11日，台湾"国防部"颁布《国军纪律须知》，强调服从命令、严守秘密、缴获归公、秋毫无犯等"四大纪律"和"说话要和气、买卖要公道、尊重妇女、不打架不争吵、不损害庄稼、不砍伐树木、借住房屋要先商量、尊重风俗、借用东西要送还、损坏东西要赔偿、乘坐车船要守规则、没有准假不外出"等"爱民守则"。为重整军纪，严肃纪律，蒋介石还拿国民党高级将领开刀，如以"平潭战役不力、擅自撤退、影响军心"之名判处第六兵团司令李延年和七十三军军长李天霞有期徒刑 12 年。

三是调整军队内组织系统。国民党军惨败的一个重要原因是各单位之间职责不明，政出多门，互相扯皮，互相推诿，不能很好地协调配合。1950 年 3 月 15 日，蒋介石发布命令，强调"总统"对三军的统帅权，并明确划分了军令和军政两大系统，尤其是这两大系统的首脑参谋总长"国防部长"的职权：凡有关"国防"建设、军事行政部门等统由"国防部长"负责，凡有关海陆空作战计划及指导等属于军事指挥部门之职权，统由参谋总长负责。

四是建立相关退除役和部队主官任期制度。为保证兵员素质，1951 年 6 月，蒋介石下令公布《陆海空军士兵退除役办法》。1952 年 10 月，台湾当局又制定了《三军官兵在台期间假退除役办法》，明确规定了士兵和各级军官的退役年限。与此同时，台湾当局"立法院"又于 1951 年 12 月 14 日通过《兵役法》，规定凡年满 20 周岁的青年必须到兵役局登记，经体检合格后，准备服兵役。这些制度的推行，有助于台湾军队补充新兵员，完成新老交替。为防止军事主官拥兵自重、权力膨胀，1952 年 3 月，蒋介石下令颁布《实施军事主官任期制度》，规定师级以上主官任期两年，可连任一次，两任期满即须调任

或免任；必要时需延长任期的，延长期不得超过一年。

国民党通过一系列整军建军行动，稳住了阵脚，巩固了蒋介石对军队的控制，军队的战斗力也有所恢复。

6. 台湾的白色恐怖

国民党败退台湾之初，政治、经济、军事、"外交"陷入一片混乱之中，谣言四起、人心惶惶，失败颓废情绪日长。为控制局面，蒋介石一方面通过"改造运动"整肃党组织，向党员灌输"领袖意志"来重塑自己的威望；另一方面对原来混乱的情治系统进行重组①，成立了由蒋经国实际负责的"政治行动委员会"（1949 年 8 月 20 日成立，唐纵任召集人，周至柔任主委。1950 年改为"总统府机要室资料组"，蒋经国为主任），统一指挥训练全岛 5 万人左右的特工队伍，将台湾的党政军民全部纳入自己的监控之下。1954 年，蒋介石批准组建"国家安全局"，督导、协调各特务机关的活动，其后又命警备总司令部和宪兵总司令部社调组，负责台湾的"内部安全"。50 年代初，台湾的情治系统一改大陆时期和退台初期的混乱局面，统一协调、分工明确、相互制约、权力巨大，终于形成一个完全听从蒋氏父子指挥的庞大特务网络，成为台湾当局控制局势、实行独裁的主要支柱和邪恶势力。

与特务横行相配合的是，作为代表社会"公共权力"的警察也在台湾极度膨胀。整个小岛竟有 10 万多名警察，遍布岛内各个角落，使台湾成为世界上人均警察拥有量最多的地区。这些警察拥有 90 多种职能，全天候、全方位地监视人民的举止言行，职能之多也堪称世界之最。

为了控制局面，稳住阵脚，早在 1949

---

① 台湾情治系统包括情报、宪兵、警备、治安等部门。

年 3 月和 5 月,台湾当局就分别颁布和实施《军公人员及旅客入境暂行办法》和《台湾出境登记办法》,开始对"出入境"实施严格管制,凡"出入境"人口必须得到有关部门的批准。是年 5 月 19 日,台湾警备司令部进一步颁布《戒严令》,宣布台湾全省"临时戒严",对台湾实行军事管制。《戒严令》规定,从 5 月 20 日开始,基隆、高雄两港实行宵禁,除基隆、高雄、马公三港在监护下仍予开放外,其余各港,一律封闭,严禁出入。27 日,台湾警备司令部颁布了《戒严期间防止非法集会、结社、游行、请愿、罢工、罢课、罢市、罢业等规定实施办法》和《台湾地区戒严时期出版物管理办法》,对台湾民众的言行严加控制。当局规定:戒严期间,严禁聚众集会、民间结社、罢工、罢课、罢市及游行请愿等活动。对人民的居住、迁徙、言论、讲学、信仰等各种自由严加限制,规定:居民无论家居外出,皆须随身携带身份证,以备检查,否则一律拘捕,甚至规定,违反十项禁令如罢工、罢市和鼓动学潮等则交由军事法庭,"依法处死刑"。对新闻、出版则实行检查制度,严加控制。台湾当局规定:"凡在本地区印刷及出版之出版物,应于印就发行时,检具样本一份,送台湾警备总司令部备查。"查禁的出版物包括:"为共匪宣传者","诋毁国家元首者","淆乱视听,足以影响民心士气或危害社会治安者","挑拨政府与人民情感者"等八条。违者扣发刊物、封闭出版机构,并交军法审判。实际上,不管是否在八条标准之列,只要对国民党、蒋介石不利,一律查禁。百姓基本的民主权利完全丧失。

国民党退台后,为使戒严长期化,于 1949 年 11 月 2 日经"行政院政务会议"决议将台湾划为接战地域,实施戒严。1950 年元月,蒋介石又将其在大陆实行的"戒严法"搬到台湾实施,这意味着台湾进入戒严时期的军事管制体制。直至 1987 年,台湾当局迫于内外压力,才不得不宣布解除台湾地区的军事戒严,取消了戒严状态下的部分军事措施,缩小了为实施戒严而成立的警备总司令部的部分职权,适当放宽"出入境"限制,有限制地恢复民众集会、游行、罢工的权利,长达 38 年之久的戒严才宣告结束。

蒋介石复出后,又以"戒严时期"为借口,于 1950 年 6 月 30 日颁布《检肃匪谍条例》等一系列保安规定,防止所谓"匪谍"渗入。他甚至把在大陆时期实行的"保甲连坐"制度照搬到台湾,要求各机关、部队、学校、工厂或其他团体所有人员,都应由两人以上连坐连保。同时,这些条例还规定,对那些有"匪谍"嫌疑的人,保安人员有搜身、搜查住宅、扣押物品的权力。1953 年 8 月,台湾当局颁布《戡乱时期检肃匪谍联保办法》,迫使人们相互监视、检举。1955 年 6 月至 8 月,国民党又在台湾搞所谓"前在大陆被迫附匪分子总登记运动",要求在大陆参加过共产党的党、政、军、经济、文教、社会团体及各种公私团体的人,在共产党的工商机构、"御用宗教组织"工作过的人,接受过共产党的军事、政治、社团、文教、民运、乡镇工作等方面训练的人,受共产党直接利用或"附匪分子"间接利用的人,曾在大陆办过"自首"手续,但无法提出有效证明的人,都要到保安司令部办理登记,并在各阶层、各部门、各团体安置特务机构,在政府部门和学校中普遍设立"安全室"。

50 年代是台湾白色恐怖最严重的时期。蒋介石曾借助"戒严制度"对党政军各界进行多次大规模清洗,先后宣布破获所谓"中共台湾省工作委员会案"、"吴石案"、"俄国间谍案"、"陈福星案"等大案,以"通共罪"和"策反罪"枪决了前参谋次长吴石中将、"联勤总部"第四兵站总监陈宝仓中将和原台湾行政长官公署行政长官陈仪。

国民党军政要员尚且如此,黎民百姓更是命如草芥。尽管人们在高压下言微行慎,但仍有不少民众被冠以"匪谍罪"、"叛乱罪"投入监狱或处决。从1949年陈诚在师范学院制造的"四六事件",到50年代的"麻豆事件"、"桃园事件"……国民党在台湾掀起疯狂的"抓共谍"高潮。据台湾官方公布,截至1958年春,破获的"颠覆案"高达311320件,被捕、被传讯和受到调查的,超过130万人。这在人口不足1000万的台湾来说,比例竟高达1/7,可谓是腥风血雨、人人自危。军警、特务有防"共"、反"谍"以及文化、经济管制大权,可以随意抓人、杀人。据不完全统计,仅1949—1952年间,被台湾当局以"匪谍"、"共党"名义枪毙的就有4000人左右,而被以同罪判处无期、有期徒刑者有8000—10000人,至于被秘密处决者则难计其数。

7. 恢复工农业生产

国民党退台之前,台湾经济已不乐观,经济衰退、物资贫乏,通货膨胀日益加剧,财政不堪重负。随着国民党退台,人口激增,经济形势更为严重。1949年6月,台湾的物价上涨率已增至1189%。台湾财政赤字在1950年时已高达5亿多美元。

面对这种民穷财竭、混乱不堪的局面,当务之急是尽快地恢复工农业生产。1949年7月,台湾当局成立了"台湾区生产事业管理委员会"(简称"生管会"),负责管理台湾公私企业的生产以及与生产相关的物资分配、资金调度、对外贸易、日本赔偿物资处理、技术合作、工程调配等一系列工作,是经济决策和计划执行机构。陈诚任主任委员,但实际负责人为尹仲容。

此时正是台湾经济最危急的时候,"生管会"宛如一个救急机构。根据台湾的实际情况,该会制定的工作原则是:凡能生产"国防"及民生必需品、外销品、代用品的生产企业,不分公民营,一律在原料、器材、资金供应方面提供方便,使之能恢复或扩大生产。当时,到"生管会"要求救急的企业,"户限为穿"。一年之后,经济状况稍有好转,"生管会"才正式开始研究台湾经济恢复和发展方向、方针这一关键工作。

"生管会"根据台湾财力、物力两缺的实际情况和台湾经济发展的需要,决定优先发展三个重要的或急需的部门:电力、肥料和纺织业。

电力:日据时期,台湾共建成33所水力和火力发电厂。到光复时,许多发电、送电设施因遭盟军飞机轰炸,破坏严重,已无法正常运转。而恢复工业生产,非有充分的电力供应不可。为此,台湾当局把电力列为第一优先发展的产业,不仅对已有的电厂进行了大规模的调整,并尽快修复了受损较轻的电厂,而且在1950年至1952年间,先后完成了乌来、天轮、立雾等电厂及横贯中央山脉的东西部联络输电工程,使发电装机容量达到32.3万千瓦,超过了战前水平。

肥料:台湾耕地肥力不高,又因使用过度,需通过大量的人工施肥方能提高农作物的产量。日据时期,台湾仅有日人创设的5家肥料厂,生产极为有限,仅能满足岛内需求的1/4,其余约30万吨的肥料要从日本进口。光复后,肥料进口难以为继,原有的肥料厂又大多毁于战火,供需缺口巨大。鉴于此,台湾当局大力扩充和更新了各肥料厂的设备,并新建了高雄硫酸氢厂,逐步增加肥料生产;同时,利用美援大量进口化肥,使化肥的消费量大增,有力地促进了台湾农业的发展。1952 年,台湾农业已恢复到日据时期的最好水平。可以说,采取这一措施是台湾农业得以迅速恢复的一个重要因素。

纺织:日据时期,台湾纺织业力量薄弱。二战末期,台湾的纺织能力仅为:纱厂 1 家,纺锭 10000 多枚;织布厂 14 家,织机 704 台,年产棉布 270 万码;麻袋厂 2 家;小型毛织厂 1 家。光复时,台湾纺织工业仅存纺锭 8000 余枚,纺机 400 余台,产量甚微,不能满足岛内市场的需要。为改变这一局面,台湾当局决定配合美国进口原棉,充分供应美援纺织原料,鼓励民间投资设厂,以求棉布的自给自足;同时,将大量的大陆携来的资金、设备和技术人才投入到纺织业,新建、扩建了一批工厂,使台湾的纺织业迅速发展。到 1952 年,台湾已有棉纱纺锭 14.3 万锭,毛纱年产量已达 267034 公斤,呢绒哔叽 481685 米。1954 年,台湾的纺织品开始外销。

经过三年多的努力,到 1952 年年底时,台湾农工生产水平已恢复或超过日据时期的最高水平。台湾经济终于站稳了脚跟。

8.控制通货膨胀、稳定财经

退台之初,台湾经济面临着经济崩溃的巨大压力。为了控制通货膨胀,稳定财经,台湾当局采取了以下财经措施:

(1)改革币制。1946 年 9 月 11 日,国民党在台湾发行台币(通称"旧台币")。由于大量发行,严重膨胀,币值一落千丈。为扭转这一恶局,必须实行币值改革,控制货币供应量。1949 年 6 月 15 日,台湾当局颁布了《台湾省币制改革方案》和《新台币发行方法》,规定:停止流通 1946 年 9 月发行的旧台币;新台币由指定的"台湾银行"发行;新旧币的兑换比例为

1:40000,限于 12 月 31 日前兑换完毕;新台币的发行数额以 2 亿元为限,十足发行。币制改革后,发行额虽屡次突破上限,但在一定程度上还是缓和了通货膨胀和物价上涨的压力。

(2)实行高利率政策。为吸引民间储蓄,减少市场上货币的流通量,更好地控制物价,台湾当局采取了"高利率吸储"这一特殊金融政策。1950 年 3 月 25 日,台湾当局下令台湾各银行优先办理优利储蓄存款,推行高利率政策。一段时期,台湾存款的利率竟高达月息 7%,按月滚存,年息可达 125%,从而吸引了大量的社会游资。到 1950 年 9 月,台湾银行的存款增至新台币 1.64 亿元,1951 年 9 月更是迅速增至新台币 5.39 亿元。这一政策的实施效果极为明显,使台湾的金融系统逐步稳定并走上了正常的轨道。从 1950 年 3 月优利储蓄实施到 1958 年底最终结束近九年的时间里,台湾的银行共吸收了 15 亿元,不仅减轻了通货膨胀的压力,而且吸纳的巨额游资也为扶持一些急需发展的部门提供了充足的资金。

(3)加强外汇管理,采用单一汇率制。1949 年 6 月,台湾当局为更好地控制外汇,决定实现结汇证签发办法,规定 1 美元折合 5 元新台币,采用单一汇率制。与此同时,又公布了《台湾省进出口贸易及汇兑管理办法》,将进出口商品分为四类:准许进口类、暂停进口类、禁止进口类、禁止出口类,要求出口商将所得外汇的 20% 按规定的汇率结售给台湾银行,另外 80% 则发给结汇证明书。若进口准许进口类货物,凭结汇证向海关报关进口。

(4)实行"黄金储蓄"政策。台湾当局利用人们偏爱黄金的心理,从 1949 年 5 月 21 日起,举办了多期的"黄金储蓄"存款。即以台币存入,到期后的本息以黄金支

付。之后,随着新台币的发行,台湾当局
又对黄金储蓄的方法进行了相应的修正,
使台币坚挺。但是,到1950年6月和7月
间,台湾当局在兑换黄金时开始搭配、附
带两年偿还的"节约救国储蓄券"和15年
偿还的"爱国公债",使黄金价格上扬,台
币币值下滑。即使如此,台湾黄金价格仍
低于国际市场价。因此,黄金外流非常严
重。1950年12月27日,台湾当局不得不
停止执行"黄金储蓄"政策。在此期间,台
湾银行共付出黄金145万两,但回笼了大
量的货币,对建立台币信誉、缓解通货膨
胀起到了一定的作用。

(5)谋求财政收支平衡。首先是整顿
税制。1951年,台湾当局颁布了《台湾省
内中央及地方各项税捐统一稽征条例》,
大大简化税目,统筹办理各项税捐。同
时,大力整顿税务行政。主要是:建立营
业额课税制度,实行统一发票办法,调查
核实税源,明确税基,对偷漏欠滞纳者按
惩处制度实施罚款以及培养税务人才,提
高税务人员素质等等。通过一系列措施,
课税收入由1950年的新台币6.89127亿
元,增加到1951年的新台币11.44394亿
元,1952年更增至新台币19.43578亿元。
其次是发行公债。1949年,台湾当局制定
了《爱国公债条例》。根据《条例》,1950年
开始发行公债,年息4厘,每6个月还本付
息一次,分15年缴清,清偿款项从盐税收
入中拨付。至11月底,台湾当局共出售
"爱国公债"1.573亿元新台币。再次是压
缩财政开支。为压缩庞大的日常政务开
支,台湾当局对行政机构进行了简化。如
"行政院"的各"部"、"会"所属机构,先后
裁撤了84个单位,裁退人员达5000余人。

9.台湾的土地改革

日据时代,日本人视台湾为"聚财乐
园",大批退伍军人、退职人员移居台湾,

与日本财阀组织公司、承领土地,然后转
租给台湾农民耕种,以收取高额地租。同
时,台湾土地租借制度中还盛行口头租
约、押租金、铁租等习俗,致使农民耕地严
重不足,租佃关系紧张,严重影响了农业
的发展。光复后,台湾当局曾于1948年实
施过"公地放租",但直到20世纪50年代
初,上述状况也未能根本改观。到1950年
时,耕地不足或无地可耕的农户仍占总农
户的64.9%。其中,半自耕农16.9万多
户、佃农24.2万多户、雇农4.4万多户,分
别占总农户的24%、34.5%和6.4%。为
稳定局势,恢复岛内经济,台湾当局决定
从1949年开始推行"土地改革"。当然,必
须看到,国民党官员与台湾土地利益集团
无大牵连,也是台湾当局能够放手实行
"耕者有其田"政策的一个重要的原因。

从1949年到1953年,台湾的土地改
革先后进行了四年,共分为三个步骤进
行,即:

第一个步骤是"三七五减租"。1949
年1月,陈诚奉命主持台湾省政,遂着手草
拟减租方案。2月4日,他在台湾农民节
大会上宣布首先实行"三七五减租"。两
个月后,台湾省政府委员会通过了《台湾
省私有耕地租用办法》及其实施细则等相
应法规,4月14日正式公布施行,至1951
年5月完成。

"三七五减租"的主要内容有三点:第
一,减轻地租。限定佃农向地主交租一律
不超过主要农作物正产物全年收获总量
的37.5%,原地租不及此数者依原约,不
得增加;高于此数者,减至此数。取消预
收地租及押租金等额外负担;灾年歉收
时,按歉收成数减免地租。第二,保障佃
农的权利。租用土地一律订立书面租约,
废除口头租约,租期不得少于六年。地主
不得随意终止租约,租期满后,若承租者

愿续约者应予续约。第三,兼顾地主利益。佃农要按期交租;租佃期未满之前,如果佃农积欠地租达到两年的总额,地主可以撤租。

"三七五减租"直接触及地主们的经济利益,遭到他们的强烈反对,但陈诚等人严格依法办事,保证了减租运动的顺利进行。经过"三七五减租",台湾的水田平均租率减少了11.1%,并造成土地价格的下降,为下一步土改创造了条件。

第二个步骤是"公地放领"。所谓公地,是指1945年台湾光复后台湾当局接管的日伪公私耕地。此类耕地共17.67万余公顷,约占当时台湾可耕地总面积81.6万公顷的21.65%。1951年6月4日,台湾当局公布了《台湾省放领公有耕地扶植自耕农实施办法》,把"国有"、"省有"耕地所有权转移到农民手中,是谓"公地放领"。放领的对象依次为自耕农、雇农、耕地不足的佃农、耕地不足的半自耕农、无土地耕作的原关系人而需要土地耕种者、转业为农者。放领的面积为每户水田5分到2甲,旱田1甲到2甲。放领的地格不超过市价,相当于放领土地主要作物正产物年收获总量的2.5倍;全部地价以实物计算,受领户分十年还清,不计利息;一旦地价偿还完毕,田地即为耕者所有,政府发给土地所有证书。

"公地放领"的时间跨度较大,从1948年到1976年,先后进行过9次"公地放领",共出售13.9万公顷土地给28.6万家农户,放领面积超过台湾耕地总面积的15%。由"公地放领"所扶持的自耕农占当时台湾自耕农总数的40%。"公地放领"主要集中在1951年和1952年间,共涉及耕地9.6万公顷,由165443户农民受领,平均每户0.58公顷。"三七五减租"和"公地放领",为实行"耕者有其田"创造了条件。

第三个步骤是"耕者有其田"。实施"公地放领"后,并不能解决农民的土地问题。毕竟,台湾可耕地的56%掌握在地主手中。因此,台湾当局在"不增加农民负担之下使其取得土地"、"兼顾地主利益"、"转移地主土地资金投入工业"等三原则下,制定《耕者有其田法》、《公营事业转营民营条例》和《土地债券发行条例》,征收地主的土地。这些法律条文于1953年1月20日通过并于26日公布实施,具体内容是:第一,地主可以保留其出租土地中等水田3甲或旱田6甲(约为2.91公顷和5.82公顷)。超过的部分,连同公有耕地、公私共有的私有耕地、当局代管的耕地、祭祀公业和宗教团体的耕地,一律由政府定价征收,转放现耕农承领。第二,征收耕地之地价,按各等级耕地主要作物正产品全年收获量的2.5倍计算;征收地价的补偿,以实物土地债券和公营事业股票按7:3配发。第三,耕地征收后,由现耕农承领,承领地价与征收地价相同,连同耕地上定着物及地基价格,年息4%,本息合计,自承领起,分十年以实物或同年期之实物土地债券均等缴清。如逾期交付,则按当地价加收违约金。第四,耕地承领人在未还清地价之前,不得将耕地转移。

实行耕者有其田,共征收放领的土地139249公顷,占私有出租土地的55%;地主土地被征收者共166049户,占地主总户数的60%;受领耕地的农户有194823户,占承领耕地农户的65%。台湾当局为征收耕地所支出的企业股票总面额约6.5亿元新台币。地主所得地价补偿中约22%用于消费,改善生活;42%用于投资;其余仍保持土地债券。

这次土地改革,对台湾的农业、工业乃至整个社会均产生了十分重大的影响。

第一，土地改革使大量的无地农民成为了自耕农。这意味着土地改革基本上摧毁了台湾农村中的封建租佃关系，建立起了新的农村政治结构。第二，刺激了农民生产的积极性，使台湾农业生产仅用了三年（1949—1952年）就恢复到日据时期的最高年产量（1939年）的水平，并使农业产值连续10年以每年5％的速度递增。第三，有助于台湾当局乱中求稳。台湾是以农业为主的地区，土地改革有助于台湾当局在农村中建立起稳定可靠的统治秩序。另外，土地改革也使大量的佃农获得了土地，生产积极性提高，粮食增产，从而保证了"军公教人员免费供给制"的实施，有利于社会的稳定。第四，大量的地租资本转化为工商企业资本，促进了台湾资本主义工商业的发展。

但是，这次土地改革又有相当大的局限性。首先，对封建势力的打击是极其温和的。其次，仅仅在一定程度上分散了地权，却远未能做到平均地权。

二

铲除异己，修补独裁统治

退台之初，国民党为再度争取美国的支持，重塑"民主、自由的新形象"，一方面起用了与美国关系密切的"民主自由人士"出任要职，装点门面；另一方面，又不断地修补其独裁体制，以维护其政权的"合法"性。20世纪50年代初，为维护蒋介石的独裁统治，在台湾政坛上上演了一出又一出的政治闹剧。

1."吴国桢事件"

吴国桢，湖北建始人，生于1903年。1921年清华大学毕业后，赴美国格林奈尔学院和普林斯顿大学学习，1926年获普林斯顿大学政治系哲学博士学位，与美国政界和知识界关系密切。回国后，他历任重庆市市长、外交部政务次长、国民党中宣部副部长、汉口市市长、上海市市长等要职。退台后，蒋介石于1949年12月让其接替陈诚出任仅有的"台湾省主席"，作为克服困难、向美国求援的一个重要姿态。

吴国桢在任期间，对蒋介石竭智尽忠，以图报效。但是，吴国桢与蒋经国之间早有矛盾。1948年8月，时任上海市市长的吴国桢，与受命于蒋介石赴沪任经济督导员的蒋经国在处理打击投机商人的手段和方法上发生过冲突。退台后，蒋经国掌管情治特务系统，操纵"反共救国团"，主持"总政治部政治作战部"，在岛内捕人杀人。受英美民主思想影响较深的吴国桢对此颇为不满，常以"省主席"的身份加以干涉、阻止，在政治上与蒋经国的矛盾日渐加深。

随着艾森豪威尔上台，台美关系日趋好转，吴国桢的利用价值渐微，蒋介石开始排斥、陷害吴国桢。迫于压力，吴国桢于1953年4月10日借口健康原因辞去"台湾省主席"一职，仅保留"行政院政务委员"职务。随后，他又以美国两个学术团体邀请讲学为名，于5月25日赴美，并定居于此。

吴国桢抵美之初，因家人在台，其对台湾政治尚能保持沉默。然而，蒋氏父子却不罢休。1953年11月，台湾当局在处理"王世杰案"（王世杰，政学系成员，与吴国桢、胡适、雷震等"自由分子"息息相通、关系密切。原任"总统府秘书长"。1953年11月17日，蒋介石以"蒙混舞弊，不尽职守"之名将其免职）的过程中，坊间已有吴国桢违法套汇的传言。1954年1月，台湾再次传出"吴国桢携资50万美元外逃"的谣言。吴得知后，曾去函要求台湾当局辟谣,无下文。吴国桢遂于 2 月 7 日向台湾当局发难,约见美国 MGN 电视台记者,公开发表国民党不民主、"政府过于专权"、台湾军队中的"政治部"完全拷贝于苏联等三点政见,在美国舆论界引起巨大反响,使国民党蒋介石的形象大损,国民党极为狼狈。3 月 17 日,国民党中央委员会决定开除吴国桢党籍,蒋介石又以"总统"名义发布命令,称吴国桢"背叛国家,诬蔑政府,妄图分化国军,离间人民和政府及侨胞与祖国之关系,居心叵测,罪迹显著,应即将所任'行政院政务委员'一职予以撤免,对其违法渎职情事,依法彻底查办"。3 月 20 日至 4 月 3 日,吴再次发表了一系列措辞严厉的文字进行反击,双方关系势如水火。为此,台湾当局曾多次要求"引渡"吴国桢,但都因美国政府不同意而作罢。经美国"驻台大使"兰钦向双方施加压力,吴国桢停止攻蒋,其被扣为人质的小儿子也得以离台赴美。

2.“孙立人事件”

孙立人,1900 年生,安徽舒城人。清华大学毕业后被保送赴美留学,先就读于印第安纳州的柏杜大学,获工程学士学位。又入弗吉尼亚军校学军事,与美国著名将军马歇尔为先后同学。回国后,孙立人在宋子文税务警察总团特种兵团任团长,参加了"八一三"上海抗战。1940 年 11 月,该团编为正规军第三十八师,孙立人升任师长,率部远征缅甸。在滇缅作战中,孙立人率部在滇缅边境的仁安羌救出被围英军,又在打通雷多公路、反攻缅北的战斗中屡获战功,升任新一军军长,被友军誉为"东方的隆美尔",获英国皇家勋章。抗战胜利后,孙立人先在东北任职,遭排挤。1947 年 7 月,出任负责训练的陆军副总司令,8 月即赴台湾编练新军。1949 年 7 月出任东南行政长官公署副长

官兼台湾防卫司令。1950 年 3 月,蒋介石任命他为陆军总司令兼台湾保安总司令。1951 年,孙立人晋升为陆军二级上将。

孙立人任陆军总司令时,正值蒋经国出任"国防部"总政治部主任,在军队中建立政工制度,加强特务统治。孙立人遂联合美国顾问进行抵制,蒋孙之间为争夺对军队的控制权产生矛盾。同时,孙也与蒋介石的黄埔弟子关系极为紧张。1954 年 6 月,蒋介石以任期届满为由免除孙的陆军总司令一职,改任有名无实的"总统府"参军长。

1955 年 8 月 20 日,蒋介石突然发布命令,称孙立人部下郭廷亮是"匪谍",企图发动"兵变",孙立人涉嫌被免职。经陈诚等人组成的调查委员会长达二个月的调查,得出的结论是:孙立人的老部下郭廷亮"为中共工作",利用孙立人的关系在军队中联络军官,准备发动"兵谏"。虽未发现孙立人为主谋,但孙"既未举报","亦未采取适当的防范措施",应负责任。"念其久历戎行,抗战有功,且于该案发觉之后,即能一再肫切陈述,自认咎责,深切悔恨。兹特准于自新,毋庸另行议处,由国防部随时考察,以观后效。"随即蒋介石命令将孙立人送台中软禁。是为轰动一时的"孙立人兵变案"。

软禁在台中的孙立人只能在家中种花养鸡,教育子女,聊度余生。1987 年 7 月 15 日,台湾解除戒严,9 月,原中国驻印军老兵 500 余人成立联谊会开始为老长官孙立人恢复自由而努力。1988 年 1 月 13 日,蒋经国去世,孙案翻案的压力顿减,台湾"立法院"和"监察院"中亦再起重新调查孙立人案之要求。3 月 20 日,台湾"国防部长"郑为元亲到台中孙立人家中,宣布即日起孙立人有完全自由。软禁近 33 年后的孙立人终于恢复自由。1990 年 11

月 19 日,孙立人于台中家中病逝。

3.《动员戡乱时期临时条款》变成永久条款

国民党败退台湾后,加快了独裁的步伐。然而,为了证明其政权的"合法性"、"代表性"以及为得到美国的支持,又不得不拼命维护它的所谓"宪政体制"。

但是,这个"宪政体制"给蒋介石的独裁带来了不少的麻烦。1946 年制定的《中华民国宪法》对"总统"有很大的约束力,蒋介石极为不满。1948 年 4 月 18 日,他终于借助"国民大会"通过的《动员戡乱时期临时条款》,获得了巨大且不受任何约束的"紧急处分"权。1949 年 5 月 19 日,蒋介石就是依据《动员戡乱时期临时条款》(后简称《临时条款》)的授权,宣布台湾地区进入戒严,并颁布了一系列有利于自己独裁的条例和法规。可是,《临时条款》之临时有期限,即条款的第 4 项里明文规定"总统"必须在 1950 年 12 月 25 日前召集"国民大会"临时会议,决定《临时条款》应否延长或废止。到期后,如不能召集会议,《临时条款》将被废止,"总统"据此所获得的许多能超越"宪法"约束的特权将不复存在。这是蒋介石决不会同意的。但如果开会决定修改或延长,又不够开会所需的法定人数(《临时条款》在位阶上等同甚至优于"宪法",需 2/3 的"国代"参与才能进行修订)。根据"国民大会"组织法第 8 条规定:"国民大会非有代表过半数之出席,不得开议,其议决除宪法及法律另有规定外,以出席代表过半数之同意为之。"而此时随国民党退台的"国大代表"仅 1080 人,不足总数 3045 人的一半。对此,蒋介石头疼不已。在王云五等人的献策下,1950 年 8 月,蒋介石以台湾的"国大代表"不足开会所需的法定人数,无法讨论是否废止《临时条款》为由,召集"行

政院"、"立法院"、"司法院"、"监察院"、"考试院"五院的"院长"开会,提出暂缓召开"国民大会"临时会议。1954 年 3 月 20 日,国民党在台北召开第一届"国民大会"第二次会议。这次大会虽经修改《国民大会组织法》,勉强凑够开会人数(总数的 1/3 以上),但仍未达到修宪所需人数。因此,大会根据莫德惠等 87 人的临时动议,决定《临时条款》在未经正式废止前继续有效"。这等于说把"宪法"中的民主内容完全冻结起来的《临时条款》在台湾已经变成了"永久条款"。蒋介石拥有"出口即法"的极权,独裁完全"合法化"了。

1991 年 4 月 8 日,台湾当局经过一番论证和准备,正式召开了"第一届国民大会第二次临时会议",废除《临时条款》。30 日下午,李登辉在"总统府"大礼堂举行有 145 名记者参加的招待会,宣布自 5 月 1 日零点起,终止"动员戡乱时期",废止《动员戡乱时期临时条款》。"动员戡乱法系"中的法律、法规、命令需进行修改,或是整文废止,或是删除"动员戡乱"四个字。《动员戡乱时期临时条款》寿终正寝。

4.万年"国代"和万年"国会"

国民党退台初期,对蒋介石威胁最大的是他赖以生存的"宪政体制"难以维持。1949 年后,国民党民意机构的部分"国大代表"、"立法委员"和"监察委员"相继来到台湾。为了证明国民党统治台湾的"合法性",国民党在台湾迅速恢复了这些政治机构的活动。

但麻烦很快到来。依据《中华民国宪法》第 65 条之规定,"立法委员"的任期只有三年,连选得连任,其选举于每届任满前三个月内完成。因此,产生于 1948 年的第一届"立法委员"到 1951 年 5 月 7 日任期即满。当时,大陆已解放,国民党无法重新进行"立法委员"的选举,且掌握"宪

法"解释权的"大法官会议"亦无法集会。最终,台湾当局只能让"总统"咨询,由"立法院"自己同意自己继续行使权力。

到1954年,"立法委员"任期再度届满,六年任期的"监察委员"的任期也将届满,"司法院大法官会议"好不容易才以国家发生重大变故、无法办理次届选举为由,让第一届委员在第二届委员未选出之前,继续行使职权。

但更大的麻烦接踵而至。这一年,"国大代表"以及由"国大代表"选举产生的"总统"都将任期届满,必须先后选举产生出第二届"国民大会代表"及新"总统"。然而这时期国民党的政令仅及台澎金马诸岛,又如何选举第二届"国大代表"?若仅从这东南小岛选出的第二届"代表",以及由这些"代表"选出的"总统",又怎么能代表整个"中华民国"呢?

于是,蒋介石根据1948年4月18日通过的《动员戡乱时期临时条款》授予"总统"有紧急处置权的条文,以"宪法"第28条第1项只规定了"国大代表"每六年改选一次,但未规定"国大代表"的任期期限为由,宣布原有的"国大代表"的任期无限延长。即只有会议的次数变化,而无代表的更换。于是,国民党的首届"国民大会"成了长期"国会","国大代表"成了"终身代表",其任期之长在世界上绝无仅有,世人讥称"万年国代"和"万年国会"。

1954年3月20日,第一届"国民大会"第二次会议在台北召开,大会选举蒋介石为第二届"总统",陈诚为"副总统",形成新的蒋陈统治体制。

蒋介石为维持其"法统"和统治地位制造出的"万年国代",使台湾政治陷入尴尬的局面,其恶果也日益显现。首先是总数问题。在大陆时期,"国代"原定为3045名,1948年3月,第一次"国民大会"实有

代表2841名。延至1972年时,在台湾的"国代"仅存1301名,且大多已到垂暮之年;"立法委员"到1972年时也仅剩下原来的一半。国民党的"法统"面临着严重的危机。其次是比例问题。在大陆时,按行政区划和人口比例确定代表人数,台籍人士能担当"国代"的并不多。国民党退台后又冻结了"民代"的选举,因此也就断绝了台籍人士进入这些"民意机构"的任何渠道。"民意机构"及其代表与台湾社会完全割裂开来的做法使得台湾民众日益不满。为解决上述问题,1969年6月,台湾当局曾按"宪法"的有关规定,对"自由地区"因人口增加、行政区划变动和因故缺席的"中央民意代表"进行了"增选"和"补选",补选出"国大代表"15人、增选"立法委员"11人及"监察委员"2人。增选和补选的数量极少,根本不能解决问题。

1991年台湾当局进行"宪政改革"时,决定采取由"司法院大法官会议"作出解释和召开第一届"国民大会"临时会议作出决定,赋予"法源"的方式,宣布1946年12月开始行使职权的"中央第一届民意代表"(指资深"国大代表"、"立法委员"和"监察委员",不包括之后选出的"增额代表")的任期,到1991年12月31日前结束;第二届"国大代表"、"立法委员"和"监察委员"分别于1991年年底前和1993年1月底前选出,并于"法定期限"内行使职权;"增额代表"的任期至届满时停止。1991年4月30日下午,李登辉在"总统府"大礼堂举行有145名记者参加的招待会,宣布自5月1日零点起,终止"动员戡乱时期",废止《动员戡乱时期临时条款》,有"万年国代"之称的第一届"国大"在经过43年历史后终于寿终正寝。

5.有限的地方自治

20世纪50年代到60年代,在大陆籍

国民党人士占据"中央"领导地位之时，为稳定台湾局势、站稳脚跟、安抚台湾省籍民众，国民党以"台省教育普及，交通便利，农场开发，户籍整饬，自治条件，固已具备"为由，决定先在台湾试办县市级自治。

为了制定"台湾省各县市实施地方自治纲要"以及其他有关"地方自治"的法规，1949 年 8 月 15 日，台湾省政府聘请台湾各县市代表和有关专家、学者共 29 人，组织成立了台湾省地方自治研究会，由"内政部长"张厉生担任主任委员。

依据"宪法"原则，省为地方自治的单位，它只能在"中央政府"制定"省县自治通则"之后再由随之召开的省、县代表大会制定出各省、县的"自治法"，方可施行自治。但台湾的地方自治并未依此程序，而是由该研究会制订出实行地方自治的三项重要草案——《台湾省调整行政区域草案》《台湾省各县市实施地方自治纲领草案》以及《台湾省县市议会议员选举罢免规程草案》。其中《台湾省各县市实施地方自治纲领草案》经台湾省政府研究修正，台湾省参议会通过，并呈报"行政院"核备，于 1950 年 4 月 24 日正式由省政府以省级法规的形式公布实施，成为台湾实施地方自治的基本法规；并根据这一法规，陆续制订了《台湾省各县市议会组织规程》《台湾省各县市议会议员选举罢免规程》等 17 种自治法规，作为实行地方自治的法律依据。这表明，台湾的地方自治从一开始就不规范。

为了实施地方自治，必须确定行政层级及范围。依据《台湾省调整行政区域草案》，1950 年 9 月 8 日，台湾省政府将台湾全省的行政区划作了较大规模的调整，将

原设置的 8 个县、9 个省辖市调整为 16 个县、5 个省辖市、6 个县辖市、234 个乡、78 个镇以及 42 个省辖市的区，即台北、宜兰、桃园、新竹、苗栗、彰化、台中、南投、台南、嘉义、云林、高雄、屏东、花莲、台东、澎湖 16 个县和台北、基隆、台中、台南、高雄 5 个省辖市（1967 年 7 月和 1979 年 7 月，台北市和高雄市升格为"院辖市"并先后从原属新竹、嘉义的城区划出，增列了新竹、嘉义 2 个省辖市，形成了全省 2 个"院辖市"、5 个省辖市和 16 个县的行政区划）。根据这种区域划分方法，县与（省辖）市为一级，乡、镇、县辖市以及（省辖）市的辖区为一级；乡下设村，镇、县辖市以及（省辖）市辖区以下设里，村、里为同级基层组织；村以下设邻。此外，台湾当局还单独设置了一个阳明山管理局。

根据《台湾省各县市实施地方自治纲领草案》规定："县为法人，县以下为乡、镇、县辖市；乡、镇、县辖市为法人，均依纲领办理自治事项。"原为法人的省及县辖市的区不再是法人，仅为市政府和市公所的附属机构。[①] 即在台湾真正具有法人地位的"地方自治"单位仅包括县、省辖市以及乡、镇、县辖市这二级。村、里以及村下的邻均不是"自治"单位。村、里长受乡、镇、县辖市长指挥监督，办理村、里的公务及交办的事项；邻长由村、里长在村、里公民中选出，报乡、镇、县辖市公所聘任，受村、里长指挥监督，办理邻内事务。

因台湾从未颁布过自治法，故《中华民国宪法》中所规定的自治权限根本无法履行，自治也仅为县市长和民意代表的民选一项。具体地说，台湾的自治组织主要是县市议会、县市政府、乡镇县辖市市民代表大会和乡镇县辖市公所。县市议员、

---

① 省辖市的区长在最初仍由选举产生，1959 年台湾当局修改自治法规后改为由所在市市长委派。

县市长、乡镇县辖市市民代表、乡镇县辖市的行政官员均由民选产生；县市议员任期二年（第三至第五届为三年，第六届后改为四年），县市长任期三年（第四届后改为四年）；乡、镇、县辖市市民代表和行政官员的任期四年。以上职位均可连选连任。

根据《中华民国宪法》，"省"应为自治团体，但国民党退台后，省级单位是否自治则一直处于一种极不明确的状态。因此时的国民党辖地仅有一省，若实行省自治，则"中央政府"及其机构、辖地、管理将与省级产生矛盾，且无法制定省县自治通则和省、县自治办法。故国民党一方面一直坚持省主席（以后还有"院辖市"市长）由"总统"任命而非民选。另一方面又设置了推行"地方自治"时的省级民意机构——第一届台湾省临时议会①（1951年12月11日成立）。奇特的是，它的设置是根据"行政院"公布的《台湾省临时省议会组织规程》和《台湾省临时省议会议员选举罢免规程》而非《台湾省各县市实施地方自治纲领草案》，且其55名议员都是通过间接选举的方式产生的。就严格法律意义上说，台湾省并非一级具有法人地位的自治单位，省政府只不过是"中央政府"的派出机构而已。因此，省政府向"中央"负责而不是向省议会负责，省议员的职能只是在议会质询或批评中才得以体现。更为滑稽的是省政府还有监督"地方自治"的职权。直至1959年台湾当局公布了《台湾省议会组织规程》后，台湾省议会才逐渐拥有一些"自治"性较强的职权，对省政府的制约作用也得到加强。

1950年7月和9月，台湾当局举行了施行地方自治制度以来的第一届县、市议会议员和第三届乡、镇、县辖市市民代表大会代表选举，并于该年8月和10月，分别进行了首届县市长选举和乡、镇、县辖市市长选举。首次地方选举尚属自由，新当选的15名县、市长中，除基隆和澎湖两地外都是台籍人士。其后的选举中也基本保持这一比例。

尽管国民党实施地方自治的动机不纯且弊端不少，但不可否认的是，实行地方自治确是国民党退台后实现的较有积极意义的政治措施之一。它不仅为众多的党外人士和台湾精英提供了一个参政、问政的政治舞台，而且也对调动地方的积极性、提高行政效率都起到一定的推动作用。

现代经济的起步

随着台湾工农业生产的恢复，采取何种经济发展战略，实施何种经济政策才能使台湾实现现代经济这一问题摆在了台湾当局面前。从1953年开始，在美国经济援助下，台湾开始实施"四年经济建设计划"，贯彻"以农业培养工业，以工业发展农业"的基本政策，促进农业扩张和进口替代工业的建立，为社会经济的后续发展奠定了基础。

1. 推行"进口替代"的工业发展战略

1952年，台湾的农业和部分工业如纺织、电力、化肥等已恢复到日据时期的最高水平，但经济基础仍然十分薄弱，商品供应不足，必须大量进口。特别是岛内经济建设所需的生产资料和中间原料需大量进口。然而，此时台湾出口水平极低，外汇短缺，没有足够进口能力。另外，台

---

① 直至1959年6月第三届"临时省议会"时才取消"临时"二字，改称"第一届省议会"。

湾人口迅速增加,就业压力骤增。因此,迅速发展生产,逐步走上工业化道路,扩大就业渠道,解决民众最基本的吃、穿、住问题就成了台湾当局的首要任务。

由于当时台湾的工业发展环境十分恶劣,甚至不如农业环境,故台湾当局主张采取"以农业培养工业,以工业发展农业"的经济战略,即把过剩的农业人口和资金转向工业,以农产品和农产加工品出口,换取外汇,供给进口原料设备,发展民生必需工业,代替国外进口品;以农业部门所得购置工业产品,创造有利的市场需求,以解决工业发展中所需要的劳动力、资金、外汇、市场。

本着"稳定中求发展、发展中求稳定"的基本方针,台湾当局决定首先发展生产规模不大、资金需求不多、技术含量不高、建设时间较短的劳动密集型企业。如此做法一方面可以以省内生产代替进口,缓解岛内需求压力,稳定岛内物价,并节省外汇支出;另一方面,可以创造更多的就业机会,减轻失业压力,提高民众收入及生活水平。

1953年,台湾经济正式进入了"进口替代"时期。台湾当局经过研究后很快确定了自己的发展战略,提出在加强电力这一基础设施建设的同时,以纺织、化肥劳动密集型民生必需品和进口替代品的生产为重点,并且通过对内部市场采取强制的保护措施扶植上述重点产业。之后扶植的重点产业又逐渐扩展到岛内市场需求较多而加工比较简单、所需资金不多的轻工业部门,如农产品加工、塑料、水泥、玻璃、简单机械及其他日用工业品。

为保证"进口替代"战略的实施,台湾当局先后制定和实施了一系列激励性与保护性的政策和措施。

激励政策和措施主要有:①对于进口替代工业所需的工业用地给予种种方便;②简化投资设厂的手续;③优先核配工业原料进口所需的外汇;④减免营业事业所得税。规定:凡是台湾当局所倡导奖励的工业,如果是新创设或将设备扩充了原先生产规模30%以上的,可免除三年营业事业所得税;而对原有的工业部门,只减免10%的原应纳税额;⑤进口替代工业进口机器设备应纳的关税,可以分期记账缴付;进口工业原料应付的关税,也允许以记账担保;⑥在金融方面,通过美援向台湾银行提供的低息贷款,当局再向进口替代工业部门以远低于市场利率和一般银行的利率,提供优惠贷款;⑦对重点企业保证提供原料。

保护政策和措施主要有关税保护和非关税保护两种。关税保护,即以关税壁垒来达到保护台湾工业的目的。非关税保护措施包括:①进口管制。为避免来自岛外商品的竞争,台湾当局将进口的商品分为准许进口、管制进口、禁止进口三类。对凡属岛内已有生产的货品,或可以在岛内发展的产品,均予以进口管制。在20世纪50年代中,属于管制(暂停)进口的商品占整个进口商品(划分为500多种)的40%,如棉毛织品、人造纤维、纱、化肥(硫酸铵)、面粉、胶合板、皮革及皮制品、水泥、纸张、橡胶制品、铝锭、自行车、缝纫机等。②复式汇率制。1949年6月15日,台湾实施币制改革时,曾采用过单一汇率,外汇汇率由官方统一规定,即法定汇率制。但为时仅七个半月就因外汇紧缺而不得不放弃。之后,台湾当局出于财政收支上的考虑,以及为了充分运用有限的外汇,达到维持国际收支平衡、稳定金融物价的目的,在对外贸易上开始实行复式汇率制度,即对生产所需的原料、配料及若干生活必需品的进口,实行优惠汇率;

对台湾当局的大量出口品和利润优厚的民间出口采用一般汇率,对其他出口则采用较优厚的汇率或酌量调整结汇证书的发给金额。结汇证可以自由转让,由进口商作为申请货物进口之用,也可以按官价汇率转售给台湾银行。这样,官价汇率与结汇证牌价汇率的配合使用,形成复式汇率,其目的在于差别对待,以维持出口、限制进口。从 1953 年开始,进口结汇证汇率加征防卫捐 20%,以减轻申请进口的压力。③外汇配额。为保证外汇供应,1953 年台湾当局颁布"分级申请办法",即以贸易商 1952 年的进口实绩为依据,划分为 5 级,分别规定取每周申请外汇的最高限额,然后进行核配外汇。1955 年 2 月,台湾撤销了省政府外汇贸易审议小组,成立"行政院外汇贸易审议委员会",统筹外汇及贸易管理工作;同时公布了《结售外汇及申请结汇外汇管理办法》,实施外汇配额制度,规定出口商收入的外汇一律必须结售给"中央银行",由"央行"发给结汇证,供本身或转售他人进口结购外汇;同时实施加工出口外汇登记办法,登记外汇可供本身或转让他人进口时使用。④设厂限制。为防止岛内工业部门间的盲目竞争,防止资源的浪费,使岛内有限的资源集中于急需建立的部门,从 1953 年开始,台湾当局以行政命令方式暂停接受新厂设立或旧厂扩充的申请,并先后颁布了《工厂设厂标准》、《工厂设厂辅导标准》、《外销工厂设厂标准》等法令,对扩充过速、产品在市场上已过于饱和的行业设厂采取直接或间接的限制措施。20 世纪 50 年代受到限制的主要工业部门是橡胶、肥皂、火柴、木材、防腐及面粉 6 个行业。

以上政策和措施,保护了台湾新兴工业的发展和对外汇的有效运用。在 20 世纪 50 年代,"进口替代"效果比较显著的产品主要有:电机电气器具、运输工具、基本金属工业、造纸、石油提炼、非金属矿物制造工业、金属制品工业、橡胶制品、纺织工业品、食品工业等。一些新兴的工业部门相继建立。制造业成为台湾国民经济增长最快的部门,其产值在岛内的生产总值中的比例迅速上升。不仅如此,制造业内部的行业结构也有了重大的变化,运输工具、电机与电器制造业、金属制品及基本金属业等行业增长迅速,而传统的行业,如烟草、食品、饮料、皮革及木制品增长缓慢。这些结构的变化,为台湾经济的进一步发展奠定了基础。

2. 第一期"四年经济建设计划"

根据"进口替代"策略的精神,1952 年 8 月至 10 月,台湾当局拟订了第一期"四年经济建设计划"(原名"台湾经济四年自给自足方案"),目的在于"继续增加生产,期望自预定时期起按照生产计划进行,确能逐渐做到自给自足"。计划从 1953 年起开始实施,到 1956 年完成,共分为农业和工业两大门类。

农业部门计划包括农作物、林产、水产、畜产及水利五个分部分。农作物计划要求增加稻米,充裕军需民食,稳定粮价,并在可能的范围内增加出口,以增加外汇收入;林产计划主要是增产木材,出口高级木材,进口普通木材,稳定木材价格;水产计划是充分利用美援,修造渔船,发展远洋和近海渔业;畜产计划要求推广优良种畜,提高牲畜的生产效率;水利计划要求加强灌溉、排水工程的建设,以配合粮食增产,并着力筹备大规模水利工厂的兴建。

工业部门的计划分为矿业、制造业、电力、交通运输四个部分,以煤炭、轻工、电力、增添水陆交通设备为重点,目的在于优先发展工业消费品,取代过去的进口工业品。为此,矿业计划以兴建煤矿、开发煤产为主;制造业计划是优先利用包括农副产品在内的省产资源,大力发展机电、自行车、造纸、橡胶、纺织、食品等周期短、见效快和适销对路的工业品;电力计划的主要内容则是兴建水力和火力发电站;运输计划是增加公路干线,增加水陆运输设施,提高运输能力。

整个"一四计划"投资额为新台币77.99亿元,其中农业23.58亿元,工业54.41亿元(其中交通运输9.23亿元)。农业发展的计划年平均增长率为4.8%,工业为11.1%。

从上述计划的具体指针和发展方向可知,"一四计划"的目的是大力发展农业,为工业换取外汇、积累资金;工业以满足岛内市场为重点,以期实现工业品"自给自足",实现"进口替代"。但盘点"一四计划"的执行情况可见,农业完成情况相对较好,平均年增长率达到6.2%,农业计划的21个项目中有15个项目达到或超过计划指针,仅6项没有完成。其中,稻米完成计划指标的95.4%,为647.1万吨;香蕉完成89%,为33.7万吨;花生完成94%,为27.4万吨;柑橘完成95.8%,为12.3万吨;木材完成90%,为19.4万立方米;远洋渔业完成94.5%,为13.2万吨。工业领域除平均年增长率为11.82矿,略超过原计划外,工业计划项目完成情况不理想,在25个项目中只有9项超过了计划指针,16项未完成。其中,煤产量为939.9万吨,完成计划指标的92.2%;硫化铁产量为10.95万吨,完成计划指标的75.6%;毛纱产量为631.7万磅,完成计划指标的96.9%;发电量为75.86亿度,完成计划指标的96.7%。贸易仍处于入超状况,1956年进口总值为2.28亿美元,出口总值为1.3亿美元,逆差仍有9800万美元之多,靠美援进口弥补额达9600万美元,占总进口的42%。另外,整个"一四计划"期间的实际投资额也只有新台币65.88亿元,是原计划数的85%,其中农业22.91亿元,工业42.97亿元(其中交通运输9.77亿元)。

总的来说,台湾当局的"一四计划"尽管有不少问题,但不可否认的是通过计划的推行,有助于台湾工农业生产的发展,有助于台湾经济、社会的稳定。

3.美国对台湾的经济援助

国民党退台时,正值美国调整对华政策时期,原已允诺的经济援助尚未支付完便停止支付余款。1950年6月,朝鲜战争爆发,美国为了防止台湾落入大陆手中,一方面下令第七舰队游弋台湾海峡,另一方面于1950年9月再次成立了美国经济合作总署中国分署,并于1951年由国会通过了《共同安全法案》,开始向台湾提供大量的经济援助,总称"一般性经济援助"。这项法案的主要内容有:①军协援助,即提供一般性消费性物资和生产资料。范围包括一般通用物资,如副食品、小麦、黄豆、服装、棉花等民生必需品,以及一些军用物资,如机械配件、五金器材和汽油等。②防卫资助赠款,即以扶植台湾的生产建设、直接帮助台湾经济发展为目的的援助。范围包括工农业生产建设设备、教育卫生器材以及民生日用物资等。③技术合作援助,即帮助台湾当局培养工程技术人员或聘请外籍专家、技术人员来台协助建设所需的费用。范围包括农工生产、土地改革、文化交流、教育卫生等。

20世纪50年代初期美援的主要任务是通过提供大量物资,弥补岛内供给不足,从而平抑物价,遏制通货膨胀,安定台湾的经济和社会。由于当时台湾的财政能力有限,根本不具备偿还能力,故此时美援的性质基本属于赠与性。

20 世纪 50 年代中期，台湾经济在美援的支持下逐渐趋于稳定。美国对台湾经济援助的目的，也从安定经济、稳定货币逐渐转为支持经济自给自足、弥补财政赤字，美援也从赠与逐渐转为贷款。1957 年，美国在《共同安全法案》修正案中增设"开发贷款基金"项目，将原防卫资助下的供应转为用于发展各项工矿建设，并改用贷款方式办理。不过，这些贷款偿还期长，利率低，没有给台湾造成太大的财政负担。

20 世纪 60 年代初期，随着台湾经济形势逐渐好转，美国的援助目的和方式出现由开发性援助取代一般性援助的趋势，贷款性援助成为美国对台经济援助主流，且贷款条件、贷款利率也逐渐按照国际金融市场的规则办理。

自 1951 年美国恢复美援直至 1965 年 7 月 15 日结束（实际支付到 1968 年），前后 15 年中，台湾当局共接受美国各种名目、类型的经济援助 14.822 亿美元，平均每年约 1 亿美元。以台湾的人口平均摊派，每人每年能得到 10 美元数额。

四

起死回生的台湾"外交"

国民党退台前后的一个时期里，在国际舞台处于孤立的窘境。为了谋求国际势力的支持，蒋介石先后飞赴菲律宾、韩国，与菲总统季里诺、韩总统李承晚举行会晤，商讨在远东各国筹组反共联盟问题。因美国对蒋政策的不明确，菲、韩两国对结盟一事并不十分热心，蒋介石只好作罢。1950 年 6 月 25 日，朝鲜战争爆发，美国对台政策发生重大变化，台美关系由此进入一个新的"蜜月"期，台湾"外交"也"起死回生"。

1.美国总统杜鲁门发表关于台湾问题的声明

由于国民党在大陆战场上的败局已定，台湾最重要的海外伙伴——美国对台湾的政策举棋不定。当时美国政府内部在对台政策上主要有三种观点：以麦克阿瑟为代表的远东军人派和援外援蒋集团诺兰等公开叫嚣武装占领台湾；国防部和参谋长联席会议的官员主张用军援并派遣军事使团控制国民党军人，利用蒋介石阻挠中国人民解放台湾；以艾奇逊为首的国务院则主张采取"观望"态度。1949 年 12 月 23 日，美国国务院发出特别命令第 28 号《关于台湾政策宣传指示》，指出"台湾在政治上地理上和战略上都是中国的一部分，它一点也不出色或者重要……在政治上和军事上，它是一种严格的中国的责任"。"大家都预料该岛将陷落，在国民党的统治下，那里的民政和军事情况已趋恶化，这种情形更加强了这种估计"。国务院的主张最终促成了杜鲁门政府决定采取所谓的"不干涉政策"。1950 年 1 月 5 日，杜鲁门正式发表关于台湾问题的声明，指出："过去四年来，美国及其他盟国已承认中国对该岛行使主权。""美国对台湾或中国其他领土从无掠夺的野心。现在美国无意在台湾获取特别权利或特权或建立军事基地。美国亦不拟使用武装部队干预其现在的局势。美国政府不拟遵循任何足以把美国卷入中国内战中的途径。同样美国政府也不拟对在台湾的中国军队供给军事援助或提供意见。在美国政府看来，台湾的资源已足能使中国军队获得他们认为是保卫台湾所必需的物品。美国政府拟依照现有的法律权力继续进行目前的经济合作署的经济援助计划"，公开表示了其对台的"观望"态度。12 日，国务卿艾奇逊也在其发表的讲话中，把台湾划在美国的防线之外。

其实，美国政府的政策宣示并非善意，而是出于美国当时的国家利益和通盘政策考虑。随着朝鲜战争的爆发，美国对台政策立即发生了重大转变。

2. 美国总统杜鲁门的"六二七声明"

1950 年 6 月 25 日，北朝鲜发动统一战争，朝鲜战争爆发。此时，解放军正准备渡海攻台。美国担心其西太平洋防线被撕破，立即以对日和约尚未签订，"台湾地位未定"为借口，采取所谓"台湾中立化"政策，27 日派第七舰队驶往台湾海峡，阻止我人民解放军解放台湾。29 日，美第七舰队的 6 艘驱逐舰和 2 艘巡洋舰进入台湾海峡开始游弋。随后，美国军事要员频访台湾，其空军航空队也进驻台湾。1951 年 5 月，美国驻台军事顾问团正式成立。此后，美国给台湾提供了 5000 万美元的军事装备和 4200 万美元的经济援助。

6 月 27 日，美国总统杜鲁门发表声明，诡称朝鲜的行动说明"共产主义已不限于使用颠覆手段来征服独立国家，而且立即会使用武装的进攻与战争"，"在这种情况下，共产党部队的占领台湾，将直接威胁太平洋地区的安全，及在该地区执行合法而必要职务的美国军队。因此我已经命令第七舰队阻止对台湾的任何进攻。作为这一行动的应有结果，我已要求台湾的'中国政府'停止对大陆的一切空海攻击"。"台湾未来地位的决定必须等待太平洋安全的恢复、对日和约的签订或经由联合国的考虑"。

美国总统杜鲁门的"六二七声明"是美国政府第一次公开提出"台湾地位未定"的论调，无非是要为美国军队的侵略行动寻找借口。联系并对比杜鲁门 1 月 5 日发表的声明中刻意在"美国无意在台湾获取特别权利或特权或建立军事基地。美国亦不拟使用武装部队干预其现在的局势"前增加"现在"一词，可见美国政府的虚伪和狡诈。

杜鲁门的"六二七声明"发表后，台湾方面并不满意，因为杜鲁门向台湾海峡派出第七舰队并非是"中华民国政府"的邀请，而是美国视台湾海峡为归属未定的海域。另外，美国要求台湾承认"台海中立化"，在以优势海军力量阻止中国政府武力解放台湾的同时，也要求台湾当局停止任何对大陆的军事袭击。由于蒋介石急于寻求美国的庇护，不得不吞下这颗"苦果"。28 日，台湾"外交部长"叶公超发表声明，表示对美国的建议"原则上接受"，但作了两点保留：①"台湾系中国领土之一部分，乃为各国所公认，美国政府在其备忘录中向中国所提之上项建议，当不影响开罗会议关于台湾未来地位之决定，亦不影响中国对于台湾之主权"；②"中华民国"决不放弃反攻大陆的总原则，虽暂时同意"台湾中立"，当仍保留"采取其他步骤抵抗共产党威胁的权利"。

中华人民共和国政府则于 28 日发表严正声明：美国第七舰队奉杜鲁门之命向台湾沿海出动，是对中国领土的武装侵略，是对《联合国宪章》的彻底破坏，"不管美帝国主义采取任何阻挠行动，台湾属于中国的事实，永远不能改变"。美国第七舰队的重新部署和对台湾问题的武装干涉，使新中国解放台湾的计划不得不搁置起来，从而使中国统一的日程表无限期地向后推移。美国的言行严重损害了中华民族的根本利益，使中国和美国这两个没有外交关系的大国，无可挽回地走上了对峙的道路，台湾这个纯属中国内政的问题，也成为中美关系中最大的争议和障碍。

3.台湾当局与日本签订《和平条约》

为使自己侵犯中国"合法"化,从1950年10月开始,美国就积极活动,召集各对日参战国在旧金山签订对日和约。美国无视中华人民共和国是中国唯一合法政府这一事实,强令日本政府只能与台湾当局签约。1952年2月20日,日台缔结和约谈判在台北举行。台湾当局提出"八点要求",日方对其中三点提出异议。双方争执的焦点是:第一,台湾当局坚持条约必须适用于中国全部领土,即必须是完整的和约,而不是有限和约;日本则坚持条约"应适用于现在'中华民国'政府控制之下,或将来在其控制之下全部领土"。(该争论后通过文件附录方式解决。在附录中注明双方认为正文中"或"字有"及"之意,台湾方面认为此注明已表示承认"中华民国"对于中国大陆的主权,故不再坚持)第二,台湾当局要求日本写明将台湾、澎湖一切权力交还"中华民国政府";日方则只肯写明"放弃权力",而不愿意写明"交还中国"。(后因美国大使兰钦干涉,台湾当局放弃原来要求)第三,台湾当局在条约中规定"中华民国"有向日本索赔的权利。日方则诡称其确应向中国赔偿战争损失,但受日本侵略之害的是中国大陆人民,故不准备与台湾方面讨论这一问题。(后台湾方面以"自动放弃赔偿"了事)4月28日,台湾当局"外交部长"叶公超与日方首席代表河田烈在台北签订了所谓《和平条约》。该《条约》共14条,文中称:日本"业已放弃对台湾及澎湖以及南沙群岛及西沙群岛之一切权利、权利名义与要求",台湾当局则放弃"对日本索赔要求"。双方宣布结束战争状态,建立正式"外交关系",并商定以一项"条约"或"协定"将双方贸易、航业及其他商务关系置

于稳定与友好的基础之上,加强彼此合作。同日,美国国会正式批准《旧金山对日和约》,日本被正式许可回归国际社会。

其实,日本在和约中有意留下台湾主权的"归属"问题(即日本政府只在和约中承认放弃台湾主权,但未表示将主权交还给中国政府),以制造"台湾地位未定",为其干涉中国内政"合法化"寻找依据。而美国之所以支持日本这一做法,就是为美国长期赖在台湾寻找法理依据。只有"台湾地位未定",才能一方面通过保持国民党政权的割据地位,使中国的分裂局面长期化、固定化;另一方面也为自己建立起一个北起韩国、日本,中经台湾,南至菲律宾的太平洋防御圈。

对美国主导的对日和约,中华人民共和国中央政府坚决不予以承认。台湾当局为拉住美国,正式成为资本主义阵营成员,在进行了一番无力的"抗议"之后,最终与日本签订了《和平条约》,从而付出默认"台澎地位未定"的惨痛代价。1972年9月28日,中日两国签署并发表联合声明,实现中日两国关系正常化,宣布两国建立外交关系。在联合声明中载明:"日本国政府承认中华人民共和国政府是中国的唯一合法政府";"中华人民共和国政府重申:台湾是中华人民共和国领土不可分割的一部分,日本国政府充分理解和尊重中国政府的这一立场,并坚持遵循《波茨坦公告》第八条"的立场。这样,第二次世界大战后台湾已经归还中国的事实,得到了进一步的确认。关于台日《和平条约》,日本外相大平正芳在29日举行的记者招待会上指出:"日本政府的见解是,作为日中邦交正常化的结果,日华和平条约(即台日和平条约)已失去了存在的意义,并宣告结束。"

4.美国和台湾签订《共同防御条约》

1952 年 11 月 5 日,美国大选,共和党人艾森豪威尔上台,随即加强了与台湾的联系。1953 年 2 月 2 日,艾森豪威尔向国会提出首次国情咨文,宣布立即解除台湾中立化,恢复台湾军队对大陆的行动自由,正式任命兰钦为驻台"大使",并改变了杜鲁门政府时期只派军事官员访台的做法,派出大量政府要员和各届人士访问台湾。1953 年 8 月 20 日,美国和台湾的海、空军进行了首次联合大演习。11 月,美国副总统尼克松访问台湾。台美关系开始进入蜜月时期。

为保证美国在亚洲地区的战略利益,早在 1951 年 8 月,美国从全球战略考虑,同菲律宾签订了《共同防御条约》;9 月,《美澳新安全公约》、《美日安全保障条约》分别订立。1953 年 8 月 7 日,《美韩协防条约》订立。在美国看来,台湾是美国在中国沿海的一艘不沉的航空母舰,战略地位相当重要,必须予以维系;另一方面,处在风雨飘摇中的台湾当局也急于同美国签约结盟,以抵抗中国人民解放军的进攻并伺机"反攻大陆"。双方一拍即合。1953 年 7 月,朝鲜战争结束,台美加紧推动防御协议的签订。

但协议却迟迟没有签订。其主要原因是美国害怕蒋介石乘机反攻大陆,把美国拖入到中国的内战中去。双方在台湾采取重大行动是否需先征求美国同意以及条约适用范围意见不一。6 月 28 日,为消除美国疑虑,尽早订立条约,台湾"外交部长"叶公超对美国"大使"兰钦表示:若能缔结《共同防御条约》,蒋介石同意在采取重大行动之前事先征求美国同意,但在条约适用范围争议上,台湾坚持主张应包括金门、马祖,而美国则坚持仅限于台湾、澎湖,双方虽经多次接触谈判,未有实质进展。

1954 年海峡两岸的"九三"炮战对台

美签约起了催化作用。为震慑台湾当局,1954 年 9 月 3 日和 22 日,人民解放军与国民党军在金门地区隔海炮战,海峡局势骤然紧张。

台海危机,美国的反应极为强烈。我方的行动实际上促使美国从十分犹豫转而下决心与台湾正式缔约。经过台美双方的磋商,决定以模糊交换函件的方式避开双方争议的具体问题,先达成《共同防御条约》。1954 年 12 月 2 日,美台在华盛顿签订《共同防御条约》。台湾方面迅速批准了条约,美国参议院也于 1955 年 2 月 9 日以 64 票对 6 票的多数批准该《条约》。3 月 3 日,双方在台北中山堂互换批准书,《条约》生效。

《条约》的签订,正式奠定了台美之间的互助同盟关系,美国成了台湾的保护伞。《条约》第 5 条规定:"每一缔约国承认对在西太平洋区域内任一缔约国之领土上武装攻击即将危及其本身之和平与安全,兹并宣告将依其宪法程序采取行动,以对付共同之危险。"在《条约》使用防卫上,《条约》规定得不明确。在《条约》的第 6 条中规定,"所有领土等辞,就'中华民国'而言,应指台湾与澎湖",等于说把金门、马祖等沿海岛屿排斥在外。但在叶公超与美国国务卿杜勒斯交换的函件中对适用范围另作了解释:台湾对于"第 6 条所述之领土及其他领土,均具有效之控制,并对其现在与将来所控制之一切领土,具有固有之自卫权利"。美国则担心台湾当局借此拉自己"下水",故在交换函件中对台湾当局也有所限制,要求台湾当局在使用武力前须经双方协议,除非行使固有自卫权利之紧急性行动。根据台美条约,美国给予台湾以大量人力、物力、财力的支持。1955 年 11 月,美国在台北设立了"美军协防台湾司令部",并派出大批海陆空三军部队进驻台湾,人数最多时曾达到1万余人,美军事援助顾问团也增至2500人。

1978年底,中美两国就建立外交关系进行谈判时,废除《共同防御条约》成为中国改善中美关系"三原则"之一。在中方的坚持下,美国最终同意终止该条约。

5.美国国会通过《台湾决议案》

美台《共同防御条约》公布后,引起中国人民极大的不满。中华人民共和国外交部长周恩来在1954年12月8日发表声明,指出:美蒋《共同防御条约》根本是非法的、无效的。与此同时,为了反击美台《共同防御条约》的签订,显示自己在维护祖国统一问题上的意志和决心,反对美国使台湾海峡现状固定化的阴谋,1955年1月10日,人民解放军海空军轰炸了台湾当局控制的浙江沿海重要据点大陈岛,并于1月19日解放了大陈岛以北7.5英里的重要支撑点一江山岛。

面对人民解放军的强大攻势,美国一方面迫使蒋介石接受"撤出大陈保卫金门"的建议,另一方面,美国总统艾森豪威尔在1月24日向美国国会递交题为《关于台湾海峡正在发展的局势》特别咨文,宣称:自二战结束以来,台湾和澎湖列岛一直在美国的"盟友"手里,"如果台湾及澎湖在非友好者手中",则势将严重破坏现在的(即使是欠稳定的)精神,经济及军事力量的均势,而太平洋之和平有赖于此种均势的维系,此种情势并将切断西太平洋之岛屿连锁防线,美国和"自由国家"的利益将受到损害,"不让台湾和澎湖列岛陷于共产党侵略军队的控制之下,这对于美国、友好的中华民国以及的确还有所有自由国家说来,是有共同利害关系的"。一江山岛的陷落,和对大陈群岛的炮击是共产党"征服台湾的序幕",美国必须对此采取行动。艾森豪威尔表示"我会毫不犹豫地在宪法规定给我的职权范围内采取我们可能被迫采取的任何紧急行动来保护美国的权利和安全"。但是,由于"现代化战争的条件下,如果等到有了紧急情况再来找国会",那就"可能太迟了",因此要求国会授权他在认为"必要时"可派遣美军来保证"台湾和澎湖列岛的安全"。

美国国会经过三天的辩论,1月25日和28日,众议院和参议院分别以409票对3票、83票对3票通过了美国国会参众两院授权美国总统在台湾及台湾海峡地区使用武装部队的《紧急决议》,即《台湾决议案》。《决议案》称:"兹授权美国总统,于其认为对确保台湾和澎湖列岛不受武装进攻的具体目标是必要的时候,使用美国武装部队。这项权力包括确保和保护该地区中现在在友好国家手中的有关阵地和领土,以及包括采取他认为在确保台湾和澎湖列岛的防御方面是必要的或适宜的其他措施。"

该《决议案》公然干涉中国内政,阻止我解放神圣领土台湾。对美国的战争威慑,中国政府毫不妥协,《人民日报》在其专门发表的题为《坚决反对美国的战争挑衅》社论中指出"所谓美国的'权利',就是任意让美国侵占别国的领土;所谓美国的'安全',就是要让美国无限制扩大它的侵略","所谓'保护美国的权利和安全',实际上就是企图在反对苏联和中国的口号下,到处进行侵略,实现它的囊括全世界、独霸全球的野心"。社论警告说:"如果新的好战者敢于挑动新的大战,那么,覆灭的仍将是他们自己。"直到1974年10月28日,这一《决议案》才由时任美国总统的福特签署废止。

附　录

党、政、军、民主党派、人民团体、
各级组织沿革和领导成员名录

中　央

中国共产党

中国共产党第七届中央委员会

（1945 年 4 月—1956 年 9 月）

中国共产党第七次全国代表大会

（1945 年 4 月 23 日—6 月 11 日在延安召开）

大会主席团

常务委员

　　毛泽东　朱　德　刘少奇　周恩来　任弼时

委　员

　　毛泽东　朱　德　刘少奇　周恩来　任弼时

　　林伯渠　彭德怀　康　生　陈　云　陈　毅

　　贺　龙　徐向前　高　岗　张闻天　彭　真

秘书长　任弼时

副秘书长　李富春

中国共产党第七届中央委员会

（1945 年 4 月—1956 年 9 月）

中央委员

　　毛泽东　朱　德　刘少奇　任弼时　林伯渠

　　林　彪　董必武　陈　云　徐向前　关向应

陈潭秋　高　岗　李富春　饶漱石　李立三
罗荣桓　康　生　彭　真　王若飞　张云逸
贺　龙　陈　毅　周恩来　刘伯承　郑位三
张闻天　蔡　畅　邓小平　陆定一　曾　山
叶剑英　聂荣臻　彭德怀　邓子恢　吴玉章
林　枫　滕代远　张鼎丞　李先念　徐特立
谭震林　薄一波　陈绍禹　秦邦宪

中央候补委员

廖承志　王稼祥　陈伯达　黄克诚　王首道
黎　玉　邓颖超　陈少敏　刘　晓　谭　政
程子华　刘长胜　粟　裕　王　震　宋任穷
张际春　云　泽(乌兰夫)　赵振声(李葆华)
王维舟　万　毅　古大存　曾镜冰　陈　郁
马明芳　吕正操　罗瑞卿　刘子久　张宗逊
陈　赓　王从吾　习仲勋　肖劲光　刘澜涛

七届一中全会

(1945 年 6 月 19 日)

选出中央委员会：

主　席　毛泽东

政治局

　主　席　毛泽东

　委　员　毛泽东　朱　德　刘少奇　周恩来
　　　　　任弼时　陈　云　康　生　高　岗
　　　　　彭　真　董必武　林伯渠　张闻天
　　　　　彭德怀

书记处

　主　席　毛泽东

　书　记　毛泽东　朱　德　刘少奇　周恩来
　　　　　任弼时

　秘书长　任弼时

　副秘书长　李富春

中央军事委员会(1945 年 8 月 23 日组成)

　主　席　毛泽东

　副主席　朱　德　刘少奇　周恩来　彭德怀

　委　员　毛泽东　朱　德　刘少奇　周恩来
　　　　　彭德怀　陈　毅　聂荣臻　贺　龙
　　　　　徐向前　刘伯承　林　彪　叶剑英

　秘书长　杨尚昆

七届二中全会

(1949 年 3 月 5 日—13 日)

递增中央委员：

　廖承志　王稼祥　陈伯达　黄克诚

七届三中全会

(1950 年 6 月 6 日—9 日)

决定单独成立书记处：

　书　记　陈　云(代任弼时)

撤销中央候补委员：

　刘子久　黎　玉

组成土改委员会：

　委　员　刘少奇　彭德怀　习仲勋　王　震
　　　　　刘伯承　邓子恢　黄克诚　饶漱石
　　　　　叶剑英　彭　真　刘澜涛等

七届四中全会

(1954 年 2 月 6 日—10 日)

任命中共中央秘书长：

　邓小平

党的全国代表会议

(1955 年 3 月 21 日—31 日)

(开除高岗、饶漱石的党籍)

选举中央监察委员会：

　书　记　董必武

　副书记　刘澜涛　谭　政　王从吾　钱　瑛
　　　　　刘锡五

　委　员　王从吾　王维舟　吴溉之　李士英
　　　　　帅孟奇　徐立清　马明方　高克林
　　　　　高　扬　张鼎丞　董必武　刘锡五
　　　　　刘澜涛　钱　瑛　谭　政

　候补委员　王维纲　王　翰　朱　明　李景膺
　　　　　梁国斌　龚子荣

七届五中全会
（1955 年 4 月 4 日）

补选政治局委员：

林 彪 邓小平

七届六中全会(扩大)
（1955 年 10 月 4 日—11 日）

七届七中全会
（1956 年 8 月 22 日、9 月 8 日、9 月 13 日）

递补中央委员：

王首道 邓颖超 陈少敏

中共中央直属机关

中共中央办公厅
主 任 杨尚昆（1949 年—1965 年 11 月）
副主任 邓典桃（1955 年—1966 年）
　　　 曾 山（1955 年—1966 年）

中共中央组织部
部 长 彭 真（1949 年—1953 年 4 月）
　　　 饶漱石（1953 年 4 月—1954 年 4 月）
　　　 邓小平（1954 年 4 月—1956 年 11 月）
副部长 安子文（1949 年—1956 年）
　　　 王从吾（1950 年—1951 年）
　　　 张鼎丞（1954 年—1956 年）
　　　 马明方（1954 年—1956 年）
　　　 龚子荣（1952 年—1954 年）
　　　 于江震（1954 年—1956 年）
　　　 李楚离（1952 年—1966 年）
　　　 裴孟飞（1954 年—1956 年）
　　　 王 甫（1955 年—1960 年）

中共中央宣传部
部 长 陆定一（1949 年—1952 年 9 月）
　　　　　　（1954 年 7 月—1966 年 5 月）
　　　 习仲勋（1952 年 9 月—1954 年 7 月）

副部长 胡乔木（1949 年—1953 年）
　　　 徐特立（1949 年—1965 年）
　　　 陈伯达（1951 年—1966 年）
　　　 张际春（1953 年—1966 年）
　　　 周 扬（1950 年—1966 年）
　　　 李卓然（1953 年—1966 年）
　　　 何凯丰（1953 年—1966 年）
　　　 张子意（1954 年—1955 年）
　　　 张磐石（1954 年—1966 年）

中共中央统一战线工作部
部 长 李维汉（1949 年—1964 年 12 月）
副部长 徐 冰（1949 年—1964 年）
　　　 廖承志（1952 年—1959 年）
　　　 齐燕铭（1951 年—1954 年）
　　　 于毅夫（1951 年—1958 年）
　　　 刘格平（1951 年— ）
　　　 汪 锋（1954 年—1958 年）
　　　 平杰三（1954 年—1966 年）
　　　 张执一（1954 年—1966 年）
　　　 许涤新（1955 年—1966 年）
　　　 龚饮冰（1956 年—1961 年）

中共中央对外联络部
部 长 王稼祥（1951 年—1966 年）
副部长 李初梨（1951 年—1966 年）
　　　 连 贯（1951 年—1954 年）
　　　 廖承志（1951 年— ）
　　　 许 立（1951 年—1971 年）
　　　 刘宁一（1957 年—1966 年）
　　　 赵毅敏（1954 年—"文化大革命"）

中共中央党校
（1948 年 7 月成立中共中央马列学院，1955 年 8 月改名中共中央高级党校，1966 年以后称中共中央党校）

院(校)长

刘少奇（1948 年 7 月— ）
陈伯达（ —1952 年 7 月）
凯 丰（1953 年 3 月—1954 年 11 月）
李卓然（1954 年 11 月—1955 年 4 月）
杨献珍（1955 年 4 月—1961 年 2 月）

副院（校）长

陈伯达（1948 年—　）

侯维煜（1953 年 3 月—1964 年 9 月）

杨献珍（1953 年—1955 年 4 月）

中共中央直属机关（工作）委员会

书　记

杨尚昆（1949 年 10 月—1961 年 11 月）

中共中央国家机关（工作）委员会

书　记　梁　华（1950 年 1 月—1951 年 5 月）

贾　震（1951 年 5 月—1951 年 12 月）

安子文（1951 年 12 月—1956 年 8 月）

龚子荣（1956 年 6 月—1965 年 7 月）

人民日报社

社　长　张盘石（1948 年 9 月—1949 年 8 月）

胡乔木（1949 年 10 月—1949 年 12 月）

范长江（1950 年 1 月—1952 年 6 月）

总编辑　邓　拓（1949 年 10 月—1957 年 6 月）

中共中央马恩列斯著作编译局

局　长　师　哲（1953 年 1 月—1956 年）

全国人民代表大会

第一届全国人民代表大会

（1954 年 9 月—1959 年 4 月）

第一届全国人民代表大会第一次会议

（1954 年 9 月 15 日—9 月 28 日在北京召开）

大会主席团

执行主席

毛泽东　刘少奇　周恩来　宋庆龄　李济深

张　澜　黄炎培　郭沫若　陈叔通

秘书长　李维汉

副秘书长　（姓名按当时汉字笔画排列，下同）

余心清　吴克坚　汪　锋　辛志超　邢西萍

屈　武　孙起孟　张　苏　许广平　杨静仁

刘燕铭

成　员

毛泽东　王崇伦　司徒美堂　　朱　德

朱德海　何香凝　吴玉章　吴耀宗　宋庆龄

李四光　李先念　李顺达　李德全　李济深

李烛尘　沈雁冰　沈钧儒　周文江　周恩来

林巧稚（女）　　林伯渠　林　彪　林　枫

果基木古　　竺可桢　柳亚子　胡子昂

胡耀邦　范　永　韦国清　徐向前　徐特立

桑吉悦希　乌兰夫　班禅额尔德尼·确吉坚赞

马叙伦　马寅初　高崇民　崔建功　张治中

张奚若　张闻天　张难先　张　澜　梁　希

梅兰芳　章伯钧　习仲勋　许广平（女）

许德珩　郭沫若　陈少敏　陈叔通　陈绍宽

陈　云　陈经畬　陈嘉庚　陈　毅　傅作义

嵇文甫　彭　真　彭德怀　彭泽民　盛丕华

程　潜　华罗庚　贺　龙　黄长水　黄炎培

杨明轩　叶剑英　董必武

达赖喇嘛·丹增嘉措　　荣毅仁　熊克武

刘少奇　刘伯承　刘格平　刘鸿生　刘澜涛

欧百川　蔡廷锴　蔡　畅　邓子恢　邓芳芝

邓宝珊　巩天民　赖若愚　龙　云　薄一波

谢觉哉　赛福鼎　韩　恩　韩望尘　聂荣臻

罗荣桓　谭平山

人大代表

北京市（28 名）

毛泽东　吴　晗　李　永　李树林　周恩来

林巧稚（女）　　范　瑾（女）　　殷维臣

浦洁修（女）　　马玉槐　张友渔　张奚若

张晓梅（女）　　梁思成　梅兰芳　郭树德

彭　真　舒舍予　华罗庚　黄润萍　载　涛

刘少奇　刘世梅（女）　　刘英源　刘德珍

乐松生　蒋南翔　诸福棠

天津市（28 名）

王光英　朱宪彝　朱继圣　吴冷西　吴　德

李纯青　李颉伯　李烛尘　周叔弢

俞霭峰（女）　　马思聪　张国藩　毕鸣岐

郭秀云（女）　　陶孟和　傅鸿宾　黄火青

杨石先　杨成武　葛连芳　刘长福　刘格平

刘荫福（女）　　钱嘉光　薄一波

罗　云（女）　　谭志青　谭　真

河北省（52名）

于学忠　元　兴　王芸生　王　昆（女）
王葆真　王德厚　王德滋　平杰三
田秀涓（女）　田　华（女）　田德民
石志仁　戎冠秀（女）　吴文焘　吴韫山
李培之（女）　李国钧　李凤兰（女）
李德全（女）　林　铁　昝　凌　苗凤刚
孙文淑（女）　耿长锁　马卓洲　马约翰
马紫笙　马万水　高树勋　张霖之　张　苏
张砺生　张　严　陈翰笙　曾　三　程砚秋
杨秀峰　葛步海　董　昕　荣高棠　甄荣典
齐燕铭　刘白羽　高仙洲　刘贯一
刘清扬（女）　刘宝忠　刘澜涛　蔡书彬
薛　迅（女）　蓝公武　罗瑞卿

热河省（7名）

王国权　李耀先　栗德萃　杨雨民　尔德尼
赵　斌　刘长贵

山西省（24名）

王世英　王凯山　王贵英　申纪兰（女）
曲耀离　吴春安　宋子纯　李顺达
李　辉（女）　辛安亭　武新宇　南汉宸
胡文秀（女）　马六孩　康永和　张道中
张稼夫　曹焕文　郭玉恩　郭兰英（女）
陶鲁笳　陆景云　邓初民　韩忠仁

内蒙古自治区（13名）

王再天　王殿兴　王　铎　周北峰　奎　璧
胡和勒泰　乌　兰（女）　乌兰夫
特木尔巴根　傅作义　刘秀梅（女）
噶喇藏　苏谦益

辽宁省（24名）

毛鹤年　王　铮　佟玉兰（女）　吴英恺
吴凤岐　宋　黎　李川江　李砥平　李　涛
谷发明　邱新野　哈　图　施玉海　韦玉玺
高　扬　张文春　张学思　章　泽
陈舜瑶（女）　宁　武　杨竺坡　刘洪达
郑奎福　钱仲举

沈阳市（25名）

王文山　白　朗（女）　朱维仁　吴执中
吕去病　李成君　李锡奎　林　枫　姜万寿
马世芬　马恒昌　高方启　高凤琴（女）
张振发　章央芬（女）　莫文祥　焦若愚
黄欧东　万　毅　靳树梁　赵国有　郑锡坤

巩天民　罗常培　严济慈

旅大市（12名）

丁贵堂　王玉吉　李　凤（女）　姜培禄
范希孟（女）　唐立言　张大煜　张天翼
乔傅珏　刘立富　欧阳钦　邓兆祥

鞍山市（6名）

沈　策　孟　泰　邵象华　胡兆森　张明山
韩天石

本溪市（5名）

吕正操　李恩业　杜者蘅　张维桢　刘澜波

抚顺市（7名）

王崇伦　金直夫　张子富　费广泰　杨海波
赵国强　韩　光

吉林省（11名）

于开泉　朱德海　李梦龄　金信淑（女）
金时龙　栗又文　闵刚侯　解　方　赵庆夫
韩　恩　关山复

长春市（8名）

吕振羽　范　永　张德馨　傅雨田　喻德渊
曾泽生　冯仲云　刘亚雄（女）

黑龙江省（18名）

巴彦胡　王一伦　王喜明　任国栋　李延禄
李范五　林　纳（女）　金白山
孙孝菊（女）　高崇民　崔国山
梁　军（女）　陈　雷　陶淑范（女）
杨显亭　邓国章　韩幽桐（女）　关宝祥

哈尔滨市（12名）

于毅夫　王孙慈　白希清　石增荣　任仲夷
李　昌　车向忱　郭明秋（女）　杨茂林
刘珮芝　褚应璜　苏长有

上海市（63名）

王志莘　王性尧　王　禹　王淑贞（女）
王菊生　王树森　白　杨（女）　朱顺余
江　丰　吴克坚　吴若安（女）　吴梅生
吴　绩（女）　吴耀宗　宋庆龄　沈克非
沈志远　沈钧儒　沈德建　贝时璋　周信芳
孟宪承　杭佩兰（女）　林汉达　金仲华
胡子婴（女）　胡厥文　胡愈之　计浩然
夏　衍　袁雪芬（女）　袁　瑢（女）
马彦祥　张方佐　张元济　张　祺　郭棣活
陈石英　陈建功　陈望道　陈　云　陈　毅
陆阿狗　盛丕华　汤桂芬（女）

汤蒂因（女）　　　贺绿汀　　项叔翔　冯德培
黄佐临　杨之华（女）　　杨逸棠　叶企孙
裔式娟（女）　　　荣毅仁　赵祖康　刘靖基
刘鸿生　潘汉年　黄延芳　钱端升
瞿希贤（女）　　　魏如

江苏省（67名）

丁西林　王世泰　王昆仑　王绍鏊　王新章
王学文　史良（女）　　伍云甫　朱兆雪
冷遹　吴贻芳（女）　　李士海　李明扬
李承干　李维光　沙千里　周培源　季方
邱一涵（女）　　邵宗汉　金善宝　侯德榜
俞寰澄　柯仲平　柯庆施　柳亚子　胡文耀
胡耐秋（女）　　胡乔木　茅以升　徐肖冰
徐芝寅（女）　　张志让　张絅伯
张曼筠（女）　　张闻天　章汉夫　许立群
许闻天　陈永康　陈克寒　陈忠经　陆定一
陆渊雷　惠浴宇　斯行健　华君武　费孝通
黄炎培　杨俊生　叶圣陶　达浦生　廖鲁言
管文蔚　刘国钧　刘道生　潘梓年　潘寂
郑振铎　郑壁疆　钱正英（女）　　钱俊瑞
钱孙卿　钱传长　薛暮桥　储安平
罗琼（女）

浙江省（35名）

文芸（女）　　王国松　包达三　朱之光
何燮侯　宋云彬　李士豪　沈兹九（女）
沙文汉　周建人　竺可桢　邱清华　邵力子
俞平伯　姚顺甫　洪式闾　倪斐君（女）
马叙伦　马寅初　张杏花（女）
张琴秋（女）　　许宝驹　陈见真　陈叔通
陈双田　陆士嘉（女）　　冯雪峰　冯宾符
杨思一　赵忠尧　刘开渠　钱崇澎　罗祥根
严景耀　顾功叙

安徽省（39名）

方令孺（女）　　朱蕴山　江庸　何世琨
保谦堂　余亚农　李有安　李步新　李克农
李达　汪世铭　汪胡桢　沈其益　周新民
周鲠生　查夷平　查谦　孙仲德　孙起孟
孙德和　马乐庭　张如心　张劲夫　张会亭
梁希　梅汝璈　章伯钧　章蕴（女）
许杰　陈荫南　曾希圣　程士范　项南
黄岩　叶笃义　赵朴初　潘锷镈　郑久鸿
黎锦熙

福建省（18名）

王亚南　田富达　何遂　吴傅玉　李质忠
林一心　侯振亚　张鼎丞　庄长恭　陈绍宽
覃修典　虞宏正　刘永生　刘崇乐　郑依牳
谢冰心（女）　　谢雪红（女）
苏华（女）

台湾省（暂缺）

江西省（21名）

危秀英（女）　　朱仙舫　吴有训
李友秀（女）　　易瑞生　邵式平　姚依林
许德珩　郭清泗　陈劭先　陈奇涵　陈翙科
程孝刚　黄家驷　杨惟义　赵承嘏　刘之纲
刘俊秀　刘建华　潘震亚　罗隆基

山东省（77名）

丁玲（女）　　丁履德　王洵才
王美恭（女）　　王祝晨　王家楫　王深林
王统照　丘金　史东山　安力夫　朱学范
江隆基　何基沣　余心清　吴若岩　吴溉之
吕鸿宾　李田英（女）　　李顺章　李澄之
沈雁冰　辛志超　邢西萍　周仁　林遵
段君毅　胡可　胡绳　胡耀邦　韦悫
唐亮　夏征农　孙晓屯　徐佐夏　晁哲甫
栗再温　郝建秀（女）　　崔德锡　张天民
张公制　张秀岩（女）　　张伯秋　张含英
张东木　许之桢　许涤新　陈少敏（女）
陈孟元　陈雷　曾广福　程子华　童第周
舒同　华罔　冯沅君（女）
杨克冰（女）　　杨纯（女）　　董纯才
董琰　赵丹　赵志强（女）　　刘子久
刘民生　刘同浩　刘长胜　刘宁一　滕虎忱
邓拓　钱三强　钱昌照　钱瑛（女）
阎揆要　谢觉哉　韩练成　魏秀英（女）
鄢云鹤（女）

河南省（56名）

孔祥祯　尹达　王化云　王传　王毅斋
吴作人　吴芝圃　宋川　宋琬（女）
李世璋　李雪峰　李景韩　杜延庆　汪菊潜
孟夫唐　孟雨　屈武　林励儒　秉志
侯连瀛　范文澜　孙香云（女）　　师哲
徐子荣　马运五　马豫真　高镇五
常香玉（女）　　康克清（女）　　张伯声
张轸　张云川　曹靖华　郭则沉　陈士榘

陈凤桐　嵇文甫　曾傅六　须　恺　冯　至
杨廷宝　杨锺健　杨蕴玉(女)　　杨显东
贾心斋　贾拓夫　赵文甫　赵树理　刘九学
刘名榜　刘景范　邓颖超(女)　　鲁定华
赖若愚　魏　巍　苏殿选

湖北省(33名)

王树声　王　涛　朱君允(女)　吴德峰
李文宜(女)　　李四光　李先念　李西屏
李书城　李范一　周小燕(女)　胡克实
涂长望　袁牧之　张执一　张难先　张体学
曹　禺　梅龚彬　陈舜英(女)　陈绪宗
汤用彤　杨　刚(女)　杨献珍　董必武
熊晋槐　刘建勋　蔡以田　邓裕志(女)
薛　愚　戴芳澜　聂国青　饶兴礼

武汉市(15名)

王任重　王维纲　朱早弟(女)
朱　玖(女)　　吴运铎　李冬青(女)
李国伟　夏以焜　马哲民　陈经畬　傅景文
彭仰钦　邓子恢　郑绍文　萨本炘

湖南省(50名)

王季范　王福海　石邦智　向　德　朱早观
吴通行　吕　骥　李呈桂　李明灏
李　贞(女)　　李哲人　李维汉　李　涛
沈其震　狄超白　言仁海　周立波　周谷城
周震鳞　周　礼　易礼容　林伯渠
帅孟奇(女)　　唐生智　徐特立
康菊英(女)　　曹孟君(女)　　章士钊
符定一　陶大有　曾昭抡　曾宪植(女)
程　潜　舒新城　贺贵严　杨定安
董　纯(女)　　雷天觉　赵自现　齐白石
刘　斐　欧阳予倩　　翦伯赞
蔡　畅(女)　　萧　兰　谢　晋　旷经荣
罗叔章(女)　　谭余保　谭惕吾(女)

广东省(46名)

丁　颖　方　方　王国兴　古大存　古　元
伍晋南　李伯球　李坚真(女)　　杜国庠
汪汉国　周　扬　林文彪　林　平　林锵云
柯　麟　徐铸成　区梦觉(女)　　张　文
张振南　张庆春　陈汝棠　陈其尤　陈　垣
陈斯德　陈焕镛　曾　生　冯白驹　黄琪翔
黄鼎臣　黄　洁　黄药眠　叶剑英
雷洁琼(女)　　廖似光(女)

廖梦醒(女)　　刘思慕　蔡廷锴　蔡楚生
蔡　翘　蒋光鼐　邓文钊　龙三公　简玉阶
戴爱莲(女)　　罗明燏　谭平山

广州市(16名)

孔宪忠　王生保　丘　哲　朱　光　吴有恒
林克明　林志澄　林荣曜　夏之栩(女)
张文超　梁伯强　许崇清　许广平(女)
曾　志(女)　　冯乃超　郑天保

广西省(38名)

丘玉池　成仿吾　李任仁　李济深　金宝生
韦章平　韦国清　区棠亮(女)　　张云逸
张声震　梁华新　莫乃群　莫寿全　郭　城
陈此生　陈基义　陈漫远　陈铭枢　覃　波
覃应机　费振东　黄　征　黄绍竑　黄现璠
黄　荣　黄连辉(女)　　杨文贵　杨东莼
雷荣珂　赵世同　赵乐群　潘　古　蒋在球
黎　明(女)　　卢绍武　谢扶民　谢鹤筹
蓝昌法

四川省(87名)

丁道衡　于江震　巴　金　王文鼎　王宇辉
王道周　王维舟　田　汉　伍修权　朱　德
艾　芜　但懋辛　吴玉章　吴昱恒　宋裕和
李一氓　李大章　李伯钊(女)　　李初梨
李劼人　李宗林　李筱亭　李赋都　沙　汀
周钦岳　周泽昭　邵荃麟　侯外庐　施复亮
胡　风　范祯辉　夏康农　孙志远　徐伯昕
徐崇林　桑吉悦希　　索观瀛　能　海
袁志先　张文治　张秀熟　张泗洲　张经武
张际春　张　澜　梁　华　章乃器　郭沫若
陈文贵　陈　刚　陈晓岚　陈　离　彭劢农
彭迪先　程子健　童少生　华尔功成烈
贺　诚　阳翰笙　黄汲清　黄鱼门
杨代蒂(女)　　杨义平　贾培之　廖井丹
廖苏华(女)　　熊克武　熊尚元　裴昌会
赵世兰(女)　　赵超构　刘文辉　刘承钊
潘大逵　邓芳芝(女)　　邓锡侯　卢子鹤
萧龙友　阎红彦　萨空了　萨福均　谢立惠
钟体乾　蓝　田　罗文才　罗世发　苏　新

重庆市(16名)

王怀琛　任白戈　何源海　李秉中
沈谷南(女)　　胡子昂　马焱山　曹荻秋
陈淑兰(女)　　黄荣昌　杨如坤

刘兰畦(女)　　蔡树藩　萧松立　赖际发
鲜英

昌都（3名）

王其梅　邦达多吉　格桑旺堆

贵州省（26名）

王天锡　王德安　田君亮　申云浦　艾思奇
吴志珍(女)　　吴通明　李仿尧　周素园
洪深　茅显祺　徐健生　高克林　陈永昶
陈永康　陈曾固　陈职民　陆庆美　陆镇藩
杨汉先　蒙素芬(女)　　赵树华　刘春
欧百川　罗登义　严希纯

云南省（45名）

刀有良　刀京版　王少岩　召存信　白小松
朱家璧　余海清　李光华　李光荣　李和才
李能　李桂英(女)　　李琢菴　周保中
和万宝　松谋　胡忠华　徐嘉瑞　秦仁昌
马坚　高士其　张子离　张冲
张惠英(女)　　梅益　普照　曾文昌
黄洛峰　楚图图　董福生　雷春国　熊开支
裴阿欠　赵锺奇　刘荣显　欧根　潘朔端
郑敦　卢汉　龙明传　龙云　谢富治
魏崖景　罗毅　龚缓

西藏（9名）

赤江·罗桑意西　协饶登珠　阿沛·阿旺晋美
范明　计晋美　班禅额尔德尼·确吉坚赞
张国华　尧西·泽仁卓玛(女)
达赖喇嘛·丹增嘉措

西康省（14名）

王海民　平错汪阶　瓦渣木基　伍文才
安登银　林甲镛　果基木古　阿旺嘉措
阿侯鲁木子　　降央伯姆(女)
夏克刀登　　张为炯　张荣
廖志高

陕西省（19名）

于振瀛　王德彪　安文钦　李凤连(女)
李敷仁　李馥清(女)　　孟天禄　马明方
张凤翔　曹冠群(女)　　许敬章
杨芝芳(女)　　蒲忠智　赵寿山　潘自力
韩兆鹗　韩夏存　韩望尘　苏资琛

西安市（8名）

方仲如　成柏仁　李象九　马平甫　习仲勋
赵占魁　赵伯平　严信民

甘肃省（25名）

任谦　吴鸿宾　邢肇棠　周有才　孙殿才
马绍文　马锡五　马鸿宾　马腾霭　张仲良
张治中　张德生　郭孟和　陈成义　盛彤笙
黄正清　杨子恒　杨明轩　杨复兴　杨静仁
达理扎雅　　邓宝珊　郑立斋　霍维德
薛万祥

青海省（9名）

扎喜旺徐　汪锋　周仁山　官保加
松布　夏茸尕布　孙作宾　马兴泰
喜饶嘉措

新疆省（21名）

王恩茂　伊敏马合苏木　安尼瓦尔·加库林
艾斯海提　吕剑人　依敏诺夫
帕提汉·苏古尔　巴也夫
阿不列孜·木汉买提　阿衣木江(女)　禹占林
美尔尼沙汉·艾尼(女)　　马木提尼牙孜
张邦英　买买提·尼牙孜哈日　买买提艾沙
达夏甫　穆义提　鲍尔汉
赛力玛·塔力甫瓦(女)　赛夫拉也夫
赛福鼎

军队（60名）

于志辉(女)　　王兆才　王有根　王宏坤
王新亭　王维福　王震　甘泗淇　朱良才
江雪山　宋忠福　李天佑　李天焕　李志民
周士第　周文江　周桓　周纯全　林彪
洪学智　徐立清　徐向前　马春雨　崔建功
张明　张宗逊　张英才　许世友　许光达
郭恩志　陈明仁　陈锡联　陶峙岳　陆昌荣
傅钟　彭德怀　粟裕　贺炳炎　贺龙
黄丑和　黄克诚　杨在先　董其武　廖汉生
赵毛臣　赵仁虎　刘子林　刘伯承　刘亚楼
刘梅村　刘善本　邓华　郑长华　萧克
萧劲光　萧华　赖傅珠　聂荣臻　罗荣桓
谭政

华侨（30名）

方君壮　司徒美堂　　伍禅
何香凝(女)　　吴益修　李唤群　李广臣
周铮　官文森　邱及　洪丝丝　徐四民
马玉声　康鸣球　张国基　张翼　庄希泉
庄明理　陈其瑗　陈嘉庚　彭泽民　黄长水
叶贻东　廖承志　廖胜　邓军凯　黎和兴

谢应瑞　蚁美厚　苏振寿

补选代表：

陈书舫(四川)　熊应栋(西安)

易湘苏(湖南)

(以上人员 1955 年 7 月 16 日一届人大二次
会议确认)

刘述周(上海)　赵健民(山东)

李广文(山东)　王路宾(山东)

郎咸芬(山东)　陈　光(江苏)

何碧辉(江苏)　傅子诚(河南)

叶熙春(浙江)　刘西元(湖北)

吴焕彧(湖南)　叶财林(湖南)

周　林(贵州)　彭桓武(贵州)

叶　飞(福建)　张俊秀(福建)

谷源松(广州)　布　和(内蒙古)

杨士杰(鞍山)　唐明照(华侨)

吴桓兴(华侨)

(以上人员 1956 年 6 月 15 日一届人大三次
会议确认)

柯　召(四川)　侯光炯(四川)

曾庶凡(四川)　谷志标(四川)

郎毓秀(四川)　宫维桢(江苏)

王首道(陕西)　曹伯闻(湖南)

徐剑鸣(广州)　郑铁如(广东)

刘慎谔(辽宁)

(以上人员 1957 年 6 月 29 日一届人大四次
会议确认)

吴　宪(浙江)　俞仲武(浙江)

俞佐宸(浙江)　徐赤文(浙江)

唐巽泽(浙江)　董聿茂(浙江)

潘天寿(浙江)　霍士廉(浙江)

(以上人员 1958 年 2 月 1 日一届人大五次会
议确认)

第一届全国人民代表大会常务委员会

(1954 年 9 月—1959 年 4 月)

一届人大一次会议

(1954 年 9 月 27 日)

常务委员会

委员长　刘少奇

副委员长

宋庆龄　林伯渠　李济深　张　澜　罗荣桓

沈钧儒　郭沫若　黄炎培　彭　真　李维汉

陈叔通　达赖喇嘛·丹增嘉措　　赛福鼎

秘书长　彭　真(兼)

委　员(按姓名笔画排列)

王昆仑　王维舟　古大存　司徒美堂

吴玉章　吴耀宗　李书城　李雪峰　李烛尘

邢西萍　林　枫　周建人　周纯全　竺可桢

邵力子　南汉宸　胡乔木　胡愈之　胡耀邦

柳亚子　施复亮　高崇民　徐向前　徐特立

班禅额尔德尼·确吉坚赞　韦国清　马明方

马叙伦　马寅初　张邦英　张治中　张云逸

张闻天　张难先　张　苏　许广平　许德珩

陈劭先　陈嘉庚　陆定一　程子华　程　潜

黄火青　黄克诚　黄绍竑　彭泽民　杨明轩

叶剑英　廖承志　熊克武　刘伯承　刘长胜

刘格平　刘宁一　刘澜涛　蔡廷锴　蔡　畅

邓颖超　赖若愚　龙　云　聂荣臻　蓝公武

罗隆基　谭平山　谭　政

副秘书长

张　苏　吴克坚　屈　武　余心清　孙起孟

辛志超

(1954 年 10 月 16 日一届人大常委会第一次
会议通过)

副秘书长　刘贯一

(1956 年 10 月 13 日一届人大常委会第四十
八次会议通过)

副秘书长　连　贯

(1957 年 10 月 22 日一届人大常委会第八十
一次会议通过)

一届人大二次会议

(1955 年 7 月 30 日)

补选常委会委员：

陈其瑗　邓初民

一届人大三次会议

(1956 年 6 月 30 日)

补选常委会委员：

陈铭枢　周叔弢　华罗庚　茅以升　谢扶民

一届人大四次会议

（1957 年 7 月 15 日）

补选常委会委员：

陈其尤　季　方

一届人大五次会议

（1958 年 2 月 11 日）

补选副委员长：

程　潜

常委会委员：

汪　锋　陈　垣　唐生智　梅龚彬

罢免常委会委员：

黄绍竑　龙　云　陈铭枢

第一届全国人民代表大会所属专门委员会

民族委员会

主任委员　刘格平

副主任委员

张执一　鲍尔汉　奎　璧　张　冲　谢扶民
桑吉悦希

委　员（按姓名笔画排列）

刀京版（傣族）　王其梅（汉族）

王海民（彝族）　王国兴（黎族）

王德安（苗族）　召存信（傣族）

扎喜旺徐（藏族）　田富达（高山族）

申云浦（汉族）　石邦智（苗族）

安尼瓦尔·加库林（哈萨克族）

朱早观（苗族）　朱德海（朝鲜族）

艾斯海提（塔塔尔族）　吕剑人（汉族）

李光华（拉祜族）　李光荣（瑶族）

李和才（哈尼族）　邦达多吉（藏族）

赤江·罗桑意西（藏族）　依敏诺夫（维族）

周仁山（汉族）　周保中（民家族）

和万宝（纳西族）

帕提汉·苏古尔巴也夫（哈萨克族）

松　布（土族）　果基木古（彝族）

金信淑（朝鲜族）

阿不列孜·木汉买提（维族）

阿旺嘉措（藏族）　奎　璧（蒙族）

胡忠华（佤族）　计晋美（藏族）

降央伯姆（藏族）　夏克刀登（藏族）

夏康农（汉族）　桑吉悦希（藏族）

乌　兰（蒙族）　特木尔巴根（蒙族）

马玉槐（回族）　马鸿宾（回族）

马腾霭（回族）　张仲良（汉族）

张　冲（彝族）　张执一（汉族）

陈永康（布依族）　陈基义（侗族）

陈经畲（回族）　陆庆美（水家族）

喜饶嘉措（藏族）　普　照（彝族）

华尔功成烈（藏族）　覃应机（壮族）

买买提艾沙（柯尔克孜族）　费孝通（汉族）

黄正清（藏族）　黄现璠（壮族）

杨代蒂（彝族）　杨汉先（苗族）

达理札雅（蒙族）　雷春国（景颇族）

廖志高（汉族）　蒙素芬（布依族）

裴阿欠（傈僳族）　赵世同（壮族）

赵志强（回族）　赵乐群（壮族）

欧百川（苗族）　欧　根（民家族）

翦伯赞（维族）　噶喇藏（蒙族）

穆义提（维族）　鲍尔汉（维族）

龙明傅（侬族）　谢扶民（壮族）

谢富治（汉族）　谢鹤筹（壮族）

赛夫拉也夫（维族）　蓝昌法（瑶族）

罗常培（满族）　关山复（满族）

苏　新（羌族）　苏谦益（汉族）

龚　绶（傣族）

补选委员：

周　林（汉）　杨文贵（苗）

（1956 年 6 月 30 日一届人大第三次会议通过）

补选委员：

吴通明（苗）　吕振羽（汉）　黄　荣（壮）

赛力玛·塔力甫瓦（维吾尔）

罢免委员：

费孝通　黄现璠　欧百川

（1958 年 2 月 11 日一届人大第五次会

议通过）

法案委员会

主任委员　张　苏

委　员（按姓名笔画排列）

甘泗淇　何世琨　何　遂　吴昱恒　周新民
周鲠生　邵力子　武新宇　俞寰澄　高克林
梅汝璈　章　蕴　许德珩　许宝驹　张云川
陈其尤　陈铭枢　黄绍竑　黄琪翔　雷洁琼
刘子久　刘　斐　卢　汉　钱昌照　钱俊瑞
钱端升　薛暮桥　谢雪红　韩幽桐　蚁美厚
罗隆基　罗　毅

副主任委员　武新宇　钱端升　周鲠生

（第一届人大法案委员会第一次会议互推）

补选委员：

吴德峰　宋　琬　李书城　陈劭先　屈　武
高崇民　张砺生

罢免委员：

张云川　陈铭枢　黄绍竑　黄琪翔　谢雪红
罗隆基

（1958 年 2 月 11 日一届人大第五次会议通过）

预算委员会

主任委员　刘澜涛

委　员（按姓名笔画排列）

王芸生　王绍鏊　吴　晗　李明灏　李承干
李范五　周叔弢　周纯全　屈　武　邱　及
侯连瀛　姚依林　盛丕华　许之桢　许广平
陈绍宽　汤桂芬　曾昭抡　程子华　宁　武
邓宝珊　刘文辉　刘景范　刘导生　潘震亚
鲍尔汉

副主任委员　程子华　王绍鏊　李承干

（第一届人大预算委员会第一次会议互推）

补选委员：

陈此生　胡子昂

（1958 年 2 月 11 日一届人大第五次会议通过）

代表资格审查委员会

主任委员　马明方

委　员（按姓名笔画排列）

王维舟　平杰三　朱蕴山　吴芝圃　成柏仁
李　永　李澄之　车向忱　周素园　胡厥文
徐立清　涂长望　庄希泉　陈汝棠　杨之华
杨静仁　郑振铎　罗叔章

副主任委员　王维舟　车向忱　朱蕴山

（一届人大代表资格审查委员会第一次会议
互推，报经主席团第二次会议批准）

提案审查委员会

主任委员　习仲勋

委　员（按姓名笔画排列）

丁西林　王任重　朱学范　吴有训　吴克坚
吴耀宗　李国伟　李德全　李颉伯　周钦岳
邵力子　孙志远　高崇民　章乃器　郭棣活
陈此生　陈劭生　陈其瑗　乔傅珏　曾希圣
杨秀峰　杨显东　鲍尔汉　薄一波

副主任委员　章乃器　曾希圣　高崇民

（一届人大一次会议提案审查委员会第一次
会议互推，报经主席团第二次会议批准）

中华人民共和国
中央人民政府
（1949 年 9 月—1954 年 9 月）

中华人民共和国中央人民政府委员会

主　席　毛泽东

副主席

朱　德　刘少奇　宋庆龄（女）　　李济深
张　澜　高　岗

委　员

陈　毅　贺　龙　李立三　林伯渠　叶剑英
何香凝（女）　　林　彪　彭德怀　刘伯承
吴玉章　徐向前　彭　真　薄一波　聂荣臻
周恩来　董必武　赛福鼎　饶漱石　陈嘉庚
罗荣桓　邓子恢　乌兰夫　徐特立
蔡　畅（女）　　刘格平　马寅初　陈　云
康　生　林　枫　马叙伦　郭沫若　张云逸
邓小平　高崇民　沈钧儒　沈雁冰　陈叔通
司徒美堂　李锡九　黄炎培　蔡廷锴
习仲勋　彭泽民　张治中　傅作义　李烛尘

李章达　章伯钧　程　潜　张奚若　陈铭枢
谭平山　张难先　柳亚子　张东荪　龙　云

秘书长　林伯渠

（1949年9月中国人民政治协商会议第一届
全体会议选举）

中央人民政府委员会办公厅

主　任　齐燕铭

副主任

余心清　周新民　乔冠华　罗叔章（女）

（以上5人，经1949年10月中央人民政府委
员会第三次会议通过任命）

中央人民政府最高人民法院

院　长　沈钧儒

（1949年10月1日中央人民政府委员会第
一次会议通过任命）

副院长　吴溉文　张志让

（1949年10月中央人民政府委员会第三次
会议通过任命）

委　员

陈绍禹　朱良才　冯文彬　许之桢
李培之（女）　　费　青　贾　潜　王怀安
陈瑾昆　吴昱恒　闵刚侯　沙彦楷　俞钟骆

（1949年10月中央人民政府委员会第三次
会议通过任命）

副院长　张　苏

（1954年8月11日中央人民政府第三十三
次会议通过任命）

秘书长　闵刚侯（1949年12月—　）

副秘书长　曾汉周（1954年6月—　）

中央人民政府最高人民检察署

检察长　罗荣桓

（1949年10月中央人民政府委员会第一次
会议通过任命）

副检察长　李六如　蓝公武

（1949年10月中央人民政府委员会第三次
会议通过任命）

委　员

罗瑞卿　杨奇清　何香凝（女）　　周新民
陈少敏（女）　　许建国　汪金祥　李士英
卜盛光　冯基平

（1949年10月中央人民政府委员会第三次
会议通过任命）

副检察长　高克林

（1953年9月中央人民政府委员会第二十八
次会议通过任命）

副检察长　谭政文

（1954年6月中央人民政府委员会第三十二
次会议通过任命）

秘书长　周新民（1949年12月—　）

副秘书长　刘惠之（1950年12月—　）
　　　　　　王桂五（1954年6月—　）

东北分署检察长　汪金祥
西北分署检察长　张宗逊
华东分署检察长　魏文伯
中南分署检察长　周　兴

中央人民政府国家计划委员会
（1952年11月成立）

主　任　高　岗

副主任　邓子恢（1952年11月任命）

委　员

陈　云　彭德怀　林　彪　邓小平　薄一波
彭　真　习仲勋　黄克诚　刘澜涛　张　玺
安志文　薛暮桥

（以上人员，1952年11月中央人民政府委员
会第十九次会议通过任命）

副主任　李富春　贾拓夫

（以上2人1953年9月任命）

委　员　韩哲一（1954年8月任命）

委　员　梁膺庸　狄景襄　刘　星

（以上3人1954年9月任命）

副秘书长　王光伟（1953年2月—　）

办公厅

主　任　王光伟

副主任　梅　行　韩增胜（1953年2月—）

综合计划局

　　局　长　杨英杰(1953年2月—　)

财政金融计划局

　　局　长　倪　伟(1953年2月—　)

劳动工资计划局

　　局　长　宋　平(1953年2月—　)

重工业计划局

　　局　长　柴树藩(1953年2月—　)

燃料工业计划局

　　局　长　王新三(1953年2月—　)

第一机械工业计划局

　　局　长　张有萱(1953年2月—　)

第二机械工业计划局

　　局　长　孙　泱(1953年2月—　)

轻工业计划局

　　局　长　胡　明(1953年2月—　)

地方工业计划局

　　局　长　宋乃德(1953年2月—　)

基本建设计划局

　　局　长　李　斌(1953年2月—　)

农林水利计划局

　　局　长　顾大川(1953年2月—　)

交通运输计划局

　　局　长　叶　林(1953年2月—　)

贸易合作计划局

　　局　长　刘明夫(1953年2月—　)

成本物价计划局

　　局　长　骆耕漠(1953年2月—　)

文教卫生计划局

　　局　长　邵荃麟(1953年2月—　)

国家统计局

　　局　长　薛暮桥(1952年8月—　)

　　副局长　孙冶方(1953年2月—　)

国家物资分配局

　　局　长　韩哲一(1954年8月—　)

中央人民政府政务院

总　理　周恩来

(1949年10月1日中央人民政府委员会第

一次会议通过任命)

副总理　董必武　陈　云　郭沫若　黄炎培

(1949年10月19日中央人民政府委员会第

三次会议通过任命)

副总理　邓小平

(1952年8月中央人民政府委员会第十七次

会议通过任命)

委　员

谭平山　谢觉哉　罗瑞卿　薄一波　曾　山

滕代远　章伯钧　李立三　马叙伦　陈劭先

王昆仑　罗隆基　章乃器　邵力子　黄绍竑

(1949年10月中央人民政府委员会第三次

会议通过任命)

委　员　李富春

(1950年4月中央人民政府委员会第六次会

议通过任命)

秘书长　李维汉(1949年10月—　)

秘书长　习仲勋(1953年9月—　)

副秘书长

齐燕铭　许广平　孙起孟　辛志超

(1949年10月—　)

副秘书长　屈　武　陶希晋　张唯一

(1950年9月—　)

副秘书长　廖鲁言(1952年8月—　)

副秘书长　孙志远(1952年3月—　)

秘书厅

主　任　申伯纯(1952年3月—　)

政务院参事室

主　任　孙志远(兼)(1952年3月—　)

副主任　屈　武(兼)(1950年9月—　)

参　事

吕集义　罗子为　章元善　盛康年　张云川

王深林　曹孟君(女)　　许宝驹　吴茂荪

于振瀛　谭冬青　林一元　严希纯　袁翰青

吴藻溪　周士观　李侠公　孙荪荃(女)

庄明理　卢于道　李　蒸　卢郁文　汪世铭

许闻天　邓昊明　程星龄　范朴斋　刘仲华

李俊龙

(1949年10月—　)

参　事

赖祖烈　刘　昂(女)　　　李　琦　于　刚

谭惕吾(女)　　　陈公培　朱洁夫　安若定
(1949 年 12 月— 　)

参　事　杨扶青(1950 年 1 月— 　)

　　　楚溪春　罗　青　左宗纶
　　　(1950 年 2 月— 　)

　　　刘植岩(1950 年 4 月— 　)

　　　张砺生　李仲公　王艮仲
　　　(1950 年 7 月— 　)

　　　刘孟纯(1950 年 8 月— 　)

　　　吴家象　王秀范
　　　(1950 年 10 月— 　)

　　　胡公冕(1950 年 11 月— 　)

　　　李一平　余遂平
　　　(1950 年 12 月— 　)

　　　史　坚(1951 年 1 月— 　)

　　　张志和(1951 年 5 月— 　)

　　　廖　华(1951 年 6 月— 　)

　　　陈修和(1952 年 8 月— 　)

　　　万保邦　侯镜如
　　　(1952 年 10 月— 　)

　　　刘多荃(1953 年 2 月— 　)

　　　刘道衡(1953 年 10 月— 　)

政务院劳动就业委员会

主　任　李维汉(兼)

副主任

　安子文　李立三　章乃器　钱俊瑞
　(1952 年 7 月政务院第一四六次会议通
　过任命)

副主任　孙志远(1952 年 12 月— 　)

委　员

　毛齐华　王首道　田德民　宋劭文　李明灏
　李德全(女)　　李范五　沙千里　邵力子
　武竞天　范长江　徐子荣　张林池
　曹孟君(女)　　陈其瑗　黄绍竑　傅作义
　程子华　楚溪春　廖承志　廖鲁言　赖若愚

秘书长　廖鲁言

　(1952 年 7 月政务院第一四六次会议通过任
　命)

政务院机关事务管理局

局　长　余心清(1950 年 12 月— 　)

副局长　辛志超(兼)(1950 年 12 月— 　)

　　　张效曾(1951 年 5 月— 　)

政务院专家招待事务管理局

副局长　张行言(1954 年 1 月— 　)

机关生产处理委员会

　(1952 年成立)

主　任　李富春

秘书长　宋劭文

贯彻婚姻法运动委员会

主　任　沈钧儒

副主任

　刘景范　何香凝(女)　彭泽民　邓颖超(女)
　史　良(女)　肖　华

秘书长　刘景范(兼)

中央爱国卫生运动委员会

主　任　周恩来(兼)

副主任　郭沫若　聂荣臻

委　员

　陈　云　彭　真　李德全(女)　　贺　诚
　苏井观　傅连暲　徐子荣　滕代远　章伯钧
　陆定一　谢觉哉　李书诚　章汉夫　粟　裕
　刘澜涛　肖　华　吕正操　杨立三　廖承志
　孙代之

办公室

主　任　贺　诚

副主任　苏井观　傅连暲　孙仪之

　(1952 年 1 月政务院第一一八次政务会议通
　过任命)

政务院政治法律委员会

　(1949 年设立,1954 年撤销)

主　任　董必武(兼)

副主任　彭　真　张奚若　陈绍禹　彭泽民
　　　(1949 年 10 月— 　)

副主任　罗瑞卿(1952 年 11 月— 　)

委　员

　沈钧儒　罗荣桓　吴溉之　张志让　李六如

蓝公武　谢觉哉　武新宇　陈其瑗　杨奇清
史　良(女)　　李木菴　张曙时　许德珩
陈瑾昆　李维汉　乌兰夫　刘格平　赛福鼎
陶希晋　吴玉章　张　文　王葆真　李任仁
周鲸文　刘王立明(女)　叶笃义　郭则沉
黄琪翔　陈铭枢　许宝驹　谢雪红(女)
易礼容　李秀真(女)　邓颖超(女)
廖承志　邓初民　吴耀宗　周善培　林仲易
章士钊　江　庸
(1949年10月—　)

委　员　刘澜涛(1950年4月—　)

秘书长　陶希晋(1949年10月—　)

秘书长　武新宇(1953年12月—　)

副秘书长　朱其文　叶笃义
(1953年4月—　)

政务院财政经济委员会

(1949年设立,1954年撤销)

主　任　陈　云

副主任　薄一波　马寅初
(1949年10月—　)

副主任　邓子恢(1952年11月—　)

副主任　李富春(1950年4月—　)

副主任　曾　山　贾拓夫　叶季壮
(1952年8月中央人民政府委员会第十七次
会议通过任命)

副主任　李维汉(1953年9月—　)

副主任　李先念(1954年6月—　)

委　员

陈　郁　黄炎培　滕代远　朱学范　章伯钧
李书城　梁　希　傅作义　李立三　南汉宸
孔　原　戎子和　何长工　钱之光　宋裕和
薛暮桥　宋劭文　曹菊如　钱昌照　孙晓村
范子文　钟　林　孟用潜　冀朝鼎　梅龚彬
章乃器　胡厥之　盛丕华　包达三　俞寰澄
冷　遹　吴羹梅　李士豪　千家驹　李民欣
刘子久　罗叔章(女)　陈叔通　简玉阶
侯德榜　胡子昂　周苍柏　周叔弢　宋棐卿
(1949年10月中央人民政府委员会第三次
会议通过任命)

委　员　程子华(1950年11月—　)
李伯球(1952年8月—　)

秘书长　薛暮桥
宋劭文(1952年8月—　)

副秘书长　曹菊如(1951年4月—　)
杨放之(1952年8月—　)
徐寿轩(1951年4月—　)
胡子婴(女)(1949年10月—　)

办公厅

主　任　徐寿轩(1950年11月—　)

副主任　马豫章(1949年12月—　)
冯乐进(1953年4月—　)

财经计划局

局　长　宋劭文

财经人事局

局　长　范子文

技术管理局

局　长　钟　林

私营企业局

局　长　薛暮桥

合作事业管理局

局　长　孟用潜

外资企业局

局　长　冀朝鼎

中央工商行政管理局

局　长　许涤新(1952年8月—　)

副局长　千家驹(1949年10月—　)
管大同(1954年1月—　)

编译室

主　任　王寅生

副主任　李国钧
(1949年10月政务院第一次政务会议任命)

矿产地质勘探局

局　长　谭锡畴

机关企业管理局

局　长　邓　洁

全国仓库物资清理调配委员会

主　任　陈　云(兼)

委　员
宋劭文　王逢原　孙越崎　戎子和　张国坚

秘书长　宋劭文

副秘书长　王逢原

政务院文化教育委员会

(1949 年设立,1954 年撤销)

主　任　郭沫若(兼)

副主任　马叙伦　陈伯达　陆定一　沈雁冰

(1949 年 10 月—)

副主任　习仲勋(1952 年 8 月—)

委　员

周　扬　丁西林　钱俊瑞　韦　悫

李德全(女)　贺　诚　苏井观　李四光

陶孟和　竺可桢　胡乔木　胡愈之　徐特立

柳亚子　费孝通　吴　晗　刘清扬(女)

潘光旦　李　达　符定一　沈志远　陈此生

蒋南翔　沈兹九(女)　谢邦定

欧阳予倩　丁　玲(女)　田　汉

阳翰笙　巴　金　钱三强　陈鹤琴　江桓源

李步青　艾思奇　翦伯赞　侯外庐　钱端升

曾昭森　雷洁琼(女)　沈体兰

(1949 年 10 月中央人民政府委员会第三次会议通过任命)

委　员　舒舍予(1950 年 3 月—)

委　员　曾昭抡　伍鸿隽　叶恭绰

(1950 年 12 月政务院第六十四次政务会议通过并经 1950 年 12 月 26 日中央人民政府委员会第十次会议批准任命)

委　员　吴有训(1950 年 12 月—)

冯乃超(1951 年 3 月—)

秘书长　胡乔木

钱俊瑞(兼)(1952 年 10 月—)

副秘书长　阳翰笙(1949 年 10 月—)

邵荃麟(1950 年 11 月—)

范长江(1952 年 4 月—)

刘墉如(1953 年 1 月—)

办公厅

主　任　何成湘(—1951 年)

徐迈进(1951 年 11 月—)

副主任　薛和昉　包之静　王顺桐

(1953 年 5 月政务院第一七八次会议任命)

副主任　江　凌(1954 年 5 月—)

副主任　姜纪五(1953 年 9 月—)

计划财务局

局　长　刘墉如

副局长　马建民　王政新

(1953 年 5 月政务院第一七四次会议通过任命)

对外文化联络事务局

局　长　洪　深(1951 年 2 月—)

副局长　陈忠经(1951 年 10 月—)

计划局

局　长　邵荃麟

广播事业局

局　长　梅　益(1952 年 9 月—)

副局长　徐迈进(1949 年 12 月—)

温济泽(1952 年 9 月—)

新华通讯社

社　长　吴冷西

副社长　朱穆之

(1952 年 12 月政务院第一六二次政务会议通过任命)

政务院人民监察委员会

(1949 年设立,1954 年 9 月撤销)

主　任　谭平山

副主任　刘景范　潘震亚

(1949 年 10 月任命)

副主任　钱　瑛(1952 年 11 月任命)

副主任　王　翰(1954 年 6 月任命)

委　员

张秀岩(女)　张慕尧　朱蕴山　韩兆鹗

张难先　何燮侯　宁　武　郭任之　许立群

刘达潮　丘　金　帅孟奇(女)　肖　明

(以上人员 1949 年 10 月中央人民政府第三次会议通过任命)

秘书长　李世璋(1949 年 10 月—)

副秘书长　郭任之(1949 年 12 月—)

办公厅

主　任　张鹏图(1950 年 1 月—)

副主任　姜凯风(1952 年 8 月—)

第一厅

厅　长　张慕尧(兼)(1949 年 12 月—)

第二厅

厅　长　甘祠森(1949 年 12 月—)

第三厅

厅　长　张秀岩(女)(兼)(1949 年 12 月—)

内务部

部 长 谢觉哉

（1949 年 10 月中央人民政府委员会第三次
会议通过任命）

副部长 武新宇

陈其瑗（1949 年 10 月— ）

王子宜（1952 年 11 月— ）

王一夫（1952 年 11 月— ）

袁任远（1953 年 12 月— ）

外交部

部 长 周恩来（兼）

（1949 年 10 月中央人民政府委员会第一次
会议通过任命）

副部长 王稼祥 李克农 章汉夫

（1949 年 10 月中央人民政府委员会第三次
会议通过任命）

副部长 伍修权

（1950 年 12 月中央人民政府委员会第十次
会议通过任命）

副部长 张闻天

（1954 年 6 月中央人民政府委员会第三十二
次会议通过任命）

公安部

部 长 罗瑞卿

（1949 年 10 月中央人民政府委员会第三次
会议通过任命）

副部长 徐子英 陈 龙

（1952 年 4 月 19 日中央人民政府委员会第
十五次会议通过任命）

副部长 杨奇清 许建国 汪金祥 周 兴

（1954 年 9 月 9 日中央人民政府委员会第三
十四次会议通过任命）

财政部

部 长 薄一波

（1949 年 4 月中央人民政府委员会第三会
议通过任命）

部 长 邓小平

（1953 年 9 月中央人民政府委员会第二十八
次会议通过任命）

部 长 李先念

（1954 年 6 月中央人民政府委员会第三十二
次会议通过任命）

副部长 戎子和 王绍鏊

（1949 年 10 月中央人民政府第三次会议通
过任命）

吴 波（1952 年 8 月— ）

金 明（1953 年 9 月— ）

方 毅（1953 年 9 月— ）

陈国栋（ —1953 年 9 月）

范醒之（1952 年 8 月— ）

对外贸易部

（1952 年 8 月成立）

部 长 叶季壮

（1952 年 8 月中央人民政府委员会第十七次
会议通过任命）

副部长 雷任民 徐雪寒 李 强

（以上人员 1952 年 8 月任职）

解学恭（1952 年 11 月— ）

副部长 李哲人 孔 原

（以上人员 1953 年 1 月任职）

副部长 范子文（1954 年 6 月— ）

商业部

部 长 曾 山

（1952 年 8 月中央人民政府委员会第十七次
会议通过任命）

副部长 姚依林 沙千里 王兴让

（1952 年 8 月— ）

王 磊 吴雪之

（1953 年 1 月— ）

贸易部

（1949 年成立,1952 年 8 月中央人民政府委
员会第十七次会议决定撤销贸易部）

部 长 叶季壮

副部长

姚依林 沙千里 雷任民（1951 年— ）

中华全国供销合作总社

主　任

薄一波(兼)(1950年11月—1952年10月)

程子华(1952年10月—1954年10月)

副主任

程子华(1950年11月—1952年10月)

孟用潜(1950年11月—1954年)

梁　耀(1950年11月—　)

张启龙(1952年9月—　)

邓　洁(1952年9月—　)

姜君辰(1953年1月—　)

闫顾行(1954年6月—　)

粮食部

部　长　章乃器

(1952年8月中央人民政府委员会第十七次
会议通过任命)

副部长　陈希云　黄静波

(1952年11月—　)

副部长　陈国栋(1953年9月—　)

范式人(1952年8月—11月)

食品工业部

(1949年10月成立,1950年12月中央人民
政府委员会第十次会议决定撤销)

部　长　杨立三

(1949年10月中央人民政府委员会第三次
会议通过任命)

副部长　宋裕和

地质部

部　长　李四光

副部长　何长工　刘杰　宋应

(1952年8月中央人民政府委员会第十七次
会议通过任命)

副部长　刘　杰(1954年6月—　)

重工业部

部　长　陈　云(兼)

(1949年10月中央人民政府委员会第三次
会议通过任命)

部　长　李富春

(1950年4月中央人民政府委员会第六次会
议通过任命)

部　长　王鹤寿

(1952年8月中央人民政府委员会第十七次
会议通过任命)

副部长　何长工(1949年10月—　)

钟　林(1949年10月—　)

刘　鼎(1949年10月—　)

吕　东(1952年8月—　)

赖际发(1952年8月—　)

夏　耘(1954年6月—　)

第一机械工业部

部　长　黄　敬

副部长　段君毅　汪道涵

(1952年8月中央人民政府委员会第十七次
会议通过任命)

副部长　黎　玉(1954年6月—　)

第二机械工业部

部　长　赵尔陆

副部长　张霖之　万　毅

(1952年8月中央人民政府委员会第十七次
会议通过任命)

副部长　张连奎　杨春甫

(1954年6月中央人民政府委员会第三十二
次会议通过任命)

燃料工业部

部　长　陈　郁

(1949年10月中央人民政府委员会第三次
会议通过任命)

副部长　李范一(1949年10月—　)

吴　德(　—1953年9月)

刘澜波(1950年9月—　)

李人俊(1952年8月—　)

徐达本(1953年2月—　)

纺织工业部

部　长　曾　山

（1949 年 10 月中央人民政府委员会第三次
会议通过任命）

部　长　蒋光鼐

（1952 年 8 月中央人民政府委员会第十七次
会议通过任命）

副部长　钱之光　陈维稷　张琴秋

（1949 年 10 月任职）

副部长　韩纯德（1954 年 6 月—　）

轻工业部

部　长　黄炎培（兼）

副部长　杨卫玉　龚饮冰　王新元

（1949 年 10 月中央人民政府委员会第三次
会议通过任命）

副部长　高文华（1952 年 11 月—　）
　　　　宋劭文（1953 年 9 月—　）

建筑工程部

部　长　陈正人

（1952 年 11 月中央人民政府委员会第十九
次会议通过任命）

副部长　周荣鑫　宋裕和

（1952 年 8 月任职）

副部长　万　里（1952 年 1 月—　）
　　　　刘秀峰（1954 年 9 月—　）

铁道部

部　长　滕代远

副部长　吕正操　武竞天　石志仁

（1949 年 10 月中央人民政府委员会第三次
会议通过任命）

副部长　王世泰　郭洪涛（1952 年 8 月—　）
副部长　赵健民（1953 年 1 月—　）

邮电部

部　长　朱学范

（1949 年 10 月中央人民政府委员会第三次
会议通过任命）

副部长　王　铮

范式人（1952 年 11 月任命）
王子纲（1952 年 8 月任命）
钟夫翔（1953 年 9 月任命）

交通部

部　长　章伯钧

副部长　李运昌　李　方

（1949 年 10 月中央人民政府委员会第三次
会议通过任命）

副部长　王首道（1952 年 4 月—　）
　　　　张　策（1952 年 11 月—　）
　　　　朱理治（1954 年 3 月—　）
　　　　潘　琪（1954 年 6 月—　）

农业部

部　长　李书城

副部长　杨显东　吴觉农　罗玉川

（1950 年 6 月—　）

（1949 年 10 月中央人民政府委员会第三次
会议通过任命）

副部长　张林池（1951 年 9 月—　）
　　　　刘瑞龙　王观澜（1952 年 8 月—　）

林业部

部　长　梁　希

副部长　李范五　李相符（1949 年 10 月—　）
副部长　罗玉川（1952 年 8 月—　）
　　　　雍文涛（1953 年 9 月—　）
　　　　惠中权（1954 年 6 月—　）

（1951 年 11 月原林垦部改名为林业部）

水利部

部　长　傅作义

（1949 年 10 月中央人民政府委员会第三次
会议通过任命）

副部长　李葆华（1949 年 10 月—　）
　　　　张含英（1950 年 1 月—　）
　　　　钱正英（1952 年 11 月—　）

黄河水利委员会

主　任　王化云

（1949 年 12 月政务院第十二次政务会议通

过任命)

副主任 江衍坤　赵明甫

(1950年2月政务院第十九次会议通过任命)

治淮委员会

主　任 谭震林

(1950年10月政务院第五十六次会议通过任命)

副主任 曾希圣　吴芝圃　刘宠光　惠浴宇

(1952年11月政务院第一百五十九次会议通过任命)

长江水利委员会

主　任 林一山

(1949年12月政务院第十一次会议通过任命)

珠江水利工程总局

副局长 魏鉴贤

(1950年3月政务院第二十二次会议通过任命)

劳动部

部　长 李立三

副部长 施复亮　毛齐华

(1949年10月中央人民政府委员会第三次会议通过任命)

副部长 刘亚雄

(1952年11月中央人民政府委员会第十九次会议通过任命)

副部长 宋平

(1953年9月中央人民政府委员会第二十八次会议通过任命)

文化部

部　长 沈雁冰

副部长 周扬　丁西林

(1949年10月中央人民政府委员会第三次会议通过任命)

副部长 刘芝明(1953年9月)

　　　　　郑振铎(1954年6月—　)

北京图书馆馆长　冯仲云(1953年3月—)

故宫博物院院长　吴仲超(1954年6月—)

高等教育部

部　长 马叙伦

副部长 杨秀峰　黄松龄　曾昭抡　刘皑风

(1952年11月中央人民政府委员会第十九次会议通过任命)

副部长 周建人

(1952年11月中央人民政府第十九次会议决定增设中央人民政府高等教育部)

教育部

部　长 马叙伦(　—1952年11月)

　　　　　张奚若(1952年11月—　)

副部长 钱俊瑞(1949年10月—　)

　　　　　曾昭抡(　—1952年11月)

　　　　　韦悫(1949年10月—　)

　　　　　董纯才(1952年11月—　)

　　　　　林砺儒(1952年11月—　)

　　　　　柳湜(1952年11月—　)

　　　　　叶圣陶

卫生部

部　长 李德全(女)

副部长 贺诚　苏井观

(1949年10月中央人民政府委员会第三次会议通过任命)

副部长 傅连暲(1952年4月任命)

　　　　　徐运兆(1952年11月任命)

　　　　　王斌(1955年4月任命)

司法部

部　长 史良(女)

副部长 李木巷

(1949年10月中央人民政府第三次会议通过任命)

副部长 魏文伯(1952年11月—　)

　　　　　陈养山(1954年8月—　)

　　　　　郑绍文(1954年9月—　)

人事部

部　长 安子文

（1950 年 9 月中央人民政府委员会第九次会
议通过任命）

副部长 孙起孟 邢西萍（徐冰）

（1950 年 12 月中央人民政府委员会第十次
会议通过任命）

副部长 李楚离（1951 年 9 月— ）

（1950 年 9 月中央人民政府委员会第九次会
议决定设立。1954 年以后未设人事部。
1978 年设劳动人事部，1988 年设人事部）

民族事务委员会（未标民族者为汉族）

主任委员 李维汉

副主任委员 乌兰夫（蒙古族） 刘格平（回族）
赛福鼎（维吾尔族）

（1949 年 10 月中央人民政府委员会第三次
会议通过任命）

副主任委员 汪锋 刘春 张执一

（1952 年 11 月中央人民政府委员会第十九
次会议通过任命）

委员

张 冲（彝族） 吴鸿宾（回族）

奎 璧（蒙族） 朱早观（苗族）

桑吉悦希（藏族） 巴达尔汉（哈萨克族）

朱德海（朝鲜族） 王国兴（黎族）

田雷达（高山族） 杨静仁（回族） 吕振羽

翁独健 马思义（回族） 鲜维峻（回族）

马玉槐（回族） 王悦丰（蒙族）

王再天（蒙族） 特木尔巴根（蒙族）

旺 徐（藏族） 郭 锐（藏族）

（1949 年 10 月中央人民政府委员会第三次
会议通过任命）

委员

方国瑜（摩西族） 王海民（彝族）

瓦渣木基（彝族） 周荣鑫

拉敏·益喜楚臣（藏族）

阿沛·阿旺晋美（藏族） 夏康农 袁翰青

崔 采（朝鲜族） 梁华新（壮族）

陈经畬（回族） 费孝通 赵 范

赵钟奇（回族） 欧百川（苗族）

欧 根（民家） 翦伯赞（维吾尔族）

萨空了（蒙族） 蓝昌法（瑶族）

罗常培（满族）

法制委员会

主任委员 陈绍禹

副主任委员 许德珩

（1949 年 10 月中央人民政府委员会第二次
会议通过任命）

副主任委员 陶希晋（1953 年 12 月— ）
张曙时 陈瑾昆

委员

沈钧儒 张志让 李六如 谢觉哉

史 良（女） 李木菴 何民琨 李 达

孟庆树 吴昱恒 王之相 戴修瓒 吴传颐

李祖荫 李光灿

体育运动委员会

主任 贺 龙

副主任 蔡廷锴

（1952 年 11 月中央人民政府委员会第十九
次会议通过任命）

委员

于北辰 王纪元 田德民 吴蕴瑞 吴克坚

车向忱 明斯克 韦 悫 徐英超 张 轸

马约翰 章 译 陈 沂 傅秋涛 曾昭抡

曾振五 黄 中 杨成武 荣高棠 刘子久

刘加林（女） 刘 斐 蔡树藩 肖 克

肖 华 苏井观

（1953 年 9 月中央人民政府委员会第二十八
次会议批准任命）

秘书长 荣高棠（1953 年 9 月— ）

副秘书长 黄 中（1953 年 9 月— ）

华侨事务委员会

主任委员 何香凝（女）

副主任委员 李任仁 廖承志 李铁民
庄希泉

（1949 年 10 月中央人民政府委员会第三次
会议通过任命）

委员

陈嘉庚 司徒美堂 陈其瑗 费振东

蚁美厚 黄长水 周 铮 侯寒江 庄明理

赵令德 林 棠 张殊明 叶剑英 张云逸

许敬诚　张鼎丞　邓子恢　叶　飞　李初梨
连　贯　王雨亭　蔡廷锴　彭泽民　官文森
王任叔　邵力子　王纪元　洪丝丝　方君壮
（1949 年 10 月中央人民政府委员会第三次
会议通过任命）

委　员　方　方（1950 年 6 月—　）

扫除文盲工作委员会

（1952 年 11 月成立）

主任委员　楚图南
副主任委员　李　昌　林汉达　祁建华
（1952 年 11 月中央人民政府委员会第十九
次会议通过任命）

委　员
江　凌　李福祥　韦　悫　冯宿梅　杨　述
叶圣陶　赵平生　刘　平　邓乙增　罗　琼

中国科学院

院　长　郭沫若（兼）
副院长　陈伯达　李四光　陶孟和　竺可桢
（1949 年 10 月中央人民政府委员会第三次
会议通过任命）
副院长　吴有训（1950 年 12 月任命）
　　　　张稼夫（1953 年 1 月任命）

出版总署

署　长　胡愈之
副署长　叶圣陶　周建人
（1949 年 10 月中央人民政府委员会第三次
会议通过任命）
副署长　陈克寒（1952 年 4 月—　）
　　　　萨空了（1952 年 8 月—　）

中国人民银行

行　长　南汉宸
副行长　胡景沄
（1949 年 10 月中央人民政府委员会第三次
会议通过任命）
副行长　曹菊如　黄亚光　陈希愈

中央气象局

局　长　徐长望
（中央人民政府人民革命军事委员会任命）
副局长　王功贵
（1954 年 8 月政务院通过任命）
副局长　甘德洲　张乃召　卢　添
（中央人民政府人民革命军事委员会任命）

新闻总署

署　长　胡乔木
副署长　范长江　萨空了
（1949 年 10 月中央人民政府委员会第三次
会议通过任命）

情报总署

署　长　邹大鹏
（1949 年 10 月中央人民政府委员会第三次
会议通过任命）
（1949 年 10 月成立，1952 年 8 月 7 日中央人
民政府委员会第十七次会议决定撤销）

中华人民共和国政府

中华人民共和国主席、副主席

1954 年 9 月—1959 年 4 月
（第一届全国人大期间）

主　席　毛泽东
副主席　朱　德
（1954 年 9 月第一届全国人民代表大会第一
次会议选举）

中华人民共和国最高人民法院

1954 年 9 月—1959 年 4 月
（第一届全国人大期间）

院　长　董必武

（1954 年 9 月第一届全国人民代表大会第一次会议选举）

副院长　高克林　马锡五　张志让

中华人民共和国最高人民检察院

1954 年 9 月—1959 年 4 月
（第一届全国人大期间）

检察长　张鼎丞
（1954 年 9 月第一届全国人民代表大会第一次会议选举）

副检察长　梁国斌　谭政文　李士英　黄火青

中华人民共和国国务院

1954 年 9 月—1959 年 4 月
（第一届全国人大期间）

总　理　周恩来
副总理
　陈　云　林　彪　彭德怀　邓小平　邓子恢
　贺　龙　陈　毅　乌兰夫　李富春　李先念
秘书长　习仲勋
（1954 年 9 月 27 日第一届全国人民代表大会第一次会议根据中华人民共和国主席的提名决定）

外交部

1954 年 9 月—1959 年 4 月
（第一届全国人大期间）

部　长　周恩来（兼）
（1954 年 9 月—1958 年 2 月）
（1954 年 9 月第一届全国人大一次会议任命）
部　长　陈　毅（1958 年 2 月—1959 年 4 月）
（1958 年 2 月第一届全国人大五次会议任命）
副部长
　张闻天　王稼祥　章汉夫　伍修权　姬鹏飞

袁仲贤　曾涌泉　罗贵波

国家计划委员会

1954 年 9 月—1959 年 4 月
（第一届全国人大期间）

主　任　李富春（1954 年 9 月—1959 年 4 月）

国家经济委员会

1954 年 9 月—1959 年 4 月
（第一届全国人大期间）

主　任　薄一波（1956 年 5 月—　　）
（1956 年 5 月第一届全国人大常委会第四十次会议决定设立国家经济委员会）

教育部

1954 年 9 月—1959 年 4 月
（第一届全国人大期间）

部　长　张奚若（1954 年 9 月—1958 年 2 月）
　　　　杨秀峰（1958 年 2 月—1959 年 4 月）
副部长
　董纯才　叶圣陶　韦　悫　林砺儒　柳　湜
　陈曾固　林汉达

高等教育部

1954 年 9 月—1958 年 2 月
（第一届全国人大期间）

部　长　杨秀峰（1954 年 9 月—1958 年 2 月）
副部长
　黄松龄　曾昭抡　周建人　刘皑风　刘子载
（1958 年 2 月第一届全国人大五次会议决定高等教育部并入教育部。1964 年 7 月恢复

高等教育部,1966 年 7 月再次并入教育部)

国家技术委员会

1956 年 5 月—1958 年 11 月
（第一届全国人大期间）

主　任　黄　敬
(1956 年 5 月第一届全国人大常委会第四十次会议决定设立国家技术委员会。1958 年 11 月第一届全国人大常委会第一〇二次会议决定撤销国家技术委员会,设立科学技术委员会)

民族事务委员会

1954 年 9 月—1959 年 4 月
（第一届全国人大期间）

主　任　乌兰夫(蒙古族)
副主任
　汪　锋　刘　春　韦国清(壮族)
　萨空了(蒙古族)　杨静仁(回族)
　甘春雷(回族)　费孝通　谢鹤筹(壮族)

公安部

1954 年 9 月—1959 年 4 月
（第一届全国人大期间）

部　长　罗瑞卿
副部长
杨奇清　徐子荣　许建国　汪金祥　周　兴
陈　龙　王　昭　汪东兴　梁国斌　李天焕

监察部

1954 年 9 月—1959 年 4 月
（第一届全国人大期间）

部　长　钱　瑛(女)
副部长
　刘景范　潘震亚　王　翰　李景膺　李世璋
　程　坦
(1949 年设中央人民政府政务院监察委员会,1954 年第一届人大改设监察部,1959 年撤销,1986 年 12 月第六届全国人大常委会第十八次会议通过决定,重新设立监察部)

内务部

1954 年 9 月—1959 年 4 月
（第一届全国人大期间）

部　长　谢觉哉
副部长
　王子宜　武新宇　陈其瑗　王一夫　袁任远
　郭秉坤

司法部

1954 年 9 月—1959 年 4 月
（第一届全国人大期间）

部　长　史　良(女)
副部长
　魏文伯　陈养山　郑绍文　闵刚侯　谢邦治
(1959 年 4 月,第二届全国人民代表大会第一次会议决定撤销司法部)

财政部

1954 年 9 月—1959 年 4 月
（第一届全国人大期间）

部　长　李先念
副部长
　戎子和　范醒之　吴　波　金　明　方　毅
　王学明　胡立教　刘墉如

劳动部

1954 年 9 月—1959 年 4 月
（第一届全国人大期间）

部 长 马文瑞
副部长
　毛齐华　刘亚雄（女）　罗叔章（女）　刘子久

地质部

1954 年 9 月—1959 年 4 月
（第一届全国人大期间）

部 长 李四光
副部长
　刘 杰　何长工　宋 应　许 杰　卓 雄
　刘景范　李济寰

国家建设委员会

1956 年 5 月—1958 年 2 月
（第一届全国人大期间）

主 任
薄一波
（后为）王鹤寿
（1956 年 5 月第一届全国人大常委会第四十次会议决定设立国家建设委员会。1958 年 2 月第一届全国人大第五次会议决定撤销国家建设委员会）

建设工程部

1954 年 9 月—1959 年 4 月
（第一届全国人大期间）

部 长 刘秀峰
副部长
　万 里　周荣鑫　宋裕和　杨春茂　潘纪文

　许世平　赖际发　孙敬文　陈云涛　刘裕民

建筑材料工业部

1956 年 5 月—1958 年 2 月
（第一届全国人大期间）

部 长 赖际发
（1956 年 5 月第一届全国人大常委会第四十次会议决定设立建筑材料工业部。1958 年 2 月第一届全国人大第五次会议决定撤销建筑材料工业部）

城市建设部

1956 年 5 月—1958 年 2 月
（第一届全国人大期间）

部 长 万 里（1956 年 5 月—1958 年 2 月）
（1958 年 2 月第一届全国人大第五次会议决定撤销城市建设部）

燃料工业部

1954 年 9 月—1955 年 7 月
（第一届全国人大期间）

部 长 陈 郁
（1955 年 7 月第一届全国人大第二次会议决定撤销燃料工业部，设立煤炭工业部、电力工业部、石油工业部）

煤炭工业部

1955 年 7 月—1959 年 4 月
（第一届全国人大期间）

部 长 陈 郁（1955 年 7 月—1957 年 9 月）
　　　张霖之（1957 年 9 月—　　）

（1955 年 7 月第一届全国人大第三次会议决定设立煤炭工业部）

石油工业部

1955 年 7 月—1959 年 4 月
（第一届全国人大期间）

部　长　李聚奎（1955 年 7 月—1958 年 2 月）
　　　　余秋里（1958 年 2 月—　）

铁道部

1954 年 9 月—1959 年 4 月
（第一届全国人大期间）

部　长　滕代远
副部长
　吕正操　武竞天　石志仁　赵建民　陆　平
　刘建章　余光生

交通部

1954 年 9 月—1959 年 4 月
（第一届全国人大期间）

部　长　章伯钧（1954 年 9 月—1958 年 1 月）
　　　　王首道（1958 年 2 月—　）
副部长　李运昌（　—1958 年 6 月）
　　　　李理治（　—1958 年 8 月）
　　　　潘　琪（　—1959 年 4 月）
　　　　马辉文（1955 年 5 月—　）

第一机械工业部

1954 年 9 月—1959 年 4 月
（第一届全国人大期间）

部　长　黄　敬（1954 年 9 月—1958 年 2 月）

赵尔陆（1958 年 2 月—　）
副部长
　段君毅　汪道涵　黎　玉　曹祥仁　李力果
　刘　鼎　朱涤新　钟夫翔　白　坚　刘　寅

重工业部

1954 年 9 月—1956 年 5 月
（第一届全国人大期间）

部　长　王鹤寿
副部长　吕　东　赖际发　夏　耘
（1956 年 5 月第一届全国人大常委会第四十次会议决定撤销重工业部）

地方工业部

1954 年 9 月—1956 年 5 月
（第一届全国人大期间）

部　长　沙千里
（1954 年 9 月第一届全国人大第一次会议设立，1956 年 5 月第一届人大常委会第四十次会议决定撤销地方工业部）

第二机械工业部

1954 年 9 月—1959 年 4 月
（第一届全国人大期间）

部　长　赵尔陆（　—1958 年 2 月）
副部长
　韩纯德　刘　彬　刘　杰　袁成隆　钱三强
　雷荣天　刘　伟

第三机械工业部
（1955 年 4 月成立，1956 年 5 月撤销，1956 年 11 月重新设立，1958 年 2 月撤销，并入一机部。1960 年重新设立，1982 年改为航空工业部）

1955 年 4 月—1975 年 1 月

（第一届全国人大期间）

部　长　张霖之（　—1956 年 5 月）
　　　　宋任穷（1956 年 11 月—1958 年 2 月）
　　　　张连奎（1960 年 9 月—1961 年 1 月）
　　　　孙志远（1961 年 1 月—　）
副部长
　张连奎　杨春甫　刘　寅　朱涤新　刘　鼎
　钟夫翔　刘秉彦　赵启民　薛少卿　杜星垣
　刘淇生　吴融峰　朱　光　段子俊　王振乾

电机制造工业部

1956 年 5 月—1958 年 2 月

（第一届全国人大期间）

部　长　张霖之
（1956 年 5 月第一届全国人大常委会第四十
次会议决定设立,1958 年 2 月第一届全国人
大第五次会议决定撤销电机制造工业部）

冶金工业部

1954 年 5 月—1959 年 4 月

（第一届全国人大期间）

部　长　王鹤寿
副部长
　吕　东　赖际发　夏　耘　高扬文　刘　彬
　徐　驰　林泽生　袁宝华

化学工业部

1954 年 5 月—1959 年 4 月

（第一届全国人大期间）

部　长　彭　涛

轻工业部

1954 年 9 月—1959 年 4 月

（第一届全国人大期间）

部　长　贾拓夫（　—1956 年 5 月）
　　　　沙千里（1956 年 5 月—1958 年 2 月）
　　　　李烛尘（1958 年 2 月—　）
副部长
　杨卫玉　龚饮冰　王新元　高文华　宋劭文
　狄景襄　罗叔章（女）　　　吴生秀　宋乃德
　邓　洁　张道吾

纺织工业部

1954 年 9 月—1959 年 4 月

（第一届全国人大期间）

部　长　蒋光鼐
副部长
　钱之光　陈维稷　张琴秋
　韩纯德（　—1955 年 4 月）　王达成

邮电部

1954 年 9 月—1959 年 4 月

（第一届全国人大期间）

部　长　朱学范
副部长　范式人　王子纲　钟夫翔　申　光
　　　　赵志刚　谷春帆

水利部

1954 年 9 月—1958 年 2 月

（第一届全国人大期间）

部　长　傅作义
副部长
　李葆华　张含英　钱正英　冯仲云　何基沣

周骏鸣(1955 年—　　)

(1958 年 2 月第一届全国人大第五次会议决
定将水利部改为水利电力部。1979 年 4 月
恢复设立水利部)

电力工业部

1955 年 7 月—1958 年 2 月
(第一届全国人大期间)

部　长　刘澜波

(1955 年 7 月第一届全国人大二次会议决定
设立电力工业部。1958 年 2 月第一届全国
人大第五次会议决定撤销电力工业部,与水
利部合并设立水利电力部)

农业部

(1954 年 9 月—1959 年 4 月)
(第一届全国人大期间)

部　长　廖鲁言
副部长
　刘瑞龙　张林池　蔡子伟　顾大川　杨显东
　何基沣

农垦部

1956 年 5 月—1959 年 4 月
(第一届全国人大期间)

部　长　王　震

水产部

1956 年 5 月—1959 年 4 月
(第一届全国人大期间)

部　长　许德珩

(1956 年 5 月第一届全国人大常委会第四十
次会议决定设立水产部)

林业部

1954 年 9 月—1959 年 4 月
(第一届全国人大期间)

部　长　梁　希(　—1958 年 12 月)
副部长
　罗玉川　李范五　雍文涛　惠中权　刘成栋
　张克侠　张庆孚

林垦部

1949 年 10 月—1951 年 11 月

部　长　梁　希
副部长
　李范五　罗玉川　雍文涛　惠中权　李相符
(以上人员,1949 年 10 月中央人民政府委员
会第三次会议通过任命,1951 年 11 月,中央
人民政府委员会第十三次会议通过将中央
人民政府林垦部改名为林业部)

森林工业部

1956 年 5 月—1958 年 2 月
(第一届全国人大期间)

部　长　罗隆基(　—1958 年 1 月)
副部长　罗玉川　雍文涛　刘成栋
(1956 年 5 月第一届全国人大常委会第四十
次会议决定成立森林工业部。1958 年 2 月
第一届全国人大第五次会议决定撤销森林
工业部,与林业部合并)

商业部

1954 年 9 月—1959 年 4 月
（第一届全国人大期间）

部　长　曾　山（　—1956 年 11 月）
　　　　陈　云（1956 年 11 月—1958 年 2 月）
　　　　程子华（1958 年 9 月—　）
副部长　姚依林（　—1958 年 6 月）
　　　　王兴让（　—1957 年 3 月）
　　　　王　磊　吴雪之
　　　　曾传六（1954 年 11 月—　）
　　　　刘卓甫（1954 年 11 月—1955 年 9 月）
　　　　张雨帆（1954 年 11 月—1957 年 2 月）
　　　　李维新（1956 年 3 月—1958 年 7 月）
　　　　张永励（1958 年 9 月—　）

粮食部

1954 年 9 月—1959 年 4 月
（第一届全国人大期间）

部　长　章乃器（　—1958 年 1 月）
　　　　沙千里（1958 年 2 月—　）
代理部长　陈国栋（1958 年 1 月—1958 年
　　　　2 月）
副部长　陈希云（　—1957 年 2 月）
　　　　黄静波　陈国栋　喻　杰
　　　　聂洪钧（1955 年 1 月—　）
　　　　高锦纯（1956 年 8 月—　）
　　　　赵发生（1958 年 9 月—　）

农产品采购部

1955 年 7 月—1956 年 11 月
（第一届全国人大期间）

部　长　杨一辰
副部长　刘卓甫（1955 年 9 月—　）

（1955 年 7 月第一届全国人大第二次会议决
　定设立农产品采购部。1956 年 11 月第一届
　全国人大常委会第五十一次会议决定撤销
　农产品采购部）

城市服务部

1956 年 5 月—1958 年 2 月
（第一届全国人大期间）

部　长　杨一辰
副部长　王兴让　张永励　刘卓甫

（1958 年 2 月第一届全国人大第五次会议决
　定撤销城市服务部）

食品工业部

1956 年 6 月—1958 年 2 月
（第一届全国人大期间）

部　长　李烛尘

（1958 年 2 月第一届全国人大第五次会议决
　定撤销食品工业部）

对外贸易部

1954 年 9 月—1959 年 4 月
（第一届全国人大期间）

部　长　叶季壮

文化部

1954 年 9 月—1965 年 1 月
（第一届全国人大期间）

部　长　沈雁冰
副部长
　　钱俊瑞　丁西林　郑振铎　夏　衍　陈克寒

刘芝明　张致祥　胡愈之　林默涵　齐燕铭
徐光霄　徐平羽　陈荒煤　李　琦

广播事业管理处

处　长　廖承志
副处长　李　强
(1949 年 6 月 5 日,中共中央决定成立广播
事业管理处,受中共中央宣传部领导)

中央广播事业局

局　长　李　强
副局长　梅　益　徐迈进
(1949 年 10 月决定中央广播事业管理处改
组为中央广播事业局,直属中央人民政府政
务院新闻总署领导)
局　长　梅　益
副局长　徐迈进　温济泽　李　伍
(以上人员,1952 年 9 月政务院第一四九次
会议通过任命)
局　长　梅　益
副局长　徐迈进　温济泽
(以上人员,1954 年 11 月国务院重新任命)
副局长　刘程云(1955 年 3 月—1959 年 1 月)
　　　　周新武(1955 年 3 月—　　)
　　　　金　照(1955 年 3 月—　　)

卫生部

1954 年 9 月—1959 年 4 月
（第一届全国人大期间）

部　长　李德全(女)
副部长
苏井观　徐运北　贺　飚　崔义田　张　凯
钱信忠(1957 年 9 月—　　)
伍云甫(1956 年 10 月—　　)
王　斌(　　—1955 年 8 月)

国家体育运动委员会

1954 年 9 月—1959 年 4 月
（第一届全国人大期间）

主　任　贺　龙
副主任　蔡廷锴　蔡树藩(1954 年 11 月—
　　　　1958 年 10 月)
　　　　卢　汉(1954 年 11 月—1959 年)
　　　　黄琪翔(1954 年 11 月—1958 年 7
　　　　月)
　　　　荣高棠(1954 年 11 月—1959 年)
　　　　张非垢(1956 年 10 月—1958 年
　　　　5 月)
　　　　黄　中(1956 年 10 月—1959 年)

中国人民银行

1954 年 9 月—1959 年 4 月
（第一届全国人大期间）

行　长　曹菊如(1954 年 11 月—　　)
副行长
胡景云　黄亚光　陈希愈　崔　光　乔培新

海关总署

1949 年 10 月—1953 年 1 月

署　长　孔　原
副署长　丁贵堂
(以上人员 1949 年 10 月中央人民政府委员
会第三次会议通过任命)
(1953 年 1 月中央人民政府委员会第二十一
次会议决定海关总署并入对外贸易部。1988
年 4 月,海关总署恢复为国务院直属机构)

中国科学院

1954 年 9 月—1959 年 4 月
（第一届全国人大期间）

院　长　郭沫若
副院长
　　陈伯达　李四光　陶孟和　竺可桢　吴有训
　　张稼夫　张劲夫

新华通讯社

1949 年—1954 年

社　长　胡乔木(1949 年 6 月—1949 年 11 月)
　　　　陈克寒(1949 年 11 月—1952 年 8 月)
　　　　吴冷西(1952 年 8 月—1952 年 12 月
　　　　任代理社长)
副社长　范长江　陈克寒　吴冷西
　　(1952 年 12 月政务院第一六二次会议通过
　　任命)
社　长　吴冷西(1952 年 12 月—1954 年 9 月)
副社长　朱穆之(1952 年 12 月—1954 年 9 月)

1954 年—1977 年
（中共中央直属机关时期）

社　长　吴冷西(1954 年—　　)
副社长　朱穆之(1954 年—　　)
　　　　缪海稜(1955 年 4 月—　　)
　　　　邓　岗(1955 年 4 月—　　)

华侨事务委员会

1954 年 9 月—1959 年 4 月
（第一届全国人大期间）

主　任
　　何香凝(女)

中国人民政治协商会议

中国人民政治协商会议
第一届全国委员会
（1949 年 9 月 30 日—
1954 年 12 月 20 日）

中国人民政治协商会议第一届
全国委员会全体会议
（1949 年 9 月 21 日—9 月 30 日
在北京召开）

代　表
　　(甲)党派代表(14 个单位、正式代表 142 人、
　　候补代表 23 人)
中国共产党(正式代表 16 人、候补代表 2 人)
　　毛泽东　刘少奇　周恩来　林伯渠　董必武
　　陈　云　彭　真　郑位三　王稼祥　陆定一
　　吴玉章　徐特立　刘澜涛　李维汉　李克农
　　安子文
　　候补代表　邢西萍(徐冰)　齐燕铭
中国国民党革命委员会(正式代表 16 人、候补
　　代表 2 人)
　　李济深　何香凝(女)　　　柳亚子
　　李德全(女)　张　文　李锡九　陈劭先
　　朱蕴山　梅龚彬　余心清　王葆真
　　杨　杰　李任仁　刘积学　陈汝棠　赖亚力
　　候补代表　吕集义　郑坤廉(女)
中国民主同盟(正式代表 16 人、候补代表 2 人)
　　张　澜　沈钧儒　章伯钧　张东荪　罗隆基
　　史　良(女)　　　周新民　楚图南　丘　哲
　　周鲸文　费孝通　李相符　李文宜(女)
　　胡愈之　辛志超　刘王立明(女)
　　候补代表　叶笃义　罗子为
民主建国会(正式代表 12 人、候补代表 2 人)
　　黄炎培　章乃器　胡厥文　施复亮
　　胡子婴(女)　　　孙起孟　陈巳生　章元善
　　盛康年　冷　遹　杨卫玉　沈子槎
　　候补代表　陈维稷　莫艺昌

无党派民主人士（正式代表 10 人、候补代表 2 人）

郭沫若　马寅初　张奚若　李　达
董鲁安（于力）　符定一　欧阳予倩
洪　深　吴有训　王之相
候补代表　丁燮林　周谷城

中国民主促进会（正式代表 8 人、候补代表 1 人）

马叙伦　许广平（女）　周建人　王绍鏊
梅达君　徐伯昕　林汉达　雷洁琼（女）
候补代表　严景耀

中国农工民主党（正式代表 10 人、候补代表 2 人）

彭泽民　郭冠杰　李士豪　何世琨（何文朴）
杨逸棠（杨伯恺）　张云川　郭则沉　王深林
严信民　杨子恒
候补代表　王一帆　李健生（女）

中国人民救国会（正式代表 10 人、候补代表 2 人）

李章达　沙千里　沈志远　千家驹　萨空了
曹孟君（女）　闵刚侯　方与严　宋云彬
孙晓村
候补代表　秦柳方　张曼筠（女）

三民主义同志联合会（正式代表 10 人、候补代表 2 人。空缺正式代表 1 名）

谭平山　陈铭枢　郭春涛　王昆仑　许宝驹
吴茂荪　萧隽英　李世璋　谭惕吾（女）
候补代表　于振瀛　田竺僧

中国国民党民主促进会（正式代表 8 人、候补代表 1 人）

蔡廷锴　蒋光鼐　陈此生　李民欣　秦元邦
林一元　谭冬菁　司马文森
候补代表　李子诵

中国致公党（正式代表 6 人、候补代表 1 人。空缺正式代表 1 名、候补代表 1 名）

陈其尤　黄鼎臣　官文森　雷荣珂（田凡）
严希纯

九三学社（正式代表 5 人、候补代表 1 人）

许德珩　黎锦熙　袁翰青　吴藻溪　薛　愚
候补代表　叶丁易

台湾民主自治同盟（正式代表 5 人、候补代表 1 人）

谢雪红（女）　杨克煌　李伟光　王天强
田富达
候补代表　林铿生

中国新民主主义青年团（正式代表 10 人、候补代表 2 人）

冯文彬　蒋南翔　胡耀邦　宋一平　陆　平
王治周　张　本（女）　杨　述
高景芝（女）　王明远
候补代表　许世平　张　凡

（乙）区域代表（9 个单位、正式代表 102 人、候补代表 14 人）

西北解放区（正式代表 15 人、候补代表 2 人）

马明方　王维舟　杨明轩　武新宇　李景膺
范子文　马健翎　杜延庆　张子芳（女）
王德彪　成柏仁　韩兆鹗　苏资琛　李象九
杨拯民
候补代表　房文礼　金山寿

华北解放区（正式代表 15 人、候补代表 2 人）

薄一波　杨秀峰　宋劭文　朱良才　蓝公武
林　铁　赖若愚　张　苏　高克林　潘复生
唐延杰　邢肇棠　薛　迅（女）　沙可夫
周叔弢
候补代表　刘少白　甄荣典

华东解放区（正式代表 15 人、候补代表 2 人）

陈　毅　许世友　周　兴　管文蔚　梁从学
孙仲德　夏　衍（沈端先）　沙文汉（张登）
龙　跃　张　林　韦　悫　李坚贞（女）
张福林　季　方　李伯龙
候补代表　计雨亭　刘民生

东北解放区（正式代表 15 人、候补代表 2 人）

高　岗　高崇民　李运昌　周保中　汪金祥
周　恒　何长工　车向忱　张维桢　邹大鹏
于毅夫　吕　骥　杨克冰（女）　李　荒
李国钧
候补代表　张德馨　赵文全

华中解放区（正式代表 15 人、候补代表 2 人）

黄克诚　刘子久　吴芝圃　邵式平　陈再道
潘梓年　谭余保　郑绍文　蔡书彬
夏之栩（女）　罗厚福　陈经畲　嵇文甫
杨显东　张仲鲁
候补代表　陈荒煤　王一鸣

华南解放区（正式代表 8 人、候补代表 2 人）

连 贯 刘达潮 区梦觉(女)

乔 木(乔冠华) 李伯球 欧阳山 王雨亭
李独清

候补代表 廖梦醒(女)

内蒙古自治区(正式代表6人、候补代表1人)

乌兰夫(云泽) 王悦丰 刘 春 那木济

勒色楞(王再天) 王逸伦 特木尔巴根

候补代表 朋斯克

北平天津市两直属市(正式代表6人、候补代表
1人)

黄 敬 李葆华(赵振声) 郭尚义 刘先磊

张晓梅(女) 资耀华

候补代表 徐楚波

待解放区民主人士(正式代表7人、候补代表1
人)

杜国庠 张唯一 任 谦 侯方岳 周钦岳

周士观 黄药眠

候补代表 李侠公

(丙)军队代表(6个单位、正式代表60人、候
补代表11人)

中国人民解放军总部(包括直属兵团及海、空
军)(正式代表12人、候补代表2人)

朱 德 聂荣臻 吕正操 李 涛 傅 钟

杨成武 李国英 王 净 杨奇清 张学思

康克清(女) 刘善本

候补代表 贺绿汀 戴镜元

中国人民解放军第一野战军(正式代表10人、
候补代表2人)

贺 龙 徐向前 罗瑞卿 赵寿山 王世泰

李 贞(女) 孙志远 王 昭 任白戈

左协中

候补代表 杜冠仁 陈 播

中国人民解放军第二野战军(正式代表10人、
候补代表2人)

刘伯承 滕代远 杨立三 蔡树藩 钱信忠

卫小堂 布 克 廖运周 曾 克(女)

高树勋

候补代表 张南生 马 宁

中国人民解放军第三野战军(正式代表10人、
候补代表2人)

粟 裕 王建安 江渭清 陈士榘 谢胜坤

唐国栋 何基沣 魏来国 黎有章 赖少其

候补代表 李兰丁(女) 杜中夫

中国人民解放军第四野战军(正式代表10人、
候补代表2人)

罗荣桓 李天佑 韩先楚 苏 静 钟赤兵

刘梅村 曾泽生 张 轸 刘白羽

丁志辉(女)

候补代表 胡奇才 黄达宣

华南人民解放军(正式代表8人、候补代表1
人)

张云逸 古大存 陈漫远 马白山 吴奇伟

冯乃超 罗范群 黄 宇

候补代表 李进阶

(丁)团体代表(16个单位、正式代表206人、
候补代表29人)

中华全国总工会(正式代表16人、候补代表2
人)

李立三 朱学范 刘宁一 陈 郁 李颉伯

许之桢 陈少敏(女) 栗再温 康永和

易礼容 丘 金(丘坚一) 赵占魁

杨之华(女) 张 祺 李凤莲(女)

顾锡章

候补代表 沈 鸿 周 颖(女)

各解放区农民团体(正式代表16人、候补代表
2人)

张 晔 杨耕田 胡 明 王国华 强自修

王国权 刘玉厚 李秀真(女) 黄 岩

万众一 杨万选 朱道平 韩东征 曹 铁

张振铎 赵有田

候补代表 朱富胜 石振明

中华全国民主妇女联合会(正式代表15人、候
补代表2人)

蔡 畅(女) 邓颖超(女) 帅孟奇(女)

张琴秋(女) 刘亚雄(女) 张秀岩(女)

李培之(女) 张金保(女) 沈兹九(女)

刘清扬(女) 罗 琼(女) 陆 璀(女)

陈波儿(女) 黄静汶(女) 杜君慧(女)

候补代表 龚普生(女) 翟淑珍(女)

中华全国民主青年联合总会(正式代表12人、
候补代表2人)

廖承志 吴 晗 钱三强 高 棠 何 礼

董 昕 何其芳 曹 禺 龚 澎(女)

梅 益 杨 文 范小凤(女)

候补代表　徐　盈　杨涤生

中华全国学生联合会(正式代表9人、候补代表1人)

谢邦定　晏福民　马　骏　聂维庆
李秀真(女)　周寿昌　黄鹤祯　丁　力
方光宇(女)

候补代表　孙宗汾

全国工商界(正式代表15人、候补代表2人)

陈叔通　盛丕华　李范一　李烛尘　简玉阶
包达三　姬伯雄　周苍柏　俞寰澄　张䌹伯
吴羹梅　巩天民　荣德生　王新民　刘一峰

候补代表　酆云鹤(女)　冯少山

上海各界人民团体(正式代表9人、候补代表1人)

刘　晓　朱俊欣　吴克坚　冯雪峰
汤桂芬(女)　沈体兰　罗叔章(女)
蒉延芳　陈震中

候补代表　邱文奎

中华全国文学艺术界联合会(正式代表15人、候补代表2人)

沈雁冰　周　扬　郑振铎　丁　玲(女)
田　汉　萧　三　柯仲平　赵树理　阳翰笙
巴　金　徐悲鸿　蔡楚生　史东山　胡　风
马思聪

候补代表　艾　青　曹靖华

中华全国第一次自然科学工作者代表大会筹备委员会(正式代表15人、候补代表2人)

梁　希　李四光　侯德榜　贺　诚　茅以升
曾昭抡　刘　鼎　严济慈　姚克方　恽子强
涂长望　乐天宇　丁　瓒　蔡邦华　李宗恩

候补代表　靳树梁　沈其益

中华全国教育工作者代表会议筹备委员会(正式代表15人、候补代表2人)

成仿吾　叶圣陶　钱俊瑞　林砺儒　张如心
晁哲甫　陈鹤琴　俞庆棠(女)　竺可桢
江恒源　汤用彤　叶企孙　杨石先　戴白韬
柳　湜

候补代表　江隆基　葛志成

中华全国社会科学工作者代表会议筹备会(正式代表15人、候补代表2人)

陈伯达　陈绍禹　范文澜　谢觉哉　邓初民
王学文　艾思奇　何思敬　翦伯赞　侯外庐
张志让　阎宝航　钱端升　樊　弘　吴觉农

候补代表　李木奄　胡　绳

中华全国新闻工作者协会筹备会(正式代表12人、候补代表2人)

胡乔木　金仲华　陈克寒　张磐石　邓　拓
恽逸群　杨　刚(女)　邵宗汉　徐迈进
刘尊祺　王芸生　赵超构

候补代表　徐铸成　储安平

自由职业界民主人士(正式代表10人、候补代表2人)

潘震亚　宦　乡　李承干　林仲易　徐永祚
洪式闾　褚应璜　浦熙修(女)　孙荪荃(女)
陈乙明

候补代表　白　杨(女)　林葆骆

国内少数民族(正式代表10人、候补代表2人)

刘格平(回族)　张　冲(彝族)
奎　璧(蒙古族)　朱早观(苗族)
吴鸿宾(回族)　杨静仁(回族)
朱德海(朝鲜族)　王国兴(黎族)
天　宝(藏族)　白寿彝(回族)

候补代表　金汉文(蒙古族)
多杰才旦(藏族)

国外华侨民主人士(正式代表15人、候补代表2人)

陈嘉庚　司徒美堂　陈其瑗　戴子良
费振东　蚁美厚　缅甸华侨代表一人
黄长水　日本华侨代表一人　刘思慕
李铁民　周　铮　侯寒江　庄明理　赵令德

候补代表　林　棠　张殊明

宗教界民主人士(正式代表7人、候补代表1人)

吴耀宗(基督教)　赵朴初(佛教)
邓裕志(女)(基督教)　张云岩(基督教)
马　坚(伊斯兰教)　巨　赞(佛教)
赵紫宸(基督教)

候补代表　刘良模(基督教)

(戊)特别邀请人士(75人)

宋庆龄(女)　伍云甫　熊瑾玎　陶孟和
陆志韦　罗常培　高镇五　陈望道　李步青
吴贻芳　曾昭森　梁思成　任鸿隽　卢于道
陈修和　钱昌照　谢家荣　秉　志　萨镇冰
张难先　李书城　张元济　何燏时　龙　云

黄琪翔　李明灏　李明扬　张酦衬　胡子昂
宁　武　周善培　陈瑾昆　张曙时　安文钦
张鸿鼎　张伯秋　陈荫南　张治中　邵力子
章士钊　黄绍竑　刘　斐　李　蒸　卢郁文
颜惠庆　江　庸　汪世铭　沙彦楷　许闻天
邓昊明　程　潜　陈明仁　傅作义　邓宝珊
董其武　孙兰峰　林　遵　邓兆祥　程星龄
周北峰　周信芳　梅兰芳　程砚秋
袁雪芬(女)　　　赛福鼎　阿里木江
涂　治　刘英源　阎存林　戎冠秀(女)
李德林　李时良　董和亭　曹凤岐　周建寅

主席团(1949 年 9 月 21 日政协第一届全体会议
选举,按所属单位次序排列)

毛泽东　刘少奇　周恩来　林伯渠　董必武
陈　云　彭　真　李济深　何香凝　李德全
谭平山　陈铭枢　蔡廷锴　蒋光鼐　张　澜
沈钧儒　章伯钧　张东荪　史　良　彭泽民
沙千里　黄炎培　章乃器　胡厥文　郭沫若
马寅初　张奚若　李　达　马叙伦　陈其尤
许德珩　谢雪红　冯文彬　马明方　薄一波
陈　毅　高　岗　黄克诚　连　贯　乌兰夫
黄　敬　杜国庠　朱　德　聂荣臻　贺　龙
刘伯承　粟　裕　罗荣桓　张云逸　李国英
卫小堂　魏来国　刘海村　李立三　朱学范
陈少敏　张　晔　刘玉厚　蔡　畅　邓颖超
廖承志　谢邦定　陈叔通　盛丕华　李烛尘
刘　晓　朱俊欣　沈雁冰　梁　希　陈伯达
成仿吾　胡乔木　潘震亚　刘格平　张　冲
陈嘉庚　司徒美堂　　　吴耀宗　宋庆龄
陶孟和　张难先　张元济　张治中　邵力子
程　潜　傅作义　赛福鼎　刘英源　李时良

秘书长　林伯渠

主席团常务委员会(1949 年 9 月 22 日政协第
一届全体会议通过)

常务委员(按所属单位次序排列)

毛泽东　刘少奇　周恩来　林伯渠　李济深
谭平山　蔡廷锴　张　澜　沈钧儒　章伯钧
黄炎培　陈叔通　郭沫若　马寅初　张奚若
马叙伦　高　岗　陈　毅　乌兰夫　朱　德
贺　龙　刘伯承　罗荣桓　张云逸　李立三
蔡　畅　沈雁冰　刘格平　陈嘉庚　宋庆龄
赛福鼎

秘书长　林伯渠

副秘书长

齐燕铭　余心清　周新民　孙起孟　沈体兰
罗叔章　阎宝航　宦　乡　连　贯

(以下六个委员会 1949 年 9 月 22 日政协第
一届全体会议通过)

**中国人民政治协商会议组织法草案整理委
员会**(共 54 人)

委　员

林祖涵　李济深　周新民　陈巳生　符定一
王绍鏊　郭冠杰　沙千里　谭平山　许宝驹
秦元邦　雷荣珂　薛　愚　杨克煌　陆　平
马明方　杨秀峰　许世友　高崇民　刘子久
刘达潮　王逸伦　李葆华　张唯一　聂荣臻
孙志远　杨立三　王建安　钟赤兵　古大存
易礼容　张振铎　张琴秋　吴　晗　聂维庆
李范一　俞寰澄　黄延芳　丁　玲　曾昭抡
叶圣陶　陈绍禹　张磐石　褚应璜　天　宝
戴子良　赵朴初　陶孟和　张难先　陈荫南
邵力子　陈明仁　邓昊明　阿里木江

召集人　谭平山

秘　书　陈　昭

**中国人民政治协商会议共同纲领草案整理
委员会**(共 51 人)

委　员

周恩来　李任仁　章伯钧　罗隆基　胡厥文
李　达　许广平　严信民　沈志远　李世璋
司马文森　严希纯　许德珩　谢雪红
王治周　苏资琛　潘复生　周　兴　周保中
邵式平　区梦觉　刘　春　资耀华　侯方岳
杨成武　罗瑞卿　钱信忠　赖少其　罗荣桓
陈漫远　朱学范　张　晔　邓颖超　高　棠
谢邦定　李烛尘　吴克坚　周　扬　侯德榜
钱俊瑞　邓初民　恽逸群　林仲易　吴鸿宾
费振东　张雪岩　罗常培　张元济　张治中
程　潜　阎存林
召集人　周恩来
秘　书　宦　乡

中央人民政府组织法草案整理委员会(共
52 人)

委　员

董必武	张　文	赖亚力	史　良	黄炎培
张奚若	吴有训	周建人	王深林	千家驹
王昆仑	李民欣	叶丁易	林鉴生	杨　述
韩兆鹗	张　苏	陈　毅	汪金祥	黄克诚
王雨亭	乌兰夫	刘先磊	周钦岳	朱　德
王世泰	刘伯承	谢胜坤	张　轸	马白山
李颉伯	李秀真	刘清扬	何其芳	马　骏
周苍柏	汤桂芬	胡　风	贺　诚	俞庆棠
谢觉哉	邵宗汉	潘震亚	刘格平	
司徒美堂		刘良模	卢于道	李明扬
黄绍竑	傅作义	赛福鼎	戎冠秀	
召集人	董必武			
秘　书	赖亚力	王　韧		

中国人民政治协商会议第一届全体会议宣言起草委员会（共53人）

委　员

陆定一	陈劭先	梅龚彬	楚图南	胡愈之
施复亮	郭沫若	洪　深	雷洁琼	彭泽民
闵刚侯	陈铭枢	林一元	蒋光鼐	黄鼎臣
吴藻溪	田富达	蒋南翔	成伯仁	赖若愚
夏　衍	吕　骥	潘梓年	乔冠华	王再天
张晓梅	黄药眠	吕正操	任白戈	蔡树藩
陈士渠	刘白羽	冯乃超	陈少敏	杨耕田
沈兹九	梅　益	周寿昌	包达三	冯雪峰
萧　三	严济慈	张如心	艾思奇	胡乔木
浦熙修	奎　璧	李铁民	邓裕志	陈望道
李明灏	章士钊	邓宝珊		
召集人	郭沫若			
秘　书	刘尊棋	林一元		

国旗、国徽、国都、纪年方案审查委员会（共55人）

委　员

李克农	朱蕴山	张东荪	杨卫玉	
欧阳予倩		马叙伦	李士豪	宋云彬
郭春涛	陈此生	陈其尤	黎锦熙	李伟光
宋一平	王维舟	蓝公武	管文蔚	李运昌
嵇文甫	李伯球	王悦丰	黄　敬	杜国庠
李　涛	赵寿山	滕代远	江渭清	苏　静
张云逸	陈　郁	胡　明	陆　璀	廖承志
钱三强	李秀贞	简玉阶	沈体兰	徐悲鸿
田　汉	郑振铎	沈雁冰	茅以升	晁哲甫
翦伯赞	范文澜	陈克寒	李承干	张　冲

陈嘉庚	吴耀宗	梁思成	李书城	江　庸
邓兆祥	涂　治			
召集人	马叙伦			
秘　书	徐寿轩	彭光涵		

代表提案审查委员会（共14人）

委　员

彭　真	李德全	沈钧儒	章乃器	马寅初
高　岗	粟　裕	李立三	刘亚雄	冯文彬
梁　希	杨静仁	陈其瑗	张伯秋	
召集人	高　岗			
秘　书	费孝通	吴茂荪	姚警尘	

中国人民政治协商会议 第一届全国委员会

委　员（1949年9月30日政协第一届全体会议选举产生，按单位次序排列）

毛泽东	刘少奇	周恩来	林伯渠	董必武
陈　云	彭　真	王稼祥	李维汉	李济深
陈劭先	朱蕴山	李任仁	余心清	郭春涛
王昆仑	蔡廷锴	蒋光鼐	张　澜	罗隆基
周新民	楚图南	曾昭抡	沈钧儒	沙千里
章伯钧	郭冠杰	黄炎培	章乃器	胡厥文
施复亮	陈巳生	郭沫若	马寅初	张奚若
李　达	符定一	马叙伦	许广平	陈其尤
陈演生	许德珩	黎锦熙	谢雪红	蔡　乾
冯文彬	蒋南翔	萧　华	马明方	杨明轩
杨秀峰	蓝公武	张鼎丞	荣德生	林　枫
车向忱	黄克诚	张　轸	方　方	陈汝棠
乌兰夫	奎　璧	张友渔	周叔弢	杜国庠
任　谦	朱　德	徐向前	彭德怀	赵寿山
邓小平	高树勋	粟　裕	何基沣	林　彪
陈明仁	陈漫远	吴奇伟	刘宁一	刘长胜
刘子久	张维桢	易礼容	李凤莲	邓颖超
李德全	史　良	陈少敏	张琴秋	沈兹九
张　晔	王国华	谭余保	胡　明	李景膺
李秀真	廖承志	钱三强	吴　晗	谢邦定
方光宇	宋锡恒	陈叔通	盛丕华	李范一
简玉阶	包达三	宋棐卿	刘　晓	潘汉年
朱俊欣	黄延芳	沈雁冰	周　扬	郑振铎
梁　希	李四光	侯德榜	陈绍禹	邓初民
樊　弘	成仿吾	叶圣陶	林砺儒	胡乔木

金仲华　王芸生　潘震亚　宦　乡　李承干
吴鸿宾　张　冲　朱早观　天　宝　朱德海
王国兴　陈嘉庚　司徒美堂　　　　戴子良
蚁美厚　庄明理　费振东　吴耀宗　马　坚
赵朴初　宋庆龄　陶孟和　董鲁安　钱昌照
萨镇冰　李书城　张元济　何燏时　黄琪翔
李明灏　李明扬　宁　武　陈瑾昆　陈其瑗
张　文　冷　遹　张治中　邵力子　章士钊
黄绍竑　颜惠庆　江　庸　程　潜　傅作义
邓宝珊　董其武　林　遵　邓兆祥　刘善本
周信芳　梅兰芳　赛福鼎　阿不哈依尔吐烈
赵占魁　李时良

一届政协一次会议

（1949 年 10 月 9 日）

通过全国委员会：
主　席　毛泽东
副主席　周恩来　李济深　沈钧儒　郭沫若
　　　　陈叔通
常务委员
　　毛泽东　刘少奇　周恩来　李维汉　李济深
　　王昆仑　蒋光鼐　张　澜　沈钧儒　章伯钧
　　黄炎培　陈叔通　章乃器　郭沫若　马叙伦
　　张奚若　杨秀峰　乌兰夫　朱　德　林　彪
　　刘宁一　邓颖超　冯文彬　沈雁冰　梁　希
　　吴鸿宾　陈嘉庚　邵力子
秘书长　李维汉

一届政协三次会议

（1951 年 10 月 23 日—11 月 1 日）

补选全国委员会委员：
（一）18 名保留名额
　　达赖喇嘛　班禅额尔德尼　阿沛·阿旺晋美
　　熊克武　刘文辉　卢　汉　周素园　卢作孚
　　鲍尔汉　陶峙岳　陈绍宽　黄松坚　邓　华
　　周震鳞　梁漱溟　胡文耀　梅龚彬　唐生智
（二）2 名出缺名额（郭春涛、颜惠庆）

一届政协四次会议

（1953 年 2 月 4 日—2 月 7 日）

增选全国委员会常务委员：
　　林伯渠　邓小平　胡乔木　张治中　罗隆基
　　施复亮　马寅初　许广平　黄琪翔　许德珩
　　陈其尤　蒋南翔　刘长胜　史　良　李四光
　　钱三强　盛丕华　李德全　鲍尔汉
　　桑吉悦希（天宝）　廖承志　吴耀宗　熊克武

政协第一届全国委员会所属主要工作机构

（1949 年 10 月—1954 年 12 月）

政治法律组
　　组　长　许德珩
　　副组长　叶笃义
财政经济组
　　组　长　章乃器
　　副组长　樊　弘　钱昌照　许涤新　罗叔章
　　　　　　项叔翔
文化教育组
　　组　长　郑振铎
　　副组长　叶圣陶　许广平　徐迈进
外交组
　　组　长　罗隆基
　　副组长　宦　乡　梅汝璈
国防组
　　组　长　徐向前
民族事务组
　　组　长　乌兰夫
　　副组长　朱早观　甘春雷
华侨事务组
　　组　长　费振东
宗教事务组
　　组　长　董鲁安
　　副组长　陈其瑗　何成湘

中国人民政治协商会议
第二届全国委员会

（1954 年 12 月 21 日—1959 年 4 月 16 日）

委　员（1954 年 12 月 4 日政协第一届常委会
第六十二次会议通过，按姓名笔画排
列）

中国共产党（40 名）

王首道　王从吾　王鹤寿　安子文　何长工
吴溉之　吕正操　李井泉　李六如　李木庵
李卓然　李葆华　李楚离　李维汉　邢西萍
周恩来　马文瑞　康　生　张子意　张唯一
张经武　张际春　张曙时　张　玺　许涤新
陈希云　陈　毅　陶　铸　曾　山　黄　敬
杨尚昆　叶季壮　董必武　邹大鹏　赵尔陆
赵毅敏　刘秀峰　滕代远　邓小平　谭震林

中国国民党革命委员会（25 名）

丁超五　王菊人　王葆真　甘祠森　朱蕴山
余心清　李平衡　李民欣　李俊龙　李紫翔
李　蒸　李济深　邵力子　范予遂　张治中
梅龚彬　许宝骙　陈建晨（女）　陈铭枢
宁　武　贺贵严　杨亦周　刘孟纯　蔡廷锴
卢郁文

中国民主同盟（25 名）

千家驹　史　良（女）　田一平　吴景超
沈钧儒　沙彦楷　辛志超　周新民　周鲸文
林仲易　胡一声　胡愈之　徐寿轩　高一涵
高崇民　张　澜　章伯钧　郭则沉　郭翘然
杨子廉　贾子群　潘光旦　邓初民　罗子为
罗隆基

中国民主建国会（25 名）

王新光　吴羹梅　吴觉农　李烛尘　周士观
金学成　施复亮　胡厥文　唐巽泽　孙起孟
浦洁修（女）　章乃器　章元善　陈维稷
陈邃衡　彭一湖　盛康年　华煜卿　黄炎培
黄长水　黄凉尘　黄墨涵　杨卫玉　荣毅仁
刘一峰

无党派民主人士（12 名）

丁西林　向　达　吴有训　吕叔湘　沈　浮
洪　深　马寅初　张奚若　符定一　郭沫若

郑　昕　饶毓泰

中国民主促进会（12 名）

王绍鏊　王历畊　吴研因　李平心　李霁野
周建人　金通尹　柯　灵　马叙伦　陈秋安
冯少山　葛志成

中国农工民主党（12 名）

王一帆　王人旋　王寄一　李伯球　季　方
唐午园　陈卓凡　彭泽民　黄琪翔　黄　农
董爽秋　邓昊明

中国致公党（6 名）

伍觉天　官文森　陈其尤　黄鼎臣　雷沛鸿
严希纯

九三学社（12 名）

王之相　孙承佩　孙荪荃（女）　　涂长望
袁翰青　高觉敷　许德珩　劳君展（女）
税西恒　裴文中　黎锦熙　卢于道

台湾民主自治同盟（6 名）

王天强　田富达　李纯青　杨春松　谢雪堂
简仁南

中国新民主主义青年团（10 名）

王宗槐　李希凡　李　明　李培根　辛　甫
胡耀邦　孙维世（女）　　张大中　张　超
陈　琏（女）

中华全国总工会（28 名）

王　榕（女）　　朱学范　何英才
吴　平（女）　　吴树琴（女）　　李时良
狄子才　谷小波　周　颖（女）　　易礼容
祝志澄　郗占元　马佩勋　马纯古　马辉之
张金保（女）　　张　烈　张修竹
陈少敏（女）　　陈用文　陈希文　陈　郁
杨之华（女）　　刘达潮　刘　晓　萧　明
赖若愚　钟　民

农　民（10 名）

王　录　王观澜　李登瀛　杜润生　张维城
郭　芳　陈正人　蔡子伟　郑位三
韩启民（女）

中华全国民主妇女联合会（26 名）

丁是娥（女）　　于　蓝（女）　　尹　羲（女）
王汝琪（女）　　王雪莹（女）　　李健生（女）
沈兹九（女）　　沈粹缜（女）　　林斯馨（女）
草　明（女）　　马依努尔（女）　　曹孟君（女）
章　蕴（女）　　许广平（女）　　陆　秀（女）

陆 璀(女) 彭国珍(女) 曾昭燏(女)
汤蒂因(女) 云秀桐(女) 邹仪新(女)
刘王立明(女) 邓裕志(女) 郑 芸(女)
关瑞梧(女) 严仁英(女)

中华全国民主青年联合会（10 名）

丁 聪 于北辰 方光宇(女) 吴 晗
施如璋(女) 孙孚凌 涂羽卿
郝诒纯(女) 叶至善 关若鸾(女)

合作社（8 名）

于树德 王 良 白如冰 江仲华(女)
张启龙 张越霞(女) 刘昆水 黎 晓

中华全国工商业联合会（26 名）

王少岩 朱梦苏 李国伟 邦达养璧
周叔弢 周苍柏 武百祥 胡子昂 苗海南
凌其峻 凌东林 席文光 张敬礼 郭棣活
陈叔通 陈祖沛 陈经畲 汤元炳 盛丕华
黄玠然 温少鹤 经叔平 叶雨田 刘靖基
刘鸿生 巩天民

中国文学艺术界联合会（26 名）

方晓天(女) 何其芳 吴天保 吴晓邦
李再雯(女) 杜鹏程 沈雁冰 金国富
徐绍清 纳·赛音朝克图 马 可
康巴尔汉(女) 张景祜 张骏祥 连阔如
陈其通 喻宜萱(女) 焦菊隐
舒绣文(女) 叶浅予 董希文 赵得贤
郑奕奏 薛觉先 韩俊卿(女) 苏育民

自然科学团体（23 名）

任鸿隽 何之泰 吴学周 宋叔和 李四江
李连捷 周拾禄 侯德榜 施汝为 茅以升
孙越崎 涂 治 张德庆 梁 希 陈康白
陶述曾 杨树棠 叶渚沛 赵九章 蔡方荫
蔡邦华 谢家荣 苏步青

社会科学团体（13 名）

王寅生 王 瑶 李 达 李剑农 季羡林
金岳霖 郭大力 陈伯达 陈岱孙 陶孟和
冯 定 楼邦彦 罗尔纲

教育界（20 名）

严赞勋 司彰露 江恒源 何 鲁 沈体兰
车向忱 辛树帜 姜立夫 柳 湜 胡庶华
孙淑芝(女) 徐楚波 桑热嘉错
陈鹤琴 陆侃如 曾昭抡 费 青 黄松龄
董守义 刘锡瑛

新闻出版界（10 名）

王子野 王芸生 朱穆之 徐迈进
浦熙修(女) 张明养 张磐石 曹谷冰
傅彬然 邓季惺(女)

医药卫生界（16 名）

孔伯华 石筱山 李宗恩 承澹盦
林范洪(女) 金宝善 侯宗濂 施今墨
张辅忠 陈景芸 傅连暲 赵树屏 钟惠澜
苏井观

对外和平友好团体（16 名）

王稼祥 吴茂荪 宋庆龄(女) 周炳琳
范长江 凌其翰 涂允檀 陈翰笙 彭 真
楚图南 刘泽荣 郑振铎 冀朝鼎 钱俊瑞
钱端升 阎宝航

社会救济福利团体（11 名）

丑子冈 李德全(女) 胡兰生
浦化人 康 克(女) 陈其瑗 陈维博
黄 乃 熊瑾玎 刘清扬(女) 颜福庆

少数民族（20 名）

刀承宗(傣族) 甘春雷(回族)
白海风(蒙古族) 吉雅泰(蒙古族)
朱德海(朝鲜族) 吴鸿宾(回族)
李呈祥(哈尼族) 拉敏·益喜楚臣(藏族)
阿不哈依尔吐烈(哈萨克族)
阿旺嘉措(藏族) 阿侯尼日哈格(彝族)
班禅额尔德尼·确吉坚赞(藏族)
索康·旺清格来(藏族) 索观瀛(藏族)
高耀星(卡佤族) 张超伦(苗族)
黄松坚(壮族) 载 涛(满族)
达赖喇嘛·丹增嘉措(藏族) 包尔汉(维族)

华侨（16 名）

尤扬祖 王炎之 王纪元 王汉杰
司徒美堂 伍治之 何香凝(女)
吴应奎 李铁民 陈占梅 陈嘉庚 杨汤城
杨新容 叶鹤汀 刘明电 颜子俊

宗教界（12 名）

色 来 吴耀宗 查干葛根 夏日仓
祜巴猛 马松亭 陈崇桂 喜饶嘉措
虚 云 董文隆 达浦生 赵朴初

特别邀请人士 （85 名）

仇 鳌 方鼎英 王少春 王克俊 王复初
王树常 巨 赞 申伯纯 光 升 何公敢

何思源	何柱国	吴家象	吴绍澍	吕 复
李 振	李根源	李 觉	沈肇年	周太玄
周作民	周亚卫	周思诚	周祥初	周善培
周钟岳	侯镜如	唐生智	唐 星	孙兰峰
秦德君(女)	翁文灏	茹欲立	马一浮	
马文鼎	马震武	高桂滋	康同璧(女)	
张之江	张天放	张仲鲁	张 轸	张 钫
曹伯闻	梁漱溟	章士钊	郭宗汾	陈公培
陈瑾昆	陈 铁	傅正模	傅作义	乔明礼
曾甦元	曾震五	焦实齐	程星龄	程 潜
冯友兰	黄绍竑	黄 雍	黄宾虹	杨公庶
杨拯民	杨树达	楚溪春	叶恭绰	董宋珩
熊佛西	端木杰	赵启騄	刘文辉	刘仲容
刘多荃	刘定五	刘瑶章	邓文翚	邓哲熙
鲁崇义	卢 汉	龙 云	谢南光	罗广文
苏炳文	顾颉刚			

中国人民政治协商会议
第二届全国委员会第一次会议

(1954年12月21日—12月25日)

主席团 (57人,1954年12月21日通过,按姓名笔画排列)

孔伯华	司徒美堂	吉雅泰	吴 晗
吴耀宗	宋庆龄	李四光	李纯青	李德全
李济深	李烛尘	沈雁冰	沈钧儒	周叔弢
周恩来	胡耀邦	孙淑芝		
班禅额尔德尼·确吉坚赞		马叙伦	马寅初	
马震武	张治中	张奚若	张启龙	张磐石
张 澜	梁 希	章乃器	章伯钧	许广平
许德珩	郭沫若	陈伯达	陈其尤	陈叔通
陈 郁	陈 毅	陈鹤琴	傅作义	彭 真
彭泽民	盛丕华	程 潜	黄炎培	楚图南
董必武	达赖喇嘛·丹增嘉措		刘文辉	
刘 晓	蔡子伟	蔡廷锴	邓小平	邓裕志
赖若愚	包尔汉	谭震林	苏井观	

秘书长 邢西萍

二届政协一次会议

(1954年12月25日)

推举全国委员会名誉主席:毛泽东

选举全国委员会:

主 席 周恩来

副主席 (16人)

宋庆龄	董必武	李济深	张 澜	郭沫若
彭 真	沈钧儒	黄炎培	何香凝	李维汉
李四光	陈叔通	章伯钧	陈嘉庚	
班禅额尔德尼·确吉坚赞			包尔汉	

秘书长 邢西萍

常务委员 (65人,按姓名笔画排列)

王芸生	王宗槐	王首道	王从吾	王稼祥
史 良	吉雅泰	安子文	朱学范	朱蕴山
吴 晗	吴溉之	吴鸿宾	吴耀宗	吕正操
李六如	李纯青	李葆华	李德全	李烛尘
沈雁冰	车向忱	周叔弢	周建人	邵力子
施复亮	唐生智	孙起孟	马叙伦	马寅初
高崇民	康 生	张治中	张奚若	张经武
张际春	梁 希	章乃器	许广平	许德珩
陈少敏	陈正人	陈伯达	陈其尤	陈铭枢
陈 毅	傅作义	彭泽民	盛丕华	程 潜
黄琪翔	杨尚昆	楚图南		
达赖喇嘛·丹增嘉措		刘文辉	刘 晓	
蔡廷锴	邓小平	邓初民	郑位三	卢 汉
钱端升	龙 云	罗隆基	谭震林	

秘书长 邢西萍

二届政协二次会议

(1956年2月7日通过)

增选常务委员:

达浦生 侯德榜 卫立煌 钟惠澜

二届政协三次会议

(1957年3月20日通过)

增选常务委员:

王绍鏊	王葆真	叶恭绰	刘王立明(女)
刘 斐	章士钊	陶孟和	喜饶嘉措

二届全国委员会常委会第十二次会议

(1956年1月10日)

补选单位委员：

刘锡五（中国共产党）

戴 戟（中国国民党革命委员会）

李相符（中国民主同盟）

陈调甫（中国民主建国会）

钱学森（无党派民主人士）

袁鹤侪（医药卫生界）

方 方（华侨界）

增选特邀委员（112 人）

丁果仙（女）　刀栋庭（傣）　于滋潭（女）

王一鸣　王之玺　王文成　王玉坤

王乐堦（藏）　王家桢　王国骧　王淦昌

王德舆　王遵明　冉雪峰　甘文芳

白 薇（女）　朱元鼎　朱物华　朱启钤

孙云铸　孙维忠　刘文典　刘念义

刘淑清（女）　刘静宜（女）　刘 颐

刘芦隐　关玉和　何 贤　余名钰

余宝笙（女）　吴学蔺　李 杜　李沛文

李 薰　杜君慧（女）　杜 巍　汪 猷

沈从文　周诒春　周凤九　孟继懋　丘劼恒

拉希达（女 塔塔尔）　易见龙　林炎城

金芝轩　金润庠　陈半丁　陈兆毅　陈序经

陈学昭（女）　陈寅恪　陈翠贞（女）

欧协·土登桑却（藏）　罗大英（彝）　罗文瑞

罗宗洛　侯德榜　俞大绂　姚克方

凌 莎（女）　唐 弢　唐 钺　徐振骐

马大猷　马永顺　高卓雄　高风志　张士琅

张有谷　张孝骞　张述祖　张国淦　郭绍江

郭琳爽　陶亨咸　傅抱石　汤传筬　费启能

费彝民　黄天启　黄文熙　黄育贤　黄省三

马鸣龙　黄德茂　杨开渠　董渭川　廖安邦

廖霭亭　熊大仕　赵君迈　赵洪璋　赵庆杰

庆承道　邓叔群　卢明道（女）　卢庆骏

穆芝房（回）　卫立煌　卫仲乐　钱令希

阎迦勒　鲍国宝　龙冬花（女）　薛笃弼

谢志光　钟成亮　蓝 马　顾宜孙　顾敬心

补缺单位委员（1957 年 3 月）

张执一（中国共产党）

徐永祚（中国民主建国会）

秦伯未（中国农工民主党）

朱继圣（中华全国工商业联合会）

马师曾（中国文学艺术界联合会）

陈 达（社会科学团体）

孟目的（医药卫生界）

博彦满都（蒙 少数民族）

王源兴（华侨）

增选特邀委员（1957 年 3 月）

王冷斋　王枕心　王宽诚　王 珃　邓士章

邓介松　古耕虞　厉无咎　安若定　朱大纯

朱石麟　朱光潜　米暂沉　孙端芝（女）

刘次玄　刘昌义　刘 斐　刘敬宜　何北衡

吴文藻　吴晋航　李培基　汪德昭

沈方成（女）　沈尹默　陈铭德　劳敬修

孟鞠如　岳崇岱　帕巴拉　林 虎　郑晓沧

罗冀群　柯 璜　赵 昱　徐森玉　徐诵明

马次青　崔载之　康心之　张文裕　张志和

张香桐　张振汉　张 颐　连瑞琦　郭永怀

郭任之　郭秀珍（女）　彭杰如　程希孟

覃异之　黄启汉　黄 翔　黄新彦

杨崇瑞（女）　董竹君（女）　资耀华

贾亦斌　邹秉文　熊十力　熊秉坤　谢少文

谢无量　萧作霖　谭云山

二届全国委员会常委会第五十次会议

（1958 年 3 月 10 日）

撤销：

委 员　周鲸文

停止：

副主席　章伯钧

常委委员

章乃器　陈铭枢　罗隆基　黄琪翔　钱端升

叶恭绰　刘王立明　王葆真

政协第二届全国委员会
所属主要工作机构

（1954 年 12 月—1959 年 4 月）

国际问题组

组 长　罗隆基

副组长　凌其翰　李平衡　李纯青　吴茂荪

文化组

组　长　郑振铎
副组长　傅彬然　焦菊隐　叶浅予　李俊龙

教育组

组　长　许德珩
副组长　楼邦彦　尹赞勋　徐楚波

科学技术组

组　长　茅以升
副组长　吴觉农　严希纯　杨公庶

工商组

组　长　李烛尘
副组长　凌其峻　章元善　华煜卿

华侨组

组　长　王炎之
副组长　王纪元　杨新容

宗教组

组　长　达浦生
副组长　赵朴初　陈崇桂

社会福利组

组　长　陈其瑗
副组长　丑子冈　焦实斋　伍觉天　侯镜如

医药卫生组

组　长　李宗恩

民族组

组　长　卢汉

妇女组

组　长　许广平
副组长　王雪莹

中央人民政府
人民革命军事委员会
(1949年10月—1954年9月)

主　席　毛泽东
副主席
　　朱　德　刘少奇　周恩来　彭德怀　程　潜
委　员
　　贺　龙　刘伯承　陈　毅　林　彪　徐向前
　　叶剑英　聂荣臻　高　岗　粟　裕　张云逸
　　邓小平　李先念　饶漱石　邓子恢　习仲勋
　　罗瑞卿　萨镇冰　张治中　傅作义　蔡廷锴

　　龙　云　刘　斐
1951年1月增补：
副主席　林　彪　高　岗
1954年增补：
副主席　刘伯承　贺　龙　陈　毅　罗荣桓
　　　　徐向前　聂荣臻　叶剑英
委　员　徐海东

中共中央军事委员会
(1954年9月—1959年9月)

主　席　毛泽东
委　员
　　朱　德　彭德怀　林　彪　刘伯承　贺　龙
　　陈　毅　邓小平　罗荣桓　徐向前　聂荣臻
　　叶剑英

中华人民共和国国防委员会
(1954年9月设立，1975年1月取消)

第一届
(1954年9月—1959年4月)

主　席　毛泽东
副主席
　　朱　德　彭德怀　林　彪　刘伯承　贺　龙
　　陈　毅　邓小平　罗荣桓　徐向前　聂荣臻
　　叶剑英　程　潜　张治中　傅作义　龙　云
委　员
　　于学忠　王世泰　王宏坤　王秉璋　王新亭
　　王　震　王树声　宋任穷　宋时轮　吕正操
　　李先念　李明扬　李明灏　林　遵　周士第
　　周保中　周纯全　阿沛·阿旺晋美　洪学智
　　唐生智　唐　亮　徐海东　孙蔚如　许世友
　　许光达　韦国清　乌兰夫　马鸿宾　高树勋
　　张宗逊　张国华　张云逸　张爱萍　张达志
　　陈士榘　陈再道　陈奇涵　陈明仁　陈绍宽
　　陈　赓　陈锡联　陶峙岳　鹿钟麟　彭绍辉
　　曾泽生　粟　裕　贺炳炎　冯白驹　黄永胜
　　黄克诚　黄琪翔　杨成武　杨　勇　杨得志

董其武　叶　飞　万　毅　廖汉生　裴昌会
赵尔陆　刘文辉　刘亚楼　刘善本　刘　斐
邓兆祥　邓　华　邓锡侯　邓宝珊　滕代远
蔡廷锴　郑洞国　卢　汉　萧　克　萧劲光
阎红彦　赛福鼎·艾则孜　韩先楚　韩练成
罗瑞卿　谭　政　苏振华

1958 年 2 月罢免:

副主席 龙　云
委　员 黄琪翔

第二届

(1959 年 4 月—1965 年 1 月 4 日)

主　席 刘少奇
副主席

彭德怀　林　彪　刘伯承　贺　龙　陈　毅
邓小平　罗荣桓　徐向前　聂荣臻　叶剑英
程　潜　张治中　傅作义　卫立煌

委　员

于学忠　万　毅　韦国清　王　平　王世泰
王宏坤　王秉璋　王树声　王建安　王新亭
王　震　邓兆祥　邓　华　邓宝珊　邓锡侯
孔从周　卢　汉　叶　飞　刘文辉　刘亚楼
刘善本　刘　斐　孙蔚如　宋任穷　宋时轮
苏振华　李天佑　李　达　李先念　李明扬
李明灏　李聚奎　陈士榘　陈再道　陈伯钧
陈奇涵　陈明仁　陈绍宽　陈　铁　陈　赓
陈锡联　吕正操　郑洞国　林维先　林　遵
张云逸　张达志　张宗逊　张国华　张爱萍
阿沛·阿旺晋美　罗瑞卿　周士第　周保中
周纯全　洪学智　赵尔陆　赵寿山　侯镜如
高树勋　唐生智　唐　亮　马鸿宾　乌兰夫
桑颇·才旺仁增　徐海东　许世友　许光达
郭天民　鹿钟麟　萧　克　萧劲光　陶峙岳
冯白驹　曾泽生　彭绍辉　粟　裕　覃异之
贺炳炎　黄永胜　黄正清　黄克诚　傅秋涛
傅　钟　杨至成　杨成武　杨　勇　杨得志
董其武　詹才芳　廖汉生　裴昌会　蔡廷锴
滕代远　赖传珠　阎红彦　赛福鼎·艾则孜
韩先楚　韩练成　谭　政

1962 年 4 月增补:

副主席 蔡廷锴

第三届

(1965 年 1 月—1975 年 1 月)

主　席 刘少奇
副主席

林　彪　刘伯承　贺　龙　陈　毅　邓小平
徐向前　聂荣臻　叶剑英　罗瑞卿　程　潜
张治中　傅作义　蔡廷锴

委　员

方　强　王　平　王世泰　王宏坤　王　诤
王秉璋　王建安　王树声　王恩茂　王新亭
王　震　韦国清　乌兰夫　邓兆祥　邓宝珊
孔从周　卢　汉　叶　飞　刘文辉　刘兴元
刘亚楼　刘志坚　刘培善　刘善本　刘　斐
许世友　许光达　吕正操　孙大光　孙志远
孙蔚如　宋任穷　宋时轮　苏振华　李天佑
李　达　李成芳　李先念　李寿轩　李作鹏
李明扬　李明灏　李　涛　李聚奎　杨成武
杨至成　杨　勇　杨得志　吴克华　吴法宪
邱会作　邱创成　张云逸　张达志　张宗逊
张国华　张爱萍　阿沛·阿旺晋美　陈士榘
陈再道　陈伯钧　陈奇涵　陈明仁　陈绍宽
陈　铁　陈锡联　郑洞国　林维先　林　遵
周士第　周纯全　赵尔陆　赵寿山　侯镜如
高树勋　郭天民　唐生智　唐　亮　秦基伟
徐海东　桑颇·才旺仁增　陶峙岳　鹿钟麟
阎红彦　萧　华　萧　克　萧劲光　萧望东
崔田民　曾泽生　谢富治　彭绍辉　黄永胜
黄新廷　董其武　韩先楚　粟　裕　覃异之
程子华　傅秋涛　傅　钟　赖传珠　詹才芳
赛福鼎·艾则孜　廖汉生　裴昌会　滕代远

中国人民解放军

中国人民解放军总部

总司令 朱　德

(1949 年 10 月中央人民政府委员会第一次会议任命)

中国人民解放军各总部、军兵种

中华人民共和国国防部
部　长

彭德怀　（1954 年 9 月—1959 年 9 月）

中国人民解放军总参谋部
总参谋长

徐向前（1949 年 10 月—1954 年）

聂荣臻（代）（1950 年—1953 年）

粟　裕（1954 年 11 月—1958 年 10 月）

中国人民解放军总政治部
主　任

罗荣桓（1950 年 4 月—1956 年 12 月）

中国人民解放军总后勤部
部　长

杨立三（1948 年 5 月—1952 年 10 月）

黄克诚（1952 年 10 月—1956 年 12 月）

政治委员

黄克诚（兼）（1954 年 10 月—1956 年 12 月）

中国人民解放军总干部部
（1950 年 9 月成立总干部管理部，1952 年改称总干部部，1958 年 9 月改称总政治部干部部）

部　长

罗荣桓（1950 年 9 月—1956 年 10 月）

中国人民解放军总军械部
（1954 年 11 月成立，1957 年 7 月改为总参谋部军械部）

部　长

王树声（1955 年 3 月—1957 年 7 月）

中国人民解放军训练总监部
（1955 年 4 月成立，1958 年 12 月撤销）

部　长

刘伯承（1954 年 11 月—1957 年 11 月）

中国人民解放军武装力量监察部
（1955 年 6 月成立，1958 年 11 月撤销）

部　长

叶剑英（1955 年 11 月—1958 年）

中国人民解放军总财务部
（1954 年 1 月总后财务部改隶中央军委直接领导，1955 年 8 月改称总财务部，1957 年 1 月改为总后方勤务部财务部）

部　长

杨立三（1953 年 10 月—1954 年 11 月）

余秋里（1956 年 8 月—1957 年 1 月）

中国人民解放军海军
（1950 年 4 月 14 日成立海军领导机关）

司令员

萧劲光（1950 年 1 月—1980 年 1 月）

中国人民解放军空军
（1949 年 11 月 11 日成立空军领导机关）

司令员

刘亚楼（1949 年 10 月—1965 年 5 月）

政治委员

萧　华（1949 年 10 月—1950 年 4 月）

中国人民解放军防空军
（1950 年 10 月成立防空部队领导机构，1955 年 9 月改称中国人民解放军防空军，1957 年 3 月与空军合并）

司令员

周士第（1950 年 10 月—1955 年 3 月）

杨成武（1955 年 3 月—1957 年 3 月）

政治委员

钟赤兵（1950 年 10 月—1952 年 8 月）

唐天际（1953 年 1 月—1954 年 2 月）

中国人民解放军公安军
（1950 年 11 月成立公安部队领导机构，1955 年 7 月改名为公安军，1957 年 9 月撤销）

司令员

罗瑞卿(1950年10月—1957年9月)

政治委员

罗瑞卿　(1950年10月—1957年9月)

中国人民解放军防化兵

(1956年1月成立军委防化学部,1957年5月改称防化学兵部,1959年4月改属总参谋部,称总参防化学部,1961年1月改称中国人民解放军防化学兵部,1969年10月改为总参谋部防化学部)

部　长

张乃更(1956年4月—1969年10月)

(1961年1月改称主任)

中国人民解放军装甲兵

(1950年9月1日成立,1982年9月改称总参谋部装甲兵部,归总参建制领导)

司令员

许光达(1950年6月—1969年6月)

中国人民解放军工程兵

(1951年3月成立工兵司令部,1955年8月改称工程兵司令部,1982年9月改为总参谋部工程兵部)

司令员

陈士榘(1952年9月—1975年7月)

中国人民解放军炮兵

(1950年8月成立炮兵司令部,1982年9月改为总参谋部炮兵部)

司令员

陈锡联(1950年4月—1959年10月)

中国人民解放军通信兵

(1956年4月总参谋部通信部改称中国人民解放军通信兵,1959年4月改属总参谋部建制,称总参谋部通信兵部,1961年2月改称中国人民解放军通信兵部,1975年3月划归总参谋部建制,称总参谋部通信部)

主　任

王　诤(1956年7月—1960年5月)

中国人民志愿军

(1950年10月25日组成,1958年10月26日全部撤离回国)

1950年10月—1951年6月

司令员　彭德怀

政治委员　彭德怀(兼)

副司令员　邓　华　洪学智　韩先楚

副政治委员　邓　华(兼)

参谋长　解　方

政治部主任　杜　平

1951年6月—

司令员　彭德怀

代司令员　邓　华

政治委员　彭德怀(兼)

代政治委员　邓　华(兼)

第一副司令员　邓　华(兼)

第二副司令员　陈　赓(后)　杨得志

第三副司令员　宋时轮

副司令员　韩先楚

副政治委员　邓　华(兼)　甘泗淇

参谋长　解　方　张文舟(代)(后)　李　达

政治部主任　甘泗淇(兼)(后)　李志民

副参谋长　王政柱

政治部副主任　杜　平　张南生

中国人民解放军将帅

(1955年9月—1964年10月授予)

中华人民共和国元帅

朱　德　彭德怀　林　彪　刘伯承　贺　龙
陈　毅　罗荣桓　徐向前　聂荣臻　叶剑英
(以上人员均为1955年9月23日授予)

中国人民解放军大将

粟　裕　徐海东　黄克诚　陈　赓　谭　政
萧劲光　张云逸　罗瑞卿　王树声　许光达
(以上人员均为1955年9月27日授予)

中国人民解放军上将

王平	王震	王宏坤	王新亭	韦国清
乌兰夫	邓华	甘泗淇	叶飞	吕正操
朱良才	刘震	刘亚楼	许世友	杨勇
杨成武	杨至成	杨得志	苏振华	李达
李涛	李天佑	李克农	李志民	宋任穷
宋时轮	张宗逊	张爱萍	陈士榘	陈再道
陈伯钧	陈奇涵	陈明仁	陈锡联	周桓
周士第	周纯全	赵尔陆	洪学智	钟期光
贺炳炎	郭天民	唐亮	陶峙岳	萧华
萧克	黄永胜	阎红彦	韩先楚	彭绍辉
董其武	傅钟	傅秋涛	谢富治	赖传珠

（以上人员均为 1955 年 9 月 27 日授予）

王建安（1956 年 1 月 25 日授予）

李聚奎（1958 年授予）

中国人民解放军中将

丁秋生	万毅	王诤	王必成	王近山
王尚荣	王秉璋	王宗槐	王恩茂	王紫峰
王辉球	王道邦	韦杰	文年生	方强
方正平	邓逸凡	孔从周	孔石泉	孔庆德
甘渭汉	卢胜	田维扬	邝任农	皮定均
成钧	毕占云	匡裕民	朱明	朱辉照
向仲华	刘飞	朵噶·彭措饶杰		刘忠
刘少文	刘西元	刘先胜	刘兴元	刘志坚
刘转连	刘昌毅	刘金轩	刘浩天	刘培善
刘道生	庄田	汤平	孙毅	孙继先
杜平	杜义德	杨秀山	杨国夫	杨梅生
苏静	李耀	李天焕	李成芳	李寿轩
李作鹏	李雪三	旷伏兆	吴先恩	吴克华
吴法宪	吴信泉	吴富善	吴瑞林	何德全
邱创成	邱会作	余立金	余秋里	张震
张藩	张才千	张天云	张仁初	张令彬
张达志	张池明	张贤约	张国华	张经武
张南生	张祖谅	张翼翔	阿沛·阿旺晋美	
陈康	陈仁麒	陈正湘	陈先瑞	陈庆先
林维先	范朝利	欧阳文	欧阳毅	罗元发
罗舜初	周彪	周仁杰	周玉成	周志坚
周赤萍	周希汉	周贯五	冼恒汉	郑维山
胡奇才	赵熔	赵启民	钟汉华	钟赤兵
饶子健	饶正锡	饶守坤	姚喆	秦基伟

袁子钦	袁升平	莫文骅	聂凤智	顿星云
晏福生	钱钧	倪志亮	徐立清	徐深吉
徐斌洲	郭鹏	郭化若	唐天际	唐延杰
陶勇	萧向荣	萧望东	萧新槐	黄大星
黄志勇	黄新廷	曹里怀	常乾坤	崔田民
康志强	阎揆要	梁从学	梁必业	梁兴初
韩伟	韩练成	韩振纪	彭林	彭明治
彭嘉庆	覃健	程世才	傅连暲	温玉成
曾国华	曾泽生	曾绍山	曾思玉	谢有法
赖毅	鲍先志	詹才芳	蔡顺礼	廖汉生
廖容标	赛福鼎·艾则孜		谭甫仁	谭希林
谭冠三	谭家述	滕海清		

（以上人员均为 1955 年 9 月授予）

聂鹤亭（1956 年 1 月 25 日授予）

贺诚（1958 年授予）

中国人民解放军少将

丁盛	丁世芳	丁先国	丁武选	丁荣昌
丁莱夫	卜万科	于权伸	万振西	马龙
马辉	马卫华	马文波		
马尔果甫·伊斯卡果夫		马白山	马忠全	
马泽迎	马琮璜	王直	王胜	王屏
王谦	王力生	王才贵	王义勋	王之平
王云霖	王六生	王文介	王文轩	王文模
王平水	王东保	王兰麟	王永浚	王再兴
王光华	王全国	王兆相	王兴纲	王远芬
王赤军	王启明	王良太	王若杰	王英高
王其梅	王奇才	王明坤	王明贵	王学清
王诚汉	王绍南	王政柱	王奎先	王贵德
王振祥	王振乾	王健青	王效明	王智涛
王集成	王蕴瑞	王德贵	王耀南	车敏瞧
韦祖珍	尤太忠	牛书申	方正	方槐
方之中	方子翼	方升普	方国华	方国安
方国南	邓岳	邓少东	邓东哲	邓龙翔
邓仕俊	邓兆祥	邓克明	邓家泰	孔飞
孔令甫	孔骏彪	甘思和	甘祖昌	石志本
石忠汉	石新安	左齐	龙潜	龙飞虎
龙开富	龙书金	龙道权	龙福才	帅荣
叶明	叶长庚	叶运高	叶青山	叶荫庭
叶健民	叶楚屏	卢克	卢仁灿	卢绍武
卢南樵	田厚仪	史可全	白志文	白寿康
兰桥	吉合	成少甫	匡斌	廷懋

乔信明	朱 光	朱 军	朱云谦	朱火华	余 明	余成斌	余光茂	余克勤	余述生
朱声达	朱绍田	朱绍清	朱虚之	朱耀华	余品轩	余洪远	谷广善	谷景生	邹 衍
伍瑞卿	仲曦东	任 荣	任昌辉		邹国厚	邹善芳	闵学胜	闵鸿友	况开田
买买提伊敏·伊敏诺夫			向守志	刘 义	况玉纯	汪 易	汪乃贵	汪少川	汪东兴
刘 丰	刘 何	刘 昌	刘 昂	刘 放	汪克明	汪洪清	汪家道	沙 克	沈启贤
刘 春	刘 涌	刘 彬	刘 鹏	刘子云	宋 文	宋玉琳	宋庆生	宋承志	宋维栻
刘子奇	刘少卿	刘中华	刘文学	刘玉堂	宋景华	宋献璋	张 忠	张 和	张 雄
刘永生	刘永源	刘有光	刘华香	刘华清	张 瑞	张力雄	张万春	张广才	张云龙
刘兴隆	刘享云	刘其人	刘贤权	刘居英	张元培	张开荆	张开基	张太生	张日清
刘绍文	刘秉彦	刘显宜	刘振国	刘振球	张文舟	张文碧	张书祥	张平凯	张正光
刘健挺	刘清明	刘辉山	刘禄长	刘锦平	张世珍	张汉丞	张吉厚	张西三	张百春
刘新权	刘福胜	刘毓标	刘德海	刘鹤孔	张光华	张廷发	张廷桢	张闯初	张汝光
刘懋功	齐 勇	齐丁根	江 文	江拥辉	张步峰	张秀川	张秀龙	张希才	张希钦
江勇为	江腾蛟	江燮元	汤 池	汤光恢	张松平	张英辉	张明远	张国传	张宗胜
安 东	安志敏	关盛志	兴 中	阮贤榜	张学思	张驾伍	张春森	张树芝	张贻祥
孙 三	孙 光	孙文采	孙仪之	孙克骥	张济民	张逊之	张海棠	张培荣	张梓桢
孙润华	孙超群	孙端夫	杜文达	杜国平	张崇文	张铚秀	张新华	张雍耿	张竭诚
杨大易	杨中行	杨世明	杨汉林	杨永松	张震东	张潮夫	陈 力	陈 沂	陈 宏
杨尚高	杨尚儒	杨树根	杨俊生	杨银声	陈 奇	陈 波	陈 钦	陈 浩	陈 熙
杨焕民	杨植亭	杨嘉瑞	苏 进	苏 鲁	陈 德	陈士法	陈云开	陈仁洪	陈文彪
苏 鳌	苏启胜	苏焕清	李 元	李 平	陈外欧	陈发洪	陈仿仁	陈华堂	陈远波
李 发	李 贞	李 治	李 勃	李 信	陈志彬	陈伯禄	陈茂辉	陈明义	陈忠梅
李 觉	李 真	李 基	李 铨	李 震	陈金钰	陈宗坤	陈宜贵	陈信忠	陈美福
李 毅	李人林	李士才	李夫克	李开湘	陈美藻	陈挽澜	陈铁君	陈海涵	陈锐霆
李木生	李少元	李中权	李化民	李长昧	陈福初	陈德先	陈鹤桥	林 伟	林 浩
李文清	李水清	李书全	李书茂	李丙令	林 彬	林 遵	林忠照	林接彪	范 明
李世安	李世焱	李布德	李光辉	李兆炳	范子喻	范阳春	范忠祥	幸元林	欧阳平
李庆柳	李汛山	李赤然	李呈瑞	李佐玉	欧阳家祥		欧致富	易耀彩	罗 云
李伯秋	李迎希	李良汉	李国厚	李荆璞	罗 通	罗 章	罗 斌	罗仁全	罗文坊
李钟奇	李俭珠	李桂林	李振声	李致远	罗成德	罗华生	罗亦经	罗应怀	罗坤山
李健良	李家益	李资平	李继平	李彬山	罗若遐	罗桂华	罗野岗	罗维道	罗湘涛
李曼村	李逸民	李辉高	李景瑞	李道之	金世柏	金如柏	金忠藩	金绍山	周 彬
李福泽	李德生	李耀文	严 光	严 政	周 维	周子祯	周文在	周长庚	周长胜
严 俊	严庆堤	吴 西	吴 忠	吴 岱	周世忠	周发田	周志刚	周纯麟	周明国
吴 烈	吴 涛	吴习智	吴子杰	吴世安	周学义	郑三生	郑大林	郑国仲	郑效峰
吴华夺	吴自立	吴林焕	吴咏湘	吴宗先	官宗礼	孟庆山	胡大荣	胡正义	胡华居
吴诚忠	吴荣正	吴保山	吴瑞山	吴嘉民	胡备文	胡定千	胡荣贵	胡炳云	胡继成
吴融峰	何 辉	何以祥	何正文	何光宇	胡登高	封永顺	查玉升	查国桢	赵 杰
何廷一	何运洪	何克希	何志远	何柱成	赵 俊	赵一萍	赵文进	赵正洪	赵东寰
何济林	何振亚	何能彬	何维忠	何敬之	赵兰田	赵国泰	赵承金	赵冠英	赵章成
何辉燕	何德庆	邱 蔚	邱子明	邱先通	钟 伟	钟 池	钟 辉	钟人仿	钟元辉
邱会魁	邱国光	邱相田	余积德	余 非	钟文法	钟生溢	钟发宗	钟国楚	钟明彪

钟炳昌　钟辉琨　侯世奎　段苏权　段焕竞
段德彰　洪　水　宫乃泉　姜齐贤　姜茂生
祖农·太也甫夫　祝世风　胥光义　胥治中
姚运良　姚国民　姚醒吾　贺　健　贺大增
贺东生　贺吉祥　贺光华　贺庆积　贺晋年
贺振新　贺盛桂　秦化龙　桂绍彬　索立波
袁　光　袁　渊　袁也烈　袁克服　袁佩爵
袁学凯　栗在山　贾　陶　贾若瑜　夏耀堂
钱　江　钱信忠　倪南山　徐　斌　徐文烈
徐光华　徐体山　徐其孝　徐其海　徐国夫
徐国贤　徐国珍　徐绍华　徐德操　殷希彭
翁祥初　郭　奇　郭成柱　郭林祥　郭卓辛
郭金林　郭宝珊　郭炳坤　郭维城　高存信
高志荣　高体乾　高厚良　高朗亭　高维嵩
唐　凯　唐　铎　唐子安　唐青山　唐金龙
唐哲明　唐健如　唐健伯　涂则生　涂锡道
资　风　陶汉章　陶国清　梅嘉生　萧　前
萧元礼　萧文玫　萧永政　萧永银　萧全夫
萧远久　萧应棠　萧学林　萧思明　萧新春
黄　远　黄　霖　黄一平　黄仁庭　黄文明
黄正清　黄玉昆　黄玉庭　黄立清　黄有凤
黄光霞　黄连秋　黄作珍　黄忠学　黄忠诚
黄径琛　黄炜华　黄荣海　黄思沛　黄胜明
黄振棠　黄曹龙　黄朝天　黄惠良　黄新友
黄德魁　曹广化　曹丹辉　曹玉清
曹达诺夫·扎依尔　曹光琳　曹传赞　曹思明
曹德连　盛治华　常玉清　崔建功　符确坚
康健民　阎捷三　梁仁芥　梁玉振　梁达三
韩卫民　韩东山　彭　盛　彭龙飞　彭寿生
彭显伦　彭胜标　彭清云　彭富九　彭德清
董永清　董洪国　蒋克诚　覃士冕　覃国翰
喻新华　俞缦云　凯墨·索安旺堆　程世清
程业棠　程悦长　程儒珍　傅传作　傅绍甫
傅春早　傅家选　傅继泽　傅崇碧　舒　行
鲁加汉　鲁瑞林　童陆生　童国贵　童炎生
游好扬　游胜华　曾　生　曾　征　曾　威
曾　美　曾　涤　曾光明　曾旭清　曾如清
曾克林　曾育生　曾保堂　曾宪池　曾祥煌
曾敬烦　曾雍雅　谢　良　谢　明　谢　锐
谢　斌　谢云晖　谢正荣　谢立全　谢甫生
谢锡玉　谢胜坤　谢振华　谢家祥　谢福林
谢镗忠　赖光勋　赖春风　雷　震　雷永通

雷绍康　解　方　詹大南　詹化雨　阚中一
慕生忠　蔡　永　蔡长元　蔡长风　蔡炳臣
蔡爱卿　裴志耕　裴周玉　管松涛　廖成美
廖运周　廖述云　廖政国　廖冠贤　廖海光
廖鼎祥　廖鼎琳　漆运渥　谭开云　谭友夫
谭友林　谭文帮　谭佑铭　谭知耕　谭善和
熊　飞　熊　奎　熊　挺　熊　晃　熊兆仁
熊作坊　熊伯涛　熊应堂　黎　光　黎化南
黎东汉　黎有章　黎锡福　樊学文　樊哲祥
颜东山　颜金生　颜德明　潘　峰　潘　焱
潘世征　潘寿才　潘振武　薛少卿　戴文彬
戴正华　戴润生　魏　镇　魏天禄　魏传统
魏洪亮

（以上人员均为1955年9月授予）

黄鹄显

（1956年6月授予）

白　天

（1957年3月授予）

王凤梧

（1957年9月授予）

桑颇·才旺仁增

（1958年授予）

丁本淳　丁甘如　于笑虹　马冠三　王　文
王　兀　王　晓　王大华　王全珍　王庆生
王作尧　王泮清　王定烈　王学武　王绍渊
王砚泉　王焕如　王黎生　方中铎　邓可运
邓忠仁　孔峭帆　尹明亮　左　爱　龙炳初
龙振彪　叶　超　叶泰青　叶道友　卢文新
史进前　史景班　冯仁恩　冯丕诚　冯维精
兰廷辉　边　疆　吕　清　吕仁礼　吕炳安
吕黎平　朱仕焕　朱春和　朱家胜　任思忠
邬兰亭　刘　克　刘　林　刘　瑄　刘　镇
刘大煜　刘月生　刘发秀　刘国柱　刘善福
刘静海　刘耀宗　江　波　江　蜂　江洪海
许培仁　祁开仁　阮汉清　孙　正　孙干卿
孙继争　杜　屏　杜西书　杜瑜华　杨　力
杨　卓　杨文安　杨世荣　杨怀珠　杨国宇
杨思禄　杨辉图　李　彬　李　静　李长如
李永悌　李发应　李君彦　李际泰　李国良
李定灼　李振邦　李梓斌　李懋之　来光祖
吴　杰　吴　罡　吴克之　吴钊统　吴纯仁
吴树声　吴振挺　何家产　余　潜　汪祖美

宋学飞　张　华　张　英　张　明　张　钧
张　衍　张乃更　张子明　张如三　张怀忠
张宜爱　张树才　张显扬　张缉光　张蕴钰
张震寰　陈　挺　陈　祥　陈　彬　陈中民
陈亚夫　陈其通　林　真　林茂源　范保顺
欧阳奕　罗原福　罗洪标　周　涌　周则盛
周家美　郑友生　郑旭煜　郑贵卿　相　炜
胡　炜　胡云生　胡友之　胡立声　胡秉权
胡鹏飞　赵汇川　赵易亚　赵承丰　赵炳伦
赵晓舟　赵遵康　钟发生　侯正果　段思英
姜　钟　姚克祐　贺俊侦　桂绍忠　耿锡祥
袁　彬　袁福生　柴成文　徐　明　徐介藩
徐光友　殷国洪　郭廷方　郭延林　高　锐
高立忠　高德西　席舒民　唐　明　梅盛伟
萧　平　萧　森　萧　锋　萧大荃　萧荣昌
萧德明　黄　厚　黄经濯　曹中南　曹灿章
崔文斌　康　庄　康　林　梁　军　梁金华
梁辑卿　韩　庄　彭方复　彭施鲁　董　超
董志常　董启强　程　明　程启文　程登志
温先星　曾凡有　曾庆良　曾新泮　谢正浩
谢忠良　赖达远　靳　虎　蒲大义　雷　钦
雷英夫　雷起云　訾修林　路　扬　鲍启祥
鲍奇辰　詹少联　廖中符　黎同新　颜　伏
薛克忠　魏国运
　　（以上人员均为 1961 年 8 月晋升）
余光文
　　（1962 年 1 月授予）
张　挺
　　（1962 年 2 月授予）
宋　烈
　　（1962 年 6 月授予）
郑汉涛
　　（1962 年 7 月授予）
严家安　罗　斌　刘　福　王元和　李士怀
宁贤文　罗有荣　张世盖
　　（以上人员均为 1962 年 7 月 24 日授予）
吴　杰　王阗西　刘西尧
　　（以上人员均为 1963 年 5 月 27 日授予）
丁　钊　于　侠　于敬山　马　宁　马　杰
马洪山　王　展　王　猛　王　新　王　德
王　璞　王万金　王子修　王文英　王世仁
王扶之　王希克　王良恩　王茂全　王香雄

王振东　王海廷　王海清　王银山　王淮湘
王道毛　王毓淮　王静敏　韦统泰　毛少先
毛会义　毛和发　牛化东　牛明智　文　击
方　铭　方　震　方明胜　方毅华　邓经纬
孔瑞云　石　瑛　石一宸　石敬平　叶松盛
卢燕秋　田维新　申　涵　冉　泽　丛蓉滋
白　云　白辛夫　白崇友　兰文兆　司中锋
邢荣杰　毕庆堂　吕　展　吕义山　吕世英
吕作松　曲竟济　朱玉学　朱玉庭　朱兆林
朱启祥　朱直光　朱家璧　朱致平　朱鹤云
伍生荣　伍国仲　任茂如　伊　文　华　楠
刘　汉　刘　苏　刘　忍　刘友光　刘世昌
刘世洪　刘世湘　刘光裕　刘光涛　刘华春
刘自双　刘国辅　刘佩荣　刘春山　刘振华
刘善本　刘瑞芳　刘德才　江　潮　江民风
江含章　江学彬　许　诚　许志奋　阳自碧
孙俊人　纪亭榭　杜　彪　杜海林　杨　弃
杨　森　杨　恬　杨广立　杨以山　杨有山
杨价人　杨克武　杨虎臣　杨明山　杨家保
杨斯德　苏克之　苏宏道　苏锦章　李　元
李　伟　李　改　李　明　李　健　李大同
李大清　李大磊　李元明　李文一　李孔亮
李丕功　李东野　李光军　李仲麟　李克忠
李忠信　李树荣　李洪茂　李铁砧　李雪炎
李道之　李福尧　李镜如　扶廷修　别祖后
吴　肃　吴　恺　吴　彪　吴仕宏　吴永光
吴效闵　何云峰　何友发　邱　岗　余致泉
余嗣贵　辛国治　汪　洋　汪运祖　沙　风
沈鸿林　宋治民　张　午　张　英　张　政
张　峰　张　冀　张子珍　张天恕　张少虹
张中如　张水发　张玉华　张加洛　张西鼎
张行忠　张向善　张志勇　张志毅　张伯祥
张英明　张贤良　张宜步　张实杰　张荣森
张柱国　张晓冰　张清化　张强生　张献奎
张雷平　张德贵　张耀祠　陈云中　陈兴畴
陈克功　陈青山　陈炎青　陈绍昆　陈福章
林　毅　林乃清　林胜国　范朝福　范普权
范富山　郁　文　罗　文　罗　平　罗　杰
罗元炘　罗文华　国林之　金振钟　周九银
周吉一　周庆鸣　周志飞　周时源　周建平
周皖白　郑　国　郑本炎　宗风洲　官峻亭
胡立信　胡贤才　胡尚礼　郝盛旺　南　萍

茹夫一	赵　峰	赵北源	赵华青	赵复兴
赵鹤亭	钟贤文	段士楷	段志清	姜林东
贺　明	秦光远	桂生芳	耿道明	袁意奋
莫春和	聂济峰	栗彬成	贾乾瑞	顾　鸿
夏伯勋	柴书林	柴启琨	钱春华	铁　瑛
徐　信	徐文礼	徐立行	徐明德	殷承祯
郭　强	郭玉峰	高　林	高文智	高占杰
高先贵	涂学忠	涂通今	萧友明	萧志贤
萧选进	萧剑飞	黄　峰	黄　萍	曹　诚
曹宇光	曹孟朴	龚兴业	龚兴贵	戚先初
常　勇	常仲连	常树人	康烈功	麻志皓
梁天喜	梁中玉	彭　飞	董家龙	蒋润观
程坤源	智生元	焦玉山	曾传芳	曾昭墟
曾鉴修	谢国仪	靳来川	路　遐	解长林
慕　湘	裴宗澄	廖　明	廖步云	廖昌金
谭天哲	翟毅东	熊梦飞	黎　原	黎新民
颜文彬	颜吉连	颜青云	戴克林	戴克明
戴金川	魏佑铸	瞿道文		

（以上人员均为1964年4月2日晋升）

李如洪

（1964年4月13日授予）

巫金锋

（1964年10月授予）

中国人民解放军各大军区

华北军区

（1948年5月成立；1955年4月改为北京军区，原辖内蒙古军区改属国防部领导）

司令员

聂荣臻（1948年5月—1955年3月）

政治委员

薄一波（1948年5月—1955年3月）

东北军区

（1948年1月成立，1955年4月改为沈阳军区）

司令员

林　彪（1948年1月—1949年1月）

高　岗（1949年1月—1954年5月）

邓　华（代）（1954年2月—1955年3月）

政治委员

林　彪（兼）（1948年1月—1949年1月）

高　岗（兼）（1949年1月—1954年5月）

西北军区

（1948年11月成立；1955年5月改为兰州军区，原辖新疆军区改属国防部领导）

司令员

贺　龙（1948年11月—1949年11月）

彭德怀（1949年11月—1955年3月）

政治委员

习仲勋（1948年11月—1955年4月）

华东军区

（1947年1月成立；1955年4月改为南京军区，原辖山东军区改为济南军区）

司令员

陈　毅（1947年1月—1955年2月）

政治委员

饶漱石（1947年1月—1954年5月）

中南军区

（1949年5月成立华中军区；1949年12月改为中南军区；1955年3月改为广州军区，原辖江西军区划归南京军区，河南、湖北军区划归武汉军区）

司令员

林　彪（1949年12月—1955年3月）

叶剑英（代）（1952年7月—1955年3月）

政治委员

罗荣桓（1949年12月—1955年3月）

叶子恢（1949年12月—1955年3月）

谭　政（第三）（1950年3月—1955年3月）

西南军区

（1950年2月成立；1955年4月所辖云南军区改为昆明军区，四川军区改为成都军区，西藏军区改属国防部领导）

司令员

贺　龙（1949年10月—1955年3月）

政治委员

邓小平（1949 年 10 月—1953 年 3 月）

北京军区

（1955 年 4 月成立）

司令员

杨成武（1955 年 3 月—1958 年 9 月）

政治委员

朱良才（1955 年 3 月—1958 年 11 月）

南京军区

（1955 年 4 月成立）

司令员

许世友（1955 年 3 月—1973 年 12 月）

政治委员

唐 亮（1955 年 3 月—1958 年 9 月）

成都军区

（1955 年成立）

司令员

贺炳炎（1955 年 3 月—1960 年 7 月）

政治委员

李井泉（1955 年 3 月—1967 年 4 月）

新疆军区

（1955 年 5 月改属国防部领导）

司令员

王恩茂（1955 年 3 月—1968 年 8 月）

政治委员

王恩茂（兼）（1955 年 3 月—1968 年 8 月）

兰州军区

（1955 年 5 月成立）

司令员

张达志（1955 年 3 月—1969 年 11 月）

政治委员

冼恒汉（1955 年 3 月—1960 年 11 月）

内蒙古军区

（1955 年 4 月改属国防部领导）

司令员

乌兰夫（1955 年 3 月—1966 年 12 月）

政治委员

乌兰夫（兼）（1955 年 3 月—1966 年 12 月）

西藏军区

（1955 年 4 月改属国防部领导）

司令员

张国华（1955 年 3 月—1968 年 9 月）

政治委员

谭冠三（1955 年 3 月—1967 年 6 月）

张经武（第一）（1958 年 11 月—1968 年 9 月）

广州军区

（1955 年 3 月成立）

司令员

黄永胜（1955 年 3 月—1968 年 3 月）

政治委员

陶 铸（兼）（第一）（1955 年 3 月—1966 年 11 月）

济南军区

（1955 年 5 月成立）

司令员

杨得志（1955 年 3 月—1973 年 12 月）

王新亭（代）（1955 年 3 月—1957 年 10 月）

政治委员

谭启龙（1955 年 3 月—1956 年 7 月）

王新亭（第二）（1955 年 3 月—1958 年 11 月）

舒 同（兼）（1956 年 7 月—1960 年 11 月）

武汉军区

（1955 年 5 月成立）

司令员

陈再道（1955 年 3 月—1967 年 7 月）

政治委员

王任重（兼）（第一）（1955 年 3 月—1967 年 3 月）

谭甫仁（1955 年 12 月—1959 年 12 月）

钟汉华（1955 年 12 月—1961 年 1 月）

昆明军区

（1955 年 4 月成立）

司令员

谢富治(1955 年 3 月—1957 年 10 月)

政治委员

谢富治(兼)(1955 年 3 月—1959 年 11 月)

沈阳军区

(1955 年 12 月成立)

司令员

邓　华(1955 年 3 月—1959 年 9 月)

政治委员

周　桓(1955 年 3 月—1959 年 10 月)

中国各民主党派、工商联

中国国民党革命委员会

第一届中央执行委员会

(1948 年 1 月—1949 年 11 月)

中国国民党民主派第一次联合代表大会

(1948 年 1 月)

选举中央执行委员会

名誉主席　宋庆龄(女)

主　席　李济深

常务委员

李济深　何香凝(女)　　谭平山　蔡廷锴
朱蕴山　陈劭先　李章达　陈其瑗　何公敢
张　文　邓初民　朱学范　李民欣　郭春涛
王葆真　冯玉祥

第二届中央委员会

(1949 年 11 月—1956 年 2 月)

中国国民党民主派代表会议

(1949 年 11 月 12 日)

选举中央委员会

主　席　李济深

秘书长　梅龚彬

常务委员

李济深　何香凝(女)　　谭平山　陈铭枢
蔡廷锴　蒋光鼐　程　潜　张治中　邵力子
柳亚子　朱蕴山　陈劭先　陈其瑗　梅龚彬
王昆仑　郭春涛　许宝驹　宁　武　贺贵严
于振瀛　李世璋

第三届中央委员会

(1956 年 2 月—1958 年 11 月)

三届一中全会

(1956 年 3 月 5 日)

选举中央委员会

主　席　李济深

副主席

何香凝(女)　　程　潜　谭平山　蔡廷锴
张治中　熊克武　龙　云　邓宝珊　陈绍宽

秘书长　梅龚彬

常务委员

于振瀛　王昆仑　王葆真　朱学范　朱蕴山
刘文辉　刘　斐　余心清　吴茂荪　李世璋
李任仁　李俊龙　邵力子　屈　武　陈此生
陈劭先　陈其瑗　陈铭枢　柳亚子　唐生智
翁文灏　梅龚彬　许宝驹　黄绍竑　贺贵严
宁　武　蒋光鼐　卫立煌　谭惕吾(女)

中国民主同盟

中国民主政团同盟中央执行委员会

(1941 年 3 月—1944 年 9 月)

中国民主政团同盟成立

(1941 年 3 月 19 日)

选举中央执行委员会

主　席

黄炎培(1941 年 3 月当选,同年 10 月辞职)
张　澜(1941 年 10 月当选)

总书记　左舜生

常务委员

　黄炎培　左舜生　张君劢　梁漱溟　章伯钧

中国民主同盟中央执行委员会

（1944 年 9 月—1945 年 10 月）

全国代表会议

（1944 年 9 月 19 日）

选举（将中国民主政团同盟改称中国民主同盟）
同盟后选举中央执行委员会
　主　席　张　澜
　秘书长　左舜生
　常务委员
　　张　澜　沈钧儒　黄炎培　左舜生　张君劢
　　梁漱溟　章伯钧　李　璜　潘光旦

第一届中央委员会

（1945 年 10 月—1956 年 2 月）

第一次全国代表大会

（1945 年 10 月 1 日）

选举中央委员会
　主　席　张　澜
　秘书长
　　左舜生(1945 年 12 月)
　　梁漱溟(1945 年 12 月继任;1947 年 11 月声
　　　明退出民盟,秘书长一职暂缺)
　常务委员
　　张　澜　沈钧儒　章伯钧　黄炎培
　　史　良(女)　张君劢　左舜生　罗隆基
　　梁漱溟　张东荪　张申府　杜斌丞　陶行知
　　朱蕴山　潘光旦　马哲民　周鲸文　蒋匀田

一届四中全会扩大会议

（1949 年 12 月 20 日）

增选:
　副主席　沈钧儒

常务委员

　马叙伦　彭泽民　周新民　胡愈之　沈志远
　许广平(女)　　郭则沉　李相符
　李文宜(女)　　吴　晗　曾昭抡　邓初民
　李章达　丘　哲　杨明轩　高崇民　楚图南
　杨伯恺

选举:
　政治局秘书长　章伯钧
　政治局委员
　　张　澜　沈钧儒　章伯钧　黄炎培　罗隆基
　　马叙伦　史　良(女)　彭泽民　周新民
　　张东荪

一届七中全会

（1953 年 6 月 8 日）

增选:
　副主席
　　章伯钧　罗隆基　马叙伦　史　良(女)
　　高崇民
　秘书长　胡愈之

一届中央常务委员会临时扩大会议

（1955 年 2 月 10 日）

推举代理主席　沈钧儒

第二届中央委员会

（1956 年 2 月—1958 年 12 月）

二届一中全会

（1956 年 2 月 21 日）

选举中央委员会
　主　席　沈钧儒
　副主席
　　章伯钧　罗隆基　马叙伦　史　良(女)
　　高崇民
　秘书长　胡愈之
　常务委员

丘　哲　　叶笃义　　刘清扬(女)　　　吴　晗
李文宜(女)　　李相符　　沈志远　　辛志超
周新民　　周建人　　金岳霖　　徐寿轩　　张国藩
梁思成　　许　杰　　徐崇清　　童第周　　闵刚侯
黄炎培　　闻家驷　　萨空了　　章伯钧

中国民主建国会

第一届中央委员会

(1955 年 4 月—1960 年 2 月)

一届一中全会

(1955 年 4 月 17 日)

选举中央委员会
　主任委员　黄炎培
　副主任委员
　　李烛尘　　章乃器　　南汉宸　　盛丕华　　施复亮
　　胡厥文　　胡子昂　　孙起孟
　常务委员
　　王绍鏊　　王新元　　包达三　　朱继圣　　冷　遹
　　何松亭　　沈肃文　　李承干　　吴觉农　　周士观
　　侯德榜　　俞寰澄　　浦洁修　　徐崇林　　孙晓村
　　凌其峻　　毕鸣岐　　许涤新　　章元善　　郭棣活
　　张绚伯　　陈维稷　　毕煜卿　　项叔翔　　彭一湖
　　黄长水　　黄凉尘　　黄玠然　　黄墨涵　　杨美真
　　杨卫玉　　荣毅仁　　巩天民　　乐松生　　刘一峰
　　刘鸿生　　韩望尘　　简玉阶　　罗叔章

中国民主促进会

第一届中央理事会

(1946 年 1 月—1947 年 2 月)

一届一次会议

(1946 年 1 月 2 日)

推举中央理事会
　常务理事　马叙伦　　陈巳生　　王绍鏊

一届四次会议

(1946 年 3 月)

增选常务理事　林汉达　　许广平(女)

第二届中央理事会

(1947 年 2 月—1950 年 4 月)

第五次会员大会

(1947 年 2 月 9 日)

选举中央理事会
　常务理事　马叙伦　　王绍鏊　　许广平(女)

第三届中央理事会

(1950 年 4 月—1956 年 8 月)

三届一中全会

(1950 年 4 月 26 日)

推举中央理事会
　主　席　马叙伦
　副主席　王绍鏊　　周建人
　秘书长　许广平(女)
　常务理事
　　马叙伦　　王绍鏊　　周建人　　许广平(女)
　　徐伯昕　　赵朴初　　林汉达　　葛志成　　严景耀

第四届中央委员会

(1956 年 8 月—1958 年 12 月)

四届一中全会

(1956 年 8 月 24 日)

选举中央委员会
　主　席　马叙伦
　副主席
　　王绍鏊　　周建人　　许广平(女)　　车向忱
　　林汉达

秘书长　杨东莼

常务委员

马叙伦　王绍鏊　周建人　许广平(女)

车向忱　林汉达　吴研因　吴贻芳(女)

金芝轩　柯 灵　徐伯昕　徐楚波　许崇清

陈礼节　张明养　冯宾符　杨东莼

雷洁琼(女)　　葛志成　赵朴初　严景耀

中国农工民主党

中华民族解放行动委员会

(中国农工民主党)

中央执监委员会

(1947 年 2 月—1949 年 11 月)

第一次执监委联席会议

(1947 年 2 月 15 日)

选举中央执行委员会

主席　章伯钧

常务委员

章伯钧　丘 哲　罗任一　李伯球　王一帆

张云川　王深林　郭则沉　李士豪

中央监察委员会

主席　彭泽民

执监联席会议

秘书长　丘 哲

中国农工民主党中央执监委员会

(1949 年 11 月—1951 年 11 月)

第五次全国干部会议

(1949 年 11 月 14 日)

推举中央执行委员会

主 席　章伯钧

中央监察委员会

主 席　彭泽民

执监联席会议

秘书长　黄琪翔

五届一次中央执行委员会

监察委员会会议

(1949 年 12 月 17 日)

推举中央工作委员会

主任委员　章伯钧

副主任委员　黄琪翔

秘书处长　何仲珉

委 员

章伯钧　彭泽民　黄琪翔　季 方　郭翘然

郭则沉　严信民　王深林　李士豪　何仲珉

第六届中央委员会

(1951 年 12 月—1958 年 12 月)

六届一中全会

(1951 年 12 月 5 日)

选举中央委员会

主 席　章伯钧

副主席　彭泽民

中央执行局

委 员

章伯钧　彭泽民　黄琪翔　季 方　刘 春

徐彬如　郭冠杰　李伯球　王深林　郭则沉

严信民　何世琨　张云川　王人旋　李士豪

中央执行局第一次会议

(1951 年 12 月 12 日)

推选

秘书长　黄琪翔

中国致公党

第三届中央委员会

(1947 年 5 月—1950 年 4 月)

第三次代表大会

（1947 年 5 月）

选举中央委员会

主　席　李济深

（因李济深兼民革主席，当时暂不公开宣布）

副主席　陈其尤

秘书长　陈演生

常务委员

李济深　陈其尤　陈演生

雷　迅（即雷荣珂）　黄劈寰（即黄鼎臣）

钟杰臣　韩毓辉　严锡煊

伍启元（即伍觉天）

第四届中央委员会

（1950 年 4 月—1952 年 11 月）

第四次代表大会

（1950 年 4 月 25 日）

选举中央委员会

主席团

陈其尤（召集人）　陈演生　官文森　雷荣珂

秘书长　郑天保

常务委员

陈其尤　陈演生　官文森　雷茶珂　郑天保

陈炳瀚　罗伟夫　伍觉天　李维纲　廖保生

钟杰臣　左大炘　李星川　甘善斋

第五届中央委员会

（1952 年 11 月—1956 年 4 月）

第五次代表大会

（1952 年 11 月 17 日）

选举中央委员会

主　席　陈其尤

副主席　官文森

秘书长　郑天保

常务委员

陈其尤　官文森　雷荣珂　黄鼎臣　严希纯

郑天保　钟杰臣

第六届中央委员会

（1956 年 4 月—1979 年 10 月）

六届一中全会

（1956 年 4 月 15 日）

选举中央委员会

主　席　陈其尤

副主席　官文森

秘书长　郑天保

常务委员

王廷俊　伍觉天　陈其尤　官文森　严希纯

郑天保　黄鼎臣　雷沛鸿　雷荣珂　钟杰臣

九三学社

九三学社理事、监事会

（1946 年 5 月—1950 年 3 月）

成立大会

（1946 年 5 月 4 日）

选举

理　事

王卓然　许德珩　严希纯　李士豪　吴藻溪

张西曼　张迦陵　张雪岩　孟宪章　涂长望

黄国璋　笪移今　彭饬三　税西恒　褚辅成

潘　菽

监　事

卢于道　刘及辰　何　鲁　陈剑翛　侯外庐

梁　希　詹熊来　黎锦熙

第一届中央理事会

（1950 年 3 月—1950 年 12 月）

全国工作会议

（1950 年 3 月）

选举中央理事会

主 席 许德珩

副主席 梁 希

秘书长 黄国璋

常务理事

许德珩 孟宪章 黄国璋 梁 希 薛 愚

第二届中央理事会

(1950 年 12 月—1952 年 9 月)

全国工作会议

(1950 年 12 月)

选举中央理事会

主 席 许德珩

副主席 梁 希

秘书长 黄国璋

常务理事

许德珩 孟宪章 黄国璋 梁 希 薛 愚

第三届中央委员会

(1952 年 9 月—1956 年 2 月)

全国工作会议

(1952 年 9 月)

选举中央委员会

主 席 许德珩

副主席 梁 希

秘书长 涂长望

常务委员

方 亮 卢于道 叶丁易 许德珩 孙承佩
严济慈 劳君展(女) 杨肇濂 袁翰青
涂长望 梁 希 彭饬三 董渭川 税西恒
裴文中 黎锦熙 潘菽 薛 愚 魏建功

第四届中央委员会

(1956 年 2 月—1958 年 12 月)

第一次全国社员代表大会

(1956 年 2 月 16 日)

选举中央委员会

主 席 许德珩

副主席 梁 希

秘书长 涂长望

常务委员

方 亮 卢于道 许德珩 孙承佩 严济慈
劳君展(女) 杨肇濂 吴学周 陆侃如
茅以升 周培源 侯宗濂 袁翰青 涂长望
梁 希 董渭川 税西恒 裴文中 黎锦熙
潘 菽 薛 愚 魏建功

台湾民主自治同盟

第一届总部理事会

(1947 年 11 月—1979 年 10 月)

成立大会

(1947 年 11 月 12 日)

选举:

总部理事会

主 席

谢雪红(女) (1947 年—1958 年任职)

秘书长 杨克煌(1947 年—1952 年任职)

徐萌山(1952 年 8 月开始任职)

总部理事会会议

(1954 年 6 月)

增选:

副主席 李纯青

中华全国工商业联合会

第一届执行委员会

(1953 年 11 月—1956 年 12 月)

一届会员代表大会

(1953 年 11 月 12 日)

选举执行委员会

    主任委员　陈叔通

    副主任委员

      李烛尘　南汉宸　章乃器　许涤新　孟用潜

      盛丕华　荣毅仁　傅华亭　陈经畲　黄长水

      胡子昂　巩天民　李象九

    秘书长　沙千里

人 民 团 体

中华全国总工会

第六次全国劳动大会

（1948 年 8 月在哈尔滨召开）

选出中华全国总工会执行委员会

    名誉主席　刘少奇

    主　席　陈 云

    副主席　李立三　朱学范　刘宁一

    党组书记　李立三

    党组副书记　刘宁一

    秘书长　张维桢

    委　员

      陈 云　朱学范　刘宁一　李立三　李颉伯

      张金保　赵占魁　刘英源　钱英道　蔡 畅

中国工会第七次全国代表大会

（1953 年 5 月 2 日—11 日）

第七届执委会第一次会议

（1953 年 5 月 12 日）

选举：

    名誉主席　刘少奇

    主　席　赖若愚

    副主席　刘宁一　刘长胜　朱学范

中国共产主义青年团

（中华人民共和国时期）

中国新民主主义青年团
第一次全国代表大会

（1949 年 4 月 11 日—18 日）

选举：

    中央委员会

    名誉主席　任弼时

    书记处书记　冯文彬

    副书记　廖承志　蒋南翔

一届一中全会

（1949 年 4 月 22 日—24 日）

选举：

    书记处书记　冯文彬

    副书记　廖承志　蒋南翔

一届二中全会

（1951 年 11 月 20 日—28 日）

选举：

    书记处书记

      冯文彬　廖承志　蒋南翔　李 昌　荣高棠

      宋一平

一届三中全会

（1952 年 8 月 25 日—9 月 4 日）

选举：

    书记处书记

      胡耀邦　廖承志　蒋南翔　李 昌　荣高棠

      宋一平　刘导生　罗 毅　许世平

    候补书记

      区棠亮　高扬文　杨 进　章 泽　胡克实

中国新民主主义青年团
第二次全国代表大会

（1953 年 6 月 23 日—7 月 2 日）

第二届一中全会

（1953 年 7 月）

选举：

书记处书记

胡耀邦　廖承志　刘导生　罗　毅　王宗槐

区棠亮　荣高棠　章　泽　胡克实

中华全国妇女联合会

中华全国妇女联合会执行委员会

中国妇女第一次全国代表大会

（1949 年 3 月 24 日—4 月 3 日）

选举：

名誉主席　何香凝

主　席　蔡　畅

副主席　邓颖超　李德全　许广平

中国妇女第二次全国代表大会

（1953 年 4 月 15 日—23 日）

选举：

名誉主席　宋庆龄　何香凝

主　席　蔡　畅

副主席

邓颖超　李德全　许广平　史　良　章　蕴

中国妇女第三次全国代表大会

（1957 年 9 月 9 日—20 日）

选举：

名誉主席　宋庆龄　何香凝

主　席　蔡　畅

副主席

邓颖超　李德全　许广平　史　良　章　蕴

杨之华　刘清扬　康克清

中华全国青年联合会

中华全国青年第一次代表大会

（1949 年 5 月 4 日—11 日）

选举

中华全国民主青年联合总会第一届委员会

主　席　廖承志

副主席

钱俊瑞　谢雪红（女）　钱三强　沙千里

中华全国青年第二次代表大会

（1953 年 6 月 10 日—15 日）

选举

中华全国民主青年联合会第二届委员会

主　席　廖承志

副主席

刘道生　钱三强　吴　晗　区棠亮

二

新中国成立初期
的各大行政区

东北行政区

中共中央东北局

1949 年 10 月—

书　记　高　岗

副书记　李富春　林　枫

1951 年—

第一书记　高　岗

第二书记　张秀山

东北人民政府委员会

（1949 年 12 月—1953 年 1 月）

主　席　高　岗（1949 年 12 月—　）
副主席　李富春（1949 年 12 月—　）
　　　　林　枫（1949 年 12 月—　）
　　　　高崇民（1949 年 12 月—　）
（以上人员，1949 年 12 月中央人民政府委员会任命）

东北行政委员会

（1953 年 1 月—1954 年 9 月）

（根据中央人民政府委员会第十九次会议决定，东北人民政府改为东北行政委员会）
主　席　高　岗（1953 年 1 月任命）

东北军区

（1948 年 1 月成立，1955 年 4 月改为沈阳军区）
司令员
　　林　彪（1948 年 1 月—1949 年 1 月）
　　高　岗（1949 年 1 月—1954 年 5 月）
　　邓　华（代）（1954 年 2 月—1955 年 3 月）
政治委员
　　林　彪（兼）（1948 年 1 月—1949 年 1 月）
　　高　岗（兼）（1949 年 1 月—1954 年 5 月）

华北行政区

中共中央华北局

（1949 年 10 月—1954 年 9 月）

书　记　董必武
副书记、后补书记　刘澜涛（后任书记）
副书记　刘秀峰

政务院华北事务部

（1950 年成立，隶属政务院。1951 年 12 月 28 日，政务院一一七次政务会议决定撤销）
部　长　刘澜涛（1950 年 9 月中央人民政府委员会第九次会议通过任命）
副部长　陶希晋

政务院华北行政委员会

（1951 年 12 月 28 日政务院第一一七次会议决定成立政务院华北行政委员会。1952 年 11 月 9 日，中央人民政府委员会第十九次会议决定，将政务院华北行政委员会改为大区级机构）
主　任　刘澜涛（1951 年 12 月—　）

华北军区

（1948 年 5 月成立；1955 年 4 月改为北京军区，原辖内蒙古军区改属国防部领导）
司令员　聂荣臻（1948 年 5 月—1955 年 3 月）
政治委员
　　薄一波（1948 年 5 月—1955 年 3 月）

西北行政区

中共中央西北局

（1949 年 10 月—　）

第一书记　彭德怀
第二书记　习仲勋
第三书记　马明方

西北军政委员会

（1949 年 12 月—1953 年 1 月）

主　席　彭德怀
副主席　习仲勋　张治中　赵寿山

西北行政委员会

（1953 年 1 月—1954 年 9 月）

（根据中央人民政府委员会第十九次会议决定，西北军政委员会改为西北行政委员会）

主　席　彭德怀（1953 年 1 月—　　）

西北军区

（1948 年 11 月成立，1955 年 5 月改为兰州军区，原辖新疆军区改属国防部领导）

司令员

　　贺　龙（1948 年 11 月—1949 年 11 月）

　　彭德怀（1949 年 11 月—1955 年 3 月）

政治委员

　　习仲勋（1948 年 11 月—1955 年 4 月）

华东行政区

中共中央华东局

（1949 年 10 月—　　）

第一书记　饶漱石
第二书记　陈　毅
第三书记　谭震林
第四书记　张鼎丞
副书记　康　生

华东军政委员会

（1949 年 12 月—1953 年 1 月）

主　席　饶漱石
副主席　曾　山　粟　裕　马寅初　颜惠庆

华东行政委员会

（1953 年 1 月—1954 年 9 月）

（根据中央人民政府委员会第十九次会议决定，华东军政委员会改为华东行政委员会）

主　席　饶漱石

华东军区

（1947 年 1 月成立，1955 年 4 月改为南京军区，原辖山东军区改为济南军区）

司令员

　　陈　毅（1947 年 1 月—1955 年 2 月）

政治委员

　　饶漱石（1947 年 1 月—1954 年 5 月）

中南行政区

中共中央中南局

（1949 年 12 月—　　）

第一书记　林　彪
第二书记　邓子恢
第三书记　叶剑英

中南军政委员会

（1949 年 12 月—1953 年 1 月）

主　席　林　彪
副主席　邓子恢　叶剑英　程　潜　张难先

中南行政委员会

（1953 年 1 月—1954 年 9 月）

（根据中央人民政府委员会第十九次会议决定，中南军政委员会改为中南行政委员会）

主　席　林　彪

中南军区

（1949 年 5 月成立华中军区，1949 年 12 月改为中南军区，1955 年 3 月改为广州军区，原辖江西军区划归南京军区，河南、湖北军区划归武汉军区）

司令员

　林　彪(1949 年 12 月—1955 年 3 月)

　叶剑英(代)(1952 年 7 月—1955 年 3 月)

政治委员

　罗荣桓(1949 年 12 月—1955 年 3 月)

　邓子恢(第二)(1949 年 12 月—1955 年 3 月)

　谭　政(第三)(1950 年 3 月—1955 年 3 月)

西南行政区

中共中央西南局

（1949 年 11 月—　　）

第一书记　邓小平

第二书记　刘伯承

第三书记　贺　龙

第一副书记　宋任穷

第二副书记　李井泉

第三副书记　张际春

西南军政委员会

（1949 年 12 月—1953 年 1 月）

主　席　刘伯承

副主席

　贺　龙　邓小平　熊克武　龙　云　刘文辉

　王维舟

西南行政委员会

（1953 年 1 月—1954 年 9 月）

（根据中央人民政府委员会第十九次会议决定，西南军政委员会改为西南行政委员会）

主　席　刘伯承

西南军区

（1950 年 2 月成立，1955 年 1 月所辖云南军区改为昆明军区，四川军区改为成都军区，

西藏军区改属国防部领导）

司令员

　贺　龙(1949 年 10 月—1955 年 3 月)

政治委员

　邓小平(1949 年 10 月—1953 年 3 月)

各省、市、自治区

北京市

中国共产党北京市委员会

（1948 年 12 月—1955 年 6 月）

书　记　彭　真

第二书记　刘　仁(1955 年 1 月—　　)

第一副书记　叶剑英(　—1949 年 8 月)

第二副书记　李葆华(　—1951 年 8 月)

副书记　刘　仁(1951 年 3 月—1955 年 1 月)

　　　　陈　鹏(1955 年 3 月—　　)

第一届市委

（1955 年 6 月—1956 年 8 月）

第一书记　彭　真

第二书记　刘　仁

书记处书记　张友渔　郑天翔　陈　鹏

　　　　　　范儒生

北京市人民政府

（1948 年—1955 年 2 月）

1948 年—1949 年 11 月

市　长　叶剑英(　—1949 年 8 月)

　　　　聂荣臻(1949 年 8 月—　　)

副市长　徐　冰(　—1949 年 4 月)

张友渔(1949 年 4 月—)

1949 年 11 月—1951 年 2 月

市 长 聂荣臻
副市长 张友渔 吴 晗
(1949 年 11 月第二届北京市各界人民代表
大会第一次会议选举)

1951 年 2 月—1952 年 8 月

市 长 彭 真
副市长 张友渔 吴 晗
(1951 年 2 月第三届北京市各界人民代表大
会第一次会议选举)

1952 年 8 月—1955 年 2 月

市 长 彭 真
副市长 张友渔 吴 晗
(1952 年 8 月第四届北京市各界人民代表大
会第一次会议选举)

北京市各界人民代表
大会协商委员会

第二届协商委员会
(1949 年 11 月—1951 年 2 月)

主 席 彭 真
副主席
刘 仁 钱端升 梁思成 余心清
(1949 年 11 月第二届北京市各界人民代表
大会第一次会议选举)

第三届协商委员会
(1951 年 2 月—1952 年 8 月)

主 席 彭 真
副主席

刘 仁 钱端升 梁思成 宁 武
(1951 年 2 月第三届北京市各界人民代表大
会第一次会议选举)

第四届协商委员会
(1952 年 8 月—1955 年 4 月)

主 席 彭 真
副主席
刘 仁 钱端升 梁思成 蒋光鼐
(1952 年 8 月第四届北京市各界人民代表大
会第一次会议选举)

中国人民政治协商会议
北京市委员会

第一届委员会
(1955 年 4 月—1959 年 9 月)

主 席 刘 仁
副主席
张友渔 蒋光鼐 吴 晗 肖 明
梁思成 余心清 凌其峻
(1955 年 4 月北京市政协第一届第一次会议
选举)

北京市卫戍区
平津卫戍司令部

司令员
聂荣臻(1949 年 2 月—1955 年 2 月)
杨成武(1955 年 2 月—1959 年 1 月)
政治委员
薄一波(1949 年 2 月—1955 年 2 月)
朱良才(1955 年 2 月—1959 年 1 月)

天津市

中国共产党天津市委员会

1949 年 1 月—5 月

书 记 黄 敬
副书记
　黄火青
　刘秀峰(1949 年 8 月—1950 年下半年)
　吴 德(1952 年 7 月—)

1953 年 4 月—1954 年 7 月

书 记 黄火青
副书记 吴 德

第一届市委
(1954 年 7 月—1956 年 7 月)

书 记 黄火青
副书记 吴 德(—1955 年 5 月)
　　　　白 坚(1954 年 8 月—)
　　　　吴砚农(1954 年 10 月—)

天津市人民政府
(1949 年 1 月—1955 年 1 月)

1949 年 1 月—1950 年 1 月

市 长 黄 敬(1949 年 1 月—1953 年 4 月)
副市长 张友渔(1949 年 1 月—1949 年 4 月)
　　　　刘秀峰(1949 年 9 月—1950 年 1 月)

1950 年 1 月—1951 年 2 月

市 长 黄 敬
副市长 刘秀峰 周叔弢

(1950 年 1 月天津市第二届各界人民代表会议选举产生)

1951 年 2 月—1952 年 12 月

市 长 黄 敬
副市长 许建国 周叔弢

(1951 年 2 月天津市第三届各界人民代表会议选举产生)

1952 年 12 月—1955 年 1 月

市 长 黄 敬(1952 年 12 月—1953 年 4 月)
副市长 吴 德(1952 年 12 月—1953 年 4 月)
　　　　周叔弢(1952 年 12 月—1955 年 1 月)
　　　　白 坚(1954 年 8 月—1955 年 1 月)
　　　　李耕涛(1954 年 10 月—1955 年 1 月)
　　　　万晓塘(1954 年 10 月—1955 年 1 月)

(1952 年 12 月天津市第四届各界人民代表会议选举产生及其后增补)

天津市人民委员会
(1955 年 1 月—1967 年 12 月)

1955 年 1 月—1956 年 12 月
(天津市第一届人大期间)

市 长 黄火青
副市长
　白 坚 周叔弢 李耕涛 万晓塘 杨亦周
(1955 年 1 月天津市第一届人大二次会议选举)
副市长 宋景毅 李华生
(1956 年 10 月增补)

天津市各界人民代表会议协商委员会

第二届协商委员会
(1950 年 1 月—1951 年 2 月)

主 席 黄 敬
副主席
　黄火青　李烛尘　刘锡瑛　孟秋江
　(1959 年 1 月第二届各界人民代表会议选
举)

第三届协商委员会

(1951 年 2 月—1952 年 12 月)

主 席 黄 敬
副主席
　黄火青　李烛尘　刘锡瑛　孟秋江
　(1951 年 2 月第三届各界人民代表会议选
举)

第四届协商委员会

(1952 年 12 月—1955 年 3 月)

主 席 黄火青
副主席　李烛尘　刘锡瑛　孟秋江
　(1952 年 12 月第四届各界人民代表会议选
举)

中国人民政治协商会议
天津市委员会

第一届委员会

(1955 年 3 月—1960 年 3 月)

主 席 黄火青
副主席
　吴砚农　李烛尘　刘锡瑛　谷小波　孟秋江
　李霁野
　(1955 年 3 月政协第一届第一次会议选举)
副主席　杨亦周　毕鸣岐　朱继圣
　(1956 年 4 月政协第一届第二次会议增选)

河北省

中国共产党河北省委员会

(1949 年 7 月—1956 年 7 月)

书 记 林 铁
副书记 马国瑞
代理书记
　马国瑞(1952 年 1 月—1952 年 12 月)
第二书记
　马国瑞(1953 年 1 月—1955 年 8 月)
副书记
　薛　迅(女)(1952 年 2 月—1955 年 8 月)
　阎达开(1954 年 4 月—1956 年 7 月)
　张承先(1954 年 7 月—1955 年 8 月)
　谷云亭(1955 年 4 月—1955 年 8 月)

河北省人民政府

(1949 年—1955 年 2 月)

主 席　杨秀峰(1949 年 8 月—　)
副主席　罗玉川(1949 年 8 月—　)
　　　　李锅九(1950 年 1 月—　)
　　　　金　城(1950 年 12 月—　)
　　　　薛　迅(女)(1952 年 4 月—　)
主 席　林　铁(1952 年 11 月—　)
副主席　吕　复(1952 年 11 月—　)
　　　　高树勋(1953 年 1 月—　)
　　　　阮泊生(1953 年 9 月—　)
　　　　李一夫(1953 年 9 月—　)
　　　　阎达开(1954 年 6 月—　)
　　　　王　之(1953 年 1 月—　)

河北省人民委员会

(1955 年 2 月—1968 年 2 月)

1955 年 2 月—1958 年 10 月
(河北省一届人大期间)

省　长　林　铁（—1958 年 4 月）

副省长

阎达开　张承先　高树勋　阮泊生　胡开明

张明河

（以上人员，1955 年 2 月省人大一届二次会

议选举）

副市长　李子光　马　力

（以上两人，1956 年 3 月省人大一届四次会

议增选）

省　长　刘子厚

副省长　杨英杰　李耕涛　杨亦周

（以上人员，1958 年 4 月省人大一届七次会

议增选）

中国人民政治协商会议
河北省委员会

第一届委员会
（1955 年 1 月—1960 年 2 月）

主　席　马国瑞

副主席

阎达开　王葆真　吕　复　刘洪涛　赵辉楼

李兴中

（1955 年 1 月政协第一届第一次会议选举）

副主席

周思诚　齐壁亭　吴韫山　王乃堂

（1956 年 4 月政协第一届第二次会议增选）

副主席　刘清扬（女）

（1956 年 5 月政协第一届第三次会议增选）

副主席

杨雨民　杨石先　王笑一　刘锡瑛

姜占春　何宗谦

（1958 年 12 月政协第一届第四次会议增选）

河北省军区

司令员

孙　毅（1949 年 7 月—1950 年 10 月）

王光华（1950 年 10 月—1952 年 5 月）

彭明民（1952 年 5 月—1957 年 10 月）

政治委员

林　铁（兼）（1949 年 7 月—　　）

王奇才（—1964 年 4 月）

山西省

中国共产党山西省委员会

书　记　程子华（1949 年 9 月—1950 年 9 月）

副书记　赖若愚（1949 年 8 月—1950 年 9 月）

书　记　赖若愚（1950 年 9 月—1952 年 2 月）

第一副书记　解学恭（1951 年—1952 年 2 月）

第二副书记　陶鲁笳（1951 年—1952 年 2 月）

书　记　高克林（1952 年 2 月—1953 年 1 月）

第一副书记　解学恭（1952 年 2 月—1952 年 7

月）

第二副书记　陶鲁笳（1952 年 2 月—1952 年 7

月）

副书记　解学恭（1952 年 7 月—1953 年）

陶鲁笳（1952 年 7 月—1953 年）

书　记　陶鲁笳（1953 年 1 月—1954 年）

副书记　裴丽生（1953 年 1 月—1954 年）

第一书记　陶鲁笳（1954 年—1955 年）

第二书记　裴丽生（1954 年—1955 年）

第三书记　杨士杰（1954 年—1955 年）

书　记　陶鲁笳（1955 年—1956 年 7 月）

第一副书记　王世英（1955 年—1956 年 7 月）

第二副书记　卫　恒（1955 年—1956 年 7 月）

第三副书记　池必卿（1955 年—1956 年 7 月）

山西省人民政府
（1949 年 8 月—1955 年 2 月）

1949 年 8 月—1952 年 1 月

主　席　程子华（1949 年 8 月—1950 年 3 月）

副主席　武新宇　裴丽生　王世英

（以上人员 1949 年 8 月华北人民政府任命）

主　席　程子华(1950 年 3 月—1950 年 9 月)
副主席　裴丽生　王世英　邓初民

（以上人员 1950 年 3 月省第一届各界人民代表会议选举）

代理主席

裴丽生(1950 年 9 月—1951 年 3 月)

主　席　赖若愚

（1951 年 3 月中央人民政府任命）

1952 年 4 月—1955 年 2 月

主　席　裴丽生
副主席　王世英　邓初民

（以上人员 1952 年 4 月省第二届各界人民代表会议选举）

山西省人民委员会

（1955 年 2 月—1967 年 3 月）

1955 年 2 月—1958 年 11 月

（山西省一届人大期间）

省　长　裴丽生
副省长

王世英　邓初民　郑　林　焦国鼐
武光汤　张晓东

（以上人员 1955 年 2 月省人大一届二次会议选举）

省　长　王世英(—1956 年 4 月)
代省长　卫　恒(1956 年 5 月—)
副省长　邓初民(1956 年 4 月—1958 年 11 月)

卫　恒　郑　林　武光汤　焦国鼐　张晓东
刘开基　张天乙　王中青

（以上人员 1956 年 4 月—1958 年 11 月期间任职）

中国人民政治协商会议
山西省委员会

第一届委员会

（1955 年 2 月—1959 年 8 月）

主　席　陶鲁笳
副主席

王世英　邓初民　刘少白　支应遴　冀贡泉
（1955 年 2 月政协第一届第一次会议选举）

副主席　郑　林　宋子纯
（1956 年 3 月政协第一届第二次会议增选）

山西省军区

司令员

程子华(1949 年—1950 年)
肖文玖(代)(1950 年—1951 年)
肖思明(代)(1951 年—1952 年)
王紫峰(1952 年—1956 年)
肖新槐(1956 年—1957 年)

政治委员

程子华(兼)(1949 年—1950 年)
赖若愚(1950 年—1952 年)
高克林(1952 年—1953 年)
陶鲁笳(1953 年—1960 年)

内蒙古自治区

中国共产党内蒙古自治区委员会

书　记　乌兰夫(蒙古族)(1947 年 7 月—)

中共中央内蒙古分局

（1949 年 11 月—1952 年 8 月）

书　记　乌兰夫(蒙古族)
副书记　苏谦益

中共绥远省委

（1949 年 6 月—1952 年 8 月）

书　记　高克林
副书记　苏谦益

中共中央蒙绥分局

（1952 年 8 月—1954 年 3 月）

书　记　乌兰夫（蒙古族）
副书记　苏谦益

中共中央内蒙古分局

（1954 年 3 月—1955 年 7 月）

书　记　乌兰夫（蒙古族）
副书记
　　苏谦益　杨植霖　奎　璧（蒙古族）　王　铎

中共内蒙古自治区委员会

（1955 年 7 月—1956 年 7 月）

书　记　乌兰夫（蒙古族）
副书记
　　苏谦益　杨植霖　奎　璧（蒙古族）　王　铎

内蒙古自治区人民政府

（1947 年 5 月—1955 年 4 月）

1947 年 5 月—1949 年 11 月

主　席　乌兰夫（蒙古族）
副主席　哈丰阿（蒙古族）

1949 年 11 月—1954 年 2 月

主　席　乌兰夫（蒙古族）
副主席

哈丰阿（蒙古族）（1949 年 12 月—1954 年 12 月）
杨植霖（1949 年 12 月—1954 年 12 月）

1954 年 3 月—1955 年 4 月

主　席　乌兰夫（蒙古族）
副主席
　　苏谦益　杨植霖　奎　璧（蒙古族）
　　哈丰阿（蒙古族）　王再天（蒙古族）
　　孙兰峰　王逸伦

绥远省人民政府

主　席　董其武（1949 年 12 月—1952 年 8 月）
　　　　乌兰夫（蒙古族）（1952 年 8 月—1954 年 6 月）

（以上人员，经中央人民政府委员会第四次和第十七次会议批准任命）

（1954 年 6 月 19 日中央人民政府委员会第三十二次会议决定撤销绥远省建制，并入内蒙古自治区）

内蒙古自治区人民委员会

（1955 年 4 月—1967 年 11 月）

1955 年 4 月—1958 年 6 月
（内蒙古自治区一届人大期间）

主　席　乌兰夫（蒙古族）
副主席
　　苏谦益　杨植霖　奎　璧（蒙古族）
　　哈丰阿（蒙古族）　王再天（蒙古族）
　　孙兰峰　王逸伦
（以上人员 1955 年 4 月自治区一届人大会议选举）
副主席　达理扎雅（蒙古族）
（1956 年 2 月增补）

中国人民政治协商会议
内蒙古自治区委员会

第一届委员会
（1955 年 2 月—1959 年 3 月）

主 席 杨植霖
副主席 吉雅泰（蒙古族） 孙兰峰
　　　 特木尔巴根（蒙古族） 陈炳谦
（1955 年 2 月政协第一届第一次会议选举）

绥远省军区

司令员
　　姚 喆（1949 年 10 月—1952 年 7 月）
　　傅作义（1949 年 10 月—1952 年 7 月）
政治委员
　　薄一波（兼）（1949 年 10 月—1952 年 7 月）
　　高克林（1949 年 10 月—1952 年 7 月）
　　绥蒙军区（同年 9 月改为蒙绥军区）
司令员
　　乌兰夫（蒙古族）（1952 年 8 月—1954 年 3月）
政治委员
　　乌兰夫（蒙古族）（1952 年 8 月—1954 年 3月）

内蒙古军区
（1967 年 5 月改为省军区）

司令员
　　乌兰夫（蒙古族）（1954 年 3 月—1966 年 5月）
政治委员
　　乌兰夫（蒙古族）（兼）（1949 年 10 月—1952年 7 月）
　　乌兰夫（蒙古族）（兼）（1954 年 3 月—1966 年5 月）

辽宁省

中国共产党辽宁省委员会

中国共产党辽东省委员会
（1949 年—1954 年 6 月）

书 记 张闻天
副书记 刘澜波
（1954 年 6 月与辽西省、旅大人民行政公署合并成立辽宁省，组成中国共产党辽宁省委员会）

中国共产党辽西省委员会
（1949 年—1954 年 6 月）

书 记 欧阳钦
副书记 韩 光
（1954 年 6 月与辽东省、辽西省合并成立辽宁省，组成中国共产党辽宁省委员会）

中国共产党辽宁省委员会

书 记 黄欧东（1954 年 8 月— ）

第一届省委
（1956 年 7 月—1959 年 9 月）

第一书记 黄欧东
　　　　 黄火青（1958 年 6 月— ）
第二书记 黄欧东（1958 年 6 月— ）
书 记
　　王 铮 杜者蘅 喻 屏 李 荒 李 涛
　　杨春甫（1958 年 4 月— ）
　　王 良（1958 年 12 月— ）

辽宁省人民政府

辽东省人民政府

（1949 年—1954 年 6 月）

主　席

刘澜波（　—1950 年 6 月）

高　扬（1950 年 6 月—1952 年 8 月）

李　涛（1952 年 8 月—1954 年 8 月）

（1954 年 6 月，中央人民政府委员会第三十二次会议决定撤销，与辽西省合并成立辽宁省）

辽西省人民政府

主　席　杨易辰（1951 年 9 月—1954 年 8 月）

（1954 年 6 月，中央人民政府委员会第三十二次会议决定撤销，与辽东省合并成立辽宁省）

旅大人民行政公署

主　任　韩　光（1949 年 12 月任命）

辽宁省人民政府

（1954 年辽东、辽西省合并成立）

1954 年 8 月—1955 年 2 月

主　席　杜者蘅

副主席

李　涛　宁　武　车向忱　王学明

仇友文　张雪轩

（1954 年中央人民政府委员会第三十三次会议通过任命）

辽宁省人民委员会

（1955 年 2 月—1968 年 5 月）

1955 年 2 月—1959 年 12 月

（辽宁省一届人大期间）

省　长　杜者蘅（1955 年 2 月—1958 年 12 月）

副省长

李　涛　宁　武　车向忱　仇友文

黄　达　刘宝田

（1955 年 2 月省人大一届二次会议选举）

副省长　张雪轩　王梓本　巩天民　褚凤岐

（1956 年 12 月省人大一届五次会议增选）

中国人民政治协商会议
辽宁省委员会

第一届委员会

（1955 年 3 月—1959 年 6 月）

主　席　黄欧东

副主席

张雪轩　宁　武　车向忱　靳树梁

陈先舟　巩天民

辽宁省军区

司令员

贺庆炽（1955 年 3 月—1968 年 2 月）

政治委员

黄欧东（1954 年 9 月—1959 年 9 月）

吉林省

中国共产党吉林省委员会

（1949 年 4 月—1955 年 2 月）

书　记

刘锡五（1949 年 4 月—1952 年 6 月）

李梦龄（1952 年 6 月—1955 年 2 月）

副书记

李德仲（1949 年 4 月—1952 年 6 月）

富振声(1952 年 6 月—1955 年 2 月)

李砥平(1954 年 8 月—1958 年 2 月)

　　　(1955 年 3 月—1956 年 7 月)

第一书记　吴　德

第二书记　李梦龄

第三书记　赵　林

第四书记　李砥平

副书记　富振声　粟又文　关山复

吉林省人民政府

（1950 年 4 月—1955 年 2 月）

1950 年 4 月—1952 年 4 月

主　席　周持衡

副主席　于　克　徐元泉

（1950 年 4 月吉林省第一届各界人民代表会议选举，中央人民政府批准任命）

1952 年 4 月—1955 年 2 月

主　席　粟又文

（1952 年 4 月，中央人民政府批准任命）

副主席　于　克　徐元泉　关俊彦　朱德海

（1954 年 8 月中央人民政府委员会第三十三次会议通过任命）

吉林省人民委员会

（1955 年 2 月—1968 年 3 月）

1955 年 2 月—1958 年 7 月

（吉林省一届人大期间）

省　长　粟又文

副省长　于　克　徐元泉　徐寿轩　关俊彦

　　　　朱德海

（1955 年 2 月省一届人大二次会议选举）

副省长　刘慈恺　杨战韬　王免如

（1956 年 12 月省一届人大五次会议增选）

中国人民政治协商会议吉林省委员会

第一届委员会

（1955 年 2 月—1959 年 6 月）

主　席　李砥平

副主席　徐寿轩　关俊彦　张德馨　宋任远

　　　　成盛三

（1955 年 2 月政协第一届第一次会议选举）

吉林省军区

吉林军事部

　部　长

　　邱会魁(1949 年 1 月—1950 年 8 月)

　　张贤庭(代)(1950 年 8 月—1952 年 10 月)

　　黄思沸(1952 年 10 月—1953 年 2 月)

吉林军区

　司令员

　　黄思沛(1953 年 2 月—1954 年 9 月)

　政治委员

　　李梦龄(1953 年 2 月—1955 年 3 月)

吉林省军区

　司令员

　　贺　健(1955 年 3 月—1959 年 11 月)

　政治委员

　　李梦龄(1955 年 3 月—1955 年 6 月)

　　吴　德(第一)(1955 年 6 月—1966 年 7 月)

黑龙江省

中国共产党黑龙江省委员会

中国共产党松江省委员会

（1949 年—1954 年 8 月）

书　记　张启龙

(1954 年 8 月,松江省与黑龙江省合并称黑龙江省,组成中国共产党黑龙江省委员会)

中国共产党黑龙江省委员会
(1954 年 8 月 1 日组成)

第一书记　欧阳钦
副书记
　韩　光　强晓初　冯纪新　王一伦　王鹤峰
　以后到 1971 年,中经第一届,第二届省委先后担任:
第一书记　欧阳钦　潘复生　汪家道
第二书记　李范五　刘光涛
书　记
　强晓初　冯纪新　王一伦　王鹤峰　杨易辰
　李范五　曾祥仁　于　杰　李剑白　任仲夷
　张林池　李力安　陈　雷　傅奎清　于洪亮

黑龙江省人民政府

松江省人民政府
(1949 年—1954 年 6 月)

主　席
　于毅夫(1949 年 12 月—1950 年 9 月)
　冯仲云(1951 年 9 月—1952 年 8 月)
　强晓初(1952 年 8 月—1956 年 6 月)
副主席　李延禄　于　杰
　(以上人员原中央人民政府委员会会议批准任命)
　(1954 年 6 月 19 日,中央人民政府委员会第三十二次会议通过决议,撤销松江省建制,并入黑龙江省)

黑龙江省人民政府
(1949 年—1954 年 8 月)

主　席
　于毅夫(1950 年 9 月—1952 年 11 月)
　赵德尊(1952 年 11 月—1953 年 12 月)

　陈　雷(1953 年 12 月—1954 年 8 月)

黑龙江省人民政府
(1954 年 8 月—1958 年 8 月)

1954 年 8 月—1955 年 11 月

主　席　韩　光
副主席　杨易辰　李延禄　于天放
　(以上人员 1954 年 8 月中央人民政府委员会通过任命。1954 年 6 月黑龙江省与松江省合并,仍称黑龙江省)

黑龙江省人民委员会
(1955 年 11 月—1979 年 12 月)

1955 年 11 月—1956 年
(黑龙江省一届人大期间)

省　长　韩　光
副省长
　杨景辰　李延禄　于天放　于　杰　杜光预
　(以上人员 1955 年 11 月省一届人大二次会议选举)
副省长　赵去非(1956 年—　　)
省　长　欧阳钦
副省长　王清正　陈　雷　赵去非
　(以上人员 1956 年 7 月始任职)

黑龙江省军区

司令员
　张开荆(1955 年 3 月—1962 年)
政治委员
　欧阳钦(1954 年 9 月—1966 年 5 月)

上海市

中国共产党上海市委员会

1949 年 5 月—1950 年 1 月

书　记　饶漱石
副书记　陈　毅(1949 年 8 月改为第二书记)
　　　　刘　晓(1949 年 8 月改为第三书记)

1950 年 1 月—1952 年 3 月

第一书记　陈　毅
第二书记　刘　晓
第三书记　刘长胜

1952 年 3 月—1954 年 10 月

第一书记　陈　毅
第二书记　刘　晓(　—1954 年 8 月)
第三书记　刘长胜(　—1953 年 8 月)
第四书记　陈丕显(代理第一书记)
第一副书记　潘汉年(1952 年 12 月—　)
第二副书记　谷　牧(1952 年 12 月—　)

1954 年 10 月—1956 年 7 月

第一书记　柯庆施
第二书记　陈丕显
第三书记　潘汉年(　—1955 年 4 月)
副书记　谷　牧(　—1954 年 12 月)
　　　　魏文伯(1955 年 6 月—　)
　　　　曹荻秋(1954 年 11 月—　)
　　　　马天水

上海市人民政府

(1949 年 5 月—1955 年 2 月)

市　长　陈　毅(1949 年 5 月—1955 年 2 月)
副市长　潘汉年(1949 年 5 月—　)
　　　　曾　山(　—1949 年 12 月)
　　　　韦　悫(　—1949 年 12 月)
　　　　盛丕华(1952 年—1953 年)
　　　　方　毅(1952 年—1953 年)
　　　　许建国(1952 年 12 月—　)
　　　　刘季平(1952 年 12 月—　)
　　　　金仲华(1952 年 12 月—　)
　　　　宋日昌(1954 年 10 月—　)

上海市人民委员会

(1955 年 2 月—1967 年 1 月)

1955 年 2 月—1957 年 1 月

(上海市一届人大期间)

市　长　陈　毅(1955 年 2 月—1957 年 1 月)
副市长　潘汉年(　—1955 年 9 月)
　　　　盛丕华(1955 年 2 月—1957 年 1 月)
　　　　许建国(1955 年 2 月—1957 年 1 月)
　　　　刘季平(1955 年 2 月—1957 年 1 月)
　　　　金仲华(1955 年 2 月—1957 年 1 月)
　　　　宋日昌(1955 年 2 月—1957 年 1 月)
　　　　曹荻秋(1955 年 12 月—1957 年 1 月)
　　　　刘述周(1955 年 12 月—1957 年 1 月)
(一届人大二次会议选举产生)

中国人民政治协商会议 上海市委员会

第一届委员会

(1955 年 5 月—1958 年 11 月)

主　席　柯庆施
副主席
　　刘季平　盛丕华　胡厥文　金仲华　刘述周
　　沈志远　黎照寰
(1955 年 5 月政协第一届第一次会议选举)

上海警备区

第九兵团兼淞沪警备司令部

司令员
宋时轮(兼)(1949 年 5 月—8 月)
政治委员
郭化若(兼)(1949 年 5 月—8 月)

华东公安部队兼淞沪警备部队

司令员
郭化若(兼)(1949 年 8 月—1955 年 8 月)
政治委员
郭化若(兼)(—1950 年)
李士英(1950 年—1952 年 6 月)
许建国(1952 年 6 月—)
梁国斌(1955 年 1 月—)

上海警备区

司令员
王必先(1955 年 8 月—1961 年 2 月)
政治委员
梁国斌(兼)(1955 年 8 月—1955 年 10 月)
柯庆施(兼)(1955 年 10 月—1958 年 11 月)

江苏省

中国共产党江苏省委员会

江苏解放后建省前
(1949 年 5 月—1952 年 10 月)

苏南区委书记 陈丕显
苏北区委书记 萧望东
南京市委书记 刘伯承(1949 年 5 月—)
粟 裕(1949 年 9 月—)
唐 亮(1950 年 5 月—)
柯庆施(1950 年 8 月—)

江苏建省后
(1952 年 10 月—1954 年 8 月)

第一书记 柯庆施
第二书记 江渭清
副书记 萧望东 管文蔚

第一、二届省委
(1954 年 8 月—1956 年 7 月)

1954 年 8 月—1956 年 1 月

书 记 江渭清
副书记 惠浴宇 陈 光 刘顺元

1956 年 1 月— 1956 年 7 月

书记处书记
江渭清 惠浴宇 刘顺元 陈 光 刘先胜

江苏省人民政府

苏北人民行政公署
(1949 年 4 月—1952 年 11 月)

主 任 贺希明 惠浴宇
(1950 年 4 月,中央人民政府委员会第六次
会议任命)
副主任 陈 扬 朱履光
(以上二人,1950 年 11 月任命)

苏南人民行政公署
(1949 年 4 月—1952 年 11 月)

主 任 管文蔚
(1950 年 12 月,中央人民政府委员会第十次
会议任命)
副主任

刘季平　朱德生　刘先胜　钱孙卿
（以上 4 人，1950 年 11 月任命）

江苏省人民政府

（1952 年 11 月—1955 年 2 月）

主　席　谭震林
副主席　柯庆施　管文蔚　冷　遹
　　（以上人员，1952 年 11 月中央人民政府委员
　　会第十九次会议批准任命）

江苏省人民委员会

（1955 年 2 月—1968 年 3 月）

1955 年 2 月—1958 年 10 月

（江苏省一届人大期间）

省　长　惠浴宇
副省长
　　刘顺元　管文蔚　冷　遹　季　方　周一峰
　　陈书同　韦永义　吴贻芳（女）　刘国钧
　　（以上 9 人，1955 年 2 月省一届人大二次会
　　议选举）

中国人民政治协商会议
江苏省委员会

第一届委员会

（1955 年 4 月—1959 年 12 月）

主　席　江渭清
副主席
　　陈　光　冷　遹　潘　寂　李明扬　陈鹤琴
　　宫维桢　许家屯　钱孙卿　任崇高
　　（1955 年 4 月政协第一届第一次会议选举）
副主席　李乐平　陆小波
　　（1956 年 3 月政协第一届第二次会议增选）

浙江省

中国共产党浙江省委员会

第一届省委

（1949 年全省解放—1956 年 7 月）

书　记　谭震林
　　　　谭启龙（1952 年—　　）
　　　　江　华（1954 年 5 月—　　）
副书记　谭启龙（　—1952 年）
　　　　江　华（1951 年 7 月—1954 年 5 月）
　　　　（1951 年 7 月—1952 年期间为
　　　　第二副书记）
　　　　霍士廉（1954 年 5 月—　　）
　　　　林乎加（1955 年 8 月—　　）
　　　　李丰平（1955 年 8 月—　　）

第二届省委

（1956 年 7 月—1959 年 11 月）

第一书记　江　华
书记处书记　李丰平　林乎加　霍士廉

浙江省人民政府

（1949 年 8 月—1955 年 1 月）

1949 年 8 月—1952 年 12 月

主　席　谭震林（1949 年 8 月—　　）
副主席　谭启龙　周建人　沙文汉　包达三
　　（以上人员 1951 年 2 月始任职）

1952 年 12 月—1953 年 2 月

主　席　谭启龙
副主席　周建人　包达三
　　（以上人员 1952 年 12 月始任职）

1953 年 2 月—1955 年 1 月

主　席　谭启龙
副主席　霍士廉　周建人　李丰平　包达三
（以上人员 1953 年 12 月始任职）

浙江省人民委员会
（1955 年 1 月—1968 年 3 月）

1955 年 1 月—1958 年 10 月
（浙江省一届人大期间）

省　长　沙文汉
副省长　霍士廉　李丰平　包达三　杨思一
（以上人员 1958 年 1 月省一届人大三次会议
选举）

浙江省各界人民代表会议
协商委员会

第一届协商委员会
（1950 年 8 月—1952 年 12 月）

主　席　谭震林
副主席　谭启龙　吴　宪　何燮侯　汤元炳
（1950 年 8 月各界人民代表会议选举）

第二届协商委员会
（1952 年 12 月—1955 年 12 月）

主　席　谭启龙
副主席　江　华　何燮侯　林　枫　汤元炳
（1952 年 12 月各界人民代表会议选举）

中国人民政治协商会议
浙江省委员会

第一届委员会
（1955 年 2 月—1958 年 11 月）

主　席　江　华
副主席
　　杨思一　何燮侯　林　枫　宋云彬　汤元炳
　　余记一
（1955 年 2 月政协第一届第一次会议选举）

浙江省军区

司令员
　　王建安（1949 年 6 月—1951 年 2 月）
　　张爱萍（1951 年 2 月—1952 年 5 月）
　　王必成（1952 年 8 月—1953 年 5 月）
　　林维先（1953 年 6 月—1961 年 1 月）
政治委员
　　姬鹏飞（1949 年 10 月—1949 年 12 月）
　　谭启龙（1951 年 5 月—1952 年 6 月）（兼省委
　　书记）
　　谭震林（1951 年 5 月—1952 年 6 月）（兼省委
　　书记）
　　江　华（1954 年 12 月—1960 年 5 月）（兼省
　　委书记）
　　周贯五（1955 年 10 月—1965 年 7 月）

安徽省

中国共产党安徽省委员会
（1952 年 1 月—1956 年 7 月）

书　记　曾希圣
副书记　朱树才

第一届省委
（1956 年 7 月—1963 年 7 月）

第一书记　曾希圣
　　　　　李葆华（1962 年 2 月—　　）
书记处书记
　　曾希圣　黄　岩　李世农　张恺帆　桂林栖
　　曾庆梅　李任之

安徽省人民政府

皖北人民行政公署

（1949 年 4 月—1952 年 8 月）

主 任 宋日昌 黄 岩

（1950 年 12 月，中央人民政府委员会第十次会议任命）

皖南人民行政公署

（1949 年 5 月—1952 年 8 月）

主 任 魏 明

（1950 年 12 月，中央人民政府委员会第十次会议任命）

安徽省人民政府

（1952 年 8 月—1955 年 3 月）

主 席 曾希圣

副主席 牛树才 黄 岩 许 杰 沈子修

副主席 张恺帆

（1954 年 8 月，中央人民政府委员会第三十三次会议批准任命）

安徽省人民委员会

（1955 年 3 月—1968 年 4 月）

1955 年 3 月—1958 年 11 月

（安徽省一届人大期间）

省 长 黄 岩

副省长 李世农 张恺帆 沈子修 桂林栖

（以上人员，1955 年 3 月 3 日省一届人大二次会议增选）

副省长

王光宇 苏毅然 余亚农 陆学斌 马长炎 陈荫南

（以上人员，1956 年 5 月 24 日省一届人大三次会议增选）

中国人民政治协商会议安徽省委员会

第一届委员会

（1955 年 2 月—1958 年 11 月）

主 席 曾希圣

副主席

李云鹤 余亚农 陈荫南 程士范 姚 克 房秩五

（1955 年 2 月政协第一届第一次会议选举）

副主席 桂林栖 戴 戟

（1956 年 6 月政协第一届第二次会议增选）

副主席 光明甫

（1957 年 4 月政协第一届第三次会议增选）

安徽省军区

政 委

李世炎（第二）（1956 年 2 月— ）

福建省

中国共产党福建省委员会

书 记 张鼎丞（1949 年 6 月—1951 年 11 月）

1951 年 12 月—1953 年 7 月

书 记 张鼎丞

第一副书记 叶 飞（ —1952 年 3 月）

第二副书记 方 毅（ —1952 年 3 月）

副书记 叶 飞（1952 年 3 月—1953 年 7 月）

1953 年 7 月—1955 年 4 月

第一书记 张鼎丞（ —1954 年 10 月）

叶　飞(1954年10月—　　)

第二书记　叶　飞(1953年7月—1954年10月)

副书记　曾镜冰　陈辛仁(　—1954年5月)

　　　　魏金水(1955年1月—　　)

　　　　伍洪祥(1955年1月—　　)

1955年4月—1956年6月

书　记　叶　飞

第二书记　江一真(1956年5月—　　)

第一副书记　江一真(1955年4月—1956年5月)

第二副书记　魏金水

第三副书记　伍洪祥

福建省人民政府

(1949年8月—1955年2月)

1949年8月—1955年2月

主　席　张鼎丞(1949年8月—1954年10月)

副主席　叶　飞(1949年8月—1954年10月)

　　　　方　毅(1949年8月—1952年3月)

　　　　陈绍宽(1950年10月—1955年2月)

　　　　丁超五(1950年10月—1955年2月)

　　　　陈辛仁(1952年9月—1955年2月)

代理主席　叶　飞(1954年10月—1955年2月)

福建省人民委员会

(1955年2月—1968年8月)

1955年2月—1959年1月
（福建省一届人大期间）

省　长　叶　飞

副省长　陈绍宽　丁超五

　　　　江一真(　—1956年3月)　贾久民

（以上人员1955年2月福建省一届人大二次

会议选举）

副省长

　魏金水　蓝荣玉　叶　松　许　亚　梁灵光

　高磐九　尤扬祖

（以上人员1956年3月省一届人大三次会议

补选）

副省长　贺敏学(1958年12月—　　)

中国人民政治协商会议
福建省委员会

第一届委员会
(1955年1月—1959年2月)

主　席　曾镜冰

副主席　蓝荣玉　王亚南　林植夫　刘　通

（1955年1月政协第一届第一次会议选举）

主　席　江一真

（1956年4月政协第一届第二次会议选举）

副主席　陈绍宽　林修德　李述中　刘栋业

（1956年4月政协第一届第二次会议增选）

江西省

中国共产党江西省委员会

1949年6月—1952年11月

书　记　陈正人

1952年11月—1956年7月

书　记　杨尚奎

1956年7月—1964年1月

第一书记　杨尚奎

书　记　邵式平　方志纯　刘俊秀　白栋材

江西省人民政府

（1949 年 6 月—1955 年 2 月）

主　席　邵式平（1949 年 6 月始任）
副主席　范式人　方志纯
　（以上 2 人，1949 年 6 月始任）
副主席　饶思诚　刘一峰　朱蕴冠
　（以上 3 人，1950 年 4 月始任）
副主席　黄　先　李杰庸
　（以上 2 人，1954 年 8 月始任）

江西省人民委员会

（1955 年 2 月—1968 年 1 月）

1955 年 2 月—1958 年 6 月

（江西省一届人大期间）

省　长　邵式平
副省长
　方志纯　黄　先　饶思诚　李杰庸　王卓超
　欧阳武
　（以上人员，1955 年 2 月江西省一届人大二
　次会议选举）
副省长　邓　洪
　（1956 年 10 月省一届人大五次会议增选）

中国人民政治协商会议
江西省委员会

第一届委员会

（1955 年 1 月—1959 年 7 月）

主　席　杨尚奎
副主席
　莫　循　黄知真　刘一峰　刘之纲　许德瑗
　傅肖先
　（1955 年 1 月政协第一届第一次会议选举）
副主席　于洪琛　王德舆　郭光渊　潘式会
　（1957 年 5 月政协第一届第三次会议增选）

江西省军区

司令员
　陈俞涵（1949 年 6 月—1954 年 6 月）
　肖元礼（1954 年 6 月—1955 年 12 月）
　邓克明（1955 年 3 月—1963 年 12 月）
政治委员
　陈正人（1949 年 6 月—1953 年 1 月）
　杨尚奎（兼）（1953 年 1 月—1965 年 1 月）
　肖元礼（1953 年 1 月—1954 年 6 月）

山东省

中国共产党山东省委员会

书　记　（中央山东分局）
　康　生（1949 年 3 月—1954 年）

1954 年 8 月—1956 年 7 月

第一书记　舒　同
第二书记　谭启龙
书　记　赵健民
副书记
　李士英　李广文　董　琰　夏征农　裴孟飞
　师　哲

第一届省委

（1956 年 7 月—1963 年 12 月）

第一书记　舒　同（　—1960 年 12 月）
　　　　　曾希圣　谭启龙
书记处书记
　谭启龙　赵健民　李广文　夏征农　裴孟飞
　白如冰　滕景禄　刘季平　邓辰西　张邦英
　苏毅然　周　兴
书记处候补书记　刘秉琳　杨宣武

山东省人民政府

（1949 年 12 月—1955 年 3 月）

主　席　康　生

（1949 年 12 月华东军政委员会任命）

主　席　康　生

副主席　郭子化　傅秋涛　刘民生　苗海南

（以上人员，1950 年 3 月山东各省各界人民代表会议选举）

副主席　向　明　晁哲甫　王卓如　李士英

（以上人员，1950 年至 1955 年期间先后增补，任命）

山东省人民委员会

（1955 年 3 月—1967 年 3 月）

1955 年 3 月—1963 年 12 月

（山东省一届人大期间）

省　长　赵健民

副省长　晁哲甫　王卓如　刘民生　李澄之

（以上人员，1955 年 3 月山东省第一届人大二次会议选举）

副省长

高克亭　杨宣武　邓辰西　晁哲甫　刘民生
李澄之　李予昂　余　修　张竹生　王　哲
苗海南　李宇超

（以上人员，1958 年 11 月山东省第二届人大一次会议选举）

副省长　张新村

（1959 年 12 月任命）

副省长　刘秉林　粟再温　王子文

（以上三人，1961 年 6 月增补）

副省长　苏毅然

（1962 年 12 月补选）

中国人民政治协商会议
山东省委员会

第一届委员会

（1955 年 1 月—1959 年 5 月）

主　席　谭启龙

副主席

　晁哲甫　马保三　苗海南　王深林　张伯秋

（1955 年 1 月政协第一届第一次会议选举）

副主席　赵笃生　范予遂　王祝晨

（1956 年 4 月政协第一届第二次会议增选）

副主席　周志俊

（1957 年 4 月政协第一届第三次会议增选）

河 南 省

中国共产党河南省委员会

1949 年 10 月—1952 年 11 月

第一书记　张　玺

副书记　刘　杰（　—1950 年 8 月）

　　　　吴芝国（1950 年 10 月—　）

　　　　杨一辰（1950 年 11 月—1952 年 3 月）

　　　　裴孟飞（1950 年 11 月—　）

1952 年 11 月—1956 年 7 月

第一书记　潘复生

书　记　吴芝圃

　　　　裴孟飞（　—1953 年）

副书记　杨蔚屏　赵文甫

　　　　刘　刚（1953 年 3 月—1954 年 11 月）

　　　　史向生（1954 年 10 月—　）

　　　　杨　珏（1955 年 4 月—　）

第一届省委

（1956 年 7 月—1965 年 7 月）

1956 年 7 月—1958 年 5 月

第一书记　潘复生
书　记
　　吴芝圃　杨蔚萍　赵文甫　史向生　杨　珏

河南省人民政府

（1949 年—1955 年 1 月）

1949 年—1950 年 4 月

主　席　吴芝圃（兼）
副主席　牛佩琮
　　（以上人员,1949 年 5 月中原临时人民政府
　　决定）

1950 年 4 月—1955 年 1 月

主　席　吴芝圃
副主席　牛佩琮（1950 年 4 月—1955 年 1 月）
　　　　嵇文甫（1950 年 4 月—1955 年 1 月）
　　（以上人员,1950 年 4 月河南省第一届各界
　　人民代表会议选举,中央人民政府委员会第
　　九次会议批准任命）
副主席　贾心斋（1952 年 11 月中央人民政府
　　　　委员会第十九次会议批准任命）
副主席　史向生（1954 年 10 月—　　）

河南省人民委员会

（1955 年 1 月—1968 年 1 月）

1955 年 1 月—1958 年 12 月

（河南省一届人大期间）

省　长　吴芝圃

副省长
　　赵文甫　邢肇棠　史向生　嵇文甫　贾心斋
　　齐文俭
　　（以上人员,1955 年 1 月河南省一届人大二
　　次会议选举）
副省长
　　王国华　李庆伟　侯连瀛　王毅斋　张　轸
　　彭笑千　邵文杰
　　（以上人员,1956 年 11 月河南省一届人大五
　　次会议增选）

中国人民政治协商会议
河南省委员会

第一届委员会

（1955 年 2 月—1959 年 2 月）

主　席　潘复生
副主席
　　杨蔚屏　王国华　侯连瀛　王毅斋　刘鸿文
　　高镇五　刘积学　任芝铭
　　（1955 年 2 月政协第一届第一次会议选举）
副主席　田　丰　张仲鲁
　　（1957 年 5 月政协第一届第三次会议增选）

河南省军区

司令员
　　陈再道（1949 年 10 月—1955 年 3 月）
政治委员
　　张　玺（1949 年 10 月—1953 年 12 月）
　　潘复生（1953 年 2 月—1958 年 9 月）

湖北省

中国共产党湖北省委员会

书　记　李先念（1949 年 5 月—1954 年 5 月）
　　　　王任重（1954 年 5 月—　　）

第一届省委

（1956 年 7 月—1960 年 4 月）

第一书记　王任重

书记处书记　张平化（　—1959 年）　张体学

　　王延春　赵辛初　许道琦　王树成

　　刘仰峰（1959 年—　）

湖北省人民政府

（1949 年 5 月—1955 年 1 月）

1949 年 5 月—1954 年 8 月

主　席　李先念（1949 年 5 月—　）

副主席　聂洪钧（1950 年—1952 年 12 月）

　　　　熊晋槐（1950 年 4 月—　）

　　　　王任重（1949 年 5 月—　）

　　　　刘子厚（1952 年 4 月—　）

　　　　程　坦（1952 年 4 月—　）

　　　　张体学（1952 年 4 月—　）

　　　　刘济苏（1952 年 4 月—　）

　　　　刘西尧（1952 年 11 月—1954 年 2 月）

　　　　聂国青（1953 年 9 月—　）

　　　　陈一新（1954 年 8 月—　）

1954 年 8 月—1955 年 1 月

主　席　刘子厚

副主席

　　程　坦　熊晋槐　张体学　刘济苏　陈一新

　　聂国青　王海山

　　（以上人员为 1954 年 8 月至 1954 年 12 月经

中央人民政府委员会批准任命的湖北省人

民政府组成人员）

湖北省人民委员会

（1955 年 1 月—1968 年 2 月）

1955 年 1 月—1958 年 12 月

（湖北省一届人大期间）

省　长　刘子厚（1955 年 10 月—1956 年 1 月）

　　　　张体学（1956 年 1 月—　）

副省长

　　张体学（　—1956 年 1 月）

　　熊晋槐（　—1958 年 2 月）

　　刘济苏（　—1958 年 2 月）

　　李明灏　陈一新　聂国青　王海山　陈经畬

　　孟夫唐

　　（以上人员 1955 年 1 月省一届人大二次会议

选举）

湖北省各界人民代表会议
协商委员会

第一届协商委员会

（1950 年 10 月—1951 年 12 月）

主　席　李先念

副主席

　　刘建勋　熊晋槐

　　（1950 年 10 月第一届各界人民代表会议选

举）

第二届协商委员会

（1951 年 12 月—1955 年 2 月）

主　席　李先念

副主席

　　刘建勋　熊晋槐　聂洪钧　聂国青　周苍柏

　　（1951 年 12 月第二届各界人民代表会议选

举）

中国人民政治协商会议
湖北省委员会

第一届委员会

（1955 年 2 月—1959 年 6 月）

主　席　王任重

副主席

胡金魁　周苍柏　崔国翰　何耀榜　李西屏

涂云庵　李步青　耿伯钊　周　杰

副主席　李国伟　陶述曾

（1956 年 4 月政协第一届第二次会议增选）

副主席　蔡业彬

（1957 年 9 月政协第一届第四次会议增选）

湖北省军区

司令员

李先念（1949 年 5 月—1950 年 5 月）

王树声（1950 年 5 月—1955 年 5 月）

陈再道（1955 年 5 月—1956 年 8 月）

政治委员

李先念（1949 年 5 月—1955 年 5 月）

王任重（1955 年 1 月—1956 年 7 月）

张体学（1956 年 7 月—1973 年 8 月）

湖 南 省

中国共产党湖南省委员会

1949 年 8 月—1956 年 6 月

书 记

黄克诚（1949 年 8 月—1952 年 9 月）

金　明（1952 年 10 月—1953 年 10 月）

周小舟（1953 年 10 月—　）

副书记　王首道（1949 年 8 月—　）

第一届省委

（1956 年 6 月—1960 年 2 月）

书 记　周小舟

副书记

周　礼　周　惠　谭余保　徐启文　胡继宗

李瑞山

湖南省人民政府

湖南省临时政府

（1949 年 8 月—1949 年 8 月）

主 席　陈明仁

副主席　袁任远

湖南省军政委员会

（1949 年 8 月—1950 年 4 月）

主 席　程　潜

副主席　黄克诚

（1949 年 8 月 29 日，经中央批准）

湖南省人民政府

（1950 年 4 月—1955 年 2 月）

1950 年 4 月—1952 年 12 月

主 席　王首道

副主席　袁任远　唐生智　程星龄　谭余保

（以上人员，1950 年 4 月始任）

主 席　程　潜

（1952 年 3 月 14 日任命）

1952 年 12 月—1953 年 9 月

主 席　程　潜

副主席

金　明　袁任远　唐生智　程星龄　谭余保

（以上人员，1952 年 12 月省各界人民代表会

议第二届一次会议选举）

1953 年 9 月—1955 年 2 月

主 席　程　潜

副主席

周小舟　唐生智　程星龄　谭余保　徐启文

夏如爱　张孟旭

（以上人员，1953 年 9 月中央人民政府委员会第二十八次会议批准任命）

湖南省人民委员会

（1955 年 2 月—1968 年 4 月）

1955 年 2 月—1958 年 7 月

（湖南省一届人大期间）

省　长　程　潜
副省长

周小舟　唐生智　谭余保　程星龄　徐启文
夏如爱　张孟旭

（以上人员，1955 年 2 月湖南省一届人大二次会议选举）

中国人民政治协商会议
湖南省委员会

第一届委员会

（1955 年 2 月—1959 年 12 月）

主　席　周小舟
副主席

周　礼　唐生智　谢　晋　李木菴　谢　华
曹伯闻

（1955 年 2 月政协第一届第一次会议选举）

湖南省军区

司令员

肖劲光（1949 年 8 月—1950 年 3 月）
黄克诚（1950 年 3 月—1953 年 1 月）
文年生（1953 年 1 月—1954 年 9 月）
杨梅生（1954 年 9 月—1961 年 5 月）

政治委员

肖劲光（1949 年 8 月—1950 年 3 月）
黄克诚（1950 年 3 月—1953 年 1 月）
金　明（1953 年 1 月—1954 年 9 月）

周小舟（第一）（1954 年 5 月—1959 年 10 月）

广东省

中国共产党广东省委员会

1949 年 8 月—1956 年 7 月

书　记　叶剑英（1949 年 8 月—1955 年 7 月）
　　　　陶　铸（1955 年 7 月—　　）
副书记　古大存　赵紫阳　冯白驹　林李明

第一届省委

（1956 年 7 月—1961 年 12 月）

第一书记　陶　铸
书　记

陈　郁（1957 年 9 月—1961 年 6 月）
古大存（　—1958 年 1 月）
赵紫阳
冯白驹（　—1958 年 1 月）
林李明　区梦觉（女）
文敏生（　—1961 年 2 月）
尹林平（1960 年 8 月—　）
王　德（1960 年 8 月—　）
李坚真（女）（1960 年 8 月—　）

候补书记

尹林平（1956 年 11 月—1960 年 8 月）
刘田夫（1960 年 8 月—　）
赵武成（1960 年 8 月—　）

广东省人民政府

（1949 年 11 月—1955 年 2 月）

1950 年 4 月—1953 年 2 月

主　席　叶剑英
副主席　方　方　古大存　李章达

（以上人员中央人民政府委员会第六次会议通过任命）

1953 年 2 月—1954 年

主 席 叶剑英
代主席 方 方 陶 铸
副主席
古大存 李章达 易秀湘 冯白驹 贺希明
文敏生 张 文
（以上人员中央人民政府委任）

1954 年—1955 年 2 月

主 席 叶剑英
代主席 陶 铸
副主席
古大存 冯白驹 贺希明 文敏生 张 文
（以上人员中央人民政府任命）

广东省人民委员会

1955 年 2 月—1958 年 9 月
（广东省一届人大期间）

省 长 陶 铸
副省长
古大存 冯白驹 贺希明 文敏生 陈汝棠
丘 哲 尹林平
（以上人员 1955 年 2 月省一届人大二次会议
选举）
副省长 魏今非 安平生 邓文钊
（以上人员 1956 年 7 月省一届人大四次会议
选举）
省 长 陈 郁
副省长 林锵云
（以上人员 1957 年 7 月第一届人大六次会议
增选）

广东省各界人民代表会议协商委员会

第一届协商委员会
（1950 年 10 月—1951 年 9 月）

主 席 叶剑英
副主席 方 方 李章达
（1950 年 10 月第一届各界人民代表会议选
举）

第二届协商委员会
（1951 年 9 月—1955 年 1 月）

主 席 叶剑英
副主席 方 方 古大存 李章达 丁 颖
（1951 年 9 月第二届各界人民代表会议选
举）
副主席 冯白驹 陈汝棠
（1953 年 10 月增补）

中国人民政治协商会议广东省委员会

第一届委员会
（1955 年 1 月—1959 年 2 月）

主 席 陶 铸
副主席
古大存 林秀明 张 文 杜国庠 许崇清
丁 颖 张醁村 饶彰风 肖隽英 李朗如
（1955 年 1 月政协第一届第一次会议选举）
副主席 黄 洁 蚁美厚
（1957 年 5 月政协第一届第三次会议增选）

广西省

中国共产党广西省委员会

书　记　张云逸（1949 年 8 月—　　）

1951 年 9 月—1953 年 11 月

书　记　张云逸
代理书记　陶　铸
副书记　莫文骅　陈漫远　何　伟　李楚离

1953 年 11 月—1954 年 11 月

书　记　张云逸
代理书记　陈漫远
副书记　郝中士　乔晓光

1954 年 11 月—1955 年 6 月

书　记　张云逸　陈漫远　李天佑
副书记　郝中士　谢扶民　伍晋南

1955 年 6 月—1956 年 1 月

书　记　张云逸　陈漫远
副书记　郝中士　伍晋南

1956 年 1 月—1956 年 6 月

书　记
　　　陈漫远　郝中士　伍晋南　韦国清　肖一舟

第一届省委
（1956 年 6 月—1962 年 10 月）

第一书记　陈漫远
书　记　韦国清　郝中士　伍晋南　肖一舟

广西省人民政府

1949 年—1952 年 12 月

主　席　张云逸
副主席　陈漫远　李任仁　雷经天
（以上人员由中央人民政府任命）

1952 年 12 月—1955 年 2 月

主　席　张云逸
　　　　陈漫远（代）
副主席
　　　陈漫远　李任仁　肖一舟　覃应机　陈此生
　　　莫乃群
（以上人员，1952 年 12 月省第二届各界人民
代表会议选举）

广西省人民委员会

1955 年—1958 年 3 月
（广西省一届人大期间）

省　长　韦国清
副省长　郝中士　肖一舟　李任远　覃应机
　　　　陈再励　陈此生　莫乃群　卢绍武
（以上人员，1955 年 2 月省一届人大二次会
议选举）
副省长　贺希明
（1957 年 9 月省一届人大五次会议补选）

广西省人民代表会议协商委员会

第一届协商委员会
（1950 年 11 月—1952 年 11 月）

主　席　张云逸
副主席
　　　陈漫远　莫文骅　陈此生　莫乃群　张一气

（1950 年 11 月第一届各界人民代表会议协
商委员会第一次会议选举）

副主席 何 伟 杨东莼

（1951 年 11 月第一届各界人民代表会议协
商委员会第三次会议增选）

第二届协商委员会

（1952 年 11 月—1955 年 2 月）

主 席 张云逸

副主席

陈漫远 谢扶民 陈此生 莫乃群 杨东莼

（第二届各界人民代表会议协商委员会第一
次会议选举）

中国人民政治协商会议
广西省委员会

第一届委员会

（1955 年 2 月—1958 年 3 月）

主 席 陈漫远

副主席

陈再励 赵卓云 雷沛鸿 丘 辰 石兆棠
黄 荣

（1955 年 2 月政协第一届第一次会议选举）

副主席 林 虎

（1956 年 12 月政协第一届第三次会议补选）

主 席 刘建勋

（1957 年 9 月政协第一届第四次会议选举）

海 南

海南军区

司令员

冯白驹（1950 年—1952 年）

吴克华（1952 年—1953 年）

梁兴初（1953 年—1955 年）

吴瑞林（1955 年—1957 年）

庄 田（1957 年—1959 年）

政治委员

冯白驹（兼）（1950 年—1952 年）

林李明（1952 年—1955 年）

谢镗忠（1955 年—1963 年）

四 川 省

中国共产党四川省委员会

川北区委第一书记

胡耀邦（1950 年 1 月—1952 年 4 月）

川东区委书记

谢富治（1949 年 12 月—1952 年 7 月）

川南区委书记

李大章（1949 年 12 月—1952 年 9 月）

川西区委书记

李井泉（1950 年 10 月—1952 年 7 月）

西康区委书记

廖志高（1950 年 1 月—1953 年 2 月）

四川省委书记

李井泉（1952 年 7 月—1954 年 12 月）

西康省委书记

廖志高（1953 年 2 月—1955 年 11 月）

四川省委第一书记

李井泉（1954 年 12 月—1956 年 7 月）

四川省人民政府

川东人民行政公署

（1949 年 12 月—1952 年 8 月）

主 任 阎红彦

川南人民行政公署

（1949 年 12 月—1952 年 8 月）

主 任 李井泉

川北人民行政公署

（1949 年 12 月—1952 年 8 月）

主　任　胡耀邦

（以上人员，1950 年 4 月 11 日中央人民政府委员会第六次会议批准任命）

（1952 年 8 月 7 日，中央人民政府委员会第十七次会议决定，撤销了川东、川南、川西、川北四个行政公署建制，合并成立四川省人民政府）

西康省人民政府

主　席　廖志高（1950 年 4 月—1955 年 10 月）

（1950 年 4 月 11 日，中央人民政府委员会第六次会议批准任命）

（1955 年 7 月 30 日，第一届全国人民代表大会第二次会议决定撤销西康省建制）

四川省人民政府

（1952 年 8 月—1955 年 1 月）

主　席　李井泉

副主席　李大章　阎红彦　钟体乾　余际唐

（以上人员，1952 年 8 月中央人民政府委员会第十七次会议任命）

副主席　李筱亭（1952 年 9 月任命）

四川省人民委员会

（1955 年 1 月—1968 年 5 月）

1955 年 1 月—1958 年 6 月

（四川省一届人大期间）

省　长　李大章

副省长

邓锡侯　阎红彦　任白戈　钟体乾　余际唐

（以上人员，1955 年 1 月省人大一届二次会议选举）

副省长　桑吉悦希

（1955 年 12 月省人大一届三次会议补选）

副省长

赵苍璧　张秀熟　张韶芳　康乃尔　罗忠信
童少生

（以上 6 人，1956 年 11 月省人大一届四次会议增选）

中国人民政治协商会议
四川省委员会

第一届委员会

（1955 年 1 月—1959 年 7 月）

主　席　李井泉

副主席

刘文辉　赵　林　张曙时　李筱亭　但懋辛
程子健　胡子昂　徐孝刚　潘大逵

（1955 年 1 月政协第一届第一次会议选举）

副主席

廖志高　降央伯姆（女）　夏克刀登
果基木古

（1956 年 3 月政协第一届第二次会议增选）

副主席　徐崇林　彭劭农

（1957 年 4 月政协第一届第三次会议增选）

四川省军区

司令员

贺炳炎（1952 年 9 月—　　）

政治委员

李井泉（1952 年 9 月—　　）

贵州省

中国共产党贵州省委员会

1949 年 12 月—1952 年 11 月

书 记 苏振华
副书记 徐运北 陈曾固

1952 年 11 月—1954 年 12 月

书 记 苏振华
第一副书记 陈曾固
第二副书记 周 林
第三副书记 申云浦

1954 年 12 月—1956 年 7 月

书 记 周 林
副书记 谢鑫鹤(1955 年 1 月—)
　　　 常 颂(1956 年 2 月—)

第一届省委

（1956 年 7 月—1960 年 4 月）

第一书记 周 林
书 记 苗春亭 常 颂 吴 肃

贵州省人民政府

（1949 年 12 月—1955 年 2 月）

主 席 杨 勇(1949 年 12—)
副主席
　陈曾固(1949 年 12—)
　(以上人员,1949 年 12 月中央人民政府任
命)
副主席
　周素园(1950 年 8 月中央人民政府任命)

副主席 周 林(1951 年 11 月中央任命)
副主席 申云浦(1954 年 7 月中央任命)

贵州省人民委员会

（1955 年 2 月—1967 年 12 月）

1955 年 2 月—1958 年 9 月

省 长 周 林
副省长
　周素园 吴 实 徐健生 欧百川(苗族)
　(以上人员,1955 年 2 月贵州省一届人大二
次会议选举)
副省长 陈璞如 赵欲樵
　(以上 2 人,1956 年 12 月省一届人大四次会
议增选)

贵州省各界人民代表会议
协商委员会

第一届协商委员会

（1951 年 7 月—1955 年 2 月）

主 席 陈曾固
副主席 徐运北 欧百川 双 清
　(1951 年 7 月第一届各族各界人民代表会议
协商委员会选举)

中国人民政治协商会议
贵州省委员会

第一届委员会

（1955 年 2 月—1959 年 12 月）

主 席 申云浦
副主席
　谢鑫鹤 田君亮 陈 铁 王家烈 双 清
　(1955 年 2 月政协第一届第一次会议选举)
主 席 陈健生

副主席　苗春亭

（1956年9月政协第一届第二次会议选举）

贵州省军区

司令员

杨　勇（1950年—1951年9月）

苏振华（1952年10月—1955年4月）

钟赤兵（1955年4月—1957年8月）

田维扬（1957年8月—1965年3月）

政治委员

苏振华（1950年—1952年10月）

苏振华（代）（1952年—1955年）

王贵德（1956年7月—1963年10月）

云南省

中国共产党云南省委员会

书　记　宋任穷（1950年8月以前）

第一书记　宋任穷（1950年8月—1952年）

第二书记　陈　赓（1950年8月—1951年3月）

书　记　谢富治（1952年—1954年3月）

副书记　于一川（1952年—1954年3月）

1954年3月—1956年6月

第一书记　谢富治

第二书记　于一川

第一副书记　马继孔

第二副书记　郭影秋（女）

云南省人民政府

云南省军政委员会

（1949年10月—1950年10月）

主　席　卢　汉（1949年12月—1950年3月）

副主席　宋任穷（1950年3月—1950年10月）

周保中（1950年3月—1950年10月）

（以上人员，由中央人民政府任命）

云南省人民政府

（1950年10月—1955年10月）

主　席　陈　赓

副主席

周保中　郭影秋　张　冲　龚自知　杨文清

（以上人员，1950年10月至1955年期间经中央人民政府任命）

云南省人民委员会

（1955年4月—1967年3月）

1955年4月—1958年3月

（云南省一届人大期间）

省　长　郭影秋

副省长

张　冲　刘岱峰　刘明辉　龚自知　吴作民

（以上人员，1955年4月　云南省第一届人民代表大会第二次会议选举）

中国人民政治协商会议
云南省委员会

第一届委员会

（1955年2月—1959年7月）

主　席　谢富治

副主席

于一川　张　冲　白小松　郑　敦　陈　方

苏鸿纲　李琢庵　谢崇文　由云龙

（1955年2月政协第一届第一次会议选举）

西藏省

西藏军区

司令员　张国华(1952 年—1955 年)
政治委员　谭冠三(1952 年—1955 年)
　(1955 年西藏军区上升为大军区)
司令员　张国华(1955 年—1968 年)
政治委员　谭冠三(1955 年—1968 年)

陕西省

中国共产党陕西省委员会

书　记　马明方(1950 年 1 月—1952 年 10 月)
　　　　潘自力(1952 年 10 月—1954 年 7 月)

第一届省委
(1954 年 7 月—1956 年 7 月)

书　记　潘自力(　—1954 年 10 月)
第一书记　张德生(1954 年 10 月—　)

第二届省委
(1956 年 7 月—1960 年 11 月)

第一书记　张德生

陕西省人民政府
(1950 年 2 月—1954 年 12 月)

1950 年 8 月—1952 年 10 月

主　席　马明方
副主席　张邦英　张凤翔　韩兆鹗
　(以上人员,1950 年 8 月陕西省首届各界人
　民代表会议选举)

1952 年 11 月—1954 年 12 月

主　席　赵寿山
副主席　潘自力　张凤翔　韩兆鹗
　(以上人员,1952 年 11 月陕西省第二届各界
　人民代表会议选举)

陕西省人民委员会
(1954 年 12 月—1968 年 4 月)

1954 年 12 月—1958 年 7 月
(陕西省一届人大期间)

省　长　赵寿山
副省长
　赵伯平　张凤翔　韩兆鹗　成柏仁　时逸之
　李启明　杨玉亭　张毅忱　谢怀德
　(以上人员,1954 年 12 月陕西省一届人大会
　议选举和 1956 年 11 月陕西省一届人大四次
　会议增选)

陕西省各界人民代表
大会协商委员会

第一届协商委员会
(1950 年 8 月—1952 年 11 月)

主　席　马明方
副主席　张邦英　韩兆鹗　孙蔚如
　(1950 年 8 月第一届各界人民代表大会第一
　次会议选举)

第二届协商委员会
(1952 年 11 月—1955 年 2 月)

主　席　潘自力
副主席　李合邦　韩兆鹗　孙蔚如
　(1952 年 11 月第二届各界人民代表大会第
　一次会议选举)

中国人民政治协商会议陕西省委员会

第一届委员会
（1955 年 2 月—1959 年 7 月）

主　席　张德生
副主席
　孙蔚如　刘文蔚　杨子廉　高桂滋　黄子祥
　党明梵　杨伯伦
（1955 年 2 月政协一届一次会议选举）

陕西省军区

司令员
　杨得志（1949 年 12 月—1950 年 12 月）
　刘金轩（代）（1950 年 12 月—1952 年 6 月）
　杨嘉瑞（1952 年 6 月—1963 年 9 月）
政治委员
　马明方（兼）（第一）
　潘自力（兼）（第二）
　张德生（兼）（第一）
　李志民（1949 年 12 月—1950 年 12 月）

甘肃省

中国共产党甘肃省委员会
（1949 年 7 月 29 日经中共中央批准成立）

书　记　张德生
副书记　孙作宾

第一届省委
（1954 年 8 月—1956 年 6 月）

第一书记　张仲良
第二书记　霍维德
第三书记　李景林
第一副书记　张自修

第二副书记　高健君

第二届省委
（1956 年 7 月—1960 年 5 月）

第一书记　张仲良
书记处书记
　高健君　陈曾固　张鹏图　何承华　王秉祥
书记处候补书记　李正廷　王耀华

甘肃省人民政府
（1949 年—1958 年 10 月）

1949 年—1954 年 9 月

主　席　邓宝珊（1951 年 2 月—　）
副主席　张德生（1951 年 2 月—　）
　　　　马鸿宾（1951 年 2 月—　）
（以上三人，1951 年 2 月中央人民政府委员
会第十一次会议批准任命）
副主席　霍维德
（1952 年 2 月中央人民政府委员会第十九次
会议批准任命）
副主席　黄正清　孙殿才　陈正义
（以上三人，1954 年 9 月中央人民政府委员
会第三十四次会议批准任命）

1954 年 12 月—1958 年 10 月
（甘肃省一届人大期间）

省　长　邓宝珊
副省长
　马鸿宾　霍维德　黄正清　孙殿才　陈正义
（以上人员，1954 年 12 月甘肃省第一届人民
代表大会第二次会议选举）

甘肃省各界人民代表大会协商委员会

第一届协商委员会

（1950 年 10 月—1955 年 2 月）

主　席　邓宝珊
副主席　王世泰　张德生　吕鸿宾
（1950 年 10 月第一届各界人民代表大会选举）

中国人民政治协商会议甘肃省委员会

第一届委员会

（1955 年 2 月—1959 年 12 月）

主　席　张仲良
副主席
　　杨慎之　高健君　王庚山　达理扎雅
　　马滕霭　马惇靖　徐宗孺　周祥初　杨子恒
　　郑重远　黄　祥
（1955 年 2 月政协一届一次会议选举）

青海省

中国共产党青海省委员会

1949 年 9 月成立—1954 年 7 月

书　记　张仲良
副书记　廖汉生（1951 年 8 月—　）

第一届省委

（1954 年 7 月—1956 年 6 月）

第一书记　高　峰
第二书记　孙作宾

副书记　周仁山　朱侠夫

第二届省委

（1956 年 6 月—1960 年 5 月）

第一书记　高　峰
书　记
　　孙作宾　周仁山　朱侠夫　陈思恭　张国声
　　扎喜旺徐（藏族）

青海省人民政府

青海省人民军政委员会

（1950 年 1 月—1955 年 1 月）

主　席　赵寿山（1950 年 1 月—1952 年 11 月）
　　　　张仲良（1952 年 11 月—1954 年 6 月）
副主席
　　廖汉生（1950 年 1 月—1953 年 1 月）
　　喜饶嘉措（藏族）（1950 年 1 月—1954 年 12 月）
　　马　朴（回族）（1950 年 1 月—1950 年 8 月）
　　马辅臣（回族）（1950 年 10 月—1954 年 12 月）
　　张仲良（1950 年 1 月—1952 年 11 月）
　　（以上人员，1950 年 1 月任命）

青海省人民委员会

（1954 年 12 月—1967 年 8 月）

1954 年 12 月—1958 年 3 月

（青海省一届人大期间）

省　长　孙作宾（　—1958 年 3 月）
代理省长
　　孙君一（1958 年 3 月—1958 年 6 月）
副省长
　　喜饶嘉措（藏族）（1955 年 1 月—1958 年 3 月）
　　马辅臣（回族）（1955 年 1 月—1958 年 6 月）
　　张国声（1955 年 1 月—1958 年 3 月）
　　扎喜旺徐（藏族）（1955 年 1 月—1958 年 6 月）
　　（以上人员，1954 年 12 月 31 日青海省一届

人大二次会议选举)

副省长　孙君一(1956 年 8 月—1958 年 6 月)
　　　　薛克明(1956 年 8 月—1958 年 6 月)
(以上二人,1956 年 8 月省一届人大四次会
议增选)

青海省各族各界人民代表会议
协商委员会

第一届协商委员会
(1950 年 10 月—1955 年 6 月)

主　席　张仲良
副主席　扎喜旺徐　马　良
(1950 年 10 月第一届各族各界人民代表会
议选举)
主　席　高　峰
副主席　周仁山　阿热仓　马兴泰
(1954 年第一届各族各界人民代表会议选
举)

中国人民政治协商会议
青海省委员会

第一届委员会
(1955 年 6 月—1959 年 2 月)

主　席　高　峰
副主席　周仁山　阿热仓　马兴泰
(1955 年 6 月政协第一届二次会议选举)

青海省军区

司令员
　　贺炳炎(1949 年 10 月—1952 年 5 月)
　　张仲良(1953 年 1 月—1954 年 7 月)
　　商朗亭(1955 年 5 月—1960 年 7 月)
政治委员
　　廖汉生(1949 年 10 月—1952 年 5 月)
　　张仲良(1953 年 1 月—1954 年 7 月)

钟生益(1956 年 7 月—1957 年 8 月)

宁夏省

中国共产党宁夏省委员会

1949 年 11 月—1950 年 7 月

书　记　潘自力

第一届省委
(1950 年 7 月—1951 年 7 月)

书　记　潘自力
副书记　朱　敏

第二届省委
(1951 年 7 月—1952 年 12 月)

书　记　潘自力
第二书记　李景林

第三届省委
(1952 年 12 月—1954 年 7 月)

书　记　李景林
副书记　黄罗斌

宁夏省人民政府
(1949 年 12 月—1954 年 10 月)

1949 年 10 月—1950 年 9 月

主　席　潘自力
副主席
　　邢肇棠　李景林　马鸿宾　孙殿才
　　(以上人员经中央任命,马鸿宾未到职)

1950 年 9 月—1953 年 1 月

主　席　潘自力（　　—1951 年 10 月）
主　席　邢肇棠（1951 年 10 月—　　）
副主席　邢肇棠（　　—1951 年 10 月）　李景林
　　　　孙殿才

1953 年 1 月—1954 年 10 月

主　席　邢肇棠
副主席
　　李景林　孙殿才　达理扎雅　马滕霭
　　（1954 年 10 月宁夏省建制撤销）

宁夏回族自治区各族各界人民代表会议协商委员会

第一届协商委员会

（1950 年 10 月—1953 年 1 月）

主　席　潘自力
副主席　朱　敏　达理扎雅　马滕霭
　　（1950 年 10 月第一届各族各界人民代表会
　　议选举）

第二届协商委员会

（1953 年 1 月—1958 年 10 月）

主　席　李景林
副主席
　　马震东　洪清国　塔旺嘉布　徐宗儒
　　（1953 年 1 月第二届各族各界人民代表会议
　　选举）

宁夏军区

司令员
　　杨得志（1949 年 11 月—　　）
　　王道邦（1950 年 4 月—1951 年 1 月）
　　马　靖（1952 年 9 月—1953 年 5 月）

　　中化东（1956 年 7 月—1958 年 1 月）
政治委员
　　潘自力（1949 年 11 月—1951 年 10 月）
　　朱　敏（1952 年 9 月—1953 年 5 月）
　　黄罗斌（1953 年 5 月—1954 年 8 月）
　　梁大钧（1956 年 7 月—1958 年 1 月）
　　刘德元（1956 年 8 月—1958 年 1 月）

新疆维吾尔自治区

中国共产党新疆维吾尔自治区委员会

中共中央新疆分局

（1949 年 10 月 22 日成立）

书　记　王　震
副书记　徐立清
第一书记　王恩茂（1952 年—　　）
第二书记　徐立清（1952 年—　　）

第一届区委

（1956 年 5 月—1971 年 5 月）

第一书记　王恩茂
书　记　赛福鼎·艾则孜（维吾尔族）　武开章
　　　　吕剑人　曾　涤
　　　　赛甫拉也夫（维吾尔族）

新疆省人民政府

1950 年 1 月—1955 年 9 月

主　席　鲍尔汉（维吾尔族）
副主席　高锦纯　赛福鼎·艾则孜（维吾尔族）
　　（以上人员，1950 年 1 月中央人民政府任命）

新疆维吾尔自治区人民委员会

（1955 年 9 月—1968 年 9 月）

1955 年 9 月—1959 年 1 月

（新疆维吾尔自治区一届人大期间）

主　席　赛福鼎·艾则孜（维吾尔族）

副主席　高锦纯　伊敏诺夫（维吾尔族）

　　　　帕提汗·苏古尔巴也夫（哈萨克族）

（以上人员，1955 年 9 月新疆省一届人大二次会议选举）

副主席　辛兰亭　杨如亭

　　　　艾斯海提（塔塔尔族）

（以上人员，1956 年 8 月自治区一届人大三次会议补选）

新疆维吾尔自治区各族各界
人民代表会议协商委员会

第一届协商委员会

（1951 年 5 月—1955 年 2 月）

主　席　鲍尔汉

副主席　高锦纯　赛福鼎·艾则孜

　　　　阿尼瓦尔·加库林　买买提·艾沙

　　　　达夏甫　禹占林

（1951 年 5 月第一届各族各界人民代表会议选举）

中国人民政治协商会议
新疆维吾尔自治区委员会

第一届委员会

（1955 年 2 月—1959 年 9 月）

主　席　赛福鼎·艾则孜

副主席

　　吕剑人　贾和达　木合买提江·马合苏木

　　达夏甫　禹占林　买买提·艾沙

（1955 年 2 月政协一届一次会议选举）

主　席　鲍尔汉

（1955 年 10 月政协一届二次会议选举）

新疆军区

司令员

　　彭德怀（1949 年 12 月—1951 年 4 月）

　　王　震（代）

　　王　震（1951 年 4 月—1955 年 3 月）

　　王恩茂（1955 年 3 月—1968 年 8 月）

政治委员

　　彭德怀（1949 年 12 月—1951 年 4 月）

　　王　震（1951 年 4 月—1955 年 3 月）

　　王恩茂（代）（1952 年 8 月—1955 年 3 月）

　　王恩茂（1955 年 3 月—1968 年 8 月）

附：

察哈尔省

（1952 年 11 月 15 日撤销）

中共察哈尔省委员会

书　记　杨耕田

察哈尔省人民政府

主　席　张　苏（1950 年 9 月—1952 年 4 月）

　　　　杨耕田（1952 年 4 月—1952 年 11 月）

副主席　吕　复

察哈尔省军区

司令员　王　平

政治委员　杨耕田

热河省

（1955 年 7 月 30 日撤销）

中共热河省委员会

书　记　胡锡奎　（后）王国权

热河省人民政府

主　席　罗成德(1951 年 9 月—1953 年 1 月)
　　　　沈　越(1953 年 1 月—1954 年 9 月)
　　　　王国权(1955 年 2 月—1955 年 12 月)

热河省军区

司令员　李运昌
政治委员　王国权

平原省

（1952 年 11 月 15 日撤销）

中共平原省委员会

书　记　潘复生

平原省人民政府

主　席　晁哲甫

平原省军区

司令员　刘志远
政治委员　潘复生

兴安省

中共兴安省委员会

书　记　张　策

兴安省人民政府

主　席　特木多巴根(1949 年 12 月任命)

国史研究论著索引

论　文

党内斗争历史经验初探/郑德荣等/吉林师大学报,1980.1
略论我国过渡时期的历史界限/梁瑞兰/湖南师院学报,1980.3
刘少奇同志对新中国教育事业的重要贡献/本刊编辑部/人民教育,1980.3
抗美援朝的英明决策——纪念中国人民志愿军出国作战三十周年/姚旭/党史研究,1980.5
党在过渡时期总路线提出的经过/邢永福/党史研究,1980.6
一九五六年六月《人民日报》"反冒进"的社论要重新评论/蒋映辉/党史研究,1980.6
重评一九五六年的"反冒进"/强远淦等/党史研究,1980.6
"恢复生产,建设新中国"的光辉指针——学习《周恩来选集》关于建国前后经济工作的论述/胡华

等/文汇报,1981.1.2

经济建设必须认清国情——学习周恩来同志《恢复生产,建设中国》一文的体会/王文/广西日报,1981.1.23

对中国社会主义建设有指导意义的两个文件——学习《周恩来选集》上卷两篇经济论文的体会/宋涛/经济理论与经济管理,1981.1

民主革命和建国初期党的领导干部年轻化情况/粟矢/学理论,1981.1

试论一九五五年党内关于农业合作化问题的争论/强远淦等/党史研究,1981.1

福建省农业合作化历史几个问题的研究/许永杰/党史研究,1981.1

用科学的态度看待前进中的困难——学习周恩来同志《恢复生产,建设中国》一文的体会/蒋国田/河南日报,1981.2.13

对我国农业合作化问题的初步探讨/高化民/党史研究资料,1981.2

论我国从民主革命向社会主义革命转变的特点及其意义/陈祥元/上海师范学院学报,1981.2

关于解放初期我国社会性质问题/王亚朴/厦门大学学报,1981.2

领导社会主义文艺事业的光辉典范——读《周恩来与文艺》有感/白烨/文汇报,1981.3.20

我国农业合作化道路的性质问题/李定慧/江西大学学报,1981.3

中国式的社会主义改造道路——论对民族资本主义工商业的社会主义改造/伍婉萍/广西师范学院学报(哲社版),1981.3

略论我国由民主革命到社会主义革命转变的历史特点/徐光金/齐齐哈尔师范学院学报(哲社版),1981.3

试论建国初期新民主主义经济政策——读周恩来同志的《人民政协共同纲领草案的特点》/戴泉源/福建师大学报(哲社版),1981.3

社会主义革命史上的伟大创举——试谈对民族资产阶级的和平赎买政策/李仲英/党史研究,1981.3

一九五三年纠正农业互助合作运动中的急躁冒进问题/高化民/党史研究,1981.3

农业合作化与农业生产社会化/刘开通/福建师大学报(哲社版),1981.3

建国初期稳定物价斗争的回顾/沈翔等/财经研究,1981.3

我国由民主革命向社会主义革命转变的历史特点/刘如涛/党史研究,1981.3

试论我国过渡时期的社会性质/王元年/党史研究,1981.3

浅谈我国过渡时期的社会性质/李葵元/党史研究,1981.3

关于建国初期社会性质的几个问题/黄少群/上饶师专学报(社科版),1981.2/3

"为巩固新民主主义制度而斗争"浅议/余茂笈/江西大学学报,1981.3

我国民主革命向社会主义革命的转变/陈金榜/江西大学学报,1981.3

历史的沉思——建国以来知识分子政策的历史考察/张志湘/研究生学报(华中师范学院),1981.2

学习刘少奇同志的社会主义经济建设思想/李宗植/兰州大学学报,1981.4

三年国民经济恢复时期社会的主要矛盾是什么?/汤锐祥/中山大学学报,1981.4

和平变革资本主义是党的伟大创举/张诤宗等/贵州社会科学,1981.4

我国私营工商业社会主义改造是马克思列宁主义的伟大胜利/邝日安/财贸经济,1981.4

试论我国资本主义工商业社会主义改造的经验和教训/阎肃/山西大学学报(哲社版),1981.4

我国从新民主主义到社会主义的伟大转变/谭双泉/湖南师院学报(哲社版),1981.4

谈建国后前七年的历史性胜利/朱纯治/中学政治课教学,1981.4

我国社会主义改造的成功之路/陈威等/党史研究,1981.4

我国农业合作化是科学社会主义的伟大胜利——评《关于我国社会主义改造后期的几个理论问

题》/仲库/南京大学学报(哲社版),1981.4

　　农业社会主义改造是历史的必然/李文辉/云南社会科学,1981.4

　　国民经济恢复时期的主要社会矛盾与党的战略方针/乔梁/党史研究,1981.4

　　我国资本主义工商业改造是科学社会主义的一个伟大实践和辉煌胜利/李涛/南京大学学报(哲社版),1981.4

　　我国何时进入社会主义历史时期？/李明三/武汉师范学院学报(哲社版),1981.4

　　试论我国过渡时期的特点/蔡松鹤/上饶师专学报(社科版),1981.4

　　谈我国资本主义工商业实行社会主义改造的客观必然性/黄达人/南宁师院学报(哲社版),1981.4

　　重论先合作化后机械化的正确性/柯有华/黄石师院学报(哲社版),1981.4

　　怎样认识我国的社会主义道路/胡连生/齐齐哈尔师范学院学报(哲社版),1981.4

　　科学社会主义的一个伟大创举——论我国五十年代的社会主义改造/万洛海/四川大学学报(哲社版),1981.4

　　认识困难,战胜困难,搞好调整——学习周恩来同志《恢复生产,建设中国》的一点体会/牛玉清/重庆日报,1981.5.2

　　论我国农业的社会主义改造/刘裕清/历史研究,1981.5

　　试论我国农业合作化的历史必然性/马羽/社会科学研究,1981.5

　　我国农业合作化运动的历史经验/沙健孙/北京大学学报(哲社版),1981.5

　　试论建国初期社会的新民主主义性质/匡萃坚/党史研究,1981.5

　　略谈中国革命性质的转变问题/李起民/北京师范大学学报,1981.5

　　创造经济奇迹的三年——回顾建国初三年恢复时期的经济成就/吕律平/光明日报,1981.10.17

　　农业合作化的历史必然性/钱元/宁夏日报,1981.10.29

　　中国资本主义工商业改造及其理论意义/吴同光/光明日报,1981.7.15

　　历史的必然——学习《决议》关于资本主义工商业改造的论述/邵纬生/北京日报,1981.8.10

　　"停、缩、发"方针与农业合作化的一场辩论/边入群等/经济研究资料,1981.9

　　这是列宁的"战略思想"吗？——评一种否定我国社会主义改造的错误观点/彭学诗/辽宁日报,1981.9.16

　　关于我国由新民主主义向社会主义转变的问题/闻延茂/红旗,1981.18

　　我国农业社会主义改造的必要性、可能性及其实现/燕凌/中国社会科学,1981.6

　　资本主义工商业改造的历史性胜利/徐道河/社会科学研究,1981.6

　　我国社会主义改造是历史发展的必然——兼论生产关系一定要适合生产力性质的规律/黄才畴等/东岳论丛,1981.6

　　建国初期国内主要矛盾剖析/曾景忠/党史研究,1981.6

　　正确认识农业社会主义改造中的缺点/冯贵祥/理论与实践,1981.12

　　历史发展的必然——谈谈我国农业社会主义改造的几个问题/华石/红旗,1981.24

　　在科学社会主义的轨道上胜利前进——略论我国农业集体化的战斗历程/刘伯愚/河北学刊,1981年创刊号

　　土地改革中没收和分配土地问题/杜敬/中国社会科学,1982.1

　　略论董必武同志关于新中国政权建设的思想/谭玉轩/社会科学辑刊,1982.1

　　党对资本主义工商业改造的伟大成就和历史经验/邵纬生/中州学刊,1982.1

　　关于我国建国初期的社会性质/朱永馨/青海师专学报,1982.1

　　应该充分肯定我国社会主义改造运动/辛明/理论与实践,1982.1

　　国民经济恢复时期的巨大成就是怎样取得的？/戴鹿鸣等/教学与研究,1982.1

关于新民主主义向社会主义的转变/曾景忠/暨南学报(哲社版),1982.1

由新民主主义向社会主义转变是我国历史发展的必然/胡雄杰/贵州社会科学,1982.1

我国社会主义革命的根据和条件/马润青等/北京师范大学学报(社科版),1982.1

试论我国农业社会主义改造的历史功绩/林超等/人文杂志,1982.1

讨论建国初期社会性质的几个理论问题——兼与王元年同志商榷/匡萃坚/上饶师专学报(社科版)1982.1

从中苏两国农业合作道路的异同看我国农业合作化运动的伟大成就/陈建洲/淮阴师专学报(社科版),1982.1

我国两个时期的多种经济成分并存的本质区别/刘思华/广西大学学报(哲社版),1982.1

中华人民共和国初建时期社会性质浅议——学习《关于建国以来党的若干历史问题的决议》的体会/陈治赵等/温州师专学报(社科版),1982.1

浅论党的土地改革总路线/赵泉钧等/温州师专学报(社科版),1982.1

谈谈陈云经济思想的出发点/翟辉祖等/兰州学刊,1982.2

略论我国进行社会主义改造的必然性/沙健孙/教学与研究,1982.2

我国农业合作化的伟大胜利/高化民/教学与研究,1982.2

马、恩的合作制思想与我国的农业集体化/朱峻峰/学术论坛,1982.2

浅论我国国民经济恢复时期的社会主要矛盾问题/赵锡荣/聊城师范学院学报(哲社版),1982.2

关于我国农业合作化运动的几个问题/郭德宏/黄石师院学报(哲社版)1982.2

关于"从新民主主义到社会主义转变"提法的演变/白占群/党史研究,1982.3

评析建国初期社会性质问题讨论中的几个理论分歧点/黄少群/教学与研究,1982.3

我国民主革命向社会主义革命转变的历史特点/曾景忠/学习与探索,1982.3

土地改革对消灭封建关系及发展生产力的意义——纪念《中华人民共和国土地改革法》公布三十二周年/周约三/史学月刊,1982.4

怎样认识我国从新民主主义到社会主义的转变?/宋汝香/齐鲁学刊,1982.4

为什么说我国建国后的头七年是新民主主义社会?/乔梁/教学与研究,1982.4

我国民族资产阶级何时消灭问题之我见/丛进/党史研究,1982.4

社会主义革命阶段究竟何时开始?——兼与邵云瑞、李文荣同志商榷/匡萃坚/上饶师专学报(社科版),1982.4

党在国民经济恢复时期的战略策略思想/陈明显/北方论丛,1982.5

党对资本主义工商业利用、限制、改造政策的形成和发展/戴鹿鸣等/党史研究,1982.5

也谈我国民族资产阶级消灭的过程/林蕴晖/党史研究,1982.6

应该如何认识我国农业合作化的历史必然性——与马羽同志商榷/冯良勤等/社会科学研究,1982.6

浅谈建国初期的社会性质——兼谈我国向社会主义过渡的探索/柯学钦/福州大学学报,1982年哲社专刊

建国以后毛泽东思想的一个重大发展——试谈我国资本主义工商业改造及其理论意义/陈向东/包头师专学报,1982年试刊号

我国建国初期的社会是过渡性质的社会/孙莹/武汉钢铁学院学报,1982年增刊

马克思主义的社会矛盾理论在中国的运用和发展——毛泽东同志对社会主义社会两类不同性质矛盾理论的贡献/张江明/学术研究,1983.1

马克思关于过渡时期理论在中国的新发展/赵佐良/沈阳师范学院学报,1983.1

英明的决策,伟大的成果——论抗美援朝战争的出兵参战决策/胡光正/党史研究,1983.1

新中国经济战线的第一个伟大胜利/强远淦/党史研究,1983.1

学习毛泽东同志关于经济建设中的农轻重问题的体会/姚广生/纪念毛泽东同志诞辰九十周年论文专集(武汉工学院),1983.1

试论毛泽东经济思想的形成和发展/欧尚荣/海南大学学报(社科版),1983.1

和平改造资本主义工商业的伟大创举/徐晖/湖南教育学院院刊,1983.1

关于建国初期国内主要矛盾的问题/郭名华/新乡师范学院学报(哲社版),1983.1

王亚南关于新经济体制的理论探索及其对混合经济观的批判/甘民重等/福建论坛,1983.2

共产主义运动史上的伟大创举——试论我国对资本主义经济改造的胜利/尹伯成/复旦学报,1983.2

论建国初期从新民主主义到社会主义的转变/匡萃坚/文史哲,1983.2

马克思主义的赎买政策在中国的胜利——试论我国资本主义工商业的社会主义改造/苏旭/河北大学学报,1983.2

社会主义革命史上的伟大创举——学习陈云同志关于私营工商业社会主义改革的论述/陈祥元/上海师范学院学报(社科版),1983.2

自愿互利和民主原则的伟大胜利/王伯惠/人文杂志,1983.2

马克思主义农业合作化理论在我国实践中的新发展/陈爱身/青海日报,1983.5.3

试论孙冶方的社会主义经济理论体系/孙尚清等/中国社会科学,1983.3

谈谈马克思主义赎买理论在我国的运用和发展/鲁书目/党史研究,1983.3

陈云同志对党利用、限制、改造资本主义工商业政策形成和发展的贡献/赖诗逸/党史研究,1983.3

执政党建设的成功经验——学习建国初期整党整风运动历史的启示/崔晓庚/沈阳师范学院学报,1983.3

略论我国由民主革命向社会主义革命转变的根据和条件/赖仁光/江西师院学报(哲社版),1983.3

重温我国消灭私有制的历史经验/范若愚/河北学刊,1983.3

论我国生产资料所有制变革/孙学文/东岳论丛,1983.3

谈谈我国民族资产阶级是何时消灭的/高化民/教学与研究,1983.4

我对建国至社会主义改造完成时期民族问题与阶级问题关系的几点看法/齐鸣/青海社会科学,1983.4

关于初级社和高级社的几个问题/刘裕清/党史研究,1983.4

党的七届三中全会的重大作用/陈道源/江西大学学报,1983.4

建国初期的主要社会矛盾和革命性质/赖仁光/江西大学学报,1983.4

毛泽东同志研究社会矛盾问题的方法/高齐云等/中山大学学报,1983.4

毛泽东军事经济思想初探/李立秋等/牡丹江师院学报,1983.4

坚持和发展毛泽东的科学经济思想/樊钟/河北学刊,1983.4

社会主义再生产和孙冶方的分权理论/洪银兴/南京大学学报,1983.4

试论毛泽东经济思想的哲学基础/凤一鸣/安徽大学学报,1983.4

略论我国农业社会主义改造/李北杓/贵阳师院学报(社科版),1983.4

在改造资本主义工商业中陈云同志的光辉思想——学习《陈云文稿选编》的一点体会/邵纬生/实践,1983.17

关于孙冶方经济理论的核心/杨坚白/光明日报,1983.10.9

孙冶方价值论的认识与评价/张卓元/光明日报,1983.10.9

试论孙冶方的经济体制改革思想/桂世镛/光明日报,1983.10.9

孙冶方经济理论体系浅识/章恒忠/文汇报,1983.10.11

科学社会主义史上的伟大创举——略谈我国对资本主义工商业的社会主义改造/段铁锁/科学社会主义参考资料,1983.20

简评孙冶方的价值概念与其社会主义经济理论体系/宋醒民/江西社会科学,1983.5

“一五”时期计划管理的历史经验/曾国祥/贵州社会科学,1983.5

建国初期工商业的合理调整/郭政平等/教学与研究(中国人民大学),1983.5

建国初期的整党运动/范守信/党史研究,1983.5

评孙冶方同志的统计思想/王一夫/社会科学,1983.11

评孙冶方同志的价值论/何建章/社会科学,1983.11

孙冶方经济理论体系试评——突破理论困境的贡献和新体系中存在的主要问题/曾启贤/学术日刊,1983.11

试论孙冶方关于企业技术改造的理论和主张/陆棐文等/人民日报,1983.11.2

关于我国社会主义建设的道路问题——重读《论十大关系》/王珏/理论与实践,1983.12

我国农业社会主义改造时期的富裕中农问题初探/刘裕清/党史研究,1983.6

浅谈毛泽东军事思想在抗美援朝战争中的运用和发展的几个问题/鲍明荣等/党史研究,1983.6

建国初期毛泽东对国民经济恢复的杰出贡献/包汉中/华东师范大学学报(哲社版),1983.6

深入研讨毛泽东同志的经济利益层次论/杨承训/中州学刊,1983.6

对孙冶方关于体制改革意见的几个理论问题的认识/陈孺等/学术研究,1983.6

孙冶方关于国民经济平衡问题的理论观点/童辅礽/中州学刊,1983.6

孙冶方对流通理论的重大贡献/施修霖/福建论坛,1983.6

浅论毛泽东同志经济思想的辩证法/邓国春/武汉师范学院学报(哲社版),1983.6

马克思、恩格斯关于农业集体化思想和我国的实践/魏关松/新乡师范学院学报,1983年增刊

我国资本主义工商业改造的理论意义/郭名华/新乡师范学院学报,1983年增刊

马克思、恩格斯关于用赎买办法剥夺剥夺者的设想的中国的实现/曾昭顺/河北大学学报(哲社版),1983年增刊

试析我国建国初期社会主要矛盾/柯学钦/福州大学学报,1983年哲学社会科学专刊

毛泽东同志领导的“三大改造”是完全必要的/朱永馨/青海民族学院学报(社科版),1984.1

定息是一种特殊的剥削——论我国资本家阶级于一九五六年被消灭/崔陈华/唐山教育学院学刊,1984.1

对孙冶方经济思想的再认识/毛系銮/南京师大学报(社科版),1984.1

学习毛泽东同志关于农轻重关系的论述——兼谈我国经济调整的实践/吴曾询/杭州大学学报(哲社版),1984.1

学习陈云同志关于计划经济的思想/熊人达/内蒙古财经学院学报,1884.1

试论孙冶方同志对自然经济思想的批判/武人嫛/争鸣,1984.1

马克思主义对资产阶级的赎买思想与中国的赎卖政策/任永祥/东北师大学报,1984.1

万隆会议及其历史性成就/李铁城/国际政治学院学报,1984.1

中国五十年代基督教、天主教反帝爱国运动/主继武/国际政治学院学报,1984.1

列宁的国家资本主义理论与中国的对资改造/袁征/赣南师专学报(哲社版),1984.1

毛泽东社会主义农业经济思想初探/方皓/兰州师专,1984.2

毛泽东同志对合作化理论的运用和发展——纪念毛泽东同志诞辰九十周年/耿玉群/河北师范大学学报(哲社版),1984.2

试论毛泽东同志的经济法制思想/宋浩波/吉林财贸学院学报,1984.2

从新民主主义到社会主义转变的问题/宋林太/思想阵地,1984.2

五十年代的共产主义道德教育/林淑贞/上海青运史资料,1984.2

威震敌胆——忆抗美援朝二次战役/刘海清/星火燎原,1984.2

怎样理解成就是"前十年"的主导方面/丛进/党史研究,1984.2

我国从新民主主义到社会主义的转变是毛泽东思想的伟大胜利/孙德祯/国际关系学院学报,1984.2

谈谈我国建设社会主义的经济条件/肖学信/党史研究,1984.3

邓子恢同志与农业生产责任制/蒋伯英/党史研究,1984.3

经济建设必须以效益为中心——对建国以来经济建设的回顾/秀泉等/丽水师专学报(社科版),1984.3

伟大的创举,光辉的胜利——浅谈我国资本主义工商业社会主义改造/杨乐平/丽水师专学报(社科版),1984.3

对新中国农业发展道路的几点认识/叶丹/济宁师专学报,1984.3

王亚南对中国地主经济理论的重要贡献/甘民重/中国经济问题,1984.3

认真研究毛泽东经济思想/王延礼/毛泽东思想研究,1984.4

论我国合作化时期的富裕中农/谭双泉/湖南师院学报(哲社版),1984.4

试探一九五五年夏季以后农业合作化不断加快的原因/林蕴晖/党史研究,1984.4

关于中国民主革命向社会主义革命转变理论的探讨/李贵仁/山西大学学报(哲社版),1984.4

毛泽东同志建国初期的建党思想/徐雪琪等/贵州民族学院学报(社科版),1984.4

具有中国特色的过渡时期的理论——学习《陈云文选》(一九四九——一九五六年)/龚士其/理论月刊,1984.9

对私营企业社会主义改造作出了卓越贡献——回忆李维汉同志/周而复/光明日报,1984.10.13

一个伟大里程碑的纪录/庄重/新闻业务,1984,10

对我国社会主义改造的历史回顾/朱纯治/党史通讯,1984.10

社会主义改造的基本经验和重大意义/张安庆/学习与实践,1984.5

论毛泽东关于农业合作化的思想/董谦/近代史研究,1984.5

浅谈毛泽东经济思想研究中的几个认识问题/邹征远/思想战线(中国人民解放军政治学院),1984.5

建国初期的剿匪斗争/石玉山/党史研究史料,1984.5

也谈建国初期的国内主要矛盾/李德溪/湖南师院学报(哲社版),1984.5

党领导人民战胜了洪水——回忆 1954 年武汉的防汛斗争/王任重/武汉春秋,1984.5

志愿军的一项重大战略措施/薛奇/党史研究,1984.5

"三反"运动的回顾/李仲英/党史研究,1984.5

建国初期对官僚资本的没收和改造/范乎信/党史研究,1984.5

党在国民经济恢复时期的奋斗纲领和策略方针/孙康/学习与实践,1984.5

社会主义改造的基本经验和重大意义/张安庆/学习与实践,1984,5

要尊重知识和知识分子——学习《周恩来选集》关于和识分子问题的论述/张诚/思想政治工作研究,1984.6

万山海战和武汉海员/黄振亚/武汉春秋,1984.6

爱国主义与国际主义的光辉典型——谈抗美援朝战争政治工作的新特点新发展/阎稚新/党史研究,1984.6

毛泽东思想指引了我党在社会主义时期的伟大历史性转变/胡邦宁/武汉师范学院学报,1984 年庆祝中华人民共和国成立三十五周年专辑

中国农业改革道路的回顾/董新民/学习与探索,1985.1

李维汉同志对我国资本主义工商业社会主义改造理论和实践的贡献/李青/党史研究,1985.1

马列农业合作化理论在我国的胜利及其在实践中的新发展/刘君/陕西财经学院学报,1985.1

论对电影《武训传》的批判/戴向清/江西大学学报(哲社版),1985.1

正本清源,明确认识——怎样理解有关过渡时期理论中的一些问题/子辩/承德师专学报,1985.1

科学的论断,光辉的典范——学习周恩来同志关于知识分子问题的论述/邹义成/湖北教育学院学报,1985.1

马克思主义理论宝库中的宝贵财富——读《周恩来选集》下卷中有关经济建设问题的论述/龚文彬/湖北教育学院学报,1985.1

试论建国以来毛泽东同志关于发展生产力的思想/牛兴华等/延安大学学报(社科版),1985.1

国民经济恢复时期恢复和发展工业生产的主要成就与经验/汪海波/中国工业经济学报,1985.1

社会主义农业合作化运动实践与理论的考察/高海燕/安徽财贸学院学报,1985.2

新中国成立前后稳定物价的斗争/薛暮桥等/经济研究,1985.2

彭德怀同志在抗美援朝战争初期/陈忠龙/历史知识,1985.2

尊重知识、尊重人才的楷模——学习《周恩来选集》下卷/五端/华中师院学报(哲社版),1985.2

革命需要知识分子,建设更需要知识分子——学习《周恩来选集》下卷/顾龙生/学习与实践,1985.2

倡导和坚持和平共处五项原则——学习《周恩来选集》下卷/孙连成/贵州社会科学,1985.2

建国初期宝鸡地区整党初探/杜兴运等/宝鸡师院学报(哲社版),1985.2

毛泽东关于三大改造的理论概述/郭唐松/淮北煤炭师院学报(社科版),1985.2

建国以来我国经济体制改革的历史沿革/内部参阅资料,1985.2

毛泽东同志由反对个人崇拜到接受个人崇拜的过程/许建华/工人日报,1985.2.1

周恩来教育论著的现实意义、理论意义和思想意义/江山野/教育研究,1985.2

认真改善知识分子的工作生活条件——读《周恩来选集》下卷中有关知识分子问题的论述/叶公农/书刊导报,1985.3.21

知识分子政策和工人阶级立场——读《周恩来选集》(下卷)的感想/李荒/理论与实践,1985.3

建国后我党为什么屡犯"左"的错误/李振基/山西师大学报(社科版),1985.3

西藏自治区筹备成立的历史回顾/彭英全/西藏民族学院学报,1985.3

建立社会主义工业化初步基础的重要原则/汪海波/中国工业经济学报,1985.3

论王亚南的经济规律观/甘民重/厦门大学学报(哲社版),1985,3

略论国民经济恢复时期国内的主要矛盾及其转化/沈炎/沈阳师院社会科学学报,1985.3

关于资本主义工商业改造的几个问题/林蕴晖/思想战线,1985.4

夸大资产阶级的力量是我们党犯"左"倾错误的重要原因之一/李充实/内蒙古师大学报(哲社版),1985.4

解放初期国营企业的民主改革/苏少之/湖北财经学院学报,1985.6

试论中国资本主义金融业的社会主义改造/姚会元/经济问题探索,1985.6

西藏和平解放始末/曹振威/复旦学报(社科版),1985.6

"潘杨事件"真相/陈修良/浙江学刊,1985.6

建国以来我国经济学界关于社会主义商品生产问题的争论/钟理等/经济工作者学习资料,1985.12

中国经济管理体制的历史演变/杨柯/经济研究资料,1985.12

刘少奇同志的经济建设思想/黄峥/光明日报,1985.12.15

对建设社会主义中国的探索和贡献——《刘少奇选集》下卷的思想理论特色/刘崇文/人民日报,1985.12.16

发展供销合作社的正确指导思想——重温刘少奇同志关于合作社问题的论述/张宝山/经济日报,1985.12.16

论中国对资本主义工商业的社会主义改造/赵学文/牡丹江师院学报(哲社版),1985 年增刊

周恩来与第一、二个五年计划的制定/王光伟/经济日报,1986.1.8

新中国的诞生和国际政治格局/李肇新/暨南学报(哲社版),1986.1

刘少奇同志论我社会主义的生产、流通和分配问题——学习《刘少奇选集》下卷的经济思想/刘崇文/经济研究,1986.1

对富农经济判断失误是农业合作化加快的一个重要原因/高化民/党史研究,1986.1

"五反"运动中的统一战线/惠香香/党史研究,1986.1

试述从新民主主义向社会主义的转变/朱顺佶/绍兴师专学报(社科版),1986.1

论建国初期党的知识分子政策/孙淑芬/北京钢铁学院学报(哲社版),1986.1

建国初期统一战线的历史进程与重要经验/余天问/北京钢铁学院学报(哲社版),1986.1

略论五十年代反"封锁"、"禁运"的斗争/赵凌云/中南财经大学研究生学报,1986.1

向社会主义过渡的有益探索——国民经济恢复时期的农业互助合作/党史文汇,1986.1

中国个体手工业社会主义改造的历史回溯/姚会元/经济问题探索,1986.2

对手工业改造的多种经济形式所引起的思考/朱矩萍/中南财经大学学报,1986.2

从"和平改造"到引进外资——陈云关于同资产阶级打交道的论述/王杰/毛泽东思想研究,1986.2

浅论新中国工业的建立发展与演变/祝慈寿等/江西社会科学,1986.2

关于阶级斗争问题失误原因探讨/恩泽/锦州师院学报(哲社版),1986.2

福建省的土地改革/刘裕清/党史研究,1986.2

谈我国社会主义改造的道路和评价/戴鹿鸣/党史通讯,1986.2

谈建国初期反对官僚主义斗争的经验和教训/史柏年/中国青年政治学院学报,1986.2

从社会效应看东北土改的成功实践/张占斌/吉林大学研究生论文集刊(社会科学),1986.2

五十年代青年垦荒队的特点及经验/张丽娜/青运史研究,1986.3

有关"热振事变"的两个问题/炜色/西藏研究,1986,3

资本主义商业的社会主义改造方针的提出过程初探/张凯/党史研究,1986.3

刘少奇与我国资本主义工商业改造道路的形成/黄嵘/党史研究,1986.3

对我国实行社会主义革命转变问题的认识/杨迎春/锦州师院学报(哲社版),1986,3

谈谈新中国成立时社会转变和革命转变的一致性/马扬/中南民族学院学报(社科版),1986.3

生产方式是一个巨系统——农业合作化曲折发展道路的哲学思辨/杜耀富/南充师院学报(哲社版),1986.3

周恩来论建国后人民民主统一战线的新变化新特点/陈国权/呼兰师专学报(社科版),1986.3

试论陈云同志社会主义经济思想的若干特点/刘凤歧等/青海社会科学,1986.3

"一五"时期加强宏观经济管理的经验/杨晓兵/中国计划学会通讯,1986.3

"双百"方针提出三十周年/于光远/人民日报,1986.5.16

"百花齐放,百家争鸣"的历史回顾——纪念"双百"方针三十周年/陆定一/光明日报,1986.5.7

试论陈云经济思想在中国当代经济思想史上的地位/王杰/经济,社会,1986.4

中国共产党领导的内蒙古自治运动/孙兆文/党史通讯,1986.4

略述邓子恢同志的农业合作化思想/万击/农业经济问题,1986.7

抗美援朝战争中的反细菌战/薛奇/党史研究资料,1986.7

邓子恢同志与我国的农业合作/魏道南等/中国农村经济,1986.10

1955 年夏季党内关于农业合作化问题的争论及其影响/白健君/理论学刊,1986.8

几个历史争论的回顾——读《刘少奇选集》下卷首次发表的三篇手稿/龚育之等/读书,1986.5

"百花齐放,百家争鸣"的三十年——回顾与展望/罗竹风/社会科学,1986.5

"一五"时期我国对外贸易管理体制的形成及其历史条件的考察/成协祥/中南财经大学学报,1986.5

社会主义农业合作制在我国的实践和发展/李剑白/北方论丛(哈尔滨师大学报),1986.5

刘少奇同志对社会主义矛盾理论的贡献/张江明/理论月刊,1986.6

评新中国建立以来的左倾思潮/陈哲夫/北京大学学报(哲社版),1986.6

两种性质的计划管理,两种计划管理方式——建国头八年计划管理体制历史经验初探/邱舟/中南财经大学学报,1986.6

社会主义历史上的伟大创举/姚守真/辽宁大学学报(哲社版),1986.6

全国解放初期福建剿匪斗争综述/袁伟/党史资料与研究,1986.6

建国初期的工商税制改革/姚会元/经济问题探索,1986.12

邓子恢社会主义农业合作社经济体制思想初探/林邦光等/党史研究,1987.1

艰辛的开拓—毛泽东在"文化大革命"以前对中国社会主义建设道路的探索/石仲泉/党史研究,1987.1

邓子恢与农村供销合作社/王国彬/湖北党校学报,1987.1

论中国的所有制变革及其教训/杜厦/中青年经济论坛,1987.1

发展农村商品经济是邓子恢农业合作思想的重要部分/方涛/湖北党校学报,1987.1

对建国初期经济体制构思的历史形式/周秀鸾/中南财经大学学报,1987.1

张闻天对我国资本主义工商业改造理论的贡献/顾龙生/党史研究,1987. 1

论资本主义在我国过渡时期的历史地位和命运/李作民/南京政治学院学报,1987.1/2

中国社会主义经济体制的演变/孙秦祁/财政研究,1987.1 和 3

试论社会主义建设时期的国家资本主义/陈学基等/苏州大学学报(哲社报),1987.2

刘少奇经济思想初探/陈君聪/技术经济与管理研究,1987.2

张闻天的合作经济思想/刘福寿/毛泽东思想研究,1987.2

简述中国人民志愿军"持久作战,积极防御"方针的形成/齐德学/军史资料,1987.2

试论过渡时期理论的迷误/朱克民/党史研究,1987.2

论建国后的头三年国内社会主要矛盾及其变化/刘昌德/河北经济管理干部学院学报,1987.2

建国后党内反倾向斗争问题/杨福新/杨州师院学报(社科报),1987.2

创举·胜利·反思——谈我国资本主义工商业的社会主义改造/彭成兰/南都学校(南阳师专学报)(社科报),1987.3

关于中国民族资产阶级消灭的时间标志问题/魏尝恩等/汕头大学学报(人文版),1987.3

北京市五反运动述评/罗忠敏/党校教学,1987.3

中国人民民主专政政权的建立初探/张永通等/淮北煤炭师院学报(社科报),1987.3

邓子恢对我国农业合作化的深邃见解/高化民/教学与研究(中国人民大学),1987.3

刘少奇管理思想的探讨/崔玉斌/管理世界,1987.4

五十年代中期我国农村居民家庭消费结构的历史考察/林白鹏/消费经济,1987.4

建国初期土地改革的概况、特点及其意义/诸班师/文献和研究,1987.4

对我国高级农业生产合作社的研究/高化民/党史文汇,1987.4

朱德谈合作经济/中国供销合作社史料丛书编辑室/中国合作经济报,1987.8.8

我国大行政区政府(军政委员会)机构沿革情况(1949—1954)/王峰/中国行政管理,1987.8

建国初期的困难与中共的政策(节译自日本宇野重昭:《中国共产党——其历史和实况》)/郑传芳

译/党史资料与研究,1987.5

抗美援朝战争中铁道战线斗争概况/邓礼峰/军事史林,1987.5

中国社会主义建设和反对"左"右两种倾向的斗争/王应—译/党史通讯,1987.5

恢复时期我国经济管理体制的形成初探/顾真/党史资料与研究,1987.5

中国是怎样走上社会主义道路的/薛暮桥/红旗,1987.17

建国以来党对官僚主义的斗争/林庆勋等/福建日报,1987.9.18

刘少奇同志对合作社理论的贡献——读《刘少奇论合作社经济》/温贤/人民日报,1987.9.21

历史的探索,宝贵的经验——学习邓子恢农业合作思想/郝盛琦/中国农村经济,1987.10

河南省土改运动浅析/王少钰/河南党史研究,1987.6

张闻天的合作经济思想/合研/中国合作经济报,1988.1.9

论我国集约农业的继承发展与趋向/杨怀森/农业考古,1988.1

关于中国人民志愿军轮番作战问题的粗浅认识/齐德学/军事史林,1988.1

社会主义改造后期出现偏差的一个理论原因/林蕴晖/中共党史研究,1988.1

过渡时期领导体制评析/庞松/党史研究与教学,1988.1

近几年对建国头七年党史研究的情况综述/孙启泰/党史研究与教学,1988.1

研究抗美援朝战争应着眼其特点与发展/莫阳/军事历史,1988.1

略谈邓子恢农业合作化的基本观点/刘蓬勃/农村发展探索,1988.2

建国初期在工会问题上对李立三的错误批判/程璇/中共党史研究,1988.2

关于我国过渡时期提法的新思考/雷国珍等/中共党史研究,1988.2

试论建国初期的革命性质/赵力农/上海师范大学学报(哲社版),1988.2

关于抗美援朝战争我军作战经验的思考/京雨/军事史林,1988.3

关于朝鲜战争末期美国军事冒险形成及其演变的研究/曲爱国/军事史林,1988.3

《共同纲领》的历史作用及其启示/张胜瑞/锦州师院学报(哲社版),1988.3

从利用、限制到利用、限制、改造/李兵/党史研究与教学,1988.3

"台海危机"和中国对金门、马祖政策的形成/何迪/美国研究,1988.3

邓子恢农业合作化思想探析/刘蓬勃/南方农村,1988.3

周恩来与中国人民政治协商会议/黄森等/上海社会科学院学术季刊,1988.3

我国社会主义改造的回顾与启示/广德明/承德师专学报(社科版),1988.3

建国初期农业合作化对当前农村经济改革的启示/刘贵田/教学研究,1988.3

邓子恢和农业互助合作理论/罗平/中共浙江省委党校学报,1988.3

建国初期的"公私兼顾、劳资两利"政策及其实践/吕舟洋/天府新论,1988.3

建国以来我国政治体制的历史考察/郑明飞/福建党史月刊,1988.3

对党的土地政策的创造性运用——论叶剑英领导制定的广东土改具体政策/刘向等/岭南学刊,1988.3

坚持四项基本原则是我国社会主义改造成功的主要原因/中文/吉林师范学院学报(哲社版),1988.3/4

对1955年农村社会主义高潮的再认识/范守信/党史资料通讯,1988.6/7

试论建国初期我国政治体制的特点/朱培民/实事求是,1988.4

试析农业合作化运动中党对中农政策的变化/李昌寅/党史研究与教学,1988.4

关于建国初期的知识分子思想改造运动/郑应洽/暨南学报(哲社版),1988.4

当代中国党和国家领导制度的确立(1949年10月—1956年9月)/陈雪薇/南京政治学院学报,1988.4

毛泽东中西文化观的演变/汪澍白/厦门大学学报(哲社版),1988.4

"一·五"时期工业基本建设中的浪费问题与节约措施辨析/董志凯/中国经济史研究,1988.4

统购统销与工业积累/崔晓黎/中国经济史研究,1988,4

资本主义工商业社会主义改造道路的形成/孙瑞鸢/中共党史研究,1988.4

加速农业集体化的一个重要原因——论优先发展重工业与农业的矛盾/肖冬连/中共党史研究,1988.4

周恩来经济建设思想述评/刘德军/东岳论丛,1988.4

李维汉在我国资本主义工商业改造运动中的杰出贡献/杨波/河南师范大学学报(哲社版),1988.4

近几年对建国头七年若干问题研究情况综述/晓勇/中共党史研究,1988.4

1954—1955年台湾海峡紧张局势分析/范希周/台湾研究集刊,1988.4

建国后监察制度的历史回顾/李建明/政治学研究资料,1988.4

封建意识的影响是"左"倾错误的一个重要根源/吴亚平/福建党史月刊,1988.7

张闻天关于农业合作经济理论的研究与实践/董伟/中国供销合作中心,1988.7

抗美援朝战争运动方针究竟何时提出/鲍明荣/党史研究资料,1988.7

社会主义改造时期我国多党合作的特点/王正烈/贵州社会科学(文史哲版),1988.8

对建国后前七年国情、国策和矛盾的再认识/张弓/教学与研究,1988.5

新中国接收政策浅析/王东/党史研究与教学,1988.5

刘少奇关于保存富农经济的思想/夏春骅/岭南学刊,1988.5

推动朝鲜停战的重要一步——抗美援朝中反登陆作战的准备/杨荪/复旦学报(社科版),1988.5

中国供销合作事业的奠基者——刘少奇/程子华/中共党史研究,1988.5

中苏第一个条约的签订与苏联对条约的态度/李嘉谷/国际共产主义运动,1988.5

改造资本主义工商业的创举与失误/徐广富/理论内参,1988.9

土改后土地买卖、出租和雇工不是两极分化的反映/田利军/四川师范大学学报(社科版),1988.6

中美战略决策的较量——记抗美援朝战争头八个月/张晖/党史文汇,1988.6

空想与理想之间——对建国后一种禁欲主义的考察与思考/郑谦/党史文汇,1988.6

对我国过渡时期的再认识/谭双泉/湖南师范大学社会科学学报,1988.6

建国后政治体制的演变及其对党的决策的影响/邓运/福建党史月刊,1988.6

党在土地改革、抗美援朝、镇压反革命运动中的统一战线工作/胡之信/理论探讨,1988.6

抗美援朝战争概述/张廷贵/党史研究与教学,1988.6

刘少奇对搞活社会主义经济的一些思考/刘崇文/人民日报,1988.11.25

我国历史上通货膨胀阶段和对策比较/杨瑞丰/调研专信息,1988.12

试析以党代政领导体制的历史原因和教训/张书生/牡丹江师院学报(哲社版),1988年增刊

关于1956至1957年春天的思想解放大潮——为纪念十一届三中全会10周年而作/石仲泉/新长征,1989.1

关于土改后国内主要矛盾的若干思考/曾庆榴等/岭南学刊,1989.1

关于合作化理论的沉思/王前/中共党史研究,1989.1

对基本完成社会主义改造历史时期的再认识/张传贤/江西师范大学学报(哲社版),1989.1

"大肃反"与"文化大革命"/钱澄等/扬州师院学报(社科版),1989.1

对我国四十年货币流通的估价/石雷/湖南金融职工大学学报,1989.1

对我国农业合作化运动指导思想的再认识/刘迎建/中共浙江省委党校学报,1989.1

略论我国集权体制的成因/胡连生/理论探讨,1989.2

评过渡时期总路线/陆水明/毛泽东思想研究,1989.2

党在建国初期统一财政经济、稳定物价的基本经验/张田水/河南师范大学学报(哲社版),1989.2

对我国过渡时期总路线的再认识/詹一之/重庆社会科学,1989.2

我国40年来民主政治建设的回顾与展望/王才德/重庆社会科学,1989.2

建国初期的军管制度/高曙东/党史研究资料,1989.2

50年代关于经济建设方针的论争——述评1956年经济建设中的冒进与反冒进和对1956年反冒进的批判/陈雪薇/党史文汇,1989.2

我国农业合作化经验教训新探/陶用舒/益阳师专学报(哲社版),1989.2

建国初期军管制度的由来与传用/高曙东/党史研究与教学,1989.2

对过渡时期总路线的反思/张壮涛/长沙水电师院学报(社科版),1989.2

以生产力标准看农业合作化运动/粟中林等/鞍山师专学报(社科版),1989.2

我国资本主义工商业的社会主义改造不容否定/彭塞/四川党史月刊,1989.2

以农业为基础来发展国民经济——学习刘少奇的一个重要思想/杜玉芝/理论教育,1989.2

对建国头七年党的农村个体经济政策的反思/朱永红/中共党史研究,1989.2

谈谈土地改革后的主要矛盾和过渡时期总路线/林蕴晖/中共党史研究,1989.2

张闻天的私营经济思想/李玉荣/山东师大学报(社科版),1989.2

一九五三年至一九八六年我国物价变动的成因分析/顾伟国/经济研究参考资料,1989.32

新中国经济史的宏观数量分析/段宾/中国经济史研究,1989.3

张闻天的合作经济思想/俞泰生/合作经济研究,1989.3

李富春社会主义经济思想述评/王毅武等/青海师范大学学报(哲社版),1989.3

略论张闻天的经济思想/纪万青/沈阳师范学院学报(社科版),1989.3

重新认识五十年代的"对资改造"/卜晓亮/理论内参,1989.3

土改完成后国内主要矛盾问题浅析/方小年/湖南师范大学社会科学学报,1989.3

资本主义工商业改造中的统一战线/孟庆春/齐齐哈尔师范学院学报(哲社版),1989.3

对资本主义工商业社会主义改造的历史反思/李迎春/锦州师院学报(哲社版),1989.3

论我国农村土地改革后的"两极分化"问题/苏少之/中国经济史研究,1989.3

论马克思的和平赎买理论与中国的资本主义工商业改造/于桂英/山东教育学院学报(社科版),1989.3

关于朝鲜战争的若干史实考察/丁月/军事历史,1989.3

建国初期国家机构的创立和特点/张福岭/山东医科大学学报(社科版),1989.3

论过渡时期的主要矛盾与党的中心任务/陈国权/党史研究与教学,1989.3

对我们过渡时期国内主要矛盾问题的几点意见/孙瑞鸢/中共党史研究,1989.3

建国初期反对官僚主义斗争的经验/王玉玲/理论思维,1989.3

建国初期党的宗教政策与爱国统一战线/胡之信/求是学刊,1989.3

试论过渡时期总路线的失误和偏差/李凤云/安徽省委党校学报,1989.3

对过渡时期总路线的思索/邹联琨/新时代论坛,1989.3

从和平解放到民主改革/金钟、坚赞平措/中国建设,1989.4

论五十年代超高速经济发展战略与急于过渡/石青胜/浙江学刊,1989.4

刘少奇在1956年前后的重要思考/刘崇文/党史研究与教学,1989.4

略论朝鲜战争时期的中美关系/王汉鸣/军事历史,1989.4

我国过渡时期主要矛盾再议/莫志斌/湖南师范大学社会科学学报,1989.4

试论建国初期的反腐蚀斗争及其主要经验/吴志葵/淮北煤炭师院学报(社科版),1989.4

合作经济、取向、原则与变迁——对合作运动史的思考及现实选择/郭书田等/农村发展探

索,1989.4

一场同不拿枪敌人的激烈斗争——建国初期的"三反""五反"运动/刘伯勋/党史文汇,1989.4

谈谈建国初期的多党合作/王国彬等/统一战线,1989.4

建国初期反腐败斗争及其历史经验/张波/吉林师范学院学报(哲社版),1989.4

朱德外贸思想初探/李小松/毛泽东思想研究,1989.4

朱德社会主义经济思想研究/王毅武等/攀登,1989.4

建国头三年的基本建设投资特点/董志凯/经济研究参考资料,1989.7

抗美援朝战争中军事打击与政治斗争的紧密配合/齐德学/党史研究资料,1989

建国初期统一战线的新变化及其历史经验/刘雪明/求实 1989.8

建国初期"三反"斗争的回顾和启示/肖光威/湖南社会科学,1989.5

试述建国初期中国共产党领导下的多党合作制/王东/党史研究与教学,1989.5

1949—1956 年党的战略指导方针的变化及其历史经验/范守信/党史研究与教学,1989.5

我国经济建设的历史回顾与反思/梁秀峰/中共党史研究,1989.5

建国初期经济建设的回顾/冰复/上海管理科学,1989.5

建国初期的城乡物资交流/果峰/历史教学,1989.9

中国工业四十年的成就、问题和经验/汪涛/经济管理,1989.10

建国初期反腐败斗争的历史经验/王真/理论界,1989.10

关于建国以来社会主义建设指导思想的回顾和反思——为国庆 40 周年而作/雷云/科学社会主义研究,1989.10

我党在建国初期的反腐化斗争/姚桓等/学习与研究,1989.6

我国社会主义民主建设的实践及其基本经验/宋连胜/东北师大学报(哲社版),1989.6

关于抗美援朝战争战略目标的探讨/齐德学/中共党史研究,1989.6

反腐倡廉,移风易俗——追踪毛泽东发动和指导"三反"运动的轨迹/沈郑菜/南京政治学院学报,1989.6

一届人大的召开与《宪法》的规定/缪军/中学历史,1989.6

历史的必由之路——从新民主主义到社会主义的转变/盛平瀚/河南大学学报(哲社版),1989.6

建国初期工业建设道路的回顾与思考/王华生/河南大学学报(哲社版),1989.6

国民经济恢复时期的廉政建设/齐彪等/国防大学学报,1989.6

周恩来消费思想初探/曹应旺/消费经济,1989.6

回忆刘少奇同志建国初期的一些经济建设思想/薄一波/人民日报,1989.11.13

关于我国对资改造理论的反思/赵振英/未定稿,1989.12

建国以来我党思想政治工作的历史发展和经验教训/张蔚萍/党建文汇,1989.12

如何评价 50 年代的"对资改造"? /晓亮/未定稿,1989.12

对 50 年代对资改造的功过应该作全面的历史的评价/戎文佐/未定稿,1989.12

中国在 50 年代怎样选择了社会主义/胡乔木/求是,1989.21—24

对建国后经济失误问题的回顾与思考/万建生/南昌职业技术师范学院学报(社科版),1990.1

农业合作化的必然性/孙自凯/北京党史研究 1990.1

试论毛泽东的对外开放思想/唐秉仁/毛泽东思想论坛,1990.1

中国手工业改造的理论与实践/顾龙生/中共党史研究,1990.1

张闻天关于保护和发展城市工商业的基本思想/魏燕茹/佳木斯社会科学,1990.1

建国后两次经济过热的回顾/吴玉文/史学月刊,1990.1

建国初期的反腐斗争/华世俊等/党政论坛,1990.1

东北人民在抗美援朝运动中的贡献/王永涛/东北地方史研究,1990,1

杰出的法典,宝贵的借鉴——浅论《共同钢领》/崇庆余/徐州师范学院学报,1990.1

恢复时期我国国民经济计划系统的创建初探/胡国平/党史研究与教学,1990.1

对过渡时期总路线的再认识/王晓东/理论学刊,1990.1

对建国初期从新民主主义过渡到社会主义几个问题的考察/鲁振祥/中共党史研究,1990.2

建国以来历次重大运动概述(一)/彭元杰/史志文萃,1990.2

苏联、共产国际与中国过渡时期总路线/刘宗尧/四川教育学院学报,1990.2

建国初期我国知识分子思想改造的历史回顾/蔡达勋等/党史研究与教学,1990.2

建国后四次物价大波动的启示与思考/陆百甫/经济工作者学习资料,1990.2

对我国资本主义工商业社会主义改造历史必然性的再认识/张丹莉/东北师大学报(哲社版),1990.2

40年来国共关系的演变及其历史经验/宋春等/东北师大学报(哲社报),1990.2

国民经济恢复时期主要矛盾之我见/张明/广西师院学报(哲社版),1990.2

李立三对建国初期正确处理劳资关系的理论贡献/陆象贤/中国工运学院学报,1990.2

我国社会主义改造的再认识/张健富等/韩山师专学报,1990.2

建国初期经济战线上的"淮海战役"/陈雪薇/党史文汇,1990.3

浅议党在过渡时期的总路线/周鸿/贵州大学学报(社科版),1990.3

正确的道路,伟大的胜利——我国五十年代对资改造的评价/徐伟森/广州师院学报(社科版),1990.3

新中国保险事业的国内业务两度停办的教训/张蓬/上海保险,1990.3

党对资本主义工商业实行改造的思想和尝试始于建国前——与孙剑纯同志商榷/林雄辉/争鸣,1990.3

关于苏联援助中国进行第一个五年计划建设的会谈/(苏)康·伊·科瓦利/中共党史研究,1990.3

建国初期抑制通货膨胀的措施和经验/龚建文/中国经济史研究,1990.3

毛泽东对外经济理论之历史分析/夏玉轩/毛泽东思想研究,1990.3

五十年代毛泽东粮食思想初探/石少龙/毛泽东思想研究,1990.3

解放初期福建民主政权建设情况/陈日增/福建党史月刊,1990.3

新中国初期美国的对华政策/栾雪飞/东北师大学报(哲社版),1990.3

也谈党在过渡时期的总路线/孙维宁/长白学刊,1990.3

略述建国初期的侨务政策/任贵祥/中共党史研究,1990.3

关于新民主主义社会向过渡时期演变的几点思考/宁教奎/湖湘论坛,1990.3

建国初期加强执政党自身建设的重要启迪/张寿春/党史研究与教学,1990.3

略论建国初期多党合作制度及其基本经验/杨荣华/安徽教育学院学报,1990.3

李维汉与建国初期统一战线/杜国士/阴山学刊(哲社版),1990.3

建国以来我党反腐败斗争的历史回顾/王荣刚/福建党史月刊,1990.4

台湾当局与朝鲜战争/孙宅巍/社会科学战线,1990.4

建国初期张治中的政治活动与党的统战工作/屠筱武/安徽史学,1990.4

历史错误与哲学反思/樊瑞平等/毛泽东思想研究,1990.4

对提出社会主义改造思想的回顾与思考/黄景芳等/毛泽东思想研究,1990.4

浅探毛泽东的经济管理思想/唐琦玉/毛泽东思想论坛,1990.4

对建国以来生产力布局的历史评价/周振华/毛泽东思想研究,1990.4

论中苏两国第一个五年计划的相似性/鲍志效/湘潭大学学报(社科版),1990.4

论毛泽东关于发展农业的思想/郑青/毛泽东思想研究,1990.4

社会主义时期毛泽东商品经济思想描述/夏煜煜等/毛泽东思想研究,1990.4

略论建国初期土地改革的特点及其胜利的意义/杨勤为/石油大学学报(社科版),1990.4

建国初期党和国家对外资在华企业的政策/宋仲福/中共党史研究,1990.4

关于过渡时期两个问题的探讨/胡国平/党史研究与教学 1990.4

对资本主义工商业者的改造是对资本主义工商业改造的重要方面/张光诚/成都党史通讯,1990.4

中国共产党反腐败的历史考察/郑炎明/求实,1990.5

也谈土地改革后的主要矛盾和过渡时期总路线——与林蕴晖商榷/欧阳国庆等/中共党史研究,1990.5

试论"一边倒"/吴方宁/党史文汇,1990.5

建国初期侨乡的土地改革/赵增延/中共党史研究,1990.5

试论1955年部分地区资本主义工商业的全行业公私合营/范守信/党史研究与教学,1990.5

试论哈尔滨对资本主义工商业社会主义改造的经济基础/高志超/龙江党史,1990.5

试析两次政协会议两种不同前途/李宝东/齐齐哈尔师范学院学报(哲社版),1990.5

试论李宗仁归国的历史必然性/杨振宝/南都学坛(社科版),1990.5

论毛泽东关于新文化建设的若干观点/黄国雄/福建党史月刊,1990.9

如何评估对资改造工作/朱宗尧/上海党史,1990.10

我国农业合作化运动的反思/虞宝棠/历史教学问题,1990.6

一九五六年党对手工业改造的认识/单东等/江西社会科学,1990.6

张闻天社会主义时期主要经济思想/吴宗明/理论学习月刊,1990.6

帝国主义对华战略的重大转变/周文琪/求知,1990.6

今日再看"高饶事件"/苗长青/理论学刊,1990.6

历史的启示是人类最伟大的财富——抗美援朝四十周年理论研讨会述要/刘宏煊/军事史林,1990.6

中国农业合作化运动不是苏联农业集体化运动的翻版——与王前商榷/赵金鹏/中共党史研究,1990.6

新中国成立初期英国对华政策(1949—1954)/翟强/世界历史,1990.6

武汉、南京抗美援朝40周年理论研讨会述要/军事历史,1990.6

建国以后我党肃贪反腐斗争的历史考察/余洪北等/福建党史月刊,1990.11

试析我国农业合作化运动的经验与教训/许经勇/江汉论坛,1990.11

新中国价格波动轨迹考察/朱尧平/价格月刊,1990.12

对毛泽东发展社会主义农业战略构想的历史考察/黄景芳等/毛泽东思想理论与实践,1991.1

要更多地研究党在"一五"时期的经济工作/吴群敢/党史研究与教学,1991.1

"一五"时期我国强化计划工作的实践及其特点/胡国平/党史研究与教学,1991.1

建国初期的主要社会矛盾和国民经济恢复工作的基本指导思想/顾龙生/社会科学论坛,1991.1

对建国后两次重大经济调整的历史反思/马波/昭通师专学报(社科版),1991.1

抗美援朝战争的必要性及其意义/王在安/成都市委党校学报,1991.1

论建国初期民主党派的新变化/毛志雄/湖南师范大学社会科学学报,1991.1

论建国初期共产党领导多党合作的基本经验/王玉岭等/学术交流,1991.1

新中国建立初期民主党派参政议政的特点/张涛/河南大学学报(社科版),1991.1

对1949—1959年历史的回顾与反思/赵京峰等/学术交流,1991.1

试论我国多党合作制的历史经验/王玉福/河南师范大学学报(哲社版),1991.1

新中国建立后头七年党保持社会稳定的历史经验/王天文等/河南师范大学学报(哲社版),1991.1

建国初期反腐败斗争的历史启示/吴其良/西安政治学院学报(社科版),1991.1

新中国成立后的"一边倒"政策初探/周建超/党史研究与教学,1991.1

建国初期闽东取缔大刀会情况概述/缪慈潮/党史研究与教学,1991.1

抗美援朝时期的中苏关系/刘志青/社科纵横,1991.1

建国以来三次政府机构精简的历史回顾/吴佩伦/中国行政管理,1991.2

农业合作化——我国社会主义农业的正确转变/朱用亚/福建党史月刊,1991.2

建国初期反孤立反封锁斗争述略/黄象品/湖湘论坛,1991.2

论抗美援朝战略决策的三个阶段/李孝民/南京政治学院学报,1991.2

建国后头三年国内主要矛盾之我见——兼与孙瑞芬同志商榷/陆红权/理论教学,1991.2

凯歌行进时期党的建设新探/刘宗尧等/四川教育学院学报,1991.2

抗美援朝运动战经验教训及其借鉴/陈炳德/毛泽东军事思想研究,1991.2

略论从新民主主义到社会主义转变的四个阶段/王世谊/盐城党校学报,1991.2

建国初期党对建设中国特色的社会主义的探索及在现时期新的发展/李琰/阜阳师范学院学报(社科版),1991.2

论1950年中苏两个协定在中国外交史上的地位/高飞/台州师专学报(社科版),1991.2

社会主义改造——党的历史的重要篇章/方曙/安徽省委党校学报,1991.2

我党对资改造政策的客观依据/陶用舒/益阳师专学报(哲社版),1991.2

试论我党开辟的适合中国特点的农业社会主义集体化道路/哈斯其其格/昭乌达蒙族师专学报(汉文哲社版),1991.2

建国前后中国共产党的外交方针政策初探/胡毅华/上海教育学院学报(社科版),1991.2

科学社会主义在中国的伟大胜利——中国从新民主主义到社会主义的转变/王元年/北方工业大学学报,1991.2

张闻天社会主义经济思想述略/沈志宏等/贵州财经学院学报,1991.2

历史潮流不可逆转——纪念"十七条协议"签订四十周年/曾巍等/西藏日报,1991.4.15

《十七条协议》的伟大历史意义/多杰才旦/人民日报(海外版),1991.5.9

论我国在五十年代选择社会主义的必然性——与过渡时期总路线提出"过早"论商榷/沈郑荣/南京政治学院学报,1991.3

"一边倒"外交战略的反思/周瑞华/湖北师范学院学报(哲社版),1991.3

试论新中国政治协商制度的产生/万绍君/重庆社会科学,1991.3

和平改造资本主义工商业的成功尝试/张光诚/成都市委党校学报,1991.3

试论党对新民主主义向社会主义转变的战略构想/董克敏/内蒙古大学学报(哲社版),1991.3

论民主革命向社会主义革命转变的必然性/李振基/山西师大学报(社科版),1991.3

1952—1984年中国农业生产领域个人收入分配方式的历史变革/戴银秀/中国经济史研究,1991.3

试论中国共产党经济工作70年的整体历史特征/赵凌云/社会主义研究,1991.3

毛泽东对中国合作社事业的卓越贡献/穆相林/新疆社科论坛,1991.3

论农业社会主义改造与国情/房成祥/陕西师大学报,1991.3

对中国社会主义改造的历史沉思/孙建英/吴中学刊(社科版),1991.3

党的土地改革总路线的提出及其意义/胡小蓉/青海师范大学学报(哲社版),1991.3

1949—1978年中国农业集体化运动回顾/安贞元/青海师范大学学报(哲社版),1991.3

建国初期的党风与廉政建设/陈德金/思想战线,1991.3

新中国的历史命运——论新民主主义到社会主义的历史必然/胡振栓/南都学坛(社科版),1991.3

试论建国初期反腐败斗争的历史经验/赵德教等/河南师范大学学报(哲社版),1991.3

党风建设的重要经验——回顾建国初期的整风整党运动/王玉福/河南师范大学学报(哲社版),1991.3

谈建国初期的整党运动/王淑增/泰安师专学报,1991.3

光辉的里程碑——《关于和平解放西藏办法的协议》的伟大历史意义/沙舟/中国青年报,1991.5.22

历史不容歪曲——驳达赖"西藏在一九一一至一九五〇年是一个国家"的错误论点/杨公素/人民日报(海外版),1991.5.16

建国初期党的建设的理论与实践/张道泉/安徽日报,1991.6.27

关于加拿大承认中华人民共和国问题/切斯顿·朗宁,刘广太译/世界史研究动态,1991.3

试述新中国建立初期整风整党运动的历史经验/张秀英/河南党史研究,1991.4

建国后我国反"和平演变"的成就与经验教训/武文军/甘肃社会科学,1991.4

党在建国初期的工业化战略与农业合作化关系研究/贺耀敏/教学与研究,1991.4

五六十年代我党反"遏制"反"演变"斗争的历史经验/杨亚佳等/理论教学,1991.4

建国初期良好社会风尚的形成与党风建设/朱玉湘/文史哲,1991.4·

论建国初期反腐败斗争的历史经验/张淑梅等/理论教学,1991.4

我国社会从新民主主义到社会主义的转变是历史发展的必然/卢玉/理论探索,1991.4

论新中国的历史分期/葛仁钧等/沈阳师范学院学报(社科版),1991.4

论朱德社会主义初期的经济思想/冷舜安/湘潭大学学报(社科版),1991.4

毛泽东同志农业合作社经营管理思想初探/陈湘舸/湘潭大学学报(社科版),1991.4

略论建国初期美国对台湾的政策/蒋述东/重庆教育学院学报,1991.4

基本完成社会主义改造时期我党保持社会稳定的历史经验/夏斯存/盐城党校学报,1991.4

延边朝鲜族妇女在土地改革中的作用/金英玉/天池学刊,1991.4

农业合作化运动指导思想探源/宿忠显/理论内参,1991.4

1950年调整工商业的历史作用/朱地/理论探讨,1991.4

中国社会主义建设道路的探索及其经验教训/余泽清/福建党史月刊,1991.4

伟大的历史性胜利——全面正确地认识党领导的社会主义改造事业/邬正洪/华东师范大学学报(哲社版),1991.4

社会主义改造是中国共产党的伟大创造——对社会主义改造的伟大成就和历史经验的探讨/程棣凡/四川党史,1991.4

试论赎买理论在中国的实践/刘学泰/成都市委党校学报,1991.4

我国农业社会主义改造中的偏差/励维志/天津师大学报(社科版),1991.4

试论建国初的反腐败斗争/匡萃坚/江西日报,1991.7.26

一场成功的反腐败斗争——略评建国初的"三反""五反"运动/金益健/理论导报,1991.7

伟大胜利的奥秘——读洪学智《抗美援朝战争回忆》/孟伟哉/光明日报,1991.8.8

论我国1956年的社会主义改造/石舜瑾/杭州师范学院学报(社科版),1991.5

试述对资方人员团结教育改造工作的成功经验/汪振华/河南党史研究,1991.5

张闻天同志对商品价格理论的贡献/贾克诚/价格月刊,1991.5

抗美援朝中争取建立国际统一战线的斗争/骆美玲/湖北大学学报(哲社版),1991.5

试论建国初期知识分子思想改造运动/刘健清/中共党史研究,1991.5

对新民主主义向社会主义转变的思考/李学昌/历史教学问题,1991.5

建国后党对群众路线的新发展/庆跃先等/学术界,1991.5

建国初党的工作重点转移与优化育人环境/张为波/西南民族学院学报(哲社版),1991.5

中国与苏联农业集体化的关系不是非此即彼——兼与王前、赵金鹏商榷/郑明/中共党史研究,1991.5

浅谈建国初期党对土改运动和农业生产关系的处理/兰桂英/党史研究与教学,1991.5

文登里反坦克之战/杨成武/党史研究与教学,1991.5

关于对资改造若干问题的思考/李青等/统一战线,1991.9

建国以来群众运动的历史回顾与思考/刘晓武/求知,1991.9

建国以来意识形态领域斗争的经验教训/王宏彬/理论界,1991.9

试述建国初期党风建设的经验/张阳普/党史博采,1991.10

建国初期"三反"斗争的历史启示/王永立/求知,1991.10

新中国的成立和中国共产党面临的新考验/戴鹿鸣/求是,1991.19

建国初期中苏签约结盟述略/张田水/东北师大学报(哲社版),1991.6

建国初期党内有关社会主义建设步骤和进程的争论/马福生/社会主义研究,1991.6

新中国建国初期的禁毒斗争/马模贞等/中共党史研究,1991.6

论中国向社会主义过渡的特点的问题/(匈)塔拉什·巴尔纳;路远译/国外中共党史研究动态,1991.6

"一五"计划期间党领导的富拉尔基三项重点工程建设及启示/徐雅娟/龙江党史,1991.6

新中国手工业建设的倡导者——纪念朱德同志诞辰一百零五周年/白如冰/经济日报,1991.11.29

社会主义制度在中国的建立/施驹侯/奋斗,1991.12

刘少奇论农村供销合作社/张文和/理论与现代化,1991.12

对资本主义工商业利用、限制、改造的政策是怎样提出的/施维/人民政协报,1992.1.17.24.31

新中国建立初期思想政治教育回顾/高燕红/史学月刊,1992.1

天津解放初期党建工作浅议/胡成利等/求知,1992.1

李维汉同志关于改造资产阶级分子的政策思想/郑本结/解放军外语学院学报,1992.1

论五十年代前期党对农民的教育/宁志一/安徽党史研究,1992.1

论建国初期各界人民代表会议的历史作用/萧树祥/中共党史研究,1992.1

群众路线是建国初期中共贵州省委工作胜利的根本保证/丁芝珍/贵州师范大学学报(社科版),1992.1

试论陈云关于正确改造和利用资方人员的思想/陈少晖等/镇江师专学报(社科版),1992.1

论建国后党对民族资产阶级问题的认识/杨成生/承德师专学报(社科版),1992.1

论"三反"斗争的历史意义与现实借鉴作用/马常娥/江苏教育学院学报(社科版),1992.1

建国初期安徽生产救灾工作的经验和启示/王文荣/安徽党史研究,1992.1

"一五"时期中央与地方财政关系调整的回顾/赵梦涵/经济纵横,1992.1

安徽农业合作化运动初探/杨瑞毛/安徽党史研究,1992.1

中国共产党对资本主义工商业社会主义改造的历史经验/邵纬生/中共党史研究,1992.2

货畅其流:经济腾飞的翅膀——建国初期的城乡物资交流/杨基龙/党史纵横,1992.2

从"三反""五反"运动谈当前的反腐倡廉/徐梦君/湖南党史月刊,1992.2

海外汉学家眼中的现代中国——读《剑桥中华人民共和国史1949—1965》/龙存/史学月刊,1992.2

新中国建立后过渡时期总路线的提出是历史的必然/亢华淦等/理论与改革,1992.2

五十年代中共中央在东南沿海斗争中的战略方针/徐焰/中共党史研究,1992.2

建国初期党风建设的思考/赵路/锦州师院学报(哲社版),1992.2

1949年至1956年中国社会的演化、变革与社会现代化/张静如等/阵地与熔炉,1992.2

张闻天论社会主义公私关系/蒋少龙/毛泽东思想论坛,1992.2

过渡时期国内主要矛盾的双重性及其转化/王世谊/唯实,1992.2

论国民经济恢复时期的市场物价问题/钟廷豪/中共党史研究,1992.2

我国资本主义工商业改造的一个独创性经验/慕躬/党史博采,1992.3

论建国初期的金融政策及其意义/回霖霞/兰州

新"三反"斗争述略/刘录开/中共党史研究,1992.3

中华人民共和国史研究述评/侯忠武/蒲岭学刊,1992.3

周恩来在一九五六年前后的思想与实践/师吉金/锦州师院学报(哲社版),1992.3

关于研究中华人民共和国史的几个问题/金隆德/安徽师大学报(哲社版),1992.3

试论建国初期的侨属工作及其经验/谢迪斌/华侨华人历史研究,1992.3

广东侨乡土地改革的偏差及其纠正/赖松龄/华侨华人历史研究,1992.3

为恢复国民经济而奋斗的苏北国营商业/王波/江苏商论,1992.2/3

重视科技生产力的一举——一九五六年福建知识分子工作述评/笑成/福建党史月刊,1992.5

毛泽东时代的社会主义经济/(美)佩内洛普·乃·普赖姆/国外中共党史研究动态,1992.4

建国后第一次党的中央全会/郑世铿/党的文献,1992.4

建国初期我党经受执政考验的历史启示/侯德邻/理论与改革,1992.4

建国初期我党反腐败斗争的历史启示/孙艳红等/河南大学学报(社科版),1992.4

五十年代反"封锁、禁运"的斗争及其启示/董志凯/党的文献,1992.4

关于既反保守又反冒进的方针提出的时间/熊华源/党的文献,1992.4

对和平赎买民族资产阶级的研究/高化民/中共党史研究,1992.4

"丁字山"之战/曲爱国/军事历史,1992.4

简述建国初期的政权建设和人民代表大会制度的确立/段永林/东北师大学报(哲社版),1992.5

对建国以来党内反腐败斗争的再认识/刘金祥等/沈阳师范学院学报(社科版),1992.4

新中国初期军队的反腐败斗争/胡长水/党史研究与教学,1992.4

建国初期绥远省的剿匪肃特斗争/庆格勒图/内蒙古大学学报(哲社版),1992.4

建国后我国经济建设中"左"的指导思想的理论根源/岳长林/中国青年政治学院学报,1992.5

论建国初期的"内外交流"政策/武力/中共党史研究,1992.5

重评建国初期农村经济政策中的"四个自由"/赵增延/中共党史研究,1992.5

驾驭全局的战略决策艺术——我军由解放战争向抗美援朝战争的战略转变/周平/党史纵横,1992.5

曲折的探索——建国后中国农村经营体制的历史变革/梁涛/党史纵横,1992.5

第一个互助合作决议与过渡时期总路线/林蕴晖/党的文献,1992.5

毛泽东关心遗传学/谈家桢/群言,1993.12

巩固人民政权/恢复国民经济——中华人民共和国史教学参考/黎铭/历史教学,1993.1

毛泽东对马列主义军事学说的继承和发展/刘庭华/历史教学,1993.8

毛泽东生平研究综述/吴景平/历史教学,1993.6

一平二调/晓林/历史教学,1993.3

毛泽东与西藏革命/王庆山/西藏研究,1993.4

震惊全国的零陵特务纵火案/杨邦国/湘潮,1993.7

《伟大的中国革命》一书中中华人民共和国史部分若干史实考订/孙泽学/华中师范大学学报(人文社会科学版),1993.4

洪学智将军在朝鲜战场/王全/江淮文史,1993.1

一个特殊历史典型的追思——对合作化时期福建福安"中农社"与"贫农社"的认识/陈宝轩/党史研

究与教学,1993.6

朝鲜战争各家得失分析/党史研究与教学,1993.1

毛泽东,人民海军的缔造者/刘道生/湘潮,1993.1

展示湘西剿匪史诗/讴歌湘西剿匪功绩/黄禹康/档案时空,1993.4

为人民服务思想在进藏部队中的威力——缅怀毛主席的伟大教导/王贵/中国藏学,1993.4

毛泽东与科学规划/于光远/炎黄春秋,1993.5

高岗曾建议将东北划归苏联吗? ——揭穿柯瓦廖夫的谎言/师哲/炎黄春秋,1993.4

开国第一刀——毛泽东与"三反"斗争/王真/党史纵横,1993.10

珍贵在历史原貌——中共党史文献版本议/李勇/党史纵横,1993.9

历届国务院领导人的有关情况/未名/党史纵横,1993.8

勇斗敌机——赴朝鲜慰问见闻/赵国有/党史纵横,1993.5

当年中国人民解放军随军记者回忆——中国大陆的最后一仗/王永春/世纪,1994.5

毛泽东与西藏和平解放/车明怀/西藏发展论坛,1994.1

建国后毛泽东学习和利用资本主义的理论与实践/林雄辉/黑龙江教育学院学报,1994.3

新中国初期党的对外政策/王影/中共乌鲁木齐市委党校学报,1994.2

解放初期改造妓女纪实/福建党史月刊,1994.4

邓小平与粉碎高饶反党篡权斗争/温乐群/党史纵览,1994.4

建国初期毛泽东反腐败斗争新思路/朱贵平/党史纵览,1994.2

妓女改造纪实/曹保明/文史精华,1994.4

达赖顺利出逃之谜/广东党史,1994.1

解放初期东莞的城市接管及其历史经验/赖日昌/广东党史,1994.1

筑起心中的长城——试论抗美援朝运动中的爱国主义教育/王力文/党史纵横,1994.10

建国初期毛泽东与党内官僚主义的斗争/王旸/张家口师专学报,1994.1

挺进西双版纳/王永春/纵横,1994.2

接收苏军驻旅大防务纪实/杨桂跃/纵横,1994.4

错误批判马寅初的前前后后/辛平/炎黄春秋,1994.10

兴建天安门英雄纪念碑内情写实/闫树军/炎黄春秋,1994.10

开国反腐第一案全景写真——处决刘青山、张子善高层决策追记/罗先明/炎黄春秋,1994.4

建国初期反腐败斗争的经验教训/赵士红/学习论坛,1994.7

试谈集贤县农业合作化的历史作用/张士龙/世纪桥,1994.1

建国初期七台河地区的互助合作生产组初探/郭凤仪/世纪桥,1994.1

双鸭山镇反运动的历史作用初探/李国忠/世纪桥,1994.1

试述佳木斯人民在抗美援朝战争中的贡献/衣林/世纪桥,1994.1

试析"中国农村的社会主义高潮"/王玉贵/世纪桥,1994.1

简述青冈县的"三反"运动/刘冬/世纪桥,1994.6

试谈绥化县农业合作化运动/张东旭/世纪桥,1994.6

试论黑龙江镇反运动的基本经验及其历史作用/许翔/世纪桥,1994.6

三步分离:建国后成功地完成工商业改造的历史创造/娄胜华/世纪桥,1994.3

论叶剑英在广州接管中的建树/利丹/嘉应大学学报,1994.4

建国初期反腐斗争的回顾及其历史经验/曾宪恒/嘉应大学学报,1994.4

党中央关于处决刘青山、张子善的决策经过/田捷/江淮文史,1994.2

前事不忘后事之师——新中国反腐败第一大案/石玉新/江淮文史,1994.1

论建国前夕中国共产党对美国的政策/杨菁/杭州大学学报(哲学社会科学版),1994.1

试论解放初期的贵州剿匪活动/程昭星/贵州社会科学,1994.6

李先念兼任武汉市长时的两件事/元钦/湖北文史资料,1994.1

建国初期毛泽东与民主党派/郭希华/湖北文史资料,1994.1

法宝的光芒——试论建国初期中国共产党领导下的多党合作/刘颖平/党史纵横,1994.11

昔日民族风采——"一五"计划期间的艰苦奋斗勤俭建国思想/李波/党史纵横,1994.5

春风初度玉门关——进军新疆纪行/吴子杰/党史纵横,1994.1

福州解放初期巩固金融稳定物价保障供给的概况/郑香福/党史研究与教学,1994.6

建国初期迅速恢复国民经济的重要启迪/张寿春/党史研究与教学,1994.5

福建抗美援朝运动回顾/欧阳小松/党史研究与教学,1994.4

论抗美援朝战争对树立中国国际新形象的巨大作用/尹书博/党史研究与教学,1994.4

建国初期的"一边倒"政策及其历史作用/陈希栋/党史研究与教学,1994.2

福建省土地改革运动探讨/陈于勤/党史研究与教学,1994.1

序曲——过渡——急行军——手工业的社会主义改造/迟砾/党史文汇,1994.12

有关毛岸英牺牲并安葬于朝鲜的几个问题/朱志敏/党史文汇,1994.9

十万官兵开发北大荒/孙庆海/党史文汇,1994.9

风乍起——建国初期思想文化领域的大批判(之一)/朱地/党史文汇,1994.2

风乍起——建国初期思想文化领域的大批判(之二)/朱地/党史文汇,1994.3

风乍起——建国初期思想文化领域的大批判(之三)/朱地/党史文汇,1994.4

风乍起——建国初期思想文化领域的大批判(之四)/朱地/党史文汇,1994.5

杜润生谈毛泽东与农业合作化高潮/张素华/党史文汇,1994.3

新中国诞生之初——我报道过的四个"新中国第一"/林里/党史文汇,1994.2

举起正义之剑——建国初期"镇反"运动一瞥/陆水明/党史文汇,1994.1

对建国初期中国工业化道路的成功探索——历史转折关头的毛泽东(系列之二十二)/晓东/党史文汇,1994.1

建国初期中国共产党稳定物价、统一全国财政经济的成功决策/宋文庆/城市研究,1994.5

土左旗的一次禁烟禁毒运动/唐德全/草原税务,1994.5

建国初期中国政府为和平解决台湾问题所作的探索/王静/北京党史,1994.4

解放初北京市海淀区的扫除文盲运动/佟梅/北京党史,1994.3

艰难的一步——怀柔解放后第一个冬春生产自救度荒述略/孙克刚/北京党史,1994.3

社会心理与高潮迭起——试析农业集体化运动一哄而起的原因/温锐/历史教学,1994.8

新民主主义社会提前结束的原因新探/程连升/甘肃社会科学,1994.4

为建立新中国运筹帷幄/当代中国史研究,1994.2

国史研究要大力加强/当代中国史研究,1994.1

国史写作不应忽略的若干基本内容/邓力群/当代中国史研究,1994.1

近15年国史研究述略/杨亲华/当代中国史研究,1994.1

加强中华人民共和国史的研究/商翔/当代中国史研究,1994.3

中华人民共和国史教材编写讨论会简介/陈明显/教学与研究,1994.1

一江山岛登陆战/松涛/海洋世界,1995.2

在解放一江山岛战斗的日子里/仲年柏/当代海军,1995.4

国旗、国徽、国歌、纪年、国都诞生记/彭光涵/春秋,1995.5

建国后,周恩来对蒋介石新的期待与争取/哲峰/领导文萃,1995.5

解放西藏的拦路虎福特/孙曙/红岩春秋,1995.3

"克什米尔公主号"空难事件始末/袁亦梦/文史精华,1995.11

太原战犯管理所的日本战俘/武胜利/文史精华,1995.9

毛泽东何时提出"第三次国共合作"/四川统一战线,1995.5

"共产党万岁,民主党派也要万岁"——建国初期毛泽东与民主党派/郭希华/党史纵览,1995.1

广东取缔反动会道门工作回顾/彭建新/广东党史,1995.2

建国初期潮汕地区的剿匪斗争/许文彦/广东党史,1995.1

建国初期安徽的禁毒运动/王枫林/党史纵览,1995.6

毛泽东和斯大林的历史性会晤/宫力/党史纵览,1995.6

人民币印制的秘史/冯都/党史纵览,1995.4

《武训传》事件始末/夏衍/战略与管理,1995.2

炮声戛然而止——朝鲜战争停战亲历记/吴新华/纵横,1995.4

创建中华人民共和国的历史考察(上)/田居俭/烟台师范学院学报(哲学社会科学版),1995.1

创建中华人民共和国的历史考察(下)/田居俭/烟台师范学院学报(哲学社会科学版),1995.2

共和国史册上的大匪患/屈德骞/炎黄春秋,1995.10

中国援越抗法重大决策秘录/张广华/炎黄春秋,1995.10

新中国建立时的国号之争/余广人/炎黄春秋,1995.7

"跨过鸭绿江"的决策过程/金牛/炎黄春秋,1995.4

全国解放是民族团结的凯歌/袁东琬/四川教育学院学报,1995.1

建国初期的"禁运"和"反禁运"/顾晓英/上海大学学报(社会科学版),1995.6

其功不下于淮海战役——建国前后陈云平抑物价的历史启迪/邹荣庚/上海党史与党建,1995.3

上海解放初期是如何实施"劳资两利"政策的/张金平/上海党史与党建,1995.2

试论建国初期实行"一边倒"政策的利弊得失/孙其明/上海党史与党建,1995.1

五十年代初中国选择社会主义的必然性/李建宁/青海师范大学学报(哲学社会科学版),1995.4

对宾县农业合作化历程的思考/于千/世纪桥,1995.1

日本战犯改造内幕/李占恒/江淮文史,1995.6

浅谈哈尔滨市"一五"时期的社会主义劳动竞赛/张伟/世纪桥,1995.2

一定要根治海河 对人民无限负责——怀念毛主席/阎达开/海河水利,1995.5

改善劳资关系的重要举措——张闻天与辽东劳资集体合同的订立/房月生/党史纵横,1995.11

血不应白流——对抗美援朝一段被动作战的剖析/张振川/党史纵横,1995.6

回眸奠基日——建国初期计划经济体制必然性述略/徐彬/党史纵横,1995.5

东方"睡狮"初醒世界——周恩来与日内瓦会议/万华/党史纵横,1995.5

国之大计——建国初期党对文化教育工作的领导/迟连翔/党史纵横,1995.4

领袖与空军——忆1951年受阅后的接见/朱云/党史纵横,1995.4

建国头七年陈云对计划与市场关系的探索/林浣芬/党史研究与教学,1995.4

中国农业合作化从这里起步——读《劫后余稿》有感/张国祥/党史文汇,1995.9

"156项工程":中苏友谊史上的重要一页/宋凯扬/党史文汇,1995.1

五十年代一次国共和谈的尝试/范小方/党的生活,1995.2

论建国前后毛泽东、刘少奇的分歧及其本质/于风政/史学月刊,1995.5

处决刘青山——张子善的前夜/社会,1995.10

周恩来筹组首届政府/毛泽东思想研究,1995.4

中华人民共和国史研究概述/杨亲华/史学月刊,1995.2

"中华人民共和国部门史研讨会"发言摘要/当代中国史研究,1995.5

从新中国的成立看《剑桥中华人民共和国史》的王朝循环观/范守信/当代中国史研究,1995.6

我国教育改造处理日本战犯工作的伟大胜利/谢玉叶/当代中国史研究,1995.6

50年代中期我国对苏联建设模式的突破/王真/当代中国史研究,1995.2

新中国反腐败斗争的历程/李雪勤/党的文献,1995.5

我党入城初期的反腐败斗争/王天雪/北京档案,1995.4

简评《中华人民共和国史稿[序卷]》/任简/当代思潮,1996.5

50年代为何没有解放台湾/党的建设,1996.6

回忆解放阿里/杨昌/党的建设,1996.8

新政协诞生记/童小鹏/春秋,1996.4

新政协诞生记/童小鹏/春秋,1996.5

空军支援地面部队进军康藏/韩明阳/纵横,1996.2

《毛泽东选集》出版始末/杨胜群/领导文萃,1996.8

建国初期毛泽东争取和平解放台湾的尝试/一青/领导文萃,1996.6

中共中央出兵援朝的分析/张利军/内蒙古工业大学学报(社会科学版),1996.1

青藏公路勘探纪实/马连义/文史精华,1996.11

"胡风反革命集团"案始末(续)/王靖/文史精华,1996.7

中、朝与美军在遣返战俘问题上的斗争/贺明/文史精华,1996.2

保留与国际对话的通道——走向公开的新中国对港政策/齐鹏飞/党史纵览,1996.2

对建国初期几次批判运动的反思/张克永/党史纵览,1996.1

中国抗美援朝若干因素分析/温志/郑州工业大学学报(社会科学版),1996.1

侦破保密局北平技术纵队特务案!/凌辉/纵横,1996.1

侦破保密局天津特别组特务案/凌辉/纵横,1996.7

再论过渡时期总路线提出的原因/朱柏青/郧阳师范高等专科学校学报,1996.4

解放初期为剿匪屡建奇功的"二〇八"情报站斗争纪实/王方业/炎黄春秋,1996.8

血战上甘岭/李德生/炎黄春秋,1996.10

韦国清与奠边府新中国成立初期稳定物价、统一财经的重大决策/陈原/文史杂志,1996.1

大捷/王振华/炎黄春秋,1996.10

新中国成立初期的反腐败/梁凌/文史杂志,1996.1

蒋介石急欲出兵朝鲜参战真相/孟国祥/民国春秋,1996.3

哈尔滨城市接管与改造——纪念哈尔滨解放五十周年/张梅/世纪桥,1996.3

濉溪县取缔反动道会门始末/曾和平/江淮文史,1996.6

建国初期的安徽省禁毒/王枫林/江淮文史,1996.6

毕节地区剿匪获胜的"破洞攻坚"战术/伍岳/贵州文史丛刊,1996.4

解放凉山纪略/鲁瑞林/文史天地,1996.3

建国初期国共隔海对峙格局的形成及对两岸关系的影响/邓家倍/贵州社会科学,1996.5

共和国总理的忧思——"八大"前夕周恩来领导反冒进/古晓丹/党史纵横,1996.9

1949年至1982年黄梅采茶戏重要活动见闻/桂遇秋/湖北文史资料,1996.2

新中国经济建设决策上的几点启示/胡国民/广东党史,1996.3

血染的风采——中国人民志愿军将士受勋述略/魏大庆/党史纵横,1996.10

难忘的风雪征程——进军西藏生活片断/惠琬玉/党史纵横,1996.7

停战前夜——朝鲜战场忆闻/史新德/党史纵横,1996.7

马恒昌小组的竞赛条件/彧文/党史纵横,1996.3

逝去的风烟——大陆台湾军事对峙述略/孙堂厚/党史纵横,1996.2

农业合作化运动评价的新视角/汪青松/党史研究与教学,1996.5

邓子恢对农业生产责任制的探索与贡献/蒋伯英/党史研究与教学,1996.5

试论建国初党对民族资产阶级的改造/唐明勇/党史研究与教学,1996.4

1955年夏季以后农业合作化步伐加快原因初探/顾晓静/党史研究与教学,1996.4

试论建国前后"一边倒"政策形成的主要原因/孙其明/党史研究与教学,1996.2

从"武力解放台湾"到"和平统一祖国"——中国政府对台政策历史之考察/杨亲华/党史研究与教学,1996.1

对建国初期几次批判运动的反思/杨久梅/党史研究与教学,1996.1

建国初期李先念的政治思想简论/曾成贵/党史研究与教学,1996.1

论社会主义时期政治路线的演变和邓小平的贡献/赵泉钧/党史研究与教学,1996.1

解放初期上海平抑物价涨风纪实/王申/党史文汇,1996.12

为了巩固新生的人民政权——建国初期的剿匪斗争/任蕾/党史文汇,1996.10

上海金融战线上的一次"淮海战役"——查封上海证券交易所纪实/王申/党史文汇,1996.8

处决刘青山、张子善的前夜/党的生活,1996.7

太原审判日本战犯报道的回忆/马明/新闻采编,1996.2

毛泽东主席、周恩来总理出访苏联途经满洲里纪实/草原税务,1996.10

取缔一贯道 巩固新生的人民政权/商进明/北京党史,1996.3

五十年代台湾当局在印尼的侨务活动/窦文金/八桂侨刊,1996.1

只有社会主义才能救西藏和发展西藏——纪念西藏和平解放45周年/求是,1996.10

论建国初期的反腐败斗争/刘雪明/求实,1996.3

中华人民共和国:注意加强对国史的研究/董仲其/毛泽东思想研究,1996.2

试论中国农业社会主义改造的进程/祁建民/历史教学,1996.2

建国初期反封锁禁运斗争/马巧良/历史教学,1996.3

50年代初期的中苏关系述评/王善中/历史教学,1996.11

留学归国人才与国防设计委员会的创设/申晓云/近代史研究,1996.3

运用矛盾法则研究中华人民共和国史——兼谈对国史中几个问题的看法(上)/张启华/高校理论战线,1996.11

运用矛盾法则研究中华人民共和国史——兼谈对国史中几个问题的看法(下)/张启华/高校理论战线,1996.12

中苏联盟与中国出兵朝鲜的决策——对中国和俄国文献资料的比较研究/沈志华/当代中国史研究,1996.5

近年来中华人民共和国史研究概况/吴敏先/当代中国史研究,1996.4

论新中国的历史分期/葛仁钧/当代中国史研究,1996.4

一部有历史意义和现实意义的力作——读《中华人民共和国史稿》序卷/方茂/当代中国史研究,1996.4

《中华人民共和国史稿》序卷引言/当代中国史研究,1996.4

毛泽东何时宣告"中国人民从此站起来了"?/曲春郊/党政论坛,1996.3

来自台湾的秘密使者/苗生/党政论坛,1996.2

回首"五十年代"/李汉/党政论坛,1996.1

简评《中华人民共和国史稿(序卷)》/任简/当代思潮,1996.5

近年来中华人民共和国史研究评述/敏先/东北师大学报(哲学社会科学版),1996.3

建国初期禁绝烟毒始末/毕宏吏/党的文献,1996.4

刘文辉与蒋介石决裂起义内幕/李殿元/世纪,1997.6

英雄浴血登步岛——解放军某部登步岛登陆作战失利始末/陈广相/春秋,1997.1

西藏和平解放初期的一场较量——中央代表张经武初会达赖/赵慎应/百年潮,1997.5

解放初期博山的禁毒禁赌禁娼/马鸿喜/春秋,1997.2

深翻土地运动与"大跃进"时期的冒进浮夸/刘明钢/党史纵览,1997.3

中国农村合作化运动中的失误考察/陆远权/重庆三峡学院学报,1997.1

50年代以来收回国土艰辛历程/孙小莲/当代海军,1997.3

解放初期南京首次镇压鸦主经过/滕小阳/政府法制,1997.12

1949年建国时党和国家领导人年龄职务(政治局委员和副总理以上)/领导文萃,1997.1

建国初期福州市对娼妓的取缔改造/张朝阳/福建党史月刊,1997.4

中国共产党对国民党战犯家庭问题的妥善处理/华启新/党史纵览,1997.4

为了伟大祖国的尊严——45年前拱北海关悲壮的一幕/罗祖宁/广东党史,1997.6

新中国的庆典活动与礼宾改革/欧阳凡/纵横,1997.6

改造日本战犯十四年纪实/张仁寿/纵横,1997.6

西部边陲无战争——新疆和平解放纪略/朱国琳/文史精华,1997.11

逃缅蒋军"反攻云南"纪实/王永春/文史精华,1997.10

广西遣送日侨始末/郝孝云/文史春秋,1997.2

五十年代干部理论学习热潮拾零/吴仲炎/武汉文史资料,1997.1

"三反"运动的点滴回忆/冯朝义/武汉文史资料,1997.2

过雪山剿残匪/夏治训/武汉文史资料,1997.2

张治中与新疆的和平解放/康芬/实事求是,1997.6

跨越两个时期三个阶段的中日关系/王少普/日本研究,1997.3

参加抗美援朝运动/肖翰香/前进论坛,1997.12

试述哈尔滨市肃反运动及经验教训/杨成军/世纪桥,1997.1

浅析中国共产党城市接收中的民族工商业政策及经验教训/王敏波/世纪桥,1997.1

龙江县镇压反革命运动的回顾和思考/刘世荣/世纪桥,1997.2

论半个世纪的国共关系演变及启示/王瑶/佳木斯大学社会科学学报,1997.2

建国初期铜陵平息一起暴乱的经过/孙运松/江淮文史,1997.2

建国初期水利工程建设的奇迹——佛子岭水库修建纪事/张允贵/江淮文史,1997.4

一九五○年解放台湾计划搁浅的幕后/青石/江淮文史,1997.3

忆南陵县城厢区"私改"工作概况/陈声宏/江淮文史,1997.3

论叶剑英的中国现代化思想/冯鉴川/华南师范大学学报(社会科学版),1997.4

两航起义与民航建设/李纬文/航空史研究,1997.3

毛泽东与镇反运动/罗珍/哈尔滨学院学报,1997.1

论建国初期迅速恢复国民经济的基本经验/彭付芝/固原师专学报,1997.4

援疆回顾/张德燧/湖北文史资料,1997.4

天涯海角大决战——解放海南岛/苗生/党史纵横,1997.8

和平解放台湾的尝试——五六十年代国共两党的几次秘密接触/王中人/党史纵横,1997.4

震惊中外的美国间谍案——1952年空投特务覆灭记/晓音/党史纵横,1997.1

震惊中外的美国间谍案——1952年空投特务覆灭记/晓音/党史纵横,1997.2

震惊中外的美国间谍案——1952年空投特务覆灭记/晓音/党史纵横,1997.3

震惊中外的美国间谍案——1952年空投特务覆灭记/晓音/党史纵横,1997.4

论建国初期的社会精神风貌/单人麟/党史研究与教学,1997.4

浅析50年代我党对台湾问题的政策/陈传刚/党史研究与教学,1997.1

建国初期东南沿海清剿海匪的斗争/郝海霞/山西党史文汇,1997.12

新中国实行粮棉油购统销始末/方海兴/吉林党史文汇,1997.11

毛泽东对出兵抗美援朝问题的四次决断/晓勇/北京党史文汇,1997.9

毛泽东对三大改造历史必然性的认识/张启华/北京党史文汇,1997.4

新中国成立初期的对日政策与中日关系/罗平汉/北京党史,1997.6

《中华人民共和国历史长编》评介/孔明/北京党史,1997.5

建国初期维护主权的斗争及其历史启示/邱济舟/北华大学学报(社会科学版),1997.6

禁运与反禁运:五十年代中美关系中的一场严重斗争/陶文钊/中国社会科学,1997.3

新中国城乡关系的经济基础与城市化问题研究/崔晓黎/中国经济史研究,1997.4

1953年修正税制对经济的影响分析/匡家在/中国经济史研究,1997.1

跳出历史"周期率":毛泽东的思考和邓小平的新思路/桑学成/中共党史研究,1997.5

关于合作化运动步伐加快原因的历史考察/高化民/中共党史研究,1997.4

对五十年代农村改造运动的再探讨/董国强/中共党史研究,1997.4

长空较量——记抗美援朝作战中一次难忘的战斗/王海/中国档案,1997.8

新中国建立初期美国干涉西藏的内幕/江渝/西藏研究,1997.3

新中国成立前后美国政府对西藏的阴谋活动/原思明/西藏研究,1997.4

周恩来与西藏和平解放和社会进步/陈崇凯/西藏研究,1997.4

1956年"波兰事件"和中国的政策/骆亦粟/外交学院学报,1997.3

新中国推进政治参与的经验和教训分析/李元书/探索,1997.6

毛泽东与斯大林会谈的政治策略/李福斌/理论探讨,1997.2

中华人民共和国史学科体系的几个问题/李彦宏/历史教学,1997.9

社会主义改造运动中的社会思潮及民众因应心态/李占才/历史教学,1997.2

建国初期的社会改造/王善中/历史教学,1997.8

中国和古巴关系的回顾与前瞻/毛相麟/拉丁美洲研究,1997.2

关于过渡时期总路线的评价问题/鲁振祥/教学与研究,1997.5

50年代我国向社会主义转变的历史条件/刘国新/教学与研究,1997.3

1953—1978年:国家工业化与农业政策选择/李成贵/教学与研究,1997.3

香港在新中国成立初期对外贸易中的作用/李世安/世界历史,1997.2

1949年美国延宕承认新中国"共同阵线"政策述评/林利民/世界历史,1997.2

冲破障碍,重筑中日友好之路——记最早访华的三位日本议员的历史功绩/陈都明/当代世界,1997.3

发展民间外交实现关系正常化——缅怀周恩来总理对中日建交的贡献/陈都明/当代世界,1997.7

华西列夫斯基和葛罗米柯关于撤回驻朝人员给斯大林的报告/当代中国史研究,1997.6

联共(布)中央政治局会议第78号记录摘录/当代中国史研究,1997.6

罗申转呈毛泽东、尤金关于尤金留华事致斯大林电/当代中国史研究,1997.6

罗申转呈毛泽东关于中国暂不出兵的意见致斯大林电/当代中国史研究,1997.6

马特维耶夫关于朝鲜战局致斯大林电/当代中国史研究,1997.6

什特科夫转呈金日成给斯大林的求援信致葛罗米柯电/当代中国史研究,1997.6

斯大林关于建议中国派部队援助朝鲜致罗申电/当代中国史研究,1997.6

斯大林关于同意向中国派遣防空专家问题致科托夫电/当代中国史研究,1997.6

斯大林关于中国在中朝边境集结部队问题致罗申电/当代中国史研究,1997.6

斯大林关于苏联向中国提供空军掩护等问题致罗申电/当代中国史研究,1997.6

罗申转毛泽东关于对中国提供空军掩护等问题致斯大林电/当代中国史研究,1997.6

维辛斯基关于同意训练中国飞行员的方式致罗申电/当代中国史研究,1997.6

新中国外交史若干史实考订/宗道一/当代中国史研究,1997.6

斯大林、周恩来会谈纪要/尚英/当代中国史研究,1997.5

试论50年代中期的中国对日政策与中日关系/罗平汉/当代中国史研究,1997.5

董必武对建国初期政权建设和法制建设的贡献/张海萍/当代中国史研究,1997.3

中国共产党代表团对莫斯科的访问/安·列多夫斯基/当代中国史研究,1997.1

中苏联盟与中国出兵朝鲜的决策(连载)——对中国和俄国文献资料的比较研究/沈志华/当代中国史研究,1997.1

建国初期毛泽东的农村农民思想述论/何友良/当代中国史研究,1997.3

试论我国社会主义工业化基础的初步奠定/伊胜利/当代中国史研究,1997.3

回忆两次莫斯科会议和胡乔木/阎明复/当代中国史研究,1997.3

维护国家主权和领土完整的严正斗争——从《雅尔塔协定》到《中苏友好同盟互助条约》/田居俭/当代中国史研究,1997.1

中国军事顾问团撤离越南内情/钱江/世纪,1998.4

解放初,大上海的银币之战/张小平/世纪,1998.3

1949年以后国共几次未遂谈判/高景轩/世纪,1998.1

开国大扫除——新中国清除贪、毒、娼、赌大纪实/高士振/新青年,1998.9

建国初期扫除贪、毒、娼、赌的回顾/高士振/文史精华,1998.10

周恩来与抗美援朝战争/萧石忠/军事历史,1998.4

抚顺战犯管理所改造日本战犯纪实/张家安/世纪行,1998.7

毛泽东与赫鲁晓夫的三次交锋/未名/世纪行,1998.9

改造日本战犯纪实/世纪行,1998.6

建国初期周恩来外交思想探析/牛晓/西北民族学院学报(哲学社会科学版),1998.4

40年代中期至50年代初期毛泽东关于我国工业化的战略构想/熊启珍/武汉大学学报(哲学社会科学版),1998.6

周恩来与新中国铁路事业/李哲/苏州科技学院学报(社会科学版),1998.6

召存信引军进西双版纳——陈赓兵团进军云南纪实/王永春/文史春秋,1998.4

中国人民志愿军跨过鸭绿江——一场粉碎"世界神话"的英明策划/邱石/市场研究,1998.3

中国人民解放军跨过鸭绿江——一场粉碎"世界神话"的英明策划/邱石/市场研究,1998.4

我所知道的新中国开国大典工程/阎金声/纵横,1998.11

1949:北京向妓院开刀/张洁珣/纵横,1998.10

新中国的第一批学部委员/洪文军/纵横,1998.7

共和国政务院参事室的第一批参事/张然/纵横,1998.4

开国将领中的原国民党起义人员/冀新/纵横,1998.2

周恩来与万隆会议/赵红/延安大学学报(哲学社会科学版),1998.4

对刘少奇"巩固新民主主义制度"的再认识/余广人/炎黄春秋,1998.8

对资本主义工商业进行社会主义改造始末/辛崇贤/学习论坛,1998.11

学归求知心——五十年代文学讲习所学习生活片断/彭悦/新文化史料,1998.4

北京一贯道及其被取缔(上)/李万启/文史精华,1998.5

北京一贯道及其被取缔(下)/李万启/文史精华,1998.6

镇压北京天桥恶霸/陈建亭/文史精华,1998.5

我所经历的一九五四年抗大洪、大涝/张佑清/武汉文史资料,1998.2

试论初级农业生产合作社/俞宏标/历史教学问题,1998.3

新中国成立初期美国分离西藏政策的出笼与破产/林利民/历史教学问题,1998.3

论周恩来对和平改造资本主义工商业的理论贡献/傅利民/辽宁大学学报(哲学社会科学版),1998.3

试论我国过渡时期经济建设的基本经验/王诚宏/世纪桥,1998.4

东北解放区剿匪斗争的特殊性/连永新/哈尔滨学院学报,1998.4

援越抗法秘闻:陈赓将军在越南/马宏骄/贵州文史天地,1998.5

援越抗法亲历记/杨泓光/贵州文史天地,1998.5

广西匪患的根治述论/唐仁郭/广西师范大学学报(哲学社会科学版),1998.4

建国头三年的任务和主要成就是什么?/广西党史,1998.2

周恩来、李克农与1954年日内瓦会议/熊向晖/广东党史,1998.4

建国以来湖南农村行政体制的变革/马昌永/湘潮,1998.1

建国后荆门邓家湖、小江湖的四次开口蓄洪/张宝庭/湖北文史资料,1998.4

1954年武汉防汛斗争的片断回忆/李雨松/湖北文史资料,1998.4

1954年沙市人民抗洪略记/万代源/湖北文史资料,1998.4

新中国第一路——邓小平与成渝铁路/杨斌/党史纵横,1998.10

三晤斯大林——建国初周恩来的访苏使命/张寒/党史纵横,1998.3

试论三大改造以后刘少奇对发展社会生产力的探索/黄金平/党史研究与教学,1998.6

"三反"运动在福建/马郁葱/党史研究与教学,1998.3

论建国初期的工农教育/方海兴/党史研究与教学,1998.2

解放初期福建镇压反革命运动述评/高绵/党史研究与教学,1998.1

建国头七年中央与地方关系历史考察/郭为桂/党史研究与教学,1998.1

土改后的中国农村和党的互助合作政策/范守信/党史研究与教学,1998.1

新中国中央政府组建趣闻/熊华源/党史文苑,1998.1

斯大林贵池"反右倾"斗争的历史回顾与反思/胡胜利/池州师专学报,1998.1

与国共关系及台湾问题/胡争上/党的生活,1998.2

二十世纪中国"六次思想解放"的阶段特征及历史启示/王志/创造,1998.8

周恩来同志和知识分子工作/吴兴锦/创造,1998.4

一场批判/三种声音——试析1954年对《文艺报》的批评/于风政/北京党史,1998.5

1956年前后刘少奇对社会主义的思考/范小方/中南财经大学学报,1998.6

浅议周恩来的依法治国思想/蔡放波/中南财经大学学报,1998.2

对刘少奇"巩固新民主主义制度"的考证与分析/范守信/中共中央党校学报,1998.4

对建国初期知识分子思想改造学习运动的历史考察——评《剑桥中华人民共和国史》的一个观点/朱地/中共党史研究,1998.5

对指导五十年代农业集体化一个理论的反思/苏少之/中共党史研究,1998.3

周恩来和建国以来党的知识分子政策/龚育之/中共党史研究,1998.2

关于抗美援朝战争的几个问题——兼谈如何看待和运用俄罗斯已解密的朝鲜战争档案问题/齐德

学/中共党史研究,1998.1

周恩来与西藏的和平解放/降边嘉措/中共党史研究,1998.1

周恩来与中国核工业/中国核工业总公司党组/中共党史研究,1998.1

50年代前期围绕农业合作化问题的党内争论及其影响/李曙新/西北师大学报(社会科学版),1998.5

毛泽东对知识分子阶级属性判断失误的原因/孙继虎/西北师大学报(社会科学版),1998.2

建国初期内蒙古西部地区的禁烟禁毒斗争/庆格勒图/内蒙古大学学报(人文·社会科学版),1998.4

试析新民主主义社会理论与实践中断的原因/王智/毛泽东思想研究,1998.3

刘少奇建国前夕"天津讲话"内情/姚雪/瞭望,1998.4

新政府创造的奇迹——周恩来在开国之初/钟言实/瞭望,1998.2

建国以来对非公有制经济的认识及政策变化/赵美玲/历史教学,1998.11

周恩来与日内瓦会议/王善中/历史教学,1998.7

1950年中苏条约的签订:愿望和结果/沈志华/东欧中亚研究,1998.4

美国历史学家与50年代台湾海峡危机(下)/戴超武/当代中国史研究,1998.5

论建国初期的工农教育/吴敏先/当代中国史研究,1998.3

关于抗美援朝战争期间中苏关系的俄国档案文献(连载二)/当代中国史研究,1998.1

关于抗美援朝战争期间中苏关系的俄国档案文献(连载三)/当代中国史研究,1998.2

回顾和思考——与中苏关系亲历者的对话/丁明/当代中国史研究,1998.2

略论建国初期大行政区的建立/李格/党的文献,1998.5

新中国第一公债在上海发行始末/庄志龄/世纪,1999.6

大步踏上社会主义大道——北京市完成资本主义工商业的社会主义改造简述/孙彭/北京支部生活,1999.7

论周恩来与陈云共防冒进的心路历程/宋天和/学术交流,1999.2

刘少奇在反冒进——反"反冒进"中的态度探析/谭炳华/党史研究与教学,1999.5

冒进、反冒进、反"反冒进"/杨明伟/炎黄春秋,1999.12

解放初期知识分子思想改造运动/金建明/世纪行,1999.12

宋庆龄出席全国政协第一届会议的前前后后/金建明/世纪行,1999.8

1954:毛泽东会见达赖、班禅/降边嘉措/百年潮,1999.9

解放初期南京镇反三大要案/程堂发/政府法制,1999.12

新中国收回旅顺大连港述略/孔德生/党史博采,1999.4

改造战犯:永载史册的一页——抚顺战犯管理所改造日本战犯纪实/王和利/时代潮,1999.6

《共同纲领》的制定和通过/高建中/纵横,1999.9

共和国国旗、国歌、国徽的诞生/孙炜/纵横,1999.9

我在人民政协的所经所见(下)/沙里/纵横,1999.10

新中国成立初期土地改革运动中富农政策的形成/吴凤华/中学历史教学参考,1999.4

我译发出兵朝鲜的两份电报/王贯田/纵横,1999.5

一九四九:斩断伸向陈毅市长的黑手/史鉴/纵横,1999.5

建国以来我党对苏联社会主义发展模式的三次改革/任晓伟/信阳师范学院学报(哲学社会科学版),1999.4

谈谈建国初期意识形态领域的斗争/张伟良/邢台师范高专学报,1999.3

我国由新民主主义向社会主义转变的基本条件/黄存林/邢台师范高专学报,1999.3

新中国初期稳定物价的斗争/尹福宪/武汉文史资料,1999.10

五六十年代的知识分子政策/刘际钢/特区展望,1999.4

建国初期的禁烟毒运动及其历史启示——兼议南京国民政府禁烟失败的教训/姚群民/南京晓莊学院学报,1999.3

抗美援朝战争对新中国的影响/王英/山东医科大学学报(社会科学版),1999.4

公安部是怎样成立的/王仲方/人民公安,1999.1

回顾"镇反"/秦祖仪/人民公安,1999.13

试述1949—1956年人民民主专政国家政权的职能转变/孙凯民/内蒙古教育学院学报,1999.1

建国初期党中央解放台湾的决策与实践/闫安/内蒙古统战理论研究,1999.1

共和国历史上四次有代表性的国庆阅兵/张志辉/世纪桥,1999.3

建国初期安徽省的镇反运动/王枫林/江淮文史,1999.3

新中国五十年的历史发展/石仲泉/华中理工大学学报(社会科学版),1999.3

建国初期周恩来民主思想的主要内涵/陈立旭/淮阴师范学院学报(哲学社会科学版),1999.2

周恩来与中国五六十年代的科技战略/刘霁堂/河南大学学报(社会科学版),1999.1

在境外举行的两航起义特殊性初探/傅昌铨/航空史研究,1999.1

关于《两航起义始末》几则史实的商榷/刘树堂/航空史研究,1999.1

与《初探》商榷之一/刘树堂/航空史研究,1999.4

建国初期贵州剿匪斗争中的铁壁合围/邓德礼/贵州社会科学,1999.6

中国从对日索赔到放弃赔款要求探微/罗平汉/广西师范大学学报(哲学社会科学版),1999.4

为何以1949年12月11日镇南关解放作为广西全境解放的标志?/广西党史,1999.3

民主建国纲领与共和国的初兴——为纪念中华人民共和国成立50周年而作/陈福明/甘肃行政学院学报,1999.4

40年前美国插手西藏内幕/国家安全通讯,1999.7

近年来中华人民共和国史研究述评/罗平汉/桂海论丛,1999.6

中国人民站起来了——记1950年新中国代表团联合国之行/氏石/党史纵横,1999.10

吹响向科学进军的号角——1956年全国知识分子问题会议/王永钦/党史纵横,1999.4

过渡时期总路线与新民主主义社会论/李安增/党史研究与教学,1999.6

社会主义改造的再认识/唐培吉/党史研究与教学,1999.6

浅析新中国以来党对私有制的政策及认识/尹业香/党史研究与教学,1999.5

毛泽东合作化高潮中的防"左"及其未能贯彻下去的原因/范守信/党史研究与教学,1999.5

一次夭折的对"左"的倾向的批判——1954年批评《文艺报》的第三种声音/于风政/党史研究与教学,1999.4

1949—1999:新中国历史回首三谈/彭建莆/党史文汇,1999.10

1949—1972年美国对华政策及其演变/任海鹏/北京科技大学学报(社会科学版),1999.4

五十年代中期的一次国情大调查/贾俊民/北京党史,1999.4

中华人民共和国史研究发展述论/周一平/学术月刊,1999.10

中华人民共和国建国的宣言和纲领/龚育之/求是,1999.21

共和国首发特赦令/纪敏/兰台世界,1999.2

建国之初的大剿匪(上)/邓礼峰/瞭望,1999.29

建国之初的大剿匪(下)/邓礼峰/瞭望,1999.30

建国初上海赈灾研究/承载/史林,1999.3

新中国从新民主主义社会向社会主义社会的过渡/柳建辉/历史教学,1999.9

新中国第一届政府的组建/谢双明/历史教学,1999.5

论我国社会主义改造的有益探索/曾丽雅/江西社会科学,1999.4

建国初期有关工会问题的分歧与争论/樊济贤/工会理论与实践·中国工运学院学报,1999

建国初期江西人民政权的巩固/当代中国史研究,1999.1

西藏"秘密战争"的策划者——西藏和平解放到全面武装叛乱中的美国/骆威/当代中国史研究,1999.1

毛泽东处理西藏问题的历史启示/曹志为/当代中国史研究,1999.1

关于编写中华人民共和国历史的若干意见/胡乔木/当代中国史研究,1999.1

论华北人民政府的成立、特点及其对新中国政权体制的探索/阎书钦/当代中国史研究,1999.1

共和国初创辉煌的七年/田居俭/当代中国史研究,1999.1

中华人民共和国史/邓力群/当代中国史研究,1999.4

百年少奇与中国社会主义二题/李向前/当代中国史研究,1999.2

战后社会主义的发展与毛泽东的探索/林蕴晖/当代中国史研究,1999.1

毛泽东建国初期除"四害"/朱介元/中华魂,2000.10

漫天狂飙扫邪恶——建国初期北京市镇压反革命斗争的几个片断/白希/北京支部生活,2000.4

抗美援朝战争加速改变中国国力军力/波拉提/中国国情国力,2000.12

陈毅与建国初期上海的反空袭作战/陈广相/春秋,2000.4

近二十年来抗美援朝战争若干问题研究概况/崔国才/企业导报,2000.6

抗美援朝专题史料/兰台内外,2000.5

刘格平与建国初期的民族工作/降边嘉措/百年潮,2000.11

彭德怀在朝鲜战场的最后时刻——原志愿军第四十六军军长萧全夫的回忆/张明金/百年潮,2000.8

中国军事顾问团与越南抗法战争/张广华/百年潮,2000.4

中国军事顾问团与越南抗法战争(续)/张广华/百年潮,2000.5

司徒美堂与侨乡土改/傅颐/百年潮,2000.2

建国初期我党对外政策浅析/张艳君/辽宁广播电视大学学报,2000.3

建国后的第一次军内大批判/萧克/文史博览,2000.4

试论50年代安徽省农业"三改"的经验教训/周多礼/党史纵览,2000.3

中朝联合司令部成立始末/姜廷玉/纵横,2000.10

彭德怀与金日成在抗美援朝期间的三次重要会晤/挺宇/纵横,2000.10

我在朝鲜停战双方"联合红十字会"小组的工作经历/阎稚新/纵横,2000.10

新民主主义理论与中华人民共和国的成立/崔晓麟/中共南宁市委党校学报,2000.1

援越抗美亲历记/马家祥/纵横,2000.9

美援朝战争回忆录/洪学智/中国集体经济,2000.11

朝鲜停战谈判片断/卓华明/纵横,2000.7

建国初期抗水灾/殷月兰/纵横,2000.4

建国之初"银元之战"的幕后佚闻/常浩如/纵横,2000.4

中苏协商与抗美援朝决策的最终形成/曲爱国/纵横,2000.1

新中国盐业管理体制50年回眸/程龙刚/盐业史研究,2000.1

国史研究的几个认识问题/苏志纬/西安航空技术高等专科学校学报,2000.2

简论新民主主义的新中国/李云峰/西北大学学报(哲学社会科学版),2000.2

中国放弃日本战争赔偿的反思/王剑华/西北大学学报(哲学社会科学版),2000.3

历史的经验值得注意——论"过渡时期"主要矛盾问题认识上的误区/柯祥/西安联合大学学报,2000.1

如何认识出兵援朝决策过程中的一封电报/王美凤/西安电子科技大学学报(社会科学版),2000.4

建国初期中共为和平解决台湾问题的努力/苗生/文史春秋,2000.5

在朝鲜战场上反击美军细菌战/盛星辉/武汉文史资料,2000.3

抗美援朝时期我们是怎样执行现金管理的/万澄中/武汉文史资料,2000.2

论朝鲜战争对中国的历史影响/隋淑英/聊城师范学院学报(哲学社会科学版),2000.3

论周恩来对解决台湾问题的贡献/张万余/天水师范学院学报,2000.4

解放初期上海郊区土地改革实证研究/冯绍霆/上海行政学院学报,2000.2

抗美援朝给我们的启示/刘金伟/上海党史与党建,2000.5

曾经为敌——西南地区国民党战犯改造纪实/孙曙/人民公安,2000.13

生产资料所有制结构的变迁——从党的西柏坡时期到十五大/王树同/河北青年管理干部学院学报,2000.4

试论朝鲜战争对中国大陆和台湾的影响/刘春蕊/青岛大学师范学院学报,2000.4

试析朝鲜战争对新中国发展历程的影响/周才方/南京社会科学,2000.12

论朝鲜战争与中国统一进程的中断/隋淑英/莱阳农学院学报(社会科学版),2000.3

聂荣臻与建国初期知识分子政策/王禄山/世纪桥,2000.5

试述建国以来乡村民主化的坎坷历程/季丽新/世纪桥,2000.3

建国初期关于工会问题对李立三的批判/周海滨/菏泽师范专科学校学报,2000.3

1949—1978年华侨华人对中国经济与社会发展的贡献/李树桥/华侨华人历史研究,2000.3

毛泽东与新中国的政体/吴晓红/呼伦贝尔学院学报,2000.4

抗美援朝战争的胜利及其历史意义/王海彬/呼伦贝尔学院学报,2000.3

评五十年代初蒋介石对国民党的"改造"/梁云/呼伦贝尔学院学报,2000.1

刘斐和荆江分洪工程/蔡永飞/湖北文史资料,2000.4

论刘少奇对我国社会主义建设道路的探索/赵晖/党史研究与教学,2000.6

浅议建国初期我国向社会主义过渡起点问题上的失误/胡晓泉/党史研究与教学,2000.5

共和国前30年"运动"的回顾与思考/张云/党史研究与教学,2000.4

试论50年代的"一边倒"方针和学习苏联运动/陈挥/党史研究与教学,2000.4

我国新民主主义社会提早结束的原因及启示/马千山/滨州师专学报,2000.3

新民主主义社会建设的思考/张北根/北京科技大学学报(社会科学版),2000.1

近二十年抗美援朝战争若干问题研究述略/徐文晶/北京党史,2000.5

一九五三年的历史定位/林蕴晖/中共党史研究,2000.5

1953年毛泽东梁漱溟公开冲突原因探析/刘世茂/西南民族学院学报(哲学社会科学版),2000.2

新中国为什么"一边倒"——评《剑桥中华人民共和国史》的有关论点/李海燕/史学月刊,2000.6

坚持用唯物史观评说新中国历史——中华人民共和国国史研究的理论与方法学术讨论会在京举行/马克思主义研究,2000.6

东北人民抗美援朝斗争纪实/安德喜/兰台世界,2000.10

志愿军:鲜为人知的历史档案/陈相安/兰台世界,2000.10

论我党对社会主义建设规律的探索和发展/刘玉平/山东大学学报(社会科学版),2000.1

给予农民"土地永有股权证"等分类改革的建议——中国农业经济改造的历史回顾/王德胜/内蒙古大学学报(人文·社会科学版),2000.4

在首都各界纪念中国人民志愿军抗美援朝出国作战五十周年大会上的讲话(摘要)/江泽民/毛泽

东思想研究,2000.6

建国后党的第一代领导集体的失误及其启示/孔德生/理论探讨,2000.6

五六十年代中国社会意识形态领域斗争性质嬗变原因论析/张广才/理论探讨,2000.2

50年代我国学习苏联的历史考察/王盛泽/理论学刊,2000.1

对农业合作化速度过快原因的分析/温小雁/历史教学,2000.7

开国西安大扫黄/张敏/新西部,2000.2

"1949年的中国"国际学术讨论会综述/徐秀丽/近代史研究,2000.2

张闻天对马克思主义中国化的理论贡献/谭献民/湖南师范大学社会科学学报,2000.6

管窥张闻天从个体农业经新民主主义走向社会主义的构想/高化民/当代中国史研究,2000.6

抗美援朝战争与中国建设大后方国防战略思想的形成/杨贵华/当代中国史研究,2000.6

朝鲜战争中中美决策比较研究/牛军/当代中国史研究,2000.6

关于朝鲜停战谈判第一线领导班子的形成与沿革/柴成文/当代中国史研究,2000.6

毛泽东、周恩来领导朝鲜停战谈判的决策轨迹/柴成文/当代中国史研究,2000.6

当代中国研究所召开纪念"抗美援朝、保家卫国"50周年座谈会/当代中国史研究,2000.6

纪念的意义/当代中国史研究,2000.6

努力开创国史研究工作的新局面/李力安/当代中国史研究,2000.4

抗美援朝时期财经工作方针研究/曹应旺/党的文献,2000.5

毛泽东与抗美援朝(续一)/逄先知/党的文献,2000.5

毛泽东谈中国关于"抗美援朝,保家卫国"的决定/党的文献,2000.5

关于中国人民志愿军出动朝鲜作战的一组文电/党的文献,2000.5

"拴紧缰绳"与"反攻大陆":肯尼迪与蒋介石的战略之争/牛大勇/北京大学学报(哲学社会科学版),2000.4

关于广东土改问题——与杜润生同志商榷/刘子健/同舟共进,2001.10

新中国大行政区制的历史演变/张则振/百年潮,2001.12

1950年解放军木船渡海取海南/施征/海洋世界,2001.9

50年代中期中共"和平解放台湾"的战略思想/刘家富/阜阳师范学院学报(社科版),2001.4

浅论周恩来的反冒进思想/王恩宝/世纪桥,2001.2

乔冠华在朝鲜停战谈判中/吴国盛/文史博览,2001.5

新民主主义向社会主义转变的历史必然性/韩金玲/牡丹江师范学院学报(哲学社会科学版),2001.3

阿沛·阿旺晋美与西藏和平解放/弋扬/西藏文学,2001.4

简论中央为西藏制定的特殊政策/厉建胜/西藏发展论坛,2001.3

中国人民政协有关筹建新中国的四件重大决议案/王德渊/纵横,2001.5

收回北京外国兵营始末/李正修/纵横,2001.5

参加人民政协第一届全体会议前后/李葆华/纵横,2001.4

回忆新政协诞生前后/葛志成/纵横,2001.2

1950年解放台湾计划搁浅原因探析/胡德茂/芜湖职业技术学院学报,2001.1

新中国建立初期苏联对华经济援助的基本情况(上)——来自中国和俄罗斯的档案材料/沈志华/俄罗斯研究,2001.1

新中国建立初期苏联对华经济援助的基本情况(下)——来自中国和俄罗斯的档案材料/沈志华/俄罗斯研究,2001.2

建国初期的反腐败斗争及其启示/莫松柏/株洲工学院学报,2001.6

我所经历的西藏和平解放/朋措扎西/中国西藏(中文版),2001.3

再读《十七条协议》/袁莎/中国西藏(中文版),2001.3

"中国人从此站立起来了"——对毛主席名言误传的澄清/邱维骥/中学历史教学参考,2001.12

五十年代的社会主义改造是历史的必然选择/王浩雷/真理的追求,2001.4

《十七条协议》是怎样签订的？/张晓明/中国统一战线,2001.6

我所经历的西藏和平解放/朋措扎西/中国统一战线,2001.6

朝鲜战争与新中国经济/董志凯/中共宁波市委党校学报,2001.5

中国共产党民族资本主义政策的历史考察/林治理/烟台师范学院学报(哲学社会科学版),2001.2

浅析毛泽东统战理论在西藏和平解放历史时期的实践/汪德军/西藏民族学院学报(哲学社会科学版),2001.4

和平解放西藏的历史回忆(1950年—1952年)/谢法海/西藏民族学院学报(哲学社会科学版),2001.2

周恩来在抗美援朝战争中的作用/陈答才/信阳师范学院学报(哲学社会科学版),2001.3

中国共产党对台湾政策的历史演变/张元勋/信阳师范学院学报(哲学社会科学版),2001.2

中共提前确定向社会主义过渡的原因探析/张小伟/信阳师范学院学报(哲学社会科学版),2001.1

论1950年调整工商业的成功经验/宋银桂/湘潭大学社会科学学报,2001.3

朝鲜战争对我党解决台湾问题的影响/傅常青/西安外国语学院学报,2001.1

论过渡时期我国的制度建设/任忠英/西安联合大学学报,2001.3

从湘西匪患看旧中国的社会痼疾/刘杰伟/文史杂志,2001.5

50年代国共两党反对"两个中国"的历史回顾/张万余/天水行政学院学报,2001.1

毛泽东提前结束过渡时期的原因及启示/马千山/石油大学学报(社会科学版),2001.4

中国的现代化与50年代对资本主义工商业改造的历史选择/李勇华/绍兴文理学院学报,2001.6

建国初期上海市居民委员会创建的历史考察/郭圣莉/上海行政学院学报,2001.4

苏联模式在中国的确立:前提和表现/孔寒冰/上海党史与党建,2001.9

关于朝鲜战争几个重要问题研究综述/葛兆富/青岛大学师范学院学报,2001.4

抗美援朝战争若干问题研究综述/陈宇/南京社会科学,2001.2

1956年前后毛泽东对我国社会基本矛盾和主要矛盾的认识/金雄鹤/世纪桥,2001.3

建国初期对一贯道的斗争及其历史经验/朱奕冰/世纪桥,2001.2

试析国民党军队从舟山撤逃台湾的原因/章其真/世纪桥,2001.2

50年代毛泽东对台军事斗争战略决策的特点与启示/焦红/军事历史,2001.5

抗美援朝运动中的思想政治工作初探/褚凤英/中共济南市委党校、济南市行政学院、济南市社会主义学院学报,2001.3

新中国对日本战犯的改造和审判/刘国武/衡阳师范学院学报,2001.4

从"三大作风"到"三个代表"——建国后肃清封建主义残余影响的历程与反思/谭献民/湖湘论坛,2001.6

大陆建国后土地改革和台湾土地改革之比较/陈锋/广西教育学院学报,2001.1

海南岛战役及其成功经验/杨晓杰/广东党史,2001.2

建国初期取缔反动会道门的斗争/张学军/湘潮,2001.3

西藏和平解放之历史过程与历史意义再认识/李信/党史纵横,2001.8

社会主义改造与中国社会之变迁/师吉金/党史研究与教学,2001.1

建国前后党和政府妥善解决社会问题的政策措施及经验启示/张仁善/党史研究与教学,2001.4

论我国农业社会主义改造后期的失误/邱济舟/北华大学学报(社会科学版),2001.3

建国初期毛泽东对私人资本主义态度和政策变化的原因/王进芬/郑州大学学报(哲学社会科学版),2001.6

新中国从援越抗法到争取印度支那和平的政策演变/杨奎松/中国社会科学,2001.1

第一次"台海危机"与一个中国的原则/张万余/西北师大学报(社会科学版),2001.3

我国过渡时期的社会性质和主要矛盾再认识/董宝训/文史哲,2001.1

建国初期绥远地区取缔一贯道的斗争/庆格勒图/内蒙古大学学报(人文·社会科学版),2001.3

新中国成立初期国家与社会关系模式初探/范翠红/南京师大学报(社会科学版),2001.2

我国新民主主义社会向社会主义社会转变的可能性和必要性/杨淑英/毛泽东思想研究,2001.6

中苏国家利益与民族情感的最初碰撞——以《中苏友好同盟互助条约》签订为背景/杨奎松/历史研究,2001.6

新民主主义与过渡时期总路线/王墨君/历史教学,2001.4

中国共产党与建国初现代化的启动/黄华文/华中师范大学学报(人文社会科学版),2001.4

根据中国具体情况决定建国方针——刘少奇新民主主义经济思想再研究/王双梅/当代中国史研究,2001.5

中国核武器的发展与中苏关系的破裂(1954—1962)(连载一)/戴超武/当代中国史研究,2001.3

中国核武器的发展与中苏关系的破裂(1954—1962)(连载二)/戴超武/当代中国史研究,2001.5

抗美援朝与新中国经济/董志凯/当代中国史研究,2001.5

党史与国史:在怎样的意义上应有区别?/李向前/当代中国史研究,2001.3

关于国史研究的几个问题/杨凤城/当代中国史研究,2001.3

国史研究应发扬探索和开拓的精神/陈其泰/当代中国史研究,2001.3

中华人民共和国史研究断想/侯且岸/当代中国史研究,2001.3

关于国史研究方法论的几个问题/关海庭/当代中国史研究,2001.3

国史研究理论与方法的思考/邹兆辰/当代中国史研究,2001.3

"全球史观"和当代中国史研究/于沛/当代中国史研究,2001.3

奠定新中国一切进步和发展的基础——社会主义制度在中国建立的历史启示/柳建辉/党建,2001.4

20世纪50年代初大陆与台湾土地改革比较/栾雪飞/东北师大学报(哲学社会科学版),2001.6

中共对朝鲜战争初期局势的预测与对策/刘统/党的文献,2001.6

新中国扫除文盲运动/郝和国/党的文献,2001.2

简论和平解放西藏战略决策和实施方针的历史实践/陈崇凯/中国藏学,2001.2

划时代的历史文献——纪念《和平解放西藏办法的协议》签订五十周年/申新泰/中国藏学,2001.2

毛泽东与和平解放西藏/曹志为/中国藏学,2001.2

伟大胸怀/英明决策——对毛主席解决西藏问题的回顾/张向明/中国藏学,2001.2

论西藏和平解放的历史基础——纪念《十七条协议》签订50周年/拉巴平措/中国藏学,2001.2

抗美援朝是捍卫国家安全的唯一正确选择/刘国华/安徽史学,2001.3

建国后南京夫子庙的妓女改造/高福真/钟山风雨,2002.1

对斯大林体制的继承和发展——试析50年代中后期中国社会主义道路探索问题/张欣/台州学院学报,2002.5

台湾的"农地改革"与大陆的"土地改革"/王吉友/中学历史教学参考,2002.10

刘少奇与新中国成立前后的国防工作/刘波/纵横,2002.3

一场反腐防变长期斗争的胜利初战——兼谈毛泽东在三反运动中的领导艺术/张武文/忻州师范学院学报,2002.1

建国初期毛泽东新民主主义社会理论为何突变/汤兆云/益阳师专学报,2002.2

党在建国初期的农村政策评析/姚晓晖/燕山大学学报(哲学社会科学版),2002.1

1955年"砍社风波"真相/高化民/炎黄春秋,2002.8

论建国初期我国的精神文明建设/黎见春/许昌师专学报,2002.4

中南军政委员会在汉成立纪实/源清/武汉文史资料,2002.5

试论建国后头八年党对国内主要矛盾认识的变化/石玉平/天水师范学院学报,2002.4

陈云与1956年反冒进/蒋永青/上海党史与党建,2002.7

周恩来组建新中国首届政府纪事/王存福/四川统一战线,2002.12

毛泽东对工业化与农业合作化关系的认识/江红英/四川党史,2002.3

由新民主主义向社会主义转变及其历史启示/王利/钦州师范高等专科学校学报,2002.3

毛泽东建国后的国民性改造思想与实践研究述评/肖南龙/求索,2002.2

中国共产党在解放初期劝止民主党派"光荣结束"之始末/刘重来/前进论坛,2002.1

新中国成立初期进行社会主义改造是不是背离了马克思主义?/韩亚光/前沿,2002.1

五十年代初海峡两岸"土改"之比较研究/黄跃红/南通师范学院学报(哲学社会科学版),2002.3

高级社化后的"退社风波"及农村政策的调整/刘贵福/辽宁师范大学学报(社会科学版),2002.1

毛泽东同志建国初期政治稳定思想探索/王淑贞/辽宁行政学院学报,2002.2

知识分子与建国初期的政治清明/张晨怡/辽宁大学学报(哲学社会科学版),2002.4

1956年知识分子问题会议研究述评/吴小妮/世纪桥,2002.2

甘孜藏区叛乱对周边地区尤其是西藏的影响/文艳林/康定民族师范高等专科学校学报,2002.1

建国以来国家与乡村社会关系的演进/范翠红/济南大学学报(社会科学版),2002.3

五十年代初期毛泽东工业化思想初探/罗玉明/怀化学院学报,2002.4

中苏关系中的台湾问题(1949—1959)/高新涛/广西社会科学,2002.1

建国初期河北省救灾度荒工作述评/郭贵儒/河北师范大学学报(哲学社会科学版),2002.2

关于社会主义改造的几个问题/沙健孙/思想理论教育导刊,2002.1

浅论朝鲜战争前蒋介石与李承晚关系的核心线索/金景一/国际政治对广东土改试点运动的再认识/肖燕明/广东党史,2002.2

新中国赴联合国的第一个代表团述略/张雪娇/广东党史,2002.4

罗瑞卿北京封妓院/吴跃农/湘潮,2002.1

蒋介石三度出兵朝鲜战争未遂始末(一)/湖北档案,2002.1

蒋介石三度出兵朝鲜战争未遂始末(二)/湖北档案,2002.2

蒋介石三度出兵朝鲜战争未遂始末(三)/湖北档案,2002.3

蒋介石三度出兵朝鲜战争未遂始末(四)/湖北档案,2002.4

周恩来与高饶事件(上)/王永钦/党史纵横,2002.11

周恩来与高饶事件(下)/王永钦/党史纵横,2002.12

战后美国对华军事战略的演变及我们的对策/黄道余/党史纵横,2002.2

1990年代以来关于建国初知识分子思想改造运动研究综述/谢涛/党史研究与教学,2002.5

共和国政治制度研究述评/陈明显/党史研究与教学,2002.4

阿沛·阿旺晋美与西藏的和平解放/李资源/党史天地,2002.10

巩固新生人民政权的殊死较量——山西取缔反动会道门和镇反运动述评/王雷平/党史文汇,2002.2

简述建国初期河北镇反的清案工作/吕新民/档案天地,2002.1

周恩来与抗美援朝/李惠康/楚雄师范学院学报,2002.1

对新民主主义社会被中断原因的认识/杨启莲/渝西学院学报(社会科学版),2002.3

对我国新民主主义社会提前结束的思考/曾长秋/常德师范学院学报(社会科学版),2002.2

解放后我党对外国在华机关及人员的处理/潘丽萍/长春师范学院学报,2002.4

建国初期反封锁反禁运斗争述论/周四成/北京党史,2002.1

土地改革与中国的工业化/白云涛/北京党史,2002.1

国家汲取能力的建设——中华人民共和国成立初期的经验/王绍光/中国社会科学,2002.1

陈毅市政管理思想及其实践/张为波/西南民族学院学报(哲学社会科学版),2002.12

进一步重视和推动对当代史的研究/李良玉/社会科学研究,2002.5

关于向社会主义过渡设想改变的原因/郭德宏/历史教学,2002.5

我国农村的两次历史性变革(一)/劳思/历史教学,2002.3

我国农村的两次历史性变革(二)/许经勇/历史教学,2002.4

建国初期的社会问题及其治理/李立志/教学与研究,2002.11

建国初期湖北没收官僚资本的措施及成效/严雄飞/当代中国史研究,2002.6

建国初期华北农村婚姻制度的改革/张志永/当代中国史研究,2002.5

建国初期城市居民委员会研究/陈辉/当代中国史研究,2002.4

试论1949—1951年中国的印度政策与西藏的和平解放/王琛/当代中国史研究,2002.2

邓小平在西藏和平解放过程中的地位和作用/张皓/当代中国史研究,2002.2

建国后土地与农民社会保障问题的历史演变/钱文艳/安徽史学,2002.3

毛泽东决策抗法援越/兵团建设,2003.6

建国初期抢救国宝大行动/陆海天/湖南文史,2003.6

苏北"三反"运动一瞥/谢涛/百年潮,2003.2

苏联归还旅顺海军基地内幕/沈志华/百年潮,2003.2

苏联归还旅顺海军基地始末/百年潮,2003.2

建国初期周村的制丝业/于洪谋/春秋,2003.5

建国初期我军停止武力攻台的真相/华强/百年潮,2003.12

毛泽东与台湾问题/凌国良/统一论坛,2003.6

刘少奇秘密访苏与"波匈事件"的解决/张伟/文史博览,2003.8

建国后党的三代领导人与私营经济/谭炳华/文史博览,2003.8

湘西土改中的一张重要布告/欧金林/文史博览,2003.4

建国初期上海对失业知识分子的调查登记和就业安置/郝先中/上海党史与党建,2003.11

时代的选择——青藏铁路决策的曲折历程/江世杰/时代潮,2003.18

建国初期国共两党反对"台湾地位未/定论"的斗争/尹博/党史纵览,2003.12

解放初四川土地改革及其意义/赵黎/中共成都市委党校学报,2003.1

新中国成立后中共对富农政策的演变/席富群/党史纵览,2003.10

忆建国初期的干部理论教育/马夕耘/贵阳文史,2003.5

何香凝关于广东土改问题给方方的一封信/路剑/广东党史,2003.6

建国初期第一代中央领导集体探索执政党建设成果评析/钟海连/党史文苑,2003.6

邓小平与解放初期西南民族地区建设/叶菊珍/西南民族大学学报(人文社科版),2003.12

建国初期中国共产党对农村社会分化问题的认识/席富群/史学月刊,2003.12

近几年关于战后中国大陆、台湾地区与美国关系研究综述/叶张瑜/当代中国史研究,2003.1

1949—1959年爱国卫生运动述论/肖爱树/当代中国史研究,2003.1

中共中央三代领导集体与中国工业化/王骏/当代中国史研究,2003.1

新中国党的经济理论和思想发展的回顾与评析/卫兴华/当代中国史研究,2003.1

西方关于新中国思想改造运动的研究述评/肖南龙/当代中国史研究,2003.3

建国初期的社会变迁与党对思想文化的整合/王先俊/当代中国史研究,2003.3

陈毅领导上海解放之初的经济恢复工作/姚会元/当代中国史研究,2003.3

国家资本及其国有企业是新中国工业化的基础和主干/刘永佶/当代中国史研究,2003.4

毛泽东与社会主义的中国/李捷/当代中国史研究,2003.4

20世纪50年代中国社会主义探索中的矛盾及其逆转之原因/林蕴晖/当代中国史研究,2003.4

新中国社会主义卫生事业和防疫体系的创立与发展/胡克夫/当代中国史研究,2003.5

1954年湖北水灾与救济/李勤/当代中国史研究,2003.5

论建国初期对淮河的全面治理/高峻/当代中国史研究,2003.5

中国当代民主政治建设研究——以1954年宪法为例/刘国新/当代中国史研究,2003.6

作为统战对象的中农——评湖南农业合作化运动/吴长清/株洲工学院学报,2003.3

新中国模仿苏联模式建设社会主义的原因、过程、表现和结果/沈宗武/中共云南省委党校学报,2003.2

建国初期的反腐倡廉教育/王传利/正气,2003.4

抗美援越初期的中越高层会谈/王勤/纵横,2003.9

上海调查与对资改造的决策过程/黄铸/中国统一战线,2003.6

香港"两航"起义与新中国的民航建设/刘莉/中国民航学院学报,2003.1

论李维汉在资本主义工商业改造中的贡献/余柏青/湖南城市学院学报,2003.2

中国共产党解决西藏问题的"和平解放,暂维原状"方针的历史由来/王小彬/西藏民族学院学报(哲学社会科学版),2003.2

新中国成立前后党中央制定"武力解放台湾"方针原因探析/秦克丽/西安政治学院学报,2003.5

毛泽东决策建武钢/李鋆/武汉文史资料,2003.6

建国初期争取海外留学生归国工作的回顾/李灵革/天中学刊,2003.6

从抗美援朝决策看中共中央的危机应对模式/谢坚明/探求,2003.2

建国初期关于过渡时期经济基础问题的争论/萧岛泉/上海行政学院学报,2003.1

建国初期的国家能力建设/范翠红/山东行政学院·山东省经济管理干部学院学报,2003.6

新中国票证制度的确立/张学兵/首都师范大学学报(社会科学版),2003.1

试析海南岛解放战役胜利的原因/陈诚/琼州大学学报,2003.4

毛泽东与爱国卫生运动/肖爱树/青海社会科学,2003.4

论中国新民主主义社会形态历史命运/刘永瑞/理论前沿,2003.17

论新民主主义社会的过渡性/杨斌/理论界,2003.1

论新中国收回中东铁路的历史必然性/王凤贤/世纪桥,2003

农业合作化迅速完成的农民心理分析/朱智宾/世纪桥,2003.3

新中国在抗美援朝战争中的国际战略/支绍曾/军事历史,2003.3

美国扩大朝鲜战争的决策分析/赵学功/军事历史,2003.6

战争与和平的理性抉择——试析周恩来在朝鲜停战谈判中坚持原则性与灵活性的统一/李金明/军事历史研究,2003.4

论建国后的国民性改造范式/肖南龙/三峡大学学报(人文社会科学版),2003.2

一九五〇年辅仁大学事件始末/刘松林/党史纵横,2003.6

试析"高饶事件"发生的原因/戴茂林/党史研究与教学,2003.6

朝鲜战争与建国初期我国东南沿海防卫战略的转换/林晓光/党史研究与教学,2003.5

新民主主义社会提前终结的历史分析/武力/党史研究与教学,2003.3

一则重大历史事实的考证——高、饶分裂党的阴谋是何时被揭露的?/范守信/党史研究与教学,2003.1

建国初期第一次反腐败斗争探析/田晓晴/党史文汇,2003.5

山西手工业社会主义改造述评/王雷平/党史文汇,2003.3

建国以来河北省防控传染病的几则史料/档案天地,2003.1

新民主主义向社会主义过渡的几个问题/黄爱军/长白学刊,2003.4

毛泽东放弃新民主主义社会论的重要动因——建国前后苏联对中共的压力/李理/长白学刊,2003.2

论毛泽东对制定"五四宪法"的主要贡献/戴辉礼/北京党史,2003.6

论新中国建立前后军事管制制度的地位和作用/何虎生/北京党史,2003.5

试论对手工业的社会主义改造问题/刘素新/北京党史,2003.5

试析新民主主义社会理论被放弃的原因/王克峰/学术交流,2003.2

新中农的崛起:土改后农村社会结构的新变动/王瑞芳/史学月刊,2003.7

关于建国初期政协代行人大职权问题的正确理解/刘世华/社会科学战线,2003.2

叙事视角的多样性与当代史研究——以50年代历史研究为例/高华/南京大学学报(哲学·人文科学·社会科学版),2003.3

苏联归还旅顺海军基地内幕/沈志华/历史教学,2003.5

建国初期刘少奇"巩固新民主主义制度"思想分析/徐中/历史教学,2003.4

接管上海官僚资本金融机构述论/吴景平/近代史研究,2003.4

马克思列宁主义过渡时期理论在中国的变异/郭圣福/华中师范大学学报(人文社会科学版),2003.3

论建国前后党和政府对私营工商业的政策/孙其明/安徽史学,2003.3

毛泽东亲自组织起草新中国第一部宪法/宗莲/中国人大,2004.19

代行全国人大职权的人民政协第一届全体会议/刘政/中国人大,2004.1

回顾登步岛之战/吴新华/百年潮,2004.3

黑龙江土地改革运动中的"夹生饭"问题及纠正/张广才/东北农业大学学报(社会科学版),2004.2

关于建国之初的"联合政府"/王善明/中国统一战线,2004.8

试论周恩来"和平解放"台湾的思想/郭溪土/漳州职业大学学报,2004.1

建国初期福建民主建政的历史考察/李顺禹/福建党史月刊,2004.1

1956年与毛泽东的文化思想结构/单世联/博览群书,2004.6

1950年代中国对农村妇女的社会动员/李巧宁/社会科学家,2004.6

建国初期河北省赈灾工作简论/陈冬生/廊坊师范学院学报,2004.4

对"高饶事件"中几个问题的考察/聂家华/中共党史研究,2004.2

党对国家资本主义过渡途径的探索——制定党在过渡时期总路线的重要认识环节/庞松/中共党史研究,2004.2

新民主主义社会提前结束原因研究述论/黄爱军/中共党史研究,2004.1

毛泽东对中国工业化的探求与中国的革命和建设/朱佳木/中共党史研究,2004.2

斯大林给中共领导提出的十二点建议/A. M. 列多夫斯基/中共党史研究,2004.6

关于"高饶事件"几个问题的再探讨/戴茂林/中共党史研究,2004.6

建国初期毛泽东政治稳定思想探要/曹月柱/胜利油田党校学报,2004.6

抗美援朝战争与当时的中国经济/齐德学/军事历史,2004.5

1949—1956 年我国农村阶级阶层的变迁/郑艳凤/渤海大学学报(哲学社会科学版),2004.6

20 世纪 50 年代中国农村扫盲运动的特点/马云/商丘师范学院学报,2004.6

新中国成立前后中国共产党对帮会政策的演变/张皓/中共贵州省委党校学报,2004.5

论"一边倒"政策的历史局限性/隋淑英/齐鲁学刊,2004.6

中国抗美援朝研究若干问题辨析/刘国新/江西社会科学,2004.10

试论建国初期河北省的禁烟禁毒斗争/董向前/当代中国史研究,2004.6

评析社会主义三大改造/赵福香/通化师范学院学报,2004.7

新中国首批驻外使节的选派及其外交实践/庄斌/泰山学院学报,2004.5

中国新外交刍议/俞正樑/历史教学问题,2004.5

1949—1956:中华人民共和国政府处理与西方发达国家关系的政策和策略/沙健孙/教学与研究,2004.10

苏南土地改革中的工商业问题/陈肖静/江苏大学学报(社会科学版),2004.4

土改后的中国富农:从保存、限制到消灭/王瑞芳/河南社会科学,2004.5

建国以来贵州少数民族地区农村土地制度变迁及其历史意义/廖光珍/贵州民族研究,2004.2

苏联与俄罗斯学者关于中华人民共和国史的研究/符·尼·乌索夫/当代中国史研究,2004.5

重论周恩来与陈云共防冒进的心路历程/宋天和/学术交流,1999.2

中华人民共和国史研究的回顾和前瞻/程中原/当代中国史研究,2004.5

时过境未迁——关于中国当代史研究的几个问题/王海光/党史研究与教学,2004.5

中央人民政府政务院筹建始末/刘武生/纵横,2004.10

建国初期中国共产党的反腐败斗争/连琳/职大学报,2004.3

建国初河北省向东北移民工作述评/陈冬生/邢台学院学报,2004.3

试述南京解放初期的社会改造/付启元/江南大学学报(人文社会科学版),2004.4

建国初期江岸区人民政府的组织机构/黎哲夫/武汉文史资料,2004.8

浅析建国初期中国农民阶级的社会分化/杨娜/探索,2004.2

"《武训传》批判"的历史考论/李刚/南京晓庄学院学报,2004.3

周恩来与冒进、反冒进、反反冒进/刘武生/纵横,2004.5

新民主主义加速过渡到社会主义的经济学解释/薛汉伟/教学与研究,2004.7

苏南土改中的农村公地问题/钟霞/江苏大学学报(社会科学版),2004.5

苏南土改中的知识分子问题/谭志云/江苏大学学报(社会科学版),2004.5

新中国巩固城市政权的最初尝试——以上海"镇反"运动为中心的历史考察/杨奎松/华东师范大学学报(哲学社会科学版),2004.5

建国初期的舆论监督和人民监督/王传利/党史纵横,2004.4

关于建国初期中国农民信仰实践的历史性反思/王晶/东北师大学报(哲学社会科学版),2004.5

北京解放初期打击帝国主义间谍的斗争/山石/北京党史,2004.5

从几份珍品报看新中国的成立/李润波/北京党史,2004.5

毛泽东在建国后关于利用资本主义经济成分的思想/王永君/北京党史,2004.5

1949—1994 年中国科学技术发展战略研究/柯育芳/求索,2004.7

中共建国后的土改与国民党退台后的土改之比较/李荣/喀什师范学院学报,2004.4

抗美援朝战争与新中国的第一个国防战略/房功利/当代中国史研究,2004.4

中华人民共和国史研究的发端/顾为铭/当代中国史研究,2004.4

近年来共和国史研究视点回顾/吴敏先/东北师大学报(哲学社会科学版),2004.4

1949—1957 年中国社会变迁的特点及经验教训/师吉金/渤海大学学报(哲学社会科学版),2004.1

建国初期的土地改革运动/李良玉/江苏大学学报(社会科学版),2004.1

关于"和平共处五项原则"的一段史实/杨公素/纵横,2004.5

对"三大改造"历史必然性的思考/綦军/内蒙古民族大学学报(社会科学版),2004.3

毛泽东与刘少奇在农业合作化问题上认识的差异/秦宏毅/广西社会科学,2004.7

对毛泽东私人资本主义态度的理性分析/田强/高等函授学报(哲学社会科学版),2004.3

参加调查细菌战的中国动物学家/李枢强/生物学通报,2004.5

援越抗法和1954年日内瓦会议/李家忠/东南亚纵横,2004.6

浅析新民主主义共和国政权的性质/李祥营/宜宾学院学报,2004.2

1956年苏东政局对中国政治的消极影响及启示/赵朝峰/许昌学院学报,2004.3

新中国对教会大学接收与改造述评/王红岩/许昌学院学报,2004.3

苏南土地改革中的富农问题/莫宏伟/江苏大学学报(社会科学版),2004.3

苏南土改中的划分阶级成分和反封建问题/白纯/江苏大学学报(社会科学版),2004.3

陈云与统购统销政策的制订和实施/贾艳敏/贵州社会科学,2004.3

统购统销初期的粮食票证制度探析——以1953—1957年的河南为个案/田锡全/史学月刊,2004.5

对取消印度在江孜亚东特权的几点回忆/王贵/军事历史,2004.1

中共第一代领导集体涉台外交斗争述略/古琳晖/军事历史,2004.2

叶剑英和平解决澳门关闸事件/卢荻/广东党史,2004.2

解放之初上海经济保卫战/孙国/湘潮,2004.2

对建国初期吸引海外留学生归国工作的回顾——兼论其对我国文教事业的影响/李涛/党史文苑,2004.4

论毛泽东建国初期的领导艺术/郑延泽/商丘师范学院学报,2004.1

新中国建立初期居民委员会制度的历史考察/郭圣莉/上海党史与党建,2004.2

新中国农地政策的历史嬗变及逻辑启示/李岳云/南京农业大学学报(社会科学版),2004.1

毛泽东与援越抗法/何立波/党史纵横,2004.2

建国前后影响中国武力解决台湾问题的根本因素/刘舸/安徽师范大学学报(人文社会科学版),2004.1

"一定要根治海河"决策形成的历史略述/张学礼/党史博采(理论),2005.5

1949—1956年中国民族资产阶级心理之变迁/师吉金/安徽师范大学学报(人文社会科学版),2004.1

新中国对日本战犯的审理/李东朗/中国井冈山干部学院学报,2005.2

新中国政府对侵华日本战犯的审判和改造/孙辉/百年潮,2005.7

国民经济恢复时期"增产节约运动"阶段性简析/许新年/党史博采(理论),2005.11

一九五三年的"修正税制"及其影响/武力/中国社会科学,2005.5

苏联专家事件与中国国内政治/柳德军/湛江师范学院学报,2005.5

冷战以来中泰关系的巨大变化及其决定因素/石维有/玉林师范学院学报,2005.6

建国后中国共产党的知识分子政策探析/李铁/新疆石油教育学院学报,2005.3

建国初期"增产节约运动"与新世纪"节约型社会"建设/许新年/天水行政学院学报,2005.6

试析抗美援朝战争中政治动员的内容与方法/林伟京/华南师范大学学报(社会科学版),2005.6

1953—1978年我国城镇职工劳动生活的特征分析/耿向东/河北大学学报(哲学社会科学版),2005.6

建国初期中国共产党的知识分子政策述评/李丹/党史文苑,2005.24

"无毒中国"缘何不再?——对中国共产党领导下的新中国禁毒运动辉煌历史的反思/胡金野/甘肃

社会科学,2005.6

新中国成立前后的津港贸易及其历史地位/张晓辉/广东社会科学,2005.6

建国以来淮河流域水患灾害及其治理/于文善/党史研究与教学,2005.6

我国农业合作化与农村发展问题研究探析/王桂强/党史研究与教学,2005.6

农业集体化进程中"包产到户"体制外探索述论/胡穗/求索,2005.11

建国初期"增产节约运动"初探/王东/中州学刊,2005.6

论建国初期中国共产党民主执政理念及其实践/郭溪土/漳州师范学院学报(哲学社会科学版),2005.3

也谈"高饶事件"的社会历史背景与揭露处理问题/张树新/中共党史研究,2005.6

最高国务会议组织结构及其功能探析/李林/中共党史研究,2005.1

美国中央情报局对中国西藏的准军事行动(1949—1969)/郭永虎/史学集刊,2005.4

建国初期河北省禁烟禁毒运动若干措施浅析/董向前/河北青年管理干部学院学报,2005.3

试论内蒙古各界人民代表会议的历史作用/庆格勒图/内蒙古大学学报(人文·社会科学版),2005.6

建国初期政治社会化述评/吴继平/理论学刊,2005.11

美太平洋舰队干涉中国大陆武力解决台独问题的可能性及中国大陆的对策/张福财/佳木斯大学社会科学学报,2005.5

建国初期统一财政金融的几项政策措施/李良玉/江汉论坛,2005.10

1949—1950年北京市的移民工作/王承旭/当代中国史研究,2005.6

中国共产党经济发展观的历史演进/武力/当代中国史研究,2005.6

统购统销制度正负效应的辩证思考/张学兵/党史研究与教学,2005.5

论争与结局——对建国后北京城墙的历史考察/瞿宛林/北京社会科学,2005.4

建国50年浙江农村社会变革与农民婚姻状况的历史变迁/钱文艳/安徽史学,2005.6

国家介入与商会的"社会主义改造"——以武汉市工商联为例(1949—1956)/魏文享/华中师范大学学报(人文社会科学版),2005.5

试析工农速成中学停办原因/楼辉/哈尔滨学院学报,2005.9

建国初期毛泽东对中国社会主义经济建设的探索/梁中华/呼伦贝尔学院学报,2005.3

建国初期危机事件的应对机制——以抗美援朝期间的反对美军发动细菌战为例/李立志/中共党史研究,2005.2

抗美援朝运动与民众社会心态研究/侯松涛/中共党史研究,2005.2

根治海河运动述论/刘洪升/燕山大学学报(哲学社会科学版),2005.3

中华民族博大胸怀的历史见证——葫芦岛百万日侨俘大遣返的回顾与思考/张志坤/求是,2005.16

也谈影响中国出兵朝鲜决策的因素/卢宁/当代中国史研究,2005.5

朝鲜战争与中国的台湾问题/乔兆红/当代中国史研究,2005.5

论"三害"、"五毒"产生的社会历史原因/徐树芝/潍坊学院学报,2005.3

解放初期中小学教师的思想学习活动——以江苏地区为中心/胡清宁/南京大学学报(哲学·人文科学·社会科学版),2005.4

有关开国大典的几条史实/李格/当代中国史研究,2005.4

建国初期究竟有几个大行政区/李格/当代中国史研究,2005.4

邓子恢与中共中央农村工作部评述/王连生/史学月刊,2005.8

断裂与延续:1950年代上海的文化改造/姜进/社会科学,2005.6

建国初政府赈灾研究/陈冬生/求索,2005.5

建国初期党和国家与知识分子关系的调适/王盛泽/求索,2005.5

中国对奠边府战役胜利和日内瓦协议签署的卓越贡献/孙福生/南洋问题研究,2005.2

一九五六年十月危机:中国的角色和影响——"波匈事件与中国"研究之一/沈志华/历史研究,2005.2

"改行的作家":市长李劼人角色认同的困窘(1950—1962)/雷兵/历史研究,2005.1

抗美援朝战争中彭德怀的决策、谋局艺术/王萍/军事历史研究,2005.2

苏南土地改革时期斗、打偏激现象的历史考察/张成洁/广西社会科学,2005.7

过渡时期思想文化批判运动的文化反思/陈元龙/湖北大学学报(哲学社会科学版),2005.4

国际承认:探讨建国前后新中国政府合法性问题的又一视角/程珂/贵州社会科学,2005.4

土地改革与知识分子思想改造/崔晓麟/广西民族学院学报(哲学社会科学版),2005.4

建国以来关于"改土归流"问题研究综述/秦中应/边疆经济与文化,2005.6.

援越抗法与抗美援朝战略抉择的共同性/陈宾/西南交通大学学报(社会科学版),2005.3

20世纪50年代我国农民协会隐退的原因分析/唐明勇/史学月刊,2005.6

"不搞争论"与"百家争鸣"/茅金康/历史教学问题,2005.3

1949—1954:台湾在我党军事斗争中战略地位的演变/崔国才/军事历史研究,2005.1

建国初期中共治理城市失业问题的对策与实践——以1949—1952年的南京市为例/谢涛/当代中国史研究,2005.3

中国在1956年10月危机中的角色和影响/沈志华/当代中国史研究,2005.3

1949—1955年中国共产党多党合作政策的历史、现实因素探源/陈海钧/西安文理学院学报(社会科学版),2005.1

毛泽东新民主主义共和国国体与政体思想的内在精神探析/李默海/聊城大学学报(社会科学版),2005.2

从"搭架子"到"建班子"——1949年秋冬贵州省各级中共党委、各级人民政府的成立与接管工作/王瑞迎/贵州社会科学,2005.2

建国初期陈云对中国现代化建设的理论贡献/王晓默/党史文苑,2005.6

试论朝鲜战争对中国共产党解决台湾问题的影响/张元勋/周口师范学院学报,2005.1

1949—1952年北京市摊商联合会筹备委员会初探/崔跃峰/史学月刊,2005.4

建国初期中共政权建设与农村社会变迁——以1949—1952年湖南省醴陵县为个案/陈益元/史学集刊,2005.1

建国初期驻滇部队的民族政策教育/胡荣贵/今日民族,2005

抑制与抗争:建国初期的政府与私营工商界(1949—1952)/胡其柱/晋阳学刊,2005.2

针锋相对/第一次台海危机中的法律战/潘国平/军事历史,2005.3

"各界代表会"与"各界人民代表会"的区别/李格/当代中国史研究,2005.2

第一届全国人民代表大会前的国家最高权力机关/李格/当代中国史研究,2005.2

建国后毛泽东平等外交思想探析/焦玉石/安康师专学报,2005.2

1950年"人民胜利折实公债"发行述评/李飞龙/浙江万里学院学报,2005.1

论档案与共和国史研究的关系/李海红/新乡师范高等专科学校学报,2005.1

"高饶事件"的前前后后/罗平汉/文史天地,2005.1

回顾与思考——1950年代中苏军事关系若干问题(之三)/王亚志/国际政治研究,2005.1

新民主主义向社会主义转变研究综述/王建都/北京党史,2005.1

抗美援朝战争中的停战谈判决策研究/牛军/上海行政学院学报,2005.1

建国以来我国蝗灾防治工作的历史考察/高冬梅/河北师范大学学报(哲学社会科学版),2005.1

抗美援朝战争与当时的中国经济/齐德学/当代中国史研究,2005.1

时过境未迁——关于中国当代史研究的几个问题/王海光/当代中国史研究,2005.1

建国初期中国共产党执政文化资源的整合与构建/齐芳/首都师范大学学报(社会科学版),2006.1

略论过渡时期总路线的提出与实践/王德中/首都师范大学学报(社会科学版),2006.1

中国人民解放军中的朝鲜师回朝鲜问题新探/金东吉/历史研究,2006.6

1949—1956年工商资本家的心理变化及其原因/刘文广/世纪桥,2006.10

也评新民主主义社会向社会主义社会的提前过渡/任学岭/延安大学学报(社会科学版),2006.6

两次农业合作运动的比较研究——以南京国民政府时期的农业合作运动与建国后农业合作化为例/绳会敏/山东省农业管理干部学院学报,2006.6

论新疆解放军开展大生产运动的历史必然性/岳廷俊/石河子大学学报(哲学社会科学版),2006.6

建国后毛泽东的法制建设观论析/戴开柱/求索,2006.12

中共对城市社会的控制分析——以解放初期上海的社团工作为例/阮清华/兰州学刊,2006.12

建国初期民主党派党员增长缓慢的原因分析/苏进球/怀化学院学报,2006.11

农业合作化运动中阶级关系若干问题的再思考/邵建光/党史研究与教学,2006.6

试论中国共产党台商政策的缘起与酝酿/闫安/党史研究与教学,2006.6

1953至1957年马克思主义中国化进程探析/张俊武/中共青岛市委党校(青岛行政学院学报),2006.5

对过渡时期总路线的再认识/崔利萍/沙洋师范高等专科学校学报,2006.6

我国50年代资本主义工商业改造原因及影响分析/戚万法/社会科学论坛(学术研究卷),2006.12

辉煌成就与建国头七年一些重大决策/葛子和/宁波通讯,2006.7

建国初期民族资本主义企业的劳动就业力对社会的稳定作用论析/周苏玉/兰州学刊,2006.11

中国领导人是何时及如何获得赫鲁晓夫秘密报告的——对国内学术界几种比较流行说法的梳理/蒲国良/河南师范大学学报(哲学社会科学版),2006.6

建国初期的爱国公约运动/王永华/钟山风雨,2006.6

解放初期人民政权对皖北地区会道门的取缔/梁家贵/阜阳师范学院学报(社会科学版),2006.6

中华人民共和国史研究新进展(2002—2004年)/吴敏先/当代中国史研究,2006.6

毛泽东对中国社会主义建设规律的探索/李捷/当代中国史研究,2006.6

毛泽东领导全党、全国各族人民进行社会主义现代化建设的伟大实践/张全景/当代中国史研究,2006.6

建国初期的哈尔滨建设/于雷/城建档案,2006.10

西藏问题中的苏联因素/胡岩/西藏大学学报(汉文版),2006.3

建国以来我国社会运行激励机制的演变/谭桂娟/山西高等学校社会科学学报,2006.10

新中国是如何解决人民吃饭问题的/姜传岗/马克思主义研究,2006.11

建国初期上海团组织对青年工商业者团结教育工作述略/闵小益/上海青年管理干部学院学报,2006.4

再论新民主主义社会论与过渡时期总路线的关系/董军明/内蒙古师范大学学报(哲学社会科学版),2006.5

没收族田与封建宗族制度的解体——以建国初期的苏南土改为中心的考察/王瑞芳/江海学刊,2006.5

20世纪50年代苏联专家对北京矿区的援助/潘惠楼/北京党史,2006.6

宁夏工商业和手工业的社会主义改造历程/吴忠礼/共产党人,2006.20

20世纪50年代中国对日本战犯的审判与释放/隋淑英/烟台大学学报(哲学社会科学版),2006.4

陆定一不当中国科学院学部委员/龚育之/炎黄春秋,2006.10

新中国农地制度:绩效与变迁/徐琴/学海,2006.5

郭沫若与《武训传》的批判/冯晓蔚/文史月刊,2006.1

试析我国社会主义过渡时期的主要矛盾和主要任务/赵军祥/社会科学论坛(学术研究卷),2006.10

当代中国社会救助史研究论略/李小尉/辽宁师范大学学报(社会科学版),2006.5

建国前后中国共产党对资产阶级政策的演变/杨奎松/历史教学,2006.10

论江苏"三反"、"五反"运动/任玲玲/江苏大学学报(社会科学版),2006.5

建国初期江苏的工商业调整/陈肖静/江苏大学学报(社会科学版),2006.5

第一次台海危机与美台关系中的"外岛"问题/余子道/军事历史研究,2006.3

论海峡两岸对峙格局形成的原因/李松林/当代中国史研究,2006.5

谭冠三中将在西藏/关良桂/党史文苑(学术版),2006.19

建国初期党和政府对资本主义工商业的政策与思考/柴俊琳/党史博采(理论),2006.4

土地改革与农民政治意识的觉醒——以建国初期的苏南地区为中心的考察/王瑞芳/北京科技大学学报(社会科学版),2006.3

"李四喜思想"讨论:建国初期中共教育农民的尝试/王瑞芳/史学月刊,2006.9

建国后毛泽东资本主义观的演变历程及其特点/双传学/江海学刊,2006.4

建国初期苏北剿匪述略/石玉中/菏泽学院学报,2006.4

邓小平与重庆解放初期劳资矛盾的化解/谢荣忠/红岩春秋,2006.4

两难的选择:建国初期的华侨婚姻政策/乔素玲/华侨华人历史研究,2006.3

金城银行的社会主义改造/康金莉/石家庄经济学院学报,2006.3

档案记忆中河北镇反的群众工作/王颖/档案天地,2006.4

苏南土地改革前农村雇佣关系的考察/莫宏伟/中国社会经济史研究,2006.2

从新民主主义论到过渡时期总路线——兼论两种社会模式的转变/邢和明/中共党史研究,2006.4

新中国建立前后党的"团结中农"政策的历史演变及经验教训/席富群/中共党史研究,2006.4

建国初期平江县土改的群众发动/李春宜/云梦学刊,2006.4

1954年抗洪点滴/杨成林/武汉文史资料,2006.7

论建国初期陈云的科学决策思想/李芬/泰山学院学报,2006.4

论建国后党的农村土地政策的发展演变/郑建敏/石家庄学院学报,2006.5

建国初期党对知识分子思想政治教育的政策和特点/邱忠信/社会科学战线,2006.4

党对私营工商业进行社会主义改造的策略分析/蔡朝晖/兰州学刊,2006.7

毛泽东与"三反"运动/杨奎松/史林,2006.4

管窥政治哲学视域中建国初政治发展/唐爱芳/理论界,2006.8

浅析建国初期中国共产党人对乞丐问题的根治/王光霞/科教文汇(下半月),2006.4

建国初期《红楼梦》研究的批判运动/陈辉/江苏大学学报(社会科学版),2006.4

论中国特色的资本主义工商业改造理论/张焕新/党史文苑(学术版),2006.14

论海峡两岸对峙格局形成的原因/李松林/新视野,2006.4

建国初期毛泽东对"三农"问题的若干认识/田新文/武汉大学学报(人文科学版),2006.4

建国初期加强执政合法性的理论与实践/黄志高/唐都学刊,2006.3

黑龙江土改时期"砍挖"运动中的几个问题/张广才/史学月刊,2006.7

建国初期城市居民组织的发现及启示(之一)/新中国第一个居委会诞生始末/韩全永/社区,2006.10

建国初期城市居民组织的发展及启示(之二)/政体初定/居委会终结保甲制历史/韩全永/社

区,2006.11

建国初期城市居民组织的发展及启示(之三)/居委会,街道办事处是如何在全国建立起来的/韩全永/社区,2006.12

建国初期城市居民组织的发展及启示(之四)/城市居民组织在社会格局的演变中博弈前行/韩全永/社区,2006.13

新疆军区独立骑兵师先遣连进军西藏阿里纪事/翟全贞/军事历史,2006.8

18军先遣侦察科进藏亲历记(连载之一)/王贵/军事历史,2006.7

18军先遣侦察科进藏亲历记(连载之二)/王贵/军事历史,2006.8

建国初期陕西私立学校的改造和接管/阎团结/华夏文化,2006.2

建国初期我国出版业调整述论/黄品良/广西社会科学,2006.6

建国前后苏北水灾及救灾工作述论/蒋志强/江苏科技大学学报(社会科学版),2006.2

当代中国逆城市化研究(1949—1978)/邱国盛/当代中国史研究,2006.4

严重的问题是教育农民——建国初期中共克服"李四喜思想"的成功经验/王瑞芳/当代中国史研究,2006.4

试析时代语境对电影剧本《武训传》的塑造/王晓瑜/太原师范学院学报(社会科学版),2006.4

《中国农村的社会主义高潮》一书再评价/罗平汉/党史研究与教学,2006.3

毛泽东在1953年6月15日中央政治局会议上的讲话文献略考/任晓伟/党史研究与教学,2006.3

建国初期农村扫盲运动的特点/宋洁/党史文苑(学术版),2006.12

建国初期土地改革中的阶级划分问题——以湖南平江为例/李春宜/长沙大学学报,2006.4

关于新民主主义向社会主义转变若干问题的思考/贺乾容/重庆职业技术学院学报,2006.1

建国初期毛泽东思想的研究及特点/肖东波/探索与争鸣,2006.6

毛泽东直接指导做西藏工作的开端/戴炳中/史学月刊,2006.5

新中国初期周恩来对民主执政的杰出贡献/郭溪土/求实,2006.1

试析毛泽东批判武训和电影《武训传》的原因/崔晓麟/兰州学刊,2006.6

基层政治动员与粮食统购统销政策的推行——以1953—1957年的河南唐河县为中心/田锡全/历史教学问题,2006.3

从中苏两个"友好条约"看苏联与中共的关系/丛丽华/佳木斯大学社会科学学报,2006.3

苏南土地改革后农村各阶层思想动态述析(1950—1952)/莫宏伟/党史研究与教学,2006.2

山西试办农业合作社争论成因之解读/王永华/党史研究与教学,2006.2

从《江西日报》看解放初期新政权在农村的确立/沈丹/党史文苑(学术版),2006.10

陈云领导克服1949—1950年经济危机的历史经验/许丽丽/党史文苑(学术版),2006.10

"存"与"废"的抉择——北京城墙存废争论下的民众反应/瞿宛林/北京社会科学,2006.3

1956,中国审判日本战犯实录/叔弓/纵横,2006.6

统购统销政策的产生及其影响/陈国庆/学习与探索,2006.2

解放初期武汉市民主党派工作的片断回忆/李肇基/武汉文史资料,2006.5

建国以来社会动员制度的变迁/夏少琼/唯实,2006.2

1952年上海"五反"运动始末/杨奎松/社会科学,2006.4

粮食统购统销政策形成的原因、特征及启示/刘圣陶/求索,2006.4

建国初期中国共产党执政合法性资源的开发及启示/王冠中/攀登,2006.2

浅议50年代我国在过渡时期的若干失误/吴鸿丽/内蒙古农业大学学报(社会科学版),2006.1

建国初期意识形态建设的经验和历史启示/黎见春/兰州学刊,2006.5

解放初期革命队伍中女知识分子的感情一叶/王慕冰/史林,2006.1

我国建国初期的政治发展(1949—1956)/唐爱芳/理论月刊,2006.5

建国初期的中国社会是社会主义性质的社会——学习毛泽东关于社会性质的论述/李亮/理论学刊,2006.5

饶漱石与华东新区土地改革/莫宏伟/江苏大学学报(社会科学版),2006.3

江苏省南通地区"算账"事件研究——透析平息退社风潮中的打击单干户现象/叶扬兵/江苏大学学报(社会科学版),2006.3

苏南土改与现代化传统问题/李良玉/江苏大学学报(社会科学版),2006.3

新中国成立初期美国西藏政策剖析/何海生/吉林省教育学院学报,2006.1

1956年的知识分子问题会议/罗平汉/当代中国史研究,2006.3

国民经济恢复时期北京的失业知识分子救济政策及其成效/韩勤英/当代中国史研究,2006.3

建国初期社会救助体系的构建与评析——以1949—1953年的广州市为个案/谢涛/当代中国史研究,2006.3

新中国成立初期腐败的高频态势及其原因/王传利/中共党史资料,2006.1

建国初期"增产节约运动"与新时期建设"节约型社会"的比较/许新年/党政干部论坛,2006.5

对建国初群众运动的几点思考/张海鹏/长春工业大学学报(社会科学版),2006.1

试论哈尔滨解放初期的政权建设/葛琳/哈尔滨市委党校学报,2006.3

北京市农业合作化从稳步前进到迅猛发展的转变/马句/北京党史,2006.3

建国初期毛泽东的执政思想探论/董树伟/中共四川省委党校学报,2006.1

20世纪50年代初国共两党农村土地改革政策比较研究/陈方南/社会科学战线,2006.2

关于建国初期党的过渡战略转变的思考/颜杰峰/毛泽东思想研究,2006.2

建国以来我国党政关系的历史考察与反思/支娜娜/理论界,2006.4

论解放初期党维护雇工权益的政策与实践/王强/晋阳学刊,2006.2

建国初期粮食流通体制的探讨/陈国庆/广西社会科学,2006.4

建国初期毛泽东、周恩来、刘少奇关于批判大汉族主义的思想/许冲/淮北煤炭师范学院学报(哲学社会科学版),2006.2

建国初毛泽东、刘少奇关于农村经营体制的分歧/李幼斌/贵州社会科学,2006.2

解放初期甘肃改造妓女工作述评/王晋林/甘肃社会科学,2006.2

建国后毛泽东保障人民言论自由的实践述评/林育川/当代中国史研究,2006.2

新中国建立初期干部队伍建设的历史经验/刘维芳/当代中国史研究,2006.2

建国初期周恩来提出选拔、培养外事干部的十六字方针/丛文滋/党的文献,2006.2

大西南期间的邓小平的领导艺术/仇艳艳/重庆职业技术学院学报,2006.2

关于建国初期党的过渡战略转变的思考/颜杰峰/长白学刊,2006.2

建国初期的中央人民政府典礼局/白振刚/纵横,2006.3

新中国第一部《婚姻法》起草始末/王彦红/纵横,2006.2

《武训传》讨论——建国后第一场大批判/袁鹰/炎黄春秋,2006.3

胡风冤案在武汉始末/文振庭/武汉文史资料,2006.2

新中国"镇压反革命"运动研究/杨奎松/史学月刊,2006.1

中国同意签署朝鲜停战协议之外部因素/孙威/绥化学院学报,2006.1

抗美援朝运动中上海的群众动员/张励/上海党史与党建,2006.3

过渡时期总路线与中国私人资本主义/宋紫/求索,2006.1

毛泽东与五四宪法/张成洁/青海社会科学,2006.1

建国初期毛泽东的民族团结思想及其影响/莫宏伟/青海社会科学,2006.1

建国初期"增产节约运动"理论透视——兼论建设"节约型社会"的重大意义/许新年/江苏省社会主义学院学报,2006.1

解放初期的合肥群众文化/刘浩/江淮文史,2006.1

建国前后中国共产党对资产阶级政策的演变/杨奎松/近代史研究,2006.2

苏南农村抗美援朝运动/钟霞/党史研究与教学,2006.1

解放初期北京学生思想政治教育工作回顾/韩勤英/北京党史,2006.2

1951年增产节约运动的历史回顾/尹永纯/北京党史,2006.2

建国初期苏南的工商业调整/陈肖静/广西社会科学,2006.1

统购统销制度正负效应的辩证思考/张学兵/当代中国史研究,2006.1

毛泽东宣布"中国人从此站立起来了"不是在开国大典上/徐邦治/当代中国史研究,2006.1

北平和平解放后对旧政府留用人员的教育改造和安置/顾红/北京党史,2006.1

人民政府代管开滦煤矿的前前后后/杨磊/河南理工大学学报(社会科学版),2007.4

建国以来西南地区土司问题区域研究综述/李良品/中南民族大学学报(人文社会科学版),2007.6

过渡时期民族资产阶级的心路历程/王鑫/湘潮(下半月)(理论),2007.11

思想改造运动中的潘光旦——潘光旦"历史问题"的由来及其后果/杨奎松/史林,2007.6

建国初期农民协会兴起与隐退原因考察/张举/理论导刊,2007.12

新中国成立初期游民的安置和改造——以上海为中心的考察/汤水清/江西社会科学,2007.11

不对等的博弈:土改中的基层政治精英/李里峰/江苏社会科学,2007.6

关于王稼祥担任新中国首任驻苏大使前后若干历史情节的匡正/徐则浩/安徽史学,2007.6

周恩来与西藏和平谈判/戴炳中/湘潮(下半月)(理论),2007.9

比较毛泽东两访莫斯科看中苏关系的变化/辛志军/西安文理学院学报(社会科学版),2007.4

中华人民共和国第一部宪法制定考论/翁有为/史学月刊,2007.11

一种新的留学模式的开端——新中国首批(1951年)派遣留苏学生的历史考察/周尚文/历史教学问题,2007.6

现代学术批判对马克思主义中国化的双重影响——以20世纪50年代胡适思想批判为个案/李方祥/当代中国史研究,2007.6

毛泽东与建国初期的"一边倒"外交方针/李运平/史学月刊,2007.3

苏南地区"田面田"的性质/曹树基/清华大学学报(哲学社会科学版),2007.6

中国出兵朝鲜问题的再思考/柳德军/哈尔滨学院学报,2007.10

新中国第一次反腐败斗争的历史启示/梁柱/思想理论教育导刊,2007.10

苏南土地改革前农村借贷关系的考察/莫宏伟/中国社会经济史研究,2007.3

美国是怎样阻挠西藏和平解放的/胡岩/西藏民族学院学报(哲学社会科学版),2007.5

新中国初期民主联合政府的几个问题/郭溪土/中共福建省委党校学报,2007.9

建国初期和谐社会建设的历史经验/侯德邻/中共四川省委省级机关党校学报,2007.3

土改中的诉苦:一种民众动员技术的微观分析/李里峰/南京大学学报(哲学·人文科学·社会科学版),2007.5

从供给制到职务等级工资制——新中国建立前后党政人员收入分配制度的演变/杨奎松/历史研究,2007.4

建国初期东北地区的卫生防疫事业述论/李洪河/辽宁大学学报(哲学社会科学版),2007.5

1953年粮食危机与统购统销政策的出台/田锡全/华东师范大学学报(哲学社会科学版),2007.5

建国初苏北区冬学运动述评/周竞风/甘肃社会科学,2007.5

忆新中国第一份民族工作经验总结的形成/胡钧/中共党史资料,2007.3

贫民救助与政府责任——以1949年—1952年北京(平)市的贫民救济为例/韩勤英/北京社会科学,2007.5

新中国成立初期北京乞丐的救济与治理/李小尉/北京社会科学,2007.5

新中国成立初期的禁烟毒斗争与构建和谐社会/郑艳凤/渤海大学学报(哲学社会科学版),2007.4

建国初期知识分子的心态/李刚/徐州师范大学学报(哲学社会科学版),2007.4

建国初期中国共产党执政文化资源的整合与构建/齐芳/上饶师范学院学报,2007.4

从建国后农村土地政策的演变看党执政能力的提高/郑建敏/社会科学论坛(学术研究卷),2007.9

建国初期政治文化的变革与重塑/罗兆麟/湖北行政学院学报,2007.1

关于新民主主义社会与社会主义初级阶段的差异/罗平汉/当代中国史研究,2007.5

过渡时期总路线研究中"外部压力"说评议/鲁振祥/当代中国史研究,2007.5

国民经济恢复时期社会救助工作中的社会动员研究/高冬梅/党史研究与教学,2007.4

一种考察:建国初期国营、私营出版发行领袖像之比较/朱晋平/中国图书评论,2007.7

国民经济恢复时期劳资关系的调整与经验教训/李彩华/中共党史研究,2007.4

延伸与准备:1949年至1978年马克思主义中国化的曲折进程与原因/郑谦/中共党史研究,2007.4

刍议中国政府放弃日本战争赔款问题/李事明/中国校外教育(理论),2007.4

湘西"土匪"考辩/涂绍生/湘潭师范学院学报(社会科学版),2007.4

空前壮举/成功典范——内蒙古自治区成立纪实/钱占元/实践(思想理论版),2007.8

美英在联合国中国代表权问题上的分歧与协调(1950—1951)/徐友珍/史学集刊,2007.4

1949—1957年中国共产党政权建设与农村社会变迁——以湖南省醴陵县为个案的研究/陈益元/吉首大学学报(社会科学版),2007.3

抗美援朝物资运输问题浅析/徐春霞/黑龙江教育学院学报,2007.3

阶级净化机制:国家政权的城市基层社会组织构建——以解放初期上海居委会的整顿与制度建设为例/郭圣莉/甘肃社会科学,2007.4

建国初期中共从革命向建设转变不彻底的原因分析/艾丹/甘肃理论学刊,2007.4

建国初期山区土改中的群众动员——以陕南土改为例/李巧宁/当代中国史研究,2007.4

建国初期"联苏抗美"国防战略思路论析/房功利/当代中国史研究,2007.4

新中国成立前后朱德关于国防现代化建设的思想及实践/刘祖爱/当代中国史研究,2007.4

建国前后新民主主义经济运行中的内在紧张及其原因/龙健/宜春学院学报,2007.3

建国初的统战、民族和知识分子工作/叶尚志/世纪,2007.2

试论抗美援朝决策的必要性、正确性/程金良/兰台世界,2007.13

建国初期农村私人借贷的社会经济效果考察——以湘、鄂、赣三省为中心/常明明/求索,2007.6

沈阳资本主义工业社会主义改造的回顾与思考/陈立英/辽宁大学学报(哲学社会科学版),2007.4

20世纪前半叶中国关于三农出路论争的回顾与检讨/何爱国/福建论坛(人文社会科学版),2007.6

建国初期武汉禁烟禁毒运动/阿生/湖北档案,2007.5

新民主主义社会提前终结的原因分析/魏范青/安徽农业大学学报(社会科学版),2007.3

建国初期的大行政区制度始末/董晶/中共郑州市委党校学报,2007.1

建国初期民主人士过土地改革"关"的问题/莫宏伟/遵义师范学院学报,2007.2

西藏和平解放前夕美国的西藏政策/胡岩/西藏民族学院学报(哲学社会科学版),2007.2

关于西藏政教分离的几个问题/胡岩/西藏大学学报(汉文版),2007.2

1938—1952年间黄泛区的农村经济演变趋势——以扶沟、西华县为个案研究/张喜顺/许昌学院学报,2007.3

我国建国初期对女性人力资源的开发/朱斌/唐山师范学院学报,2007.3

第一代中央领导集体反对分裂西藏斗争的理论与政策/原思明/史学月刊,2007.6

关于中国军队中朝鲜族官兵返回朝鲜的历史考察/金景一/史学集刊,2007.3

土地分种:雇佣、合作还是出租——以南汇县土改档案为中心/曹树基/上海交通大学学报(哲学社会科学版),2007.2

论新中国发展观演进与中国经济增长方式转型/吴春雷/山东省青年管理干部学院学报,2007.3

新中国外交实行"一边倒"的原因分析/罗先凤/河南农业,2007.12

回望燃情岁月——新中国的民族识别工作/曹新富/今日民族,2007.4

建国初期抗美援朝运动研究综述/靳道亮/理论界,2007.6

"三反"运动研究综述/刘新宇/廊坊师范学院学报,2007.3

浅谈建国初期我国教育领域的崇苏思潮/李清/科技信息(学术研究),2007.17

20世纪50年代勤俭节约社会风尚探析/高远/江西社会科学,2007.5

登步岛渡海登陆作战经过与思考/卢辉/军事历史,2007.3

新中国成立后毛泽东对局部战争战局控制的指导/张杰锋/军事历史,2007.3

建国初期农民协会兴起与隐退原因探析/范立/华北电力大学学报(社会科学版),2007.2

二十世纪五十年代国民党的改造运动/常家树/党史纵横,2007.6

建国前后中共减少城市行政层级的尝试——以石家庄、天津等为线索/李国芳/党的文献,2007.2

建国初期邓小平治理大西南城市失业的实践——以1949—1952年的重庆为个案/蔡玉卿/重庆社会科学,2007.6

1951年以来"武训"的遭遇/李公天/新文学史料,2007.2

建国初期北京私立学校改造纪实/柴松霞/文史月刊,2007.5

建国初期"一边倒"外交战略的形成及其成因/张衍霞/泰山学院学报,2007.2

新中国成立前后青岛苏联侨民问题的历史考察/张在虎/青岛大学师范学院学报,2007.1

"人畜两旺"是怎样实现的——新中国前期内蒙古牧区和谐发展的启示/耿宝云/内蒙古师范大学学报(哲学社会科学版),2007.2

建国初期内蒙古地区人民代表大会制度的实行/庆格勒图/内蒙古大学学报(人文·社会科学版),2007.2

建国初和"一五"计划时期(1949—1957年)陈云农业发展思想/郭伏强/南宁师范高等专科学校学报,2007.1

1951年上海批判电影《武训传》运动始末/杨俊/史林,2007.2

新民主主义与苏联模式的艰难接轨/鲁法芹/世纪桥,2007.5

论抗美援朝战争中的瓦解敌军工作/李仲元/军事历史研究,2007.1

邓小平对和平解决西藏问题的卓越贡献/阴法唐/红岩春秋,2007.2

毛泽东勤俭节约思想与新中国建设/张纯/河北工程大学学报(社会科学版),2007.1

1949—1976年中共文化政策述评/蒋积伟/当代中国史研究,2007.3

1949—2006年城乡关系演变的历史分析/武力/当代中国史研究,2007.3

20世纪50年代中国共产党对社会和谐的初步探索/黄宏/当代中国史研究,2007.3

建国初期民族资产阶级对社会稳定的重要作用论析/周苏玉/党史研究与教学,2007.2

中国在处理1956年波兰十月事件过程中的角色和作用/杜运泉/党史研究与教学,2007.2

成功解决中国民族问题的典范/阴法唐/中国藏学,2007.2

《十七条协议》签订前后美国秘密策动达赖出逃历史探析/程早霞/中共党史研究,2007.2

对过渡时期总路线的再认识——半个世纪后的思考/白琳/炎黄春秋,2007.4

毛泽东与建国初期新中国国家利益的争取和维护/张俊国/湖南科技大学学报(社会科学

版),2007.2

从新民主主义转变到社会主义的辩证分析/陈士军/社会主义研究,2007.1

建国初期的鼠疫流行及其防控/李洪河/求索,2007.2

关于抗美援朝战争几个史实问题的考证/孟照辉/军事历史,2007.2

社会主义改造中上海资本家阶级的思想动态/陆和健/华中师范大学学报(人文社会科学版),2007.2

1950年代中国共产党对工商团体的改造/郑成林/华中师范大学学报(人文社会科学版),2007.2

建国初期中国共产党的富农政策/程水莲/和田师范专科学校学报,2007.1

建国初期西北地区群众的生活状况——以汉中地区为例的考察/李巧宁/甘肃联合大学学报(社会科学版),2007.2

《建国以来毛泽东文稿》里"三反"运动中的"打虎"用语简析/李美玲/当代中国史研究,2007.2

新中国打破美国封锁禁运的重要桥梁——莫斯科国际经济会议/蔡成喜/当代中国史研究,2007.2

观察新中国的一个视角——试析龙须沟治理与新中国形象/瞿宛林/当代中国史研究,2007.2

中国如何改造千名日本战犯/周烁/党政论坛,2007.2

新中国成立初期城市居民组织的发展历程/韩全永/中共党史资料,2007.1

建国初期的爱国公约运动/王永华/党史博览,2007.4

抗美援朝战争中物资运输问题探析/徐春霞/沧桑,2007.1

解放一江山岛战役的支前工作/罗超英/浙江档案,2007.1

解放一江山岛/罗超英/浙江档案,2007.1

从建国初期中国农轻重比例调整看中国共产党的执政能力/齐晴/中共宁波市委党校学报,2007.1

论解放初期党的"劳资两利"政策与实践/王强/求索,2007.1

基层党政机构、社会组织与粮食统购统销政策的推行——以1953—1957年的河南唐河县为中心/田锡全/史林,2007.1

建国初期毛泽东文化建设思想的主要特点/姜海燕/湖北经济学院学报(人文社会科学版),2007.1

建国初期党对私人资本主义经济政策依据刍议/董辉/河北大学学报(哲学社会科学版),2007.1

论建国初期社会保障制度的历史作用和启示/余翔/广东技术师范学院学报,2007.1

中华人民共和国的国旗为五星红旗——纠正文献史料上的一个错误/季如迅/当代中国史研究,2007.1

建国以来中共文化政策述评(1949—1976)/蒋积伟/党史研究与教学,2007.1

五十年代理论界关于"厚今薄古"的论辩与马克思主义教条化/李方祥/党史研究与教学,2007.1

"克利夫兰总统号":中国留美科学家的归国历程/王建柱/党史天地,2007.3

"五反"运动后国家对私营工商业劳资关系的调整及其经济影响/李方祥/西华大学学报(哲学社会科学版),2007.1

1952年北京市的司法改革运动/董节英/北京党史,2007.2

论抗美援朝战争中的政治动员/林伟京/齐鲁学刊,2007.1

正确认识错批马寅初所造成的损失/曹兆文/青海社会科学,2007.1

周恩来与新中国的灾荒救治/荣宁/毛泽东思想研究,2007.1

建国初期若干群众特殊社会心理透视/王光银/理论月刊,2007.2

试论我国建国初期的文化过渡/阎锋/广西社会科学,2007.2

建国后中国国家与社会关系研究综述/朱春雷/广州社会主义学院学报,2007.1

《土地改革法》何曾"夭折"——四川土地改革亲历记/喻权域/中华魂,2007.1

政府法制化的艰难探索:新中国成立后专员区公署制度的推行及变化/翁有为/中共党史研

究,2007.1

新中国成立前后中国共产党对美外交政策的演变/陈少铭/中共党史研究,2007.1

太原战犯管理所改造日本战犯纪实/叶晓欣/文史月刊,2007.1

周恩来与新中国的航空运输业/荣宁/廊坊师范学院学报,2007.1

解放全国大陆的最后一次战役——昌都战役/王贵/军事历史,2007.1

经济工作者要长"四个眼睛"——1956年陈云倡导的一个经济决策方法/戚义明/党的文献,2007.1

解放初期北京市妇女生产教养院的工作——杨蕴玉访谈录/米士奇/党的文献,2007.1

两个政党,两种禁烟禁毒结果——国共两党治理近代中国社会烟毒问题比较研究/齐磊/社科纵横,2008.12

建国初期苏北镇反运动述评/周竞风/黑龙江史志,2008.24

解放初期上海市军管会组织系统研究/孙涛/黑龙江史志,2008.23

知识分子政策中国化的历史演变(1949—1957)/崔晓麟/广西民族大学学报(哲学社会科学版),2008.6

浅议建国初期我国的政府管理模式/覃振停/传承,2008.22

《武训传》批判若干史实的辨析/颜纯钧/福建广播电视大学学报,2008.6

中长铁路归还中国的历史考察/张盛发/当代中国史研究,2008.6

我国农村基础设施投资的变迁(1950—2006年)/董志凯/当代中国史研究,2008.6

建国后非中共人士两次参政高潮之比较/李琳琳/忻州师范学院学报,2008.5

也谈朝鲜战争与台湾问题/朱昭华/苏州科技学院学报(社会科学版),2008.4

山东农业合作化初期发展的动因初探/杜景川/山东师范大学学报(人文社会科学版),2008.5

试析三大改造中"过急""过快"问题的原因/谢云洁/考试周刊,2008.47

新中国初期报纸副刊中的国家形象塑造——以1951年《光明日报》的国庆征文为例/阳海燕/当代传播,2008.6

建国初期(1949—1957)淮河流域水灾救治研究/施立业/安徽大学学报(哲学社会科学版),2008.6

建国初期民主建县中的政治动员与政治参与——以1949—1955年湖南省湘潭县为个案/郑碧新/湖南税务高等专科学校学报,2008.5

新中国成立之初政府在劳资关系调节中的作用/任军利/江西社会科学,2008.10

解放初期上海市军管会加强自身建设的举措与经验/王曰国/黑龙江史志,2008.19

革命语境下的文化翻身——评建国初期黔东南少数民族地区农村的扫盲运动/范连生/贵州社会科学,2008.11

和平赎买的历史必然性与深远意义/程中原/高校理论战线,2008.10

新中国初期向苏联派遣留学生/张久春/百年潮,2008.11

建国前后中国共产党领导的禁毒斗争及其历史经验/齐霁/云南行政学院学报,2008.5

1954年毛泽东会见达赖、班禅/降边嘉措/武汉文史资料,2008.8

抗美援朝时期安东市战略大后方建设中的特殊矛盾及解决/陈利/兰台世界,2008.19

建国初期留苏学生国外学习生活状况/周尚文/历史教学问题,2008.5

过渡时期党的土地政策调整论析/暴秋菊/理论界,2008.10

西藏和平解放及西藏平叛/高志华/贵阳文史,2008.5

建国初期中缅边境剿匪作战及启示/张立明/法制与社会,2008.27

建国初期的工资改革/党政论坛(干部文摘),2008.10

关于20世纪50年代城市居民委员会的一组文献/中共党史资料,2008.3

中国共产党在解放初期劝止民主党派"光荣结束"之始末/刘重来/重庆社会主义学院学报,2008.3

建国初大区制度的成功经验及启示/张荆红/重庆工学院学报(社会科学版),2008.9

社会主义三大改造对中国的实际影响及认识/陈玥/忻州师范学院学报,2008.4

偶然与必然:对长波电台及联合舰队事件的新诠释/柳德军/鲁东大学学报(哲学社会科学版),2008.4

关于《人民日报》对和平解放西藏报道的研究/李军/西藏大学学报(社会科学版),2008.3

积极宣传推进"三大改造"/何光华/新闻前哨,2008.9

试论建国初期的通货膨胀及其成功治理/贺水金/史林,2008.4

试析建国前后共产党接管城市及对国有资产企业的管理/李占才/历史教学(高校版),2008.9

西藏和平解放《十七条协议》谈判、签订问题研究/宋月红/历史教学(高校版),2008.8

建国初期邓子恢的人才观/贾久昌/福建党史月刊,2008.8

镇压反革命运动历时一年说质疑/李格/当代中国史研究,2008.5

山西试办全国首批农业合作社的前前后后——陶鲁笳访谈录/马社香/党的文献,2008.5

川北行署对游乞的治理/韩亮/重庆科技学院学报(社会科学版),2008.9

抗美援朝运动与一种运动动员模式的形成/侯松涛/学习与探索,2008.4

建国初期驻沪部队粮食计划供应制度的建立/汤水清/文史博览(理论),2008.7

对建国后毛泽东文化观的思考/唐和英/山西高等学校社会科学学报,2008.8

1951年春季导沭整沂工程/山东档案,2008.3

试论建国初期党对农村妇女婚姻家庭解放的积极推进/马慧芳/农业考古,2008.3

建国初我国的外债与援外/张凡/文史博览,2008.7

新中国建立初期城市化分析/付春/当代中国史研究,2008.4

建国初期灾荒史研究述评/蒋积伟/当代中国史研究,2008.4

"文化大革命"以前中国城市劳动就业问题/赵入坤/当代中国史研究,2008.4

试论新民主主义社会提前结束的双重影响/任斌/西南民族大学学报(人文社科版),2008.6

浅谈新民主主义社会提前结束的原因/陶晶/社科纵横(新理论版),2008.1

论建国初期周恩来民主执政思想中的科学用人观/杨颖奇/南京政治学院学报,2008.3

新中国成立以来焦作地区水利建设的成败得失/田清春/焦作师范高等专科学校学报,2008.2

建国初期乡村政治重建与灾害应对——以河南商水县救灾为例/贾滕/江汉论坛,2008.6

是主观选择还是历史必然——20世纪50年代农业合作化动因的再认识/李建忠/广西社会科学,2008.7

建国初期在建设和促进社会和谐方面的经验教训/叶新莉/传承,2008.12

毛泽东对西藏工作的决策与实践/旦增罗布/湖南第一师范学报,2008.2

新中国接收印度在藏邮电企业设施纪实/王起秀/中共党史资料,2008.2

浅论建国初期我党对社会主义建设道路的探索/包雅玮/党史文苑,2008.12

朝鲜战争的爆发与新中国抗美援朝的决策——在突发事件的视角下/侯松涛/北京科技大学学报(社会科学版),2008.2

论解放前后东北土地占有关系的变革及其积极作用/刘洁/史学集刊,2008.3

建国初期留苏学生的国内培训工作/周尚文/历史教学问题,2008.3

建国以来湖北省农会组织历程回顾/郭圣福/湖北行政学院学报,2008.3

建国初期禁毒斗争述评/于海洋/中国人民公安大学学报(社会科学版),2008.2

"五反"运动后国家对劳资关系调整的经济史分析/李方祥/当代中国史研究,2008.3

试论建国初期少数民族禁烟禁毒运动及其成功经验/李丽忠/太原师范学院学报(社会科学版),2008.3

美国与中国留美学生回国(1949—1951)/王登科/太原城市职业技术学院学报,2008.2

建国初期统一内蒙古行政区划的决策及其实施/李玉伟/中国边疆史地研究,2008.1

西藏和平解放《十七条协议》谈判、签订问题研究/宋月红/史学月刊,2008.2

建国初期的城市公共卫生治理述论/李洪河/辽宁大学学报(哲学社会科学版),2008.2

建国初期民族资产阶级的爱国思想探源/周苏玉/经济与社会发展,2008.1

试论建国初期知识分子的思想改造运动/杨扬/江汉大学学报(社会科学版),2008.1

建国初期周恩来关于民族问题的理论与实践/黄海林/湖南工程学院学报(社会科学版),2008.1

建国以来中国共产党的纪念活动探析/胡国胜/党史研究与教学,2008.1

建国初期城市行政队伍建设研究/杨菁/安徽大学学报(哲学社会科学版),2008.2

建国初期留苏学生是怎样选派的/李鹏/历史教学问题,2008.2

国民经济恢复时期对资本主义经济的政策/张旭东/当代中国史研究,2008.2

新中国建立初期的文化转型研究/杨凤城/党史研究与教学,2008.2

中国民众"疑苏"情绪研究(1946—1950)——兼谈中苏友好协会成立的原因/潘鹏/成都大学学报(社会科学版),2008.2

恩怨交织——解放初期中国引进苏联武器的史实回顾/徐焰/兵器知识,2008.5

北京市各界人民代表会议选举述论(1949—1953)/吴继平/北京党史,2008.3

1954 年江淮水灾与社会救济/刘长生/安庆师范学院学报(社会科学版),2008.4

从资本主义到共产主义:上海的干部和企业主(1949—1952)/玛丽·格莱尔·白吉尔/华中师范大学学报(人文社会科学版),2008.1

试析建国初期党探索和谐社会建设的历史经验/张运洪/武汉科技大学学报(社会科学版),2008.1

新中国成立初期的政治动员及其效力——以上海为中心的考察/杨丽萍/上海大学学报(社会科学版),2008.2

建国初期中南区的禁毒斗争及其成功经验/齐霁/求索,2008.2

建国初期失业知识分子的安置与救济/莫宏伟/求索,2008.1

建国初期陈云的救灾思想与实践/张凤翔/南京理工大学学报(社会科学版),2008.1

作为"意识形态"化的生活方式——1949 年到 1978 年中国社会生活史的总体特征/唐魁玉/理论界,2008.3

对国民党两岸土地改革差异之分析/原野/山西煤炭管理干部学院学报,2008.1

周恩来对新中国科学技术事业的三大贡献/徐建刚/上海党史与党建,2008.3

专业与统战:建国初期中共对工商同业公会的改造策略/魏文享/安徽史学,2008.2

经济的"土改"与政治的"土改"——关于土地改革历史意义的再思考/李里峰/安徽史学,2008.2

建国初期新政权解决城市房屋问题的举措/黎见春/历史教学(高校版),2008.1

建国初期开展禁烟禁毒斗争的经验/李丽忠/山西高等学校社会科学学报,2008.1

我国新民主主义社会提前结束的几个主要原因/李永丰/北京党史,2008.1

归位:建国初期上海游民改造对象分析/阮清华/史林,2008.1

建国初期毛泽东镇压反革命思想述评/陈竹君/北京人民警察学院学报,2008.6

第一套人民币发行的前前后后/罗尚熙/安徽钱币,2008.4

审思"对《武训传》的批判"/濮晓婧/理论观察,2008.6

建国初期刘少奇现代化思想探析/朱承/湖南民族职业学院学报,2008.2

新解放区土地改革成功原因探析/聂俊华/传承,2008.24

也谈"中华人民共和国"作为国名的原因——兼与潘焕昭老师商榷/龙心刚/当代中国史研究,2009.1

建国初期的城市公共卫生治理述论/李洪河/当代中国史研究,2009.1

"北京市婚姻问题招待所"史实一则/李秉奎/当代中国史研究,2009.1

抗美援朝的出兵与撤军/尹家民/湘潮,2009.1

农村土改后恶风陋俗的革除与新民俗的形成/王瑞芳/当代中国史研究,2009.1

林徽因在国徽和人民英雄纪念碑设计中对民族形式的探索与追求/高峻/当代中国史研究,2009.1

陈云与建国初期的中央财经委员会/韩广富/理论学刊,2009.1

《十七条协议》是如何签订的？/刘伟/中国西藏(中文版),2009.1

新中国成立初期中共保存富农经济政策再解析/尤国珍/毛泽东思想研究,2009.1

影响50年代中国由新民主主义向社会主义提前过渡的国际因素/马立新/经济研究导刊,2009.1

半依附:1949—1956年中国政治发展的重要特征/张荆红/武汉大学学报(哲学社会科学版),2009.1

达赖拥护《十七条协议》电报的来龙去脉/宋月红/百年潮,2009.3

著作　工具书

中国社会主义革命和建设史讲义/胡华主编/中国人民大学出版社,1985.4。

中华人民共和国历史简编/谭双泉等主编/新疆大学出版社,1989.7。

中华人民共和国史稿/朱建华等主编/黑龙江人民出版社,1989.9。

中华人民共和国史纲/郭彬蔚著/河南教育出版社,1989.4。

中华人民共和国史/薛德行主编/河南大学出版社,1989.7。

中华人民共和国史纲/杨勤为等主编/石油大学出版社,1990.2。

中华人民共和国史/何理主编/档案出版社,1989.11。

中华人民共和国四十年/肖效钦,王动樵主编/北京师范学院出版社,1990.1。

中华人民共和国40年/蒋辅义主编/四川人民出版社,1990.6。

新中国的历程,1949年10月1日—1989年10月1日/高凯,熊光甲主编/中国人民大学出版社,1989.10。

中国近现代史纲:1840—1989/上海外国语学院出国培训部编/上海外语教育出版社,1990.8。

中华人民共和国简史/曾长秋,刘仲良编著/中国工业大学出版社,1991.1。

中华人民共和国史/李茂盛主编/中国广播电视出版社,1990.10。

中华人民共和国简史/朱玉湘主编/福建人民出版社,1991.6。

新中国编年史(1949—1989)/廖盖隆等主编/人民出版社,1989.7。

中华人民共和国简史/郭彬蔚等编著/吉林文史出版社,1988.7。

中国社会主义革命和建设史纲/郭彬蔚等著/东北师范大学出版社,1986.6。

共和国的岁月/孙冰红编/陕西人民出版社,1991.12。

中华人民共和国史纲/朱宗玉等主编/福建人民出版社,1988.1。

中华人民共和国史/柏福临等主编/黑龙江教育出版社,1988.12。

中华人民共和国史/王希良主编/陕西师范大学出版社,1990.11。

中华人民共和国史研究/焦春荣等主编/档案出版社,1989.7。

中华人民共和国主要事件人物/朱宗玉等主编/福建人民出版社,1989.5。

中华人民共和国要事录(1949—1989)/刘香风等主编/山东人民出版社。

中华人民共和国人事述评/孙友葵等主编/黑龙江教育出版社,1989.4。

中国当代史/上海大学等编著/江西人民出版社,1988.5。

共和国四十年大事述评/翟作君等主编/档案出版社,1989.11。

新中国专题史/王世根等主编/上海交通大学出版社出版,1989.2。

新中国常识/侯善才著/河南大学出版社,1989.12。

新中国的历程/高凯　熊辉主编/中国人民大学出版社,1989.10。

中国革命史/张琦、刘国新等著/光明日报出版社,1992.8。

中国社会主义简史/余长江等编/中南工业大学出版社,1990.3。

中国社会主义建设史/赵永宽等主编/山东大学出版社,1991.7。

中国社会主义革命和建设史研究荟萃(1949—1987)/翟作君、邬正洪主编/华东师大出版社,1984.6。

中国社会主义革命和社会主义建设史问答/程璇等编著/黑龙江人民出版社,1984.11。

神州凯歌/宾长初编著/广西师范大学出版社。

中华人民共和国四十年/朱阳等编者/吉林人民出版社,1989.12。

中华人民共和国简史/尹凤英主编/北京航空航天大学出版社,1991.8。

共和国风云四十年/张伟瑄等主编/中国政法大学出版社,1989.9。

辉煌的成就——新中国四十年/朱华布等主编/天津社会科学院出版社,1989.11。

建国后三十三年/金春明著/上海人民出版社,1987.4。

中国当代史问答一百题/沈渭滨主编/河南教育出版社,1987.10。

中华人民共和国史专题研究/张广信主编/陕西人民教育出版社,1989.9。

中国革命史述论/孔令闻主编/北京航空航天大学出版社,1990.1。

新中国四十年研究/陈明显等编/北京理工大学出版社,1989.5。

剑桥中华人民共和国史(1949—1965)/(美)费正清主编/上海人民出版社,1990.6。

毛泽东的中国及其发展——中华人民共和国史/(美)梅斯纳著,张瑛译/社科文献出版社,1992.2。

毛泽东的中国及后毛泽东的中国——人民共和国史/(美)迈斯纳著,杜蒲泽/四川人民出版社,1992.7。

中国人民政治协商会议史/王树棣等著/黑龙江教育出版社,1991.3。

中华人民共和国人事制度概要/曹志主编/北京大学出版社,1985.9。

中华人民共和国经济史简编(1949—1985)/李德彬编/河南人民出版社,1987.6。

中华人民共和国经济史纲要/赵德馨主编/湖北人民出版社,1988.11。

中华人民共和国经济史简明教程(1949—1985)/柳随年,吴群敢主编/高等教育出版社,1988.5。

中国现代经济史/李宗植,张寿彭编/兰州大学出版社出版,1989.3。

当代中国经济概述/张剑芳编/广东人民出版社出版,1989.5。

中国农业四十年:1949—1989/中华人民共和国农业部编/农业出版社,1989.7。

中华人民共和国经济史/蒋家俊等编著/陕西人民出版社,1989.6。

中华人民共和国农业史/陈守林等主编/黑龙江教育出版社,1989.12。

新中国经济史:1949—1989/曹璧钧、林木西主编/经济日报出版社,1990.3。

中国经济发展40年/谢明干、罗元明主编/人民出版社,1990.3。

中华人民共和国经济简史/陈昌智主编/四川大学出版社,1990.4。

中华人民共和国经济史/柏福临主编/黑龙江教育出版社,1989.12。

新中国农村经济大事记:1949.10—1984.9/李德彬等编/北京大学出版社,1989.1。

中国当代文学史简编/华南四学院现代文学教研室编/广东高等教育出版社,1987.7。

新中国文学发展史/李丛中主编/云南教育出版社,1988.7。

中国当代文学史/江西大学中文系编/百花洲文艺出版社,1990.7。

中国当代文学史(1—3 册)/二十二院校编写组组/福建人民出版社,1985.11。

中国当代文学史/吉林省五院校编/吉林人民出版社,1984.12。

中国当代文学思潮史/朱寨主编/人民文学出版社,1987.5。

中国当代新闻事业史(1949—1988)/方汉奇等主编/新华出版社,1992.12。

中华人民共和国新闻史/张涛著/经济日报出版社,1992.6。

中华人民共和国档案工作纪实(1949—1981)/吴宝康等编/青海人民出版社,1983.7。

中华人民共和国电影事业三十五年(1949—1984)/中国电影家协会电影史研究部编/中国电影出版社,1985.9。

中国外交史:中华人民共和国时期:1949—1979/谢益显主编/河南人民出版社,1988.7。

中国外交 40 年/中央人民广播电台国际部编/沈阳出版社,1989.8。

中华人民共和国对外关系史/外交学院中国对外关系史教研室编/外交学院出版社,1964.3。

建国以来法制建设记事/俞建平等著/河北人民出版社,1986.10。

中国当代哲学(1949—1990)/樊瑞平等著/石油大学出版社,1990.12。

中国哲学四十年(1949—1989)/杨春贵主编/中共中央党校出版社,1983.9。

中国革命史补充参考资料(中华人民共和国的成立和经济恢复时期分册)/中国人民大学中国革命史教研室编/中国人民大学出版社,1953.6。

中华人民共和国建国史手册/倪文忠、谭慕雪编/新华出版社,1989.6。

文坛三公案/戴知贤著/河南人民出版社,1989.3。

滑轨与嬗变/庞松、王东著/河南人民出版社,1989.3。

胡风集团冤案始末/李辉著/人民日报出版社,1989.2。

新中国的诞生/庄永淑著/上海人民出版社,1984.8。

1949—1989 年的中国:凯歌行进的时期/林蕴晖等著/河南人民出版社,1989.12。

开国纪事/纪云著/中国华侨出版社,1949.10。

三年来新中国经济的成就/中国国际贸易促进委员会编/人民出版社,1952.10。

新中国五年来经济建设的成就/杨培新编著/人民出版社,1954.11。

我国第一个五年计划的伟大成就/思英编写/通俗读物出版社,1958.4。

中华人民共和国经济史稿(1949—1957)/孙健著/吉林人民出版社,1980.9。

伟大的抗美援朝运动/中国人民抗美援朝总会宣传部编/人民出版社,1954.4。

抗美援朝史话/胡仲持著/中国青年出版社,1956.9。

中国社会主义时期史稿(第一卷)/王学启等著/浙江人民出版社,1983.6。

中华人民共和国国民经济恢复史(1949—1952)/范守信著/求实出版社,1988.3。

中华人民共和国史稿/河北师范学院历史系三年级集体编写/人民出版社,1958.10。

中华人民共和国大事记(第一册:1949—1952)/南开大学历史系编/河北人民出版社,1958.10。

中华人民共和国大事记(第二册:1953—1956)/南开大学历史系编/河北人民出版社,1958.12。

中华人民共和国大事记(第三册:1956.9—1958.4)/南开大学历史系编/河北人民出版社,1959.12。

中华人民共和国大事记(1949—1980)/新华通讯社国内资料组编/新华出版社,1982.6。

新中国第一志/《新中国第一志》编写组编/河南人民出版社,1986.6。

新中国纪事:1949—1984/郑德荣等主编/东北师范大学出版社,1986.7。

中华人民共和国政治体制沿革大事记(1949—1987)/洪承华、郭秀芝等编/春秋出版社,1987.12。

当代中国四十年纪事:1949—1989/虞宝棠,李学昌主编/上海人民出版社,1990.7。

新中国大事典:1949.9—1989.12/何彦才,高玉春主编/科学技术文献出版社,1990.9。

中华人民共和国大事评述/孙友葵等主编/黑龙江教育出版社,1989.4。

中华人民共和国要事录:1949—1989/刘鲁凤等主编/山东人民出版社,1989.8。

中华人民共和国大事典:1949—1989/段永林主编/吉林人民出版社,1991.2。

中华人民共和国大事日志/王一华著/济南出版社,1992.8。

中华人民共和国大事纪事本末/朱建华等主编/吉林教育出版社,1992.11。

新中国大事辑要/冯鲁岗主编/山东人民出版社,1992.3。

中华人民共和国40年大事记(1949—1989)/中共中央宣传部编/光明日报出版社,1989.9。

中国农业大事记(1949—1980)/农业出版社编/农业出版社,1982.3。

中国农业大事记(1981—1983)/《中国农业年鉴》编辑部编/农业出版社,1985.1。

中华人民共和国经济大事记:1949.10—1984.3/《中华人民共和国经济大事记》编选组编/北京出版社,1985.11。

新中国农村经济大事记:1949.10—1984.9/李德彬等编/北京大学出版社,1989.1。

中华人民共和国经济专题大事记(1949—1966)/赵德馨主编/河南人民出版社,1989.3。

中华人民共和国统计大事记(1949—1991)/张寒主编/中国统计出版社,1992.8。

中华人民共和国经济管理大事记/《当代中国的经济管理》编辑部编/中国经济出版社,1986.12。

中华人民共和国政治体制沿革大事记(1949—1978)/洪永华等编/春秋出版社,1987.12。

中华人民共和国科学技术大事记(1949—1988)/张应常主编/科技文献出版社,1989.9。

中华人民共和国工业大事记/人民日报社国内资料组编/湖南出版社,1992.7。

中华人民共和国大事典(1949—1988)/张宏儒主编/东方出版社,1989.10。

中华人民共和国计量工作大事记(1950—1987)/国家计量局办公室编/中国计量出版社,1988.8。

中华人民共和国对外经济贸易关系大事记(1949—1985)/王和英/对外贸易教育出版社,1987.3。

中华人民共和国法制大事记(1949—1990)/钱辉等主编/吉林人民出版社,1992.2。

中华人民共和国国民经济和社会发展计划大事辑要(1949—1985)/《当代中国的计划工作》办公室编/红旗出版社,1987.12。

中华人民共和国教育大事记(1949—1982)/中央教育科学研究所编/教育科学出版社,1984.1。

中国现代史词典/李盛平主编/中国国际广播出版社,1987.12。

中华人民共和国史辞典/朱建华,郭彬蔚主编/吉林文史出版社,1989.6。

中华人民共和国史辞典/黄文安主编/档案出版社,1989.11。

中华人民共和国大词典/本词典编写组编/中国国际广播出版社,1991.2。

中国现代史辞典/王宗华等主编/河南人民出版社,1991.6。

中华人民共和国史大辞典/张曾藩等主编/黑龙江人民出版社,1992.10。

中华人民共和国大辞典/张克明主编/中国国际广播出版社,1989.1。

中华人民共和国史词典/李宇铭主编/中国国际广播出版社,1989.6。

中华人民共和国国史辞典/黄文安主编/档案出版社,1989.11。

中华人民共和国知识辞典/侯雄飞等主编/西南师范大学出版社,1990.6。

中国政治制度辞典/刘国新主编/中国社会出版社,1990.3。

中华人民共和国开国文献/群众日报社编辑/群众日报社。

政府工作报告汇编(1950)/人民出版社/人民出版社,1951.9。

土地政策法令汇编/东北人民政府农林部编/东北农业出版社,1950.12。

土地改革重要文献汇集/人民出版社编/人民出版社,1951.3。

民族政策文献汇编/人民出版社编/人民出版社,1953.1。

第二次全国民政会议文件汇编/中央人民政府内务部编/人民出版社,1954.6。

中华全国总工会主要文件汇编/中华全国总工会书记处办公室编/工人出版社,1954.8。

中华全国工商业联合会第二届会员代表大会主要文件汇编/中华全国工商业联合会编/财政经济出版社,1957.1

中华人民共和国体育文件汇编(第二集)/人民体育出版社编/人民体育出版社,1957.4。

第一次全国文字改革会议文件汇编/全国文字改革会议秘书处编/文字改革出版社,1957.10。

中华人民共和国第一届全国人民代表大会第三次会议汇刊/中华人民共和国第一届全国人民代表大会第三次会议秘书处编/人民出版社,1957.1。

中华人民共和国对外关系文件集(第一集:1949—1950)/世界知识出版社编/世界知识出版社,1957.10。

中国工会历次全国代表大会文件汇编/中华全国总工会,中国职工运动史研究室编/工人出版社,1957.12。

中华人民共和国对外关系文件集(第二集:1951—1953)/世界知识出版社编/世界知识出版社,1958.2。

中华人民共和国对外关系文件集(第三集:1954—1955)/世界知识出版社编/世界知识出版社,1958.4。

中华人民共和国对外关系文件集(第四集:1956—1957)/世界知识出版社编/世界知识出版社,1988.7。

中华人民共和国体育运动文件汇编(第三辑)/人民体育出版社编/人民体育出版社,1958.4。

全国人民代表大会第二届首次会议重要文件汇编/人民出版社,1959.4。

中华人民共和国对外关系文件集(第3集:1954—1955)/世界知识出版社编/世界知识出版社,1959.4。

中华人民共和国对外关系文件集(第4集:1956—1957)/世界知识出版社编/世界知识出版社,1959.4。

民族政策文件汇编(第3编)/人民出版社。

民族工作文件汇编(第一辑)/吉林省民族事务委员会编/延边人民出版社。

工读教育史/夏秀荣、兰宏生主编/海南出版社,2000.10。

中小学教育史/卓晴君、李仲汉著/海南出版社,2000.9。

中华人民共和国/刘国新编著/中国青年出版社,1995.8。

中华人民共和国 1949—1999 事典/李学昌主编/上海人民出版社,1999.9。

中华人民共和国 1995 年第三次全国工业普查资料汇编:地区卷/第三次全国工业普查办公室编/中国统计出版社,1997.6。

中华人民共和国 1995 年第三次全国工业普查资料汇编:综合·行业卷/第三次全国工业普查办公室编/中国统计出版社,1997.3。

中华人民共和国 1995 年第三次全国工业普查资料摘要/第三次全国工业普查办公室编/中国统计出版社,1996.12。

中华人民共和国 36 位军事家/陈宇编著/上海文艺出版社,2002.7。

中华人民共和国 40 年大事记:1949—1989/黄道霞等主编;中共中央宣传部宣传局编/光明日报出版社,1989.9。

中华人民共和国 50 年回顾与思考/谢忱编著/新华出版社,1999.9。

中华人民共和国 50 年成就大图典/杨正泉主编/人民中国出版社,1999.11。

中华人民共和国 50 年图集:1949—1999/方孔木、林谷良主编;中国革命博物馆编纂/上海人民出版社,1999.9。

中华人民共和国 55 年要览:1949—2004/杨元华等主编;王鸿等撰稿/福建人民出版社,2006.1。

中华人民共和国大事记(1949—2004)/新华日报社编/人民出版社,2004.8。

中华人民共和国大事记(1989—1994)/徐进等主编/科学技术文献出版社,1995。

中华人民共和国大典/《中华人民共和国大典》编委会编/中国经济出版社,1994.6

中华人民共和国工业企业基本概况/中国纺织总会第三次全国工业普查办公室编·上、下册,纺织工业卷/中国统计出版社,1996.12。

中华人民共和国工业企业基本概况·电力工业卷/第三次全国工业普查办公室电力工业部普查领导小组办公室编/中国电力出版社,1996.10

中华人民共和国广播电视简史:1949—2000/徐光春主编;《中华人民共和国广播电视简史》编委会编/中国广播电视出版社,2003.6。

中华人民共和国专题史稿:卷一·开国创业(1949—1956)/郭德宏、王海光、韩钢主编/四川人民出版社,2004.4。

中华人民共和国专题史稿:卷二·曲折探索(1956—1966)/郭德宏、王海光、韩钢主编/四川人民出版社,2004.4。

中华人民共和国专题史稿:卷三·十年风雨(1966—1976)/郭德宏、王海光、韩钢主编/四川人民出版社,2004.4。

中华人民共和国专题史稿:卷五·世纪新篇(1990—2002)/郭德宏、王海光、韩钢主编/四川人民出版社,2004.4。

中华人民共和国专题史稿:卷四·改革风云(1976—1990)/郭德宏、王海光、韩钢主编/四川人民出版社,2004.4。

中华人民共和国历史纪实·大潮涌动:1990—1992/宇剑编/红旗出版社,1994.2。

中华人民共和国历史纪实·内乱骤起:1965—1969/王志明、张北根编/红旗出版社,1994.2。

中华人民共和国历史纪实·开国奠基:1949—1953/王钥编著/红旗出版社,1994.2。

中华人民共和国历史纪实·曲折发展:1958—1965/吕廷煜编/红旗出版社,1994.2。

中华人民共和国历史纪实·闯关奋进:1984—1990/王炳林、徐付群编著/红旗出版社,1994.2。

中华人民共和国历史纪实·改革扬帆:1976—1984/宇剑编著/红旗出版社,1994.2。

中华人民共和国历史纪实·极左哀秋:1973—1976/张丽波、于德宝编/红旗出版社,1994.2。

中华人民共和国历史纪实·凯歌行进:1953—1956/王雯等编著/红旗出版社,1994.2。

中华人民共和国历史纪实·艰苦探索:1956—1958/吕廷煜、韩莺编/红旗出版社,1994.2。

中华人民共和国历史知识问答/陈述主编/中共中央党校出版社,2004.10。

中华人民共和国历史故事/国家教委基础教育司主编/中国少年儿童出版社,1994.1。

中华人民共和国历史简编/陈述著/中共中央党校出版社,2004.10。

中华人民共和国开国文选/中共中央文献研究室编/中央文献出版社,1999.10。

中华人民共和国日史:1949.10—1950/许嘉璐等主编;《中华人民共和国日史》编委会编.1—50 卷/四川人民出版社,2003.8。

中华人民共和国风云实录/苏东海、方孔木主编/河北人民出版社,1994.8。

中华人民共和国主席令(1—4 册)/孙琬钟等/吉林人民出版社,2001.4。

中华人民共和国出版史料·1(1949 年)/中国出版科学研究所、中央档案馆编/中国书籍出版社,1995.5。

中华人民共和国出版史料·2:一九五○年/袁亮主编;中国出版科学研究所、中央档案馆编/中国书籍出版社,1996.6。

中华人民共和国出版史料·3:一九五一年/袁亮主编;中国出版科学研究所、中央档案馆编/中国书籍出版社,1996.7。

中华人民共和国出版史料·4:一九五二年/袁亮主编;中国出版科学研究所、中央档案馆编/中国书籍出版社,1998.3。

中华人民共和国出版史料·5:一九五三年/袁亮主编;中国出版科学研究所、中央档案馆编/中国书籍出版社,1999.1。

中华人民共和国出版史料·6:一九五四年/中国出版科学研究所、中央档案馆编/中国书籍出版社,1999.9。

中华人民共和国出版史料·7:一九五五年/中国出版科学研究所、中央档案馆编/中国书籍出版社,2001.4。

中华人民共和国出版史料·8:一九五六年/中国出版科学研究所、中央档案馆编/中国书籍出版社,2001.10。

中华人民共和国史(2版)/何沁主编/高等教育出版社,1999.9。

中华人民共和国史/何沁主编/高等教育出版社,1997.7。

中华人民共和国史/励维志主编/高等教育出版社,2001.12。

中华人民共和国史:增订本/何理主编;高化民等撰写/中国档案出版社,1995.4。

中华人民共和国史词典:修订版/黄文安主编/中国档案出版社,1994.6。

中华人民共和国史编年:1951年卷/陈东林主编;当代中国研究所编/当代中国出版社,2007.12。

中华人民共和国史简明教材/高平平主编/同济大学出版社,2005.9。

中华人民共和国史稿:序卷/邓力群主编/当代中国出版社,1996.6。

中华人民共和国外汇管理法规汇编(1949.10.1—1997.10.31)/国家外汇管理局编/中国民主法制出版社,1998.1。

中华人民共和国外交大事记:1949年1月至1956年12月·第一卷/宋恩繁、黎家松主编/世界知识出版社,1997.10。

中华人民共和国外交大事记:1957年1月至1964年12月·第二卷/黎家松主编/世界知识出版社,2001.8。

中华人民共和国外交大事记:1965年1月至1971年12月·第三卷/黎家松、廉正保主编/世界知识出版社,2002.10。

中华人民共和国外交大事记:1972年1月至1978年12月·第四卷/廉正保主编/世界知识出版社,2003.12。

中华人民共和国外交史(第一卷):1949—1956/裴坚章主编/世界知识出版社,1994.7。

中华人民共和国外交史(第三卷):1970—1978/王泰平主编/世界知识出版社,1999.9。

中华人民共和国外交史(第二卷):1957—1969/王泰平主编/世界知识出版社,1998.9。

中华人民共和国外交档案选编·第一集:1954年日内瓦会议/廉正保主编;中华人民共和国外交部档案馆编/世界知识出版社,2006.2。

中华人民共和国幼儿教育重要文献汇编/中国学前教育研究会编/北京师范大学出版社,1999.10。

中华人民共和国民事诉讼法/国务院法制办公室编/中国法制出版社,2006.7。

中华人民共和国民法史/何勤华、殷啸虎主编/复旦大学出版社,1999.12。

中华人民共和国边界事务条约集·中印、中不卷/中华人民共和国外交部条约法律司编/世界知识出版社,2004.11。

中华人民共和国边界事务条约集·中吉卷/中华人民共和国外交部条约法律司编/世界知识出版

社,2005.5。

中华人民共和国边界事务条约集·中老卷/中华人民共和国外交部条约法律司编/世界知识出版社,2004.7。

中华人民共和国边界事务条约集·中阿、中巴卷/中华人民共和国外交部条约法律司编/世界知识出版社,2004.11。

中华人民共和国边界事务条约集·中俄卷/中华人民共和国外交部条约法律司编/世界知识出版社,2005.7。

中华人民共和国边界事务条约集·中哈卷/中华人民共和国外交部条约法律司编/世界知识出版社,2005.5。

中华人民共和国边界事务条约集·中塔卷/中华人民共和国外交部条约法律司编/世界知识出版社,2005.5。

中华人民共和国边界事务条约集·中朝卷/中华人民共和国外交部条约法律司编/世界知识出版社,2004.11。

中华人民共和国边界事务条约集·中缅卷/中华人民共和国外交部条约法律司编/世界知识出版社,2004.7。

中华人民共和国边界事务条约集·中越卷/中华人民共和国外交部条约法律司编/世界知识出版社,2004.7。

中华人民共和国边界事务条约集·中蒙卷/中华人民共和国外交部条约法律司编/世界知识出版社,2004.11。

中华人民共和国全记录:1949.10—1999.7(1—5卷)/李罗力、张春雷主编/海天出版社,2000.1。

中华人民共和国全国人民代表大会及其常务委员会大事记·1949—1993/全国人大常委会办公厅研究室编/法律出版社,1994.3。

中华人民共和国全国分县市人口统计资料:1996年度/中华人民共和国公安部编/中国人民公安大学出版社,1997.4。

中华人民共和国全国分县市人口统计资料:2004年度/武冬立主编;中华人民共和国公安部编/群众出版社,2005.9。

中华人民共和国全国分县市人口统计资料:1994年度/中华人民共和国公安部编/群众出版社,1995.6。

中华人民共和国全国分县市人口统计资料:2003年度/武冬立主编;中华人民共和国公安部编/群众出版社,2004.6。

中华人民共和国军事院校教育发展史·武警卷/张广平主编/军事科学出版社,2005.8。

中华人民共和国地方志电子版·河南省志/中国大百科全书出版社,2003.1。

中华人民共和国地名录/中国地名委员会编/中国社会科学出版社,1994.3。

中华人民共和国地图集·二版/中国地图出版社,1994.6。

中华人民共和国地图集/总参谋部测绘局编制/星球地图出版社,2000.5。

中华人民共和国地质矿产史(1949—2000)/朱训、陈洲其主编/地质出版社,2003.8。

中华人民共和国年鉴·2006/中华人民共和国年鉴编辑部编/中国年鉴社,2006.12。

中华人民共和国年鉴·1998/中华人民共和国年鉴编辑部编/中国年鉴社,1999.1。

中华人民共和国年鉴·2000/中华人民共和国年鉴编辑部编/中国年鉴社,2000.12。

中华人民共和国年鉴·2001/中华人民共和国年鉴编辑部编/中国年鉴社,2001.11。

中华人民共和国年鉴·2002/中华人民共和国年鉴编辑部编/中国年鉴社,2002.11。

中华人民共和国百科之最大辞典/张守强、于华夫主编/哈尔滨出版社,1993.1。

中华人民共和国自然地图集/中国科学院编制/中国科学院出版社,1965.10。

中华人民共和国行政区划沿革地图集/陈潮主编/中国地图出版社,2003.10。

中华人民共和国行政区划简册 2000/中华人民共和国民政部编/中国地图出版社,2000.4。

中华人民共和国行政复议法实务全书(上下册)/乔晓阳主编/中国言实出版社,1999.5。

中华人民共和国投资法规文件汇编(上、下)/全国人大内务司法委员会内务室编/地震出版社,2001.5。

中华人民共和国事典/陈明显、罗正楷主编;于国红等撰/中国青年出版社,1994.9。

中华人民共和国典章制度全书(1—6 卷)/中华人民共和国典章制度编委会编/中国民主法制出版社,1999.7。

中华人民共和国国务院令(全四卷)/全国人民代表大会常务委员会法制工作委员会审定/吉林人民出版社,2001.4。

中华人民共和国国务院部门规章:1994/国务院法制局办公室编/中国政法大学出版社,1996.2。

中华人民共和国国史全鉴(1—15 卷)/刘海藩主编;中共中央党校理论研究室编/中央文献出版社,2004.12。

中华人民共和国国史全鉴:全六卷(1949—1995)/本书编委会编/团结出版社,1996.4。

中华人民共和国国史百科全书/邓力群主编/中国大百科全书出版社,1999.7。

中华人民共和国国史纪事/国际文化交流音像出版社,2004.1。

中华人民共和国国家机构通览/程湘清主编/中国民主法制出版社,1998.11。

中华人民共和国国家机构概况/韩晓武编/中国展望出版社,1989.6。

中华人民共和国国家普通地图集/国家地图集编纂委员会编/中国地图出版社,1995.1。

中华人民共和国实录(第 1—5 卷)/刘国新等主编/吉林人民出版社,1994.6。

中华人民共和国实录·第 5 卷,文献与研究,1949—1956/徐达深主编/吉林人民出版社,1994.1。

中华人民共和国法制大事记:1949—1990 /钱辉、毕建林主编/吉林人民出版社,1992.2。

中华人民共和国法制史/杨一凡、陈寒枫主编/黑龙江人民出版社,1996.11。

中华人民共和国法制通史(1949—1995)上下/韩延龙主编/中共中央党校出版社,1998.11。

中华人民共和国经济大事辑要(1978—2001 年)/白和金主编/中国计划出版社,2002.5。

中华人民共和国经济发展全史(1—12 卷)/王博主编/中国经济文献出版社,2006.10。

中华人民共和国经济史/武力主编/中国经济出版社,1999.10。

中华人民共和国经济史:1949—1952 第一卷/吴承明、董志凯主编/中国财政经济出版社,2001.12。

中华人民共和国经济合同法案例评析与实务/李显冬主编;曲润富等撰/经济日报出版社,1994.6。

中华人民共和国经济建设简史:1949—1994/陈国权等主编/中国物资出版社,1995。

中华人民共和国经济档案资料选编:1949—1952·商业卷/中国社会科学院、中央档案馆合编/中国物资出版社,1995.8。

中华人民共和国经济档案资料选编:1949—1952·工业卷/中国社会科学院、中央档案馆合编/中国物资出版社,1996.5。

中华人民共和国经济档案资料选编:1949—1952·对外贸易卷/中国社会科学院、中央档案馆合编/经济管理出版社,1994.9。

中华人民共和国经济档案资料选编:1949—1952·交通通讯卷/中国社会科学院、中央档案馆合编/中国物资出版社,1996.6。

中华人民共和国经济档案资料选编:1949—1952·劳动工资和职工福利卷/中国社会科学院、中央档案馆合编/中国社会科学出版社,1994.8。

中华人民共和国经济档案资料选编:1949—1952·财政卷/中国社会科学院、中央档案馆合编/经济管理出版社,1995.12。

中华人民共和国经济档案资料选编:1949—1952·金融卷/中国社会科学院、中央档案馆合编/中国物资出版社,1996.6。

中华人民共和国政务工作全书(上中下卷)/汪玉凯主编/研究出版社,2001.6。

中华人民共和国政体通鉴·1949年/《中华人民共和国政体通鉴》编辑委员会编/红旗出版社,2003.9。

中华人民共和国政治制度/浦兴祖主编/上海人民出版社,2005.2。

中华人民共和国科技传播史/司有和主编/重庆出版社,2005.10。

中华人民共和国重要教育文献(1998—2002)/何东昌主编、教育部《中华人民共和国重要教育文献》编审委员会/海南出版社,2003.5。

中华人民共和国重要教育文献(1949—1975)/何东昌主编/海南出版社,1998.9。

中华人民共和国重要教育文献(1976—1990)/何东昌主编/海南出版社,1998.9。

中华人民共和国重要教育文献(1991—1997)/何东昌主编/海南出版社,1998.9。

中华人民共和国党政军群领导人名录/本书编辑组编/中共党史出版社,1990.12。

中华人民共和国通鉴/龙德等主编/学苑出版社,1994.5。

中华人民共和国教育历史传统与基础/王炳照等主编/海南出版社,2000.8。

中华人民共和国教育史纲/方晓东等主编/海南出版社,2002.3。

中华人民共和国简史(1949—2007)/金春明著/中共党史出版社,2001.2。

中华人民共和国简史/庞松、陈述著/上海人民出版社,1999.9。

中华人民共和国简史/金春明著/中共党史出版社,2001.2。

中华人民共和国简史(1949—2004)2版/金春明著/中共党史出版社,2004.10。

中华人民共和国跨世纪实用政策全书(上中下册)/中共中央政策研究室综合组编;张勤德主编/世界图书出版公司,1999.9。

中华人民共和国澳门特别行政区基本法/人民出版社,1997.8。

中华人民共和国澳门特别行政区基本法/商务印书馆,1993.4。

元江哈尼族彝族傣族自治县志/云南省元江哈尼族彝族傣族自治县志编纂委员会编/中华书局,1993.6。

历史的跨越:中华人民共和国国民经济和社会发展"一五"至"十一五"规划要览·1953—2010/郭德宏主编/中共党史出版社,2006.3。

少年宫教育史/许德馨主编/海南出版社,2002.3。

民族教育史/朴胜一、程方平著/海南出版社,2001.8。

甘孜州志(上)/甘孜州志编纂委员会编/四川人民出版社,1997.10。

甘孜州志(下)/甘孜州志编纂委员会编/四川人民出版社,1997.10。

甘孜州志(中)/甘孜州志编纂委员会编/四川人民出版社,1997.10。

师范教育史/金长泽、张贵新主编/海南出版社,2002.3。

当代内蒙古简史:1949—1995/王铎主编/当代中国出版社,1998.5。

当代宁夏简史/张远成著/当代中国出版社,2002.10。

当代辽宁简史/朱川、沈显惠主编/当代中国出版社,1999.11。

当代江西简史/本书编委会编/当代中国出版社,2002.4。

当代江苏简史/刘定汉主编/当代中国出版社,1999.2。

当代西藏简史/丹增主编/当代中国出版社,1996.9。

当代浙江简史:1949—1998/中共浙江省委党史研究室、当代浙江研究所编/当代中国出版社,2000.4。

当代湖南简史:1949—1995/《当代湖南简史》编委会编/当代中国出版社,1997.12。

当代新疆简史/党育林、张玉玺主编/当代中国出版社,2003.7。

成人教育史/董明传等著/海南出版社,2002.3。

庐山风云:1959年庐山会议简史/谢春涛著/中国青年出版社,1996.11。

学校艺术教育史/杨力、宋尽贤主编/海南出版社,2002.1。

学校体育史/李晋裕等著/海南出版社,2000.12。

金昌市志/甘肃省金昌市地方志编纂委员会编纂/中国城市出版社,1995.2。

南漳县志/湖北省南漳县地方志编纂委员会编纂/中国城市经济社会出版社,1990.8。

盐城市建设志/《盐城市建设志》编纂委员会编纂/中国城市出版社,1994.12。

高等教育史/郝维谦、龙正中主编/海南出版社,2000.7。

教育国际交流与合作史/于富增等著/海南出版社,2001.8。

职业教育史/闻友信、杨金梅著/海南出版社,2000.9。

辉煌的四十五年:中华人民共和国国史研究论文集/张启华主编/当代中国出版社,1995.1。

福建省志·总概述/福建省地方志编纂委员会编/方志出版社,2002.1。

襄樊市志/湖北省襄樊市地方志编纂委员会编纂/中国城市出版社,1994.12。

文献索引

政　治

中国人民政治协商会议组织法　（1949年9月27日）

中华人民共和国中央人民政府组织法　（1949年9月27日）

四个决议　（1949年9月27日）

中国人民政治协商会议共同纲领　（1949年9月29日）

省各界人民代表会议组织通则　（1949年12月2日）

市各界人民代表会议组织通则　（1949年12月2日）

县各界人民代表会议组织通则　（1949年12月2日）

大行政区人民政府委员会组织通则　（1949年12月16日）

省人民政府组织通则　（1950年1月6日）

市人民政府组织通则　（1950年1月6日）

县人民政府组织通则　（1950年1月6日）

中共中央关于在民族杂居地区成立民族民主联合政府的指示　（1950年4月3日）

中华人民共和国婚姻法　（1950年4月13日）

中央关于慎重处理少数民族问题的指示 （1950 年 6 月 13 日）

农民协会组织通则(节录) （1950 年 7 月 14 日）

人民法庭组织通则 （1950 年 7 月 14 日）

政务院、最高人民法院关于镇压反革命活动的指示(节录) （1950 年 7 月 21 日）

中共中央关于镇压反革命活动的指示 （1950 年 10 月 10 日）

区各界人民代表会议组织通则 （1950 年 12 月 8 日）

区人民政府及区公所组织通则(节录) （1950 年 12 月 8 日）

乡(行政村)人民代表会议组织通则 （1950 年 12 月 8 日）

中华人民共和国惩治反革命条例 （1951 年 2 月 20 日）

中共中央关于进一步加强统一战线工作的指示 （1951 年 2 月 28 日）

中共中央关于积极推进宗教革新运动的指示(节录) （1951 年 3 月 5 日）

政务院关于人民民主政权建设工作的指示(节录) （1951 年 4 月 24 日）

政务院关于处理带有歧视或侮辱少数民族性质的称谓、地名、碑碣、匾联的指示(节录) （1951 年 5 月 16 日）

中共中央关于清理"中层""内层"问题的指示(节录) （1951 年 5 月 21 日）

中央人民政府和西藏地方政府关于和平解放西藏办法的协议 （1951 年 5 月 23 日）

中央统战部关于"民主人士"的定义问题复西北局统战部 （1951 年 6 月 16 日）

城市户口管理暂行条例 （1951 年 7 月 16 日）

政务院、最高人民法院关于清理反革命罪犯积案的指示(节录) （1951 年 8 月 27 日）

中华人民共和国人民法院暂行组织条例(节录) （1951 年 9 月 3 日）

中央人民政府最高人民检察署暂行组织条例 （1951 年 9 月 3 日）

各级地方人民检察署组织通则 （1951 年 9 月 3 日）

外国侨民出入及居留暂行规则 （1951 年 11 月 28 日）

中国人民政治协商会议全国委员会常务委员会关于展开各界人士思想改造的学习运动的决定(节录) （1952 年 1 月 5 日）

中央人民政府政务院关于地方民族民主联合政府实施办法的决定 （1952 年 2 月 22 日）

中央人民政府政务院关于保障一切散居的少数民族减分享有民族平等权利的决定 （1952 年 2 月 22 日）

中华人民共和国民族区域自治实施纲要 （1952 年 2 月 22 日）

中华人民共和国惩治贪污条例 （1952 年 4 月 2 日）

管制反革命分子暂行办法(节录) （1952 年 6 月 27 日）

治安保卫委员会暂行组织条例 （1952 年 6 月 27 日）

关于民主党派的决定(节录) （1952 年 6 月）

中央人民政府关于改变大行政区人民政府(军政委员会)机构与任务的决定(节录) （1952 年 11 月 15 日）

中华人民共和国全国人民代表大会及地方各级人民代表大会选举法 （1953 年 2 月 11 日）

全国统战工作会议关于人民代表大会制实行后统一战线组织问题的意见(节录) （1953 年 7 月）

中央人民政府关于撤销大区一级行政机构和合并若干省、市建制的决定(节录) （1954 年 6 月 19 日）

外国侨民居留登记及居留证签发暂行办法 （1954 年 8 月 10 日）

外国侨民出境暂行办法(节录) （1954 年 8 月 10 日）

中华人民共和国宪法(节录) （1954 年 9 月 20 日）

中华人民共和国全国人民代表大会组织法　(1954 年 9 月 20 日)

中华人民共和国国务院组织法　(1954 年 9 月 21 日)

中华人民共和国人民法院组织法　(1954 年 9 月 21 日)

中华人民共和国人民检察院组织法　(1954 年 9 月 21 日)

中华人民共和国地方各级人民代表大会和地方各级人民委员会组织法　(1954 年 9 月 21 日)

中国人民政治协商会议章程　(1954 年 12 月 24 日)

街道办事处组织条例　(1954 年 12 月 31 日)

城市居民委员会组织条例　(1954 年 12 月 31 日)

中央关于统一战线工作的指示(节录)

中央关于彻底肃清暗藏的反革命分子的指示　(1955 年 8 月)

中央批准中央十人小组关于反革命分子和其他坏分子的解释及处理的政策界限的暂行规定
(1956 年 3 月)

中央统战部关于统战部门进行对知识分子的统一战线工作的意见(节录)　(1956 年 5 月)

经　济

中华全国总工会关于劳资关系暂行处理办法　(1949 年 11 月 22 日)

关于 1950 年度全国财政收支概算草案的报告(节录)　(1949 年 12 月 2 日)

中央人民政府委员会关于发行人民胜利折实公债的决定　(1949 年 12 月 2 日)

政务院关于全国税收实施要则(节录)　(1950 年 1 月 31 日)

政务院关于关税政策和海关工作的决定(节录)　(1950 年 1 月 27 日)

政务院关于统一国家财政经济工作的决定(节录)　(1950 年 3 月 3 日)

政务院关于中央金库条例　(1950 年 3 月 3 日)

政务院关于统一管理一九五〇年度财政收支的决定(节录)　(1950 年 3 月 24 日)

劳动部关于在私营企业中设立劳资协商会议的指示　(1950 年 4 月 2 日)

中共中央关于手工业政策的指示(节录)　(1950 年 6 月 12 日)

中华人民共和国工会法(节录)　(1950 年 6 月 28 日)

中华人民共和国土地改革法　(1950 年 6 月 28 日)

政务院关于划分农村阶级成分的决定(节录)　(1950 年 8 月 4 日)

私营企业暂行条例　(1950 年 12 月 19 日)

政务院关于一九五一年农村生产的决定(节录)　(1951 年 2 月 2 日)

中华人民共和国禁止国家货币出入国境办法　(1951 年 3 月 6 日)

政务院关于划分中央与地方在财政经济工作上管理职权的决定(节录)　(1951 年 5 月 4 日)

关于一九五一年度国家预算的执行情况的报告(摘要)　(1951 年 8 月 6 日)

中共中央关于农业互助合作的决议(草案)　(1951 年 12 月 15 日)

中共中央关于立即抓紧"三反"斗争的指示　(1952 年 1 月 4 日)

中共中央关于首先在大中城市开展"五反"斗争的指示　(1952 年 1 月 26 日)

中共中央关于中小贪污分子分别处分问题的补充指示　(1952 年 2 月 9 日)

中共中央关于在"五反"运动中对工商区分类分的标准和办法　(1952 年 3 月 5 日)

中央节约检查委员会关于处理贪污、浪费及克服官僚主义错误的若干规定（节录）　（1952 年 3 月 8 日）

关于"五反"运动中成立人民法庭的规定　（1952 年 3 月 21 日）

关于"三反"运动中成立人民法庭的规定　（1952 年 3 月 28 日）

政务院关于劳动就业问题的决定（节录）　（1952 年 7 月 25 日）

中共中央批转安子文《关于结束"三反"运动和处理遗留问题的报告》　（1952 年 10 月 25 日）

中共中央批转廖鲁言《关于结束"五反"运动和处理遗留问题的报告》　（1952 年 10 月 25 日）

中共中央关于农业税收问题的指示　（1952 年 11 月 12 日）

关于 1952 年国家预算执行的预计情况（节录）　（1953 年 2 月 12 日）

政务院关于实行粮食的计划收购和计划供应的命令（节录）　（1953 年 11 月 19 日）

中共中央关于发展农业生产合作社的决议（节录）　（1953 年 12 月 16 日）

中共中央农村工作部关于目前各地建立农业生产合作社情况与问题向中央的报告（节录）　（1954 年 2 月 12 日）

关于 1953 年国家预算执行情况　（1954 年 6 月）

公私合营工业企业暂行条例　（1954 年 9 月 2 日）

政务院关于实行棉布计划收购和计划供应的命令（节录）　（1954 年 9 月 9 日）

政务院关于实行棉花计划收购的命令　（1954 年 9 月 9 日）

政务院关于设立中国人民建设银行的决定　（1954 年 9 月 9 日）

国家统计局关于 1952 年国民经济和文化教育恢复和发展情况的公报（节录）　（1954 年 9 月）

中共中央关于整顿和巩固农业生产合作社的通知　（1955 年 1 月 10 日）

国务院关于发行新的人民币和回收现行的人民币的命令　（1955 年 2 月 21 日）

国务院关于贯彻保护侨汇政策的命令　（1955 年 2 月 23 日）

中共中央关于在少数民族地区进行农业社会主义改造问题的指示　（1955 年 2 月 25 日）

关于一九五四年国家决算的报告（节录）　（1955 年 7 月 6 日）

农村粮食统购统销暂行办法（节录）　（1955 年 8 月 5 日）

市镇粮食定量供应暂行办法　（1955 年 8 月 5 日）

国务院"关于国家机关工作人员全部实行工资制和改行货币工资制的命令"　（1955 年 8 月 31 日）

农业生产合作社示范章程草案（节录）　（1955 年 11 月 9 日）

国务院关于在公私合营企业中推行定息办法的规定　（1956 年 2 月 8 日）

国务院关于目前私营工商业和手工业的社会主义改造中若干事项的决定（节录）　（1956 年 2 月 8 日）

中央关于在农业生产合作社扩大合并和升级中有关生产资料的若干问题的处理办法的规定（节录）　（1956 年 3 月 5 日）

国务院关于检查第一个五年计划执行情况的几次规定（节录）　（1956 年 6 月 1 日）

高级农业生产合作社示范章程（节录）　（1956 年 6 月 30 日）

中央关于公私合营企业定息办法的若干指示　（1956 年 7 月）

中共中央关于安排原私营企业实行公私合营时候的私方在职人员的指示（节录）

三

文化　教育　科技

政务院文化教育委员会关于中国科学院基本任务的指示（节录）　（1950 年 6 月 14 日）

教育部关于实施高等学校课程改革的决定　（1950 年 7 月）

政务院关于高等学校领导关系的决定　（1950 年 8 月 2 日）

教育部关于加强学校政治思想教育的领导的指示　（1950 年 10 月 13 日）

政务院关于改进和发展全国出版事业的指示　（1950 年 10 月 28 日）

政务院关于处理接受美国津贴的文化教育救济机关及宗教团体的方针的决定　（1950 年 12 月 29 日）

政务院关于戏曲改革工作的指示（节录）　（1951 年 5 月 5 日）

政务院关于改革学制的决定　（1951 年 8 月 10 日）

中共中央关于在文学艺术界开展整风学习运动的指示　（1951 年 11 月 26 日）

中共中央关于在学校中进行思想改造和组织清理工作的指示（节录）　（1951 年 11 月）

中共中央关于宣传文教部门应无例外地进行"三反"运动的指示　（1952 年 1 月 22 日）

中共中央批转中央宣传部《关于〈学习〉杂志错误的检讨》　（1952 年 4 月 4 日）

政务院关于建立民族教育行政机构的决定　（1952 年 4 月 16 日）

中央关于在科学院进行思想改造运动的方针问题给华东局宣传部的复示（节录）　（1952 年 6 月）

文化部关于整顿和加强全国剧团工作的指示（节录）　（1952 年 12 月 26 日）

中共中央关于培养高等、中等学校马克思列宁主义理论师资的指示（节录）　（1952 年 9 月 1 日）

中共中央转发中央教育部党组《关于在高等学校试行政治工作制度的报告》　（1952 年 9 月 2 日）

中共中央对《中央文化部党组关于目前文化艺术工作状况和今后改进意见的报告》的批示（节录）（1954 年 1 月 8 日）

中共中央关于在干部和知识分子中组织宣传唯物主义思想批判资产阶级唯心主义思想的演讲工作的通知（节录）　（1955 年 1 月）

中央批发中央宣传部关于开展批判胡风思想的报告的批示　（1955 年 1 月）

中共中央关于宣传唯物主义思想批判资产阶级唯心主义思想的指示（节录）　（1955 年 3 月 1 日）

关于"胡风反革命集团的材料"的序言　（1955 年 6 月 15 日）

中共中央批转中央宣传部《关于胡适思想批判运动的情况和今后工作的报告》（节录）　（1955 年 5 月）

国务院关于各少数民族创立和改革文字事案的批准程序和实验推行分工的通知　（1956 年 3 月 10 日）

#

军　事

军委主席毛泽东关于组成中国人民志愿军的命令　（1950 年 10 月 8 日）

国防部关于蒋军起义、投诚人员的政策及奖励办法的通告　（1955 年 1 月 1 日）

中国人民解放军军官服役条例　（1955 年 2 月 8 日）

中华人民共和国授予中国人民解放军在中国人民革命战争时期有功人员的勋章奖章条例　（1955 年 2 月 12 日）

中华人民共和国兵役法　（1955 年 7 月 30 日）

全国人民代表大会常务委员会关于授予中华人民共和国元帅军衔的决议　（1955 年 9 月 23 日）

全国人民代表大会常务委员会关于授予在中国人民革命战争时期有功人员一级八一勋章、一级独

立自由勋章、一级解放勋章的决议 （1955 年 9 月 23 日）

毛泽东发布授予元帅军衔和勋章的两项命令 （1955 年 9 月 23 日）

全国人民代表大会常务委员会决定授予元帅军衔和勋章人员的名单 （1955 年 9 月 23 日）

五

外 交

中央人民政府外交部长周恩来致各国政府公函 （1949 年 10 月 1 日）

外交部长周恩来要求取消所谓"中国国民政府代表团"参加联合国的一切权利致联合国秘书长电 （1949 年 11 月 5 日）

外交部长周恩来否认所谓"中国国民政府代表团"在联合国大会的合法地位致联合国大会主席电 （1949 年 11 月 5 日）

外交部长周恩来关于国民党反动军队逃往国外越南等地的声明 （1949 年 11 月 29 日）

外交部长周恩来要求安全理事会开除国民党代表致联合国电 （1950 年 1 月 8 日）

外交部长周恩来通知任命张闻天为中国出席联合国首席代表致联合国电 （1950 年 1 月 19 日）

外交部发言人关于西藏问题的谈话 （1950 年 1 月 20 日）

中苏两国关于缔结友好同盟互助条约及协定的公告 （1950 年 2 月 14 日）

关于创办两个中苏股份公司的协定 （1950 年 3 月 27 日）

关于创办中苏民用航空股份公司的协定 （1950 年 3 月 27 日）

外交部长周恩来斥责美国武装侵略中国领土台湾的声明 （1950 年 6 月 28 日）

外交部长周恩来斥责安全理事会对朝鲜问题的决议以及美国侵犯中国领土台湾致联合国电 （1950 年 7 月 6 日）

外交部长周恩来为控诉美国武装侵略台湾并要求安全理事会制裁美国致联合国电 （1950 年 8 月 24 日）

外交部长周恩来通知任命张闻天等五人为中国出席联合国大会第五届会议代表致联合国秘书长电 （1950 年 8 月 26 日）

伍修权在纽约成功湖记者招待会上的讲话 （1950 年 12 月 16 日）

政务院关于管制、清查美国财产和冻结美国公私存款的命令 （1950 年 12 月 28 日）

周恩来外长关于美英对日和约草案及旧金山会议的声明 （1951 年 8 月 15 日）

外交部长周恩来在日内瓦会议上的发言（节录） （1954 年 4 月 28 日）

中印两国总理联合声明（节录） （1954 年 6 月 28 日）

中苏关于苏联军队自共同使用的中国旅顺口海军根据地撤退并将该根据地交由中华人民共和国完全支配的联合公报 （1954 年 10 月 10 日）

中苏关于将各股份公司中的苏联股份移交给中华人民共和国的联合公报 （1954 年 10 月 12 日）

外交部长周恩来关于美蒋"共同防御条约"的声明 （1954 年 12 月 8 日）

中印关于印度政府将其在中国西藏地方所经营的邮政、电报、电话等企业及其设备和驿站及其设备交给中国政府所有的公报 （1954 年 4 月 1 日）

中华人民共和国主席毛泽东关于结束中华人民共和国同德国之间的战争状态的命令 （1955 年 4 月 7 日）

周恩来总理在亚非会议全体会议上的补充发言 （1955 年 4 月 19 日）

外交部就美国拖延中美会议发表的声明　（1956 年 3 月 4 日）

中华人民共和国政府和苏维埃社会主义共和国政府联合公报（节录）（1956 年 4 月 7 日）

全国人民代表大会常务委员会关于处理在押日本侵略中国战争中战争犯罪分子的决定（节录）（1956 年 4 月 26 日）

外交部发言人关于南沙群岛主权问题的声明　（1956 年 5 月 29 日）

周恩来总理兼外交部长在第一届全国人大第三次会议上的发言（节录）（1956 年 6 月 28 日）

全国人民代表大会常务委员会关于支持苏联最高苏维埃向各国议会呼吁裁军的决议　（1956 年 9 月 14 日）